Anthologie

de textes littéraires

du Moyen Âge au XXe siècle

du Moyen Âge
au XXe siècle

Sous la direction
de Bernard ALLUIN
Professeur à l'Université de Lille III

Michel AULAS
Professeur agrégé
au Lycée Châtelet
de Douai

Anne-Laure BRISAC
Professeur agrégé
en Première Supérieure
au Lycée Guez de Balzac
d'Angoulême

Bruno BLANCKEMAN
Professeur agrégé
au Lycée André Malraux
de Montereau
Chargé de cours
à l'Université de Paris III

Christian MEURILLON
Maître de Conférences
à l'Université de Lille III

HACHETTE
Éducation

Illustration couverture : Louis DAVID, *Antoine de Lavoisier et sa femme,* détail New York, Metropolitan Museum. Photo Josse.
Maquette intérieure et couverture : Evelyn AUDUREAU
Mise en pages : Denise GAILLARD
Iconographie : Édith GARRAUD
               Nicole LAGUIGNÉ
               Anne MENSIOR

© HACHETTE LIVRE 1998, 43, Quai de Grenelle, 75905 Paris Cedex 15
ISBN 978.2.01.135104.5

Avant-propos

Cette anthologie constitue un manuel unique d'étude de la littérature française. Les élèves de Seconde et de Première peuvent ainsi appréhender, de façon cohérente, l'Histoire littéraire dans sa continuité et recourir au même livre pour approfondir, en Première, les connaissances acquises en Seconde.

Le plan de l'ouvrage est simple : ses six parties correspondent à la période du Moyen Âge et aux cinq siècles qui suivent. À l'intérieur de chaque partie, les auteurs sont classés de façon purement chronologique, en fonction de la date de publication (et parfois de rédaction) de la première de leurs œuvres marquantes. Chaque partie s'ouvre sur une page intitulée « Repères historiques » où les principaux événements de la période considérée sont brièvement et clairement exposés : on a préféré le récit à la simple énumération de dates. Suit l'évocation des « contextes » qui renseigne l'élève sur les conditions matérielles de la production littéraire ou de la représentation théâtrale, sur le statut des écrivains, sur l'histoire des idées et celle de la création artistique. Il est important en effet, pour le public des jeunes, d'inscrire l'étude des textes littéraires dans le temps historique.

Les notions indispensables concernant les « mouvements » littéraires sont évoquées dans des « fiches » simples et claires qui parsèment l'ouvrage. Conçues pour être lues et comprises par des élèves, elles s'en tiennent à quelques éléments essentiels. Des « encadrés » courts, qui attirent l'œil, permettent au lecteur de mémoriser des notions simples : en quelques lignes, il apprendra ainsi ce qu'est un « roman picaresque », un « moraliste », une « ballade », ou en quoi consistent « la règle des trois unités », l' « épicurisme », etc.

Le choix des extraits est suffisamment éclectique pour convenir à des publics différents. On trouvera à la fois des textes qui habitent la mémoire de chacun (mais pas encore celle du jeune public), et des textes qui se situent en dehors des sentiers battus. On découvrira ou on redécouvrira des écrivains du XXᵉ siècle, voire de l'époque tout à fait contemporaine, qui figurent ici en nombre important, mais on pourra lire aussi des extraits nombreux d'auteurs du passé, extraits choisis de manière à donner une idée précise de l'ensemble de leur œuvre.

La mise en pages a été conçue dans une intention pédagogique. La lecture méthodique implique de multiples investigations qui portent sur l'ensemble d'un texte. Il a donc été fait en sorte, à de très rares exceptions près, que les élèves puissent appréhender chaque extrait d'un seul regard, sans avoir à tourner la page.

Quant aux questionnaires qui accompagnent les textes, ils répondent à un triple objectif : inviter l'élève à réagir spontanément à la lecture d'un texte ; l'inciter à procéder à une lecture méthodique en partant de l'analyse des formes pour expliciter des significations ; l'habituer à dégager les caractéristiques essentielles d'un poème, d'une page de roman ou d'une scène de théâtre. Enfin les documents iconographiques pourront être l'occasion de rapprochements entre littérature et peinture et d'une initiation à la connaissance d'œuvres d'art.

Nous souhaitons que cet ouvrage procure à ses lecteurs le même plaisir que ses auteurs ont eu à le faire.

Les Auteurs

N.B. Nous remercions vivement Colette Barféty, Georges Dottin, Aimé Petit et François Suard, ainsi qu'André Billaz, Alain Heyvart et Christian Morzewski, qui ont accepté de relire certaines pages de ce manuel et qui nous ont fait de très utiles suggestions.

SOMMAIRE

Le Moyen Âge

Le XVIᵉ siècle

Le XVIIe siècle

Le XVIIIe siècle

Le XIXe siècle

Le XXe siècle

Moyen Âge

...patiņi pergameņsis clariſſimi orato'
...ſcolar; liber foeliciter incipit.

A udeo plurimum ac lætor in
ea te ſententia eſſe 'ut nihil a
me fieri ſine cauſa putes·Ego
eni etſi multor; uerebat ſuſpi
tores, q̃ a me ſemproniū antiquū fami'
...meū reiiciebā 'tamē cū ad incredibi
...mi tui ſapiētiā iudiciū meū refere'
...nihil erat q̃re id a te improbari pu'
...Nam cum & meos noſſes mores'·&
...ns naturā ñ ignorares'ñ dubitabā qd
...facto meo iudicaturus eſſes· Non
...hac ad te ſcribo l̃ras,quo nouam tibi
...bus a me geſtis opinionem faciā 'ſed
...quando aliter homies noſtros de me
...intelliges' tu q̃ probe cauſam meā
...defenſ ionē meā ſuſcipias·Hæc ſi fe'
...nihil eſt quo ulterius officium tu'
...requiram· Vale ;

Le Moyen Âge
Repères historiques

476-987

Les Mérovingiens et les Carolingiens : peu après la chute de l'Empire romain (476), Clovis (vers 481-511), roi franc, petit-fils de Mérovée, conquiert la plus grande partie de la Gaule et inaugure la dynastie des Mérovingiens. Celle-ci laisse place à la dynastie des Carolingiens, à partir de 751, au moment où Pépin le Bref, petit-fils de Charles Martel (qui arrête les Arabes près de Poitiers vers 732) devient roi. Son fils, Charlemagne règne de 768 à 814.

987-1328

Les Capétiens : en 987, le roi Louis V, dernier des Carolingiens, meurt sans enfant. Les grands seigneurs choisissent, pour lui succéder, Hugues Capet, le duc des Francs. Ainsi naît la dynastie des Capétiens, marquée en particulier par le règne de Philippe Auguste (1180-1223) qui s'empare de la Normandie, de l'Anjou et du Poitou, possessions anglaises, bat les Anglais et leurs alliés à Bouvines en 1214 et accroît considérablement la dimension du domaine royal.

Le règne des Capétiens est marqué par les Croisades, expéditions militaires organisées pour délivrer Jérusalem et la Terre sainte qui se trouvent aux mains des « Infidèles » – les Turcs. Il s'agit aussi de ménager certains intérêts politiques ou économiques. La première croisade commence en 1056, la huitième et dernière s'achève en 1291 par la perte définitive de Jérusalem. Plusieurs rois de France participent à ces croisades. Élan de foi et goût de l'aventure lanceront ainsi sur les routes des générations de chevaliers et de pèlerins.

1328-1459

Les Valois : Charles IV, le dernier Capétien en ligne directe, meurt en 1328. Le fils du roi d'Angleterre, neveu de Charles IV, peut prétendre à sa succession. Les barons de France, quant à eux, désignent comme héritier Philippe de Valois, cousin du roi décédé. Cette décision, jointe à un désir d'accroître son influence en Flandre, pousse le roi d'Angleterre à provoquer la guerre, qui éclate en 1337. La guerre, dite « guerre de Cent Ans », tourne finalement à l'avantage des Anglais jusqu'à l'intervention décisive de Jeanne d'Arc (de 1429 à 1431) qui délivre Orléans, convainc le roi de se faire « sacrer » à Reims, et rend ainsi confiance aux Français. Jeanne est capturée et brûlée comme sorcière à Rouen, mais en 1453, les Anglais sont chassés de France (sauf de Calais).

Cette période est également marquée par la rivalité entre les rois de France et les puissants ducs de Bourgogne. Cette rivalité dure jusqu'à la mort du duc de Bourgogne, Charles le Téméraire (1477). Louis XI (1461-1483) agrandit le domaine royal par la guerre ou par le jeu des héritages. Se renforce en France le sentiment d'appartenance à une nation.

L'année 1347 voit apparaître en Europe une terrible épidémie de peste qui fait 40 millions de victimes.

Le Moyen Âge
Contextes

La société du Moyen Âge

La société du Moyen Âge est constituée de trois « ordres », c'est-à-dire de trois groupes qui correspondent à trois grands domaines de l'activité à cette époque : la guerre, la prière, le travail.

CEUX QUI COMBATTENT, « bellatores », constituent une élite, répartie, dans le cadre du système féodal, entre suzerains et vassaux. Le seigneur, suzerain, protège et défend ses vassaux, leur donne un « fief », source de revenus ; les vassaux s'engagent à servir leur seigneur, à l'aider militairement, voire financièrement : ils lui jurent obéissance et fidélité lors d'une cérémonie appelée « hommage ». Un suzerain est aussi le vassal d'un seigneur plus puissant, ceci jusqu'au roi. Ce système féodal crée progressivement une classe aristocratique constituée de seigneurs et de chevaliers.

Le Roman de Tristan. Tournoi des Chevaliers de la Table ronde.
Chantilly, musée Condé. Photo © Dagli Orti.

CEUX QUI PRIENT, « oratores », sont soumis à l'autorité et à la juridiction de l'Église : ce sont les « clercs », évêques, curés, moines mais aussi tous ceux qui, dans le cadre de l'Église, ont entrepris des études même si, ensuite, ils ne prononcent pas de vœu.

CEUX QUI TRAVAILLENT, « laboratores », sont les paysans, soumis à l'autorité du seigneur à qui ils versent des redevances, mais aussi les habitants des villes, artisans, marchands ; ces derniers s'organisent pour acquérir des privilèges économiques et juridiques : c'est l'apparition des « bourgeois » qui vont progressivement assumer le pouvoir dans les cités.

CRESCENZI, *Le Rustican.* Les douze travaux des mois (détail). 1460. Chantilly, musée Condé. Photo © Giraudon.

L'importance de la culture chrétienne

LA CULTURE CHRÉTIENNE CONSTITUE UN ÉLÉMENT UNIFICATEUR DE CETTE SOCIÉTÉ. Elle est à l'origine de nombreuses réalisations artistiques : édification de cathédrales et d'églises romanes puis gothiques, création de sculptures ou de fresques à sujet religieux, peintures de tableaux, de retables, élaboration de vitraux pour les églises, etc. Durant le Haut Moyen Âge, l'Église a conservé l'héritage culturel de l'Antiquité : ses écoles constituent ainsi un creuset où s'élabore une culture nouvelle. Les clercs, qui ne sont pas toujours prêtres, sont les « intellectuels » de l'époque (même si le mot n'existe pas encore). Nourris de culture latine, ils commentent les textes anciens, connaissent la sagesse antique et s'efforcent de la concilier avec les enseignements de l'Église ; ils collaborent ainsi avec des laïcs qui souhaitent créer une culture profane, et, souvent au service d'un seigneur, ils sont amenés à faire œuvre de traducteurs, d'adaptateurs ou d'auteurs.

La tradition orale

NOTRE LITTÉRATURE FUT D'ABORD DE NATURE ORALE : les premiers grands textes littéraires de notre histoire sont des « chansons de geste » : terme qui souligne le caractère oral, et versifié, de ces récits. Le « jongleur », sur les places publiques ou dans les cours des châteaux, propose des danses, des exercices d'acrobatie, des airs de musique, mais aussi le récit d'histoires ou la récitation de poèmes appris par cœur. Ainsi s'explique l'importance, dans les chansons de geste par exemple, de formules répétitives qui aident la mémoire du jongleur en scandant son récit. La transmission orale des récits ou des poèmes est à la source de multiples modifications de textes : le jongleur est en effet amené à les remanier, à les adapter à son public, voire à y introduire des morceaux de son invention.

JEAN DE SALISBURY, *La Policratique*. Le Roi Charles V dans sa librairie. Manuscrit du XIVe s. Paris, Bibliothèque nationale de France. Photo © B.n.F.

Les manuscrits

LES TEXTES SE TRANSMETTENT NATURELLEMENT AUSSI PAR LES MOYENS DE L'ÉCRIT. Mais la technique de l'imprimerie n'existe pas : l'invention de Gutenberg n'aura d'effet qu'après 1450. On copie donc les textes à la main, exemplaire par exemplaire : c'est le rôle des « copistes » et des ateliers de copistes. Le copiste, comme le jongleur, peut être à la source de modifications du texte « premier » : il peut commettre des erreurs de transcription, ajouter des fragments de son cru, supprimer des séquences qu'il estime inutiles ou inadaptées, remanier l'œuvre en fonction de sa propre culture. À partir du XIIIe siècle, le copiste rassemble parfois les histoires qui concernent un même héros, cherche à les harmoniser entre elles, à constituer une cohérence, voire à les adapter au goût du public. Tout ceci explique l'existence de nombreuses versions d'une même œuvre, et donc de nombreux manuscrits qui, concernant le même texte, diffèrent sensiblement les uns des autres.

Il convient enfin de préciser le rôle artistique des copistes, qui illustrent le manuscrit de nombreuses miniatures, appelées « enluminures », et qui en font de véritables objets d'art.

Naissance de la langue française

LE FRANÇAIS EST UNE LANGUE « ROMANE » QUI VIENT ESSENTIELLEMENT DU LATIN, langue des « Romains », tout comme l'italien, l'espagnol ou le roumain. Le latin utilisé par les Gaulois après les conquêtes de César est une langue déjà profondément transformée par les habitudes phonétiques de ce peuple et par le contact avec d'autres idiomes. Les déformations de ce latin, appelé « latin vulgaire », aboutissent à la formation de divers dialectes, qu'on répartit en fonction de leurs ressemblances et de leur appartenance géographique, en langue d'oïl (langues où « oui » se dit « oïl »), pratiquées au nord, et en langue d'oc (langues où « oui » se dit « oc »), parlées au sud. C'est l'un des dialectes de la langue d'oïl, le francien, qui va s'imposer.

Plusieurs étapes marquent l'évolution de la langue. Le latin vulgaire se transforme d'abord en roman, langue intermédiaire : le premier texte connu, écrit en langue romane, se trouve dans les « serments de Strasbourg » (842) : serments échangés lors du partage de l'empire de Louis le Pieux, fils de Charlemagne. De la langue romane naîtra l'ancien français, utilisé dans nos textes du Xe au XIIIe siècles, puis le moyen français qui, aux XIVe et XVe siècles, voit disparaître toute déclinaison. Le français moderne ne se fixe qu'au XVIIe siècle.

La Chanson de Roland

(autour de 1150)

La Chanson de Roland, *la première de nos chansons de geste, évoque un épisode de l'équipée militaire de Charlemagne contre les mulsumans d'Espagne. Nous en sommes au moment où les « païens », très nombreux, attaquent, à Roncevaux, l'arrière-garde de Charlemagne ; celle-ci est conduite par son neveu Roland, accompagné d'Olivier. Roland pourrait appeler son oncle à l'aide, comme convenu, en sonnant du cor, mais il s'y refuse.*

« Vitrail de Charlemagne », XIIIe s., Chartres. Photo © Belzeaux-Rapho.

LXXXII

Olivier dit : « Que de païens j'ai vus !
Jamais nul homme en terre n'en vit plus.
Ils sont bien là cent mille avec écus[1],
Heaumes[1] lacés, de blancs haubers[1] vêtus,
5 Lances en l'air et bruns épieux luisants.
Vous connaîtrez combat sans précédent.
Seigneurs Français, Dieu vous donne vertu[2] !
Tenez au champ, pour n'être pas vaincus ! »
Français s'écrient : « Malheur à qui fuira !
10 S'il faut mourir, nul ne vous manquera ! »

LXXXIII

Olivier dit : « Les païens sont bien forts,
Et nos Français bien peu pour cet effort.
Ami Roland, sonnez de votre cor !
Charle entendra, ramènera l'armée. »
15 Roland répond : « Je ne serais qu'un fou.
En douce France adieu ma renommée !
Non ! Durendal[3] frappera de grands coups ;
Sanglant sera son fer jusques à l'or.
Pour leur malheur païens viennent aux ports[4] :
20 Je vous le dis, tous sont jugés à mort.

LXXXIV

– Ami Roland, sonnez de l'olifant[5] !
Charle entendra, ramènera l'armée.
Barons et roi viendront, nous secourant.
– Au seigneur Dieu ne plaise, dit Roland,
25 Que mes parents pour moi se voient blâmés,
Et que la honte en vienne à douce France !
Non ! Durendal frappera d'importance,
Ma bonne épée, que j'ai ceinte au côté ;
Vous en verrez le fer ensanglanté.
30 Pour leur malheur païens sont assemblés :
Je vous le dis, tous sont à mort livrés.

LXXXV

– Ami Roland, sonnez votre olifant !
Charle entendra, qui est aux ports passant.
Je garantis que reviendront les Francs.
35 – Ne plaise à Dieu, répond le preux Roland.
Qu'il soit redit par nul homme vivant
Que pour païens on m'ait ouï cornant !
Nul n'en fera reproche à mes parents.
Quand je serai dans la bataille, alors
40 Je frapperai mille coups et sept cents ;

La Chanson de Roland.

---

1. Écus : boucliers ; heaumes : casques ; haubers : chemises de mailles.

2. Courage.

3. *Durendal* est le nom que porte l'épée de Roland.

4. Cols de montagne.

5. Cor.

Questions

1. Relevez les éléments du grandissement épique. Relevez quelques formules caractéristiques du récit épique (après avoir lu la fiche ci-contre).

2. Expliquez, en vous appuyant sur les données du texte, ce qui différencie les deux personnages l'un de l'autre.

3. L'épopée transforme ici les données de l'Histoire : ce sont en fait des Basques (chrétiens), et non des païens, qui ont attaqué l'arrière-garde de Charlemagne à Roncevaux. À quoi correspond, selon vous, cette transformation ?

ÉPOPÉE, HÉROS ÉPIQUE, GENRE ÉPIQUE

◼ Histoire du genre épique

On appelle épopée un récit poétique d'aventures héroïques, librement inspiré d'événements historiques ou légendaires. Les premières épopées de la littérature occidentale sont, au VIIIe siècle av. J.-C., deux œuvres attribuées à Homère : l'*Iliade,* qui a pour sujet des épisodes de la guerre de Troie et l'*Odyssée* qui raconte le long périple qu'Ulysse effectue, au retour de cette guerre, avant de rentrer dans son pays. Au Ier siècle, le poète latin Virgile écrit l'*Énéide,* épopée qui narre les voyages effectués et les guerres menées par son héros, Énée. L'épopée revêt, dans la littérature française du Moyen Âge, la forme de la « chanson de geste » qui chante, en les transfigurant, les « *gesta* », c'est-à-dire les hauts faits de grands personnages historiques. *La Chanson de Roland* en constitue un des exemples les plus connus. Composée au XIe siècle, elle évoque l'expédition militaire au cours de laquelle Charlemagne franchit les Pyrénées pour assiéger Saragosse occupée par les Sarrasins, des païens, avant d'être contraint de se replier rapidement et de rentrer en France. Le récit met en valeur les combats menés par les héros Roland et Olivier. Au XVIe siècle, Agrippa d'Aubigné, écrivant *Les Tragiques,* s'inspire d'événements contemporains, les guerres de Religion. Des écrivains comme Ronsard ou Voltaire, souhaitant cultiver un genre considéré comme un des plus nobles de la littérature, composent des poèmes épiques qui seront diversement appréciés. C'est avec Hugo que l'épopée retrouve un grand souffle : dans *La Légende des siècles,* l'écrivain propose une série de poèmes inspirés de récits bibliques, d'événements historiques ou de faits divers. Il souhaite ainsi rendre compte de l'Histoire de l'Humanité, en montrant la grandeur de l'Homme, que celui-ci fasse partie des puissants ou des humbles.

◼ Caractéristiques du genre épique

L'épopée se caractérise par une amplification de la réalité par laquelle le poète transfigure les personnages ou les événements, de manière à faire surgir du récit des symboles ou des mythes porteurs de significations. Le héros épique est ainsi un personnage exceptionnel, hors du commun, qui incarne, selon les cas ou les époques, la force, le courage, la sagesse, l'honneur, la foi, la générosité, valeurs dans lesquelles pourra se reconnaître toute une collectivité. Incarnant essentiellement une vertu, il est décrit de façon très sommaire sur le plan psychologique.

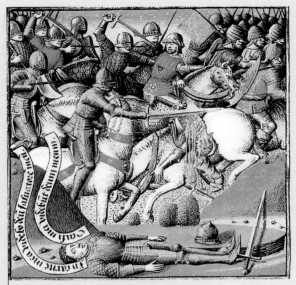

VINCENT DE BEAUVAIS, *Le Miroir historial,*
« La Mort de Roland »
Chantilly, musée Condé. Photo © Giraudon.

Le style épique exprime cette amplification de la réalité : il comporte de nombreuses hyperboles, figures d'exagération par lesquelles on grossit le trait. Le poète épique use volontiers d'anaphores, de répétitions de mots qui confèrent au récit une dimension lyrique et qui facilitent le travail de la mémoire pour celui qui transmet oralement le poème épique. De façon fréquente, il associe au nom du héros un qualificatif qui, à chaque fois identique, le caractérise : il chantera Ulysse « aux mille tours », Roland « le preux » ou Olivier « le sage ». C'est ce qu'on appelle une épithète homérique.

On notera encore que le décor de l'épopée se caractérise par une ampleur, une immensité à la mesure des héros qui s'y meuvent. Vastes espaces naturels (plaines, montagnes, océans), éléments cosmiques (ciel, soleil, astres divers), grandes forces de la nature (tempêtes, orages, pluies diluviennes, neiges abondantes) constituent assez souvent le cadre ordinaire des aventures des héros.

Tous ces éléments sont constitutifs du « ton épique » qui sera pastiché dans *Le Roman de Renart* ou dans certaines fables de La Fontaine.

Le genre épique s'étend au-delà de la seule épopée : on parlera des récits épiques de Balzac, de Zola ou de Malraux, dès lors que ces romanciers usent, dans telle ou telle séquence de leur œuvre, des procédés analogues à ceux de l'épopée.

Tristan et Iseult

(XIIᵉ siècle)

L'histoire de Tristan et Iseult appartient à la « matière de Bretagne », mythologie celtique vivace dans la Grande-Bretagne médiévale et répandue par ses jongleurs. Elle est devenue le principal mythe amoureux de l'Europe moderne avec celui, antithétique, de Don Juan (voir p. 153). Chacune de ses versions a participé à son édification, depuis les longs poèmes en anglo-normand (français des clercs de la Cour normande qui règne sur l'Angleterre), attestés dès la seconde moitié du XIIᵉ siècle, jusqu'à l'opéra de Wagner Tristan und Isolde en 1865. En voici, très simplifiée, la trame narrative.

Tristan, orphelin élevé à la Cour de son oncle Marc, roi de Cornouailles, et chevalier plein de bravoure, est chargé d'aller en Irlande chercher la future reine, Iseult la Blonde. Mais, pendant la traversée de retour, la suivante d'Iseult donne à boire par erreur aux deux jeunes gens le philtre magique qui devait unir d'amour sa maîtresse et le roi Marc. Tristan et Iseult sont désormais voués à s'aimer, innocents selon les lois tyranniques de l'amour passionnel, mais coupables aux yeux de la société féodale (un vassal trahit son seigneur) et de l'Église (le sacrement du mariage est bafoué). Ils vont jusqu'à quitter la Cour pour une vie de dénuement dans la forêt, mais finissent par se repentir et se séparent sans cesser de s'aimer. Tristan, qui s'est exilé en Bretagne, épouse Iseult aux Blanches Mains mais ne consomme pas le mariage. Grièvement blessé lors d'un combat, il envoie chercher son amante, qui seule pourrait le guérir : une voile blanche signalera le succès de la mission. Mais l'épouse, jalouse, lui annonce une voile noire. Tristan expire juste avant l'arrivée d'Iseult, qui le rejoint alors dans la mort.

Cette légende comporte nombre d'épisodes plaisants. En effet, malgré le tour tragique donné à l'histoire par l'action fatale du philtre, les deux amants font souvent preuve de ruse pour satisfaire leur passion. Ainsi, au début de leur liaison, ils se donnent rendez-vous secrètement à la nuit tombée dans le jardin clos du château. Mais un soir, Marc, prévenu de leur manège, se cache dans un arbre pour les surprendre.

Marc juché dans le grand pin

Du haut de l'arbre, Marc vit Tristan franchir la palissade et sauter dans le verger : il vint droit à la fontaine et y jeta des copeaux, gravés de lettres, qui ne tardèrent pas à courir, légers, dans le canal à travers le jardin et vers la chambre des femmes. Mais Tristan, en se penchant sur le bassin de marbre pour en jeter
5   d'autres, vit soudain, à la clarté de la lune, le visage de son oncle qui se reflétait, encadré par le feuillage, dans le miroir d'eau tranquille. En y regardant de plus près, il distingua aussi, parmi les branches, l'arc, déjà garni d'une flèche, que le roi tenait dans sa main. Ah ! s'il avait pu arrêter les copeaux dans leur fuite ! Mais non ! dans la chambre des femmes, Iseult épie leur venue et va bientôt les voir
10 glisser au fil de l'eau. Voilà qu'elle franchit la porte de sa chambre et vient dans le verger, agile et cependant prudente, observant de côté et d'autre pour voir si elle n'était pas épiée. Or, Tristan, ce soir-là, ne vient pas à sa rencontre comme

1. Faire venir.

les autres nuits ; il ne la regarde même pas, mais il reste immobile, les yeux tournés vers l'eau du bassin, comme pour lui faire comprendre qu'il y a là quelque chose d'insolite. Cette attitude étrange ne laisse pas de surprendre Iseult, elle 15 tourne elle aussi ses regards vers la surface de l'eau et n'a pas de peine à y découvrir à son tour le reflet du visage inquiet et tourmenté de son époux. Elle s'avise alors d'une ruse bien féminine, car elle se garde de lever les yeux vers les branches de l'arbre et, afin de tirer Tristan d'embarras, s'arrange pour parler la première : « Sire Tristan, quelle folie vous prend de me mander[1] à pareille 20 heure ? Par Celui qui fit le ciel et la terre, ne m'appelez plus, ni de jour ni de nuit, car, cette fois-là, je ne viendrais point. Vous le savez bien pourtant : le roi s'imagine que je vous aime de fol amour. Les barons félons font accroire que vous, qui êtes le rempart de son honneur, vous le bafouez sans vergogne. En vérité, je préférerais être brûlée vive et que ma cendre fût dispersée au vent plutôt que d'ai- 25 mer un autre homme que mon seigneur. Non, Tristan, ne me mandez plus sous aucun prétexte : je n'oserais ni ne pourrais venir ; si le roi apprenait notre entrevue de cette nuit, il me donnerait la mort, écartelée à quatre chevaux. Certes, vous m'êtes cher parce que vous êtes son neveu. J'ai appris de ma mère qu'il me faudrait aimer les parents de mon époux : j'observe ce précepte. Et je pense 30 qu'une femme n'aimerait pas vraiment son seigneur si elle n'aimait également ses parents et ses proches alliés. Mais je m'en vais, car je m'attarde trop ! »

Tristan et Iseult, chap. 15, trad. de René Louis.
Paris, © Librairie générale française, 1972.

Manuscrit, France XIVᵉ s.
Illustration pour le Roman de Tristan et Iseult.
Paris, Bibl. nationale de France.
Photo © Hachette Livre.

Héloïse et Abélard

(XIIᵉ siècle)

Héloïse (1101-1164) et Abélard (1079-1142), s'ils sont devenus des mythes, ne sont pas pour autant des personnages mythiques. Ils se sont aimés et ont sans nul doute échangé des lettres après leur séparation.

Abélard est le maître de philosophie et de théologie le plus célèbre de son temps. Ses cours sont plébiscités par des étudiants venus de partout. Tout entier adonné à la vie de l'esprit, il réalise l'idéal du clerc. La rencontre de la jeune et savante Héloïse, en 1115, bouleverse sa vie. Les plaisirs de l'amour le détournent de l'étude ; ses chansons d'amour courent sur toutes les lèvres. Les amants ont un fils, mais Héloïse refuse d'abord le mariage pour ne pas entraver la liberté de leur amour et les ambitions intellectuelles d'Abélard. Ils se marient cependant en 1116, mais Abélard place son épouse dans un couvent. L'oncle d'Héloïse, estimant bafoué l'honneur de sa famille, se venge : Abélard est châtré. Les deux époux vivent dès lors séparés. Abélard accomplit sa vocation de grand philosophe. Héloïse devient abbesse du couvent qu'il a fondé. À la suite de la publication par Abélard de l'Histoire de mes malheurs, en 1132, ils échangent quatre lettres.

Comme il était d'usage, les éditeurs de cette correspondance, au XIIIᵉ siècle, en ont vraisemblablement réécrit le texte de façon à lui donner une portée générale : montrer la victoire, difficile mais nécessaire, de l'amour de Dieu sur l'amour charnel. D'un côté, Héloïse proclame la violence du désir amoureux, que la séparation et le cloître ne font pas oublier, et, de l'autre, Abélard affirme la primauté de la fécondité intellectuelle et de l'ascèse religieuse, qui exigent toutes les forces de l'homme.

Ces deux amants sont devenus des archétypes, auxquels songera Rousseau en écrivant La Nouvelle Héloïse.

Héloïse et Abélard. Miniature du *Roman de la Rose*. Manuscrit, France, XIVᵉ s. Chantilly, musée Condé. Photo © Josse.

Lettre d'Héloïse à Abélard

1. En prenant l'habit de religieuse.
2. Cette lettre est l'*Histoire de mes malheurs*.
3. Le premier empereur romain.

Il m'était impossible de te résister en quoi que ce soit, alors j'ai eu la force de me perdre moi-même sur ton ordre. Le plus important, et le plus étonnant, c'est que mon amour s'est tourné en une folie telle que le seul être qu'il désirait, il se l'enlevait lui-même sans espoir de le retrouver, lorsque dès ton ordre je changeais moi-même d'habit[1] et de cœur. Je montrais ainsi que tu étais l'unique 5 maître de mon corps comme de mon âme.

Jamais, Dieu le sait, je n'ai cherché en toi rien d'autre que toi-même : c'est toi que je désirais, non ce qui était lié à toi. Je n'ai attendu ni une alliance matrimoniale ni une dot, et ce ne sont ni mes plaisirs ni mes souhaits mais les tiens, tu le sais bien, que j'ai tâché de satisfaire de tout mon cœur. Et si le nom d'épouse 10 paraît plus sacré et plus fort, le nom d'amie m'a toujours paru plus doux, comme ceux, sans vouloir te choquer, de concubine ou de courtisane : en m'humiliant davantage pour toi, je pensais acquérir une plus grande reconnaissance de ta part, et nuire aussi le moins possible à la grandeur de ta gloire. Toi-même tu ne l'as pas oublié, tu m'as fait cette grâce. Et, dans la lettre destinée à consoler un ami[2], celle 15 dont je viens de parler, tu n'as pas jugé indigne d'exposer quelques arguments par lesquels je m'étais efforcée de te détourner de notre mariage et de funestes noces. Mais tu as passé sous silence les plus nombreux, ceux qui me faisaient préférer l'amour au mariage, la liberté au lien. Dieu m'en soit témoin, si Auguste[3], le maître de l'Univers, m'avait jugée digne de l'honneur d'être son épouse et 20 assuré la possession perpétuelle du monde entier, j'aurais trouvé plus précieux et plus digne de pouvoir être appelée ta putain plutôt que son impératrice. Car d'être plus riche et plus puissant ne rend pas meilleur : c'est simplement le hasard qui joue dans le premier cas, mais la vertu dans l'autre.

Lettres d'Héloïse et d'Abélard,
Première Lettre d'Héloïse à Abélard, vers 1133,
éd. Yves Ferroul, Paris,
© Flammarion, 1996.

Questions

1. Analysez la situation d'énonciation, et particulièrement les marques de personnes.

2. Quelles différences y a-t-il entre « épouse », « amie », « concubine » et « courtisane » ? Analysez précisément l'argumentation de cette lettre. Quelles conceptions de l'amour et du mariage la sous-tendent ?

3. En quoi ces conceptions peuvent-elles apparaître paradoxales et audacieuses ? Quels rapports de similitude et d'opposition entretiennent-elles avec la *fine amor* (voir p. 33) qui se développe au même moment ?

4. Étudiez la tonalité du discours d'Héloïse. Quelle image de la femme impose-t-elle ? Comparez, du point de vue de la situation et du ton employé, Héloïse et la religieuse des *Lettres portugaises* de Guilleragues (voir p. 166).

Chrétien de Troyes

(XIIe siècle)

CHRÉTIEN DE TROYES est un auteur dont on sait fort peu de choses. Nous connaissons de lui essentiellement cinq romans écrits en vers, inspirés de légendes bretonnes qui évoquent les aventures de chevaliers vivant à la cour du roi Arthur : **Érec et Énide, Cligès, Lancelot ou Le Chevalier à la charrette, Yvain ou le Chevalier au lion, Perceval ou Le Conte du Graal.** Dans ces romans, qui illustrent l'idéologie courtoise, Chrétien de Troyes évoque, de manière à chaque fois différente, les rapports entre la passion amoureuse et le goût pour l'aventure. On y apprécie la variété des épisodes romanesques, la vivacité du récit, l'art des intrigues entrelacées, le souci du réalisme. Chrétien de Troyes apparaît comme le premier grand romancier de notre littérature.

Le Roman d'Érec et Énide, XIIIe s.
Paris, Bibl. nat. de France.
Photo © Édimédia.

Érec et Énide

[vers 1170]

Le roman Érec et Énide chante l'amour conjugal qui unit Érec, chevalier à la cour du roi Arthur, et Énide, la fille d'un petit seigneur très pauvre. Critiqué parce qu'il a abandonné toute ambition chevaleresque, tout dessein de réaliser des prouesses, pour se consacrer à sa femme, Érec décide de reprendre le chemin de l'aventure en emmenant Énide avec lui. Dans une séquence qui se situe avant le mariage des deux héros, le romancier présente Énide au moment où Érec la voit pour la première fois.

Grande était la beauté de la jeune fille. Nature, qui l'avait façonnée, y avait mis tous ses soins ; elle-même s'était plus de cinq cents fois émerveillée de ce qu'elle avait pu, une seule fois, former une si belle créature, car, depuis lors, en dépit de toute la peine qu'elle avait prise, elle n'avait pu en aucune manière en
5 produire un nouvel exemplaire. De celle-ci, Nature porte témoignage : jamais plus belle créature n'a été vue de par le monde. Je vous dis en vérité que les cheveux d'Iseut la Blonde, si blonds et dorés qu'ils fussent, n'étaient rien auprès de celle-ci. Elle avait le front et le visage plus lumineux et plus blancs que n'est la fleur de lys ; son teint était merveilleusement rehaussé par une fraîche couleur
10 vermeille dont Nature lui avait fait don pour relever l'éclat de son visage. Ses yeux rayonnaient d'une si vive clarté qu'ils semblaient deux étoiles ; jamais Dieu n'avait si bien réussi le nez, la bouche et les yeux. Que dirais-je de sa beauté ? Elle était faite, en vérité, pour être regardée, si bien qu'on aurait pu se mirer en elle comme en un miroir.
15 Elle était sortie de l'ouvroir ; quand elle aperçut le chevalier qu'elle n'avait jamais vu, elle se tint un peu en arrière ; parce qu'elle ne le connaissait pas, elle eut honte et rougit. Érec, de son côté, fut ébahi quand il vit en elle une si grande beauté.

CHRÉTIEN DE TROYES, *Érec et Énide*, trad. de René Louis, © éd. Champion, 1954.

Yvain ou Le Chevalier au lion

[1177]

Dans la forêt de Brocéliande se trouve une fontaine magique, défendue par un seigneur réputé invincible. S'étant rendu à la fontaine, Yvain est attaqué par ce seigneur, se défend et le blesse mortellement. Il arrive alors dans son château et découvre sa veuve – Laudine – dont il tombe amoureux. La suivante de Laudine veut convaincre sa maîtresse de se remarier avec un homme très vaillant : ce ne peut être qu'Yvain. Laudine rejette vigoureusement les conseils de sa suivante et l'invective violemment. Puis, une fois seule, elle songe toute la nuit à celui qui s'est montré plus fort que son mari.

1. La fontaine doit être défendue par un chevalier aussi vaillant que possible.

2. Il s'agit de la suivante de Laudine.

Mais la dame eut toute la nuit un grand débat avec elle-même, car elle se faisait beaucoup de souci pour la défense de sa fontaine[1]. Ainsi elle commence à se repentir au sujet de celle[2] qu'elle avait blâmée, et maltraitée et grondée, car elle est tout à fait sûre et certaine que ce n'était ni pour salaire ni pour récompense ni pour une affection quelconque qu'elle aurait envers le chevalier, que 5 celle-ci avait engagé la discussion avec elle en faveur de ce dernier. D'ailleurs, la demoiselle l'aime, elle, plus que lui, et elle ne lui conseillerait jamais une chose déshonorante ou dommageable, car c'est une amie trop loyale. Voilà la dame transformée : en ce qui concerne celle qu'elle avait injuriée, elle ne croit pas que celle-ci, à aucun prix, puisse l'aimer encore de bon cœur ; et quant à celui qu'elle 10 a rejeté, elle l'a disculpé en toute équité, ayant basé sur son raisonnement et sur une juste plaidoirie la conclusion qu'il ne lui avait fait aucun tort.

C'est ainsi qu'elle soutient sa cause, exactement comme s'il s'était présenté devant elle ; elle commence alors à plaider contre lui : « Va, dit-elle, peux-tu nier que mon mari soit mort à cause de toi ? – Cela, je ne peux pas le démentir ; au 15 contraire, je vous concède ce point. – Dis-moi donc pour quelle raison ! L'as-tu fait parce que tu m'en voulais, par haine ou par mépris ? – Que je meure sur-le-champ si jamais je le fis pour vous affliger. – Donc tu n'as commis aucun crime envers moi ; envers lui également tu n'as eu aucun tort, car s'il l'avait pu, il t'au-rait tué. Voilà pourquoi, par ma foi, je crois que j'ai bien jugé, et à bon droit. » 20 Ainsi s'est-elle prouvé à elle-même qu'elle n'a pas le droit de le haïr, car elle y trouve parfait bon sens et raison.

Elle dit donc ce qu'elle voudrait et elle s'enflamme elle-même, comme la bûche qui fume jusqu'au moment où la flamme s'y est mise, sans que personne ne souffle sur elle ni ne l'attise. Et si la demoiselle venait maintenant, elle gagne- 25 rait la cause pour laquelle elle a tant plaidé devant elle, et pourtant elle a été copieusement injuriée.

Elle revint au matin et recommença son discours là où elle l'avait laissé. Et l'autre tenait la tête baissée, elle qui savait bien qu'elle avait commis une faute en la rudoyant. Mais maintenant elle a l'intention de réparer la faute et de 30 demander le nom, la condition et le lignage du chevalier. Elle a la sagesse de s'hu-milier, et dit : « Je veux vous demander pardon pour les paroles insultantes et outrageantes que j'ai proférées contre vous, comme une insensée ; je me range de votre côté. Mais dites-moi, si vous le savez, ce chevalier au sujet duquel vous m'avez fait un si long plaidoyer, quel genre d'homme est-il et de quelle famille ? 35

CHRÉTIEN DE TROYES, *Yvain ou le Chevalier au lion*, vers 1734 à 1817, trad. de D. F. Hult, © Librairie générale française, 1994.

Questions

1. Étudiez la structure du passage. Comment l'attitude de Laudine évolue-t-elle ?

2. Analysez les dia-logues ; commentez leurs effets sur le plan du récit.

3. Repérez et analysez les éléments du comi-que dans ce passage.

COURTOISIE ET LITTÉRATURE COURTOISE

Dès la fin du xie siècle, alors que la dynastie des Capétiens perd une partie de son influence politique, certaines Cours se développent, essentiellement au sud de la Loire. Autour d'un seigneur ou d'un prince, la noblesse cultive sa différence : le « courtois », homme de Cour noble se démarque du « vilain », homme de terre non noble. La courtoisie désigne ainsi un ensemble de valeurs composant un idéal de comportement aristocratique. Certaines de ces valeurs, comme la bravoure et la force guerrière, perpétuent le modèle chevaleresque, tel que les chansons de geste le mettent en scène. De nouvelles qualités, spécifiquement courtoises, apparaissent également, au rang desquelles l'élégance physique et morale. En société, le noble se doit de plaire, par sa conversation, ses toilettes, ses loisirs. Le tournoi remplace ainsi le combat à mains nues, plus fruste. Le jeu d'échecs fait son apparition. En fait, la civilisation orientale influence la noblesse française qui en découvre, lors des Croisades, le luxe raffiné et prend conscience de ses propres mœurs rudimentaires.

L'amour courtois. Tapisserie xvie s. Paris, musée de Cluny. Photo © Josse.

■ La poésie courtoise

La littérature de l'époque reflète et codifie ces valeurs courtoises. Ainsi, sous l'influence de la poésie arabe, la poésie musicale composée par les troubadours et les trouvères, chantée par des artistes itinérants appelés jongleurs, élève la relation amoureuse au rang d'idéal profane. Le plus célèbre des troubadours s'appelle Guillaume IX (1071-1127), duc d'Aquitaine et poète. Sa Cour réunit un grand nombre d'artistes, et ses héritiers, entre autres sa petite-fille Aliénor d'Aquitaine, en entretiennent l'esprit. Poésie et amour commencent alors à rimer ensemble. La femme est désormais célébrée. La poésie courtoise se détache ainsi de la chanson de geste, axée sur les seuls exploits guerriers des héros : ceux-ci doivent mériter les sentiments de leur bien-aimée, la conquérir par des épreuves qui leur permettent de s'élever spirituellement. Cette relation de soumission est calquée sur le lien qui unit le vassal à son suzerain : le chevalier courtois se consacre au « service d'amour » et à la femme qui le commande.

■ Le roman courtois

Cette thématique se retrouve dans un genre littéraire qui fait alors son apparition : le roman, dont le nom provient de la langue parlée dans certaines régions de l'ancien Empire romain (voir p. 13). Cette langue donne naissance, entre autre, au roman dit courtois. Certains romans actualisent librement, à la mode courtoise, des légendes antiques : ainsi *L'Énéas* reprend *L'Énéide* de Virgile, et le *Roman de Thèbes* le mythe d'Œdipe. D'autres romans multiplient, dans un univers mi-réaliste mi-féerique, les aventures des chevaliers de la Table ronde. Empruntant à la matière de Bretagne, vieux fonds de légendes celtiques orales, l'histoire de Lancelot, de Perceval et du roi Arthur, ces romans connaissent un impressionnant succès. Leurs auteurs restent anonymes, à l'exception de Chrétien de Troyes. Enfin, de nombreuses œuvres développent la légende de Tristan et Iseult, et fondent une tradition littéraire dont le succès ne se démentira jamais, quelles qu'en soient les modifications ultérieures : le roman d'amour.

GAULOISERIE ET LITTÉRATURE GAULOISE

La gauloiserie désigne une forme d'esprit traditionnellement populaire, caractérisée par son sens du rire franc et épais. Plaisanteries et propos obscènes constituent les marques coutumières de l'humeur gauloise, qui refuse tout esprit de gravité et se moque des fonctions corporelles en général, de l'acte sexuel en particulier. De nombreux écrivains ne dédaignent pas, depuis le Moyen Âge, d'assumer occasionnellement cette tradition : Rabelais, Molière, Diderot, Jarry, Céline.

Scène galante. *Riches Heures du Duc de Guise.* XVe s. Chantilly, musée Condé. Photo © Josse.

■ Une offensive anticourtoise

Dès le XIIe siècle, la littérature échappe au huis clos des Cours aristocratiques et les jongleurs, se déplacent, rencontrent paysans et bourgeois, sollicitent leurs rires pour recevoir quelque pitance : l'esprit gaulois, propre à la culture populaire, se retrouve alors dans les productions littéraires. Ainsi les chansons de geste et les romans de chevalerie sont-ils tournés en dérision par des ouvrages qui se moquent aussi bien du culte épique des armes – *Le Roman de Renart* – que de l'absolu amoureux des récits courtois – *Aucassin et Nicolette* qui caricature en effet Tristan et Iseult, le couple modèle de l'amour-passion. *Le Roman de Renart* parodie, sous l'apparence des animaux, quelques situations habituellement vécues par des humains. Ce type d'œuvres connaît un succès encore plus important lorsque, à partir du XIIIe siècle, le lien féodal se relâchant, les valeurs courtoises tendent à passer de mode.

■ Un jeu lettré

Mais, si elle s'inspire de la truculence populaire, la gauloiserie n'en demeure pas moins, en littérature, un phénomène lettré. Elle s'oppose moins aux récits courtois qu'elle n'en intègre les situations, à des fins parodiques et satiriques.

Les écrivains, tous des clercs, jouent en effet avec leur propre culture. Ils en répètent les conventions de façon dépréciative, en insistant par exemple sur l'appétit des héros, volontiers gloutons ou débauchés, plus que sur leur aspect exemplaire. Cette écriture parodique permet de renouveler des formes littéraires usées sans pour autant renier ce qu'elles ont apporté. Il s'y ajoute une intention satirique. L'esprit gaulois débusque, dans le comportement des personnages ou le fonctionnement des institutions, une immoralité tranquillement assouvie. Les fabliaux, récits souvent brefs, écrits par de nombreux auteurs dont le plus célèbre s'appelle Jean Bodel, visent un public encore plus vaste, qu'ils amusent, jusqu'au milieu du XIVe siècle, par des histoires de malversations et de tromperies, d'adultère et de filouterie. Leur succès annonce celui des farces, qui connaissent une très grande vogue à la fin du Moyen Âge. L'heure n'est plus alors au triomphe de la force physique ou de la noblesse des cœurs, mais à celui de la ruse et de la dérision. Au versant noble d'une littérature qui propose des modèles épiques et diffuse des valeurs courtoises, répond ainsi un versant provocateur qui préfère le cynisme à l'idéalisme, le plaisir à la passion, le ludisme au lyrisme.

Élément de plafond gothique, XIIIe s. Montpellier, musée Languedocien. Photo © Kuentz.

Le Jeu d'Adam

(XIIe siècle)

Cette pièce, anonyme, est le plus ancien texte dramatique en français que nous connaissions. Son sujet et sa visée didactique en font déjà un « mystère » (voir p. 25). Il met en scène plusieurs récits bibliques, dont celui du péché originel. Adam et Ève, heureux et innocents dans le jardin d'Éden, se laissent séduire par les paroles de Satan, qui a pris la forme d'un serpent : ils seront comme des dieux s'ils goûtent au fruit de l'arbre de la Science du bien et du mal, que leur a interdit leur Créateur.

D'après les didascalies du manuscrit, la pièce se joue sur un parvis où sont accolées toutes les « mansions » (voir p. 25). Le porche de l'église figure le Ciel. À droite est située la porte de l'Enfer, sans doute en forme de gueule monstrueuse, d'où sortent les démons. À gauche s'ouvre le Paradis terrestre, vraisemblablement surélevé et orné de végétation. L'aire de jeu centrale représente la Terre. Le Diable vient de tenter Adam sans succès. Il aborde maintenant Ève.

Adam et Ève mangent des fruits de l'arbre de la Connaissance du bien et du mal, bas-relief.
Paris, Sainte-Chapelle (XIIIe siècle)
Photo © Giraudon.

LE DIABLE
35 Je vais te dire, écoute bien ;
Nul n'assiste à notre entretien,
Adam, là-bas, point n'entendra.

ÈVE
Parle bien haut, rien ne saura.

LE DIABLE
Je vous préviens d'un grand engin
40 Qui vous est fait en ce jardin :
Le fruit que Dieu vous a donné
En soi a bien peu de bonté ;
Celui qu'il vous a défendu
Possède très grande vertu :
45 En lui est la grâce de vie,
De puissance et de seigneurie,
De bien et mal la connaissance.

ÈVE
Quel est son goût ?

LE DIABLE
　　　　　Céleste essence.
À ton beau corps, à ta figure

Bien conviendrait cette aventure
50 Que tu fusses du monde reine,
Du ciel, de l'enfer souveraine,
Que tu connusses l'avenir.

ÈVE
Tel est ce fruit ?

LE DIABLE
　　　　　Ne t'en déplaise.
(Ici Ève regardera le fruit défendu)

ÈVE
55 Rien qu'à le voir je suis tout aise.

LE DIABLE
Que sera-ce, si tu le goûtes !

ÈVE
Comment savoir ?

LE DIABLE
　　　　　N'aie point de doutes.
Prends-le vite, à Adam le donne.

Du ciel aurez lors la couronne.
60 Au Créateur serez pareils,
Vous percerez tous ses conseils ;
Quand vous aurez du fruit mangé,
Lors sera votre cœur changé :
Égaux à Dieu, sans défaillance,
65 Aurez sa bonté, sa puissance.
Goûte du fruit !

ÈVE
　　　　　Envie en ai.

LE DIABLE
N'en crois Adam.

ÈVE
　　　　　J'y goûterai.

LE DIABLE
Quand, s'il te plaît ?

ÈVE
　　　　　Me faut attendre
Qu'Adam se soit allé étendre.

Le Jeu d'Adam, Première partie,
trad. de Chamard, Paris, © A. Colin, 1925.

Questions

1. Étudiez précisément la tonalité de cette scène. Dans quelle mesure correspond-elle à la gravité de la situation ? Quel effet produit l'octosyllabe ?

2. Quels arguments le Diable emploie-t-il pour séduire Ève ? Comment illustrent-ils le thème stéréotypé de la faiblesse humaine ?

3. Quels sentiments un tel théâtre vous semble-t-il vouloir susciter chez le spectateur ?

LE THÉÂTRE AU MOYEN ÂGE

Avec la chute de l'Empire romain, le théâtre public disparaît pour des siècles. C'est pour des raisons religieuses qu'il renaît progressivement, à partir du IXe siècle. Il se diversifie ensuite par l'apport de techniques et de thèmes profanes que fournissent les récits mimés des jongleurs et les jeux contestataires du carnaval. Si le théâtre du Moyen Âge emprunte presque toujours ses sujets aux autres genres, il apporte en revanche des solutions très originales dans l'histoire de la mise en scène.

■ Une première renaissance

Dans les églises d'abord, en complément de la liturgie, les clercs présentent en tableaux animés les scènes de l'histoire sainte. Le jeu dramatique prolonge ainsi la prédication et remplit une fonction pédagogique et moralisatrice auprès de fidèles illettrés. Ces **« jeux »** sont l'origine lointaine des **« miracles »,** qui représentent des vies de saints, et des **« mystères »,** qui mettent en scène des épisodes bibliques, tirés principalement des histoires d'Adam et de Jésus.

Le théâtre devient ensuite l'affaire de toute la cité : dès la fin du XIIe siècle, il installe ses tréteaux sur les parvis, tout en restant lié aux fêtes et non professionnel. L'opulente Arras en est la capitale incontestée : le jongleur Jean Bodel inaugure le genre du **miracle** hors église et Adam de La Halle crée un théâtre entièrement profane, en 1285, avec *Le Jeu de Robin et de Marion,* qui mêle chant, musique et danse et présente les premiers décors simultanés.

■ Une seconde renaissance au XVe s.

Après les malheurs du XIVe siècle (voir p. 11), les formes comiques se constituent. Dans les **« soties »,** issues du carnaval, des sots à la sagesse paradoxale dénoncent burlesquement la bêtise des puissants. Les **« farces »,** vouées au rire, empruntent leurs sujets et leurs personnages stéréotypés aux fabliaux : cocus bernés, benêts, ou hommes de loi véreux comme dans *La Farce de Maître Pathelin.*

Les **mystères** atteignent leur apogée aux XVe et XVIe siècles. Ils donnent lieu à des représentations dont l'ampleur n'a plus jamais été égalée : 34 500 vers, 220 personnages et quatre jours de représentation à Paris en 1450 pour la *Passion* de Gréban ; vingt-cinq

jours à Valenciennes en 1547. Ce sont des opérations de prestige qui mobilisent toutes les ressources humaines et financières de la ville.

JEAN FOUQUET, *Le Martyre de Sainte Apolline.* Chantilly, musée Condé. Photo © Lauros-Giraudon.

On représente des **farces** jusqu'au XVIIe siècle, malgré les protestations des doctes. Les **mystères** en revanche disparaissent, victimes d'une sensibilité nouvelle : on craint que la gravité des sujets religieux ne souffre d'être exposée sur les grossiers tréteaux du théâtre. Ils sont interdits à Paris en 1548.

■ La mise en scène

Le théâtre médiéval ne cherche jamais à faire naître l'illusion réaliste. Les décors et les accessoires, peu nombreux, sont symboliques ; la machinerie (trappes, treuils, feux) est souvent spectaculaire. Les lieux d'action, aussi éloignés soient-ils les uns des autres, sont figurés par des « mansions » (ou maisons) contiguës. En l'absence de coulisses, les acteurs ne quittent pas l'aire de jeu.

Paris dispose, dès le XVe siècle, d'une salle couverte semi-professionnelle. Ailleurs, on construit des théâtres provisoires à ciel ouvert, dorénavant payants, et les rôles sont tenus par des notables sous la direction d'un meneur de jeu professionnel. Parfois, le public entoure l'aire de jeu, en communion avec le spectacle : ce « théâtre en rond », innovation majeure du Moyen Âge, fera rêver bien des dramaturges du XXe siècle désirant abolir la séparation entre salle et scène des théâtres à l'italienne.

Le Roman de la Rose

(vers 1230)

Le Roman de la Rose, œuvre en langue d'oïl la plus lue du Moyen Âge, tire son originalité d'une double filiation. Vers 1230, Guillaume de Lorris, auteur quasiment inconnu des quatre mille premiers vers, conçoit cette œuvre comme un art d'aimer qui rassemblerait les situations types de la littérature courtoise. Il combine les procédés du songe – le narrateur, un jeune homme de vingt ans, raconte un rêve – et de l'allégorie – les personnages incarnent les différents états et étapes du désir, la rose représentant l'archétype de la femme aimée. Le récit adopte la logique d'une quête amoureuse qui porte successivement sur la cristallisation du sentiment, des épreuves initiatiques, l'accomplissement de l'amour, sublimé parce que différé.

Jean de Meung, alias Jean Chopinel, clerc et érudit parisien, poursuit vers 1270 l'œuvre inachevée. Il y ajoute dix-huit mille vers. Délaissant la veine lyrique de son prédécesseur, il confère au récit une vocation didactique et critique. L'écrivain accumule les savoirs du temps. Il conteste, au nom de la nature humaine, les interdits pesant sur la sexualité, et dénonce l'artifice des représentations courtoises qui exaltent le seul sentiment. Il exerce également sa verve contre les pouvoirs politique et religieux, comme un signe avant-coureur d'humanisme.

Le Roman de la Rose

[vers 1230]

Le narrateur, au cœur de son rêve, se trouve face à une fontaine dans laquelle une roseraie se reflète.

Je m'approchai de la fontaine ;
quand je fus là, je me baissai
pour voir l'eau qui courait
et le sable qui bouillonnait
5 au fond, plus brillant que l'argent pur.
De la fontaine on ne saurait mieux dire :
dans le monde entier il n'y en a pas d'aussi belle ;
l'eau est toujours fraîche et nouvelle,
qui, nuit et jour, sourd à grandes ondes
10 par deux orifices clairs et profonds.
Tout autour croît l'herbe menue
que l'eau fait pousser épaisse et drue
et empêche en hiver de mourir ;
et la source ne peut s'assécher ni tarir.
15 Au fond de la fontaine, tout en bas,
il y avait deux pierres de cristal
que j'examinai avec beaucoup d'attention.

Mais je vais vous parler d'une chose
que vous tiendrez, je pense, pour une merveille
20 dès que vous la connaîtrez bien.
Quand le soleil, qui regarde tout,
darde ses rayons sur la fontaine
et que son éclat va jusqu'au fond,
alors apparaissent sur le cristal
25 plus de cent couleurs : sous l'effet du soleil
il devient bleu, jaune et vermeil.
Tel est ce cristal merveilleux :
il a un tel pouvoir que le lieu,
arbres et fleurs et tout ce qui orne
30 le verger, y apparaît bien en ordre.
Et pour vous faire comprendre le fait
je veux vous donner un exemple :
comme le miroir montre
les objets qui sont en face de lui

35 et que l'on y voit, sans voile,
    et leur couleur et leur forme,
    de même je vous garantis
    que le cristal, fidèlement,
    présente à celui qui flâne au-dessus de
                                    [l'eau
40 tout ce qu'il y a dans le verger ;
    car toujours, en quelque place qu'il soit,
    il voit une moitié du verger
    et, s'il contourne [la fontaine], immédia-
                                    [tement
    il pourra voir le restant ;
45 ainsi n'y a-t-il si petite chose,
    si cachée ou entourée soit-elle,
    que le cristal ne puisse montrer
    comme si elle y était dessinée.
    C'est le miroir périlleux,
50 où Narcisse l'orgueilleux
    mira son visage et ses yeux brillants :
    alors il tomba mort, étendu sur le dos.
    Celui qui se regarde en ce miroir
    ne peut avoir protecteur et médecin
55 qui bannisse de ses yeux l'objet
    qui l'a mis sur la voie de l'amour.
    Ce miroir a fait périr
    maint homme de valeur, car les plus
                                    [sages,
    les plus braves, ceux qui ont reçu la meil-
                                    [leure formation,
60 y sont guettés et vite pris.
    Ici sourd pour les gens une folie nouvelle,
    ici les cœurs changent,
    ici la raison et la mesure sont sans
                                    [pouvoir,
    ici règne le simple désir d'aimer,
65 ici personne n'est maître de sa conduite,
    car Cupidon, le fils de Vénus,
    sema ici la graine d'Amour
    qui recouvre toute la fontaine,
    fit tendre autour ses filets
70 et y mit ses pièges pour prendre
    demoiselles et damoiseaux :
    Amour ne veut pas d'autres oiseaux.

GUILLAUME DE LORRIS,
Le Roman de la Rose,
traduction d'André Lanly,
© éd. Honoré Champion, 1983.

Le Roman de la Rose. Illustration par Guillaume de Lorris et Jean de Meung. Manuscrit, v. 1460. Paris, Bibliothèque nationale de France.
• Photo © B.n.F.

Questions

1. Quelles phrases résument selon vous le sens général du texte ? Justifiez votre choix.

2. Étudiez les marques temporelles et personnelles de l'énonciation. Quel type de texte permettent-elles d'identifier ? Quelle confusion l'emploi du présent favorise-t-il ?

3. Quelles caractéristiques poétiques ce texte présente-t-il ?

4. Dégagez la dimension allégorique du passage.

François Villon

(1431 ou 1432, après 1463)

Première édition des « Œuvres » de Villon, réalisée par Pierre Levet, 1489. Paris, Bibl. Nat. Photo © Hachette.

FRANÇOIS VILLON, poète et truand, imprégné de culture savante et de folklore, provocateur et tourmenté, présente une personnalité contrastée, au point que sa vie se transforme bien vite en légende. Tour à tour François de Montcorbier, François Villon, François des Loges, Michel Mouton, cet homme aux multiples visages s'efface, dans la mémoire littéraire, derrière le personnage du poète maudit. Orphelin de père, François de Montcorbier est éduqué par Guillaume de Villon, professeur de droit religieux qui lui donne son nom. Bachelier en 1449, il passe une licence et une maîtrise ès arts en 1452. Commence alors une existence passablement dissipée. Il participe à plusieurs chahuts estudiantins avant de basculer dans la marginalité dure : meurtre d'un prêtre peu recommandable en 1455, vol au Collège de Navarre en 1456, intégration à une bande de malfrats (les Coquillards). De 1457 à 1461, il vit à la cour de Charles d'Orléans puis de Jean II de Bourbon. Il est incarcéré à plusieurs reprises, avec ou sans torture. Sa condamnation à mort, prononcée en 1462, est atténuée en bannissement un an plus tard. Nul ne sait alors ce que devient Villon.

L'ŒUVRE de ce hors-la-loi révèle une manipulation des règles poétiques. Il rédige en 1456 **Le Lais,** ou legs (petit testament conforme à une tradition littéraire médiévale), et diverses poésies entre 1457 et 1463. Son œuvre maîtresse demeure **Le Testament.** Écrit en 1461, il se compose de 186 huitains entremêlés de ballades et rondeaux (voir pp. 28 et 30). La virtuosité technique du recueil résulte de leur combinaison, accompagnée d'une versification faisant alterner octosyllabes, décasyllabes et jeux formels comme l'acrostiche, procédé qui consiste à disposer la première lettre de chaque vers de façon à composer verticalement un nom propre ou un prénom. L'œuvre tient à la fois du règlement de comptes satirique – Villon s'attache à ses ennemis, souvent des représentants de la loi – et du retour sur soi lyrique. Le sentiment amoureux hésite entre dérision, sensualité et nostalgie d'une certaine norme conjugale ; la représentation de la mort, entre effroi et fascination : la décomposition des corps devient un objet poétique. Le poète décrit aussi de façon réaliste la vie quotidienne de son temps, avec une prédilection pour celle des milieux mal famés, et la déforme à coups de calembours ou de jongleries verbales. Le poème autorise alors la caricature de l'ordre établi, rappelant en cela l'esprit du carnaval.

Le rondeau

Un **rondeau** est un poème à forme fixe comportant deux rimes et fondé sur la répétition de vers ou de fragments de vers. Le premier vers, en particulier, est repris, totalement ou partiellement, à la fin du poème ; ce qui donne à celui-ci une structure fermée, en « cercle ».

Le Testament
[1461]

La Belle Heaumière

Réputée pour ses charmes, la belle heaumière était la femme ou l'employée d'un heaumier, fabricant de heaumes, casques pour hommes d'armes. À l'époque de ce poème, elle avait environ quatre-vingts ans.

LII

« Qu'est devenu ce front poli,
Ces cheveux blonds, sourcils voutis[1],
Grand entrœil[2], ce regard joli,
Dont prenoie les plus subtils[3] ;
5 Ce beau nez droit, grand ne petiz
Ces petites jointes oreilles,
Menton fourchu[4], clair vis traitiz[5],
Et ces belles lèvres vermeilles ?

LIII

« Ces gentes épaules menues,
10 Ces bras longs et ces mains traitisses,
Petits tétins, hanches charnues,
Élevées, propres, faitisses[6]
À tenir amoureuses lices[7] ;
Ces larges reins, ce sadinet[8]
15 Assis sur grosses fermes cuisses
Dedans son petit jardinet ?

LIV

« Le front ridé, les cheveux gris,
Les sourcils chus, les yeux éteints,
Qui faisoient regards et ris
20 Dont maints méchants[9] furent atteints ;
Nez courbes, de beauté lointains,
Oreilles pendantes, moussues,
Le vis pâli, mort et déteins,
Menton froncé, lèvres peaussues...

LV

25 « C'est d'humaine beauté l'issue !
Les bras courts et les mains contraites[10],
Des épaules toute bossue ;
Mamelles, quoi ? toutes retraites[11] ;
Telles les hanches que les tettes[12] ;
30 Du sadinet, fi ! Quant des cuisses,
Cuisses ne sont plus, mais cuissettes
Grivelées[13] comme saucisses.

LVI

« Ainsi le bon temps regrettons
Entre nous, pauvres vieilles sottes,
35 Assises bas, à croupetons,
Tout en un tas comme pelotes,
À petit feu de chenevottes[14]
Tôt allumées, tôt éteintes ;
Et jadis fûmes si mignottes !
40 Ainsi en prend[15] à maints et maintes. »

FRANÇOIS VILLON, *Le Testament.*

---

1. Arqués. – 2. Écartement des yeux. – 3. Malins. – 4. À fossette. – 5. Visage clair et bien dessiné. – 6. Bien faites. – 7. Pour les tournois amoureux. – 8. Appelé aussi « la Chambre de Vénus ». – 9. Malheureux – 10. Rétractées. – 11. Ratatinées. – 12. Tétins. – 13. Tachetées. – 14. Près d'un petit feu de brins de chanvre. – 15. C'est ce qui arrive.

Poésie Gallimard, 1973.

Questions

1. Comment le poème s'organise-t-il en antithèse ? Relevez les termes qui s'opposent et interrogez-vous sur le sens de cette confrontation.

2. Par des références précises, étudiez le réalisme de Villon puis son ironie. Dégagez ensuite la cruauté du poème.

3. Quel lieu commun et quelle tradition poétique repère-t-on ici ?

Ballade des dames du temps jadis

Cette ballade, l'une des plus célèbres de Villon, fut mise en musique par Georges Brassens dans les années 1950.

Dites-moi où, n'[1]en quel pays
Est Flora la belle Romaine,
Archipiades[2] ne Thaïs[3]
Qui fut sa cousine germaine ;
5 Écho[4], parlant quand bruit on mène
Dessus rivière ou sur étang,
Qui beauté ot trop plus qu'humaine ?
Mais où sont les neiges d'antan ?

Où est la très sage Héloïs,
10 Pour qui fut châtré et puis moine
Pierre Esbaillart à Saint-Denis[5] ?
Pour son amour ot cette essoine[6].
Semblablement, où est la roine
Qui commanda que Buridan[7]
15 Fût jeté en un sac en Seine ?
Mais où sont les neiges d'antan ?

La roine Blanche[8] comme un lis
Qui chantoit à voix de seraine[9],
Berthe au plat pied, Bietrix[10], Aliz[11],
20 Haramburgis[12] qui tint le Maine,
Et Jeanne, la bonne Lorraine
Qu'Anglois brûlèrent à Rouen ;
Où sont-ils[13], où, Vierge souvraine ?
Mais où sont les neiges d'antan ?

25 Prince, n'enquerrez de semaine
Où elles sont, ne de cet an,
Qu'à ce refrain ne vous remaine :
Mais où sont les neiges d'antan ?

FRANÇOIS VILLON, *Le Testament*, 1461.

1. Et.
2. Homme illustre de l'Antiquité grecque qu'on prenait pour une femme au Moyen Âge.
3. Courtisane grecque ou égyptienne du IVᵉ siècle avant Jésus-Christ.
4. La nymphe Écho.
5. Au XIIᵉ siècle, le théologien Abélard épouse secrètement sa disciple Héloïse : en guise de punition, il est émasculé.
6. Eut cette épreuve.
7. Amant de la reine Jeanne de Bourgogne, femme de Louis X, il fut tué sur décision de sa maîtresse.
8. Blanche de Castille (1188-1252), reine de France, mère de saint Louis.
9. Sirène.
10. Épouse de Pépin le Bref, mère de Charlemagne.
11. Reine de France au XIIᵉ siècle.
12. Elle était l'héritière du comté de Maine.
13. Elles.
Poésie Gallimard, 1973.

Questions

1. En étudiant le vers-refrain (son sens, sa modalité, ses sonorités), dégagez la signification générale du poème.
2. Quel rapport le titre entretient-il avec le poème ? Justifiez votre réponse avec précision.
3. Pourquoi le choix du destinataire est-il important ?
4. Étudiez la dimension lyrique et la dimension ludique du poème.

La ballade

Constituée à la fin du XIIIᵉ siècle, la **ballade** est un poème à forme fixe, issu d'une chanson à danser. Elle comporte généralement trois strophes suivies d'un refrain d'un ou deux vers. Elle se termine par un « envoi » de la longueur d'une demi-strophe, adressé à une personne précise, souvent le prince : ceci explique que de nombreux envois commencent par le mot « Prince ».

Poésies diverses
[1457-1463]

Ballade des menus propos

Participant aux activités poétiques de la cour de Blois, Villon compose, à partir des banalités de la conversation courante, cette ballade.

Je connois bien mouches en lait,
Je connois à la robe l'homme,
Je connois le beau temps du laid,
Je connois au pommier la pomme,
5 Je connois l'arbre à voir la gomme,
Je connois quand tout est de mêmes,
Je connois qui besogne ou chomme,
Je connois tout, fors[1] que moi-mêmes.

Je connois pourpoint au collet,
10 Je connois le moine à la gonne[2],
Je connois le maître au valet,
Je connois au voile la nonne,
Je connois quand pipeur jargonne[3],
Je connois fous nourris de crèmes,
15 Je connois le vin à la tonne[4],
Je connois tout, fors que moi-mêmes.

Je connois cheval et mulet,
Je connois leur charge et leur somme[5],
Je connois Biatris et Belet[6],
20 Je connois jet[7] qui nombre et somme,
Je connois vision et somme[8],
Je connois la faute des Boemes[9],
Je connois le pouvoir de Rome,
Je connois tout, fors que moi-mêmes.

25 Prince, je connois tout en somme,
Je connois coulourés[10] et blêmes,
Je connois mort qui tout consomme,
Je connois tout, fors que moi-mêmes.

FRANÇOIS VILLON, *Poésies diverses.*

---

1. Hors. – 2. À sa robe. – 3. Parle en argot. – 4. Tonneau. – 5. Faix. – 6. Isabelle. – 7. Jeton. – 8. Sommeil, songe. – 9. Bohèmes. – 10. Ceux qui ont de belles couleurs.

« Le pauvre hère ». Sculpture sur bois du XVe siècle. Paris, musée de l'Œuve Notre-Dame.
Photo © Jacqueline Guillot. C. d. A. Edimédia.

Questions

1. Quelle particularité formelle ce poème présente-t-il ? Pourquoi ?
2. Identifiez et classez les différents secteurs de la vie auxquels le poète se réfère.
3. Étudiez le jeu des sonorités et la musicalité de l'écriture. Quel ton favorisent-t-ils ?
4. Quel lieu commun ce poème exprime-t-il ? Qu'en pensez-vous ?

Ballade des pendus

Emprisonné, Villon exprime dans cette ballade son désarroi, en lui accordant une portée collective.

Frères humains qui après nous vivez,
N'ayez les cœurs contre nous endurcis,
Car, si[1] pitié de nous pauvres avez,
Dieu en aura plus tôt de vous mercis.
5   Vous nous voyez ci attachés cinq, six :
Quant de la chair que trop avons nourrie,
Elle est piéça[2] dévorée[3] et pourrie,
Et nous, les os, devenons cendre et poudre[4].
De notre mal personne ne s'en rie ;
10 Mais priez Dieu que tous nous veuille absoudre !

Si frères vous clamons, pas n'en devez
Avoir dédain, quoique fûmes occis[5]
Par justice. Toutefois, vous savez
Que tous hommes n'ont pas bon sens rassis[6] ;
15 Excusez-nous, puisque sommes transis[7],
Envers le fils de la Vierge Marie,
Que sa grâce ne soit pour nous tarie,
Nous préservant de l'infernale foudre.
Nous sommes morts, âme ne nous harie[8],
20 Mais priez Dieu que tous nous veuille absoudre !

La pluie nous a débués[9] et lavés,
Et le soleil desséchés et noircis ;
Pies, corbeaux, nous ont les yeux cavés[10],
Et arraché la barbe et les sourcils.
25 Jamais nul temps nous ne sommes assis ;
Puis çà, puis là, comme le vent varie,
À son plaisir sans cesser nous charrie,
Plus becquetés d'oiseaux que dés à coudre.
Ne soyez donc de notre confrérie ;
30 Mais priez Dieu que tous nous veuille absoudre !

Prince Jésus, qui sur tous a maîtrie,
Garde qu'Enfer n'ait de nous seigneurie :
À lui n'ayons que faire ne que soudre[11].
Hommes, ici n'a point de moquerie ;
35 Mais priez Dieu que tous nous veuille absoudre !

FRANÇOIS VILLON, *Poésies diverses*, 1457-1463.

....

1. Villon écrivait « se » = si. – 2. Depuis longtemps. – 3. Détruite. – 4. Poussière. – 5. Tués. – 6. Réfléchi. – 7. Trépassés. – 8. Que personne ne nous moleste. – 9. Lessivés. – 10. Creusés. – 1. Avec lui n'ayons rien à faire ni à payer.

Poésie Gallimard, 1973.

Questions

1. Étudiez l'expression du macabre, en relevant les images particulièrement réalistes.
2. Quels sont les destinataires ? Quels arguments le poète emploie-t-il pour les convaincre ?
3. Quel effet produit l'envoi ?
4. Étudiez le thème du châtiment dans ce poème.

LA POÉSIE LYRIQUE
AU MOYEN ÂGE

À l'origine du mot « lyrique » se trouve un mythe. Dans la mythologie, l'initiateur de la poésie, Orphée, chante et s'accompagne d'un instrument à cordes, la lyre. Le lyrisme définit pour les Grecs cette relation privilégiée de la parole et de la musique, indépendamment de toute forme poétique. En France, sa signification a fortement évolué.

■ Un art courtois

Dès le XIe siècle, au sud de la Loire, se développe, dans la société courtoise, un art d'aimer qui en concentre les valeurs. La « fine amor » propose, dans des chansons d'amour, un idéal féminin calqué sur le modèle aristocratique. La relation de dépendance qui lie le vassal à son suzerain se transpose en termes affectifs. La femme domine le chevalier servant. Ainsi apparaît la poésie lyrique, chantée par des troubadours très souvent pauvres et célibataires qui courtisent la Dame du seigneur. Au XIIe siècle, quelques trouvères comme Thibaut de Champagne en développent la pratique dans le nord du pays. En langue d'oc ou en langue d'oïl, la poésie lyrique se caractérise par sa dimension spirituelle et impersonnelle. Le sentiment amoureux est représenté comme une quête qui aboutit au dépassement de soi ; la femme comme un absolu, un être symbolique plus qu'une personne de chair.

■ Un enracinement populaire

La poésie lyrique provient aussi d'un fonds folklorique immémorial, plus ancré dans la réalité concrète, comme les chansons de toile que les femmes reprennent lorsqu'elles tissent et dans lesquelles elles expriment leur vie quotidienne. Cette fusion entre des formes courtoises savantes et des chansons populaires traditionnelles explique pourquoi le lyrisme n'exclut pas un intérêt pour des réalités plus matérielles. Au XIIIe siècle, Rutebeuf témoigne ainsi d'une attention à la société de son temps et à son propre sort de jongleur peu fortuné.

■ Une évolution intimiste

Au XVe siècle, la poésie lyrique évolue. Christine de Pisan, Charles d'Orléans, prince-poète prisonnier de la cour d'Angleterre, et François Villon, lui apportent une dimension personnelle particulière. Ils énoncent des sentiments qui dépassent la simple expression d'états communs pour atteindre à une intimité alors inédite. Et surtout, le lyrisme s'associe à une technique poétique sophistiquée. Les poèmes à forme fixe exigent la plus grande virtuosité d'écriture, comme la ballade ou le rondeau. Des tournois poétiques en jugent. La poésie lyrique se définit alors, à la fin du Moyen Âge, comme la forme d'expression la plus exigeante de la vie intérieure.

Manuscrit du XIVe s. *Page musicale.*
Chantilly, musée Condé.
Photo © Hubert Josse.

■ Continuités et ruptures

Malgré des modifications, elle conserve cette vocation avec la Pléiade, puis avec les poètes classiques. Elle se transforme totalement avec le romantisme, qui assouplit les contraintes de la versification et libère l'épanchement des sentiments. Depuis, le ton lyrique renvoie à la libre communication d'un sentiment intime, quels que soient le propos – amour, temps, mort, nature –, la forme – vers, prose, poésie en prose, théâtre, chanson, cinéma – ou le style, parfois sobre, souvent emphatique.

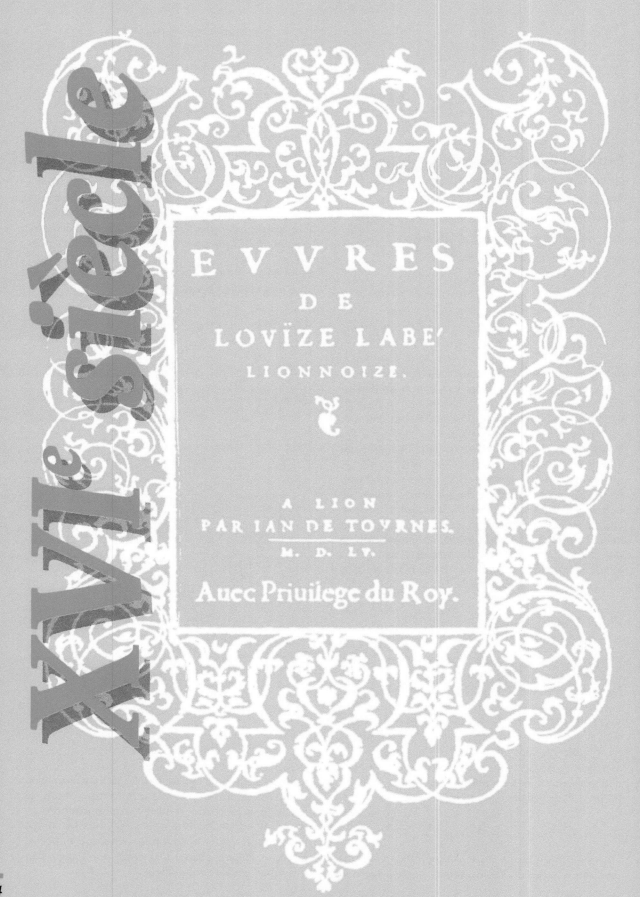

EVVRES
DE
LOVÏZE LABE'
LIONNOIZE.

A LION
PAR IAN DE TOVRNES.
M. D. LV.

Auec Priuilege du Roy.

XVIᵉ siècle

Le XVIᵉ siècle
Repères historiques

La Paix du Cateau-Cambrésis, 1559. Sienne, Archives de l'État. Photo © Dagli Orti.

1494-1534

Les guerres d'Italie (1494-1559), commencées par Louis XII (1498-1515), manifestent la volonté des rois de France de jouer un rôle majeur dans la nouvelle Europe, dont l'économie est dynamisée par les richesses du Nouveau Monde et les mentalités travaillées par le mouvement intellectuel de la Renaissance italienne. François Iᵉʳ, après la victoire de Marignan (1515), affronte l'immense empire du catholique Charles Quint, en s'alliant aux Turcs et aux princes protestants allemands. Il renforce le pouvoir royal contre celui des grands féodaux en confiant le fonctionnement de l'État à des bourgeois cultivés, et soutient les arts, l'humanisme et l'évangélisme à ses débuts.

1534-1559

L'affichage, sur sa porte, de « placards » favorables à la réforme luthérienne retourne François Iᵉʳ contre l'ensemble des réformateurs, qui seront désormais persécutés. Henri II (1547-1559) poursuit la politique intérieure et extérieure de son père sans en avoir le brillant. Il signe, peu avant sa mort accidentelle, le traité du Cateau-Cambrésis qui rétablit la paix et met fin à toute prétention de la France en Italie.

1559-1572

Après le règne éphémère de François II se succèdent huit guerres de Religion (1562-1589), entrecoupées de paix vite rompues. Ce sont autant de guerres civiles, qui ruinent l'économie, disloquent la société, mettent en péril l'unité du royaume et imposent un tour polémique à la vie intellectuelle. S'affrontent sans merci les « papistes », menés par les Guise, princes lorrains catholiques, et les huguenots calvinistes, dirigés par les Condé et les Navarre. Sous l'influence de sa mère Catherine de Médicis, Charles IX (1560-1574) passe envers ces derniers d'une attitude favorable à la répression brutale : c'est le massacre de la Saint-Barthélemy (1572).

1572-1589

L'indécis Henri III (1574-1589), frère des deux rois précédents, lutte d'abord contre les protestants, puis adopte la conciliation prônée par les « politiques », réalistes et inquiets de voir l'affaiblissement du pouvoir royal. Il se range ensuite du côté de la Ligue, confédération des ultra-catholiques que vient de former Guise, puis s'allie contre elle à Henri de Navarre et est alors assassiné par un ligueur.

1589-1598

Henri de Navarre, héritier légitime de la Couronne (sous le nom d'Henri IV, 1589-1610) et soutenu par les « politiques », doit vaincre la Ligue, aidée par l'Espagne, et se convertir au catholicisme (1593) pour asseoir son autorité sur tout le royaume et restaurer la paix civile. Il promulgue en 1598 l'édit de Nantes, qui donne aux protestants la liberté de conscience, une certaine liberté de culte et le droit d'entretenir des places fortes.

Le XVIᵉ siècle
Contextes

Le XVIᵉ siècle en France s'est voulu, beaucoup plus qu'il n'a été, une époque de rupture radicale avec les siècles précédents. Deux périodes, fortement contrastées, le partagent : la première, à laquelle seule s'applique le terme de « Renaissance », a confiance dans les capacités créatrices de l'homme et se lance dans la découverte enthousiaste de la nature et des livres ; la seconde est assombrie par les fureurs des guerres de Religion qui brisent cet élan et alimentent désenchantement, scepticisme et vision tragique du monde.

L'HUMANISME (voir p. 55) APPARTIENT À UN MOUVEMENT PLUS VASTE qui voit se développer de nouvelles valeurs. L'arrivée massive de métaux précieux en provenance des colonies espagnoles d'Amérique entraîne en effet progressivement des modifications économiques et sociales : les valeurs d'argent perturbent des sociétés fondées sur les valeurs nobiliaires de sang et de prestige. Les souverains, aux finances chroniquement insuffisantes, dépendent de plus en plus des banquiers.

LES VALEURS BOURGEOISES DE MÉRITE INDIVIDUEL menacent les valeurs guerrières d'une aristocratie de naissance méprisant le travail, y compris le travail intellectuel. Ce dernier assure justement la promotion de bourgeois instruits que les rois recrutent pour le fonctionnement d'un État qui, de plus en plus, exige des compétences : le mouvement vers la monarchie absolue est enclenché. Les plus importants de ces fonctionnaires royaux, possesseurs de leur charge, forment une nouvelle noblesse, dite « de robe », qui concurrence la noblesse d'épée traditionnelle. La plupart des humanistes sont issus de ce milieu.

LA CULTURE DEVIENT UNE VALEUR EN SOI. L'aristocratie française en effet, à la faveur des guerres d'Italie, a découvert le raffinement de la vie de Cour et accorde aux artistes commandes et protection. François Iᵉʳ développe une stratégie moderne de glorification de la royauté et de la France par les arts. Il invite des artistes italiens et crée le Collège

des lecteurs royaux, pour les langues anciennes. En faisant du français, par l'ordonnance de Villers-Cotterêts (1539), la langue de la justice, il lui donne la dignité d'une langue de pouvoir, de même que les poètes en font une langue de culture.

Ancy-le-Franc, château.
La Chambre des Arts décorée de fresques
des Arts libéraux et des Muses attribuées au PRIMATICE.
• Photo © Dagli Orti.

L'HUMANISME SE CARACTÉRISE PAR UNE VOLONTÉ DE PAIX, paix que les lettrés d'Europe construisent d'abord entre eux grâce à une langue commune, le latin, et un état d'esprit, l'émulation dans la recherche du vrai et du beau. Ils sont persuadés que la vérité est objet de désir et la beauté objet de connaissance, et qu'un même dynamisme anime le savant, l'artiste, le prince, le voyageur ou le médecin. Le « néo-platonisme » les séduit souvent : cette relecture mystique de la philosophie de Platon voit, dans le désir de

Intérieur d'une imprimerie au XVIᵉ siècle. Gouache, XVIIᵉ s. Dole, musée municipal. Photo © Lauros-Giraudon.

beauté terrestre, le premier échelon dans un mouvement d'ascension de la créature vers Dieu, centre de Bonté et de Vérité. En matière scientifique, se manifeste la passion de faire l'inventaire du monde et de découvrir les analogies et interactions cachées entre les choses ou les êtres, notamment entre macrocosme et microcosme (croyance générale dans l'astrologie). Les avancées concernent spécialement l'anatomie et la médecine. En revanche, l'héliocentrisme de Copernic (1543) exerce encore peu d'influence.

L'IDÉAL HUMANISTE S'EFFONDRE À L'ÉPREUVE DES FAITS.
L'affrontement intellectuel sur le terrain religieux tourne en effet à l'éclatement de l'unité de la chrétienté occidentale et à la guerre civile. La critique des abus de l'Église et le désir d'une rénovation spirituelle du christianisme par le retour aux sources de l'Évangile (« évangélisme ») sont pourtant partagés par les humanistes catholiques et protestants. Mais les premiers refusent, dans leur vision optimiste des capacités humaines et leur goût de la beauté, l'idée, défendue par Luther et Calvin, selon laquelle l'homme est faible, défiguré et asservi par le péché, incapable de collaborer à son salut éternel, qu'il doit tout entier à la grâce divine. Sur le plan politique, les catholiques privilégient la cohésion de la société et l'encadrement du peuple. Les calvinistes, au contraire, soutiennent les droits de la conscience individuelle.

L'APPARITION DE L'IMPRIMERIE MODIFIE
le régime de production et de diffusion des œuvres. Elle n'amène cependant aucune uniformisation du français, qui se transforme et s'enrichit de néologismes pendant tout le siècle. Elle confirme la prédominance des livres religieux. Mais elle touche un public plus vaste, même s'il reste restreint dans l'absolu, à cause du prix élevé des livres et de la faible alphabétisation. Son effet est ambigu : l'imprimé renforçant l'autorité des mots, il peut fixer les traditions et répandre les fanatismes aussi bien que diffuser les savoirs nouveaux. Enfin son essor, d'abord remarquable, est arrêté par les guerres de Religion.

LE PUBLIC EST CLOISONNÉ.
Le peuple fait le succès des imprimés bon marché (les almanachs). Les nobles sont sensibles à la poésie amoureuse dans le goût moderne italien. Les lettrés demandent productions érudites et éditions de textes antiques. De façon générale, la lecture demande une importante culture. D'une part, les écrits, qu'ils visent la vérité ou la fiction, mettent en jeu indifféremment sciences, théologie, poésie ou politique : la « littérature » au sens actuel du terme n'existe pas. D'autre part, les écrivains pratiquent l'émulation avec les prédécesseurs dont ils s'inspirent : il faut donc connaître ces derniers pour goûter les œuvres nouvelles. L'originalité d'un auteur ne réside pas en effet dans la sincérité des sentiments ou la création de formes ou d'idées inédites, mais dans la sélection et l'agencement nouveaux d'un matériau reçu de la tradition.

LES ÉCRIVAINS REVENDIQUENT UNE RECONNAISSANCE SOCIALE.
La Pléiade avance même l'idée d'une royauté poétique qui fait du poète l'équivalent du prince et non plus son domestique : il conférera au prince l'immortalité et recevra en retour richesses et honneurs. Dans la réalité cependant, sauf autonomie financière personnelle, les écrivains doivent trouver un protecteur et souvent intégrer les fonctions mineures du clergé pour toucher des revenus ecclésiastiques.

Clément Marot

(1496 ?-1544)

Portrait par CORNEILLE DE LYON
(1505-1574),
Paris, musée du Louvre.
• Photo © Josse.

CLÉMENT MAROT, dont les premières poésies, rondeaux, ballades et épîtres, sont écrites dans la tradition médiévale, est apprécié de la cour de François Ier dont il devient bientôt le poète officiel. Il s'inspire autant des événements politiques (célébration de la paix de Cambrai en 1529) que des petits faits de la vie quotidienne (***Épître au roi, pour avoir été dérobé***, 1531). Mais l'indépendance de ses idées religieuses et son comportement parfois fantasque sont sans doute à l'origine d'une dénonciation fallacieuse qui le conduit en prison : ce séjour lui inspire le poème ***L'Enfer***, brûlot satirique contre la justice qu'il se garde bien de publier. Sa probable sympathie pour les protestants aiguise contre lui l'ardeur de l'Église et de la Sorbonne : accusé dans l'Affaire des Placards en 1534 (des affiches dénonçant la messe sont placardées jusque sur la porte de la chambre du roi), il s'exile en Italie.

Bien que fidèle à ses convictions évangéliques (voir p. 37), il abjure pour rentrer en France. Mais l'Église se méfie toujours de lui. Il publie, en 1542, les *Psaumes* de David qu'il a traduits. Après un nouvel exil, il meurt à Turin en 1544.

Adolescence clémentine

[1532]

Accusé d'avoir mangé du lard pendant le Carême, ce qui lui vaut d'encourir la peine de mort, Marot est emprisonné au Châtelet en 1526. Il en appelle à son ami Léon Jamet, conseiller du roi, dont le prénom se prononce Lion : c'est l'occasion pour le poète de reprendre la fable d'Ésope du Lion et du Rat, que La Fontaine illustrera à son tour (Fables, II, 11).

Épître à son ami Lion

Mais je te veux dire une belle fable
15 C'est à savoir du lion et du rat.
Cestui lion, plus fort qu'un vieux verrat[1],
Vit une fois que le rat ne savait
Sortir d'un lieu, pour autant[2] qu'il avait
Mangé le lard et la chair toute crue.
20 Mais ce lion (qui jamais ne fut grue[3])

1. Porc.
2. Parce que.
3. Sot.

Trouva moyen, et manière et matière,
D'ongles et dents, de rompre la ratière,
Dont maître rat échappe vitement :
Puis mit à terre un genou gentiment,
25 Et, en ôtant son bonnet de la tête,
A mercié mille fois la grand bête,
Jurant le dieu des souris et des rats
Qu'il lui rendrait. Maintenant, tu verras
Le bon du conte. Il advint d'aventure
30 Que le lion, pour chercher sa pâture,
Saillit⁴ dehors sa caverne et son siège,
Dont⁵, par malheur, se trouva pris au piège,
Et fut lié contre un ferme poteau.
    Adonc le rat, sans serpe ni couteau,
35 Y arriva joyeux et ébaudi⁶,
Et du lion, pour vrai, ne s'est gaudi⁷ ;
Mais dépita⁸ chats, chattes et chatons,
Et prisa forts rats, rates et ratons,
Dont⁹ il avait trouvé temps favorable
40 Pour secourir le lion secourable,
Auquel a dit : « Tais-toi, lion lié,
Par moi seras maintenant délié ;
Tu le vaux bien, car le cœur joli¹⁰ as ;
Bien y parut, quand tu me délias.
45 Secouru m'as fort lionneusement,
Or, secouru seras rateusement. »
    Lors le lion ses deux grands yeux vêtit¹¹,
Et vers le rat les tourna un petit¹²,

En lui disant : « Ô pauvre verminière¹³,
50 Tu n'as sur toi instrument ni manière,
Tu n'as couteau, serpe ni serpillon,
Qui sût couper corde ni cordillon,
Pour me jeter¹⁴ de cette étroite voie.
Va te cacher, que le chat ne te voie.
55 – Sire lion, dit le fils de souris,
De ton propos, certes, je me souris.
J'ai des couteaux assez, ne te soucie,
De bel os blanc, plus tranchants qu'une scie ;
Leur gaine, c'est ma gencive et ma bouche ;
60 Bien couperont la corde qui te touche
De si très près ; car j'y mettrai bon ordre. »
    Lors sire rat va commencer à mordre
Ce gros lien ; vrai est qu'il y songea
Assez longtemps, mais il le vous rongea
65 Souvent et tant, qu'à la parfin tout rompt ;
Et le lion de s'en aller plus prompt,
Disant en soi : « Nul plaisir, en effet,
Ne se perd point, quelque part où soit fait. »
Voilà le conte en termes rimassés :
70 Il est bien long, mais il est vieil assez,
Témoin Ésope et plus d'un million.
    Or, viens me voir, pour faire le lion,
Et je mettrai peine, sens¹⁵ et étude
D'être le rat, exempt d'ingratitude :
75 J'entends, si Dieu te donne autant d'affaire¹⁶
Qu'au grand lion, ce qu'il ne veuille faire.

CLÉMENT MAROT, *Adolescence clémentine*, épître XI, « Épître à son ami Lion », vers 14 à 76.

....

4. Bondit. – 5. D'où. – 6. Réjoui. – 7. Moqué. –
8. Méprisa. – 9. De ce que. – 10. Noble. – 11. Recouvrit
de ses paupières. – 12. Un petit peu. – 13. Vermisseau. –
14. Tirer de. – 15. Intelligence. – 16. Embarras.

Questions

1. Repérez les passages de récit et de discours et dégagez les différents épisodes du poème et la progression d'ensemble.

2. Qu'y a-t-il de cocasse dans la situation du rat évoquée au début du poème ?

3. Mettez en évidence l'art du portrait physique et psychologique des différents personnages.

4. Commentez le dialogue du Lion et du Rat aux vers 41-61 : quel intérêt y avait-il à écrire un dialogue ici ? La tonalité des discours des deux personnages est-elle la même ? Justifiez votre réponse en les caractérisant avec précision.

5. Clément Marot, qui est en réel danger de mort, se met lui-même en scène : montrez-le et justifiez le procédé.

Petite Épître au roi

Dans ce texte, Marot s'inspire de la tradition des grands rhétoriqueurs de la fin du Moyen Âge :
ces derniers composaient des poèmes qui donnaient priorité aux virtuosités verbales.

En m'ébattant[1] je fais rondeaux en rime,
Et en rimant, bien souvent je m'enrime[2] :
Bref, c'est pitié d'entre nous, rimailleurs,
Car vous trouvez assez de rime ailleurs,
5 Et quand vous plaît, mieux que moi rimaillez[3] :
Des biens avez, et de la rime assez :
Mais moi, atout[4] ma rime et ma rimaille,
Je ne soutiens (dont je suis marri) maille[5].
Or ce me dit (un jour) quelque rimard[6] :
10 Viens ça, Marot, trouves-tu en rime art
Qui serve aux gens, toi qui as rimassé ?
Oui vraiment (réponds-je), Henri Macé[7],
Car vois-tu bien la personne rimante,

Qui au jardin de son sens la rime ente[8],
15 Si elle n'a des biens en rimoyant,
Elle prendra plaisir en rime oyant[9] :
Et m'est avis que, si je ne rimais,
Mon pauvre corps ne serait nourri mais,
Ni demi jour. Car la moindre rimette,
20 C'est le plaisir où fault que mon ris[10] mette.
Si[11] vous supplie qu'à ce jeune rimeur
Fassiez avoir un jour par sa rime heur[12],
Afin qu'on die, en prose ou en rimant :
Ce rimailleur, qui s'allait enrimant,
25 Tant rimailla, rima et rimonna,
Qu'il a connu quel bien par rime on a.

CLÉMENT MAROT, *Adolescence clémentine*, épître VI.

---

1. M'amusant. – 2. Je m'enrhume. – 3. Ce verbe s'adresse à
François Iᵉʳ, poète à ses heures. – 4. Avec. – 5. Je ne gagne rien.
– 6. Mauvais poète. – 7. Valet de chambre du roi. Le nom est
surtout utile pour la rime. – 8. Greffe. – 9. Entendant. – 10.
Rire. – 11. Ainsi. – 12. Bonheur.

Questions

1. Repérez les indices lexicaux, rhétoriques et syntaxiques qui donnent au poème sa tonalité.

2. Les rimes utilisées par Marot sont des rimes « équivoquées » (le poète fait rimer des mots de forme identique mais de sens différent) : quel intérêt représente pour vous cette prouesse verbale ?

3. Quelle image de la Cour Clément Marot suggère-t-il ici ?

4. Quel portrait brosse-t-il rapidement des poètes ?

5. Comment comprenez-vous les vers 13 et 14 ? Quelle conception de la poésie se fait jour ici ?

Épigrammes
[1538]

Cette épigramme est dédiée à Anne d'Alençon, que Marot aima sincèrement et qui lui
inspira des pièces variées : ici, un dizain, poème inspiré d'un modèle latin.

Anne (par jeu) me jeta de la neige
Que je cuidois[1] froide certainement,
Mais c'était feu ; l'expérience en ai-je ;
Car embrasé je fus soudainement.
5 Puisque le feu loge secrétement
Dedans la neige, où trouverai-je place
Pour n'ardre[2] point ? Anne, ta seule grâce
Éteindre peut le feu que je sens bien ;
Non point par eau, par neige ni par glace,
10 Mais par sentir un feu pareil au mien.

CLÉMENT MAROT, *Épigrammes*, I, 24,
« D'Anne qui lui jeta de la neige ».

Questions

1. Par des relevés précis, montrez que le poème est organisé autour de parallélismes et d'inversions.

2. À quels endroits du texte le feu et la neige sont-ils pris au sens propre ? au sens métonymique ? À quel moment le poète passe-t-il d'un sens à l'autre ? Pourquoi ?

3. Commentez l'enjambement des vers 5-6.

4. Quels indices renvoient à un jeu littéraire ? lesquels à une expérience vécue ?

---

1. Croyais. – 2. Brûler.

La Suite de l'Adolescence clémentine
[1538]

À une demoiselle malade

Clément Marot adresse cette jolie lettre à Jeanne d'Albret, fille de Marguerite de Navarre (sœur de François Iᵉʳ). Elle avait reçu de son père et de son oncle le tendre surnom de « mignonne des rois ». Le texte a été composé en 1537.

Ma Mignonne,
Je vous donne
Le bon jour.
Le séjour
5 C'est prison ;
Guérison
Recouvrez,
Puis ouvrez
Votre porte,
10 Et qu'on sorte
Vitement[1] :
Car Clément
Le vous mande[2].
  Va, friande

15 De ta bouche,
Qui se couche
En danger
Pour manger
Confitures ;
20 Si tu dures
Trop malade,
Couleur fade
Tu prendras,
Et perdras
25 L'embonpoint.
  Dieu te doint[3]
Santé bonne
Ma Mignonne.

CLÉMENT MAROT, *La Suite de l'Adolescence clémentine,*
épître XXVIII, « À une demoiselle malade ».

1. Vite. – 2. Demande. – 3. Que Dieu te donne.

Questions

1. Quel portrait le poète brosse-t-il de la dame ? de lui-même ?

2. Sur quels indices, notamment métriques, sonores et lexicaux, pouvez-vous vous appuyer pour déterminer la tonalité du poème ?

NICOLO DELL'ABATE (1509-1571),
Colloque amoureux. Paris, musée du Louvre.
● Photo © RMN-J.G. Berizzi.

L'épigramme

Une épigramme est d'abord, chez les Grecs, une courte inscription sur un monument. Chez les poètes alexandrins, à partir du IIIᵉ siècle av. J.-C., elle devient un genre poétique à part entière, sous forme de brèves pièces de huit à dix vers. Des poètes latins comme Martial lui donnent une tonalité satirique. Caractérisée par le recours à la « pointe » (un « effet » à la fin du poème), cette forme brève est fort appréciée à partir du XVIᵉ siècle.

Rabelais

François Rabelais
(1494?-1553)

Portrait anonyme.
Versailles, musée national du château.
● Photo © Lauros-Giraudon.

FRANÇOIS RABELAIS appartient pleinement à la Renaissance, avide de connaissances et d'expériences, exaltant les possibilités de l'être humain. Il naît et passe son enfance près de Chinon, dans une campagne riche qu'il donnera comme cadre à nombre d'épisodes de ses romans. Comme novice, puis comme moine (à partir de 1520), il reçoit sa formation intellectuelle des franciscains, puis des bénédictins, voués aux travaux de l'esprit : il étudie droit, théologie et grec, et correspond avec des savants. Il met fin à cette vie monastique en 1528 pour se lancer dans des études de médecine, qu'il mène brillamment à Montpellier. Avant de les avoir achevées, il se voit confier un hôpital à Lyon, important centre d'érudition, d'imprimerie et de foires. Il fréquente les milieux humanistes et penche vers les « évangéliques » (voir pp. 36-37). Il commence à publier livres savants et récits populaires, sous un pseudonyme, et devient aussi célèbre comme médecin que comme écrivain. Il gagne à ce titre la protection du puissant évêque Jean Du Bellay, cousin du poète, qu'il accompagne à plusieurs reprises, entre 1534 et 1550, pour de longues missions dans cette Italie qui est la patrie spirituelle des humanistes. Entre-temps, il passe son doctorat, exerce la médecine dans différentes villes, enseigne l'anatomie, et continue à écrire en obtenant un immense succès de librairie. Il laisse inachevé son dernier roman.

SON ŒUVRE, qui comprend des éditions de textes médicaux antiques, consiste surtout en une suite de cinq romans. Après le succès de **Pantagruel** (1532), épopée bouffonne de la formation d'un jeune géant, condamnée pour obscénité par la Sorbonne, Rabelais dote son héros d'un père dans **Gargantua** (1534-1535). Ce dernier est un géant emprunté au folklore, et bien connu du public des livres de colportage, mais aussi un jeune roi qui bénéficie d'une éducation humaniste et de l'exemple de son propre père, juste et pacifique. À partir du **Tiers Livre** (1546), centré sur le personnage de Panurge à la recherche de conseils pour savoir s'il doit se marier, les préoccupations philosophiques et politiques prennent le dessus (ce qui provoque une nouvelle condamnation, cette fois pour sympathie envers les idées des Réformés). Le **Quart Livre** (1552) et le **Cinquième Livre** (posthume – 1564 – et de diverses mains) parodient les récits des grands explorateurs en relatant la suite maritime de cette quête, où alternent fantastique et satire. Ce cycle romanesque est inclassable : il déploie une vision du monde, synthèse des ambitions humanistes, plus qu'il ne suit une logique narrative. Carrefour de langues et de cultures, il associe, pour la dernière fois en France dans un égal respect et une même joie, culture savante moderne et culture populaire traditionnelle. Il conjugue situations grotesques et messages philosophiques, jeux de l'esprit et éloge du corps, savoirs livresques et saveurs terrestres. Enthousiasme de l'invention et désir encyclopédique de saisir le monde dans tous ses aspects assurent l'unité de l'ensemble. Cette œuvre est aussi objet de jouissance par le langage, grâce à la richesse d'un français dans tous ses états : néologismes, dialectes, jargons techniques, litanies ou pures sonorités. Le rire libérateur qu'appelle cette somme de questions, plus que de réponses, sape l'esprit de sérieux et la croyance fanatique aux vérités figées.

Gargantua

■■■■■ [1534-1535]

Prologue de l'auteur

Alcofrybas Nasier s'adresse à son lecteur : tel est le pseudonyme d'allure gréco-arabe (selon la double source du savoir humaniste), et anagramme de son nom, que François Rabelais, médecin lyonnais respecté, choisit pour publier ses histoires « horrifiques » de géants. En 1532, dans le prologue de Pantagruel, il visait un public aristocratique et cultivé. Deux ans plus tard, avec le prologue de Gargantua, il semble changer de cible. Ce prologue est reproduit, pour le plaisir de l'œil, en graphie d'époque, aux accents près.

Beuveurs très illustres, et vous, Véroléz très précieux – car à vous, non à aultres, sont dédiéz mes escriptz –, Alcibiades, au dialogue de Platon intitulé *Le Bancquet*, louant son précepteur Socrates, sans controverse prince des philosophes, entre aultres parolles le dict estre semblable ès[1] Silènes. Silènes estoient jadis petites boites, telles que voyons de présent ès bouticques des apothecaires, pinctes au dessus de figures joyeuses et frivoles, comme de harpies, satyres, oysons bridéz, lièvres cornuz, canes bastées, boucqs volans, cerfz limonniers[2] et aultres telles pinctures contrefaictes à plaisir pour exciter le monde à rire (quel[3] fut Silène, maistre du bon Bacchus) ; mais au dedans l'on réservoit les fines drogues comme baulme, ambre gris, amomon[4], musc, zivette[5], pierreries et aultres choses précieuses. Tel disoit estre Socrates[6], parce que, le voyans au dehors et l'estimans par l'extériore apparence, n'en eussiez donné un coupeau d'oignon, tant laid il estoit de corps et ridicule en son maintien, le nez pointu, le reguard d'un taureau, le visaige d'un fol, simple en meurs, rustiq en vestimens, pauvre de fortune, infortuné en femmes, inepte à tous offices de la république, tousjours riant, tousjours beuvant d'autant[7] à un chascun, tousjours se guabelant[8], tousjours dissimulant son divin sçavoir ; mais, ouvrans ceste boyte, eussiez au dedans trouvé une céleste et impréciable[9] drogue : entendement plus que humain, vertus merveilleuse, couraige invincible, sobresse non pareille, contentement certain, asseurance parfaicte, déprisement[10] incroyable de tout ce pourquoy les humains tant veiglent, courent, travaillent, navigent et bataillent.

À quel propos, en voustre advis, tend ce prélude et coup d'essay ? Par autant que[11] vous, mes bons disciples, et quelques aultres foulz de séjour[12], lisans les joyeulx tiltres d'aulcuns[13] livres de nostre invention, comme *Gargantua, Pantagruel, Fessepinte*[14], *La Dignité des Braguettes, Des Poys au lard cum commento*[15], etc., jugez trop facilement ne estre au dedans traicté que mocqueries, folateries et menteries joyeuses, veu que l'ensigne extérieur (c'est le tiltre) sans plus avant enquérir est communément receu à dérision et gaudisserie[16]. Mais par telle legièreté ne convient estimer les œuvres des humains. Car vous mesmes dictes que l'habit ne faict point le moyne, et tel est vestu d'habit monachal, qui au dedans n'est rien moins que moyne, et tel est vestu de cappe Hespanole, qui en son couraige nullement affiert[17] à Hespane. C'est pourquoy fault ouvrir le livre et soigneusement peser ce que y est déduict[18]. Lors congnoistrez que la drogue dedans contenue est bien d'aultre valeur que ne promettoit la boite, c'est-à-dire que les matières icy traictées ne sont tant folastres comme le titre au dessus prétendoit.

FRANÇOIS RABELAIS, *Gargantua*, éd. Pierre Michel,
© Librairie Générale Française, 1972.

---

1. Aux.
2. Attelés aux limons d'une charrette.
3. Tel.
4. Plante odoriférante.
5. Parfum extrait de la civette (petit carnivore).
6. Tel Alcibiade disait qu'était Socrate.
7. Autant que chacun, sans être surpassé.
8. Se moquant.
9. Inappréciable.
10. Mépris.
11. Parce que.
12. Loisir.
13. Quelques.
14. Buveur de pinte.
15. Avec commentaire.
16. Plaisanterie.
17. Ne tient nullement.
18. Développé.

Questions

1. Étudiez les images employées par Rabelais à propos de son œuvre. Quelle est leur fonction ? Sont-elles cohérentes entre elles ?

2. Quel statut l'auteur revendique-t-il pour son œuvre ? Quelle méthode de lecture préconise-t-il en conséquence ? Dans quel état d'esprit le lecteur doit-il se mettre ?

3. Quelle est la tonalité dominante de ce prologue ? Se moque-t-il de l'esprit de sérieux ? Prend-il le rire au sérieux ?

4. Manier les mots (parler, écrire, lire) donne du plaisir : comment ce texte en donne-t-il la démonstration ?

5. Quel est le statut de la beauté selon ce texte ?

MARTEN VAN HEEMSKERCK (1498-1574), *Intérieur d'un studio d'artistes.*
• Londres, Phillips Fine Art Auctioneers. Photo © Édimédia.

Comment Gargantua employait le temps
quand l'air était pluvieux

*L'éducation des enfants est une préoccupation majeure des humanistes : il n'est jamais
trop tôt pour développer les capacités d'un homme. Mais c'est aussi un terrain
d'affrontement avec les tenants des méthodes et objectifs pédagogiques en usage dans les
écoles traditionnelles et les universités : pensant nécessaire de soustraire l'enfant au monde
des hommes et de la nature, ces derniers préféraient les livres à l'expérience et à la vie
ordinaire, et les exercices de l'esprit à ceux du corps. Après les méfaits d'un précepteur qui
le rend « fou, niais, tout rêveux et rassoté », Gargantua est confié par son père
Grandgousier au sage Ponocrates, dont le nom signifie « dur à la tâche ». Avec un tel
maître, pas de temps perdu.*

S'il advenait que l'air fût pluvieux et intempéré, tout le temps d'avant dîner
était employé comme de coutume, excepté qu'il faisait allumer un beau et clair
feu pour corriger l'intempérie de l'air. Mais après dîner, en lieu des exercitations,
ils demeuraient en la maison et, par manière d'apothérapie[1], s'ébattaient à bot-
5 teler du foin, à fendre et scier du bois, et à battre les gerbes en la grange ; puis
étudiaient en l'art de peinture et sculpture, ou révoquaient[2] en usage l'antique

1. Régime fortifiant.

2. Rappelaient.

3. Humaniste italien qui avait publié à Lyon, en 1532, un dialogue sur le jeu des osselets.

4. Humaniste grec, bibliothécaire de François Iᵉʳ et maître de Budé, le plus célèbre des humanistes français et correspondant de Rabelais.

5. Repassaient dans leur esprit.

6. Tisserands.

7. Fabricants de velours.

8. Miroitiers.

9. Facteurs d'orgues.

10. Pourboire.

11. Harangues.

12. Voir pp. 36-37.

13. Armes.

14. Onguents exotiques.

15. Falsifiait.

16. Escamoteurs.

17. Charlatans vendeurs de thériaque, remède universel.

18. Animaux tenus pour fabuleux à l'époque.

19. Voisinage.

20. Pour n'avoir pris d'exercice.

21. Progrès.

jeu des tables ainsi qu'en a écrit Leonicus[3] et comme y joue notre bon ami Lascaris[4]. En y jouant récolaient[5] les passages des auteurs anciens esquels est faite mention ou prise quelque métaphore sur icelui jeu.

Semblablement, ou allaient voir comment on tirait les métaux, ou comment on fondait l'artillerie, ou allaient voir les lapidaires, orfèvres et tailleurs de pierreries, ou les alchimistes et monnayeurs, ou les hautelissiers, les tissotiers[6], les velotiers[7], les horlogiers, miralliers[8], imprimeurs, organistes[9], teinturiers et autres telles sortes d'ouvriers, et, partout donnant le vin[10], apprenaient et considéraient l'industrie et l'invention des métiers.

Allaient ouïr les leçons publiques, les actes solennels, les répétitions, les déclamations, les plaidoyers des gentils avocats, les contions[11] des prêcheurs évangéliques[12].

Passait par les salles et lieux ordonnés pour l'escrime, et là contre les maîtres essayait de tous bâtons[13], et leur montrait par évidence qu'autant, voire plus, en savait qu'iceux.

Et, au lieu d'arboriser, visitaient les boutiques des drogueurs, herbiers et apothécaires, et soigneusement considéraient les fruits, racines, feuilles, gommes, semences, axunges pérégrines[14], ensemble aussi comment on les adultérait[15].

Allait voir les bateleurs, tréjectaires[16] et thériacleurs[17], et considérait leurs gestes, leurs ruses, leurs soubresauts et beau parler, singulièrement de ceux de Chauny en Picardie, car ils sont de nature grands jaseurs et beaux bailleurs de balivernes en matière de singes verts[18].

Eux retournés pour souper, mangeaient plus sobrement qu'ès autres jours et viandes plus désiccatives et exténuantes, afin que l'intempérie humide de l'air, communiquée au corps par nécessaire confinité[19], fût par ce moyen corrigée, et ne leur fût incommode par ne soi être exercités[20] comme avaient de coutume.

Ainsi fut gouverné Gargantua et continuait ce procès[21] de jour en jour, profitant comme entendez que peut faire un jeune homme, selon son âge, de bon sens en tel exercice ainsi continué, lequel, combien que semblât pour le commencement difficile, en la continuation tant doux fut, légier et délectable, que mieux ressemblait un passe-temps de roi que l'étude d'un écolier.

FRANÇOIS RABELAIS, *Gargantua*, chap. 24, éd. Pierre Michel (orthographe modernisée),
© Librairie Générale Française, 1972.

Questions

1. Identifiez et analysez les caractéristiques générales de l'éducation donnée à Gargantua.

2. Quels domaines précis d'activité sont réservés aux jours pluvieux ? Pourquoi ? Quelles facultés ou capacités développent-ils chez l'élève ?

3. Quelle conception de l'homme l'importance accordée aux métiers suggère-t-elle ? Vous pouvez penser à l'*Encyclopédie* de Diderot et à ses nombreux articles et planches consacrés aux métiers et aux techniques.

4. Quel regard sur le monde les nombreuses énumérations de ce texte proposent-elles ?

5. Dans quelle mesure faut-il prendre au sérieux ce programme pédagogique ?

Comment un moine de Seuillé sauva le clos de l'abbaye du sac des ennemis

Grandgousier exerce sur son domaine près de Chinon un pouvoir aussi débonnaire que juste. Ce roi pacifique ne peut cependant épargner à ses sujets une guerre défensive contre le colérique et mégalomane Picrochole qui entreprend de se bâtir un empire universel. Les armées de celui-ci ont déjà atteint la plantureuse abbaye de Seuillé (celle-là même – Seuilly – où le jeune Rabelais avait fait ses premières études) et pillent son vignoble laissé sans défense. Les moines, en effet, qui ne savent à quel saint se vouer, sont occupés à chanter une messe dans leur église. Mais l'un d'entre eux, frère Jean des Entommeures (c'est-à-dire, des hachis…), fait irruption dans le chœur de l'église – et sur la scène du roman, qu'il ne quittera désormais plus guère. Il proclame qu'il faut protéger le vignoble autrement que par des chants.

Ce disant, mit bas son grand habit et se saisit du bâton de la croix qui était de cœur de cormier, long comme une lance, rond à plein poing, et quelque peu semé de fleurs de lys, toutes presque effacées. Ainsi sortit en beau sayon[1], mit son froc en écharpe et de son bâton de la croix donna si brusquement sur les enne-
5 mis, qui, sans ordre, ni enseigne[2], ni trompette, ni tambourin, parmi le clos ven-dangeaient – car les porte-guidons et porte-enseignes avaient mis leurs guidons[3] et enseignes l'orée[4] des murs, les tambourineurs avaient défoncé leurs tambou-rins d'un côté pour les emplir de raisins, les trompettes étaient chargées de mous-sines[5], chacun était dérayé[6] –, il choqua donc si raidement sur eux, sans dire gare,
10 qu'il les renversait comme porcs, frappant à tort et à travers, à vieille escrime.

Ès uns escarbouillait la cervelle, ès autres rompait bras et jambes, ès autres délochait les spondyles[7] du col, ès autres démoulait[8] les reins, avalait[9] le nez, pochait les yeux, fendait les mandibules, enfonçait les dents en la gueule, décrou-lait[10] les omoplates, sphacelait les grèves[11], dégondait les ischies[12], débezillait les
15 faucilles[13].

Si quelqu'un se voulait cacher entre les ceps plus épais, à icelui froissait[14] toute l'arrête du dos et l'éreinait[15] comme un chien.

Si aucun sauver se voulait en fuyant, à icelui faisait voler la tête en pièces par la commissure lambdoïde[16].

20 Si quelqu'un gravait[17] en un arbre, pensant y être en sûreté, icelui de son bâton empalait par le fondement.

Si quelqu'un de sa vieille connaissance lui criait : « Ha ! frère Jean, mon ami, frère Jean, je me rends !

– Il t'est, disait-il, bien force ; mais ensemble tu rendras l'âme à tous les diables. »
25 Et soudain lui donnait dronos[18]. Et, si personne tant fut épris de témérité qu'il lui voulut résister en face, là montrait-il la force de ses muscles, car il leur trans-perçait la poitrine par le médiastin[19] et par le cœur. À d'autres donnant sur la faute des côtes, leur subvertissait[20] l'estomac, et mouraient soudainement. Ès autres tant fièrement frappait par le nombril qu'il leur faisait sortir les tripes. Ès
30 autres parmi les couillons perçait le boyau culier. Croyez que c'était le plus hor-rible spectacle qu'on vit onques.

Les uns criaient : Sainte Barbe ! les autres : Saint Georges ! les autres : Sainte Nytouche ! les autres : Notre Dame de Cunault ! de Laurette ! de Bonnes Nouvelles ! de la Lenou ! de Rivière ! les uns se vouaient à saint Jacques ; les
35 autres au saint suaire de Chambéry, mais il brûla trois mois après, si bien qu'on

---

1. Casaque.
2. Drapeau d'infanterie.
3. Fanions de cavalerie.
4. Le long.
5. Branches de vigne avec grappes et feuilles.
6. Débandé.
7. Déboîtait les vertèbres.
8. Disloquait.
9. Faisait tomber.
10. Défonçait.
11. Noircissait (comme dans la gangrène ou spha-cèle) les jambes de coups.
12. Faisait sortir de leurs gonds les têtes de fémurs (luxation de la hanche).
13. Mettait en morceaux les os des bras et des jambes.
14. Brisait.
15. Lui cassait les reins.
16. Suture en forme de lambda.
17. Grimpait.
18. Coups (dialecte ange-vin).
19. Logement du cœur dans la poitrine.
20. Retournait.
21. *Je confesse, aie pitié, entre tes mains* [Seigneur je remets mon esprit].
22. Blessés.
23. Avec.

JÉRÔME BOSCH, *Le Char de foin*
(détail).
Madrid, musée du Prado.
Photo © Édimédia.

Questions

1. Dans quelle mesure ce combat est-il une parodie d'épopée (voir p. 15) ?

2. Étudiez la matière verbale : sonorités, rythme des phrases. Comment Rabelais maintient-il l'intérêt de son lecteur ? Auriez-vous été gêné(e) de n'avoir aucune note explicative ?

3. Quelle image du corps Rabelais donne-t-il ici ?

4. Que pensez-vous d'une telle manière de traiter ce qui est littéralement un carnage ? Est-ce une dénonciation de la guerre ? une banalisation de celle-ci par le rire ?

5. Étudiez la satire de la vie monastique et l'alternative incarnée par frère Jean. Peut-on voir en ce dernier un humaniste ?

n'en put sauver un seul brin ; les autres à Cadouin ; les autres à saint Jean d'Angery ; les autres à saint Eutrope de Saintes, à saint Mesmes de Chinon, à saint Martin de Candes, à saint Clouaud de Sinays, ès reliques de Javrezay et mille autres bons petits saints.

Les uns mouraient sans parler, les autres parlaient sans mourir, les uns mouraient en parlant, les autres parlaient en mourant.   40

Les autres criaient à haute voix : « Confession ! confession ! *Confiteor, miserere, in manus*[21]. »

Tant fut grand le cri des navrés[22] que le prieur de l'abbaye avec tous ses moines sortirent, lesquels, quand aperçurent ces pauvres gens ainsi rués parmi la   45
vigne et blessés à mort, en confessèrent quelques-uns. Mais, cependant que les prêtres s'amusaient à confesser, les petits moinetons coururent au lieu où était frère Jean, et lui demandèrent en quoi il voulait qu'ils lui aidassent. À quoi répondit qu'ils égorgetassent ceux qui étaient portés par terre. Adonc, laissants leurs grandes capes sur une treille au plus près, commencèrent égorgeter et ache-   50
ver ceux qu'il avait déjà meurtris. Savez-vous de quels ferrements ? À beaux gouvets, qui sont petits demi-couteaux dont les petits enfants de notre pays cernent les noix.

Puis à tout[23] son bâton de croix gagna la brèche qu'avaient fait les ennemis. Aucuns des moinetons emportèrent les enseignes et guidons en leurs chambres   55
pour en faire des jarretières. Mais, quand ceux qui s'étaient confessés voulurent sortir par icelle brèche, le moine les assommait de coups, disant : « Ceux-ci sont confès et repentants et ont gagné les pardons ; ils s'en vont en paradis aussi droit comme une faucille, et comme est le chemin de Faye. »

Ainsi, par sa prouesse, furent déconfits tous ceux de l'armée qui étaient entrés   60
dedans le clos, jusques au nombre de treize mille six cents vingt et deux, sans les femmes et petits enfants, cela s'entend toujours.

FRANÇOIS RABELAIS, *Gargantua*, chap. 27, éd. Pierre Michel (orthographe modernisée),
© Librairie Générale Française, 1972.

Comment étaient réglés les thélémites à leur manière de vivre

Le valeureux et efficace frère Jean a bien mérité une récompense : Gargantua lui fait bâtir une abbaye d'un genre nouveau, dont le nom, Thélème, signifie en grec « libre volonté ». Ce lieu mythique est ancré à la fois dans la réalité et dans le rêve. C'est un somptueux château de la Renaissance, ouvert sur la nature et pourvu de tous les raffinements, depuis les bains jusqu'au théâtre. Il accueille exclusivement des jeunes filles de dix à quinze ans, « belles, bien formées et bien naturées », et des jeunes gens de même étoffe, âgés de douze à dix-huit ans. La quantité ne le cède pas à la qualité : Thélème dispose en effet de 9 332 chambres. La description de cette abbaye clôt et illumine Gargantua.

Toute leur vie était employée non par lois, statuts ou règles, mais selon leur vouloir et franc arbitre. Se levaient du lit quand bon leur semblait, buvaient, mangeaient, travaillaient, dormaient quand le désir leur venait ; nul ne les éveillait, nul ne les parforçait ni à boire, ni à manger, ni à faire chose autre quel-
5 conque. Ainsi l'avait établi Gargantua. En leur règle n'était que cette clause :

FAIS CE QUE VOUDRAS,

parce que gens libères, bien nés, bien instruits, conversant en compagnies hon-nêtes, ont par nature un instinct et aiguillon qui toujours les pousse à faits ver-tueux et retire de vice, lequel ils nommaient honneur. Iceux, quand par vile sujé-
10 tion et contrainte sont déprimés et asservis, détournent la noble affection, par laquelle à vertu franchement tendaient, à déposer et enfreindre ce joug de servi-tude ; car nous entreprenons toujours choses défendues et convoitons ce que nous est dénié.

Par cette liberté entrèrent en louable émulation de faire tous ce qu'à un seul
15 voyaient plaire. Si quelqu'un ou quelqu'une disait : « Buvons », tous buvaient. si disait : « Jouons », tous jouaient ; si disait : « Allons à l'ébat ès champs », tous y allaient. Si c'était pour voler[1] ou chasser, les dames, montées sur belles haque-nées[2] avec leur palefroi gorrier[3], sur le poing, mignonnement engantelé, por-taient chacune ou un épervier, ou un laneret[4], ou un émerillon[4] ; les hommes
20 portaient les autres oiseaux.

Tant noblement étaient appris qu'il n'était entre eux celui ni celle qui ne sût lire, écrire, chanter, jouer d'instruments harmonieux, parler de cinq à six lan-gages, et en iceux composer, tant en carmes[5] qu'en oraison solue[6] ; jamais ne furent vus chevaliers tant preux, tant galants, tant dextres à pied et à cheval, plus
25 verts, mieux remuant, mieux maniant tous bâtons[7], que là étaient ; jamais ne furent vues dames tant propres, tant mignonnes, moins fâcheuses[8], plus doctes à la main, à l'aiguille, à tout acte mulièbre[9] honnête et libre, que là étaient.

Par cette raison, quand le temps venu était qu'aucun d'icelle abbaye, ou à la requête de ses parents, ou pour autre cause, voulût issir[10] hors, avec soi il emme-
30 nait une des dames, celle laquelle l'aurait pris pour son dévot[11], et étaient ensemble mariés ; et si bien avaient vécu à Thélème en dévotion et amitié, encore mieux la continuaient-ils en mariage : d'autant s'entr'aimaient-ils à la fin de leurs jours comme le premier de leurs noces.

FRANÇOIS RABELAIS, *Gargantua*, chap. 57, éd. Pierre Michel (orthographe modernisée),
© Librairie Générale Française, 1972.

1. Chasser au vol (avec des faucons).
2. Juments paisibles (ser-vant aux dames).
3. Palefroi (cheval de chasse) fier.
4. Petit rapace.
5. Vers.
6. Prose.
7. Armes.
8. Ennuyeuses.
9. Féminin.
10. Sortir.
11. Dévoué.

Questions

1. Quelle est la loi fon-damentale de Thé-lème ? Sur quelle con-ception de l'homme repose-t-elle ? Quel rap-port a-t-elle avec l'idéal humaniste (voir p. 55).

2. Étudiez la syntaxe des phrases (mots de coordination et de subordination) et la manière dont elles se développent. En quoi informent-elles le lec-teur, indépendamment du sens des substantifs, sur les principes qui régissent l'abbaye ?

3. Dans quelle mesure peut-on parler d'éli-tisme à propos de Thélème ? Quels domaines concerne-t-il, sur quoi est-il fondé (voyez notam-ment les activités des thélémites) ?

4. En quoi précisé-ment la vie à Thélème est-elle l'envers de la vie monastique tradi-tionnelle ?

5. Comment est-elle censée prédisposer au bonheur conjugal ? Quelle conception du rapport entre les sexes révèle-t-elle ?

Tiers Livre
[1546]

Comment Panurge loue les débiteurs et emprunteurs

Dans le Tiers Livre, les géants cèdent la vedette à un personnage simplement humain, Panurge, mais exceptionnellement doué en matière d'intelligence et de bonne humeur. Comme son nom l'indique (il signifie, en grec, « rusé » et « apte à tout faire »), il est l'homme de toutes les situations. Cet étudiant, rencontré à Paris par Pantagruel, est devenu son compagnon inséparable. Polyglotte, remuant et désargenté, il a de multiples raisons d'aimer les échanges et la solidarité. Il se lance ainsi dans un éloge des dettes.

D̲e cetui monde rien ne prêtant ne sera qu'une chiennerie, qu'une brigue plus anormale que celle du recteur de Paris[1], qu'une diablerie plus confuse que celle des jeux de Doué[2]. Entre les humains, l'un ne sauvera l'autre ; il aura beau crier : « À l'aide ! au feu ! à l'eau ! au meurtre ! » personne n'ira à son secours.
5 Pourquoi ? Il n'avait rien prêté, on ne lui devait rien. Personne n'a intérêt en sa conflagration[3], en son naufrage, en sa ruine, en sa mort. Aussi bien ne prêtait-il rien ; aussi bien n'eût-il par après rien prêté.

Bref, de cetui monde seront bannies Foi, Espérance, Charité[4], car les hommes sont nés pour l'aide et secours des hommes. En lieu d'elles succéderont Défiance,
10 Mépris, Rancune, avec la cohorte de tous maux, toutes malédictions et toutes misères. Vous penserez proprement que là eût Pandora versé sa bouteille[5]. Les hommes seront loups ès hommes, loups garous et lutins, comme furent Lycaon, Bellérophon, Nabuchodonosor[6], brigands, assassineurs, empoisonneurs, malfaisants, malpensants,
15 malveillants, haine portant un chacun contre tous, comme Ismaël, comme Metabus, comme Timon athénien[6], qui pour cette cause fut surnommé *misanthropos*. Si[7] que chose plus facile en nature serait nourrir en l'air les poissons, paître les cerfs
20 au fond de l'Océan, que supporter cette truandaille de monde qui rien ne prête. Par ma foi, je les hais bien !

FRANÇOIS RABELAIS, *Tiers Livre*, chap. 3,
éd. Guy Demerson (orthographe modernisée),
© Éd. du Seuil, 1995.

Questions

1. En quoi cet éloge des dettes est-il paradoxal ? Sur quels arguments repose-t-il ? Ceux-ci sont-ils présentés sérieusement ?

2. Quelle est la portée politique, voire religieuse, de cet éloge ? Qu'est-ce qu'une société pour Panurge ? Sur quoi est fondée une telle société ?

3. Comment Panurge donne-t-il un caractère concret à son propos ? Étudiez quelques cas.

4. Panurge donne à un moment l'exemple de choses impossibles : trouvez-le. Quel en est l'intérêt ? Vous pouvez vous reporter à la lettre de Cyrano de Bergerac, citée p. 137.

Flandres XVIᵉ s. *Calendrier,* « Fête du vin ».
Londres, British Library.
Photo © Bridgeman-Giraudon.

....

1. Son élection par les étudiants était l'occasion d'intrigues proverbiales.
2. Doué-la-Fontaine, près de Chinon.
3. Incendie.
4. Les trois vertus principales, dans le christianisme.
5. Il s'agit de la fameuse boîte de Pandore.
6. Personnages de l'Histoire ou des mythologies antiques.
7. À tel point.

Comment Panurge parle à la sibylle de Panzoust

LÉONARD DE VINCI
(1452-1519),
*Caricature d'une femme
à mi corps.* (Album
Mariette).
Paris, musée du
Louvre.
Photo © RMN -
Michèle Bellot.

*Panurge, qui a l'intention de prendre femme mais redoute ce cocuage dont se moquent
farces et fabliaux, mène une enquête soigneuse en compagnie de Pantagruel et du
précepteur de celui-ci, Épistémon. Il consulte successivement différents experts en matière
de mariage pour savoir s'il doit se marier et s'il sera heureux. Astrologue, juge,
théologien ou médecin, tous apparaissent aussi incompétents que grotesques et
n'apportent que des réponses insatisfaisantes, équivoques ou contradictoires entre elles.
La sibylle de Panzoust, près de Chinon, émule rustique des illustres et antiques sibylle de
Cumes, près de Naples, et pythie de Delphes, en Grèce, n'est pas la moins pittoresque
du lot.*

Au coin de la cheminée trouvèrent la vieille : « Elle est, s'écria Épistémon,
vraie sibylle, et vrai portrait naïvement[1] représenté par *tè kaminoî*[2] d'Homère. »
La vieille était mal en point, mal vêtue, mal nourrie, édentée, chassieuse, cour-
bassée, roupieuse, langoureuse, et faisait un potage de choux verts, avec une
5 couenne de lard jaune et un vieil savorados[3].

« Vert et bleu ! dit Épistémon, nous avons failli. Nous n'aurons d'elle réponse
aucune, car nous n'avons le rameau d'or[4].

– J'y ai, répondit Panurge, pourvu. Je l'ai ici dedans ma gibecière, en une
verge[5] d'or, accompagné de beaux et joyeux carolus[6]. »

10 Ces mots dits, Panurge la salua profondément, lui présenta six langues de
bœufs fumées, un grand pot beurrier plein de coscotons[7], un bourrabaquin[8]
garni de breuvage, une couille de bélier pleine de carolus nouvellement forgés,
enfin, avec une profonde révérence, lui mit au doigt médical[9] une verge d'or bien
belle, en laquelle était une crapaudine de Beusse[10] magnifiquement enchâssée.

15 Puis, en brèves paroles, lui exposa le motif de sa venue, la priant courtoisement
lui dire son avis et bonne fortune de son mariage entrepris.

1. Avec naturel.

2. [Celle qui se tient] *au
coin du feu.*

3. Os à moelle.

4. Que la sibylle de
Cumes ordonne à Ulysse,
dans l'*Odyssée*, et à Énée,
dans l'*Énéide* de Virgile, de
tenir en main pour des-
cendre aux Enfers.

5. Lingot ou anneau.

6. Monnaie d'argent.

7. Boulettes de viande et
de farine frites.

8. Flacon.

9. Annulaire.

10. Pierre précieuse.

11. Mortier à piler le millet.

12. Tablier.

13. Vêtement que le prêtre pose sur la tête puis sur les épaules.

14. Bariolé.

15. Bigarré.

16. Où l'on garde les plumes de volaille.

17. De façon que.

18. Ensorcelé.

19. Environ un mètre.

20. Babines.

21. Gesticulation.

22. Déesse des Enfers.

23. Par le serpent de Dieu (le diable).

24. Décamper.

25. Enclos.

26. Secoua.

La vieille resta quelque temps en silence, pensive et rechignant des dents ; puis s'assit sur le cul d'un boisseau, prit en ses mains trois vieux fuseaux, les tourna et vira entre ses doigts en diverses manières, puis éprouva leurs pointes, le plus pointu retint en main, les deux autres jeta sous une pile à mil[11]. Après, prit ses dévidoirs et par neuf fois les tourna ; au neuvième tour, considéra sans plus toucher le mouvement des dévidoirs et attendit leur repos parfait.

Depuis, je vis qu'elle déchaussa un de ses esclos (nous les nommons sabots), mit son devanteau[12] sur sa tête, comme les prêtres mettent leur amict[13] quand ils veulent messe chanter, puis, avec un antique tissu riolé[14], piolé[15], le lia sous la gorge. Ainsi affublée, tira un grand trait du bourrabaquin, prit de la couille bélinière trois carolus, les mit en trois coques de noix et les posa sur le cul d'un pot à plume[16], fit trois tours de balai par la cheminée, jeta au feu demi-fagot de bruyère et un rameau de laurier sec, le considéra brûler en silence, et vit que, brûlant, ne faisait grillement ni bruit aucun.

Adonc s'écria épouvantablement, sonnant entre les dents quelques mots barbares et d'étrange terminaison, de mode[17] que Panurge dit à Épistémon : « Par la vertu Dieu, je tremble ! je crois que je suis charmé[18] : elle ne parle point christian. Voyez comment elle me semble de quatre empans[19] plus grande que n'était lorsqu'elle se capitonna de son devanteau. Que signifie ce remuement de badigoinces[20] ? Que prétend cette jectigation[21] des épaules ? À quelle fin fredonne-t-elle des babines comme un singe démembrant écrevisses ? Les oreilles me cornent, il m'est avis que j'ouïs Proserpine[22] bruyante : les diables bientôt en place sortiront. Ô les laides bêtes ! Fuyons ! Serpe Dieu[23], je meurs de peur ! Je n'aime point les diables. Ils me fâchent et sont mal plaisants ! Fuyons ! Adieu, madame, grand merci de vos biens ! Je ne me marierai point, non. J'y renonce dès à présent comme alors. »

Ainsi commençait escamper[24] de la chambre ; mais la vieille anticipa, tenant le fuseau en sa main, et sortit en un courtil[25] près sa maison. Là était un sycomore antique : elle l'écroula[26] par trois fois, et, sur huit feuilles qui en tombèrent, sommairement avec le fuseau écrivit quelques brefs vers. Puis les jeta au vent, et leur dit : « Allez les chercher, si voulez ; trouvez-les, si pouvez. Le sort fatal de votre mariage y est écrit. »

FRANÇOIS RABELAIS, *Tiers Livre*, chap. 17,
éd. Guy Demerson (orthographe modernisée),
© Éd. du Seuil, 1995.

Questions

1. En quoi la vieille paysanne est-elle une sorcière ? Relevez les éléments de son portrait et du récit de ses actes qui vont en ce sens. Comment les autres personnages la considèrent-ils ?

2. Quels rapports réalisme et bouffonnerie entretiennent-ils ici ? Quel regard le lecteur est-il invité à jeter sur la magie ? Peut-on dire que la religion est visée à travers celle-ci ?

3. Recherchez et expliquez les allusions et les références à la culture antique. Dans la bouche de qui (narrateur ? personnages ?) sont-elles placées ? Quel type de lecteur présupposent-elles ?

4. Quel intérêt l'auteur peut-il trouver à développer une telle scène ? Quelle conception du roman suggère-t-elle ?

PIETER BRUEGHEL (vers 1525/30-1569), *La Tempête.* Vienne, Kunsthistorisches Museum. Photo © AKG.

Quart Livre

[1552]

Quelles contenances eurent Panurge et frère Jean durant la tempête

Pantagruel et ses compagnons poursuivent leur quête d'île en île. Rabelais accumule, sans nécessité narrative, des épisodes autonomes que relie la seule présence de ses héros et qui sont autant de morceaux de bravoure. Le dynamisme du Quart Livre *réside, en effet, dans l'émerveillement devant le pouvoir des mots. En témoigne, ci-dessous, l'épisode de la tempête, inévitable dans un récit d'exploration maritime de l'époque.*

Pantagruel, préalablement avoir imploré l'aide du grand Dieu servateur, et faite oraison publique en fervente dévotion, par l'avis du pilote tenait l'arbre[1] fort et ferme. Frère Jean s'était mis en pourpoint pour secourir les nochiers[2]. Aussi étaient Épistémon, Ponocrates et les autres. Panurge restait de cul sur le
5 tillac, pleurant et lamentant. Frère Jean l'aperçut, passant sur la coursie[3], et lui dit : « Par Dieu, Panurge le veau, Panurge le pleurard, Panurge le criard, tu ferais beaucoup mieux nous aidant ici que là pleurant comme une vache, assis sur tes couillons comme un magot.

– Be be be bous, bous, bous, répondit Panurge, frère Jean, mon ami, mon bon
10 père, je noie, je noie, mon ami, je noie ! C'est fait de moi, mon père spirituel, mon ami, c'en est fait ! Votre braquemart[4] ne m'en saurait sauver ! Zalas, zalas ! nous sommes au-dessus de éla[5], hors toute la gamme. Be be be bous bous ! Zalas ! à cette heure sommes-nous au-dessous de gamma ut[6]. Je noie ! Ha ! mon père, mon oncle, mon tout ! L'eau est entrée en mes souliers par le collet. Bous bous
15 bous paisch, hu hu hu, ha ha ha ha ha, je noie ! Zalas ! zalas hu hu hu hu hu hu ! Be be bous, bous, bobous, bobous, ho ho ho ho ho ! Zalas, zalas ! À cette heure, fais bien à point l'arbre fourchu, les pieds à mont, la tête en bas. Plût à Dieu que présentement je fusse dedans l'orque[7] des bons et béats pères concilipètes[8], lesquels ce matin nous rencontrâmes, tant dévots, tant gras, tant joyeux,

1. Mât.
2. Matelots.
3. Plate-forme entre les bancs de rame.
4. Courte épée.
5. Note la plus élevée.
6. Note la plus basse.
7. Navire marchand.
8. Qui vont au concile.

Questions

1. En quoi consiste le plaisir des mots dans ce récit ?

2. Analysez le rythme des phrases, en pensant à la tempête.

3. Dans quelle mesure les personnages sont-ils créés, aux yeux du lecteur, par leur parole ?

9. *C'est ma faute, mon Dieu* (formule de repentir).

tant douillets et de bonne grâce. Holos, holos, holos ! zalas, zalas ! cette vague de   20
tous les diables *(mea culpa, Deus[9])*, je dis cette vague de Dieu effondrera notre nef.
Zalas ! frère Jean, mon père, mon ami, confession ! Me voyez ci à genoux.
Confiteor ! Votre sainte bénédiction !

FRANÇOIS RABELAIS, *Quart Livre*, chap. 19,
éd. Guy Demerson (orthographe modernisée), © Éd. du Seuil, 1995.

Comment entre les paroles gelées
Pantagruel trouva des mots de gueule

*Le récit du prodige suivant, également inévitable (voir la présentation de l'extrait
précédent), témoigne aussi d'un amour des mots pris pour eux-mêmes. En effet, en
approchant de la « mer glaciale », les navigateurs entendent avec frayeur s'élever des
voix et des bruits sans voir personne. L'explication donnée par le pilote est pourtant
simple : il s'agit des sons d'une terrible bataille livrée l'hiver précédent, que le froid a
gelés et que le printemps fait fondre.*

1. Termes de blason :
rouge, vert, bleu et noir.

2. Entaillées.

3. Petite pièce d'artillerie.

4. Tromper.

5. Mal de gorge pour raison d'argent (mot-valise).
L'orateur athénien
Démosthène avait prétexté une angine pour ne
pas s'opposer à la requête
d'ambassadeurs dont il
avait reçu de l'argent.

6. Ces paroles ne peuvent
donc y retourner.

7. Paille.

Tenez, tenez, dit Pantagruel, voyez-en ci qui encore ne sont dégelées. »
Lors nous jeta sur le tillac pleines mains de paroles gelées, et semblaient dragées, perlées de diverses couleurs. Nous y vîmes des mots de gueule, des mots de
sinople, des mots d'azur, des mots de sable[1], des mots dorés. Lesquels, être
quelque peu échauffés entre nos mains, fondaient comme neiges, et les oyons réellement, mais ne les entendions, car c'était langage barbare. Excepté un assez grosset, lequel ayant frère Jean échauffé entre ses mains, fit un son tel que font les châtaignes jetées en la braise sans être entommées[2] lorsque s'éclatent, et nous fit tous
de peur tressaillir. « C'était, dit frère Jean, un coup de faucon[3] en son temps. »
Panurge requit Pantagruel lui en donner encore. Pantagruel lui répondit que donner paroles[4] était acte des amoureux. « Vendez-m'en donc, disait Panurge.   10

– C'est acte d'avocats, répondit Pantagruel, vendre paroles. Je vous vendrais
plutôt silence et plus chèrement, ainsi que quelquefois le vendit Démosthène
moyennant son argentangine[5]. »

Ce nonobstant, il en jeta sur le tillac trois ou quatre poignées. Et y vis des   15
paroles bien piquantes, des paroles sanglantes (lesquelles le pilote nous disait
quelquefois retourner au lieu duquel étaient proférées, mais c'était la gorge coupée[6]), des paroles horrifiques, et autres assez mal plaisantes à voir. Lesquelles
ensemblement fondues ouïmes : hin, hin, hin, hin, his, ticque, torche, lorgne,
brededin, brededac, frr, frrr, frrr, bou, bou, bou, bou, bou, bou, bou, bou, traccc,   20
trac, trr, trr, trr, trrr, trrrrr, on, on, on, on, ouououououon, goth, magoth, et ne sais
quels autres mots barbares ; et disait que c'était vocables du heurt et hennissement des chevaux à l'heure qu'on choque. Puis en ouïmes d'autres grosses, et rendaient son en dégelant, les unes comme de tambours et fifres, les autres comme
de clairons et trompettes. Croyez que nous y eûmes du passe-temps beaucoup. Je   25
voulais quelques mots de gueule mettre en réserve dedans de l'huile, comme l'on
garde la neige et la glace, et entre du feurre[7] bien net. Mais Pantagruel ne le voulut, disant être folie faire réserve de ce dont jamais l'on n'a faute et que toujours
on a en main, comme sont mots de gueule entre tous bons et joyeux pantagruélistes.

FRANÇOIS RABELAIS, *Quart Livre*, chap. 56,
éd. Guy Demerson (orthographe modernisée), © Éd. du Seuil, 1995.

Questions

1. Repérez et expliquez les jeux de mots
et les correspondances
entre le visuel et l'auditif.

2. Quelle interprétation précise peut-on
donner du réchauffement des paroles
gelées dans l'optique
des convictions humanistes ? Notamment,
quelle conception du
temps historique et du
rapport entre les générations est ainsi symboliquement présentée ?

3. En quoi la parole et
le silence peuvent-ils
être ici simultanément
valorisés ?

Cinquième Livre

[1564]

Comment la pontife Bacbuc[1] présenta Panurge devant la Dive Bouteille

Puisque, selon l'adage, la vérité est dans le vin (in vino veritas), l'oracle de la Dive Bouteille constitue le but et le terme de la quête engagée par Panurge au début du Tiers Livre : il va enfin recevoir une réponse, bien inspirée et donc définitive, à son interrogation sur le mariage en général et le sien en particulier. Ce sera : « Trinch » et « Soyez vous-mêmes interprètes de votre entreprise ». L'homme nouveau et émancipé de la Renaissance est décidément renvoyé à ses capacités et à sa solitude. La consultation d'un oracle exige un cérémonial religieux en rapport avec la nature de la divinité qui inspire les réponses. L'équivalent textuel en est ici les « vers figurés », jeu typographique apprécié des poètes de la Renaissance. Rabelais, ou plutôt son éditeur (cette présentation du poème n'apparaît qu'avec l'édition de 1565), vont jusqu'à modeler la forme du texte de façon qu'elle renseigne visuellement le lecteur sur son contenu, ce que ne manqueront pas de goûter les « buveurs très illustres » auxquels le Prologue de Gargantua dédie l'œuvre (voir p. 43).

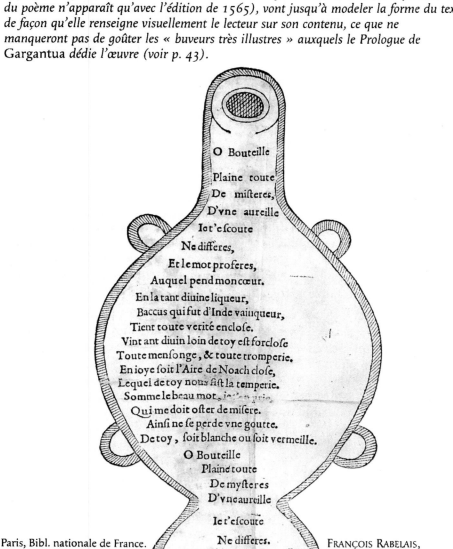

O Bouteille

Plaine toute

De misteres,

D'vne aureille

Io t'escoute

Ne differes,

Et le mot proferes,

Auquel pend mon cœur.

En la tant diuine liqueur,

Baccus qui fut d'Inde vainqueur,

Tient toute verité enclose.

Vint ant diuin loin de toy est forclose

Toute mensonge, & toute tromperie.

En ioye soit l'Aire de Noach close,

Lequel de toy nous fist la temperie.

Somme le beau mot, io t'en prie,

Qui me doit oster de misere.

Ainsi ne se perde vne goutte.

De toy, soit blanche ou soit vermeille.

O Bouteille

Plaine toute

De mysteres

D'vne aureille

Io t'escoute

Ne differes.

Paris, Bibl. nationale de France.
Photo © B.n.F.

FRANÇOIS RABELAIS,
Cinquième Livre, chap. 44.

---

1. *Bacbuc* signifie bouteille en hébreu.

(12e vers). Vint ant : lire « vin tant ».

(12e vers). Forclose : exclue.

(14e vers). Aire de Noach : ère de Noé.

(15e vers). Temperie : formule.

(16e vers). Somme : lire sonne = fait résonner.

Questions

1. Étudiez la forme de ce poème du point de vue de la versification, puis de la mise en page. Vous pouvez vous aider de la lecture des calligrammes d'Apollinaire (voir p. 477).

2. Identifiez les personnages mythologiques mentionnés et précisez les histoires auxquelles il est fait allusion. Quelle image ce texte donne-t-il des religions concernées ?

3. Quel discours est tenu sur le vin ? Examinez les vertus prêtées à ce dernier et voyez quels rapports elles entretiennent avec l'effet que peut produire la lecture du roman.

L'HUMANISME

■ Un mouvement européen

L'humanisme est la doctrine qui postule l'existence d'une *nature humaine* universelle et se donne comme objectif principal l'accomplissement de l'*homme*. Pour l'humaniste de la Renaissance, c'est le retour aux sources de la culture gréco-latine, qu'il désigne du nom d'« *humanités* », qui permet à l'homme d'accéder à sa dignité. Dès le XIVe siècle, en Italie, Pétrarque (1304-1374) et Boccace (1313-1375) initient cette reconquête de l'héritage antique. Au XVIe siècle, une élite cultivée, qui se réclame de ce mouvement, entretient des relations permanentes et forme une sorte de République des Lettres à travers l'Europe entière.

■ Le retour aux textes anciens

L'étude de textes anciens incomplets ou mal traduits, ou encore de commentaires approximatifs, privilégiant indûment Aristote, avait sclérosé l'enseignement scolastique à la fin du Moyen Âge. Établir les textes selon les règles d'une philologie rigoureuse, les traduire et les commenter fidèlement, telles sont les exigences que se fixe l'humanisme, aidé dans sa tâche par l'essor de l'imprimerie. En France, les humanistes rencontrent l'hostilité de la Sorbonne et de la hiérarchie catholique, qui craignent ce retour aux textes et l'examen critique de ceux-ci. Toutefois, en 1530, à la requête de l'humaniste Guillaume Budé, François Ier fonde le *Collège des lecteurs royaux*, où l'on enseigne notamment le grec, le latin et l'hébreu, et qui deviendra ultérieurement le *Collège de France*.

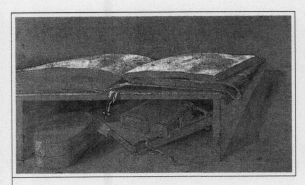

ALBRECHT DÜRER (1471-1528), *Livre ouvert*, dessin. Vienne, Graphische Sammlung Albertina.
● Photo © Erich Lessing/Magnum.

■ L'accomplissement de l'homme

S'opposant au modèle médiéval fondé sur la répétition et la mémoire, la pédagogie humaniste développe chez l'enfant ses tendances naturelles positives, pour lui faire acquérir une culture, qu'il devra perfectionner tout au long de sa vie. Cet idéal éducatif, que revendiquent Érasme[1], Rabelais et Montaigne, laisse une large place au jeu et répartit harmonieusement les efforts physiques et intellectuels.

La *Theologia platonica* (1474) de Marsile Ficin[2] imprègne l'humanisme, qui n'est donc pas fondamentalement antichrétien. Par son corps, l'homme appartient au monde inférieur de la matière ; mais, créé à l'image de Dieu, il se rattache aussi, par sa spiritualité, au monde supérieur des archétypes divins. En outre, il forme un *microcosme* dans lequel se retrouve, en réduction, l'univers tout entier ou *macrocosme*. L'être humain a une place centrale dans l'ordre universel. Ce néoplatonisme à tendance mystique voit en Socrate un précurseur du Christ. Par ailleurs, l'œuvre de saint Augustin[3], qui veut faire la synthèse du monothéisme stoïcien et de l'amour chrétien, est une référence majeure de la pensée humaniste.

Optimiste, l'humanisme croit au progrès social, à la tolérance, à la paix, à l'ouverture à l'Autre. Ainsi trouve-t-il une origine dans l'aspiration au bonheur collectif qu'exprime l'*Utopie* (1516) de Thomas More[4]. Aspiration qu'il tente de concilier avec la nécessité d'un État fort et durable, ce qui l'amène à tenir compte également des leçons de réalisme politique, voire de cynisme, de Machiavel[5] dans *Le Prince* (1513). Pourtant, dans la seconde moitié du XVIe siècle, sous les coups des guerres de Religion, l'humanisme traversera une crise qui, particulièrement chez Montaigne, fera d'un renoncement partiel à l'optimisme le prix à payer pour préserver l'essentiel de la doctrine : la possibilité, pour l'homme, d'*exercer sa liberté*.

....

1. Humaniste hollandais (1469-1536), auteur notamment de l'*Éloge de la folie* (1511). – **2.** Humaniste florentin (1433-1499). *Theologia platonica = Théologie platonicienne*. – **3.** Docteur et Père de l'Église (354-430), auteur notamment de *Confessions* (397-401). – **4.** Homme politique et humaniste anglais (1478-1535). – **5.** Homme politique et philosophe florentin (1469-1527).

Marguerite de Navarre

(1492-1549)

Portrait attribué à FRANÇOIS CLOUET.
Chantilly, musée Condé
• Photo © Josse.

MARGUERITE D'ANGOULÊME, sœur de François Ier, réunit à la Cour un cercle de lettrés dont certains, comme Calvin et Clément Marot, bénéficient de sa protection salutaire. Gagnée aux idées des réformateurs « évangéliques » (voir p. 37), elle compose d'abord des méditations (***Dialogue en forme de vision nocturne***, 1525) et des poèmes religieux (***Miroir de l'âme pécheresse***, 1531). Elle écrit aussi des comédies. À partir de 1540 jusqu'à sa mort en 1549 à Pau, où siégeait la cour du roi de Navarre, son époux, elle rédige ce qui va devenir l'***Heptaméron***, un ensemble de nouvelles inachevé, inspiré du *Décaméron* de Boccace (1353) qu'elle avait fait retraduire. L'***Heptaméron*** met en scène cinq hommes et cinq femmes, enfermés dans une abbaye pour cause de mauvais temps. Ils décident de raconter tour à tour une histoire. Parlamente, qui semble être le double de l'auteur, fixe la règle du jeu : ne raconter « nulle nouvelle qui ne soit véritable histoire ». Ce recueil, à la tonalité souvent grave et sérieuse, est centré autour du thème de l'amour : amour conjugal idéal, prétexte à de subtiles osbervations psychologiques, et image terrestre de l'amour divin. Parallèlement sont donnés à lire des récits inspirés d'une tradition gauloise truculente. Chaque conte est suivi d'un débat mené par tous les personnages sur les problèmes moraux et sociologiques soulevés par le récit.

Le Décaméron

Le Décaméron est une œuvre de l'écrivain italien Jean Boccace (1313-1375). Le livre se présente de la façon suivante : alors que Florence est ravagée par la peste, sept jeunes femmes et trois jeunes gens fuient la ville pour se retirer dans une maison de campagne. Pour passer le temps, ils conviennent que chacun d'eux racontera une histoire chaque jour – ce qui donne lieu à 10 récits par jour. Ils se livrent à cette occupation pendant 10 journées (d'où le nom de *décaméron* qui signifie « dix jours »). L'ensemble constitue ainsi un recueil de 100 nouvelles entrecoupées des commentaires des différents narrateurs. Ce livre connut un succès considérable en Europe et il inspirera, entre autres, Marguerite de Navarre.

1. Rumeur.
2. Aussitôt que.
3. Reconnut.
4. Stupéfait.
5. Sortir.
6. Là-dedans.
7. Croyant.
8. Mépris.

Heptaméron
▬▬▬▬ *[1558]*

Extrait 1

Subtilité d'une femme qui fit évader son ami lorsque son mari (qui était borgne) les pensait surprendre.

Il y avait un vieux valet de chambre de Charles, dernier duc d'Alençon, lequel avait perdu un œil et était marié avec une femme beaucoup plus jeune que lui. Et pource que ses maître et maîtresse l'aimaient autant qu'homme de son état qui fût en leur maison, ne pouvait si souvent aller voir sa femme qu'il eût bien voulu : ce fut occasion dont elle oublia tellement son honneur et conscience ⁵ qu'elle alla aimer un jeune homme, dont à la longue le bruit[1] fut si grand et mauvais que le mari en fut averti. Lequel ne le pouvait croire, pour les grands signes d'amitié que lui montrait sa femme. Toutefois un jour, il pensa d'en faire l'expérience et de se venger, s'il pouvait, de celle qui lui faisait cette honte. Et pour ce faire, feignit s'en aller quelque lieu auprès de là pour deux ou trois jours. Et ¹⁰ incontinent[2] qu'il fut parti, sa femme envoya quérir son homme, lequel ne fut pas demi-heure avec elle que voici venir le mari qui frappa bien fort à la porte. Mais elle, qui le connut[3], le dit à son ami qui fut si étonné[4] qu'il eût voulu être au ventre de sa mère, maudissant elle et l'amour qui l'avaient mis en tel danger. Elle lui dit qu'il ne se souciât point, et qu'elle trouverait bien moyen de l'en faire ¹⁵ saillir[5] sans mal ni honte, et qu'il s'habillât le plus tôt qu'il pourrait. Ce temps pendant frappait le mari à la porte, appelant le plus haut qu'il pouvait sa femme. Mais elle feignait de ne le connaître point, et disait tout haut au valet de léans[6] : « Que ne vous levez-vous et allez faire taire ceux qui font ce bruit à la porte ? Estce maintenant l'heure de venir aux maisons des gens de bien ? Si mon mari était ²⁰ ici, il vous en garderait ! » Le mari, oyant la voix de sa femme, l'appela le plus haut qu'il put : « Ma femme, ouvrez-moi ! Me ferez-vous demeurer ici jusqu'au jour ? » Et quand elle vit que son ami était tout prêt de saillir, en ouvrant sa porte, commença à dire à son mari : « Ô mon mari, que je suis bien aise de votre venue ! car je faisais un merveilleux songe, et étais tant aise que jamais je ne reçus ²⁵ un tel contentement, pource qu'il me semblait que vous aviez recouvert la vue de votre œil. » Et l'embrassant et le baisant, le prit par la tête et lui bouchait d'une main son bon œil, et lui demandait : « Voyez-vous point mieux que vous n'avez accoutumé ? » En ce temps, pendant qu'il n'y voyait goutte, fit sortir son ami dehors, dont le mari se douta incontinent et lui dit : « Pardieu, ma femme, je ne ³⁰ ferai jamais le guet sur vous, car, en vous cuidant[7] tromper, je reçus la plus fine tromperie qui fut onques inventée. Dieu vous veuille amender, car il n'est en la puissance d'homme du monde de donner ordre en la malice d'une femme, qui du tout ne la tuera. Mais puisque le bon traitement que je vous ai fait n'a rien servi à votre amendement, peut-être que le dépris[8] que dorénavant j'en ferai vous ³⁵ châtiera. » Et ce disant s'en alla et laissa sa femme bien désolée qui, par le moyen de ses amis, excuses et larmes, retourna encore avec lui.

MARGUERITE DE NAVARRE, *Heptaméron*, VI
« Première journée ».

Questions

1. Dégagez les différents épisodes du conte en vous appuyant sur les connecteurs logiques.

2. En quoi cette histoire se rattache-t-elle au genre de la farce ?

3. Mettez en évidence les passages de discours. Montrez la part respective des discours direct et indirect, et analysez-en les effets.

Extrait 2

*Un gentilhomme est inopinément guéri du mal d'amour, trouvant sa demoiselle
rigoureuse entre les bras de son palefrenier.*

Au pays de Dauphiné y avait un gentilhomme nommé le seigneur de Rians
de la maison du Roi François premier, autant beau et honnête gentilhomme qu'il
était possible de voir. Il fut longuement serviteur d'une dame veuve, laquelle il
aimait et révérait tant que, de la peur qu'il avait de perdre sa bonne grâce, ne
5   l'osait importuner de ce qu'il désirait le plus. Et lui, qui se sentait beau et digne
d'être aimé, croyait fermement ce qu'elle lui jurait souvent : c'est qu'elle l'aimait
plus que tous les hommes du monde et que, si elle était contrainte de faire
quelque chose pour un gentilhomme, ce serait pour lui seulement, comme le
plus parfait qu'elle avait jamais connu, et le priait de se contenter de cette hon-
10 nête amitié. Et d'autre part l'assurait si fort que si elle connaissait qu'il prétendît
davantage, sans se contenter de la raison du tout[1], il la perdrait. Le pauvre gentilhomme non seulement se contentait, mais se tenait très heureux d'avoir gagné
le cœur de celle où il pensait tant d'honnêteté. Il serait long de vous raconter le
discours de son amitié, la longue fréquentation qu'il eut avec elle, les voyages
15 qu'il faisait pour la venir voir. Mais pour venir à la conclusion, ce pauvre martyr,
d'un feu si plaisant que plus on brûle, plus on veut brûler, cherchait toujours le
moyen d'augmenter son martyre. Un jour lui prit en fantaisie d'aller voir en
poste[2] celle qu'il aimait plus que lui-même et qu'il estimait par-dessus toutes les
femmes du monde. Lui, arrivé en sa maison, demanda où elle était. On lui dit
20 qu'elle ne faisait que venir de vêpres et était entrée en sa garenne[3] pour par-
achever son service. Il descendit de cheval et s'en alla tout droit en cette garenne
où elle était, et trouva ses femmes qui lui dirent qu'elle s'en était allée toute seule
promener en une grande allée. Il commença à plus que jamais espérer quelque
bonne fortune pour lui et, le plus doucement qu'il put, sans faire un seul bruit,
25 la chercha le mieux qu'il lui fut possible, désirant sur toutes choses de la pouvoir
trouver seule. Mais quand il fut près d'un pavillon fait d'arbres pliés[4], lieu tant
beau et plaisant qu'il n'était possible de plus, entra soudainement là comme celui
à qui il tardait de voir ce qu'il aimait. Mais il trouva en son entrée la demoiselle
couchée dessus l'herbe entre les bras d'un palefrenier de sa maison, aussi laid,
30 ord[5] et infâme que de Rians était beau, fort, honnête et aimable. Je n'entreprends
de vous peindre le dépit qu'il eut, mais il fut si grand qu'il eut puissance, en un
moment, d'éteindre le feu, qu'à la longueur du temps ni à l'occasion n'avait su
faire. Et autant rempli de dépit qu'il avait eu d'amour, lui dit : « Madame, prou[6]
vous fasse ! Aujourd'hui, par votre méchanceté connue, suis guéri et délivré de la
35 continuelle douleur dont honnêteté que j'estimais en vous était l'occasion. » Et
sans autre adieu, s'en retourna plus vite qu'il n'était venu. La pauvre femme ne
lui fit autre réponse, sinon de mettre la main devant son visage : car puisqu'elle
ne pouvait couvrir[7] sa honte, couvrit-elle ses yeux pour ne voir celui qui la voyait
trop clairement, nonobstant sa dissimulation.

40   « Parquoi mesdames, je vous supplie, si vous n'avez volonté d'aimer parfaitement, ne vous pensez point dissimuler à un homme de bien et lui faire déplaisir pour votre gloire : car les hypocrites sont payés de leurs loyers[8], et Dieu favorise ceux qui aiment naïvement. » – « Vraiment, dit Oisille, vous nous l'avez gardée bonne pour la fin de la journée ! Et si ce n'était que nous avons tous juré de

1. Complètement.
2. À cheval.
3. Enclos, jardin.
4. Petit abri de jardin fait de branches entrelacées.
5. Sale.
6. Grand bien.
7. Cacher.
8. Reçoivent la monnaie de leur pièce.
9. Basse.
10. Bien que... pourtant...
11. Commenteront les propos en renchérissant.

● JAN VAN ORLEY, *Gentilhomme dans les bois,* Paris, musée du Louvre. Photo © R.M.N.

dire vérité, je ne saurais croire qu'une femme de l'état dont elle était sût être si   *45*
méchante de l'âme, quant à Dieu, et du corps, laissant un si honnête gentilhomme pour un si vilain muletier. » – « Hélas, madame ! dit Hircan, si vous
saviez la différence qu'il y a d'un gentilhomme, qui toute sa vie a porté le harnais
et suivi la guerre, au prix d'un valet bien nourri sans bouger d'un lieu, vous excu-
seriez cette pauvre veuve ! » – « Je ne crois pas, Hircan, dit Oisille, quelque chose   *50*
que vous en dites, que vous pussiez recevoir nulle excuse d'elle. » – « J'ai bien
ouï dire, dit Simontaut, qu'il y a des femmes qui veulent avoir des évangélistes
pour prêcher leur vertu et leur chasteté, et leur font la meilleure chère qu'il leur
est possible, et la plus privée, les assurant que, si la conscience et l'honneur ne
les retenaient, elles leur accorderaient leurs désirs. Et les pauvres sots, quand en   *55*
quelque compagnie parlent d'elles, jurent qu'ils mettraient leur doigt au feu sans
brûler pour soutenir qu'elles sont femmes de bien, car ils ont expérimenté leur
amour jusqu'au bout. Ainsi se font louer par les honnêtes hommes celles qui, à
leurs semblables, se montrent telles qu'elles sont. Et choisissent ceux qui ne sauraient avoir hardiesse de parler et, s'ils en parlent, pour leur vile et orde⁹ condi-   *60*
tion ne seraient pas crus. » – « Voilà, dit Longarine, une opinion que j'ai autrefois ouï dire aux plus jaloux et soupçonneux hommes, mais c'est peint une chi-
mère : car combien qu'il soit advenu à quelque pauvre malheureuse, si¹⁰ est-ce
chose qui ne se doit soupçonner en autre. » Or leur dit Parlamente : « Tant plus
avant nous entrerons en ce propos, et plus ces bons seigneurs ici draperont sur   *65*
la tissure de Simontaut¹¹ et tout à nos dépens. Parquoi vaut mieux aller ouïr
vêpres, afin que ne soyons tant attendues que nous fûmes hier. »

MARGUERITE DE NAVARRE, *Heptaméron,* XX
« Fin de la deuxième journée ».

Jean Calvin

(1509-1564)

Portrait anonyme, XVIe s.
Genève, Bibliothèque universitaire et
publique.
Photo © Dagli Orti.

JEAN CALVIN, fils d'un homme d'affaires picard au service de l'Église, effectue de solides études de droit, de philosophie et de lettres (grec et hébreu au récent Collège royal). Au contact des milieux humanistes, il se forge des convictions évangéliques (voir p. 37). Sa vie se confond dès lors avec son combat pour la Réforme et pour la prise de conscience religieuse et politique des protestants français. Il doit en 1534, après l'affaire des Placards (voir p. 38), se réfugier à l'étranger : Bâle, Genève, Strasbourg. Rappelé définitivement dans la république de Genève en 1541, il jouit comme pasteur et professeur d'une immense autorité : il y réforme l'Église et lui confère un rôle important dans la conduite de l'État ; il fait de l'Université un centre de formation théologique et pastorale. Sa fonction et son style lui donnent figure de prophète aux yeux des huguenots.

SON ŒUVRE, du moins la part qui n'est pas écrite en latin, fait de Calvin le premier grand auteur de la prose d'idées en français. Son chef-d'œuvre, **L'Institution de la religion chrétienne** (Bâle, 1536, en latin, et 1541, en français), fonde le courant de la Réforme qui touche France, Suisse et Pays-Bas. Convaincu de la transparence de la vérité divine, Calvin appelle à la lecture personnelle de la Bible et à l'établissement d'une culture commune aux lettrés et aux simples fidèles. Dans cette optique, il invente, contre la pratique pédante de son temps, une éloquence française claire et plaisante pour traiter des sujets les plus graves. Il leur consacre plusieurs épîtres et petits traités.

Traité des reliques

[1543]

Ce traité, écrit directement en français pour toucher un large public, a connu une diffusion durable et très importante. Il est une suite logique de L'Institution de la religion chrétienne *dont il développe de façon polémique une conséquence particulière : puisque la foi personnelle et directe en Dieu et la confiance dans le Christ sauveur des hommes peuvent seules apporter le salut éternel à une humanité pécheresse et incapable de le mériter par ses seules actions, le culte des saints (intercesseurs entre l'homme et Dieu), et notamment les pèlerinages et l'adoration des reliques ne sont que superstitions organisées par un clergé idolâtre, avide d'argent et de pouvoir sur les âmes. La religion réformée doit exclure ces pratiques et, plus généralement, restaurer l'Église primitive, vertueuse et organisée en communautés autonomes et sans hiérarchie ecclésiastique.*

1. Les protestants récu-
sent le dogme catholique
de l'« assomption » de
Marie (non pas morte,
mais enlevée au Ciel).

2. Il n'est pas maintenant
besoin.

3. Religieuses.

4. Reliquaire (transp-
arent pour montrer les
reliques).

5. Adoration des bergers
puis des Rois mages.

6. Siméon prédit à Marie
que son cœur sera
déchiré.

7. En même temps.

8. Chausses (culotte).

9. de saint Joseph.

Quant à la Vierge Marie, pour ce qu'ils tiennent que son corps n'est plus en terre[1], le moyen leur est ôté de se vanter d'en avoir les os. Autrement, je pense qu'ils eussent fait accroire qu'elle avait un corps pour remplir un grand charnier. Au reste, ils se sont vengés sur ses cheveux et sur son lait, pour avoir quelque chose de son corps. De ses cheveux, il y en a à Rome à Sainte-Marie-sus- 5 Minerve, à Saint-Salvador en Espagne, à Mâcon, à Cluny, à Noyers, à Saint-Flour, à Saint-Jacquerie, et en d'autres plusieurs lieux. Du lait, il n'est jà métier[2] de nombrer les lieux où il y en a. Et aussi ce ne serait jamais fait. Car il n'y a si petite villette, ni si méchant couvent soit de moines, soit de nonnains[3], où l'on n'en montre, les uns plus, les autres moins. Non pas qu'ils aient été honteux de se van- 10 ter d'en avoir à pleines potées, mais pour ce qu'il leur semblait avis que leur mensonge serait plus couvert s'ils n'en avaient que ce qui pourrait tenir dedans quelque montre[4] de verre ou de cristallin, afin qu'on n'en fît pas d'examen plus près. Tant y a que si la sainte Vierge eût été une vache et qu'elle eût été nourrice toute sa vie, à grand'peine en eût-elle pu rendre telle quantité. D'autre part, je 15 demanderais volontiers comment ce lait qu'on montre aujourd'hui partout, s'est recueilli pour le réserver en notre temps. Car nous ne lisons pas que jamais aucun ait eu cette curiosité. Il est bien dit que les pasteurs ont adoré Jésus-Christ, que les sages lui ont offert leurs présents[5], mais il n'est point dit qu'ils aient rap- porté du lait pour récompense. Saint Luc récite bien ce que Siméon prédit à la 20 Vierge[6], mais il ne dit pas qu'il lui demandât de son lait. Quand on ne regardera que ce point, il ne faut jà arguer davantage pour montrer combien cette folie est contre toute raison et sans couverture aucune. C'est merveille, puisqu'ils ne pou- vaient avoir autre chose du corps, qu'ils ne se sont avisés de rogner de ses ongles et de choses semblables. Mais il faut dire que tout ne leur est pas venu en 25 mémoire.

Le reste qu'ils ont des reliques de Notre-Dame est de son bagage. Premièrement, il y en a une chemise à Chartres, de laquelle on fait une idole assez renommée, et à Aix en Allemagne une autre. Je laisse là comment c'est qu'ils les ont pu avoir. Car c'est chose certaine que les Apôtres et les vrais chré- 30 tiens de leur temps n'ont pas été si badins que de s'amuser à telles manigances. Mais qu'on regarde seulement la forme, et je quitte le jeu si on n'aperçoit à l'œil leur impudence. Quand on fait la montre, à Aix en Allemagne, de la chemise que nous avons dit être là, on montre au bout d'une perche comme une longue aube de prêtre. Quand la Vierge Marie aurait été une géante, à grand'peine eût-elle 35 porté une si grande chemise. Et pour lui donner meilleur lustre, on porte quant et quant[7] les chaussettes[8] saint Joseph[9], qui seraient pour un petit enfant ou un nain. Le proverbe dit qu'un menteur doit avoir bonne mémoire, de peur de se couper par oubli. Ils ont mal gardé cette règle, quand ils n'ont pensé de faire meilleure proportion entre les chausses du mari et la chemise de la femme. 40 Qu'on aille maintenant baiser bien dévotement ces reliques, lesquelles n'ont autre apparence de vérité.

JEAN CALVIN, *Traité des reliques.*
Éd. Olivier Millet, Paris,
© Gallimard, 1995.

Questions

1. Étudiez la trivialité et la violence du discours de Calvin, notamment dans la sélection des exemples et le choix des mots.

2. Calvin énonce plu- sieurs fois les principes de son argumentation : identifiez-les et analy- sez-les. Comment dé- nonce-t-il rationnelle- ment la fausseté des reliques ?

3. Quel rapport peut-on établir dans cette dénon- ciation entre verve iro- nique et esprit critique ? Calvin adapte-t-il son ton au sujet ? Peut-on parler de plaisir d'écri- ture ?

Maurice Scève

(vers 1510-1564)

Portrait gravé anonyme
Paris, Bibl. nationale de France.
● Photo © Hachette Livre.

MAURICE SCÈVE, dont la vie nous est mal connue, est le poète officiel de Lyon, sa ville natale. Issu d'une famille de notables lyonnais, il reçoit sans doute une instruction poussée, faisant de lui un docteur en droit et un grand lecteur de philosophes néoplatoniciens. La poétesse lyonnaise Pernette du Guillet est peut-être l'inspiratrice de son œuvre principale, un recueil intitulé **Délie, objet de plus haute vertu**, qu'il publie en 1544. L'auteur y célèbre l'amour douloureux inspiré par une femme, Délie, dont la présence est à peine esquissée. Ce nom évoque la déesse de Délos, Artémis-Hécate, ainsi que le verbe *délier* qui laisse entendre le nœud qui enserre le poète amoureux. Délie est aussi l'anagramme du syntagme *L'idée.* On entrevoit l'inspiration philosophique qui sous-tend ce recueil : chez le philosophe Platon, l'idée est le reflet d'une beauté supérieure, moteur de l'amour. La forme de poème unique, le dizain (strophe de dix vers), confère une unité remarquable au recueil, premier « *canzoniere* » en français (voir p. 80). Maurice Scève évoque la douleur causée tantôt par la présence, tantôt par l'absence de la femme aimée ; il tente de conjurer cette souffrance par une réflexion sur la mélancolie, et parvient à la surmonter grâce à la parole poétique : une parole souvent obscure, soutenue par une syntaxe complexe, accentuant le caractère déjà très dense du dizain.

Délie, objet de plus haute vertu

[1544]

À sa Délie

Non de Vénus les ardents étincelles,
Et moins les traits[1] desquels Cupido tire,
Mais bien les morts qu'en moi tu renouvelles
Je t'ai voulu en cet Œuvre décrire.
5   Je sais assez que tu y pourras lire
Mainte erreur, même[2] en si durs[3] Épigrammes :
Amour, pourtant, les me[4] voyant écrire
En ta faveur, les passa par ses flammes.

SOUFFRIR NON SOUFFRIR

MAURICE SCÈVE, *Délie, objet de plus haute vertu*,
huitain de dédicace. Mis en français moderne par
Françoise Charpentier, « Poésie », Gallimard.

Questions

1. Observez la structure du huitain : quel thème est récurrent ? À quelle place ? Pourquoi ?

2. Le poète cite des noms de dieux qui appartiennent à la mythologie antique, tout en les rejetant : comment interprétez-vous cette démarche ?

3. Quelle image se dessine de la femme aimée dès les premiers mots ?

4. Comment comprenez-vous la devise qui suit le huitain d'ouverture « Souffrir non souffrir » ?

1. Flèches. – 2. Surtout . – 3. Denses. – 4. Me les.

Sonnet 43

Moins je la vois, certes plus je la hais ;
Plus je la hais, et moins elle me fâche.
Plus je l'estime, et moins compte j'en fais ;
Plus je la fuis, plus veux qu'elle me sache[1].
5 En un moment[2] deux divers[3] traits me lâche,[4]
Amour et haine, ennui[5] avec plaisir.
   Forte est l'amour[6] qui lors me vient saisir
Quand haine vient et vengeance me crie ;
Ainsi me fait haïr mon vain désir
10 Celle pour qui mon cœur toujours me prie.

MAURICE SCÈVE, *Délie, objet de plus haute vertu.*

....

1. Qu'elle tienne compte de moi. – **2.** En un même instant. – **3.** Opposés. – **4.** Lance. – **5.** Tourment. – **6.** Le mot *amour* est tantôt de genre féminin, tantôt de genre masculin.

Q u e s t i o n s

1. De quels sentiments contraires le poète se sent-il victime ? Comment s'articulent-ils, à l'intérieur d'un même vers ? entre plusieurs groupes de vers ?

2. Comment, par le jeu des pronoms, le poète suggère-t-il l'absence de la femme aimée et la toute-puissance du sentiment ?

3. Quel est l'effet produit par les rimes des vers 6 à 10 ? par les assonances du vers 9 ? par l'allitération des vers 7 à 9 ?

Q u e s t i o n s

1. Quels indices dans le poème vous permettent d'expliquer le sens de l'expression « doux tourment » (v. 5) ?

2. Pourquoi le poète apostrophe-t-il le temps ? Comment renouvelle-t-il le lieu commun ?

3. Étudiez le travail opéré par le poète sur les sons vocaliques dans les quatre derniers vers. Quel est l'effet recherché ?

Sonnet 114

Ô ans, ô mois, semaines, jours et heures,
Ô intervalle, ô minute, ô moment,
Qui consumez[1] les durtés[2], voire seures[3],
Sans que l'on puisse apercevoir comment,
5 Ne sentez-vous que ce mien doux tourment
Vous use en moi et vos forces déçoit[4] ?
   Si donc le Cœur au plaisir qu'il reçoit
Se vient lui-même à martyre livrer,
Croire faudra que la Mort douce[5] soit
10 Qui l'Âme peut d'angoisse délivrer.

MAURICE SCÈVE, *Délie, objet de plus haute vertu.*

....

1. Usez, faites, passer. – **2.** Moments durs (contraire de *douceurs*). – **3.** Même les plus solides. – **4.** Trompe. – **5.** Le mot est en fonction d'attribut.

Sonnet 447

Si tu t'enquiers pourquoi sur mon tombeau
L'on aurait mis deux éléments contraires,
Comme tu vois être le feu et l'eau
Entre éléments les deux plus adversaires,
5 Je t'avertis qu'ils sont très-nécessaires
Pour te montrer, par signes évidents,
Que si en moi ont été résidents[1]
Larmes et feu, bataille âprement rude,
Qu'[2] après ma mort encore ci-dedans
10 Je pleure et ars[3] pour[4] ton ingratitude.

MAURICE SCÈVE, *Délie, objet de plus haute vertu.*

....

1. Se sont trouvés présents. – **2.** La conjonction « qu' » reprend le « que » du vers 7. – **3.** Brûle (je). – **4.** À cause de.

Q u e s t i o n s

1. Ce poème est l'antépénultième du recueil : analysez comment la mort y est omniprésente. De quelle manière le poète parvient-il cependant à la dépasser ?

2. Comment les motifs du feu et de l'eau sont-ils traités ? Quelle est l'importance du dernier vers, de ce point de vue ? Comparez avec le huitain qui ouvre le recueil (voir p. 62).

3. À qui le poète s'adresse-t-il ici, et pourquoi ?

4. Quels indices vous permettent de déterminer le genre auquel se rattache le dizain ?

Louise Labé

(vers 1524-1566)

Portrait gravé par P. Woeriot.
Paris, Bibl. nationale de France.
● Photo © Hachette Livre.

LOUISE LABÉ, surnommée « la Belle Cordière », parce qu'elle est fille puis épouse de cordier (fabricant de cordes), est au début du XVIe siècle l'une des personnalités littéraires les plus en vue à Lyon. Elle reçoit une éducation moderne, pratiquant l'équitation et étudiant le latin, l'italien et la musique. Elle réunit autour d'elle un cercle de poètes, parmi lesquels Maurice Scève. Jeune femme aux goûts libres, elle choque certains esprits conservateurs ; certains (dont Calvin) l'ont fait passer pour une courtisane, d'autres au contraire pour un être angélique.

La préface à ses **Œuvres**, parues en 1555 et unanimement louées dès leur parution, invite les lectrices à « employer cette honnête liberté que notre sexe a autrefois tant désirée, à apprendre les sciences et disciplines », c'est-à-dire les lettres. Le recueil comporte un texte en prose, le **Débat de Folie et d'Amour**, trois élégies et vingt-quatre sonnets d'amour. Ceux-ci permettent de mesurer toute l'originalité de la poésie de Louise Labé : contrairement à la tradition, c'est la femme, ici, qui prend la parole et se met en scène, pour dire son désir érotique, sa douleur en l'absence de l'amant, dans des textes d'une grande sensualité amoureuse.

Œuvres poétiques

═══════════════ [1555]

Ô beaux yeux bruns, ô regards détournés,
Ô chauds soupirs, ô larmes épandues,
Ô noires nuits vainement attendues,
Ô jours luisants vainement retournés !

5 Ô tristes plaints[1], ô désirs obstinés,
Ô temps perdu, ô peines dépendues[2],
Ô mille morts en mille rets[3] tendues,
Ô pires maux contre moi destinés !

Sonnet 2

Ô ris[4], ô front, cheveux, bras, mains et doigts !
10 Ô luth plaintif, viole, archet et voix !
Tant de flambeaux pour ardre[5] une femelle[6] !

De toi me plains, que[7] tant de feux portant,
En tant d'endroits d'iceux[8] mon cœur tâtant,
N'en est sur toi volé quelque étincelle.

LOUISE LABÉ, Œuvres poétiques.
Édition en français modernisé par
F. Charpentier, « Poésie », Gallimard.

....

1. Plaintes.
2. Perdues.
3. Filets, pièges.
4. Rire.
5. Brûler.
6. Faible femme.
7. En disant que.
8. Ceux-ci (les feux).

Questions

1. Quel est le procédé employé dans les deux quatrains et le premier tercet ? Quel effet produit-il ? Vous préciserez votre réponse en vous fondant sur le choix des noms et adjectifs et sur leur place dans le vers.

2. Qui souffre ? la femme qui aime ou l'homme aimé ? À quel moment se résout l'ambiguïté et dans quel sens ?

3. Analysez les quatre derniers vers : comment le choix des mots, les sonorités et le rythme soulignent-ils le sens ?

Sonnet 8

Je vis, je meurs ; je me brûle et me noie ;
J'ai chaud extrême en endurant froidure ;
La vie[1] m'est et trop molle et trop dure ;
J'ai grands ennuis[2] entremêlés de joie.

5 Tout à un coup[3] je ris et je larmoie,
Et en plaisir maint grief[4] tourment j'endure ;
Mon bien s'en va, et à jamais il dure ;
Tout en un coup je sèche et je verdoie.

Ainsi Amour inconstamment me mène ;
10 Et quand je pense avoir plus de douleur,
Sans y penser je me trouve hors de peine.

Puis quand je crois ma joie être certaine
Et être au haut de mon désiré heur[5],
Il me remet en mon premier malheur.

LOUISE LABÉ, *Œuvres poétiques.*
Mis en français moderne par
F. Charpentier, « Poésie », Gallimard.

1. Deux syllabes. – 2. Souffrances, tourments (sens très fort). –
3. Tout en même temps. – 4. (Synérèse) lourd, grave. –
5. Bonheur.

1. En vous appuyant sur la syntaxe, le jeu sur les pronoms personnels de la 1ʳᵉ personne et les réseaux de métaphores, déterminez la composition du sonnet.

2. Comment, pour le sens et l'écriture, Louise Labé présente-t-elle les symptômes de la douleur amoureuse ?

3. Quelle image de l'être humain se dessine à travers le poème ? Appuyez votre réponse sur un relevé d'indices précis.

Sonnet 19

Diane[1] étant en l'épaisseur d'un bois,
Après avoir mainte bête assénée,[2]
Prenait le frais, de Nymphes couronnée.
J'allais rêvant, comme fais mainte fois,

5 Sans y penser, quand j'ouïs une voix
Qui m'appela, disant : Nymphe étonnée,
Que ne t'es-tu vers Diane tournée ?
Et, me voyant sans arc et sans carquois :

Qu'as-tu trouvé, ô compagne, en ta voie,
10 Qui de ton arc et flèches ait fait proie ?
– Je m'animai, réponds-je, à un passant,

Et lui jetai en vain toutes mes flèches
Et l'arc après ; mais lui, les ramassant
Et les tirant, me fit cent et cent brèches.

LOUISE LABÉ, *Œuvres poétiques.*
Mis en français moderne par
F. Charpentier, « Poésie », Gallimard.

1. Déesse de la Chasse, chez les Latins. – 2. Abattu ; accord avec le mot « bête ».

1. Déterminez le caractère théâtral de ce sonnet. Qu'apporte cette forme au propos de l'auteur ?

2. Analysez certains traits de la personne désignée par le pronom *je*.

3. Comment Louise Labé exploite-t-elle, en le revivifiant, un motif traditionnel de la poésie amoureuse (l'amour causé par les flèches de Cupidon) ?

L'École lyonnaise

Lyon est au XVIᵉ siècle le foyer culturel le plus vivant du pays. La ville est en contact direct avec l'Italie, pays de la première Renaissance. C'est à Lyon que Rabelais publie *Pantagruel* puis *Gargantua*. On a par la suite appelé « École lyonnaise » un groupe de poètes qui forment un cénacle de beaux esprits. Parmi eux, Maurice Scève, Louise Labé, Pernette du Guillet, Olivier de Magny. Ils font connaître la poésie pétrarquiste et le sonnet importé d'Italie par Clément Marot.

Joachim du Bellay
(1522-1560)

Portrait anonyme, XVIᵉ s.
Paris, Bibliothèque nationale de France.
• Photo © Josse.

JOACHIM DU BELLAY fait des études de droit à Poitiers avant de partir pour Paris où, comme Ronsard, il suit l'enseignement de l'helléniste Jean Dorat, au collège de Coqueret. Il rédige, en 1549, un manifeste littéraire intitulé **« Défense et Illustration de la langue française »**. La même année, il publie son premier recueil, **L'Olive**, du nom d'une héroïne probablement inventée. De 1553 à 1557, il effectue un séjour à Rome, en qualité de secrétaire de son cousin, le Cardinal Jean du Bellay. Parti avec l'enthousiasme qu'éprouve tout humaniste qui va découvrir l'Italie, il est vivement déçu par sa fonction et par l'atmosphère de la Cour pontificale et il souffre d'être éloigné de Paris où s'illustrent ses amis poètes. De retour en France, il publie, en 1558, **Les Antiquités de Rome**, **Les Regrets** et les **Divers Jeux rustiques**. Il meurt, deux ans plus tard, à l'âge de 37 ans.

L'œuvre de du Bellay est novatrice en plusieurs de ses aspects. **L'Olive** est le premier *canzoniere* français composé de sonnets. Le poète, chantant son amour pour l'héroïne du recueil, y reprend, en les renouvelant, les thèmes pétrarquistes et néoplatoniciens présents chez les poètes italiens. Dans **Les Antiquités de Rome**, il évoque le contraste entre la puissance passée de l'Empire romain et la vision présente qui s'offre à ses yeux : mépris des contemporains pour la Rome antique, délabrement des monuments anciens ; il inaugure ainsi « une poésie des ruines » qui trouvera de nombreux échos chez des écrivains ultérieurs. **Les Regrets**, comme **Les Antiquités**, ont la particularité, à cette époque, de ne pas constituer un recueil de poèmes amoureux ; ils comportent des sonnets élégiaques qui développent les thèmes de la douleur de l'exil, de la nostalgie du pays natal et du tarissement de l'inspiration. D'autres poèmes, à caractère satirique, dénoncent les mœurs de la Cour de Rome ou de celle de Paris, à savoir le souci du paraître, l'usage de la flatterie, l'hypocrisie ou le conformisme des comportements.

Défense et Illustration de la langue française

Défense et Illustration de la langue française est un manifeste, écrit par Du Bellay, au nom de ses amis du collège de Coqueret. Il y proclame que la langue française a une dignité égale à celle du grec et du latin, pour peu que les écrivains l'enrichissent par des créations ou des utilisations nouvelles de mots. Il convient, selon lui, que les poètes rivalisent avec les Anciens, en abandonnant les genres poétiques médiévaux (rondeaux, ballades, etc.) et en pratiquant les genres antiques comme l'ode, l'élégie, l'épopée ou la tragédie, ou en écrivant, à l'exemple des poètes de la Renaissance italienne, des sonnets. Mais le poète ne saurait se contenter de traduire les œuvres de ses prédécesseurs antiques ou italiens : il doit s'en nourrir pour faire ensuite œuvre originale ; l'imitation est ainsi à la source d'une véritable création. Enfin si l'artiste écrit sous l'effet d'une « fureur » poétique, d'un « enthousiasme » créateur (formules souvent utilisées qui signifient que le poète se sent comme inspiré par une divinité, une « muse »), cette *inspiration* doit se doubler d'un *travail* rigoureux sur le mot, le vers, la rime, bref sur le matériau poétique.

L'Olive
■■■■ [1549]

Sonnet LXXXIII

Dans ce sonnet, Du Bellay traite un thème fréquent chez les poètes du XVIᵉ siècle, celui de « la belle matineuse », qu'il reprend en l'imitant d'un sonnet italien. Il propose donc un pur exercice littéraire, occasion d'un jeu artificiel, certes, mais brillant.

Déjà la nuit en son parc amassait
Un grand troupeau d'étoiles vagabondes,
Et pour entrer aux cavernes profondes
Fuyant le jour, ses noirs chevaux chassait ;

5 Déjà le ciel aux Indes rougissait,
Et l'Aube encor de ses tresses tant blondes
Faisant grêler[1] mille perlettes[2] rondes,
De ses trésors les prés enrichissait ;

Quand d'occident, comme une étoile vive[3],
10 Je vis sortir dessus ta verte rive,
Ô fleuve mien[4] ! une Nymphe en riant.

Alors voyant cette nouvelle Aurore,
Le jour honteux d'un double teint colore
Et l'Angevin et l'Indique[5] orient.

Du BELLAY, *L'Olive.*
(Orthographe modernisée)

....
1. Tomber comme grêle. – 2. Petites perles de rosée. –
3. Vivante. – 4. Invocation à la Loire. – 5. Indien.

Questions

1. Comment le poète assure-t-il fortement la liaison sémantique et stylistique entre les deux quatrains ?
2. Repérez l'emploi des pronoms personnels dans les deux tercets : à quoi renvoie l'irruption de la 1ʳᵉ personne ?
3. Étudiez la façon dont est évoquée la nature.

Sonnet CXIII

Ce sonnet s'inspire d'un thème platonicien : pour le philosophe grec Platon, dont les œuvres sont abondamment commentées au XVIᵉ siècle, il s'agit de se détacher des apparences pour rechercher l'essence de chaque être, et accéder à l'Idée.

Si notre vie est moins qu'une journée
En l'éternel[1], si l'an qui fait le tour
Chasse nos jours sans espoir de retour,
Si périssable est toute chose née,

5 Que songes-tu, mon âme emprisonnée[2] ?
Pourquoi te plaît l'obscur de notre jour,
Si, pour voler en un plus clair séjour,
Tu as au dos l'aile bien empennée[3] ?

Là est le bien que tout esprit désire,
10 Là le repos où tout le monde aspire,
Là est l'amour, là le plaisir encore.

Là, ô mon âme au plus haut ciel guidée,
Tu y pourras reconnaître l'Idée
De la beauté, qu'en ce monde j'adore.

Du BELLAY, *L'Olive.*

....
1. Dans l'éternité (adjectif substantivé). – 2. La conception platonicienne voulait que l'âme soit emprisonnée dans le corps et en soit libérée après la mort. – 3. Munie de plumes.

Questions

1. Par un repérage précis des marques énonciatives, déterminez la composition du sonnet et la progression des idées.
2. Quelle image le poète donne-t-il de lui-même dans les quatrains ? dans les tercets ?
3. Étudiez la structure grammaticale et le rythme du vers 11.
4. Montrez que l'aspiration au monde de l'Idée, monde supérieur qui nous éloigne du monde terrestre plein de fausseté et de souffrance, est en réalité ambiguë. En quoi, notamment, le dernier vers constitue-t-il une « chute » ?

Les Antiquités de Rome
[1557]

Sonnet III

Nouveau venu qui cherches Rome en Rome,
Et rien de Rome en Rome n'aperçois,
Ces vieux palais, ces vieux arcs que tu vois,
Et ces vieux murs, c'est ce que Rome on nomme.

5 Vois quel orgueil, quelle ruine, et comme
Celle qui mit le monde sous ses lois,
Pour dompter tout, se dompta quelquefois,
Et devint proie au temps[1], qui tout consomme[2].

Rome de Rome est le seul monument,
Et Rome Rome a vaincu seulement.
10 Le Tibre seul, qui vers la mer s'enfuit,

Reste de Rome. Ô mondaine inconstance !
Ce qui est ferme est par le temps détruit,
Et ce qui fuit au temps fait résistance.

DU BELLAY, *Les Antiquités de Rome.*

....

1. Et devint proie du temps. – 2. Consume.

Questions

1. Par une analyse des formes verbales, déterminez l'intérêt de la situation d'énonciation définie par le poète.
2. Étudiez et commentez les répétitions lexicales dans le sonnet.
3. Comment Du Bellay développe-t-il le thème traditionnel de la fuite du temps dans les tercets ? Observez la place des mots, le jeu des sonorités et les effets de rythme.

Sonnet XIII

Ni la fureur de la flamme enragée,
Ni le tranchant du fer[1] victorieux,
Ni le dégât du soldat furieux,
Qui tant de fois, Rome, t'a saccagée;

5 Ni coup sur coup ta fortune[2] changée,
Ni le ronger[3] des siècles envieux,
Ni le dépit des hommes et des Dieux,
Ni contre toi ta puissance rangée,

Ni l'ébranler des vents impétueux,
10 Ni le débord de ce Dieu tortueux,
Qui tant de fois t'a couvert de son onde,

Ont tellement ton orgueil abaissé,
Que la grandeur du rien[4] qu'ils t'ont laissé
Ne fasse encor' émerveiller le monde.

DU BELLAY, *Les Antiquités de Rome.*

....

1. Le glaive, l'épée. – 2. Le sort qui fut le tien. – 3. Infinitif substantivé ; le fait que [les siècles envieux] rongent. – 4. Petite chose.

Questions

1. Quelle est l'idée principale du sonnet ? Comment la structure syntaxique vient-elle la souligner ?
2. Dégagez les thèmes principaux de chaque quatrain.
3. Comment les deux derniers vers donnent-ils sens au poème ?
4. Comparez les deux sonnets du recueil proposés ici : quelles images de Rome Du Bellay propose-t-il ?

ANTOINE CARON (1521-1599)
Massacre du Triumvirat,
détail, 1562.
Beauvais, musée départemental de l'Oise.
Photo © Josse.

Les Regrets
[1558]

Sonnet I

Je ne veux point fouiller au sein de la nature,
Je ne veux point chercher l'esprit de l'univers,
Je ne veux point sonder les abîmes couverts[1]
5   Ni dessiner du ciel la belle architecture.

Je ne peins mes tableaux de si riche peinture,
Et si hauts arguments[2] ne recherche à mes vers :
Mais suivant de ce lieu les accidents divers,
Soit de bien, soit de mal, j'écris à l'aventure[3].

Je me plains à mes vers, si j'ai quelque regret,
10 Je me ris avec eux, je leur dis mon secret,
Comme étant de mon cœur les plus sûrs secrétaires.

Aussi ne veux-je tant les peigner et friser,
Et de plus braves noms ne les veux déguiser,
Que de papiers journaux[4], ou bien de commentaires.

Du BELLAY, *Les Regrets*.
(Orthographe modernisée)

Questions

1. Quelle est l'unité thématique du premier quatrain ? Comment est-elle mise en valeur ?

2. Quelle conception de la poésie se fait-il jour ici ? Commentez en particulier le premier quatrain et l'idée du « jardin secret », aux vers 10-11.

3. À partir de ce sonnet, on a pu qualifier la poésie de Du Bellay de « poésie du refus » : pouvez-vous justifier l'expression ?

1. Cachés.
2. Sujets.
3. Au hasard de mon inspiration.
4. Journal où l'on note les événements.

Sonnet V

Ceux qui sont amoureux, leurs amours chanteront,
Ceux qui aiment l'honneur, chanteront de la gloire,
Ceux qui sont près du Roi, publieront sa victoire,
Ceux qui sont courtisans, leurs faveurs vanteront,

5   Ceux qui aiment les arts, les sciences diront,
Ceux qui sont vertueux, pour tels se feront croire,
Ceux qui aiment le vin, deviseront de boire,
Ceux qui sont de loisir, de fables écriront,

Ceux qui sont médisants, se plairont à médire,
10 Ceux qui sont moins fâcheux, diront des mots pour rire,
Ceux qui sont plus vaillants, vanteront leur valeur,

Ceux qui se plaisent trop, chanteront leur louange,
Ceux qui veulent flatter, feront d'un diable un ange :
Moi qui suis malheureux, je plaindrai mon malheur.

Du BELLAY, *Les Regrets*.

Questions

1. Déterminez la composition du sonnet. Quelle idée en est induite ?

2. Commentez le choix du verbe au vers 14.

3. Quelle conception de l'art poétique Du Bellay nourrit-il ?

Sonnet VI

Las, où est maintenant ce mépris de Fortune ?
Où est ce cœur vainqueur de toute adversité,
Cet honnête[1] désir de l'immortalité,
Et cette honnête flamme[2] au peuple non commune ?

5 Où sont ces doux plaisirs, qu'au soir sous la nuit brune
Les Muses me donnaient, alors qu'en liberté
Dessus le vert tapis d'un rivage écarté
Je les menais danser aux rayons de la lune ?

Maintenant la Fortune est maîtresse de moi
10 Et mon cœur qui soulait[3] être maître de soi,
Est serf de mille maux et regrets qui m'ennuient[4].

De la postérité je n'ai plus de souci,
Cette divine ardeur, je ne l'ai plus aussi,
Et les Muses de moi, comme étranges[5], s'enfuient.

DU BELLAY, *Les Regrets.*

....
1. Honorable.
2. Inspiration.
3. Avait l'habitude de.
4. Me tourmentent (sens fort).
5. Étrangères.

Questions

1. Déterminez avec précision la composition du sonnet. Quels sont les effets de parallélisme et d'antithèse ?

2. Quelle image le poète donne-t-il de lui-même dans les quatrains ?

3. Comment sont suggérés, dans les tercets, la douleur et le découragement du poète (étudiez l'emploi des pronoms, les assonances, le type des phrases et la structure des vers) ?

4. Comparez les sonnets V et VI : les images que le poète donne de lui sont-elles différentes ? complémentaires ?

NICOLLO DELL'ABBATE,
Fortune.
Paris, musée du Louvre.
Photo © RMN-Bellot.

Sonnet XVI

Plusieurs des poèmes des Regrets *sont adressés directement à des amis ou connaissances de Du Bellay. Dans le sonnet qui suit, il s'adresse à Ronsard.*

Questions

1. Étudiez les motifs de découragement, tels qu'ils s'expriment dans les quatrains.

2. En vous fondant sur le choix et la place des mots dans la strophe, dégagez le sentiment qui anime Du Bellay dans le second quatrain.

3. En quoi la comparaison finale avec le cygne vous paraît-elle féconde ?

4. Repérez les effets rhétoriques, rythmiques et sonores qui soulignent le pathétique des tercets.

Cependant que Magny[1] suit son grand Avenson[2]
Panjas[3] son cardinal, et moi le mien encore,
Et que l'espoir flatteur[4], qui nos beaux ans dévore,
Appâte nos désirs d'un friand hameçon,

5 Tu[5] courtises les rois, et, d'un plus heureux son
Chantant l'heur[6] de Henri[7] qui son siècle décore[8],
Tu t'honores toi-même, et celui qui honore
L'honneur que tu lui fais par ta docte chanson.

Las ! et nous cependant nous consumons notre âge
10 Sur le bord inconnu d'un étrange[9] rivage,
Où le malheur nous fait ces tristes vers chanter :

Comme on voit quelquefois, quand la mort les appelle,
Arrangés flanc à flanc parmi l'herbe nouvelle,
Bien loin sur un étang trois cygnes lamenter[10].

DU BELLAY, *Les Regrets.*

1. Olivier de Magny, poète.

2. Ambassadeur du roi auprès du Saint-Siège.

3. Secrétaire d'un autre cardinal.

4. Trompeur.

5. Ronsard.

6. Bonheur.

7. Henri II.

8. Est l'ornement de son siècle.

9. Étranger.

10. Le cygne est censé chanter un chant plus beau au moment de sa mort.

Sonnet XXIV

Questions

1. Pour quelles raisons, selon Du Bellay, Baïf peut-il être heureux ?

2. Repérez les nombreuses répétitions lexicales : en quoi soulignent-elles le sens ?

3. Analysez comment le thème du regard est développé de différentes manières dans le poème.

4. Quelles sont les raisons de la mélancolie et de la nostalgie de Du Bellay ? Étudiez, de ce point de vue, les structures rythmiques et syntaxiques du second tercet.

Qu'heureux tu es, Baïf, heureux et plus qu'heureux,
De ne suivre abusé cette aveugle Déesse[1],
Qui d'un tour inconstant et nous hausse et nous baisse,
Mais cet aveugle enfant[2] qui nous fait amoureux !

5 Tu n'éprouves, Baïf, d'un maître rigoureux,
Le sévère sourci[3] : mais la douce rudesse
D'une belle, courtoise, et gentille maîtresse,
Qui fait languir ton cœur doucement langoureux.

Moi chétif[4] cependant loin des yeux de mon Prince,
10 Je vieillis malheureux en étrange[5] province,
Fuyant la pauvreté : mais las ne fuyant pas

Les regrets, les ennuis[6], le travail, et la peine,
Le tardif repentir d'une espérance vaine,
Et l'importun souci, qui me suit pas à pas.

DU BELLAY, *Les Regrets.*

1. La Fortune.

2. Cupidon. « Enfant » est complément de « suivre ».

3. Sourcil.

4. Infortuné.

5. Étrangère.

6. Tourments (sens fort).

Sonnet XXXI

1. « Cestui-là » = celui-là ;
il s'agit de Jason, héros de
la mythologie grecque ;
avec l'aide des Argo-
nautes, Jason conquit la
Toison d'or dans le Cau-
case, puis retourna en Grèce.

2. Expérience.

3. Sa vie.

4. Le jardin clos, l'enclos.

5. Le nom du fleuve était
masculin.

6. Village natal de
Du Bellay.

Heureux qui, comme Ulysse, a fait un beau voyage,
Ou comme cestui-là qui conquit la toison[1]
Et puis est retourné, plein d'usage[2] et raison,
Vivre entre ses parents le reste de son âge[3] !

5　Quand reverrai-je, hélas ! de mon petit village
Fumer la cheminée, et en quelle saison
Reverrai-je le clos[4] de ma pauvre maison,
Qui m'est une province, et beaucoup davantage ?

Plus me plaît le séjour qu'ont bâti mes aïeux
10　Que des palais romains le front audacieux :
Plus que le marbre dur me plaît l'ardoise fine,

Plus mon[5] Loire gaulois que le Tibre latin,
Plus mon petit Liré[6] que le mont Palatin,
Et plus que l'air marin la douceur angevine.

Du Bellay, *Les Regrets.*

Sonnet LXXXVI

1. Sourcil.

2. Sourire.

3. Peser.

4. Non, monsieur, oui,
monsieur.

5. C'est ainsi.

6. Je suis votre serviteur.

7. L'honnête homme,
l'homme bien élevé.

8. Allusion à la conquête
de Naples par la France
(1557).

9. Traiter en seigneur.

10. Avec un mauvais
cheval.

11. Du Bellay, comme
d'autres, a contracté
la maladie de la pelade.

Marcher d'un grave pas et d'un grave sourci[1],
Et d'un grave souris[2] à chacun faire fête,
Balancer[3] tous ses mots, répondre de la tête,
Avec un *Messer non* ou bien un *Messer si*[4] ;

5　Entremêler souvent un petit *È cosi*[5],
Et d'un *son Servitor*[6] contrefaire l'honnête[7] ;
Et, comme si l'on eût sa part en la conquête[8],
Discourir sur Florence, et sur Naples aussi ;

Seigneuriser[9] chacun d'un baisement de main,
10　Et suivant la façon du courtisan romain,
Cacher sa pauvreté d'une brave apparence :

Voilà de cette cour la plus grande vertu,
Dont souvent, mal monté[10], mal sain et mal vêtu,
Sans barbe[11] et sans argent, on s'en retourne en France.

Du Bellay, *Les Regrets.*

Divers Jeux rustiques
[1558]

J'ai oublié l'art de pétrarquiser[1],
Je veux d'amour franchement deviser,
Sans vous[2] flatter, et sans me déguiser :
    Ceux qui font tant de plaintes,
5 N'ont pas le quart d'une vraie amitié,
Et n'ont pas tant de peine la moitié,
Comme leurs yeux, pour vous faire pitié,
    Jettent de larmes feintes.

Ce n'est que feu de leurs froides chaleurs,
10 Ce n'est qu'horreur de leurs feintes douleurs,
Ce n'est encor' de leurs soupirs et pleurs
    Que vents, pluie et orages :
Et bref, ce n'est à ouïr leurs chansons,
De leurs amours que flammes et glaçons,
15 Flèches, liens, et mille autres façons,
    De semblables outrages.

De vos beautés, ce n'est tout que fin or,
Perles, cristal, marbre, et ivoire encor,
Et tout l'honneur de l'Indique[3] trésor,
20   Fleurs, lys, œillets et roses :
De vos douceurs ce n'est que sucre et miel,
De vos rigueurs n'est qu'aloès et fiel,
De vos esprits, c'est tout ce que le ciel
    Tient de grâces encloses.

25 Puis tout soudain ils vous font mille torts,
Disant, que voir vos blonds cheveux retors[4],
Vos yeux archers, auteurs de mille morts,
    Et la forme excellente
De ce que peut l'accoutrement couver[5],
30 Diane en l'onde[6] il vaudrait mieux trouver
Ou voir Méduse[7], ou au cours s'éprouver
    Avecques Atalante[8] [...].

        Du Bellay, *Divers Jeux rustiques*, II, 20,
        « Contre les pétrarquistes », extrait.

RAPHAËL (1483-1520), Portrait de Pétrarque
(détail du « Parnasse »).
Rome, Pinacothèque du Vatican.
Photo © Scala.

1. Composer des poèmes à la manière des pétrarquistes : certains des héritiers de Pétrarque ont cultivé à l'extrême l'inspiration précieuse qui caractérisait un aspect de sa poésie.

2. Le poète s'adresse à la femme aimée.

3. Indien.

4. Qui ont été tordus en plusieurs tours, frisés.

5. Cacher.

6. Diane, déesse de la Chasse, ne vit que sur la Terre.

7. Ce monstre antique, l'une des Gorgones, avait le pouvoir de pétrifier de son regard ceux qui portaient les yeux sur elle.

8. Cette héroïne grecque excellait à la course et promettait d'épouser celui qui la vaincrait.

Questions

1. Quel est le champ lexical dominant de la première strophe ? Que dénonce Du Bellay dans « l'art de pétrarquiser » ?

2. Dans les strophes 2 à 4, quelle pratique poétique des « pétrarquistes » Du Bellay refuse-t-il ? Pour quel usage se prononce-t-il désormais ?

3. Trouvez-vous amusants certains passages ? Lesquels ? Pourquoi ? Quels procédés parodiques relèveriez-vous ?

Pierre de Ronsard

(1524-1585)

École française, XVIIᵉ s.
Musée de Blois.
● Photo © Hubert Josse.

PIERRE DE RONSARD a un parcours poétique parallèle à celui de l'évolution de la France au XVIᵉ siècle : né sous le règne de François Iᵉʳ, quand l'humanisme espère encore influencer les esprits, il achève sa vie en témoin désolé des guerres de Religion. Ce fils de gentilhomme vendômois, voué à une carrière militaire s'il n'avait été atteint de surdité, se tourne vers la littérature, obéissant en cela à une vocation précoce. Élève du collège de Coqueret (voir p. 66), il s'affirme dès 1550 avec les **Odes**, bien décidé à conquérir la gloire. Il prétend y « prendre stile apart, œuvre apart », désireux de marquer le renouveau des lettres françaises qui doivent posséder un statut comparable aux littératures grecque, latine ou italienne. Le recueil est placé sous le parrainage des poètes de l'Antiquité, Pindare et Horace. Il mêle, en des mètres de six, sept ou huit syllabes, éloges aux grands et pièces plus légères qui invitent à une conception épicurienne de la vie.

L'ŒUVRE de Ronsard est variée. Ce sont les **Premier** et **Second livre des amours** (1552 et 1555) puis la **Continuation des Amours**, dans la veine de Pétrarque. Cassandre, femme aimée tout autant que représentation de la femme idéale, est au centre du premier livre. On y lit la découverte émue de l'amour naissant, l'évolution d'un sentiment souvent douloureux teinté de considérations néoplatoniciennes, motifs obligés écrits en une langue harmonieuse et simple. Marie l'Angevine anime le second recueil, qui marque l'introduction véritable de l'alexandrin dans la poésie française moderne. La célébration de l'amour se doublera d'une méditation sur la mort à l'occasion de la disparition d'une seconde Marie, Marie de Clèves, maîtresse de Henri III. Hélène de Surgères est l'objet des attentions du poète dans les **Sonnets pour Hélène** (1578). Ronsard y retrouve l'inspiration épicurienne, la sérénité du sage devant la mort, remède contre l'indifférence de la femme.

Soucieux d'inventer une poésie inédite, il publie les **Hymnes** en 1555 et 1556. Dans cette œuvre philosophique, son but est de percer les mystères de l'univers pour les dévoiler en une langue épique aux intonations quasi sacrées. Le poète y chante les dieux mais aussi les rois, témoignant de leur vertu et de leur grandeur, avec l'assurance de celui qui bénéficie de leur protection. Les **Discours des misères de ce temps** (1562) répondent à la nécessité de prendre parti dans les guerres qui déchirent alors la France. Catholique, il appelle à la modération et à une vertu empreinte d'humanisme. Mais il répond avec fureur aux attaques dont il est l'objet dans sa **Réponse aux prédicans de Genève**. Il tente d'écrire une *Énéide* française : Francion, fils d'Hector, venu en France bâtir la dynastie des rois, est le héros de **La Franciade**. Les quatre livres publiés en 1572, peu après la Saint-Barthélemy, n'ont pas le succès escompté. De 1560 jusqu'à sa mort, Ronsard veille à la publication d'éditions collectives de ses œuvres, en modifiant le contenu, ciselant les pièces à l'infini, remaniant l'architecture d'ensemble, bref, donnant son unité à une œuvre si variée.

Odes

▬▬ *[1550]*

Premier recueil de Ronsard, les Odes *s'inspirent de la poésie amoureuse d'Horace, poète lyrique latin du Iᵉʳ siècle av. J.-C.*

À sa maîtresse

1. Terme de tendresse.

2. Diane : déesse de la Chasse ; Phœbus (Apollon) : dieu de la Beauté ; Aurore : déesse du Matin et de la Lumière du jour, déesse éternellement jeune.

3. Qu'un aigle [tient dans ses serres] un pigeon tremblant.

4. En me demandant pardon de m'avoir laissé.

5. Jamais.

6. Sable.

Ma petite colombelle,
Ma petite toute belle,
Mon petit œil[1], baisez moi ;
D'une bouche toute pleine
5 D'amours, chassez-moi la peine
De mon amoureux émoi.

Quand je vous dirai, Mignonne,
Approchez-vous, qu'on me donne
Neuf baisers tout à la fois,
10 Donnez-m'en seulement trois,

Tels que Diane[2] guerrière
Les donne à Phœbus[2] son frère,
Et l'Aurore[2] à son vieillard ;
Puis reculez votre bouche,
15 Et bien loin toute farouche
Fuyez d'un pied frétillard.

Comme un taureau par la prée
Court après son amourée,
Ainsi tout plein de courroux
20 Je courrai fol après vous ;

Et prise, d'une main forte
Vous tiendrai de telle sorte
Qu'un aigle, un pigeon tremblant[3].
Lors faisant de la modeste,
25 De me redonner le reste
Des baisers ferez semblant.

Mais en vain serez pendante
Toute à mon col, attendante,
Tenant un peu l'œil baissé,
30 Pardon de m'avoir laissé[4].

Car en lieu de six, adonques
J'en demanderai plus qu'onques[5]
Tout le ciel d'étoiles n'eut,
Plus que d'arène[6] poussée
35 Aux bords, quand l'eau courroussée
Contre les rives s'émeut.

RONSARD, *Odes*, II, 16, édition « Pléiade »,
J. Céard, D. Ménager, M. Simonin.

Questions

1. Quelle impression d'ensemble produit la lecture de cette ode ?
2. Justifiez cette impression par des repérages métriques et rythmiques.
3. Relevez les assonances de la première strophe : quel est l'effet produit ?
4. Repérez les comparaisons des strophes 3 et 4. Comment s'intègrent-elles au discours ?
5. Déterminez le caractère narratif de ce poème. En quoi est-ce novateur dans le genre de la poésie amoureuse traditionnelle ?

II, 12

Ah Dieu ! que malheureux nous sommes !
Ah Dieu ! que de maux en un temps
Offensent la race des hommes,
Semblable aux feuilles du Printemps,
5   Qui vertes dessus l'arbre croissent,
Puis elles l'Automne suivant,
Sèches à terre n'apparoissent
Qu'un jouet remoqué du vent !

    Vraiment l'espérance est méchante :
10 D'apparence elle nous déçoit,
Et toujours pipant[1] elle enchante
Le pauvre sot qui la reçoit.
Mais le sage qui ne se fie
Qu'en la plus sûre vérité,
15 Sait que le tout de notre vie
N'est rien que pure vanité.

    Tandis que la crêpe jouvence[2]
La fleur des beaux ans nous produit,
Jamais le jeune enfant ne pense
20 À la vieillesse qui le suit,
Ne[3] jamais l'homme heureux n'espère[4]
De se voir tomber en mechef[5],
Sinon alors que la misère
Déjà lui pend dessus le chef.

25 Homme chétif et misérable,
Pauvre abusé, ne sais-tu pas
Que la jeunesse est peu durable,
Et que la mort guide nos pas,
Et que notre fangeuse masse
30 Si tôt s'évanouit en rien,
Qu'à grand'peine avons-nous l'espace[6]
D'apprendre le mal et le bien ?

    Le Destin et la Parque noire[7]
En tous âges sillent nos yeux :
35 Jeunes et vieux ils mènent boire
Les flots du lac oblivieux[8].
Même les Rois foudres de guerre,
Dépouillés de veines et d'os,
Ainsi que vachers, sous la terre
40 Viendront au trône de Minos[9].

RONSARD, *Odes*, II, 12, extrait.

France - XVIe s. *Les Quatre Âges de la vie humaine* (détail).
Le Puy-en-Velay, musée Crozatier.
• Photo © Giraudon.

....
1. Trompant.
2. La jeunesse « frisée » : dont les joues se couvrent de duvet.
3. Ni.
4. Ne s'attend à.
5. Malheur.
6. Le temps.
7. Déesse qui détient entre ses mains le cours et la fin de la vie (elle est représentée sous la forme d'une fileuse).
8. Chez les Grecs, les âmes des morts buvaient l'eau du fleuve Léthé, ou fleuve Oubli, pour perdre la mémoire des circonstances de leur vie.
9. Juge des Enfers, lieu de séjour des morts dans l'Antiquité grecque.

Questions

1. Dégagez le sens de chaque strophe. Quel est le thème dominant de l'ode ?

2. Quels sont les champs lexicaux principaux ?

3. Commentez plus précisément la strophe 4 (énonciation, emploi des adjectifs qualificatifs et possessifs, assonances).

4. Ronsard exploite dans la cinquième strophe des éléments de la mythologie antique. Relevez ces passages et montrez qu'ils sont étroitement liés à des considérations plus actuelles, politiques par exemple. Quel intérêt cela présente-t-il ?

« *Mignonne, allons voir...* »

Déjà célèbre du temps de Ronsard, ce poème s'est d'abord intitulé « Ode à Cassandre ». Il a été publié pour la première fois en 1553 et inséré, par Ronsard, dans les Odes *à une date ultérieure. Il fut mis en musique, comme de nombreux poèmes au XVIᵉ s., ce qui pouvait souligner encore les accents mélodieux du texte.*

---

1. Avait ouverte.

2. Soirée.

3. Expression inspirée d'Horace (*carpe diem* : cueille le jour), dont la poésie était empreinte d'épicurisme.

Mignonne, allons voir si la rose
Qui ce matin avait déclose[1]
Sa robe de pourpre au soleil,
A point perdu cette vesprée[2]
5 Les plis de sa robe pourprée,
Et son teint au vôtre pareil.

Las ! voyez comme en peu d'espace,
Mignonne, elle a dessus la place,
Las, las, ses beautés laissé choir !
10 Ô vraiment marâtre Nature,
Puisqu'une telle fleur ne dure
Que du matin jusques au soir !

Donc, si vous me croyez, mignonne,
Tandis que votre âge fleuronne
15 En sa plus verte nouveauté,
Cueillez, cueillez votre jeunesse[3] :
Comme à cette fleur, la vieillesse
Fera ternir votre beauté.

RONSARD, *Odes*, I, 17.

Questions

1. Quelle est l'organisation et l'évolution de l'ode ?

2. Sur quelle assimilation repose le poème ? Comment le motif s'inverse-t-il de la strophe 1 à la strophe 3 ?

3. Quel changement de tonalité observez-vous à la deuxième strophe ? Quels sont les éléments du texte qui visent à traduire une émotion ?

4. La place du mot « mignonne » vous paraît-elle aléatoire ?

5. Quelle image la dernière strophe donne-t-elle de Ronsard ?

Amours de Cassandre

[1552]

1. Plaines.
2. Riches en vignobles.
3. Couvertes de rosée.
4. Au départ.
5. Souci.
6. Colère.

Le succès des Odes avait été mitigé, malgré l'appui bienveillant de la sœur du roi. Ronsard devait répondre à ses détracteurs, épris de la poésie amoureuse de style simple et enjoué que Marot avait mise à la mode dans les chansons de l'Adolescence Clémentine (voir p. 38). Il compose alors le Premier livre des amours ou Amours de Cassandre, canzoniere (voir p. 80) en l'honneur de Cassandre Salviati qu'il a rencontrée cinq ans auparavant, et dont le prénom, qui évoque une héroïne grecque, lui permet de rivaliser avec Pétrarque, son auguste devancier.

Ciel, air et vents, plains[1] et monts découverts,
Tertres vineux[2] et forêts verdoyantes,
Rivages tors et sources ondoyantes,
Taillis rasés, et vous, bocages verts ;

5 Antres moussus à demi-front ouverts,
Prés, boutons, fleurs et herbes rousoyantes[3],
Vallons bossus et plages blondoyantes,
Et vous rochers les hôtes de mes vers,

Puisqu'au partir[4], rongé de soin[5] et d'ire[6],
10 À ce bel œil adieu je n'ai pu dire,
Qui près et loin me détient en émoi,

Je vous supplie, ciel, air, vents, monts et plaines,
Taillis, forêts, rivages et fontaines,
Antres, prés, fleurs, dites-le-lui pour moi.

RONSARD, *Amours de Cassandre*, 66.

Questions

1. Quel mouvement d'ensemble le poème suit-il ? Quel hémistiche se trouve souligné ?
2. Pourquoi le poète invoque-t-il la nature ?
3. Relevez les antithèses et définissez l'effet recherché.
4. Quelle image de l'amour le poète peint-il ici ?

● *Homme couché près d'un cuvier.* Gravure d'après Michel-Ange. XVIe s. Paris, Bibliothèque nationale de France. Photo © B.n.F.

Amours de Marie
[1555 et 1578]

Comme on voit sur la branche, au mois de mai, la rose,
En sa belle jeunesse, en sa première fleur,
Rendre le ciel jaloux de sa vive couleur,
Quand l'aube de ses pleurs au point du jour l'arrose ;

5   La Grâce[1] dans sa feuille, et l'Amour se repose[2],
Embaumant les jardins et les arbres d'odeur ;
Mais, battue ou de pluie ou d'excessive ardeur[3]
Languissante, elle meurt, feuille à feuille déclose[4].

Ainsi, en ta première et jeune nouveauté,
10 Quand la terre et le ciel honoraient ta beauté,
La Parque[5] t'a tuée, et cendre tu reposes.

Pour obsèques reçois mes larmes et mes pleurs,
Ce vase plein de lait, ce panier plein de fleurs,
Afin que vif[6] et mort, ton corps ne soit que roses.

RONSARD, *Amours de Marie*,
« Sur la mort de Marie », II, 4.

1. Déesse grecque.
2. Accord avec le nom le plus proche (latinisme).
3. Chaleur.
4. Ouverte.
5. Déesse grecque qui décide du moment de la mort.
6. Vivant.

Questions

1. Analysez comment le mouvement du sonnet suit une comparaison reprise terme à terme.

2. Que pensez-vous de la mise en scène du poète au second tercet ?

3. Étudiez le rythme du vers 13, et le travail des assonances et allitérations. Quel est l'effet produit ?

4. Ronsard reprend le motif de la rose aux premier et dernier vers. Pourquoi ? La réalité évoquée est-elle la même ?

Continuation des Amours
[1555]

Je vous envoie un bouquet que ma main
Vient de trier de ces fleurs épanies[1] ;
Qui[2] ne les eût à ce vêpre[3] cueillies,
Chutes à terre elles fussent demain.

5   Cela vous soit un exemple certain
Que vos beautés, bien qu'elles soient fleuries,
En peu de temps cherront[4] toutes flétries,
Et, comme fleurs, périront tout soudain.

Le temps s'en va, le temps s'en va, madame ;
10 Las ! le temps, non, mais nous nous en allons,
Et tôt serons étendus sous la lame[5] ;

Et des amours desquelles nous parlons,
Quand serons morts, n'en sera plus nouvelle.
Pour c'[6] aimez-moi cependant qu'êtes belle.

RONSARD, *Continuation des Amours*,
pièce retranchée du recueil.

1. Épanouies.
2. Celui qui.
3. Soir.
4. Du verbe choir, tomber.
5. La pierre tombale.
6. Ce, cela.

Questions

1. Quel est le thème dominant ? Quelle allitération, présente dans l'ensemble du sonnet, vient le soutenir ?

2. Quelle image de la mort Ronsard donne-t-il dans les tercets ?

3. Commentez plus particulièrement l'effet produit par les sonorités et le rythme des vers dans le premier tercet.

4. En quoi le dernier vers constitue-t-il la « chute » du poème ? En quoi l'image du poète se modifie-t-elle ?

Le *canzoniere*

« *Canzoniere* » (= recueil de chansons) est le titre de l'ensemble de poèmes (surtout des sonnets) que le poète italien François Pétrarque (1304-1374) a écrit en l'honneur de Laure, la femme dont il s'était vainement épris. Le mot a ensuite désigné tous les recueils de poésies amoureuses consacrés à une héroïne, réelle ou imaginaire. Le milieu du XVIe siècle voit s'épanouir, en France, la mode du « *canzoniere* » amoureux, à la manière de Pétrarque (plus de 130 recueils en 10 ans).

Sonnets pour Hélène
[1578]

Ronsard déjà vieillissant est invité par Catherine de Médicis à chanter Hélène, une de ses filles d'honneur, inconsolable de la mort de son fiancé. Peut-être le poète s'éprend-il de la jeune fille ? Il retrouve en tout cas pour la célébrer l'ardeur de l'amant éperdu et les accents épicuriens déjà présents dans les Amours de Cassandre.

PALMA VECCHIO (1480-1528),
La Bella. Lugano, collection Thyssen-Bornemisza.
• Photo © Erich Lessing-Magnum.

« *L'autre jour que j'étais...* »

L'autre jour que j'étais sur le haut d'un degré,
Passant, tu m'avisas, et me tournant la vue,
Tu m'éblouis les yeux, tant j'avais l'âme émue
De me voir en sursaut de tes yeux rencontré.

5 Ton regard dans le cœur, dans le sang m'est entré
Comme un éclat de foudre alors qu'il fend la nue.
J'eus de froid et de chaud la fièvre continue,
D'un si poignant regard mortellement outré[1].

Lors si ta belle main passant ne m'eût fait signe,
10 Main blanche, qui se vante être fille d'un Cygne[2],
Je fusse mort, Hélène, aux rayons de tes yeux.

Mais ton signe retint l'âme presque ravie,
Ton œil se contenta d'être victorieux,
Ta main se réjouit de me donner la vie.

RONSARD, *Sonnets pour Hélène*, I, 9.

1. Percé.
2. La mythologie grecque raconte que Zeus, pour séduire Léda, se changea en cygne. Léda donna naissance à Hélène.

Questions

1. Étudiez comment les positions respectives du poète et de la femme aimée se modifient du début à la fin du sonnet.

2. Analysez la peinture du coup de foudre amoureux.

3. À quel moment et pourquoi Ronsard fait-il intervenir la mythologie ?

4. Montrez comment il exploite poétiquement les différentes parties du corps de l'homme et la femme.

« *Je fuis les pas...* »

Je fuis les pas frayés du méchant populaire[1],
Et les villes où sont les peuples amassés.
Les rochers, les forêts déjà savent assez
Quelle trampe[2] a ma vie étrange et solitaire.

5 Si[3] ne suis-je si seul, qu'Amour mon secrétaire,
N'accompagne mes pieds débiles[4] et cassés,
Qu'il ne conte mes maux et présents et passés
À cette voix sans corps, qui rien ne saurait taire.

Souvent, plein de discours, pour flatter mon émoi,
10 Je m'arrête, et je dis : se pourrait-il bien faire
Qu'elle pensât, parlât, ou se souvînt de moi ?

Qu'à sa pitié mon mal commençât à déplaire ?
Encor que je me trompe, abusé du contraire,
Pour me faire plaisir, Hélène, je le crois.

RONSARD, *Sonnets pour Hélène*, I, 26.

1. Le peuple ordinaire, peu digne de regards.
2. Caractère.
3. Pourtant.
4. Faibles.

1. Quel rapport le poète entretient-il ici avec la nature ?
2. Commentez le tableau allégorique du deuxième quatrain.
3. Comment s'opère l'articulation entre la fin des quatrains et le début des tercets ? Pourquoi Ronsard a-t-il choisi d'intégrer un passage au discours direct ?
4. Commentez les deux derniers vers : sur quelle tonalité le poème se termine-t-il ?

« *Quand vous serez bien vieille...* »

Quand vous serez bien vieille, au soir, à la chandelle,
Assise auprès du feu, dévidant[1] et filant,
Direz, chantant mes vers, en vous émerveillant :
« Ronsard me célébrait du temps que j'étais belle ! »

5 Lors vous n'aurez servante oyant telle nouvelle,
Déjà sous le labeur à demi sommeillant,
Qui au bruit de mon nom ne s'aille réveillant,
Bénissant votre nom de louange immortelle[2].

Je serai sous la terre, et, fantôme sans os,
10 Par les ombres myrteux[3] je prendrai mon repos :
Vous serez au foyer une vieille accroupie,

Regrettant mon amour et votre fier[4] dédain.
Vivez, si m'en croyez, n'attendez à demain :
Cueillez dès aujourd'hui les roses de la vie.

RONSARD, *Sonnets pour Hélène*, II, 43.

1. Mettant le fil en écheveau.
2. Dont la louange est immortelle.
3. Le myrte était une plante qui poussait dans les champs Élysées, endroit réservé aux héros vertueux, dans la mythologie gréco-latine.
4. Farouche.

1. Relevez et commentez tous les éléments qui composent le tableau des deux quatrains. N'y a-t-il pas une évolution de la première à la deuxième strophe ? Laquelle ? Pourquoi ?
2. Quelle évocation de la mort le poète choisit-il de présenter dans le premier tercet ? Comment le tableau initial a-t-il évolué ? Pourquoi ?
3. Quel est l'effet produit par les impératifs des vers 13 et 14 ?
4. Appréciez la « chute » du sonnet sur le plan poétique.

Derniers Vers

[1586]

Je n'ai plus que les os, un squelette je semble,
Décharné, dénervé, démusclé, dépoulpé[1],
Que le trait[2] de la mort sans pardon a frappé ;
Je n'ose voir mes bras que de peur je ne tremble.

5 Apollon et son fils[3], deux grands maîtres ensemble,
Ne me sauraient guérir, leur métier m'a trompé ;
Adieu, plaisant soleil ! Mon œil est étoupé[4],
Mon corps s'en va descendre où tout se désassemble.

Quel ami, me voyant en ce point dépouillé,
10 Ne remporte au logis un œil triste et mouillé,
Me consolant au lit et me baisant la face,

En essuyant mes yeux par la mort endormis ?
Adieu, chers compagnons ! Adieu, mes chers amis !
Je m'en vais le premier vous préparer la place.

RONSARD, *Derniers Vers*, Pièces posthumes.

1. Dépouillé de pulpe, de chair.
2. La flèche.
3. Esculape, dieu de la Médecine.
4. Bouché à l'étoupe.

JÉRÔME BOSCH (v. 1462-1516),
*La Table des 7 péchés capitaux :
la mort et l'extrême-onction.*
Madrid, musée du Prado.
Photo © Dagli Orti.

Questions

1. Quelle représentation Ronsard donne-t-il de la vieillesse ? Analysez en particulier le vers 2.

2. Pourquoi le poète recourt-il aux références mythologiques et antiques ?

3. Ce recours nuit-il à l'expression d'une émotion sincèrement éprouvée ? Justifiez votre réponse.

4. Quelle conception de la mort le dernier tercet suggère-t-il ?

La Pléiade

La Pléiade désignait, dans l'Antiquité, une constellation de sept étoiles : ce mot servit de dénomination à un groupe de poètes alexandrins (IIIe siècle av. J.-C.). Au XVIe siècle, c'est le nom que se donnent des poètes qui s'opposent aux conceptions médiévales de la poésie (et même, assez injustement, à celles de Marot) et adhèrent aux idées énoncées dans *Défense et Illustration de la langue française* (voir p. 66). Ils reconnaissent en Ronsard leur représentant le plus éminent. Celui-ci, dans tel ou tel de ses écrits, établit des listes d'écrivains de la Pléiade, listes variables au fil des années (et qui parfois dépassent amplement le nombre de sept). En 1555, il cite ainsi, outre lui-même, Joachim du Bellay, Étienne Jodelle, Antoine de Baïf, Peletier du Mans, Rémy Belleau et Pontus de Tyard.

....

1. L'hymne est dédié à Paschal, historiographe du roi Henri II. Les deux larrons sont les deux hommes crucifiés en même temps que le Christ.

2. L'âme est enfermée dans le corps et n'en sera délivrée qu'avec la mort (conception platonicienne).

3. Menottes.

4. Ici-bas.

5. Peine.

6. Torture.

7. En couches.

Hymnes

▬▬ *[1556]*

E̲t puis je chanterai quelque chanson nouvelle,
Dont les accords seront, peut-être, si très doux,
Que les siècles voudront les redire après nous,
35 Et, suivant mon esprit, à nul des vieux antiques,
Larron[1], je ne devrai mes chansons poétiques,
Car il me plaît pour toi de faire ici ramer
Mes propres avirons dessus ma propre mer,
Et de voler au Ciel par une voie étrange,
40 Te chantant de la Mort la non-dite louange.
C'est une grand' Déesse, et qui mérite bien
Mes vers, puisqu'elle fait aux hommes tant de bien.
Quand elle ne ferait que nous ôter des peines,
Et hors de tant de maux dont nos vies sont pleines,
45 Sans nous rejoindre à Dieu, notre souv'rain Seigneur,
Encore elle nous fait trop de bien et d'honneur,
Et la devons nommer notre mère amiable.
Où est l'homme çà-bas, s'il n'est bien misérable
Et lourd d'entendement, qui ne veuille être hors
50 De l'humaine prison[2] de ce terrestre corps ?
Ainsi qu'un prisonnier qui, jour et nuit, endure
Les manicles[3] aux mains, aux pieds la chaîne dure,
Se doit bien réjouir à l'heure qu'il se voit
Délivré de prison, ainsi l'homme se doit
55 Réjouir grandement, quand la Mort lui délie
Le lien qui serrait sa misérable vie,
Pour vivre en liberté. Car on ne sauroit voir
Rien çà-bas[4], qui ne soit, par naturel devoir,
Esclave de labeur[5] : non seulement nous hommes,
60 Qui vrais enfants de peine et de misère sommes,
Mais le Soleil, la Lune et les Astres de Cieux
Font avecques travail[6] leur tour laborieux.
La mer, avec travail, deux fois le jour chemine ;
La terre, tout ainsi qu'une femme en gésine[7]
65 Qui, pleine de douleur, met au jour ses enfants,
Ses fruits avec travail nous produit tous les ans.
Ainsi Dieu l'a voulu, à fin que seul il vive
Affranchi du labeur, qui la race chétive
Des humains va rongeant de soucis langoureux.

RONSARD, *Hymnes*,
Hymne II « De la mort », extrait.

Q u e s t i o n s

1. Quel tableau Ronsard peint-il de la condition humaine ? de la mort ?

2. Cette conception est-elle chrétienne ? païenne ? Commentez notamment les vers 51 à 57.

3. Comment Ronsard donne-t-il à son propos une dimension à la fois personnelle et universelle ? Justifiez précisément votre point de vue.

4. Tentez, en vous appuyant sur le sens étymologique du mot *hymne* (chant, en particulier en l'honneur d'un dieu ou d'un héros), de donner une définition du genre tel qu'il est pratiqué par Ronsard.

La Franciade
[1572]

Ronsard voulait depuis longtemps célébrer un sujet national. Il adapte une légende médiévale qui fait d'un Troyen, Francion, l'ancêtre des Francs. Mais au moment de sa parution, les esprits étaient plus émus par le massacre de la Saint-Barthélemy, qui venait d'avoir lieu, que par cette épopée encore inachevée. Cet accueil réservé et la mort de Charles IX, le protecteur du poète, conduisent Ronsard à abandonner le sujet. Seuls quatre livres sur les cinq projetés sont écrits. Dans cet extrait de la fin du livre IV, Ronsard raconte la bataille de Poitiers qui met aux prises en 732 Charles Martel contre les Sarrazins.

Ce jour, Martel aura tant de courage
Qu'apparaissant en hauteur davantage
Que de coutume, on dira qu'un grand dieu,
1800 Vêtant son corps, aura choisi son lieu[1].
　　Lui, tout horrible[2] en armes flamboyantes,
Mêlant le fifre aux trompettes bruyantes,
Et de tambours rompant le ciel voisin,
Éveillera le peuple sarrasin
1805 Qui l'air d'autour emplira de hurlées.
　　Ainsi qu'on voit les torrents aux vallées
Du haut des monts descendre d'un grand bruit :
En écumant la ravine[3] se suit
À gros bouillons et, maîtrisant la plaine,
1810 Gâte des bœufs et des bouviers la peine ;
Ainsi courra, de la fureur guidé,
Avec grand bruit ce peuple débordé.

　　Mais tout ainsi qu'alors qu'une tempête
1815 D'un grand rocher vient arracher la tête,
Puis, la poussant et lui pressant le pas,
La fait rouler du haut jusques à bas :
Tour dessus tour, bond dessus bond se roule
Ce gros morceau qui rompt, fracasse et foule
1820 Les bois tronqués, et d'un bruit violent
Sans résistance à bas se va boulant[4] ;
Mais, quand sa chute en tournant est roulée
Jusqu'au profond de la creuse vallée,
S'arrête coi[5] : bondissant il ne peut
1825 Courir plus outre, et d'autant plus qu'il veut
Rompre le bord, et plus il se courrouce,
Plus le rempart le pousse et le repousse ;
Ainsi leur camp en bandes divisé,
Ayant trouvé le peuple baptisé,
1830 Bien qu'acharné de meurtre et de tu'rie,
Sera contraint d'arrêter sa furie...

RONSARD, *La Franciade*, IV, extrait.

....
1. Aura pris sa place. – 2. Terrible, semant l'épouvante. – 3. Torrent. – 4. Roulant. – 5. S'arrête
tout d'un coup.

Questions

1. Comment le guerrier Charles Martel est-il représenté ? À quel type de héros antique peut-il renvoyer ?
2. Quel rôle joue la musique qui est évoquée aux vers 1802 à 1805 ?
3. Repérez et étudiez les deux comparaisons du passage : longueur respective, choix de l'image. Quel est l'effet produit, en particulier par les sonorités des vers 1817 à 1823, et par le rythme du vers 1823 ?
4. Quelles caractéristiques de l'épopée sont ici présentes ? Donnez des exemples précis.
5. Comparez la vision épique du héros Martel avec celle d'Achille, d'Ajax, de Patrocle ou d'Hector dans l'*Iliade*.

LE SONNET

Une origine italienne

Né sans doute au XIIIe siècle en Sicile, où il est un poème populaire destiné à être chanté, le sonnet est illustré au XIVe siècle par Pétrarque dans son *Canzoniere*[1]. Il tire son nom de l'ancien provençal *sonet*, diminutif de son, devenu *sonnetto* en italien. Le *Canzoniere* de Pétrarque ne sera traduit en français qu'en 1555. Pourtant Marot, dès 1536, compose son premier sonnet et, en 1549, année de publication de la *Défense et Illustration de la langue française*, Du Bellay fait paraître un recueil de sonnets : *L'Olive*.

Lorenzo Costa, *Un concert.*
Londres, National Gallery. Photo © Édimédia.

Le sonnet français

Le sonnet compte quatorze vers répartis en deux quatrains et un sizain, en fait deux tercets liés par la rime. La disposition des rimes à laquelle Du Bellay s'essaie dans *L'Olive* finira par s'imposer : *abba-abba-ccd-ede*. Une variante irrégulière, dont l'utilisation est systématisée par Marot — on parle de variante *marotique* — et Ronsard, propose pour les tercets la distribution *ccd-eed*. En 1552, dans les *Amours*, Ron-sard adopte l'alternance de rimes masculines et féminines et, en 1555, dans la *Continuation des Amours,* l'usage de l'alexandrin. Jusque-là, en effet, le mètre du sonnet est le décasyllabe, l'alexandrin – vers utilisé dans les récits épiques, notamment dans le *Roman d'Alexandre,* à la fin du XIIe siècle – étant considéré comme un vers prosaïque. Le *sonnet français* a dès lors acquis sa forme définitive.

Cette forme fixe permet diverses constructions. Souvent le vers 9 est l'articulation majeure du poème, qu'il divise en deux parties correspondant aux quatrains et au sizain. Mais une sorte de *parallélisme* peut aussi s'établir entre le premier quatrain et le premier tercet, et entre le second quatrain et le second tercet. Si le jeu d'échos s'instaure entre la première et la dernière strophe, ainsi qu'entre la deuxième et la troisième, la structure est dite *en chiasme.* Enfin, surtout dans la variante *marotique,* le système des rimes crée une attente qui donne une valeur particulière au dernier vers : c'est la *chute* du poème (chute pouvant comporter un « effet » surprenant, séduisant, amusant, piquant pour l'esprit ou porteur d'une révélation). Par la variété de tons qu'il permet, le sonnet est la forme brève la plus utilisée dans la poésie française.

L'évolution du sonnet

Le sonnet connaît avec Louise Labé et les poètes de la Pléiade une faveur que prolongent, au XVIIe siècle, les poètes baroques. Boileau assure d'ailleurs qu'« un sonnet sans défaut vaut seul un long poème », et le sonnet qu'a composé Oronte est le point de départ de sa querelle avec Alceste dans *Le Misanthrope* (I, 2) de Molière. Il disparaît ensuite pour s'affirmer de nouveau au XIXe siècle dans les œuvres des Parnassiens, qui y voient une réponse à leur exigence de perfection formelle, ainsi que de Baudelaire, de Rimbaud, de Mallarmé et de Verlaine, qui, parfois en le disloquant, le renouvellent profondément. Au XXe siècle, on le retrouve dans l'œuvre de Desnos, et Queneau en fait un usage expérimental et parodique.

....

1. D'origine toscane, le poète Pétrarque (1304-1374) vécut alternativement en Italie et dans la région d'Avignon, où il rencontra Laure de Noves. Le *Canzoniere* est un recueil de poèmes d'amour qui lui sont dédiés.

Agrippa d'Aubigné
(1552-1630)

Portrait peint anonyme suisse.
Genève, Bibl. publique et universitaire.
• Photo © Artephot / A. Held.

AGRIPPA D'AUBIGNÉ voit son destin littéraire se construire un jour de 1560, quand, âgé de huit ans, il assiste au spectacle épouvantable de protestants suppliciés à Amboise, que son père lui fait jurer de venger. Toute sa vie, d'Aubigné consacre une énergie violente à répondre à cette promesse et à attester – c'est-à-dire à prendre en son sens premier le mot *protestantisme* : porter *témoignage devant* le public. Cet engagement le conduit à s'enrôler dans l'armée protestante dès 1568, puis à mettre sa plume au service de sa foi. Son œuvre tout entière, qu'elle relève de la poésie lyrique amoureuse (**Le Printemps**, 1571), du récit satirique, pamphlétaire et burlesque (**Les Aventures du baron de Faeneste**, publié en 1630) ou de l'épopée militante et grandiose (**Les Tragiques**, 1616), bouillonne de ce désir de voir la justice et l'ordre enfin rétablis, avec l'aide de Dieu qui reconnaîtra les Justes.

Son œuvre est nourrie d'une esthétique qu'on qualifiera par la suite de baroque. Les images violentes (les thèmes du sacrifice, les motifs du sang, du fer et du feu y sont constants), organisées sous la forme d'antithèses (le combat du Bien et du Mal, les crimes punis par les châtiments divins, la loyauté de l'engagement qui se heurte à la trahison de celui qui abjure) et amplifiées par l'hyperbole et les personnifications allégoriques, y foisonnent.

Le Printemps
[1571]

Les sonnets de l'« Hécatombe à Diane » constituent la première partie du recueil
Le Printemps, *inspiré en 1571 par Diane Salviati, nièce de Cassandre Salviati aimée par Ronsard. On y trouve des poèmes d'inspiration pétrarquiste et d'autres où s'exprime la douleur suscitée par le drame de l'amour impossible.*

Combattu des vents et des flots,
Voyant tous les jours ma mort prête,
Et abayé[1] d'une tempête
D'ennemis, d'aguets[2], de complots,

5 Me réveillant à tout propos,
Mes pistoles[3] dessous ma tête,
L'amour me fait faire le poète
Et les vers cherchent le repos.

Pardonne-moi, chère maîtresse,
10 Si mes vers sentent la détresse,
Le soldat, la peine et l'émoi :

Car depuis qu'en aimant je souffre,
Il faut qu'ils sentent comme moi
La poudre, la mèche et le souffre.

AGRIPPA D'AUBIGNÉ, *Le Printemps*,
« L'Hécatombe à Diane », sonnet 4.

....

1. Entouré, menacé. – 2. Embuscades. – 3. Pistolets.

Questions

1. Cherchez l'étymologie du mot *hécatombe* : comment ce sens est-il lisible dans ce poème et en oriente-t-il l'interprétation ?

2. Repérez dans le sonnet les diverses évocations de la souffrance du poète.

3. Quelle fonction le poète assigne-t-il à la poésie ?

Les Tragiques
[1616]

Poème historique et épique en sept chants, Les Tragiques *brûlent d'une ardeur divine intense. D'Aubigné y retrace le malheur pitoyable de l'humanité, dans les « Misères » ; puis il en détecte les causes, la vanité et les crimes des grands, dans les « Princes » ; l'injustice des Juges, dans « Chambre dorée ». Les conséquences de ces agissements immoraux sont décrites aux livres IV, « Feux », et V, « Fers », où sont peints sur le mode tragique les supplices infligés aux protestants. Enfin les chants VI et VII, intitulés « Vengeances » et « Jugement », annoncent en un style visionnaire le triomphe des victimes et le rétablissement de la justice divine.*

Extrait 1

....

1. Jumeau.
2. Ésaü et Jacob : dans la Bible, frères jumeaux d'abord adversaires puis réconciliés.
3. Si bien que.
4. Jusque-là.
5. Plainte.
6. Maintenant.
7. Progéniture.

Je veux peindre la France une mère affligée,
Qui est entre ses bras de deux enfants chargée.
Le plus fort, orgueilleux, empoigne les deux bouts
100 Des tétins nourriciers ; puis, à force de coups
D'ongles, de poings, de pieds, il brise le partage
Dont nature donnait à son besson[1] l'usage ;
Ce voleur acharné, cet Esau[2] malheureux
Fait dégât du doux lait qui doit nourrir les deux,
105 Si que[3], pour arracher à son frère la vie,
Il méprise la sienne et n'en a plus d'envie.
Mais son Jacob[2], pressé d'avoir jeûné meshui[4],
Ayant dompté longtemps en son cœur son ennui,
À la fin se défend, et sa juste colère
110 Rend à l'autre un combat dont le champ est la mère.
Ni les soupirs ardents, les pitoyables cris,
Ni les pleurs réchauffés ne calment leurs esprits ;
Mais leur rage les guide et leur poison les trouble,
Si bien que leur courroux par leurs coups se redouble.
115 Leur conflit se rallume et fait si furieux
Que d'un gauche malheur ils se crèvent les yeux.
Cette femme éplorée, en sa douleur plus forte,
Succombe à la douleur, mi-vivante, mi-morte ;
Elle voit les mutins tous déchirés, sanglants,
120 Qui, ainsi que du cœur, des mains se vont cherchant.
Quand, pressant à son sein d'un amour maternelle
Celui qui a le droit et la juste querelle[5],
Elle veut le sauver, l'autre qui n'est pas las
Viole en poursuivant l'asile de ses bras.
125 Adonc se perd le lait, le suc de sa poitrine ;
Puis, aux derniers abois de sa proche ruine,
Elle dit : « Vous avez, félons, ensanglanté,
Le sein qui vous nourrit et qui vous a portés ;
Or[6] vivez de venin, sanglante géniture[7],
130 Je n'ai plus que du sang pour vôtre nourriture. »

AGRIPPA D'AUBIGNÉ, *Les Tragiques*, I, « Misères », vers 97 à 130.

Questions

1. Analysez la manière dont d'Aubigné évoque le combat entre les deux enfants (v. 98 à 116) en vous appuyant sur le rythme des vers, les sonorités, le choix des mots. Commentez en particulier le vers 114.

2. Quelle est la fonction du discours direct aux v. 127 à 130 ?

3. Quels éléments permettent de qualifier ce texte de littérature engagée ?

Extrait 2

Mais quoi ! c'est trop chanté, il faut tourner les yeux
Éblouis de rayons dans le chemin des cieux.
C'est fait, Dieu vient régner[1], de toute prophétie
Se voit la période à ce point accomplie.

665 La terre ouvre son sein, du ventre des tombeaux
Naissent des enterrés les visages nouveaux :
Du pré, du bois, du champ, presque de toutes places
Sortent les corps nouveaux et les nouvelles faces.
Ici les fondements des châteaux rehaussés

670 Par les ressuscitants promptement sont percés ;
Ici un arbre sent des bras de sa racine
Grouiller un chef[2] vivant, sortir une poitrine ;
Là l'eau trouble bouillonne, et puis s'éparpillant
Sent en soi des cheveux et un chef s'éveillant.

675 Comme un nageur venant du profond de son plonge[3],
Tous sortent de la mort comme l'on sort d'un songe.
Les corps par les tyrans autrefois déchirés
Se sont en un moment en leurs corps asserrés,
Bien qu'un bras ait vogué par la mer écumeuse

680 De l'Afrique brûlée en Tylé[4] froiduleuse[5].
Les cendres des brûlés volent de toutes parts ;
Les brins plutôt unis qu'ils ne furent épars
Viennent à leur poteau[6] en cette heureuse place,
Riant au ciel riant d'une agréable audace.

AGRIPPA D'AUBIGNÉ, *Les Tragiques*, VII,
« Jugement », vers 661 à 684.

1. Au Jugement dernier, le Christ remet à Dieu le Père son royaume terrestre.
2. Tête.
3. Plongeon.
4. Thulé, île mystérieuse que les Anciens situaient à l'extrême nord de l'Océan.
5. Froide.
6. Le poteau auquel les suppliciés étaient attachés pour être brûlés.

Questions

1. Agrippa d'Aubigné désirait raconter une vision qu'il avait eue sur le champ de bataille. Que peut-on lire ici de ce projet initial ? En quoi ce passage a-t-il quelque chose d'à la fois visuel et visionnaire ?

2. Quels sont les éléments épiques du texte ?

3. Quel sens donnez-vous à la répétition du mot « *riant* » au dernier vers ?

MARTIN DE VOS
(1532-1603),
Le Jugement dernier.
Séville, musée des Beaux-Arts. Photo © R.M.N./
R.G. Ojeda.

Les Aventures du baron de Faeneste

[1617]

Dans ce dialogue comique Agrippa d'Aubigné met en scène le baron de Faeneste (dont le nom signifie en grec paraître*), moitié courtisan moitié soldat gascon, qui rencontre le gentilhomme Enay (dont le nom signifie* être*). D'Aubigné fait systématiquement parler son personnage avec la prononciation gasconne : les* v *sont remplacés par des* b*, et l'auteur, par volonté de caricature, inverse aussi le procédé (le mot* brave *se dit* vrabe*).*

ENAY. – Comment paraît-on aujourd'hui à la Cour ?

F. – Premièrement faut être vien bêtu à la mode de trois ou quatre Messieurs qui ont l'autorité : il faut un perpunt[1] de quatre ou cinq taffetas l'un sur l'autre, des chausses comme celles que bous boyez, dans lesquelles, tant frise qu'écarlate, je bous puis assurer de huit haulnes[2] d'estoffe pour le mens[3].   5

E. – Est-il possible que ce gros lodier[4] qui vous monte autour des reins ne vous fasse point sentir de gravelle[5] ?

F. – Qu'appelez-bous loudier ? Bous autres abez d'étranges mots pour francimantiser aux bilayes[6]. Or grabelle ou non grabelle, si faut-il pourter en été cette emvourure[7] ; puch[8] après il bous faut des souliers à cric ou à pont levedis[9], si   10
bous boulez, écoulés[10] jusques à la semelle.

E. – Et en hiver ?

F. – Sachez que deux ans abant la mort du feu Roy, il lui échappa de louer S. Michel de ses diligences et d'être toujours votté : dès lors les Courtisans prirent la façon d'une votte, la chair en dehors[11] ; le talon fort haussé, abec certes   15
pantoufles fort haussées encore, le surpied de l'éperon fort large, et les soulettes[12] qui enbeloppent le dessous de la pantoufle. Ces vottes ainsi tirées tout du long[13] bous épargnent toutes sortes de vas de soie ; si bous allez à pied par la bille, on conjetture que le chebal n'est pas loin de bous : mais il faut que l'éperon soit douré. Bous boyez tous ces honnêtes gens d'entre les huguenots qui bont   20
à pied et en cet équipage à Charanton[14]. Je sais un de mes camarades et un parent mien qui ont fait le boyage du pays en cet état, et quant ils troubaient quelques seigneurs, ils se jouaient d'une gaule, faisaient semvlant de se pourmener au long de leurs héritages : cela est épargnant. Toutefois, Ponpignan inbenta des découpures sur le pied de la votte, pour faire paraître un vas de soie incarnadin[15] et   25
ceux qui n'ont de vas de soie prennent de la découpure abec le ruvan de couleur. Ces vottes bous font chebaucher long. Et puis les ladrines[16] de l'inbention de Lamvert, et puis les grands capuchons qui prennent de dessus le chapeau à la Portugaise, jusqu'au dessous des aisselles, tout cela fait paraître le cabalier, si vien qu'un gros de cabalerie ainsi équipé monterait[17] un tiers dabantage. Or ces vottes   30
et ces éperons ne se quittent ni en carrosse, ni en vateau : et quand un galand homme n'est point votté, faut aboir recours à la vonne fortune pour aller en carrosse, principalement en hiver, de peur d'enfanger[18] ses roses.

E. – Vous avez des roses en hiver ?

F. – Oy vien, nos autres, oy : sur les deux pieds, trainantes à terre, aux deux   35
jarrets, pendantes à mijamves, au vusc du perpunt[19], une au pendant de l'espeio, une sur l'estomach, au droit des vrasarts, et aux coudes.

AGRIPPA D'AUBIGNÉ, *Les Aventures du baron de Faeneste*, livre I, chapitre 2.

---

1. Pourpoint.
2. Unité de mesure de tissu.
3. Pour le moins.
4. Manteau à l'étoffe épaisse (voir loden).
5. Maladie des reins.
6. Village (le son [z] est prononcé [y] par Faeneste).
7. Garniture.
8. Puis.
9. Ces souliers comportaient une pièce de cuir recouvrant le cou de pied.
10. Découpés.
11. Forme de botte à revers.
12. Bande de cuir qui passe sous la botte.
13. Bottes en cuir mou qui recouvrent jusqu'au haut de la cuisse et sont attachées à la ceinture.
14. À Charenton se trouvait le temple des Réformés de Paris.
15. Rouge écarlate.
16. Bottes larges.
17. Paraîtrait à la revue.
18. Couvrir de fange.
19. L'endroit du pourpoint serré autour de la poitrine.

Questions

1. Quelle impression produit le rapprochement des deux prononciations ?

2. En quoi le baron de Faeneste porte-t-il bien son nom ?

3. Que nous suggèrent les répliques du gentilhomme Enay aux lignes 12 et 34 ?

4. Quelle est la portée satirique du texte ? Par quels procédés est-elle renforcée ?

Michel de Montaigne

(1533-1592)

Portrait anonyme, XVIe s.
Chantilly, musée Condé.
Photo © Josse.

MICHEL EYQUEM DE MONTAIGNE est issu d'une riche famille de négociants bordelais, récemment anoblis. Il reçoit dès le berceau une éducation résolument humaniste (son précepteur ne lui parle qu'en latin). Après des études de droit, il entreprend une carrière de magistrat de justice et de finances à Périgueux, puis au prestigieux parlement de Bordeaux. Il s'y lie d'une brève et intense amitié à son collègue Étienne de La Boétie (voir p. 102). Après le décès de son père, il vend précocement sa charge de conseiller en 1570 et se retire dans son château pour se vouer dorénavant à la lecture et à l'écriture. Il quitte cependant souvent cette retraite. Pour soigner, par des cures, la gravelle qui le fait souffrir, il parcourt l'Allemagne et surtout l'Italie en 1580-1581 (il en rapporte un *Journal de voyage en Italie*, édité en 1774). Il exerce, de 1581 à 1585, la fonction de maire de Bordeaux, en pleines guerres de Religion, et participe aux négociations entre Henri de Navarre et la Ligue (voir p. 35). Il consacre la fin de sa vie à la poursuite de ses *Essais*.

CETTE ŒUVRE, une des plus originales dans sa forme et des plus révolutionnaires dans son dessein de toute la littérature française, s'inscrit initialement dans la tradition des recueils de citations. C'est par une amplification de sa réaction personnelle aux pensées des auteurs de l'Antiquité (stoïciens, épicuriens et sceptiques, voir p. 103 et p. 91) que Montaigne constitue progressivement son projet propre. Il s'attache d'abord à faire l'« essai », c'est-à-dire l'expérience, de son moi dans les fluctuations du temps qui passe et la diversité des objets que la vie quotidienne et la culture livresque fournissent à sa réflexion. Il découvre ensuite, dans cette singularité banale, ce que les hommes ont vraiment en commun : chacun est différent des autres ; chacun diffère de lui-même dans le temps. Il devient ainsi le premier auteur au sens moderne du terme : il parle en son nom propre et recherche son autorité non dans la référence aux grands textes du passé, mais dans la pertinence même du discours qu'il construit, en s'appuyant sur l'observation en lui-même du fonctionnement physique et mental de l'homme. L'« essai », méthode d'approche d'une vérité provisoire et non genre littéraire, épouse alors, sans plan préétabli, les cheminements secrets de la pensée : au lecteur de les saisir et d'en faire l'expérience en lui-même. Un tel texte s'accroît continuellement de nouveaux essais mais aussi, insérées dans les anciens, de nouvelles réflexions, nées notamment des voyages et des épreuves politiques. Se succèdent ainsi l'édition de 1580 (Livres I et II), plusieurs fois augmentée, celle de 1588 (avec un Livre III), et l'édition posthume de 1595. Montaigne, maître de sagesse, souligne la faiblesse morale et intellectuelle de l'homme mais aussi le bonheur que lui apporte une vie menée selon sa nature : la perfection consiste à « savoir jouir loyalement de son être » (voir p. 101). En somme, il propose un mode d'être : la conversation, avec les grands philosophes, avec soi-même, et avec son lecteur, dans la durée et l'amitié. Lui qui était déjà, après Calvin et avec le philosophe Jean Bodin, le premier grand penseur à écrire en français, fournira au siècle suivant le modèle de l'« honnête homme ».

1. De t'être utile.
2. Personnelle.
3. Afin que.
4. Quelque
5. Effort.
6. Native.
7. Celles du Nouveau Monde.

Essais

▬▬ *[1580-1595]*

Montaigne invente la forme de l'« essai ». Il doit donc expliquer son projet et caractériser son attitude d'écrivain, mais également indiquer à son lecteur ce qu'il attend de lui. C'est un contrat de lecture inédit qu'il lui propose : à un auteur et à un livre d'une nouvelle sorte, il faut aussi un lecteur nouveau.

Au lecteur

C'est ici un livre de bonne foi, lecteur. Il t'avertit, dès l'entrée, que je ne m'y suis proposé aucune fin, que domestique et privée. Je n'y ai eu nulle considération de ton service[1], ni de ma gloire. Mes forces ne sont pas capables d'un tel dessein. Je l'ai voué à la commodité particulière[2] de mes parents et amis : à ce que[3] m'ayant perdu (ce qu'ils ont à faire bientôt) ils y puissent retrouver aucuns[4] 5 traits de mes conditions et humeurs, et que par ce moyen ils nourrissent, plus entière et plus vive, la connaissance qu'ils ont eue de moi. Si c'eût été pour rechercher la faveur du monde, je me fusse mieux paré et me présenterais en une marche étudiée. Je veux qu'on m'y voie en ma façon simple, naturelle et ordinaire, sans contention[5] et artifice : car c'est moi que je peins. Mes défauts s'y 10 liront au vif, et ma forme naïve[6], autant que la révérence publique me l'a permis. Que si j'eusse été entre ces nations[7] qu'on dit vivre encore sous la douce liberté des premières lois de nature, je t'assure que je m'y fusse très volontiers peint tout entier, et tout nu. Ainsi, lecteur, je suis moi-même la matière de mon livre : ce n'est pas raison que tu emploies ton loisir en un sujet si frivole et si vain. Adieu 15 donc ; de Montaigne, ce premier de mars mil cinq cent quatre-vingts.

MICHEL DE MONTAIGNE, *Essais*, Livre I.
© éd. Pierre Michel, Librairie Générale Française, 1972.

Questions

1. Quel(s) rapport(s) Montaigne entend-il instaurer avec son lecteur ? Peut-on parler de provocation ?

2. Caractérisez le projet de Montaigne. Est-il justifié par des arguments ou simplement proposé au lecteur ?

3. Dans quelle mesure et dans quels domaines Montaigne revendique-t-il l'originalité de son dessein ?

4. Étudiez l'ironie de l'auteur envers lui-même.

5. Comparez ce manifeste d'intentions avec celui de Rousseau dans les *Confessions* (voir p. 287).

L'épicurisme

L'épicurisme est à la fois une morale et une métaphysique. Établi par le philosophe grec Épicure, il est exposé par le latin Lucrèce (Ier s. av. J.-C.) dans son poème didactique *De la nature*.

Il repose sur l'atomisme matérialiste du physicien grec Démocrite, selon lequel l'univers est tout entier composé d'atomes matériels, éternels et combinés temporairement entre eux par l'effet du hasard. L'âme, matérielle et non distincte du corps, n'est pas immortelle. Il ne faut donc craindre ni la mort, anéantissement définitif par dissociation d'atomes, ni les dieux, qui ne sont ni créateurs ni juges des hommes. Le sage, au contraire, vit selon la nature, en visant le plaisir. Il atteint l'« ataraxie », ou absence de trouble, en refusant la course aux faux biens que sont pouvoir et richesses, et en se retirant hors des affaires du monde. Il pratique l'amitié et les arts.

Cette pensée imprègne les libertins (voir p. 113), Molière et La Fontaine. Christianisée par Montaigne et Gassendi, qui croient à l'immortalité de l'âme, elle préfigure le déisme du XVIIIe siècle.

Que philosopher c'est apprendre à mourir

La méditation sur la mort est familière à la spiritualité chrétienne. La réflexion sur le caractère mortel de l'homme était déjà un lieu commun des philosophies et des morales antiques. Pour celles-ci, le sage se reconnaît à sa capacité de construire sa vie selon les conclusions, quelles qu'elles soient, qu'il tire de cette réflexion ; son attitude à l'instant de la mort est la pierre de touche de sa sagesse. Montaigne propose donc une variation sur un sujet bien connu de ses lecteurs. Il a commencé par affirmer sa conviction, épicurienne (voir p. 91), que le but de toute vie est la volupté et que le mépris de la mort est un bienfait apporté par la sagesse. Mais l'aptitude à apprivoiser la mort est aussi une vertu stoïcienne (voir p. 103), dont La Boétie lui a donné l'exemple.

Le but de notre carrière[1], c'est la mort, c'est l'objet nécessaire de notre visée : si elle nous effraie, comment est-il possible d'aller un pas avant, sans fièvre ? Le remède du vulgaire, c'est de n'y penser pas... Mais de quelle brutale stupidité lui peut venir un si grossier aveuglement ? Il lui faut faire brider l'âne
5 par la queue[2].

   Qui capite ipse suo instituit vestigia retro.[3]

   Ce n'est pas de merveille s'il est si souvent pris au piège. On fait peur à nos gens, seulement de nommer la mort et la plupart s'en signent[4], comme du nom du diable. Et parce qu'il s'en fait mention aux testaments, ne vous attendez pas
10 qu'ils y mettent la main, que[5] le médecin ne leur ait donné l'extrême sentence ; et Dieu sait lors, entre la douleur et la frayeur, de quel bon jugement ils vous le pâtissent[6].

   Parce que cette syllabe frappait trop rudement leurs oreilles, et que cette voix[7] leur semblait malencontreuse, les Romains avaient appris de l'amollir ou de
15 l'étendre en périphrases. Au lieu de dire : il est mort ; il a cessé de vivre, disent-ils, il a vécu. Pourvu que ce soit vie, soit-elle passée, ils se consolent. Nous en avons emprunté notre feu[8] Maître-Jehan.

MICHEL DE MONTAIGNE, *Essais*, Livre I, 20.
© éd. Pierre Michel, Librairie Générale Française, 1972.

---

1. Course (et donc vie).
2. Marchant à reculons, il ne voit pas où il va.
3. « *[Lui] qui s'est mis en tête de marcher à reculons* » (Lucrèce, *De la nature*).
4. Font le signe de la croix (pour éloigner le diable).
5. Avant que.
6. Malaxent comme un pâté.
7. Mot.
8. Montaigne semble assimiler *feu* (prononcé « [fy] » en son temps) au passé simple *fut*.

Questions

1. Résumez la thèse que développe ici Montaigne. Quelle conception de la condition humaine expose-t-il ? Faut-il, selon lui, penser à la mort et pourquoi ?

2. Quels exemples Montaigne emploie-t-il ? Classez-les. Dans quels domaines les recherche-t-il ?

3. Quel rapport l'auteur veut-il instituer avec son lecteur ?

Allégorie de la vie humaine (détail).
École italienne, XVIᵉ s.
Paris, musée du Louvre.
Photo © RMN-
H. Lewandowski.

De l'institution des enfants

Les humanistes critiquent unanimement le système éducatif en vigueur à leur époque, l'estimant contraire à l'accomplissement de l'enfant en homme. La scolastique, enseignement de théologie et de philosophie donné par l'Université, enseignait en effet les techniques de l'argumentation plus que la culture susceptible de lui donner un contenu ; elle négligeait les textes au profit des commentaires qu'ils avaient suscités et le jugement autonome au profit de la mémorisation ; elle ne prêtait guère attention au corps et au concret. La pédagogie de Montaigne s'inscrit au contraire dans le courant humaniste de son siècle. Elle bénéficie aussi de son expérience personnelle : il conserve un souvenir excellent de l'éducation paternelle mais exécrable du collège qu'il a ensuite fréquenté.

À un enfant de maison[1] qui recherche les lettres, non pour le gain (car une fin si abjecte est indigne de la grâce et faveur des Muses, et puis elle regarde et dépend d'autrui), ni tant pour les commodités externes que pour les siennes propres, et pour s'en enrichir et parer au-dedans, ayant plutôt envie d'en tirer un habile homme qu'un homme savant, je voudrais aussi qu'on fût soigneux de lui 5 choisir un conducteur qui eût plutôt la tête bien faite que bien pleine, et qu'on y requît tous les deux, mais plus les mœurs et l'entendement que la science ; et qu'il se conduisît en sa charge d'une nouvelle manière.

On ne cesse de criailler à nos oreilles, comme qui verserait dans un entonnoir, et notre charge ce n'est que redire ce qu'on nous a dit. Je voudrais qu'il corrigeât 10 cette partie, et que, de belle arrivée[2], selon la portée de l'âme qu'il a en main, il commençât à la mettre sur la montre[3], lui faisant goûter les choses, les choisir et discerner d'elle-même ; quelquefois lui ouvrant chemin, quelquefois le lui laissant ouvrir. Je ne veux pas qu'il invente et parle seul, je veux qu'il écoute son disciple parler à son tour. Socrate et depuis Arcesilas[4] faisaient premièrement parler 15 leurs disciples, et puis ils parlaient à eux. « *Obest plerumque iis qui discere volunt auctoritas eorum qui docent.* »[5]

Il est bon qu'il le fasse trotter devant lui pour juger de son train, et juger jusques à quel point il se doit ravaler[6] pour s'accommoder à sa force. À faute de cette proportion nous gâtons tout ; et de la savoir choisir, et s'y conduire bien 20 mesurément, c'est l'une des plus ardues besognes que je sache ; et est l'effet d'une haute âme et bien forte, savoir condescendre à ses allures puériles et les guider. Je marche plus sûr et plus ferme à mont qu'à val.

Ceux qui, comme porte[7] notre usage, entreprennent d'une même leçon et pareille mesure de conduite régenter plusieurs esprits de si diverses mesures et 25 formes, ce n'est pas merveille si, en tout un peuple d'enfants, ils en rencontrent à peine deux ou trois qui rapportent quelque juste fruit de leur discipline.

Qu'il ne lui demande pas seulement compte des mots de sa leçon, mais du sens et de la substance, et qu'il juge du profit qu'il aura fait, non par le témoignage de sa mémoire, mais de sa vie. Que ce qu'il viendra d'apprendre, il le lui 30 fasse mettre en cent visages et accommoder à autant de divers sujets, pour voir s'il l'a encore bien pris et bien fait sien, prenant l'instruction de son progrès des pédagogismes[8] de Platon. C'est témoignage de crudité et indigestion que de regorger la viande[9] comme on l'a avalée. L'estomac n'a pas fait son opération, s'il n'a fait changer la façon et la forme à ce qu'on lui avait donné à cuire. 35

MICHEL DE MONTAIGNE, *Essais*, Livre I, 26.
© éd. Pierre Michel, Librairie Générale Française, 1972.

---

1. De grande maison.
2. Dès l'abord.
3. Piste (où l'on présente les chevaux).
4. Philosophe grec.
5. *« Le plus souvent, l'autorité de ceux qui enseignent nuit à ceux qui veulent apprendre »* (Cicéron, *De la nature des dieux*).
6. Rabaisser.
7. Comporte.
8. S'inspirant, pour sa progression, de la pédagogie de…
9. Rendre la nourriture.

Questions

1. En examinant précisément ce texte, dites à qui s'adresse Montaigne et de quel point de vue il parle.

2. Quels sont les principaux conseils que donne Montaigne en matière d'éducation ? Sur quelle conception de l'enfant s'appuie-t-il (étudiez notamment les métaphores) ?

3. Analysez l'idée qu'il se fait de la culture. Comparez-la à celle des poètes de la Pléiade (voir p. 66 et suiv.).

4. Dans quel contexte social précis Montaigne situe-t-il son système éducatif ? Quelles en sont les conséquences pour le contenu de ce dernier ?

5. Sans oublier qu'il s'agit, dans les deux cas, de simples extraits de textes, comparez les principes éducatifs avancés ici par Montaigne à ceux que l'on peut dégager de l'éducation donnée à Gargantua chez Rabelais (voir p. 44).

Des cannibales

En 1562, un navire débarque à Rouen trois Indiens du Brésil, des Tupinambas de la région du rio de Janeiro, où les Français tentent de s'installer pour y concurrencer les Portugais. Le jeune Charles IX – il a douze ans – reçoit cette ambassade de « cannibales », et Montaigne, qui accompagne la Cour, saisit l'occasion de les interroger.

Trois d'entre eux, ignorant combien coûtera un jour à leur repos et à leur bonheur la connaissance des corruptions de deçà[1], et que de ce commerce naîtra leur ruine, comme je présuppose qu'elle soit déjà avancée, bien misérables de s'être laissés piper[2] au désir de la nouvelleté, et avoir quitté la douceur de leur
5 ciel pour venir voir le nôtre, furent à Rouen, du temps que le feu roi Charles neuvième y était. Le Roi parla à eux longtemps ; on leur fit voir notre façon, notre pompe, la forme d'une belle ville. Après cela, quelqu'un en demanda leur avis, et voulut savoir d'eux ce qu'ils y avaient trouvé de plus admirable ; ils répondirent trois choses, d'où j'ai perdu la troisième, et en suis bien marri[3] ; mais j'en ai
10 encore deux en mémoire. Ils dirent qu'ils trouvaient en premier lieu fort étrange que tant de grands hommes, portant barbe, forts et armés, qui étaient autour du Roi (il est vraisemblable qu'ils parlaient des Suisses de sa garde), se soumissent à obéir à un enfant, et qu'on ne choisisse plutôt quelqu'un d'entre eux pour commander ; secondement (ils ont une façon de leur langage telle, qu'ils nomment
15 les hommes moitié les uns des autres) qu'ils avaient aperçu qu'il y avait parmi nous des hommes pleins et gorgés de toutes sortes de commodités, et que leurs moitiés étaient mendiants à leurs portes, décharnés de faim et de pauvreté ; et trouvaient étrange comme ces moitiés ici nécessiteuses pouvaient souffrir une telle injustice, qu'ils ne prissent[4] les autres à la gorge, ou missent le feu à leurs
20 maisons.

Je parlai à l'un d'eux fort longtemps ; mais j'avais un truchement[5] qui me suivait si mal et qui était si empêché[6] à recevoir mes imaginations par sa bêtise, que je n'en pus tirer guère de plaisir. Sur
25 ce que je lui demandai quel fruit il recevait de la supériorité qu'il avait parmi les siens (car c'était un capitaine, et nos matelots le nommaient roi), il me dit que c'était marcher le premier à la guerre ; de combien d'hommes il était suivi, il me montra
30 une espace de lieu, pour signifier que c'était autant qu'il en pourrait[7] en une telle espace, ce pouvait être quatre ou cinq mille hommes ; si, hors la guerre, toute son autorité était expirée, il dit qu'il lui en restait cela que, quand il visitait les villages
35 qui dépendaient de lui, on lui dressait des sentiers au travers des haies de leurs bois, par où il pût passer bien à l'aise.

Tout cela ne va pas trop mal : mais quoi, ils ne portent point de hauts-de-chausses !

MICHEL DE MONTAIGNE, *Essais*, Livre I, 31.
© éd. Pierre Michel, Librairie Générale Française, 1972.

1. De ce côté-ci de l'Atlantique.
2. Tromper.
3. Affliger.
4. Sans prendre.
5. Interprète.
6. Embarrassé.
7. Que cela se pourrait.

Questions

1. Caractérisez le regard que ces Indiens jettent sur la France. Pourquoi Montaigne leur donne-t-il la parole ?

2. Quelle image de son royaume le Roi veut-il offrir aux « cannibales » ? Qu'en voient-ils effectivement ? Sur quels points leur critique de la société française porte-t-elle ? En quoi leur société semble-t-elle plus juste ?

3. Expliquez l'ironie de la dernière phrase. Pour qui Montaigne prend-il parti ?

THÉODORE DE BRY et LEMOYNE DE MORGUES, *Accueil des Caciques* (1564). Paris, musée de la Marine. Photo © Giraudon.

De l'amitié

De même que celle de la mort, la question de l'amitié était au centre de la pensée antique. Cicéron, notamment, y avait consacré tout un traité, très célèbre à la Renaissance. On ne voyait pas dans l'amitié, comme aujourd'hui, d'abord une affaire de sentiments, mais plutôt la relation sociale par excellence entre hommes libres, relation bien plus importante que l'amour. L'amitié, en effet, induisait un échange de services, dans la carrière militaire ou politique, les affaires ou la vie intellectuelle. Plusieurs de ces traits se retrouvent dans l'amitié immédiate et définitive qui lie Montaigne et La Boétie, collègues au parlement de Bordeaux, de 1557 à 1563. L'œuvre de La Boétie (voir p. 102) précède celle de son cadet de quatre ans ; sa mort prématurée, à l'âge de trente-deux ans, détermine son ami à écrire. Les Essais, en effet, sont nés du désir de rendre un devoir d'amitié : ils sont un peu, selon le terme ancien, le « tombeau », la célébration de La Boétie (« le plus grand homme, à mon avis, de notre siècle »). C'est dire que Montaigne ne se contente pas du modèle d'amitié reçu de la culture antique. L'épreuve de la solitude où le contraint la mort de La Boétie se traduit en choix d'écriture : faire l'expérience de soi en présence de l'ami absent, ce qui est la sécularisation révolutionnaire de l'expérience monastique de soi en présence de Dieu.

Au demeurant, ce que nous appelons ordinairement amis et amitiés, ce ne sont qu'accointances et familiarités nouées par quelque occasion ou commodité, par le moyen de laquelle nos âmes s'entretiennent[1]. En l'amitié de quoi je parle elles se mêlent et confondent l'une en l'autre, d'un mélange si universel, qu'elles effacent et ne retrouvent plus la couture qui les a jointes. Si on me presse de dire 5 pourquoi je l'aimais, je sens que cela ne se peut exprimer, qu'en répondant : « Parce que c'était lui ; parce que c'était moi. »

Il y a au-delà de tout mon discours, et de ce que j'en puis dire particulièrement, ne sais quelle force inexplicable et fatale, médiatrice de cette union. Nous nous cherchions avant que de nous être vus, et par des rapports que nous oyïons l'un de 10 l'autre, qui faisaient en notre affection plus d'effort que ne porte la raison des rapports[2], je crois par quelque ordonnance du ciel ; nous nous embrassions par nos noms. Et à notre première rencontre, qui fut par hasard en une grande fête et compagnie de ville, nous nous trouvâmes si pris, si connus, si obligés[3] entre nous, que rien dès lors ne nous fut si proche que l'un à l'autre. Il écrivit une satire latine 15 excellente, qui est publiée, par laquelle il excuse et explique la précipitation de notre intelligence[4], si promptement parvenue à sa perfection. Ayant si peu à durer, et ayant si tard commencé, car nous étions tous deux hommes faits, et lui plus de quelques années, elle n'avait point à perdre temps et à se régler au patron des amitiés molles et régulières, auxquelles il faut tant de précautions de longue et 20 préalable conversation. Celle-ci n'a point d'autre idée[5] que d'elle-même, et ne se peut rapporter qu'à soi. Ce n'est pas une spéciale considération, ni deux, ni trois, ni quatre, ni mille : c'est je ne sais quelle quintessence de tout ce mélange, qui, ayant saisi toute ma volonté, l'amena se plonger et se perdre dans la sienne ; qui, ayant saisi toute sa volonté, l'amena se plonger et se perdre en la mienne, d'une 25 faim, d'une concurrence[6] pareille. Je dis perdre, à la vérité, ne nous réservant rien qui nous fût propre, ni qui fût ou sien, ou mien.

MICHEL DE MONTAIGNE, *Essais*, Livre I, 28.
© éd. Pierre Michel, Librairie Générale Française, 1972.

Notes (marge gauche) :

1. Se tiennent ensemble.
2. Plus d'effet que, selon la raison, les ouï-dire auraient dû faire.
3. Liés.
4. Compréhension réciproque.
5. Modèle idéal.
6. Émulation.

Questions

1. S'il ne s'agit pas d'expliquer l'amitié entre Montaigne et La Boétie, quelle peut être la fonction d'un tel texte ?

2. Sur quels arguments Montaigne s'appuie-t-il pour affirmer que cette amitié est inexplicable ? Classez-les : quelle coloration donnent-ils à cette amitié ? Celle-ci relève-t-elle du mystère ou de la logique ?

3. Comment se pose ici la question de la sincérité ? Quelle est la part de la réflexion générale sur l'amitié et quelle est celle du souvenir d'une amitié vécue ? Peut-on voir dans ce texte les marques stylistiques d'un engagement personnel ?

4. Dans quelle mesure peut-on parler ici d'une relation amoureuse ?

Apologie de Raymond Sebond[1]

Cet essai s'inscrit dans la longue tradition sceptique qui affirme l'impossibilité pour la raison humaine d'atteindre ou de construire une vérité absolue : seuls le doute et l'examen critique – ce qui est le sens étymologique de « scepticisme » – conviennent à un homme qui fait l'expérience de l'inconstance du monde et de lui-même.

J'ai le pied si instable et si mal assis, je le trouve si aisé à crouler et si prêt au branle[2], et ma vue si déréglée, que à jeun je me sens autre qu'après le repas ; si ma santé me rit et la clarté d'un beau jour, me voilà honnête homme[3] ; si j'ai un cor qui me presse l'orteil, me voilà renfrogné, mal plaisant et inacessible. Un même
5 pas de cheval me semble tantôt rude, tantôt aisé, et même chemin à cette heure plus court, une autre fois plus long, et une même forme ores[4] plus, ores moins agréable. Maintenant je suis à tout faire, maintenant à rien faire ; ce qui m'est plaisir à cette heure, me sera quelque fois peine. Il se fait mille agitations indiscrètes et casuelles[5] chez moi. Ou l'humeur mélancolique me tient, ou la colérique ; et de
10 son autorité privée à cette heure le chagrin prédomine en moi, à cette heure l'allégresse. Quand je prends des livres, j'aurai aperçu en tel passage des grâces excellentes et qui auront féru[6] mon âme ; qu'une autre fois j'y retombe, j'ai beau le tourner et virer, j'ai beau le plier et le manier, c'est une masse inconnue et informe pour moi.

15 En mes écrits mêmes, je ne retrouve pas toujours l'air de ma première imagination ; je ne sais ce que j'ai voulu dire, et m'échaude souvent à corriger et y mettre un nouveau sens, pour avoir perdu le premier, qui valait mieux. Je ne fais qu'aller et venir : mon jugement ne tire pas toujours avant ; il flotte, il vague,

velut minuta magno
20 *Deprensa navis in mari vesaniente vento.*[7]

Maintes fois (comme il m'advient de faire volontiers) ayant pris pour exercice et pour ébat à maintenir une contraire opinion à la mienne, mon esprit, s'appliquant et tournant de ce côté-là, m'y attache si bien que je ne trouve plus la raison de mon premier avis, et m'en dépars[8]. Je m'entraîne quasi où je penche, comme
25 que[9] ce soit, et m'emporte de mon poids.

MICHEL DE MONTAIGNE, *Essais*, Livre II, 12.

1. Montaigne défend la *Théologie naturelle* du Catalan Raimond de Sebonde, qu'il a traduite. Mais il ne soutient pas son idée que la raison peut démontrer la vérité de la religion chrétienne.

2. Si facile à ébranler.

3. Homme de bonne compagnie.

4. Tantôt.

5. Sans jugement et accidentelles.

6. Frappé.

7. *« Comme une frêle barque surprise sur la vaste mer par un vent furieux »* (Catulle).

8. Et l'abandonne.

9. De quelque façon que.

Questions

1. Étudiez l'expression de l'instabilité dans le portrait que Montaigne dresse de lui-même.

2. Quelle responsabilité Montaigne se donne-t-il dans cette inconstance ? Cette dernière relève-t-elle pour lui de sa psychologie personnelle ou de sa conception de la condition humaine en général ?

3. Dans quelle mesure cette mobilité s'inscrit-elle dans une vision baroque du monde (voir p. 124) ?

LORENZO LOTTO (1480-1536), *Portrait à trois faces.* Vienne, Kunsthistorisches Museum, Gemäldegalerie. Photo © Erich Lessing-Magnum.

Du repentir

Dans l'édition de 1588, Montaigne modifie la perspective de ses Essais. *Il propose en effet une nouvelle justification, plus aboutie, au projet qu'il a eu de se peindre. Alors qu'il soulignait auparavant les particularités de son moi, il met maintenant en avant ce qu'il a de commun avec les autres hommes. C'est la première fois qu'une réflexion aussi élaborée sur les rapports complexes qu'entretiennent auteur, sujet, texte et lecteur, est développée dans la littérature française.*

Les autres forment[1] l'homme ; je le récite[2] et en représente un particulier bien mal formé, et lequel, si j'avais à façonner de nouveau, je ferais vraiment bien autre qu'il n'est. Méshui[3], c'est fait. Or les traits de ma peinture ne fourvoient point, quoiqu'ils se changent et diversifient. Le monde n'est qu'une branloire pérenne[4]. Toutes choses y branlent sans cesse : la terre, les rochers du Caucase, 5 les pyramides d'Égypte, et du branle public et du leur. La constance même n'est autre chose qu'un branle plus languissant. Je ne puis assurer[5] mon objet[6]. Il va trouble et chancelant, d'une ivresse naturelle. Je le prends en ce point, comme il est, en l'instant que je m'amuse[7] à lui. Je ne peins pas l'être. Je peins le passage : non un passage d'âge en autre, ou, comme dit le peuple, de sept en sept ans[8], 10 mais de jour en jour, de minute en minute. Il faut accommoder mon histoire à l'heure. Je pourrai tantôt[9] changer, non de fortune seulement, mais aussi d'intention. C'est un contrôle[10] de divers et muables accidents[11] et d'imaginations irrésolues et, quand il échoit[12], contraires ; soit que je sois autre moi-même, soit que je saisisse les sujets par autres circonstances et considérations. Tant y a que 15 je me contredis bien à l'aventure, mais la vérité, comme disait Demade[13], je ne la contredis point. Si mon âme pouvait prendre pied, je ne m'essaierais pas, je me résoudrais[14] ; elle est toujours en apprentissage et en épreuve.

Je propose une vie basse et sans lustre, c'est tout un[15]. On attache aussi bien toute la philosophie morale à une vie populaire et privée qu'à une vie de plus 20 riche étoffe ; chaque homme porte la forme entière de l'humaine condition.

Les auteurs se communiquent au peuple[16] par quelque marque particulière et étrangère ; moi, le premier, par mon être universel, comme Michel de Montaigne, non comme grammairien, ou poète, ou jurisconsulte. Si le monde se plaint de quoi je parle trop de moi, je me plains de quoi il ne pense seulement 25 pas à soi.

Mais est-ce raison que, si particulier en usage[17], je prétende me rendre public en connaissance[18]. Est-il aussi raison que je produise au monde, où la façon et l'art ont tant de crédit et de commandement[19], des effets de nature crus et simples, et d'une nature encore bien faiblette ? Est-ce pas faire une muraille sans 30 pierre, ou chose semblable, que de bâtir des livres sans science et sans art ? Les fantaisies de la musique sont conduites par art, les miennes par sort[20]. Au moins j'ai ceci selon la discipline[21], que jamais homme ne traita sujet qu'il entendît ni connût mieux que je fais celui que j'ai entrepris, et qu'en celui-là je suis le plus savant homme qui vive ; secondairement, que jamais aucun ne pénétra en sa 35 matière plus avant, ni en éplucha plus particulièrement les membres et suites[22] ; et n'arriva plus exactement et pleinement à la fin qu'il s'était proposée à[23] sa besogne.

MICHEL DE MONTAIGNE, *Essais*, Livre III, 2.
© éd. Pierre Michel, Librairie Générale Française, 1972.

1. Instruisent.
2. Décris.
3. Désormais.
4. Balançoire perpétuelle.
5. Fixer.
6. Mon modèle (c'est-à-dire moi-même).
7. M'occupe.
8. Le corps était censé se renouveler en sept ans.
9. Tout à l'heure.
10. Registre.
11. Événements.
12. Le cas échéant.
13. Orateur athénien.
14. Je prendrais une résolution ferme.
15. Il n'importe.
16. Public.
17. Qui mène une vie si privée.
18. Me faire connaître du public.
19. Autorité.
20. Hasard.
21. Règles de l'art.
22. Ce qui en dépend.
23. Pour.

Questions

1. Quelle originalité Montaigne revendique-t-il pour son projet ? En quoi l'oppose-t-il à celui des moralistes ?

2. Par quel vocabulaire et par quels effets de style Montaigne essaie-t-il de faire sentir le mouvement des choses ?

3. Expliquez « chaque homme porte la forme entière de l'humaine condition » (l. 21). Comment Montaigne peut-il fonder son projet sur une vie « basse et sans lustre » (l. 19) ?

4. Comment Montaigne défend-il l'absence d'« art » (l. 31) dans ses *Essais* ?

Des coches

Sous le titre déconcertant de cet essai se développe une des plus célèbres réactions qu'ont suscitées en leur temps les grandes découvertes maritimes des Européens et la colonisation du Nouveau Monde qui s'en est suivie. Elle complète celle où, dans l'essai « Des cannibales » (voir p. 94), Montaigne a noté que « chacun appelle barbarie ce qui n'est pas de son usage ». Commençant, ici, par comparer différents moyens de transport, Montaigne, grand lecteur de récits de voyages, en vient à admirer le degré de civilisation des Indiens, tenus pour barbares par ceux qui les réduisent en esclavage quand ils ne les ont pas massacrés. Le désenchantement devant les grandes découvertes, qui aboutissent à l'asservissement et à l'exploitation économique d'une partie de l'humanité, s'ajoute à celui qu'il éprouve devant les réformes religieuses, qui engendrent des guerres fratricides en France : en cette fin de siècle, les idéaux de la Renaissance apparaissent décidément bafoués. Qu'auraient fait les Grecs et les Romains, modèles si souvent invoqués à l'époque, si c'étaient eux, et non les Européens, qui avaient conquis les Amériques ?

Que n'est tombée sous Alexandre ou sous ses anciens Grecs et Romains une si noble conquête, et une si grande mutation et altération de tant d'empires et de peuples, sous des mains qui eussent doucement poli et défriché ce qu'il y avait de sauvage, et eussent conforté et promu les bonnes semences que nature y
5 avait produites, mêlant non seulement à la culture des terres et ornement des villes les arts de deçà[1], en tant qu'elles y eussent été nécessaires, mais aussi mêlant les vertus grecques et romaines aux originelles du pays ! Quelle réparation eût-ce été, et quel amendement à toute cette machine[2], que les premiers exemples et déportements[3] nôtres, qui se sont présentés par-delà, eussent appelé
10 ces peuples à l'admiration et imitation de la vertu et eussent dressé entre eux et nous une fraternelle société et intelligence ! Combien il eût été aisé de faire son profit d'âmes si neuves, si affamées d'apprentissage, ayant pour la plupart de si beaux commencements naturels !

Au rebours, nous nous sommes servis de leur ignorance et inexpérience à les
15 plier plus facilement vers la trahison, luxure, avarice[4] et vers toute sorte d'inhumanité et de cruauté, à l'exemple et patron de nos mœurs. Qui mit jamais à tel prix le service de la mercadence[5] et du trafic ? Tant de villes rasées, tant de nations exterminées, tant de millions de peuples passés au fil de l'épée, et la plus riche et belle partie du monde bouleversée pour la négociation des perles et du poivre !
20 mécaniques[6] victoires. Jamais l'ambition, jamais les inimitiés publiques ne poussèrent les hommes les uns contre les autres à si horribles hostilités et calamités si misérables.

MICHEL DE MONTAIGNE, *Essais*, Livre III, 6.
© éd. Pierre Michel, Librairie Générale Française, 1972.

1. Ce côté-ci de l'Océan.
2. Ensemble du monde.
3. Conduites.
4. Cupidité.
5. Commerce.
6. Viles.

Questions

1. Quels griefs Montaigne développe-t-il contre les colonisateurs modernes ?

2. Montaigne envisage-t-il la possibilité d'une bonne colonisation ? Contribue-t-il à la formation du mythe du « bon sauvage » ?

3. Pourquoi imaginer les Grecs et les Romains à la place des Européens ? Reconstituez le raisonnement implicite que Montaigne suggère à son lecteur de mener pour son propre compte.

4. Étudiez l'éloquence de ce texte en examinant notamment sa syntaxe.

Château d'Issogne
(Val d'Aoste), Fresque.
Scène de l'auberge, xvᵉ s.
Photo © Dagli Orti.

De la vanité

On aurait tort d'imaginer Montaigne retiré dans la bibliothèque de son château.
Il s'implique beaucoup dans la vie de son temps et voyage souvent. Il nourrit ainsi, par
l'expérience de la diversité humaine, la réflexion sur l'homme qu'il conduit par ailleurs
en s'observant lui-même. Il établit aussi un art et une morale du voyage.

J'ai la complexion du corps libre[1] et le goût commun[2] autant qu'homme du
monde. La diversité des façons d'une nation à autre ne me touche que par le plaisir de la variété. Chaque usage a sa raison. Soient des assiettes d'étain, de bois,
de terre, bouilli ou rôti, beurre ou huile de noix ou d'olive, chaud ou froid, tout
m'est un[3], et si un que, vieillissant, j'accuse cette généreuse faculté, et aurais   5
besoin que la délicatesse et le choix arrêtât l'indiscrétion[4] de mon appétit et parfois soulageât mon estomac. Quand j'ai été ailleurs qu'en France et que, pour me
faire courtoisie, on m'a demandé si je voulais être servi à la française, je m'en suis
moqué et me suis toujours jeté aux tables les plus épaisses[5] d'étrangers.

J'ai honte de voir nos hommes enivrés de cette sotte humeur de s'effaroucher   10
des formes contraires aux leurs : il leur semble être hors de leur élément quand ils
sont hors de leur village. Où qu'ils aillent, ils se tiennent à leurs façons et abomi-
nent les étrangères. Retrouvent-ils un compatriote en Hongrie, ils festoient cette
aventure : les voilà à se rallier et à se recoudre ensemble, à condamner tant de
mœurs barbares qu'ils voient. Pourquoi non barbares, puisqu'elles ne sont fran-   15
çaises ? Encore sont-ce les plus habiles qui les ont reconnues, pour en médire. La
plupart ne prennent l'aller que pour le venir[6]. Ils voyagent couverts et resserrés
d'une prudence taciturne et incommunicable, se défendant de la contagion d'un
air inconnu.

Ce que je dis de ceux-là me ramentait[7], en chose semblable, ce que j'ai parfois   20
aperçu en aucuns[8] de nos jeunes courtisans. Ils ne tiennent qu'aux hommes de
leur sorte, nous regardent comme gens de l'autre monde, avec dédain ou pitié.
Ôtez-leur les entretiens des mystères de la cour, ils sont hors de leur gibier, aussi
neufs pour nous et malhabiles comme nous sommes à eux. On dit bien qu'un honnête homme, c'est un homme mêlé.

MICHEL DE MONTAIGNE, *Essais*, Livre III, 9.
© éd. Pierre Michel, Librairie Générale Française, 1972.

---

1. Qui se plie à tout.
2. Qui accepte tout.
3. Indifférent.
4. Manque de mesure.
5. Fournies.
6. Ne partent en voyage
que pour revenir.
7. Rappelait.
8. Quelques uns.

Questions

1. Quel profit Mon-
taigne recherche-t-il lors
de ses voyages ?

2. Comment Mon-
taigne donne-t-il un tour
didactique à l'exposé de
ses goûts personnels ?

3. Qu'est-ce qu'un
« homme mêlé » (l. 25) ?
En quoi est-ce à la fois
un idéal et une réalité
intime pour Montaigne ?

4. Étudiez la dimen-
sion satirique du texte.

De ménager sa volonté

*Le « théâtre du monde » est la notion qui permet le mieux de comprendre comment
les hommes des XVIᵉ et XVIIᵉ siècles européens se représentent l'univers et la société.
Ils voient en effet le monde comme une vaste scène de théâtre, dont Dieu serait le grand
auteur, et où il mettrait en scène les effets prodigieux de la nature tandis que les rois
seraient délégués à la mise en scène de la société. Chaque homme est alors, tour à tour
ou simultanément, spectateur et acteur, et toute fonction sociale est un rôle de théâtre.
Montaigne a joué celui de maire de Bordeaux.*

La plupart de nos vacations[1] sont farcesques[2]. « *Mundus universus exercet his-
trioniam.* »[3] Il faut jouer dûment[4] notre rôle, mais comme rôle d'un personnage
emprunté. Du masque et de l'apparence il n'en faut pas faire une essence réelle,
ni de l'étranger le propre. Nous ne savons pas distinguer la peau de la chemise.
5 C'est assez de s'enfariner le visage, sans s'enfariner la poitrine[5]. J'en vois qui se
transforment et se transsubstantient en autant de nouvelles figures et de nouveaux êtres qu'ils entreprennent de charges[6], et qui se prélatent[7] jusques au foie
et aux intestins, et entraînent leur office[8] jusques en leur garde-robe[9]. Je ne puis
leur apprendre à distinguer les bonnetades[10] qui les regardent de celles qui
10 regardent leur commission[11] ou leur suite, ou leur mule. « *Tantum se fortunæ per-
mittunt, etiam ut naturam dediscant.* »[12] Ils enflent et grossissent leur âme et leur
discours naturel à la hauteur de leur siège magistral. Le maire et Montaigne ont
toujours été deux, d'une séparation bien claire. Pour être[13] avocat ou financier, il
n'en faut pas méconnaître la fourbe qu'il y a en telles vacations. Un honnête
15 homme n'est pas comptable du vice ou sottise de son métier, et ne doit pourtant[14] en refuser l'exercice : c'est l'usage de son pays, et il y a du profit. Il faut
vivre du monde et s'en prévaloir tel qu'on le trouve. Mais le jugement d'un
empereur doit être au-dessus de son empire, et le voir et considérer comme accident étranger ; et lui, doit savoir jouir de soi à part et se communiquer comme
20 Jacques et Pierre, au moins à soi-même.

MICHEL DE MONTAIGNE, *Essais*, Livre III, 10.
© éd. Pierre Michel, Librairie Générale Française, 1972.

1. Occupations.
2. Relèvent de la comé-
die.
3. « *Le monde entier joue la
comédie* » (Pétrone).
4. Comme nous le
devons.
5. Cœur.
6. Fonctions officielles.
7. Se font prélats.
8. Fonction.
9. Lieu d'aisances.
10. Coups de bonnet
(pour saluer).
11. Charge.
12. « *Ils s'abandonnent à
leur fortune au point d'oublier leur nature* » (Quinte-
Curce).
13. Parce qu'on est.
14. Pour autant.

Questions

1. Quelle leçon Mon-
taigne propose-t-il ici ?

2. Étudiez les antithèses
de ce texte. Le rapport
qu'il établit entre être et
paraître est-il le même
que celui qu'il établit
dans les extraits précé-
dents ?

3. Analysez la méta-
phore théâtrale dans ce
texte. Montrez dans le
détail comment elle per-
met d'évoquer tous les
aspects de la vie.

4. En quoi ce texte est-
il une critique du fana-
tisme ?

5. Expliquez précisé-
ment la dernière phrase.

6. Demandez-vous ce
qui, chez Pascal et chez
Molière, se rapproche
de ces analyses de
Montaigne.

JACQUES CALLOT (1592-1635), *Danse italienne*, gravure.
Paris, Bibliothèque de l'Arsenal. Photo © Giraudon.

De l'expérience

Dernière page du dernier essai, ce texte ne constitue cependant pas plus le testament de Montaigne que tout autre : les Essais *ne sont pas en effet un traité construit selon un plan progressif, depuis un début jusqu'à une fin conclusive. Mais pour le lecteur, du moins pour celui qui lit les* Essais *dans l'ordre, il s'agit bien de l'ultime son de cette voix singulière qui l'a entraîné dans une aventure mentale et littéraire exemplaire et sans exemple.*

Ésope[1], ce grand homme, vit son maître qui pissait en se promenant : « Quoi donc, fit-il, nous faudra-t-il chier en courant ? » Ménageons[2] le temps ; encore nous en reste-t-il beaucoup d'oisif et mal employé. Notre esprit n'a volontiers[3] pas assez d'autres heures à faire ses besognes, sans se désassocier du corps en ce peu d'espace qu'il lui faut pour sa nécessité. Ils veulent se mettre hors d'eux et échapper à l'homme. C'est folie : au lieu de se transformer en anges, ils se transforment en bêtes, au lieu de se hausser, ils s'abattent. Ces humeurs transcendantes m'effraient, comme les lieux hautains et inaccessibles ; et rien ne m'est à digérer fâcheux en la vie de Socrate que ses extases et ses démoneries, rien si humain en Platon que ce pour quoi ils disent[4] qu'on l'appelle divin. Et de nos sciences, celles-là me semblent plus terrestres et basses qui sont le plus haut montées. Et je ne trouve rien si humble et si mortel en la vie d'Alexandre que ses fantaisies[5] autour de son immortalisation. Philotas[6] le mordit plaisamment par sa réponse ; il s'était conjoui[7] avec lui par lettre de l'oracle de Jupiter Hammon qui l'avait logé entre les dieux : « Pour ta considération[8] j'en suis bien aise, mais il y a de quoi plaindre les hommes qui auront à vivre avec un homme et lui obéir, lequel outrepasse et ne se contente de la mesure d'un homme. » « *Diis te minorem quod geris, imperas.* »[9]

La gentille inscription de quoi les Athéniens honorèrent la venue de Pompée en leur ville se conforme à mon sens :

D'autant es-tu Dieu comme
Tu te reconnais homme.

C'est une absolue perfection, et comme divine, de savoir jouir loyalement de son être. Nous cherchons d'autres conditions, pour n'entendre[10] l'usage des nôtres, et sortons hors de nous, pour ne savoir quel il y fait. Si, avons-nous beau[11] monter sur des échasses, car sur des échasses encore faut-il marcher de nos jambes. Et au plus élevé trône du monde, si[12] ne sommes assis que sus notre cul.

Les plus belles vies sont, à mon gré, celles qui se rangent au modèle commun et humain, avec ordre, mais sans miracle et sans extravagance[13]. Or la vieillesse a un peu besoin d'être traitée plus tendrement. Recommandons-la à ce Dieu[14] protecteur de santé et de sagesse mais gaie et sociale :

Frui paratis et valido mihi,
Latoe, dones, et, precor, integra
Cum mente, nec turpem senectam
Degere, nec cythara carentem.[15]

MICHEL DE MONTAIGNE, *Essais*, Livre III, 13.
© éd. Pierre Michel, Librairie Générale Française, 1972.

---

1. Le fabuliste.
2. Gérons bien.
3. Probablement.
4. On dit.
5. Imaginations.
6. Officier d'Alexandre.
7. Réjoui.
8. Pour ce qui te concerne.
9. *« Dans la mesure où tu te soumets aux dieux, tu règnes sur le monde »* (Horace, *Odes*).
10. Parce que nous n'entendons pas.
11. Aussi nous est-il inutile de.
12. Néanmoins.
13. Sans s'éloigner de la nature.
14. Apollon.
15. *« Accorde-moi, fils de Latone, de jouir des biens que j'ai acquis, avec une santé robuste et, je t'en prie, toutes mes facultés intellectuelles ; fais que ma vieillesse ne soit ni honteuse ni privée de lyre. »* (Horace, *Odes*).

Questions

1. Quelle ultime image de soi Montaigne veut-il laisser ? Étudiez notamment l'articulation entre trivialité et culture savante.

2. Quels derniers conseils de sagesse prodigue-t-il ? En étudiant précisément les antithèses de ce texte, dites sur quelle conception de l'homme cette sagesse s'appuie.

3. Pourquoi finir sur une citation ? Que pensez-vous du choix de celle-ci, empruntée au poète latin Horace, très souvent cité dans les *Essais* (renseignez-vous sur ce poète) ? Étudiez la portée religieuse de cette citation.

Étienne de La Boétie

(1530-1563)

ÉTIENNE DE LA BOÉTIE est plus connu pour l'amitié que lui porta Montaigne que pour ses œuvres. C'est ce dernier qui, comme exécuteur testamentaire, publie en 1570, pour partie, les manuscrits trouvés à sa mort. Mais il préfère laisser de côté celui du *Discours sur la servitude volontaire*, rédigé, selon lui, vers l'âge de dix-huit ans par son ami. Ce violent pamphlet politique, parvenu on ne sait comment entre leurs mains, est publié par les huguenots (partiellement en 1574, puis complètement en 1576, à Genève) : ceux-ci y voient, en effet, un texte autorisant le régicide. Il est d'ailleurs également connu sous le titre de *Contr'un*.

La Boétie, pour sa part, clame son indignation de stoïcien (voir p. 103) : comment l'homme, né naturellement libre et disposant de libre arbitre, a-t-il pu aliéner cette liberté entre les mains d'un tyran ? L'extrait ci-dessous expose la solution radicale à laquelle il exhorte pour mettre fin à cette situation scandaleuse. Exercice oratoire d'un brillant étudiant en droit ? Brûlot d'un stoïcien voulant accorder politique et morale ?

Discours sur la servitude volontaire

[1576]

La seule liberté, les hommes ne la désirent point ; non point pour autre raison (ce me semble) sinon pour ce que s'ils la désiraient, ils l'auraient ; comme s'ils refusaient de faire ce bel acquet seulement, parce qu'il est trop aisé.

Pauvres gens et misérables, peuples insensés, nations opiniâtres en votre mal,
5 et aveugles en votre bien, vous vous laissez emporter devant vous le plus beau et le plus clair de votre revenu, piller vos champs, voler vos maisons, et les dépouiller des meubles anciens et paternels ! vous vivez de sorte, que vous ne pouvez dire, que rien n'est à vous. Et semblerait, que meshui[1] ce vous serait grand heur de tenir à moitié vos biens, vos familles et vos vies ; et tout ce dégât,
10 ce malheur, cette ruine vous vient, non pas des ennemis, mais bien certes de l'ennemi, et de celui que vous faites si grand qu'il est, pour lequel vous allez si courageusement à la guerre, pour la grandeur duquel vous ne refusez point de présenter à la mort vos personnes. Celui qui vous maîtrise tant, n'a que deux yeux, n'a que deux mains, n'a qu'un corps, et n'a autre chose que ce qu'a le moindre
15 homme du grand nombre infini de vos villes ; sinon qu'il a plus que vous tous c'est l'avantage que vous lui faites, pour vous détruire. D'où il a pris tant d'yeux, dont vous épie-t-il, si vous ne les lui donnez ? Comment a-t-il tant de mains pour vous frapper, sil ne les prend de vous ? Les pieds dont il foule vos cités, d'où les a-t-il, s'ils ne sont les vôtres ? Comment a-t-il aucun[2] pouvoir sur vous, que par
20 vous autres mêmes ? Comment vous oserait-il courir sus, s'il n'avait intelligence avec vous ? Que pourait-il faire, si vous n'étiez receleurs du larron qui vous pille ? complices du meurtrier qui vous tue et traîtres de vous-mêmes ? Vous semez vos fruits, afin qu'il en fasse le dégât. Vous meublez et remplissez vos maisons pour

Questions

1. Sur quelle idée générale cette harangue s'appuie-t-elle ? En quoi développe-t-elle un paradoxe et explicite-t-elle le titre de l'ouvrage ?

2. Distinguez et analysez les différentes parties du texte.

3. Étudiez les moyens stylistiques de la véhémence.

4. Quels sont les différents destinataires de cette harangue ?

5. Selon vous, est-ce un exercice d'éloquence ou une incitation à la révolte ?

1. Maintenant.
2. Quelque.
3. Lubricité.
4. Serviteurs.
5. Traiter avec délicatesse.
6. Ébranliez.

fournir à ses voleries, vous nourrissez vos filles, afin qu'il ait de quoi saouler sa luxure[3] ; vous nourrissez vos enfants, afin qu'il les mène pour le mieux qu'il leur 25 fasse, en ses guerres ; qu'il les mène à la boucherie ; qu'il les fasse les ministres[4] de ses convoitises et les exécuteurs de ses vengeances ; vous rompez à la peine vos personnes, afin qu'il se puisse mignarder[5] en ses délices, et se vautrer dans les sales et vilains plaisirs. Vous vous affaiblissez, afin de le faire plus fort et roide, à vous tenir plus courte la bride ; et de tant d'indignités, que les bêtes mêmes, ou 30 ne sentiraient point, ou n'endureraient point, vous pouvez vous en délivrer, si vous essayez, non pas de vous en délivrer, mais seulement de le vouloir faire. Soyez résolus de ne servir plus, et vous voilà libres. Je ne veux pas que vous le poussiez ou le branliez[6], mais seulement ne le soutenez plus, et vous le verrez comme un grand Colosse, à qui on a dérobé la base, de son poids même fondre 35 en bas, et se rompre.

ÉTIENNE DE LA BOÉTIE, *Discours sur la servitude volontaire.*
éd. François Hincker, © Éditions sociales, 1971.

GIULIO ROMANO (1499-1546),
Foule adorant la statue d'un empereur. Étude pour Mantoue, Casa di Giulio Romano.
Paris, musée du Louvre.
Photo © R.M.N.-M. Bellot.

Le stoïcisme

Le stoïcisme est une morale et une métaphysique de l'Antiquité, représentées par Sénèque et Épictète. Pour les stoïciens, l'ordre de l'univers est rationnel. La vertu consiste à vivre en harmonie avec celui-ci, ce qui conduit au bonheur, et à accepter son destin. Devenu de la sorte « apathique », c'est-à-dire insensible aux atteintes du monde extérieur, le sage méprise la douleur et la mort, est délivré des passions et fait preuve de fermeté d'âme. Il jouit d'une liberté quasi divine.

Cette morale, qui exalte les capacités de l'homme, séduit de nombreux auteurs, notamment Montaigne, et donne même naissance à un néo-stoïcisme chrétien, illustré par Corneille. Elle est au contraire âprement contestée par les jansénistes, qui y voient une manifestation de l'orgueil humain.

LE VRAY THRESOR DE LA DOCTRINE CHRE'TIENNE,

RECUEILLY ET MIS EN LUMIERE PAR NICOLAS TURLOT

Docteur en Theologie, & Curé de Namur; En faveur des Pasteurs, Missionnaires, & de tous ceux qui ont charge d'Ames.

De sorte qu'il n'est besoin d'autre recherche pour l'enseigner ou apprendre.

Reveu, mis en meilleur ordre qu'auparavant par le Sieur de BALESDAM Corrige d'une infinité de fautes touchant le sens & les Passages citez.

Augmenté d'une addresse Spirituelle pour bien faire la Confession Generale, & de deux Tables des Matieres pour la commodité des Predicateurs.

QUINZIE'ME ET DERNIERE EDITION.

A LYON,

Chez ANTOINE BEAUJOLLIN, ruë Thomassin, aux Clefs S. Pierre.

M. DC. LXXXIV

AVEC APPROBATION, ET PERMISSION.

Le XVIIᵉ siècle
Repères historiques

La Fronde au Faubourg Saint-Antoine, sous les murs de la Bastille. Versailles, musée du Château. Photo © Lauros-Giraudon.

1598-1624

La signature de l'édit de Nantes en 1598 établit la paix religieuse en reconnaissant les droits des protestants et marque le retour de l'ordre ; elle donne une légitimité à la diversité de pensée. La prospérité économique revient progressivement. Après l'assassinat d'Henri IV en 1610, Marie de Médicis, son épouse, devient régente. L'agitation nobiliaire et protestante reprend ; elle révèle la fragilité du pouvoir.

1624-1643

Jouissant durant son long ministère de la confiance de Louis XIII, Richelieu jette progressivement les bases d'un État fort. Il mate révoltes protestantes (prise de La Rochelle en 1628), complots de courtisans (exécution de Cinq-Mars en 1642), et soulèvements populaires dus aux disettes ou aux impôts. En 1635, il entre en guerre contre l'Espagne, dont les possessions encerclent la France. À sa mort, en 1642, Mazarin lui succède ; Louis XIII disparaît l'année suivante.

1643-1661

Mazarin, favori de la régente Anne d'Autriche (épouse du roi défunt), achève victorieusement la guerre contre l'Espagne (traités de 1648 et 1659) et exerce un pouvoir contesté dans le contexte défavorable de la minorité de Louis XIV (né en 1638). Une terrible guerre civile, la Fronde, ravage le pays de 1648 à 1652 ; elle dresse contre le ministre haï et sa conception centralisatrice de la monarchie une coalition hétéroclite et instable (Parlement de Paris, peuple des villes et princes du sang), où chacun défend ses droits traditionnels. Son échec laisse le champ libre à la monarchie absolue. Mazarin éduque le jeune roi et dirige les affaires jusqu'à sa mort en 1661.

1661-1685

Louis XIV décide alors de gouverner seul : il emprisonne Fouquet, le trop puissant surintendant aux Finances. Il concentre entre ses mains tous les pouvoirs, y compris en matière artistique, et accentue l'unification du pays autour de sa personne royale. Cette première période du règne, avec Colbert, est marquée par les succès militaires (et l'accroissement territorial qu'ils permettent), les constructions fastueuses (château de Versailles), le dirigisme culturel et économique (création de manufactures royales).

1685-1715

La révocation de l'édit de Nantes en 1685 manifeste le durcissement religieux d'un régime qui refuse les différences, et entraîne un exode des protestants désastreux pour la France. Les guerres interminables et malheureuses, contre presque toute l'Europe, amplifient la crise économique et financière et l'aspiration au changement. La mort de Louis XIV en 1715 est accueillie avec soulagement.

Le XVIIᵉ siècle
Contextes

Loin de l'image homogène d'ordre et de grandeur à laquelle on le réduit souvent, le XVIIᵉ siècle apparaît comme une période très contrastée et animée de tensions fortes et souvent violentes dans tous les domaines.

RICHELIEU ET MAZARIN, PÉNIBLEMENT, PUIS LOUIS XIV, SPECTACULAIREMENT, METTENT EN PLACE UNE MONARCHIE ABSOLUE, centralisée et unificatrice. Tous trois ont lutté contre la noblesse et les parlements – corps politiques intermédiaires attachés à leurs privilèges –, et réprimé impitoyablement maintes révoltes populaires régionales. Par des guerres répétées, le royaume supplante l'Espagne comme première puissance continentale, mais n'égale pas le dynamisme économique et commercial de l'Angleterre et des Pays-Bas. S'affirment enfin plusieurs traits qui marqueront durablement l'idée que les Français se font d'eux-mêmes : primat de l'esprit et du raisonnement, laïcisation de la vie publique et artistique, élégance de la vie en société. La langue française, à l'intérieur du pays, gagne tous les domaines du savoir au détriment du latin et, à l'extérieur, acquiert une importance européenne. Les artistes français, qui se sont tant inspirés de l'Antiquité gréco-romaine, de l'Italie et de l'Espagne, deviennent à leur tour des modèles.

CE SIÈCLE VOIT UN PROFOND RENOUVELLEMENT DES VISIONS DU MONDE ET DE L'HOMME : la révolution astronomique, notamment, montre que la terre, et donc l'homme, ne sont pas au centre du monde, mais qu'ils n'occupent qu'une place quelconque dans un univers immense voire infini. Toute la réflexion philosophique et théologique s'inscrit peu à peu dans ce nouveau cadre.

SE MANIFESTE SPÉCIALEMENT, AVEC LE JÉSUITISME ET LE JANSÉNISME, UNE INTENSE ACTIVITÉ DE RÉFORME RELIGIEUSE, ET, AVEC LE LIBERTINAGE, DE CONTESTATION. Ces trois courants de pensée majeurs s'affrontent, souvent rudement, mais sans qu'aucun soit jamais terrassé. De fait, ils coexistent et ne peuvent se comprendre que les uns par rapport aux autres.

Le Brun, *Portrait équestre de Louis XIV.*
● Tournai, musée des Beaux-Arts. Photo © Giraudon.

LES JÉSUITES DIFFUSENT UN CHRISTIANISME OPTIMISTE : ils conçoivent la vie comme un combat que l'homme peut remporter sur ses faiblesses. Celui-ci, à leurs yeux, bien qu'éloigné de Dieu par le péché originel, conserve assez de forces et de liberté pour s'élever sans cesse au-dessus de lui-même. Cet idéal s'accorde bien à la morale des nobles qui privilégie l'affirmation de soi et l'esprit de conquête. Il peut aussi se développer en rêve pastoral (voir p. 110).

AU CONTRAIRE LES JANSÉNISTES, DONT LE FOYER SPIRITUEL EST L'ABBAYE DE PORT-ROYAL, près de Paris, expriment une vision pessimiste de l'homme. Ils défendent la théologie de saint Augustin et le commentaire qu'en a publié Jansénius en 1640. Pour eux, l'homme, devenu esclave de ses désirs à la suite du péché originel, est attaché aux fausses valeurs du monde, et la corruption de sa nature est si profonde que seul le secours de la grâce divine peut le tourner à nouveau vers l'amour de Dieu. Cette démystification de la conception héroïque de l'homme séduit tous ceux qui contestent les vieilles valeurs de l'aristocratie, mises à mal par la Fronde, ou désapprouvent le libertinage de la Cour du jeune Louis XIV.

QUANT AUX LIBERTINS, DONT LA DIVERSITÉ EST GRANDE, ils ont en commun de remettre en question, au nom de la pure raison humaine, les vérités reçues et les règles adoptées sans examen. Leur conception souvent pessimiste de l'homme ordinaire les rapproche paradoxalement davantage des jansénistes que des jésuites (voir p. 113).

LE STATUT SOCIAL DES ÉCRIVAINS EST SOUVENT INFÉRIEUR À LEUR PRESTIGE. En l'absence de droits d'auteur, il leur est impossible, sauf pour les dramaturges qui vendent leurs pièces aux troupes de théâtre, de vivre de leur plume : les imprimeurs achètent les œuvres une fois pour toutes – et généralement à bas prix. Seuls sont autonomes les auteurs qui disposent d'une fortune personnelle ou des revenus d'une charge. Sinon, ils doivent se mettre au service de grands personnages, par exemple comme secrétaires ou précepteurs, pour obtenir gratification et protection. Sous Louis XIV, le système des pensions royales tend à remplacer ce mécénat privé pour orienter la production artistique vers la glorification du règne. Enfin, l'Académie française, créée en 1635, garantit des revenus réguliers à ses membres.

À CETTE CONTRAINTE ÉCONOMIQUE QUI PÈSE SUR LES AUTEURS, S'AJOUTE LA SURVEILLANCE DE L'IMPRIMERIE par les autorités politiques et religieuses. Tout éditeur doit en effet obtenir un « privilège » royal avant d'imprimer (protection de ses droits mais aussi autorisa-tion préalable) et tout livre est soumis à l'examen de la « censure » ecclésiastique qui s'assure que la religion n'est pas attaquée. La circulation encore importante des copies manuscrites et les importations clandestines de livres imprimés à l'étranger (particulière-ment à Amsterdam) permettent cependant de contourner ces contrôles.

EN REVANCHE, L'EMPRISE DES « DOCTES » (HOMMES D'ÉGLISE, D'UNIVERSITÉ, DE PARLEMENT) DIMINUE. Alors que précédem-ment savoir livresque et pratique de la rhé-torique conditionnaient le statut d'auteur, les « honnêtes gens » des salons imposent dorénavant leurs goûts et leurs sujets de pré-dilection à la littérature. Les nombreux écri-vains d'origine bourgeoise les adoptent. La culture se présente désormais sous un jour plaisant et spirituel. La grande noblesse à son tour, notamment des femmes, se tourne vers l'écriture. Pour la première fois, la valeur et la beauté des œuvres sont discu-tées et décidées par des femmes, des non-latinistes, des non-spécialistes : le public est en train de naître.

CEPENDANT, MÊME SI LA LECTURE SE DÉVELOPPE, comme en témoignent la multiplication des imprimeurs et l'apparition des libraires et des cabinets de lecture, le nombre de lecteurs reste réduit pour des raisons culturelles et écono-miques (les livres, reliés, coûtent cher). Un titre est tiré à mille exemplaires en moyenne ; à trois mille, c'est le succès. Il existe cependant un autre marché : celui des petits livres bon marché de « la Bibliothèque bleue » (impri-més à Troyes) – ancêtres de nos livres de poche –, que des colporteurs vendent aux gens des campagnes.

LA HYRE, *L'Astronomie*, 1649. Orléans, musée des Beaux-Arts. Photo © Giraudon.

François de Sales (saint)
(1567-1622)

Portrait gravé par L. GAULTIER.
Paris, Bibl. nat. de France.
Photo © Hachette Livre.

FRANÇOIS DE SALES est un homme d'action. Il déploie en Savoie, État alors indépendant, en contact avec le calvinisme qui règne à Genève, une grande activité missionnaire pour faire regagner du terrain au catholicisme. Il crée aussi, avec Mme de Chantal (grand-mère de la future Mme de Sévigné), l'ordre des religieuses de la Visitation, dont la règle douce reflète sa conception de la foi. Son immense réputation gagne Paris où il séjourne fréquemment et rencontre les principales personnalités religieuses de l'époque. Ses écrits démultiplient son influence.

Dans l'***Introduction à la Vie dévote*** (1608), l'un des plus durables succès de librairie du siècle, il propose un humanisme chrétien : il exalte en effet la confiance en Dieu, source de joie et arme contre l'amour-propre, et invite à pratiquer l'amour de Dieu jusque dans les actes les plus quotidiens. Il encourage ainsi une individualisation de la vie spirituelle. Son écriture imagée et volontiers sensuelle marque également ses contemporains. On ne peut dissocier en effet chez lui engagement religieux et pratique littéraire. Avec le ***Traité de l'Amour de Dieu*** en 1616, il est l'un des tout premiers à parler de théologie et de spiritualité en français pour les rendre accessibles au plus grand nombre. Il façonne cette langue pour en faire le vecteur séduisant de sa foi et devient ainsi, avec Descartes et Pascal, par la fluidité de sa syntaxe, l'un des principaux artisans du français moderne qui remplace progressivement le moyen français du XVIᵉ siècle.

Introduction à la Vie dévote
[1608]

Propriété et excellence de la dévotion

Ô mondains, les âmes dévotes trouvent beaucoup d'amertume en leurs exercices de mortification[1], il est vrai, mais en les faisant elles les convertissent en douceur et suavité. Les feux, les flammes, les roues[2] et les épées semblaient des fleurs et des parfums aux Martyrs, parce qu'ils étaient dévots ; que si la dévotion
5 peut donner de la douceur aux plus cruels tourments et à la mort même, qu'est-ce qu'elle fera pour les actions de la vertu ?

Le sucre adoucit les fruits mal mûrs et corrige la crudité et la nuisance de ceux qui sont bien mûrs ; or, la dévotion est le vrai sucre spirituel, qui ôte l'amertume aux mortifications et la nuisance aux consolations : elle ôte le chagrin aux pauvres
10 et l'empressement aux riches, la désolation à l'oppressé et l'insolence au favorisé, la tristesse aux solitaires et la dissolution[3] à celui qui est en compagnie ; elle sert

1. Austérité destinée à diminuer l'ardeur des passions.

2. Supplices de la roue.

3. Dissipation.

4. Agréable douceur.

5. Dans un rêve prémonitoire de l'alliance entre Dieu et les hommes, Jacob, petit-fils d'Abraham, voit des anges descendre et monter une échelle dressée entre le ciel et la terre.

6. Prière.

7. Obtient.

de feu en hiver et de rosée en été, elle sait abonder et souffrir pauvreté, elle rend également utile l'honneur et le mépris, elle reçoit le plaisir et la douleur avec un cœur presque toujours semblable, et nous remplit d'une suavité[4] merveilleuse.

Contemplez l'échelle de Jacob[5] (car c'est le vrai portrait de la vie dévote) : les deux côtés entre lesquels on monte, et auxquels les échelons se tiennent, représentent l'oraison[6] qui impètre[7] l'amour de Dieu et les Sacrements qui le confèrent ; les échelons ne sont autre chose que les divers degrés de charité par lesquels l'on va de vertu en vertu, ou descendant par l'action au secours et support du prochain, ou montant par la contemplation à l'union amoureuse de Dieu. Or voyez, je vous prie, ceux qui sont sur l'échelle : ce sont des hommes qui ont des cœurs angéliques, ou des Anges qui ont des corps humains ; ils ne sont pas jeunes, mais ils le semblent être, parce qu'ils sont pleins de vigueur et agilité spirituelle ; ils ont des ailes pour voler, et s'élancent en Dieu par la sainte oraison, mais ils ont des pieds aussi pour cheminer avec les hommes par une sainte et amiable conversation ; leurs visages sont beaux et gais, d'autant qu'ils reçoivent toutes choses avec douceur et suavité ; leurs jambes, leurs bras et leurs têtes sont tout à découvert, d'autant que leurs pensées, leurs affections et leurs actions n'ont aucun dessein ni motif que de plaire à Dieu.

FRANÇOIS DE SALES, Introduction à la Vie dévote,
Première partie, chap. 2.

15
20
25

Questions

1. Quel rapport François de Sales établit-il entre la dévotion et l'échelle de Jacob ?

2. Étudiez les différentes images qui aident à caractériser la dévotion.

3. Quelle conception de la vie et de l'homme le lecteur est-il invité à déduire de ces images ?

4. Quelle est ici la fonction du langage ?

Des passe-temps et récréations, et premièrement des loisibles[1] et louables

Il est force de relâcher quelquefois notre esprit, et notre corps encore, à quelque sorte de récréation. Saint Jean l'Évangéliste, comme dit Cassien[2], fut un jour trouvé par un chasseur tenant une perdrix sur son poing, laquelle il caressait par récréation ; le chasseur lui demanda pourquoi, étant homme de telle qualité, il passait le temps en chose si basse et vile ; et saint Jean lui dit : Pourquoi ne portes-tu ton arc toujours tendu ? – De peur, répondit le chasseur, que demeurant toujours courbé il ne perde la force de s'étendre quand il en sera mestier[3]. Ne t'étonne pas donc, répliqua l'Apôtre, si je me démets quelque peu de la rigueur et attention de mon esprit pour prendre un peu de récréation, afin de m'employer par après plus vivement à la contemplation. C'est un vice, sans doute, que d'être si rigoureux, agreste et sauvage, qu'on ne veuille prendre pour soi ni permettre aux autres aucune sorte de récréation.

Prendre l'air, se promener, s'entretenir de devis[4] joyeux et amiables, sonner du luth ou autre instrument, chanter en musique, aller à la chasse, ce sont récréations si honnêtes que pour en bien user il n'est besoin que de la commune prudence, qui donne à toutes choses le rang, le temps, le lieu et la mesure.

Les jeux esquels[5] le gain sert de prix et récompense à l'habileté et industrie[6] du corps ou de l'esprit, comme les jeux de la paume, ballon, paillemaille[7], les courses à la bague, les échecs, les tables[8], ce sont récréations de soi-même bonnes et loisibles. Il se faut seulement garder de l'excès, soit au temps que l'on y emploie soit au prix que l'on y met ; car si l'on y emploie trop de temps, ce n'est plus récréation, c'est occupation : on n'allège pas ni l'esprit ni le corps, au contraire on l'étourdit, on l'accable.

5
10
15
20

FRANÇOIS DE SALES, Introduction à la Vie dévote,
Troisième partie, chap. 31.

1. Permis.

2. Auteur du IVe siècle qui visita les monastères de l'Église primitive en Palestine.

3. Besoin.

4. Conversations.

5. Auxquels.

6. Adresse.

7. Jeu de croquet (demandant un maillet et des palets).

8. Jeux de dames.

Questions

1. Que signifient « récréation » et « occupation » (l. 22) ? Pourquoi l'homme, selon l'auteur, a-t-il besoin de récréation ?

2. En quoi un tel texte peut-il être considéré lui-même comme une récréation ? Examinez particulièrement l'anecdote initiale.

Honoré d'Urfé

(1567-1625)

Portrait gravé par PIETER DE BAILLUE,
d'après Anton Van Dyck.
Paris, Bibl. nat. de France.
Photo © Hachette Livre.

HONORÉ D'URFÉ est profondément marqué par le champêtre Forez de son enfance, où il situera *L'Astrée.* Ce noble est un homme d'armes et un catholique fervent : opposé à la politique d'Henri III, jugée trop favorable aux protestants, il combat dans les rangs de la Ligue (voir p. 105). Sa vie sentimentale est romanesque : il attend seize ans avant de pouvoir épouser sa belle-sœur enfin libre en 1600, mais l'amour ne survit pas au mariage et ils se séparent. Il meurt au cours d'une campagne militaire.

Son œuvre majeure, *L'Astrée* – plus de cinq mille pages publiées en quatre livraisons de 1607 à 1627 –, n'est pas seulement un roman, sans doute le plus admiré de l'Ancien Régime, notamment par Rousseau, c'est aussi un univers mental, fictivement mis en scène dans la Gaule du Ve siècle, où la société cultivée et mondaine du XVIIe siècle trouve un miroir et surtout un modèle. Les personnages de ce roman pastoral, des bergers à l'écart des guerres avoisinantes, s'adonnent aux raffinements de l'amour et de la conversation, aux derniers feux de la courtoisie comme aux jeunes revendications de l'inconstance libertine (voir p. 113). Au nombre de deux cents, dans l'histoire principale et les récits emboîtés, ils fournissent à satiété tous les cas d'amour prisés par la préciosité. Peu de livres en France eurent une telle fonction morale et sociale.

L'Astrée

■■■■ *[1607-1627]*

Extrait 1

Céladon, chassé par la bergère Astrée qui le soupçonnait à tort d'infidélité, a tenté de se noyer. Ses amis ne savent pas qu'il a été recueilli par les nymphes de la Reine. En se promenant dans la forêt, ils découvrent un temple végétal dédié à la déesse Astrée, que le lecteur sait avoir été érigé par Céladon. Sur un autel de gazon est disposé un tableau qui représente deux Amours et a pour légende les « douze tables des lois d'amour que, sous peine d'encourir sa disgrâce, il commande à tout amant d'observer ».

1. Dépensés.
2. Atteinte à la majesté du souverain.

Huitième table

Qu'épris d'un amour violent,
Il aille sans cesse brûlant,
Et qu'il languisse et qu'il soupire,
Entre la vie et le trépas,
Sans toutefois qu'il puisse dire
Ce qu'il veut ou qu'il ne veut pas.

Neuvième table

Méprisant son propre séjour,
Son âme aille vivre d'amour
Au sein de celle qu'il adore,
Et qu'en elle ainsi transformé,
Tout ce qu'elle aime et qu'elle
[honore
Soit aussi de lui bien aimé.

Dixième table

Qu'il tienne les jours pour
[perdus,
Qui loin d'elle sont dépendus[1],
Toute peine soit embrassée
Pour être en ce lieu désiré,
Et qu'il y soit de la pensée,
Si le corps en est séparé.

Questions

1. De quel type de texte relèvent ces « tables » ?

2. Que signifient « adorer » et « service » ? Quels statuts sont conférés à la femme et à l'amant ? Étudiez particulièrement le rapport entre âme et corps.

Onzième table	Douzième table
Que la perte de la raison,	Qu'il ne puisse jamais penser
Que les liens et la prison	Que son amour doive passer ;
Pour elle en son âme il chérisse,	Qui d'autre sorte le conseille
Et se plaise à s'y renfermer,	Soit pour ennemi réputé,
Sans attendre de son service	Car c'est de lui prêter l'oreille
Que le seul honneur de l'aimer.	Crime de lèse-majesté[2].

HONORÉ D'URFÉ, *L'Astrée*, Seconde partie, Livre V, 1610.

Extrait 2

Céladon vit maintenant à la Cour, où il a suscité l'amour de Léonide, nièce du grand druide Adamas. Il s'est déguisé en Alexis, fille d'Adamas, quand la bergère Astrée vient séjourner chez ses amies les nymphes. Elle apprécie tout particulièrement cette aimable Alexis, laquelle est fort tenté(e) de reprendre son apparence réelle de berger.

1. Les transports amoureux de la feinte Alexis avec Astrée.

2. En fait.

3. Par hasard.

4. Rideaux du lit à baldaquin.

5. Contestait.

Questions

1. Étudiez les caractères ambivalents de cette description : mouvement/immobilité, dit / suggéré, regards direct / indirect.

2. Quelle conception de l'amour cette scène implique-t-elle ?

3. Relevez et examinez les interventions du narrateur, particulièrement son invocation au dieu Amour et ses efforts pour rendre la situation vraisemblable. Quelle tonalité donnent-elles au texte, notamment dans le deuxième paragraphe ?

4. Confrontez ce texte et les stances de Théophile de Viau citées page 112.

Enfin, Léonide, qui se prenait garde de ses transports[1] et qui en son cœur avouait qu'encore avait-elle trop de puissance sur elle-même, ayant devant les yeux des objets si puissants pour la faire fléchir, pensa qu'il les fallait séparer ; et ainsi, pour la dernière fois, donnant le bonsoir à sa sœur, s'alla coucher avec Astrée et Diane, laissant la pauvre Alexis seule en apparence, mais en effet[2] de telle sorte 5 accompagnée qu'il lui fut impossible de pouvoir clore l'œil, si bien que le jour parut fort grand avant que le sommeil en osât approcher. Et lorsqu'il y avait apparence qu'elle s'endormirait, elle jeta de fortune[3] les yeux sur le lit où était Astrée, et parce qu'il faisait chaud comme étant au commencement de juillet, ces belles filles avaient laissé leurs rideaux[4] ouverts, et le soleil donnant dans les fenêtres, 10 dont les vitres étaient seulement fermées, rendait une si grande clarté par toute la chambre que l'œil curieux de cette feinte druide put aisément voir Astrée, qui par hasard était couchée au-devant du lit, Léonide s'étant mise au milieu des deux, pour se pouvoir vanter, disait-elle, d'avoir couché au milieu des deux plus belles filles de l'univers. Et la vérité était telle que jamais deux différentes beautés ne 15 furent plus parfaites que celles de ces deux bergères, auxquelles il était impossible de trouver avantage, ni pour l'une ni pour l'autre, que celui-là seulement que l'œil préoccupé d'amour y pouvait mettre.

Jugez donc quelle vue fut celle qu'Alexis eut alors d'Astrée ! Elle avait un bras paresseusement étendu hors du lit, duquel la chemise retroussée débattait[5] la 20 blancheur contre le linge même sur lequel il restait. L'autre était relevé sur la tête qui, à moitié penchée le long du chevet, laissait à nu le côté droit de son sein, sur lequel quelques rayons du soleil semblaient, comme amoureux, se jouer en le baisant. Ô Amour ! que tu te plais quelquefois à tourmenter ceux qui te suivent, de différente façon ! Comment as-tu traité ce berger dans la caverne solitaire où 25 tu le renfermas, lorsque, privé de la vue de sa bergère, tu lui faisais sans cesse regretter la présence de cette belle ? Et maintenant, qu'est-ce que tu ne lui fais pas souffrir, l'éblouissant, pour ainsi dire, de trop de clarté, et le faisant soupirer pour voir trop ce qu'autrefois il regrettait de voir trop peu ?

HONORÉ D'URFÉ, *L'Astrée*, Troisième partie, Livre X, 1619.

Théophile de Viau

(1590-1626)

Portrait gravé par DARET.
Paris, Bibl. nat. de France.
Photo © Hachette Livre.

THÉOPHILE DE VIAU, huguenot occitan, guerroie contre les troupes du jeune Louis XIII avant de se faire apprécier comme poète à la Cour : il y devient l'organisateur des fêtes et l'inspirateur du groupe libertin. Cible privilégiée du parti dévot, alors qu'il semble s'être converti au catholicisme, il est jugé en 1623 pour des poèmes licencieux qui lui sont attribués et est condamné au bûcher par contumace. Bénéficiant de hautes protections, il purge finalement deux ans de prison qui ruinent sa santé.

Sa carrière poétique est brève mais brillante. Sa tragédie romanesque **Pyrame et Thisbé**, sur un sujet proche de *Roméo et Juliette,* triomphe en 1621. Ses **Œuvres poétiques**, publiées entre 1621 et 1624, cultivent le lyrisme des odes et des stances et l'ironie des épigrammes. Son œuvre répond aux goûts d'une période troublée et audacieuse. Elle exalte la sensibilité à la vie de la nature et la liberté d'aimer et de penser, notamment dans des satires philosophiques qui tendent vers l'athéisme libertin (voir p. 113). Le renom et l'influence de Théophile de Viau durent tout le siècle.

Œuvres poétiques

[1621-1624]

Quand tu me vois baiser tes bras,
Que tu poses nus sur tes draps,
Bien plus blancs que le linge même,
Quand tu sens ma brûlante main
5 Se pourmener dessus ton sein,
Tu sens bien, Cloris, que je t'aime.

Comme un dévot devers les cieux,
Mes yeux tournés devers tes yeux,
À genoux auprès de ta couche,
10 Pressé de mille ardents désirs,
Je laisse sans ouvrir ma bouche,
Avec toi dormir mes plaisirs.

Le sommeil aise de t'avoir
Empêche tes yeux de me voir,
15 Et te retient dans son empire

Avec si peu de liberté,
Que ton esprit tout arrêté
Ne murmure ni ne respire.

La rose en rendant son odeur,
20 Le soleil donnant son ardeur,
Diane[1] et le char qui la traîne,
Une naïade[2] dedans l'eau,
Et les Grâces[3] dans un tableau,
Font plus de bruit que ton haleine.

25 Là je soupire auprès de toi,
Et considérant comme quoi
Ton œil si doucement repose,
Je m'écrie : ô Ciel ! peux-tu bien
Tirer d'une si belle chose
30 Un si cruel mal que le mien ?

THÉOPHILE DE VIAU, *Œuvres poétiques,*
« Stances », 1622.

1. Déesse romaine de la Chasse et de la Lune, dont elle conduit le char.
2. Divinité des sources.
3. Groupe de trois divinités de la suite de Vénus.

Questions

1. Quelle est la construction de ce poème ?

2. Étudiez les jeux du regard et le rapport entre désir et immobilité.

3. Quel rapport établissez-vous dans ce poème entre érotisme, dévotion et mythologie ?

4. En quoi l'appellation de « stances », ou poème lyrique, se justifie-t-elle ici ?

LE LIBERTINAGE

Libertinage n'a pas le sens péjoratif actuel de mœurs dissolues. Ce terme désigne au contraire une attitude intellectuelle et une vision du monde. Un libertin est un esprit libre, qui s'est affranchi des superstitions religieuses et des préjugés moraux du vulgaire : c'est un « déniaisé », libéré de la naïveté populaire, et un « illuminé », éclairé des lumières exclusives de la raison. L'idéologie libertine marque spécialement les régences et les débuts de règne de Louis XIII (voir p. 105) et de Louis XIV.

■ Le libertinage de mœurs

Le libertinage de mœurs existe certes. Il affecte surtout les milieux aristocratiques, protégés par leur statut social et n'ayant aucune prétention philosophique. Ce n'est qu'avec Sade qu'il donne lieu directement à la production d'une œuvre littéraire. Il inspire toutefois le sujet de nombreux ouvrages, de *Dom Juan* de Molière et des *Contes* de La Fontaine aux romans de Crébillon fils ou de Laclos.

■ Le libertinage de pensée

Le libertinage de pensée préfigure la philosophie des Lumières. Il se rencontre au XVIIe siècle chez des érudits et des esprits cultivés, issus généralement de la bourgeoisie intellectuelle, et menant souvent des vies discrètes et vouées au travail. On peut y distinguer deux grands courants.

Le libertinage critique

Les libertins érudits prennent le parti d'appliquer librement les règles de la raison critique aux domaines, qui lui sont alors interdits, de la religion et du pouvoir politique. Ils les démystifient en dévoilant leur origine véritable. Pour eux, à la source de tout pouvoir, se découvre la loi du plus fort, que la coutume maquille ensuite en justice. De même, les religions reposent sur l'imposture initiale d'esprits ambitieux ou dérangés, qui se sont déclarés prophètes de Dieu pour établir leur emprise sur des contemporains crédules ; elles ont ensuite pour fonction, au service du pouvoir, de maintenir le peuple dans l'obéissance. De telles analyses, réservées au petit nombre, circulent sous le manteau.

La critique libertine des idées reçues est illustrée par François La Mothe Le Vayer, secrétaire de Richelieu, et Gabriel Naudé, bibliothécaire de Mazarin.

Leur engagement en faveur d'un pouvoir monarchique fort révèle leur aristocratisme intellectuel. En effet, jugeant impossible de faire confiance à la masse du peuple, plongée dans l'ignorance et les superstitions, et aux notables, aveuglés par leurs intérêts particuliers, ils pensent que les lumières de la raison ne peuvent être qu'imposées par des gouvernants préalablement convaincus. Cette pensée fonde le « despotisme éclairé » au XVIIIe siècle.

Le libertinage naturaliste

Il s'appuie sur l'épicurisme, au sens strict du terme (voir p. 91). Certains développent son athéisme et son matérialisme radical pour ridiculiser religion et spiritualité en soulignant l'animalité de l'homme. D'autres se placent dans une optique vitaliste. Ils exaltent la puissance créatrice de la Nature : un principe presque immatériel de vie donne son dynamisme à tout l'univers. Tout désir est alors participation aux forces cosmiques d'attraction et d'amour qui assurent la formation et la cohésion des corps.

Selon les libertins naturalistes, l'homme, être pleinement intégré à la nature et n'ayant d'épanouissement possible que terrestre, doit rechercher les plaisirs de l'esprit et du corps que procurent l'art, l'amitié, l'amour ou le sommeil. Il n'est pour lui de bonheur qu'en suivant les lois de la nature, et non les préceptes religieux ou les conventions sociales.

Ce dernier libertinage, riche d'une vision imagée de l'univers, inspire volontiers les poètes. Cyrano (voir p. 134) illustre à lui seul les différentes formes du libertinage de pensée.

ROBERT LE VRAC dit TOURNIÈRES, *Deux Épicuriens.* Caen, musée des Beaux-Arts. Photo © Giraudon.

René Descartes

(1596-1650)

Portrait par FRANS HALS (1580-1666).
Paris, musée du Louvre.
• Photo © Josse.

RENÉ DESCARTES, brillant élève des jésuites à La Flèche et licencié en droit, choisit cependant le métier des armes. Il parcourt l'Europe. En 1628, pour se consacrer à sa vocation philosophique, il s'installe en Hollande, où la liberté d'expression est respectée. Sa vie se confond désormais avec l'élaboration et les efforts de divulgation d'une œuvre vouée à la découverte des règles d'une science parfaite. Une correspondance assidue et plusieurs voyages maintiennent le philosophe au cœur de la vie savante internationale. Mais ses idées rencontrent beaucoup d'oppositions, surtout de la part des théologiens. Il meurt à Stockholm, où il a été invité par la reine Christine de Suède.

Conformément à l'audace d'une pensée qui entend fonder la vérité sur le seul exercice de la raison, ce « bon sens » commun à tous les hommes, Descartes veut s'adresser au plus grand nombre : il écrit donc en français le *Discours de la Méthode* (1637) et *Les Passions de l'âme* (1649). Il essaie par ailleurs de convaincre les spécialistes, en latin, dans les *Méditations métaphysiques* (1641) et les *Principes de la philosophie* (1644). Généralisant la méthode mathématique, il « géométrise » l'optique et crée la géométrie analytique. De manière générale, ses conceptions scientifiques furent mieux reçues que sa métaphysique où, à partir d'une première vérité, « je pense, donc je suis », il entend démontrer rationnellement la séparation de l'âme et du corps et l'existence de Dieu.

Discours de la Méthode

[1637]

Extrait 1

Descartes a commencé par un bilan personnel : à l'exception des mathématiques, les disciplines scolaires, au lieu de former son esprit à la recherche de la vérité, l'ont rempli de connaissances inutiles parce que non prouvées. Il annonce ensuite sa méthode.

Il se peut faire que je me trompe, et ce n'est peut-être qu'un peu de cuivre et de verre que je prends pour de l'or et des diamants. Je sais combien nous sommes sujets à nous méprendre en ce qui nous touche, et combien aussi les jugements de nos amis nous doivent être suspects, lorsqu'ils sont en notre faveur.
5 Mais je serai bien aise de faire voir, en ce discours, quels sont les chemins que j'ai suivis, et d'y représenter ma vie comme un tableau, afin que chacun en puisse juger, et qu'apprenant du bruit commun les opinions qu'on en aura, ce soit un nouveau moyen de m'instruire, que j'ajouterai à ceux dont j'ai coutume de me servir.

Questions

1. Quelle relation le philosophe veut-il établir avec son lecteur ? Pourquoi parle-t-il de « tableau » (l. 6) et de « fable » (l. 15) ?

2. En quoi l'autobiographie présente-t-elle pour Descartes un intérêt philosophique ?

1. Beaucoup.

Ainsi mon dessein n'est pas d'enseigner ici la méthode que chacun doit suivre 10
pour bien conduire sa raison, mais seulement de faire voir en quelle sorte j'ai
tâché de conduire la mienne. Ceux qui se mêlent de donner des préceptes, se doivent estimer plus habiles que ceux auxquels ils les donnent ; et s'ils manquent en
la moindre chose, ils en sont blâmables. Mais ne proposant cet écrit que comme
une histoire, ou, si vous l'aimez mieux, que comme une fable, en laquelle, parmi 15
quelques exemples qu'on peut imiter, on en trouvera peut-être aussi plusieurs[1]
autres qu'on aura raison de ne pas suivre, j'espère qu'il sera utile à quelques-uns,
sans être nuisible à personne, et que tous me sauront gré de ma franchise.

RENÉ DESCARTES, *Discours de la Méthode*, Première partie.

Extrait 2

Descartes, avec résolution, prend sa vie en main.

1. Des livres.
2. Les années 1616-1619.
3. Conditions sociales.
4. Faire l'expérience de.
5. Résultat.
6. Importance.
7. Ingéniosité.
8. Acquérir une certitude.
9. Remarqué.
10. Obscurcir.

Sitôt que l'âge me permit de sortir de la sujétion de mes précepteurs, je
quittai entièrement l'étude des lettres[1]. Et me résolvant de ne chercher plus
d'autre science que celle qui se pourrait trouver en moi-même, ou bien dans le
grand livre du monde, j'employai le reste de ma jeunesse[2] à voyager, à voir des
cours et des armées, à fréquenter des gens de diverses humeurs et conditions[3], à 5
recueillir diverses expériences, à m'éprouver[4] moi-même dans les rencontres que
la fortune me proposait, et partout à faire telle réflexion sur les choses qui se pré-
sentaient, que j'en pusse tirer quelque profit. Car il me semblait que je pourrais
rencontrer beaucoup plus de vérité, dans les raisonnements que chacun fait touchant les affaires qui lui importent, et dont l'événement[5] le doit punir bientôt 10
après, s'il a mal jugé, que dans ceux que fait un homme de lettres dans son cabinet, touchant des spéculations qui ne produisent aucun effet, et qui ne lui sont
d'autre conséquence[6], sinon que peut-être il en tirera d'autant plus de vanité
qu'elles seront plus éloignées du sens commun, à cause qu'il aura dû employer
d'autant plus d'esprit et d'artifice[7] à tâcher de les rendre vraisemblables. Et 15
j'avais toujours un extrême désir d'apprendre à distinguer le vrai d'avec le faux,
pour voir clair en mes actions, et marcher avec assurance en cette vie.

Il est vrai que, pendant que je ne faisais que considérer les mœurs des autres
hommes, je n'y trouvais guère de quoi m'assurer[8], et que j'y remarquais quasi
autant de diversité que j'avais fait[9] auparavant entre les opinions des philo- 20
sophes. En sorte que le plus grand profit que j'en retirais, était que, voyant plusieurs choses qui, bien qu'elles nous semblent fort extravagantes et ridicules, ne
laissent pas d'être communément reçues et approuvées par d'autres grands
peuples, j'apprenais à ne rien croire trop fermement de ce qui ne m'avait été persuadé que par l'exemple et par la coutume ; et ainsi je me délivrais peu à peu de 25
beaucoup d'erreurs, qui peuvent offusquer[10] notre lumière naturelle, et nous
rendre moins capables d'entendre raison. Mais après que j'eus employé quelques
années à étudier ainsi dans le livre du monde et à tâcher d'acquérir quelque expérience, je pris un jour résolution d'étudier aussi en moi-même, et d'employer
toutes les forces de mon esprit à choisir les chemins que je devais suivre. Ce qui 30
me réussit beaucoup mieux, ce me semble, que si je ne me fusse jamais éloigné,
ni de mon pays, ni de mes livres.

RENÉ DESCARTES, *Discours de la Méthode*, Première partie.

Questions

1. Étudiez la construction de ce récit. Quel
rapport a-t-elle avec la
« méthode » que suit
Descartes ?

2. Étudiez dans tout ce
texte la thématique du
« chemin ».

3. Sur quelles oppositions le développement
est-il bâti ? Quelle
conception de l'homme
peut-on en déduire ?

4. Quel regard Des-
cartes narrateur jette-t-il
sur le jeune homme
qu'il était ? Quelle
appréciation le lecteur
est-il amené à porter sur
celui-ci ?

5. Peut-on rapprocher
ces propos de Descartes
de ce que dit Montaigne
des voyages et de l'édu-
cation des enfants (p. 99
et p. 93).

Pierre Corneille

(1606-1684)

École française, XVIIᵉ s.
Versailles, musée national du Château.
Photo © Josse.

Pierre Corneille, par sa vie comme par son œuvre, est l'un des plus grands novateurs de la littérature française. Il est le premier écrivain au sens moderne du terme : le premier à vivre pleinement de sa plume et à devoir sa position sociale à ses seuls écrits. Par sa naissance (petite bourgeoisie normande) et ses études (chez les jésuites, puis à la faculté de droit), il est voué à la routine et au confort du métier d'avocat. Mais la passion du théâtre (dont Rouen est alors le deuxième centre en France), une imagination et une langue sans rapport avec son milieu renversent tout. La comédie de *Mélite* (1629) apporte à un inconnu le succès, confirmé par les suivantes, et la protection de Richelieu ; *Le Cid* lui vaut en 1637 un des plus grands triomphes de la scène française, une querelle passionnée qui le met au centre de la vie et de la réflexion théâtrales, et de vraies lettres de noblesse. Deux Corneille coexistent dès lors. L'un, provincial, vit à Rouen avec ses enfants et son frère Thomas – également dramaturge à succès –, et renonce à plaider par manque d'éloquence. L'autre, fécond créateur de héros tragiques, donne des leçons de politique aux rois et est élu à l'Académie française. L'homme d'affaires qu'il est aussi prend progressivement en main sa carrière, vend de plus en plus cher ses textes, les publie lui-même et va jusqu'à se faire en 1660, avec le *Théâtre de Corneille*, correcteur, éditeur, critique et théoricien de sa propre œuvre, en joignant à chaque pièce un Examen et en coiffant l'ensemble de trois *Discours sur le poème dramatique*. L'échec de *Pertharite* en 1651 l'éloigne de la scène. Il y revient avec ardeur en 1659 et écrit encore onze pièces. En 1670, *Tite et Bérénice* est un échec face à *Bérénice,* la tragédie concurrente de Racine. Corneille ne touche plus le goût d'un public désormais séduit par son jeune rival. Il achève avec *Suréna* en 1674 une longue carrière.

Son théâtre est celui de la liberté et de l'énergie, depuis la fantaisie romanesque des comédies jusqu'à la tension héroïque des tragédies. Cet élève des Jésuites a une vision optimiste de l'homme (voir pp. 106-107) : ses personnages trouvent dans leurs adversaires des émules plus que des ennemis et voient dans les obstacles extérieurs et les dilemmes intérieurs entre valeurs également estimables, amour et honneur notamment, des occasions de dépassement de soi. Ce culte de la volonté produit aussi, symétriquement, des monstres, qui sont des héros dans le mal. Le renouvellement constant de soi caractérise l'œuvre. Corneille rénove le genre comique en France, qu'il arrache à la grossièreté et aux stéréotypes de la farce, en inventant une tonalité élégante pour peindre des amours contemporaines. Il déploie une esthétique baroque dans les outrances barbares de *Médée* ou de *Rodogune* et dans le jeu virtuose des apparences de *L'Illusion comique*. Il exalte, dans une optique tragi-comique, les exploits de héros construisant leur propre gloire. Après *Le Cid*, il se plie, malaisément, aux règles des doctes (voir p. 171) mais conserve la force des situations et de la langue, illustrée par des sentences morales. Il montre alors dans une série de tragédies romaines, dont *Horace* et *Cinna*, l'adhésion des héros au renforcement de l'État, seul garant de la paix et de l'intérêt général. Dans la dernière partie de sa carrière, il explore des voies nouvelles : les héros, désenchantés, voient maintenant la vanité de l'honneur et le cynisme de l'État moderne.

La Place royale
▬▬▬ *[1634]*

Angélique, parce qu'elle aime Alidor, repousse les avances passionnées de Doraste, frère de son amie Phylis. Celle-ci a envers l'amour une attitude opposée à celle d'Angélique.

PHYLIS

45 **D**ans l'obstination où je te vois réduite,
J'admire ton amour, et ris de ta conduite.
Fasse état qui voudra de ta fidélité,
Je ne me pique point de cette vanité ;
Et l'exemple d'autrui m'a trop fait reconnaître
50 Qu'au lieu d'un serviteur c'est accepter un maître.
Quand on n'en souffre qu'un, qu'on ne pense qu'à lui,
Tous autres entretiens nous donnent de l'ennui,
Il nous faut de tout point vivre à sa fantaisie,
Souffrir de son humeur, craindre sa jalousie,
55 Et de peur que le temps n'emporte ses ferveurs,
Le combler chaque jour de nouvelles faveurs :
Notre âme, s'il s'éloigne, est chagrine, abattue ;
Sa mort nous désespère, et son change nous tue.
Et de quelque douceur que nos feux soient suivis,
60 On dispose de nous sans prendre notre avis ;
C'est rarement qu'un père à nos goûts s'accommode ;
Et lors, juge quels fruits on a de ta méthode.
Pour moi, j'aime un chacun, et sans rien négliger,
Le premier qui m'en conte a de quoi m'engager :
65 Ainsi tout contribue à ma bonne fortune ;
Tout le monde me plaît et rien ne m'importune.
De mille que je rends l'un de l'autre jaloux,
Mon cœur n'est à pas un, et se promet à tous ;
Ainsi tous à l'envi s'efforcent à me plaire ;
70 Tous vivent d'espérance, et briguent leur salaire ;
L'éloignement d'aucun ne saurait m'affliger,
Mille encore présents m'empêchent d'y songer.
Je n'en crains point la mort, je n'en crains point le change[1] :
Un monde m'en console aussitôt, ou m'en venge.

....
1. Inconstance.

PIERRE CORNEILLE, La Place royale, I, 1.

▗ Q u e s t i o n s ▖

1. Phylis oppose deux conceptions de l'amour et de la vie : examinez la construction et le contenu de cette opposition.
2. Relevez les sentences morales dont la facture met en lumière l'une et l'autre de ces conceptions.
3. Comparez cette profession de foi amoureuse à celles que vous lisez chez Honoré d'Urfé (p. 110) et chez Mlle de Scudéry (p. 128).

L'Illusion comique

[1636]

Pridamant veut retrouver son fils Clindor, parti depuis dix ans. Le magicien Alcandre, en peuplant sa grotte de « spectres parlants », lui fait voir (en même temps qu'au spectateur) ce qu'est devenu le jeune homme. Clindor se trouve ici dans une situation embarrassante : son maître Matamore – type du capitaine fanfaron –, qui l'avait chargé de parler en sa faveur auprès d'Isabelle, vient de le surprendre en train de faire la cour à celle-ci pour son propre compte.

1. Selon les Anciens, feux des régions célestes, plus purs que le feu terrestre.

2. Ventredieu (juron signifiant « ventre de Dieu »).

3. Têtedieu (autre juron).

4. Têtedieu, en gascon.

MATAMORE

Ah ! traître !

CLINDOR

Parlez bas, ces valets...

MATAMORE

Eh bien ! quoi ?

CLINDOR

920 Ils fondront tout à l'heure et sur vous et sur moi.

MATAMORE *le tire à un coin du théâtre.*

Viens çà. Tu sais ton crime, et qu'à l'objet que j'aime,
Loin de parler pour moi, tu parlais pour toi-même ?

CLINDOR

Oui, pour me rendre heureux j'ai fait quelques efforts.

MATAMORE

Je te donne le choix de trois ou quatre morts :
925 Je vais, d'un coup de poing, te briser comme verre,
Ou t'enfoncer tout vif au centre de la terre,
Ou te fendre en dix parts d'un seul coup de revers,
Ou te jeter si haut au-dessus des éclairs,
Que tu sois dévoré des feux élémentaires[1].
930 Choisis donc promptement, et pense à tes affaires.

CLINDOR

Vous-même choisissez.

MATAMORE

Quel choix proposes-tu ?

CLINDOR

De fuir en diligence, ou d'être bien battu.

MATAMORE

Me menacer encore ! Ah ! ventre[2] ! quelle audace !
Au lieu d'être à genoux, et d'implorer ma grâce !...
935 Il a donné le mot, ces valets vont sortir...
Je m'en vais commander aux mers de t'engloutir.

L'acteur Bellemore dans le Capitan Matamore dans *L'Illusion comique*. Gravure de Mariette. Rouen, musée Pierre Corneille.
● Photo © Dagli Orti.

CLINDOR

Sans vous chercher si loin un si grand cimetière,
Je vous vais, de ce pas, jeter dans la rivière.

MATAMORE

Ils sont d'intelligence. Ah ! tête[3] !

CLINDOR

Point de bruit :
940 J'ai déjà massacré dix hommes cette nuit ;
Et si vous me fâchez, vous en croîtrez le nombre.

MATAMORE

Cadédiou[4] ! ce coquin a marché dans mon ombre ;
Il s'est fait tout vaillant d'avoir suivi mes pas :
S'il avait du respect, j'en voudrais faire cas.
945 Écoute : je suis bon, et ce serait dommage
De priver l'univers d'un homme de courage.
Demande-moi pardon, et cesse par tes feux
De profaner l'objet digne seul de mes vœux :
Tu connais ma valeur, éprouve ma clémence.

CLINDOR

950 Plutôt, si votre amour a tant de véhémence,
Faisons deux coups d'épée au nom de sa beauté.

MATAMORE

Parbleu, tu me ravis de générosité.
Va, pour la conquérir n'use plus d'artifices ;
Je te la veux donner pour prix de tes services :
955 Plains-toi dorénavant d'avoir un maître ingrat !

CLINDOR

À ce rare présent, d'aise le cœur me bat.
Protecteur des grands rois, guerrier trop magnanime,
Puisse tout l'univers bruire de votre estime !

PIERRE CORNEILLE, *L'Illusion comique*, III, 9.

Questions

1. Étudiez la progression dramatique de cette scène et ses retournements de situation.
2. Montrez comment Corneille construit le personnage du fanfaron ridicule à partir de ses propos.
3. À quoi voyez-vous que Matamore croit vivre un roman héroïque ?
4. Diriez-vous que Matamore est le précurseur burlesque (voir p. 201) de Rodrigue (voir *Le Cid* p. 121) ?

Médée
[1635]

Avec Médée, sa première tragédie, Corneille exploite déjà une veine à laquelle il reviendra après ses grandes tragédies des années 1640-1643 : l'horreur et la terreur. Son dénouement en marque un sommet. Jason, qui s'apprêtait à épouser Créuse, la fille du roi de Corinthe, vient de découvrir le prix de son infidélité envers son épouse répudiée, la magicienne Médée : celle-ci a empoisonné sa rivale et assassiné ses propres enfants, parce qu'ils étaient aussi ceux du traître Jason.

CARL VAN LOO, *Jason et Médée*, 1759.
Pau, musée des Beaux-Arts.
Photo © Giraudon.

1. M'en donnent
vengeance
2. Inconstance.

JASON

1555 Quoi ! tu m'oses braver, et ta brutalité
Pense encore échapper à mon bras irrité ?
Tu redoubles ta peine avec cette insolence.

MÉDÉE, *en haut sur un balcon*
Et que peut contre moi ta débile vaillance ?
Mon art faisait ta force, et tes exploits guerriers
1560 Tiennent de mon secours ce qu'ils ont de lauriers.

JASON
Ah ! c'est trop en souffrir ; il faut qu'un prompt supplice
De tant de cruautés à la fin te punisse.
Sus, sus, brisons la porte, enfonçons la maison ;
Que des bourreaux soudain m'en fassent la raison¹.
1565 Ta tête répondra de tant de barbaries.

MÉDÉE, *en l'air dans un char tiré par deux dragons.*
Que sert de t'emporter à ces vaines furies ?
Épargne, cher époux, des efforts que tu perds ;
Vois les chemins de l'air qui me sont tous ouverts ;
C'est par là que je fuis, et que je t'abandonne
1570 Pour courir à l'exil que ton change² m'ordonne.
Suis-moi, Jason, et trouve en ces lieux désolés
Des postillons pareils à mes dragons ailés.

PIERRE CORNEILLE, *Médée*, V, 7.

Questions

1. Montrez comment Corneille pousse au paroxysme cet affrontement entre Jason et Médée. Examinez notamment la place de l'horreur, du sarcasme et du merveilleux.

2. En quoi Médée est-elle surhumaine ? En quoi est-elle humaine ?

3. Quels traits de la sensibilité baroque (voir p. 124) relevez-vous dans cette scène ?

4. En vous renseignant sur le mythe de la Toison d'or, expliquez les vers 1559-1560.

Le Cid
▄▄▄▄ *[1637]*

Le noble Rodrigue est parvenu en quelques heures au faîte de la douleur et de la gloire : il a été contraint de tuer en duel le père de la jeune fille qu'il aime, Chimène, pour venger son propre père, et il a repoussé une attaque des Maures sur Séville. Il doit maintenant combattre Don Sanche, chevalier que Chimène a chargé de venger son honneur, offensé par la mort de son père, et qu'elle épousera en cas de victoire. Rodrigue offre à Chimène de se laisser tuer.

RODRIGUE

[...]

Non, non, en ce combat, quoi que vous veuillez croire,
1530 Rodrigue peut mourir sans hasarder sa gloire,
Sans qu'on l'ose accuser d'avoir manqué de cœur,
Sans passer pour vaincu, sans souffrir un vainqueur.
On dira seulement : « Il adorait Chimène ;
Il n'a pas voulu vivre et mériter sa haine ;
1535 Il a cédé lui-même à la rigueur du sort
Qui forçait sa maîtresse à poursuivre[1] sa mort :
Elle voulait sa tête ; et son cœur magnanime,
S'il l'en eût refusée, eût pensé faire un crime.
Pour venger son honneur il perdit son amour,
1540 Pour venger sa maîtresse il a quitté le jour,
Préférant (quelque espoir qu'eût son âme asservie)
Son honneur à Chimène, et Chimène à sa vie. »
Ainsi donc vous verrez ma mort en ce combat,
Loin d'obscurcir ma gloire, en rehausser l'éclat ;
1545 Et cet honneur suivra mon trépas volontaire,
Que tout autre que moi n'eût pu vous satisfaire.

CHIMÈNE

Puisque, pour t'empêcher de courir au trépas,
Ta vie et ton honneur sont de faibles appas,
Si jamais je t'aimai, cher Rodrigue, en revanche,
1550 Défends-toi maintenant pour m'ôter à don Sanche ;
Combats pour m'affranchir d'une condition
Qui me donne à l'objet de mon aversion.
Te dirai-je encor plus ? va, songe à ta défense,
Pour forcer mon devoir, pour m'imposer silence ;
1555 Et si tu sens pour moi ton cœur encore épris,
Sors vainqueur d'un combat dont Chimène est le prix.
Adieu : ce mot lâché me fait rougir de honte.

RODRIGUE

Est-il quelque ennemi qu'à présent je ne dompte ?
Paraissez, Navarrais, Maures et Castillans,
1560 Et tout ce que l'Espagne a nourri de vaillants ;
Unissez-vous ensemble, et faites une armée,
Pour combattre une main de la sorte animée :
Joignez tous vos efforts contre un espoir si doux ;
Pour en venir à bout, c'est trop peu que de vous.

PIERRE CORNEILLE, *Le Cid*, V, 1.

1. Fiancée.
2. Rechercher.

Questions

1. Corneille recherche souvent la force des effets dramatiques : en quoi la situation des personnages en scène et la progression du dialogue répondent-elles à cette préoccupation ?

2. À quel dilemme Rodrigue est-il confronté ? Comment le tranche-t-il ?

3. En quoi faire parler la rumeur publique constitue-t-il pour Rodrigue un moyen de toucher Chimène ?

4. Étudiez le contraste qui existe entre grandeur et discrétion dans le langage des deux amoureux.

5. Que pensez-vous du jugement que porte Bossuet sur de telles scènes d'amour dans ses *Réflexions sur la comédie* (voir p. 183) ?

Horace

■■■ *[1640]*

Pour éviter une guerre meurtrière, Rome et Albe s'affrontent par champions interposés : les trois frères Curiaces d'un côté, les trois frères Horaces de l'autre. Mais les deux familles sont unies : l'un des Curiaces est fiancé à Camille, la sœur des Horaces ; Sabine, la sœur des Curiaces, est mariée à l'un des Horaces. Ce dernier, seul survivant du combat, revient dans Rome en vainqueur. Mais sa sœur Camille ne voit en lui que le meurtrier de Curiace.

CAMILLE

[...]

Tigre altéré de sang, qui me défends les larmes,
Qui veux que dans sa mort je trouve encor des
[charmes,
Et que, jusques au ciel élevant tes exploits,
1290 Moi-même je le tue une seconde fois !
Puissent tant de malheurs accompagner ta vie
Que tu tombes au point de me porter envie ;
Et toi, bientôt souiller[1] par quelque lâcheté
Cette gloire si chère à ta brutalité !

HORACE

1295 Ô ciel ! qui vit jamais une pareille rage !
Crois-tu donc que je sois insensible à l'outrage,
Que je souffre en mon sang ce mortel
[déshonneur ?
Aime, aime cette mort qui fait notre bonheur,
Et préfère du moins au souvenir d'un homme
1300 Ce que doit ta naissance aux intérêts de Rome.

CAMILLE

Rome, l'unique objet de mon ressentiment !
Rome, à qui vient ton bras d'immoler mon amant !
Rome qui t'a vu naître, et que ton cœur adore !
Rome enfin que je hais parce qu'elle t'honore !
1305 Puissent tous ses voisins ensemble conjurés[2]
Saper ses fondements encor mal assurés !

Et si ce n'est assez de toute l'Italie,
Que l'Orient contre elle à l'Occident s'allie ;
Que cent peuples unis des bouts de l'univers
1310 Passent pour la détruire et les monts et les mers !
Qu'elle-même sur soi renverse ses murailles,
Et de ses propres mains déchire ses entrailles !
Que le courroux du ciel allumé par mes vœux
Fasse pleuvoir sur elle un déluge de feux !
1315 Puissé-je de mes yeux y voir tomber ce foudre[3],
Voir ses maisons en cendre, et tes lauriers en
[poudre[4],
Voir le dernier Romain à son dernier soupir,
Moi seule en être cause, et mourir de plaisir !

HORACE, *mettant la main à l'épée,*
et poursuivant sa sœur qui s'enfuit.

C'est trop, ma patience à la raison fait place ;
1320 Va dedans les enfers plaindre ton Curiace.

CAMILLE, *blessée derrière le théâtre.*

Ah ! traître !

HORACE, *revenant sur le théâtre.*

Ainsi reçoive un châtiment soudain
Quiconque ose pleurer un ennemi romain !

PIERRE CORNEILLE, *Horace,* IV, 5.

1. [Puisses-tu] bientôt souiller.

2. Coalisés.

3. Souvent masculin au XVIIᵉ siècle.

4. Poussière.

Questions

1. Quelles sont les raisons de cet affrontement entre le frère et la sœur ? Quelles valeurs opposées défendent-ils chacun ?

2. Dans quelle mesure ces répliques forment-elles une joute verbale ? En quoi, au contraire, la seconde tirade de Camille constitue-t-elle un tout autonome ?

3. Étudiez la fureur des deux antagonistes. Comment les élève-t-elle au rang de types exemplaires et intemporels ?

4. Qu'annonce la malédiction de Camille ? En quoi ses paroles sont-elles un acte et un acte qui justifie sa mort ?

Polyeucte

[1642]

Polyeucte, noble arménien du IIIe siècle, s'est converti au christianisme et refuse de sacrifier aux dieux romains, comme le lui demande son beau-père, gouverneur de la province. Il s'apprête à subir le martyre. Pauline, son épouse, essaie de le faire changer d'avis au nom de leur amour.

PAULINE

1235 Cruel ! (car il est temps que ma douleur éclate,
Et qu'un juste reproche accable une âme ingrate),
Est-ce là ce beau feu ? sont-ce là tes serments ?
Témoignes-tu pour moi les moindres sentiments ?
Je ne te parlais point de l'état déplorable
1240 Où ta mort va laisser ta femme inconsolable ;
Je croyais que l'amour t'en parlerait assez,
Et ne je voulais pas de sentiments forcés ;
Mais cette amour si ferme et si bien méritée
Que tu m'avais promise, et que je t'ai portée,
1245 Quand tu me veux quitter, quand tu me fais mourir,
Te peut-elle arracher une larme, un soupir ?
Tu me quittes, ingrat, et le fais avec joie ;
Tu ne la caches pas, tu veux que je la voie,
Et ton cœur, insensible à ces tristes appas,
1250 Se figure un bonheur où je ne serai pas !
C'est donc là le dégoût qu'apporte l'hyménée[1] ?
Je te suis odieuse après m'être donnée !

POLYEUCTE

Hélas !

PAULINE

Que cet hélas a de peine à sortir !
Encor s'il commençait un heureux repentir,
1255 Que, tout forcé qu'il est, j'y trouverais de charmes !
Mais courage ! il s'émeut, je vois couler des larmes.

POLYEUCTE

J'en verse, et plût à Dieu qu'à force d'en verser
Ce[2] cœur trop endurci se pût enfin percer !
Le déplorable état où je vous abandonne
1260 Est bien digne des pleurs que mon amour vous
[donne ;
Et si l'on peut au ciel sentir quelques douleurs,
J'y pleurerai pour vous l'excès de vos malheurs ;
Mais si, dans ce séjour de gloire et de lumière,
Ce Dieu tout juste et bon peut souffrir ma prière,
1265 S'il y daigne écouter un conjugal amour,
Sur votre aveuglement il répandra le jour.
Seigneur, de vos bontés il faut que je l'obtienne ;
Elle a trop de vertus pour n'être pas chrétienne.

PIERRE CORNEILLE, *Polyeucte*, IV, 3.

Polyeucte en costume espagnol brisant les idoles.
Édition de 1643.
Rouen, musée Pierre Corneille.
Photo © Dagli Orti.

....

1. Mariage. – 2. Votre.

Questions

1. Sur quels points Pauline et Polyeucte s'opposent-ils ? Montrez comment cette opposition est construite par le jeu des mots.

2. Étudiez le langage de la passion chez Pauline. Quelle est sa vision de l'amour ?

3. Faites de même pour Polyeucte.

4. Vertus païennes et vertus chrétiennes sont-elles ici, selon Corneille, conciliables ?

meilleur ordre qu'aupar
infinité de fautes tou
avant par le Sieur de
hant le sens & les P

BAROQUE ET CLASSICISME

Le baroque et le classicisme, qui sont habituellement sommairement opposés pour caractériser le XVIIᵉ siècle, entretiennent en fait des rapports historiques et esthétiques complexes, tout spécialement en France.

■ Deux notions opposées, deux réalités imbriquées

La notion de « baroque » (du portugais *barroco*, qui désigne l'irrégularité d'une perle) est issue de la critique d'art. Longtemps péjorative, elle s'applique aujourd'hui à une esthétique et à une vision du monde qui se répandent à partir de l'Italie dans toute l'Europe à la fin du XVIᵉ siècle. En France, celles-ci prévalent entre 1580 et 1630, mais ne cessent jamais de se manifester, notamment dans l'art de Cour sous Louis XIV. Elles se caractérisent par une sensibilité extrême à la transformation perpétuelle des êtres et des choses et au vertige que celle-ci provoque.

CLAUDE DERUET, *Le Feu.*
Orléans, musée des Beaux-Arts.
● Photo © Giraudon.

La notion de « classicisme » s'applique d'abord à l'Antiquité grecque et romaine dans son ensemble, mais aussi à certaines périodes senties comme ayant atteint une perfection artistique et linguistique, et qui sont à ce titre objets privilégiés d'imitation par la suite. Elle s'applique traditionnellement aux deux derniers tiers du XVIIᵉ siècle français, mais le classicisme ne triomphe vraiment que dans les années 1660-1685. Il répond à une vision centralisée du monde, que favorise Richelieu et qui s'épanouit sous Louis XIV. Il privilégie la stabilité, la profondeur et l'universalité et se conforme au goût de l'« honnête homme ».

Les mouvements qui, historiquement, répondent aux notions de baroque et de classicisme entretiennent, en France, des relations de confrontation et de dialogue, plus que d'opposition radicale. Ils coexistent pendant les trois quarts du siècle, dès l'affirmation d'exigences classiques sous Richelieu. Ils dominent certes successivement, mais jamais exclusivement, et se tempèrent l'un l'autre. Aucune période n'est homogène. Les différents genres, de plus, ont leur évolution propre : au moment où le théâtre suit les règles (voir p. 171), à partir de 1640, le roman connaît sa pleine période baroque ; quand la nouvelle classique l'emporte dans les années 1660-1670 (voir p. 133), Molière crée la comédie-ballet et l'opéra de Lully s'annonce. L'œuvre même de certains auteurs, tels Corneille et Pascal, relève conjointement des deux esthétiques.

■ Deux sensibilités différentes

Le baroque souligne l'inconstance du monde et l'écoulement du temps : les mouvements, de préférence courbes, des corps dans l'espace ; leurs métamorphoses et leur évanescence dans le temps ; leur fluidité et la fragilité de leur consistance. Il efface volontairement les frontières entre la vie et la mort, le rêve et la réalité, le vrai et le faux. Il voit le monde comme un théâtre et la vie comme une comédie. Il aime la surprise, l'ostentation et la dramatisation, parfois violente, de l'héroïsme, de l'amour et de la mort. Il insiste aussi sur l'hétérogénéité des êtres, des sentiments et des situations : partout se mélangent des tonalités diverses, voire contradictoires. Il manifeste en conséquence le goût des antithèses, des décalages, des hyperboles, et surtout des métaphores, qui superposent et relient des univers différents. Préciosité et burlesque dérivent de cette sensibilité baroque (voir pp. 179 et 201).

L'infini chatoiement des apparences peut susciter une ivresse joyeuse. À l'inverse, la mélancolie peut naître de la vue d'un monde sans consistance ni durée, où les apparences sont des illusions trompeuses et les hommes des ombres passagères ; elle se teinte souvent de tragique au XVIIᵉ siècle, quand se développe une fascination de la mort et du mouvement inexorable de destruction de l'être humain.

Le classicisme vise la force et la permanence. Il veut montrer les réalités stables et universelles que cachent la confusion des apparences et la diversité des individus. Il préfère donc la vraisemblance générale – c'est-à-dire ce à quoi on peut s'attendre – au vrai particulier, qui peut être extraordinaire ou seulement anecdotique. Il conçoit l'homme comme universel et intemporel. L'imitation des Anciens se justifie donc ; elle est de plus recommandable, parce qu'ils ont su atteindre un idéal de vérité et de beauté dans la peinture de la nature. Le classicisme recherche aussi l'unité de tonalité, qui exclut les mélanges entre noblesse et prosaïsme, entre tragique et comique. Il a en effet une conception idéaliste de l'œuvre d'art, qui doit être une composition homogène de l'esprit, et non un asservissement à la réalité sensible bigarrée.

Il prône donc l'économie des moyens, l'effacement de l'auteur et la clarté de la composition et de l'expression, de façon à ne pas focaliser l'attention du lecteur sur le seul jeu des formes. Le style ne doit pas faire écran : sont refusés l'ornementation et les effets outrés, qui mettent gratuitement l'auteur et son texte en valeur aux dépens de son sujet. La perfection réside dans le style naturel et les « bienséances », c'est-à-dire dans l'adéquation de l'œuvre à son sujet, à son genre et à son public. Ce naturel, conçu comme le résultat d'un travail qui doit rester caché, cherche à atteindre cette élégance plaisante qu'apprécient les « honnêtes gens ».

■ Raison et plaisir, règles et goût

Contrairement à ce qu'on pourrait penser, les règles ne sont pas l'apanage des classiques. On pourrait même affirmer que les baroques y croient davantage.

Les classiques recherchent l'ordre dans la simplicité que construit un point de vue unitaire. Pour eux, les règles, par exemple dans le théâtre, visent essentiellement à donner sa dignité littéraire à un genre et à l'inscrire dans la vraisemblance. Elles ne sont pas censées garantir la beauté. La vision classique du monde, en effet, fortement teintée de jansénisme (voir pp. 106-107), implique qu'on ne peut sonder le cœur humain ni connaître les principes du plaisir esthétique : tous les classiques insistent sur le « je-ne-sais-quoi », qui suscite l'amour et la création artistique, et sur le goût, dont aucune règle ne peut exprimer le processus mystérieux et instantané. Ils ont une appréhension intuitive de l'œuvre d'art. Le « sublime », sommet de l'émotion esthétique, situe l'art au-delà des règles théoriques et marque le triomphe du plaisir mondain et du goût individuel cultivé.

Les baroques aiment les architectures complexes, mais soigneusement calculées, qui montrent l'inventivité et la dextérité de leur auteur. Ils pensent que l'esprit peut maîtriser ses œuvres : leur goût de l'exubérance n'est en aucun cas une valorisation de la spontanéité et de l'improvisation. Le baroque récuse l'unité de point de vue, mais exige l'articulation entre plusieurs points de vue. C'est un art savant qui met la raison au service du mouvement et de la couleur.

Nicolas Poussin (1594-1665),
Orphée et Eurydice.
Paris, musée du Louvre.
Photo © RMN-Arnaudet.

Vincent Voiture

(1597-1648)

École française du XVIIe siècle.
Versailles, musée national du Château.
● Photo © R.M.N.

Vincent Voiture, né à Amiens, connaît une carrière étonnante pour un fils de marchand de vin. Entré, après des études de droit, dans l'entourage de Gaston d'Orléans (frère de Louis XIII), il profite de l'exil temporaire de son protecteur pour parcourir l'Europe. À son retour, en 1636, il devient l'un des premiers académiciens. Son esprit brillant, son art de la conversation et sa large culture poétique moderne font de lui le maître reconnu de la préciosité (voir p. 179). Il est en effet l'âme de l'hôtel de Rambouillet, le salon le plus brillant de Paris, qu'il anime de son entrain et de ses jeux jusqu'à sa mort.

Très célèbre, il se voit impliqué dans les querelles poétiques qui divisent et occupent la société mondaine. Fuyant l'esprit de sérieux, il écrit des lettres spirituelles et pratique malicieusement les genres poétiques légers où éclatent son goût du paradoxe et des effets de surprise. Ses œuvres, marquées du sceau de l'instant, sont publiées dans des recueils collectifs ou, pour la plupart, au lendemain de sa mort, et souvent rééditées au XVIIe siècle. La Fontaine y puisera un modèle de gaieté et de distance ironique.

Poésies

[1649]

« Ma foi, c'est fait de moi... »

Ma foi, c'est fait de moi : car Isabeau
M'a conjuré de lui faire un rondeau.
Cela me met en une peine extrême.
Quoi ! treize vers, huit en *eau*, cinq en *ème* !
5 Je lui ferais aussitôt[1] un bateau.
En voilà cinq pourtant en un monceau.
Faisons en huit, en invoquant Brodeau[2],
Et puis mettons par quelque stratagème :
    Ma foi, c'est fait.
10 Si je pouvais encor de mon cerveau
Tirer cinq vers, l'ouvrage serait beau.
Mais cependant je suis dedans l'onzième,
Et si[3] je crois que je fais le douzième,
En voilà treize ajustés au niveau :
15   Ma foi, c'est fait !

Vincent Voiture, *Poésies*.

1. Aussi vite.
2. Poète du XVIe siècle, ami de Marot, qui pratiquait les genres poétiques mineurs.
3. Et pourtant.

Questions

1. Définissez le genre du rondeau et étudiez le rapport entre la forme et le contenu de celui-ci (voir p. 28).

2. Quel est le principe de progression de ce rondeau ?

3. Quel est pour vous l'intérêt d'un tel poème ?

« *Des portes du matin l'amante de Céphale...* »

Voiture n'a écrit que six sonnets. Celui-ci, composé en 1633 sur un sujet emprunté à l'Italie, provoque une compétition entre poètes. Chacun propose sa version de ce thème de la « Belle matineuse », femme dont la beauté éclipse la splendeur du soleil levant.

Des portes du matin l'amante de Céphale[1],
Ses roses épandait dans le milieu des airs,
Et jetait sous les cieux nouvellement ouverts
Ces traits d'or et d'azur, qu'en naissant elle étale.

5 Quand la Nymphe divine, à mon repos fatale,
Apparut, et brilla de tant d'attraits divers,
Qu'il semblait qu'elle seule éclairait l'univers,
Et remplissait de feux la rive orientale,

Le soleil se hâtant pour la gloire des cieux,
10 Vint opposer sa flamme à l'éclat de ses yeux,
Et prit tous les rayons dont l'Olympe se dore.

L'onde, la terre et l'air s'allumaient à l'entour ;
Mais auprès de Phylis on le prit pour l'Aurore,
Et l'on crut que Phylis était l'astre du jour.

VINCENT VOITURE, *Poésies.*

1. L'Aurore, « aux doigts de rose » selon Homère, ouvrait les portes du ciel au char du Soleil. Elle avait enlevé, entre autres amants, le prince Céphale.

Questions

1. Énoncez l'argument de ce sonnet, repris d'une longue tradition poétique (voir Du Bellay, p. 67).
2. Comment Voiture réussit-il à bâtir tout un poème sur une « pointe » (voir p. 85) ?
3. Étudiez la logique et la sémantique du système des comparaisons (notamment celle de la lumière).
4. Le statut de Phylis est-il illusion de son amant ou vérité objective ? Qu'en déduisez-vous quant à la fonction de ce genre de poésie ?

« *Il faut finir mes jours en l'amour d'Uranie...* »

Ce sonnet, sans doute écrit avant 1628, entraîne lui aussi, mais après la mort de Voiture, un affrontement célèbre en son temps. Les beaux esprits des salons se divisent en effet en partisans de Benserade, auteur d'un autre sonnet très apprécié, et en partisans de Voiture, ou « Uranins », qui font de ce poème sur l'amour d'Uranie le modèle du sonnet galant.

Il faut finir mes jours en l'amour d'Uranie !
L'absence ni le temps ne m'en sauraient guérir,
Et je ne vois plus rien qui me pût secourir,
Ni qui sût rappeler ma liberté bannie.

5 Dès longtemps je connais sa rigueur infinie !
Mais pensant aux beautés pour qui je dois périr,
Je bénis mon martyre, et content de mourir,
Je n'ose murmurer contre sa tyrannie.

Quelquefois ma raison, par de faibles discours,
10 M'incite à la révolte et me promet secours.
Mais lorsqu'à mon besoin je me veux servir d'elle,

Après beaucoup de peine et d'efforts impuissants,
Elle dit qu'Uranie est seule aimable et belle,
Et m'y rengage plus que ne font tous mes sens.

VINCENT VOITURE, *Poésies.*

Questions

1. Précisez le destinataire et le message de ce sonnet. Quel est l'enjeu de ce texte ?
2. Étudiez sa construction.
3. Qui est Uranie dans la mythologie grecque ?
4. Sur quelles conceptions de l'amour et de l'homme repose ce poème ?

Madeleine de Scudéry

(1607-1701)

France, XVIIᵉ s.
Le Havre, Bibl. mun. Armand Salacrou.
Photo © Giraudon.

Mᴀᴅᴇʟᴇɪɴᴇ ᴅᴇ Sᴄᴜᴅᴇ́ʀʏ doit d'être plus qu'une simple précieuse à sa culture exceptionnelle, fruit d'une éducation très soignée et d'un goût d'apprendre qu'elle manifeste toute sa vie. Après s'être illustrée à l'hôtel de Rambouillet, elle ouvre en 1650 son propre salon. Ce quartier général de la préciosité est le centre d'un combat que nous appellerions féministe (voir p. 179). Il est en même temps le rendez-vous des nouveaux écrivains, tels que Mme de Lafayette, Mme de Sévigné et La Rochefoucauld.

Tendrement attachée à son frère Georges, dramaturge de renom, elle écrit en collaboration avec lui certains des romans dont l'immense succès fait d'elle, pour le meilleur et pour le pire, la romancière par excellence. Une imagination narrative débordante et la passion de l'analyse psychologique et de la description nourrissent sans relâche des romans-fleuves publiés sur plusieurs années et accompagnant, comme *L'Astrée* au début du siècle, la vie de leurs lecteurs : ainsi *Le Grand Cyrus* (10 volumes, 13 000 pages, de 1649 à 1653) ou encore *Clélie* (1654-1660), développant des comportements du XVIIᵉ siècle dans le cadre de l'histoire antique. Après 1660, sensible au goût nouveau qui proscrit de tels foisonnements romanesques (voir p. 133), Mlle de Scudéry compose des nouvelles.

Le Grand Cyrus

[1649]

La princesse Mandane est aimée d'Artamène, autre nom de Cyrus, fils du roi de Perse au Vᵉ siècle av. J.-C. — et masque littéraire du Grand Condé. Elle dresse le portrait du prince idéal devant celui-ci et son rival Philidaspe.

Qᴜᴇ faudrait-il donc qu'il eût, répliqua Philidaspe, pour pouvoir espérer quelque part en la bienveillance d'une illustre et grande Princesse ? Il faudrait, reprit-elle, si je ne me trompe, que sa valeur ne fût pas trop farouche ; qu'il aimât la victoire sans aimer le sang ; que la fierté ne le suivît que dans les combats ; que
5 la civilité ne l'abandonnât jamais ; qu'il aimât la gloire sans orgueil ; qu'il la cherchât par toutes les voies où l'on la peut rencontrer ; que la douleur et la clémence fussent ses qualités dominantes ; qu'il fût très libéral[1], mais libéral avec choix ; qu'il fût reconnaissant en tout temps ; qu'il n'enviât point la gloire d'autrui ; qu'il fût équitable à ses propres ennemis ; qu'il fût Maître absolu de ses passions ; que
10 sa conversation n'eût rien d'altier ni de superbe ; qu'il fût aussi fidèle à ses Amis que redoutable à ses Ennemis ; et pour dire tout en peu de paroles qu'il eût toutes les vertus, et qu'il n'eût aucun défaut. Vous avez raison, Madame, (reprit Artamène en la regardant avec beaucoup d'amour et de respect) de dire qu'il faudrait être parfait en toutes choses, pour mériter l'affection d'une illustre Princesse.
15 Mais, Madame, il faudrait aussi qu'elle vous ressemblât, pour pouvoir sans injustice, demander ce qui ne se trouve point aux hommes, je veux dire la perfec-

1. Généreux.

Qᴜᴇꜱᴛɪᴏɴꜱ

1. Quels sont les traits caractéristiques de cette conversation de salon exemplaire ?

2. Analysez les termes de la casuistique (étude des cas) amoureuse.

3. Étudiez les interventions du narrateur : ses efforts pour rendre la situation vraisemblable, son invocation au dieu Amour.

4. Confrontez cet extrait et les stances de Théophile de Viau citées p. 112.

tion ; et si elle n'accordait jamais cette affection qu'à ceux qui en seraient dignes, ce serait un trésor qui ne serait possédé de personne ; quoiqu'infailliblement il fût désiré de tous les Princes de la Terre. Je ne sais pas, poursuivit-elle, si la bien-veillance d'une Princesse qui me ressemblerait, serait assez précieuse, pour pou- 20 voir la nommer un trésor ; mais je sais bien du moins que si elle me ressemblait parfaitement, cette bienveillance ne serait pas aisée à acquérir, puisque de dessein prémédité, je me suis résolue de ne donner jamais légèrement aucune part en mon amitié ; et de combattre même pour cela mes propres inclinations, si elles entre-prenaient de me vaincre. 25

MADELEINE DE SCUDÉRY, *Le Grand Cyrus*, Première partie, Livre II.

Clélie
 [1654]

En dressant la carte du pays de Tendre, Clélie, jeune fille de la noblesse romaine, éclaire pour elle-même et pour les autres les trois cheminements possibles de l'amour, selon qu'il résulte de l'estime, de la reconnaissance ou de l'inclination.

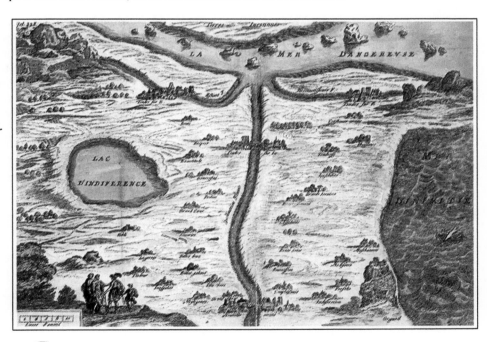

Carte de Tendre.
Paris, Bibl. de la Sorbonne.
Photo © J.-L. Charmet.

1. Hercule avait osé franchir le détroit de Gibraltar (appelé « colonnes d'Hercule » par les Anciens) et s'aventurer sur un océan inconnu.

Questions

1. Quelle est la significa-tion des noms de lieux inventés par Clé-lie ?

2. Quelle différence Clélie établit-elle préci-sément entre amour et tendresse ? Quel est pour elle l'idéal de la vie sentimentale ?

Cette sage fille voulant faire connaître sur cette Carte qu'elle n'avait jamais eu d'amour et qu'elle n'aurait jamais dans le cœur que de la tendresse, fait que la Rivière d'Inclination se jette dans une Mer qu'on appelle la Mer Dangereuse, parce qu'il est assez dangereux à une Femme d'aller un peu au-delà des dernières Bornes de l'amitié ; et elle fait ensuite qu'au-delà de cette Mer, c'est ce que nous 5 appelons *Terres Inconnues*, parce qu'en effet nous ne savons point ce qu'il y a et que nous ne croyons pas que personne ait été plus loin qu'Hercule[1] ; de sorte que de cette façon elle a trouvé lieu de faire une agréable morale d'amitié par un simple jeu de son esprit et de faire entendre d'une manière assez particulière qu'elle n'a point eu d'amour et qu'elle n'en peut avoir. 10

MADELEINE DE SCUDÉRY, *Clélie*, Première partie, Livre I.

Paul Scarron

(1610-1660)

France, XVIIᵉ s.
Le Mans, musée Tessé.
● Photo © Lauros - Giraudon.

PAUL SCARRON est le maître incontesté du burlesque (voir p. 201). Ce bourgeois parisien, bel esprit et joyeux vivant, qui étudie la pensée libertine, entreprend une carrière ecclésiastique peu contraignante. Une paralysie inexpliquée renverse cette perspective dès 1638 : Scarron, infirme souffrant et difforme, reste désormais cloué sur une chaise. Il se sauve par l'écriture : elle assure son indépendance financière et redonne à sa vie un dynamisme, celui de l'esprit, par la dérision, notamment envers soi-même. Ce railleur lance des pamphlets violents contre Mazarin pendant la Fronde. Pardonné, il épouse en 1652 Françoise d'Aubigné (petite-fille du poète protestant et future marquise de Maintenon) et anime son salon jusqu'à sa mort.

Il s'illustre dans tous les genres. Il remporte un vif succès dans la comédie avec **Jodelet ou le Maître valet** et **Don Japhet d'Arménie**. Son **Recueil de quelques vers burlesques** et **Le Virgile travesti** (1648-1652), parodie de l'épopée antique, lancent la vogue du burlesque en poésie. **Le Roman comique** enfin, publié en 1651 et 1657, ouvre des voies nouvelles qu'exploitera notamment Diderot. Ce roman raconte une double aventure : celle de deux comédiens poursuivant des amours romanesques dans les conditions de vie triviales d'une troupe ambulante ; et celle de l'écriture, avec un auteur qui intervient fréquemment pour briser l'illusion réaliste en dévoilant ses procédés de romancier.

Le Roman comique

[1657]

Extrait 1

Le Destin, chef de troupe et héros du roman, parti à la recherche d'une comédienne qui, par erreur, a été enlevée par un soupirant noble et expéditif (aventure stéréotypée du roman héroïco-galant), fait halte dans une hôtellerie. C'est l'occasion, selon le procédé des récits emboîtés, de raconter des histoires indépendantes de celle des héros et avec laquelle elles font contraste.

Deux hommes, l'un vêtu de noir comme un magister[1] de village et l'autre de gris, qui avait bien la mine d'un sergent, se tenaient aux cheveux et à la barbe et s'entre-donnaient de temps en temps des coups de poing d'une très cruelle manière. L'un et l'autre étaient ce que leurs habits et leurs mines voulaient qu'ils

1. Maître d'école (mot latin).

2. Soldat (terme péjoratif).

3. Coqs châtrés et engraissés.

fussent. Le vêtu de noir, magister de village, était frère du curé et le vêtu de gris, ⁵ sergent du même village, était frère de l'hôte. Cet hôte était alors dans une chambre à côté de la cuisine, prêt à rendre l'âme d'une fièvre chaude qui lui avait si fort troublé l'esprit qu'il s'était cassé la tête contre une muraille ; et sa blessure, jointe à sa fièvre, l'avait mis si bas, qu'alors que sa frénésie le quitta, il se vit contraint de quitter la vie qu'il regrettait peut-être moins que son argent mal ¹⁰ acquis. Il avait porté les armes longtemps et était enfin revenu dans son village, chargé d'ans et de si peu de probité qu'on pouvait dire qu'il en avait encore moins que d'argent, quoiqu'il fût extrêmement pauvre. Mais comme les femmes se prennent souvent par où elles devraient moins se laisser prendre, ses cheveux de drille², plus longs que ceux des autres paysans du village, ses serments à la soldate, ¹⁵ une plume hérissée qu'il mettait les fêtes quand il ne pleuvait point et une épée rouillée qui lui battait de vieilles bottes encore qu'il n'eût point de cheval, tout cela donna dans la vue d'une vieille veuve qui tenait hôtellerie. Elle avait été recherchée par les plus riches fermiers du pays, non tant pour sa beauté que pour le bien qu'elle avait amassé avec son défunt mari à vendre bien cher et à faire mau- ²⁰ vaise mesure de vin et d'avoine. Elle avait constamment résisté à tous ses préten- dants, mais enfin un vieil soldat avait triomphé d'une vieille hôtesse. Le visage de cette nymphe tavernière était le plus petit et son ventre était le plus grand du Maine, quoique cette province abonde en personnes ventrues. Je laisse aux natu- ralistes le soin d'en chercher la raison aussi bien que de la graisse des chapons³ du ²⁵ pays. Pour revenir à cette grosse petite femme, qu'il me semble que je vois toutes les fois que j'y songe, elle se maria avec son soldat sans en parler à ses parents ; et après avoir achevé de vieillir avec lui et bien souffert aussi, elle eut le plaisir de le voir mourir la tête cassée ; ce qu'elle attribuait à un juste jugement de Dieu, parce qu'il avait souvent joué à casser la sienne. Quand Le Destin entra dans la cuisine ³⁰ de l'hôtellerie, cette hôtesse et sa servante aidaient au vieil curé du bourg à sépa- rer les combattants qui s'étaient cramponnés comme deux vaisseaux ; mais les menaces du Destin et l'autorité avec laquelle il parla achevèrent ce que les exhor- tations du bon pasteur n'avaient pu faire, et les deux mortels ennemis se sépa- rent, crachant la moitié de leurs dents sanglantes, saignant du nez et le menton et ³⁵ la tête pelés.

PAUL SCARRON, *Le Roman comique*, Seconde partie, chap. 6,
« Combat à coups de poing. Mort de l'hôte,
et autres choses mémorables ».

Questions

1. Étudiez les emboîte- ments narratifs (voir ci-dessous) dans cet extrait.

2. En quoi l'écriture de ces histoires est-elle bur- lesque (voir p. 201) ? Examinez notamment les interventions d'au- teur. Expliquez particu- lièrement l'expression « nymphe tavernière » (l. 23).

3. Par quels éléments de son contenu la bio- graphie de l'hôte tourne- t-elle en dérision les his- toires sentimentales nobles ?

4. Quelle est la position du narrateur par rapport à ses personnages ?

Le roman à tiroirs

On appelle « roman à tiroirs » un roman où le récit d'une histoire prin- cipale est interrompu par des récits secondaires (appelés récits enchâssés ou récits emboîtés) qui concernent d'autres personnages que ceux de l'in- trigue centrale. De nombreux romans des XVIIᵉ et XVIIIᵉ siècles adoptent ce principe de composition ou s'en inspirent.

Extrait 2

Parallèlement aux nobles amours vécues par Le Destin et Mlle de L'Étoile, qui n'exercent le métier de comédien que pour se cacher, se développe la cour ridicule qu'impose le prétentieux Ragotin à la belle actrice. Mais le sort s'acharne sur lui : ses entreprises se retournent en mésaventures et autres « disgrâces ». Voici l'une d'entre elles : à peine une rixe violente vient-elle de s'achever (elle opposait les proches de l'aubergiste défunt – voir l'extrait précédent – à deux comédiens qui avaient subtilisé son cadavre pour faire une farce), que toute l'auberge où loge la troupe accourt aux cris du « petit Ragotin », qu'on découvre « enfoncé » dans un grand coffre à linge.

Une puissante servante, qui n'était pas loin du coffre quand ils entrèrent, et qui leur paraissait fort émue[1], fut soupçonnée d'avoir si mal placé Ragotin. Il était vrai, et elle en était toute fière, si bien que, s'occupant à faire un des lits de la chambre, elle ne daigna pas regarder de quelle façon on tirait Ragotin du coffre, ni
5 même répondre à ceux qui lui demandèrent d'où venait le bruit qu'on avait entendu. Cependant le demi-homme fut tiré de sa chausse-trape[2] et ne fut pas plutôt sur ses pieds qu'il courut à une épée. On l'empêcha de la prendre, mais on ne put l'empêcher de joindre la grande servante, qu'il ne put aussi empêcher qu'elle ne lui donnât un si grand coup sur la tête que tout le vaste siège de son étroite rai-
10 son en fut ébranlé. Il en fit trois pas en arrière, mais c'eût été reculer pour mieux sauter si L'Olive[3] ne l'eût retenu par ses chausses[4], comme il s'allait élancer comme un serpent contre sa redoutable ennemie. L'effort qu'il fit, quoique vain, fut fort violent ; la ceinture de ses chausses s'en rompit et le silence aussi de l'assistance, qui se mit à rire. Le curé en oublia sa gravité et le frère de l'hôte d'en faire
15 le triste. Le seul Ragotin n'avait pas envie de rire et sa colère s'était tournée contre L'Olive qui, s'en sentant injurié, le porta tout brandi[5], comme l'on dit à Paris, sur le lit que faisait la servante et là, d'une force d'Hercule, il acheva de faire tomber ses chausses dont la ceinture était déjà rompue et haussant et baissant les mains dru et menu sur ses cuisses et sur les lieux voisins, en moins de rien les rendit
20 rouges comme de l'écarlate. Le hasardeux Ragotin se précipita courageusement du lit en bas, mais un coup si hardi n'eut pas le succès qu'il méritait. Son pied entra dans un pot de chambre que l'on avait laissé dans la ruelle[6] du lit pour son grand malheur et y entra si avant que, ne l'en pouvant retirer à l'aide de son autre pied, il n'osa sortir de la ruelle du lit où il était de peur de divertir davantage la compa-
25 gnie et d'en attirer sur soi la raillerie, qu'il entendait moins que personne du monde. Chacun s'étonnait fort de le voir si tranquille après avoir été si ému. La Rancune se douta que ce n'était pas sans cause. Il le fit sortir de la ruelle du lit, moitié bon gré, moitié par force ; et lors tout le monde vit où était l'enclouure[7], et personne ne se put empêcher de rire, voyant le pied de métal que s'était fait le petit
30 homme. Nous le laisserons foulant l'étain d'un pied superbe[8] pour aller recevoir un train[9] qui entra au même temps dans l'hôtellerie.

PAUL SCARRON, *Le Roman comique*, Seconde partie, chap. 7,
« Terreur panique de Ragotin, suivie de disgrâces.
Aventure du corps mort. Orage de coups de poing et
autres accidents surprenants, dignes d'avoir place
en cette véritable histoire ».

1. Agitée.
2. Piège.
3. Comédien de la troupe, comme plus bas La Rancune.
4. Culotte qui couvre la jambe.
5. Tout d'un coup, dans l'état où il est.
6. Espace entre le lit et le mur.
7. Blessure provoquée par un clou (terme de maréchal-ferrant), point sensible.
8. Orgueilleux.
9. Équipage, suite d'un seigneur (carrosse, chevaux, etc.).

Questions

1. Caractérisez la situation de Ragotin et examinez le niveau de langue du récit qui la présente. Quel est l'effet produit ?

2. Le burlesque se définit par le recours aux décalages : lesquels relevez-vous ici ?

3. Analysez en quoi la parodie s'étend aussi aux effets de style, notamment à la construction et au rythme des phrases.

4. En quoi consiste, pour les spectateurs, le plaisir tiré d'une telle scène ? et pour le lecteur (voir notamment la dernière phrase) ?

illeur ordre qu'aupar...
infinité de fautes tout...
av'ant par le Sieur de B...
hant le sens & les Paß...

LE ROMAN AU XVIIᵉ SIÈCLE

Le roman, déjà pratiqué dans l'Antiquité et au Moyen Âge (voir p. 20), se renouvelle profondément au XVIIᵉ siècle. Pour la première fois, il devient une forme majeure de la fiction. Mais il n'est pas considéré comme un genre noble, parce qu'il ne dispose pas de règles définies, contrairement au théâtre et à la poésie : les romanciers s'efforcent donc de lui gagner une reconnaissance littéraire. Quant au public, qui y trouve à la fois un miroir et des modèles, sa faveur lui est acquise. Trois voies sont explorées.

■ Les romans nobles

Romans-fleuves avant la lettre, ils s'étendent sur des milliers de pages et de multiples volumes dont la publication s'échelonne souvent sur une dizaine d'années. Suivant les modèles valorisants de la tragédie et de l'épopée, ils mettent en scène l'univers des princes et la grandeur de leurs sentiments. Ils chérissent des épisodes stéréotypés : lettre perdue, portrait dérobé, enlèvement, déguisement, scène de reconnaissance. Trois types successifs se présentent.

Le roman pastoral, avec d'Urfé, crée, dans une Antiquité de fantaisie, un monde idéal de bergers pacifiques et oisifs, qui ont renoncé aux valeurs guerrières de la noblesse, dont ils sont issus, au profit de l'amour. De nombreuses histoires, emboîtées les unes dans les autres (voir p. 131), illustrent les modalités variées du sentiment amoureux.

Tapisserie d'Aubusson du XVIIᵉ s.,
Les Retrouvailles d'Astrée et de Céladon (détail).
● La Bastie d'Urfé, Château. Photo © Dagli Orti.

Le roman héroïque met en œuvre les valeurs baroques de mouvement et de surprise : il invente des intrigues complexes et à rebondissements et recourt à une expression hyberbolique. Il exalte la générosité et la vaillance de héros chevaleresques idéalisés, et l'exotisme du cadre historique et géographique.

Le roman héroïco-galant, avec Mlle de Scudéry, marque une forte inflexion psychologique et morale. Consacré au récit d'amours contrariées, il privilégie l'analyse des sentiments, les portraits et les conversations. Il ouvre la voie au « roman d'analyse ».

■ Le roman « comique »

Écrit en réaction contre ces romans idéalistes, **le roman comique** en parodie souvent les effets, dans une optique burlesque (voir p. 201). Il choisit cependant surtout d'être fidèle à la réalité contemporaine : ses personnages sont inscrits dans le milieu concret de la bourgeoisie ou du peuple. Mais, affichant un parti pris de prosaïsme et parfois de trivialité, ou de grossissement caricatural, il recherche plus la raillerie que le réalisme. Il ridiculise autant l'univers des bourgeois que celui des nobles (il faut attendre le XVIIIᵉ siècle pour voir apparaître des romans où les réalités ordinaires sont peintes avec respect et sympathie). Ce roman se moque aussi de lui-même : des interventions directes de l'auteur brisent l'illusion réaliste ; parfois, il va jusqu'à l'antiroman. Il disparaît en même temps que les romans dont il se moque.

■ Roman historique et roman d'analyse

Contre les pratiques des romans précédents, qu'elle remplace vers 1660, se développe rapidement et brillamment **la « nouvelle historique »** (le terme même de roman est alors dévalorisé). Elle vise la brièveté et la simplicité d'intrigues linéaires, la vérité, en empruntant cadres et personnages à l'histoire, et la vraisemblance et le naturel, en s'attachant à peindre des situations nobles, mais non extraordinaires, de la vie privée des princes. Le roman par lettres que sont déjà les *Lettres portugaises* (voir p. 166) manifeste aussi ce goût du vrai.

Dans la même optique, **le roman d'analyse,** où la littérature française trouvera une voie privilégiée à partir de Mme de Lafayette, est voué à l'investigation du cœur. Celle-ci est menée conjointement par les personnages sur eux-mêmes et par le narrateur, généralement plus clairvoyant qu'eux.

Savinien de Cyrano de Bergerac

(1619-1655)

Gravure.
Paris, Bibliothèque Nationale.
• Photo © Hachette Livre.

CYRANO DE BERGERAC, issu de bonne bourgeoisie parisienne (la terre de Bergerac, où il passe son enfance, se situe près de Rambouillet et non en Gascogne...), mais désireux d'aventures, se tourne d'abord vers les armes. Cependant la carrière de ce mousquetaire, vite surnommé « démon de la bravoure », est brève : grièvement blessé en 1640, il doit y renoncer. Il fréquente alors les milieux libertins et suit, comme apparemment Molière, les cours du philosophe Gassendi. Auteur pendant la Fronde d'une des plus violentes « mazarinades » (pamphlets contre Mazarin), il prend ensuite – par relativisme libertin ? – le parti de Mazarin. Il écrit, mais doit attendre la protection du duc d'Arpajon pour commencer à être publié à la fin de sa courte vie. Les raisons de sa mort, un an après la chute d'une poutre sur sa tête, demeurent mystérieuses.

Les talents multiples de Cyrano, comme ceux de Scarron, éclatent dans la variété de ses écrits. Sa comédie **(Le Pédant joué)** et ses **Lettres** (1654), uniquement destinées à la publication, témoignent de sa verve burlesque et de sa dextérité à manier les mots et à retourner les points de vue avec imagination. C'est l'orientation libertine, nettement athée et naturaliste (voir p. 113), qui donne son poids moral et philosophique à la part la plus engagée de son œuvre : **La Mort d'Agrippine**, tragédie jouée en 1653 qui lui vaut une réputation d'impiété, et **L'Autre Monde**, roman comique dont les deux parties, expurgées par un ami prudent, sont publiées après sa mort – **Les États et Empires de la Lune** (1657) et **Les États et Empires du Soleil** (1662).

Les États et Empires de la Lune

[1657]

L'édition originale des États et Empires de la Lune *était expurgée. Deux manuscrits non censurés, édités pour la première fois en 1910, nous en fournissent heureusement le texte authentique. Le héros de cette histoire, philosophique et burlesque tout à la fois, désire vérifier que « la lune est un monde comme celui-ci, à qui le nôtre sert de lune ». Il s'élève dans les airs au moyen d'une machine de son invention, propulsée par des fusées de feux d'artifice. Arrivé sur la lune au beau milieu du paradis terrestre (c'est là que certains le situent), il s'en fait chasser, comme Adam bien avant lui, mais pour ses railleries envers les mythes bibliques. Il est ensuite capturé par les Séléniens, habitants du royaume de la Lune, et mis en cage dans la ménagerie royale, qui offrait déjà un Espagnol en spectacle.*

1. Croyance.
2. Motif raisonnable.
3. Mésaventure.
4. Parce que nous n'avons rien.
5. Tinrent en sujétion.

Extrait 1

Aussitôt les nouvelles coururent par tout le royaume qu'on avait trouvé deux hommes sauvages, plus petits que les autres, à cause des mauvaises nourritures que la solitude nous avait fournies, et qui, par un défaut de la semence de leurs pères, n'avaient pas eu les jambes de devant assez fortes pour s'appuyer dessus. 5

Cette créance[1] allait prendre racine à force de cheminer, sans les prêtres du pays qui s'y opposèrent, disant que c'était une impiété épouvantable de croire que non seulement des bêtes, mais des monstres fussent de leur espèce.

Il y aurait bien plus d'apparence[2], ajoutaient les moins passionnés, que nos animaux domestiques participassent au privilège de l'humanité et de l'immortalité 10 par conséquent, à cause qu'ils sont nés dans notre pays, qu'une bête monstrueuse qui se dit née je ne sais où dans la lune ; et puis considérez la différence qui se remarque entre nous et eux. Nous autres, nous marchons à quatre pieds, parce que Dieu ne se voulut pas fier d'une chose si précieuse à une moins ferme assiette ; il eut peur qu'il arrivât fortune[3] de l'homme ; c'est pourquoi il prit lui-même la 15 peine de l'asseoir sur quatre piliers, afin qu'il ne pût tomber, mais dédaigna de se mêler de la construction de ces deux brutes ; il les abandonna au caprice de la nature, laquelle, ne craignant pas la perte de si peu de chose, ne les appuya que sur deux pattes.

Les oiseaux même, disaient-ils, n'ont pas été si maltraités qu'elles, car au moins 20 ils ont reçu des plumes pour subvenir à la faiblesse de leurs pieds, et se jeter en l'air quand nous les éconduirions de chez nous ; au lieu que la nature, en ôtant les deux pieds à ces monstres, les a mis en état de ne pouvoir échapper à notre justice.

Voyez un peu, outre cela, comme ils ont la tête tournée devers le ciel ! C'est la disette où Dieu les a mis de toutes choses qui les a situés de la sorte, car cette pos- 25 ture suppliante témoigne qu'ils cherchent au ciel pour se plaindre à Celui qui les a créés, et qu'ils lui demandent permission de s'accommoder de nos restes. Mais nous autres, nous avons la tête penchée en bas pour contempler les biens dont nous sommes seigneurs, et comme n'y ayant rien[4] au ciel à qui notre heureuse condition puisse porter envie. 30

J'entendais tous les jours, à ma loge, les prêtres faire ces contes-là ou de semblables ; enfin ils bridèrent[5] si bien la conscience des peuples sur cet article qu'il fut arrêté que je ne passerais tout au plus que pour un perroquet plumé ; ils confirmaient les persuadés sur ce que non plus qu'un oiseau je n'avais que deux pieds. On me mit donc en cage par ordre exprès du Conseil d'en haut. 35

SAVINIEN DE CYRANO DE BERGERAC, *Les États et Empires de la Lune.*

Questions

1. Relevez et étudiez systématiquement les renversements de situation.

2. Que signifie « monstres » (l. 8) ? Quels arguments développent les prêtres ?

3. Quel ton prennent-ils ? Quel ton adopte le narrateur à leur égard ? Relevez des expressions significatives.

4. Quelle est la portée satirique du texte ?

5. En quoi le sélénocentrisme des habitants de la lune éclaire-t-il le lecteur sur la manière dont l'auteur conçoit lui-même la place de l'homme dans l'univers ?

Extrait 2

Une fois libéré, le héros est pris en charge par le Démon de Socrate, citoyen du Soleil, provisoirement sur la Lune après avoir habité et animé de son esprit quelques grands philosophes de la terre. Grâce à lui, le Terrien rencontre différents savants séléniens qui le libèrent de ses préjugés anthropocentriques. Avant de le quitter, le Démon de Socrate lui remet deux « livres » d'apparence étrange, qui sont les prototypes imaginaires d'un appareil dont Cyrano ne pouvait se douter qu'il serait réalisé trois siècles plus tard.

À peine fut-il hors de présence que je me mis à considérer attentivement mes livres. Les boîtes, c'est-à-dire leurs couvertures, me semblèrent admirables pour leur richesse ; l'une était
5 taillée d'un seul diamant, plus brillant sans comparaison que les nôtres ; la seconde ne paraissait qu'une monstrueuse perle fendue en deux. Mon démon avait traduit ces livres en langage de ce monde-là ; mais parce que je n'ai point encore
10 parlé de leur imprimerie, je m'en vais expliquer la façon[1] de ces deux volumes.

À l'ouverture de la boîte, je trouvai dedans un je ne sais quoi de métal quasi tout semblable à nos horloges, plein d'un nombre infini de petits res-
15 sorts et de machines imperceptibles. C'est un livre à la vérité, mais c'est un livre miraculeux qui n'a ni feuillets ni caractères ; enfin c'est un livre où, pour apprendre, les yeux sont inutiles ; on n'a besoin que d'oreilles. Quand quelqu'un donc souhaite
20 lire, il bande[2] avec une grande quantité de toutes sortes de clefs cette machine, puis il tourne l'aiguille sur le chapitre qu'il désire écouter, et au même temps il sort de cette noix, comme de la bouche d'un homme ou d'un instrument de
25 musique, tous les sons distincts et différents qui servent, entre les grands lunaires, à l'expression du langage.

Lorsque j'eus réfléchi sur cette miraculeuse invention de faire des livres, je ne m'étonnai plus
30 de voir que les jeunes hommes de ce pays-là possédaient davantage de connaissance à seize et à dix-huit ans que les barbes grises du nôtre ; car, sachant lire aussitôt que parler, ils ne sont jamais sans lecture ; dans la chambre, à la promenade, en
35 ville, en voyage, à pied, à cheval, ils peuvent avoir dans la poche, ou pendus à l'arçon de leurs selles, une trentaine de ces livres dont ils n'ont qu'à bander un ressort pour en ouïr un chapitre seulement, ou bien plusieurs s'ils sont en humeur d'écouter
40 tout un livre ; ainsi vous avez éternellement autour de vous tous les grands hommes et morts et vivants qui vous entretiennent de vive voix.

Ce présent m'occupa plus d'une heure, et enfin, me les étant attachés en forme de pendants
45 d'oreilles, je sortis en ville pour me promener.

SAVINIEN DE CYRANO DE BERGERAC,
Les États et Empires de la Lune.

DONATO CRETI (1671-1749),
Observation astronomique.
Rome, Pinacothèque du Vatican.
Photo © Giraudon.

1. Manière dont se présente quelque chose. − 2. Tend (un arc, un ressort).

Questions

1. Analysez le fonctionnement et les fonctions de cette boîte. De quel appareil s'agit-il pour nous ?

2. Quels sont les mots et les modèles auxquels Cyrano a recours pour créer une machine qui dépasse de loin les possibilités technologiques de son temps ?

3. Sur quelle conception idéale de l'éducation et de l'apprentissage du monde repose l'invention de cette machine imaginaire ?

1. Pourtant.

Des miracles de rivière

[1654]

Monsieur

Le ventre couché sur le gazon d'une rivière, et le dos étendu sous les branches d'un saule qui se mire dedans, je vais renouveler aux arbres l'histoire de Narcisse ; cent peupliers précipitent dans l'onde cent autres peupliers : et ces aquatiques ont été tellement épouvantés de leur chute, qu'ils tremblent encore tous les jours, du vent qui ne les touche pas. Je m'imagine que la nuit ayant noirci ⁵ toutes les choses, le soleil les plonge dans l'eau pour les laver ; mais que dire de ce miroir fluide, de ce petit monde renversé, qui place les chênes au-dessous de la mousse, et le ciel plus bas que les chênes ? Ne sont-ce point de ces vierges de jadis métamorphosées en arbres, qui désespérées de sentir encore violer leur pudeur par les baisers d'Apollon, se précipitent dans ce fleuve la tête en bas ? Ou n'est-ce ¹⁰ point qu'Apollon lui-même, offensé qu'elles aient osé protéger contre lui la fraîcheur, les ait ainsi pendues par les pieds ? Aujourd'hui le poisson se promène dans les bois, et des forêts entières sont au milieu des eaux sans se mouiller ; un vieil orme, entre autres, vous ferait rire, qui s'est quasi couché jusque dessus l'autre bord, afin que son image prenant la même posture, il fît de son corps et de son por- ¹⁵ trait un hameçon pour la pêche. L'onde n'est pas ingrate de la visite que ces saules lui rendent ; elle a percé l'univers à jour, de peur que la vase de son lit ne souillât leurs rameaux, et non contente d'avoir formé du cristal avec de la bourbe, elle a voûté des cieux et des astres par-dessous, afin qu'on ne pût dire que ceux qui l'étaient venus voir eussent perdu le jour qu'ils avaient quitté pour elle. ²⁰ Maintenant nous pouvons baisser les yeux au ciel, et par elle le jour se peut vanter que tout faible qu'il est à quatre heures du matin, il a pourtant la force de précipiter le ciel dans des abîmes. Mais admirez l'empire que la basse région de l'âme exerce sur la haute ; après avoir découvert que tout ce miracle n'est qu'une imposture des sens, je ne puis encore empêcher ma vue de prendre au moins ce firma- ²⁵ ment imaginaire pour un grand lac sur qui la terre flotte. Le rossignol qui du haut d'une branche se regarde dedans, croit être tombé dans la rivière : il est au sommet d'un chêne, et si¹ il a peur de se noyer ; mais lorsqu'après s'être affermi de l'œil et des pieds, il a dissipé sa frayeur, son portrait ne lui paraissant plus qu'un rival à combattre, il gazouille, il éclate, il s'égosille comme lui, mais si vraisemblablement ³⁰ qu'on se figure presque qu'il chante, et ne dit mot tout ensemble, pour répondre en même temps à son ennemi, et pour n'enfreindre pas les lois du pays qu'il habite, dont le peuple est muet ; la perche, la dorade, et la truite qui le voient, ne savent si c'est un poisson vêtu de plumes, ou si c'est un oiseau dépouillé de son corps ; elles s'amassent autour de lui, le considèrent comme un monstre ; et le bro- ³⁵ chet (ce tyran des rivières), jaloux de rencontrer un étranger sur son trône, le cherche en le trouvant, le touche et ne le peut sentir, court après lui au milieu de lui-même, et s'étonne de l'avoir tant de fois traversé sans le blesser. Moi-même j'en demeure tellement consterné que je suis contraint de quitter ce tableau. [...]

De B.

Savinien de Cyrano de Bergerac,
Lettres diverses, 7.

Questions

1. Relevez les expressions insolites : quel principe général permet de renouveler ici la perception habituelle du monde ?

2. Quelle image de la nature nous donne l'auteur ?

3. En étudiant précisément le vocabulaire, demandez-vous s'il s'agit d'un simple jeu verbal « précieux » ou d'une voyance qui perce le mystère de la nature.

4. Envisagez la dimension humoristique de cette description, et notamment sa part d'auto-dérision.

Blaise Pascal
(1623-1662)

Portrait par JEAN DOMAT.
Paris, Bibliothèque
nationale de France.
● Photo © B.n.F.

BLAISE PASCAL, Auvergnat de Clermont-Ferrand, perd sa mère à l'âge de trois ans. Son père vend alors sa charge de haut magistrat et s'installe à Paris pour élever lui-même ses trois enfants. Il n'envoie pas son fils au collège mais l'introduit dans les cercles savants. Pascal suit sa famille à Rouen, où il affirme ses dispositions pour les mathématiques et la physique. En 1646, il est gagné une première fois aux idées jansénistes (voir pp. 106-107). Après l'entrée de sa sœur Jacqueline à l'abbaye de Port-Royal, il fréquente, en 1652-1653, les milieux mondains et libertins de Paris et goûte la gloire scientifique. Mais, durant la « nuit de feu » du 23 novembre 1654, il ressent l'évidence de Dieu et la nécessité d'une nouvelle « conversion » qui engage totalement sa vie. Il se consacre alors au combat pour la foi et à la défense de Port-Royal, attaqué par les jésuites et le pouvoir royal. La dégradation rapide de sa santé interrompt l'***Apologie de la religion chrétienne*** qu'il prépare. Il meurt à trente-neuf ans.

L'ŒUVRE de Pascal présente des caractères très marqués. Elle est précoce – un ***Essai pour les coniques*** est composé à seize ans et une machine arithmétique inventée à dix-neuf –, souvent inachevée et volontiers tournée vers le concret. Elle se caractérise aussi par la recherche passionnée de la vérité et la réflexion sur ses conditions d'émergence, et par la diversité des centres d'intérêt. Préférant la mobilité au développement systématique de ses découvertes, Pascal intervient dans les grandes questions de son temps : le vide (1644-1651), l'hydrostatique (1654), la « géométrie du hasard », base du calcul des probabilités (1654), les « indivisibles », base du calcul infinitésimal (1658), la grâce divine ***(Écrits sur la grâce)***, la casuistique. Avec la campagne des ***Provinciales***, lettres clandestines dirigées, en 1656-1657, contre l'ambition politique des jésuites et la morale indulgente qu'ils prônent pour séduire l'aristocratie, il inaugure les campagnes d'opinion et donne le modèle de la lettre-pamphlet, voire de l'art épistolaire en général.

Dans les ***Pensées***, Pascal part de la situation de l'indifférent et du libertin (voir p. 113), pour qui « Dieu est caché ». Il examine la condition humaine à partir des systèmes philosophiques : il oppose et détruit, l'un par l'autre, l'épicurisme, qui sert à montrer la misère de l'homme et sa quête vaine du bonheur, et le stoïcisme, qui prouve un désir irréductible de grandeur mais sombre dans l'orgueil. La révélation chrétienne apparaît alors seule capable d'expliquer les contradictions de l'homme : elle enseigne que le péché originel a détruit la capacité de vérité et de bonheur sans en anéantir le désir. Il ne suffit donc pas de parier pour l'existence de Dieu, encore faut-il voir et désirer les biens qu'il promet. Seule la charité, ou amour de Dieu, permet de saisir la réalité spirituelle de ceux-ci derrière leur figure charnelle et de reconnaître dans le misérable Jésus crucifié le souverain de l'ordre du cœur. La forme fragmentaire des ***Pensées*** cristallise la force d'une pensée antithétique et d'une imagination dynamique, nourries de la Bible, de saint Augustin et de Montaigne. Elles préfigurent parfois le poème en prose. À chaque époque, elles ont suscité de nouvelles interprétations, de la part de Voltaire, Baudelaire ou Nietzsche, des marxistes, des existentialistes ou des structuralistes. Peu d'œuvres ont eu en France un tel impact.

Lettre au Père Étienne Noël
[1647]

La question du vide donne lieu à l'une des principales querelles scientifiques du XVIIᵉ siècle. Les récentes expériences du physicien italien Torricelli montrent qu'en retournant un tube de verre rempli de mercure sur une bassine de mercure, le niveau de la colonne de ce métal se stabilise en laissant libre le haut du tube. Pascal, qui a repris ces travaux, publie en 1647 les Expériences nouvelles touchant le vide. *Il y fait éclater l'inconsistance de la science traditionnelle qui affirme, à la suite d'Aristote, que la nature a horreur du vide et que donc l'espace apparemment vide du tube est rempli d'une matière subtile et invisible. Il soutient, au contraire, l'hypothèse qu'il n'y a rien dans cet espace et donc que le vide existe dans la nature. Le Père Étienne Noël, régent du Collège de Clermont, le plus important établissement scolaire de Paris, prend immédiatement la défense de la physique aristotélicienne. S'engage alors, entre ce jésuite renommé et le jeune savant de vingt-quatre ans, une brève correspondance semi-publique, échange d'arguments destiné aussi à circuler dans les milieux savants. Voici la fin de la réponse de Pascal à une première lettre de son contradicteur.*

Je finis avec votre lettre, où vous dites que vous ne croyez pas que la quatrième de mes objections[1], qui est qu'une matière inouïe et inconnue à tous les sens remplit cet espace, *soit d'aucun physicien*. À quoi j'ai à vous répondre que je puis vous assurer du contraire, puisqu'elle est d'un des plus célèbres de notre temps[2], et que vous avez pu voir dans ses écrits qu'il établit dans tout l'univers une matière universelle, imperceptible et inouïe, de pareille substance que le ciel et les éléments[3] ; et de plus, qu'en examinant la vôtre, j'ai trouvé qu'elle est si imperceptible, et qu'elle a des qualités si inouïes, c'est-à-dire qu'on ne lui avait jamais données, que je trouve qu'elle est de même nature.

La période[4] qui précède vos dernières civilités définit la lumière en ces termes : *La lumière est un mouvement luminaire de rayons composés de corps lucides, c'est-à-dire lumineux ;* où j'ai à vous dire qu'il me semble qu'il faudrait avoir premièrement défini ce que c'est que *luminaire*, et ce que c'est que *corps lucide* ou *lumineux* : car jusque-là je ne puis entendre ce que c'est que lumière. Et comme nous n'employons jamais dans les définitions le terme du *défini*, j'aurais peine à m'accommoder à la vôtre, qui dit : *la lumière* est un mouvement *luminaire* des corps *lumineux*. Voilà, mon Père, quels sont mes sentiments, que je soumettrai toujours aux vôtres.

Au reste, on ne peut vous refuser la gloire d'avoir soutenu la physique péripatéticienne[5] aussi bien qu'il est possible de le faire ; et je trouve que votre lettre n'est pas moins une marque de la faiblesse de l'opinion que vous défendez que de la vigueur de votre esprit.

Et certainement l'adresse avec laquelle vous avez défendu l'impossibilité du vide, dans le peu de force qui lui reste, fait aisément juger qu'avec un pareil effort, vous auriez invinciblement établi le sentiment contraire dans les avantages que les expériences lui donnent.

BLAISE PASCAL,
Lettre au Père Étienne Noël,
29 octobre 1647.

---

1. Des objections qu'on peut m'adresser.

2. Allusion à Descartes, évidente pour les lecteurs de l'époque.

3. Éléments constitutifs des corps.

4. Phrase complexe et harmonieuse.

5. D'Aristote (ses disciples, qui déambulaient en discutant, étaient appelés, au sens étymologique du terme, « péripatéticiens »).

Questions

1. Quelle est la question centrale abordée par ce texte ?

2. Que signifient exactement, dans le premier paragraphe, les termes « inouï » et « imperceptible » ?

3. Quelles sont les situations respectives des deux correspondants ? Caractérisez et étudiez le ton qu'emploie Pascal.

4. Dans quelle mesure peut-on parler d'« honnêteté » dans cette correspondance scientifique ?

Provinciales

[1656-1657]

L'épistolier des premières Lettres écrites à un provincial feint de rapporter l'enquête qu'il mène auprès d'ecclésiastiques sur les conceptions des jésuites en matière de grâce divine et de morale. Il s'étonne ainsi de l'attitude accommodante de leurs confesseurs qui justifient les péchés au lieu de les condamner. Un de ses interlocuteurs explique ici quel moyen les Pères jésuites emploient pour concilier, au profit des nobles, charité chrétienne et défense de l'honneur par le duel.

J e veux maintenant vous faire voir cette grande méthode[1] dans tout son lustre sur le sujet de l'homicide, qu'elle justifie en mille rencontres, afin que vous jugiez par un tel effet tout ce qu'elle est capable de produire. Je vois déjà, lui dis-je, que par là tout sera permis, rien n'en échappera. Vous allez toujours d'une extrémité à
5 l'autre, répondit le Père : corrigez-vous de cela ; car, pour vous témoigner que nous ne permettons pas tout, sachez que, par exemple, nous ne souffrons jamais d'avoir l'intention formelle de pécher pour le seul dessein de pécher ; et que quiconque s'obstine à n'avoir point d'autre fin dans le mal que le mal même, nous rompons avec lui ; cela est diabolique : voilà qui est sans exception d'âge, de sexe, de qua-
10 lité. Mais quand on n'est pas dans cette malheureuse disposition, alors nous essayons de mettre en pratique notre méthode de *diriger l'intention*, qui consiste à se propo-ser pour fin de ses actions un objet permis. Ce n'est pas qu'autant qu'il est en notre pouvoir nous ne détournions les hommes des choses défendues ; mais, quand nous ne pouvons pas empêcher l'action, nous purifions au moins l'intention ; et ainsi
15 nous corrigeons le vice du moyen par la pureté de la fin.

Voilà par où nos Pères ont trouvé moyen de permettre les violences qu'on pra-tique en défendant son honneur ; car il n'y a qu'à détourner son intention du désir de vengeance, qui est criminel, pour la porter au désir de défendre son honneur, qui est permis selon nos Pères. Et c'est ainsi qu'ils accomplissent tous leurs devoirs
20 envers Dieu et envers les hommes. Car ils contentent le monde en permettant les actions ; et ils satisfont à l'Évangile en purifiant les intentions. Voilà ce que les Anciens n'ont point connu, voilà ce qu'on doit à nos Pères.

BLAISE PASCAL, *Provinciales*, Septième lettre, 25 avril 1656.

1. Voir ligne 11.

Questions

1. Quelle est l'argu-mentation du jésuite ?

2. Étudiez les procédés de l'ironie pascalienne.

3. Comment Pascal campe-t-il son person-nage fictif de jésuite ? Comment anime-t-il le dialogue ?

4. En quoi la question de la nouveauté est-elle ici centrale ? Quel rap-port peut-on établir entre l'attitude du père Étienne Noël sur le vide (voir p. 139) et celle de son confrère jésuite sur le duel ?

5. En quoi peut-on rap-procher les affirmations du jésuite de Pascal de celles du Tartuffe de Molière (voir p. 154) ?

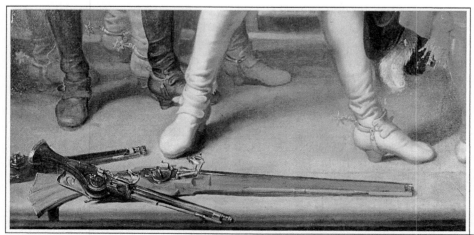

PIERRE-PAUL RUBENS,
La Vie de Marie de Médicis
(détail).
Paris, musée du Louvre.
Photo © Artephot/Faillet.

Pensées

▬▬ *[1670]*

À la mort de Pascal, les notes préparatoires à son Apologie de la religion chrétienne sont recueillies par ses proches. L'écriture est difficile à lire, la rédaction éclatée en plus de 800 fragments de longueur variable et les principes de rangement peu clairs. Une première édition, dite de Port-Royal, voit le jour en 1670 : son titre de Pensées montre qu'on a renoncé à reconstituer le projet de Pascal. Elle est suivie de beaucoup d'autres, qui proposent chacune leur classement des fragments. Mais le dossier de travail de l'Apologie était en fait ordonné. On a découvert, au milieu de ce siècle, comment Pascal classait ses papiers : après les avoir éventuellement découpés, pour isoler des pensées qu'il voulait séparer, il regroupait ceux qui relevaient d'une même question soit en dossiers, soit, une fois troués, en liasses réunies par une ficelle. Il pouvait donc à tout moment, en dénouant une liasse, ajouter, supprimer, scinder ou déplacer un texte en fonction du développement de sa réflexion : c'est déjà un véritable système de fiches.

Une table récapitulative donne l'ordre d'une série cohérente de vingt-sept liasses titrées. Un premier ensemble souligne, dans tous les domaines, la misère et la grandeur de l'homme, contradiction qu'aucune philosophie n'est capable d'expliquer. Un deuxième ensemble fait apparaître que la religion chrétienne rend l'homme compréhensible à lui-même et lui apporte le bonheur. Enfin, des preuves, tirées essentiellement de l'interprétation de la Bible, sont destinées à montrer la vérité du seul christianisme et la fausseté des autres religions. C'est sans doute le mouvement général que Pascal projetait pour son Apologie.

Extrait 1

Divertissement, 169

Questions

1. Définissez le divertissement selon Pascal, en pensant au sens étymologique du terme.

2. Quelle forme prend cette analyse du divertissement ? En étudiant précisément l'emploi des personnes et des modes verbaux, caractérisez la relation que l'apologiste établit avec son lecteur et le rôle qu'il veut lui faire jouer.

3. Pourquoi choisir le cas, très particulier, du roi ? Ce choix renforce-t-il ou affaiblit-il l'argumentation ?

4. Étudiez le caractère concret de l'imagination pascalienne.

La dignité royale n'est-elle pas assez grande d'elle-même, pour celui qui la possède, pour le rendre heureux par la seule vue de ce qu'il est ? Faudra-t-il le divertir de cette pensée comme les gens du commun ? Je vois bien que c'est rendre un homme heureux de le divertir de la vue de ses misères domestiques pour remplir toute sa pensée du soin de bien danser, mais en sera-t-il de même d'un roi, et sera-t-il plus heureux en s'attachant à ses vains amusements qu'à la vue de sa grandeur, et quel objet plus satisfaisant pourrait-on donner à son esprit ? Ne serait-ce donc pas faire tort à sa joie d'occuper son âme à penser à ajuster ses pas à la cadence d'un air ou à placer adroitement une barre, au lieu de le laisser jouir en repos de la contemplation de la gloire majestueuse qui l'environne ? Qu'on en fasse l'épreuve. Qu'on laisse un roi tout seul sans aucune satisfaction des sens, sans aucun soin dans l'esprit, sans compagnie, penser à lui tout à loisir, et l'on verra qu'un roi sans divertissement est un homme plein de misères. Aussi on évite cela soigneusement et il ne manque jamais d'y avoir auprès des personnes des rois un grand nombre de gens qui veillent à faire succéder le divertissement à leurs affaires, et qui observent tout le temps de leur loisir pour leur fournir des plaisirs et des jeux, en sorte qu'il n'y ait point de vide. C'est-à-dire qu'ils sont environnés de personnes qui ont un soin merveilleux de prendre garde que le roi ne soit seul et en état de penser à soi, sachant bien qu'il sera misérable, tout roi qu'il est, s'il y pense.

Je ne parle point en tout cela des rois chrétiens comme chrétiens, mais seulement comme rois.

BLAISE PASCAL, *Pensées*, fragment 169, liasse « Divertissement », éd. Philippe Sellier. © Bordas, 1991.

CHARLES LE BRUN
(1619-1690),
Le Chancelier Séguier.
Paris, musée du Louvre.
Photo © Lauros-Giraudon.

Extrait 2   *Raison des effets[1]*

121

Le chancelier[2] est grave et revêtu d'ornements, car son poste est faux. Et non le roi : il a la force. Il n'a que faire de l'imagination. Les juges, médecins, etc. n'ont que l'imagination.

123

Cela est admirable : on ne veut pas que j'honore un homme vêtu de brocatelle[3], et suivi de sept ou huit laquais. Et quoi, il me fera donner les étrivières[4], si je ne le salue. Cet habit, c'est une force. C'est bien de même qu'un cheval bien enharnaché à l'égard d'un autre. Montaigne est plaisant de ne pas voir quelle dif-
5 férence il y a, et d'admirer[5] qu'on y en trouve, et d'en demander la raison. DE VRAI, dit-il, D'OÙ VIENT, etc.

124

Gradation. Le peuple honore les personnes de grande naissance. Les demi-habiles les méprisent, disant que la naissance n'est pas un avantage de la personne, mais du hasard. Les habiles les honorent, non par la pensée du peuple, mais par la pensée de derrière. Les dévots, qui ont plus de zèle[6] que de science, les méprisent,
5 malgré cette considération qui les fait honorer par les habiles, parce qu'ils en jugent par une nouvelle lumière que la piété leur donne. Mais les chrétiens parfaits les honorent par une autre lumière supérieure.

Ainsi se vont les opinions succédant du pour au contre, selon qu'on a de la lumière.

125

Il faut avoir une pensée de derrière, et juger de tout par là, en parlant cependant comme le peuple.

Questions

1. Quelle image du pouvoir politique et de l'ordre social Pascal donne-t-il ? Sont-ils raisonnables ? Sont-ils explicables ?

2. Étudiez les jeux d'opposition entre les apparences et la réalité.

3. Définissez la « gradation » (fragment 124) et ce qui caractérise les esprits qui occupent chacun de ses degrés. Qu'est-ce qu'un « habile » ? À quel niveau Montaigne est-il situé ?

4. Relevez les abstractions et les exemples imagés. Pourquoi Pascal emploie-t-il tantôt les unes, tantôt les autres ?

5. Étudiez la fonction des parallélismes et des inversions dans le fragment 135.

1. Des faits (étonnants, mais rapportables à une cause).

2. Garde des Sceaux (second personnage de l'État).

3. Étoffe de soie.

4. Courroie de cuir pour suspendre les étriers.

5. De s'étonner.

6. Ferveur religieuse.

7. Discussion.

Grandeur 135

JUSTICE FORCE. Il est juste que ce qui est juste soit suivi. Il est nécessaire que ce qui est le plus fort soit suivi.

La justice sans la force est impuissante. La force sans la justice est tyrannique.

La justice sans force est contredite parce qu'il y a toujours des méchants. La force sans la justice est accusée. Il faut donc mettre ensemble la justice et la force, et pour cela faire que ce qui est juste soit fort ou que ce qui est fort soit juste. 5

La justice est sujette à dispute[7]. La force est très reconnaissable et sans dispute. Ainsi on n'a pu donner la force à la justice, parce que la force a contredit la justice, et a dit qu'elle était injuste, et a dit que c'était elle qui était juste.

Et ainsi ne pouvant faire que ce qui est juste fût fort, on a fait que ce qui est fort 10 fût juste.

BLAISE PASCAL, Pensées, fragments 121, 123, 124, 125, liasse « Raison des effets »,
et 135, liasse « Grandeur ».

Extrait 3

Misère, 91

TYRANNIE. La tyrannie est de vouloir avoir par une voie ce qu'on ne peut avoir que par une autre. On rend différents devoirs aux différents mérites : devoir d'amour à l'agrément, devoir de crainte à la force, devoir de créance à la science.

On doit rendre ces devoirs-là, on est injuste de les refuser, et injuste d'en demander d'autres. 5

Ainsi ces discours sont faux et tyranniques : « Je suis beau, donc on doit me craindre. Je suis fort, donc on doit m'aimer. Je suis… » Et c'est de même être faux et tyrannique de dire : « Il n'est pas fort, donc je ne l'estimerai pas. Il n'est pas habile, donc je ne le craindrai pas. »

BLAISE PASCAL, Pensées, fragment 91, liasse « Misère ».

Extrait 4

494

Le moi est haïssable. Vous, Miton[1], le couvrez, vous ne l'ôtez point pour cela : vous êtes donc toujours haïssable.

« Point. Car en agissant, comme nous faisons, obligeamment pour tout le monde, on n'a plus sujet de nous haïr. » – Cela est vrai, si on ne haïssait dans le moi que le déplaisir qui nous en revient. 5

Mais si je le hais parce qu'il est injuste, qu'il se fait centre de tout, je le haïrai toujours.

En un mot le moi a deux qualités[2] : il est injuste en soi, en ce qu'il se fait centre de tout ; il est incommode aux autres, en ce qu'il les veut asservir, car chaque moi est l'ennemi et voudrait être le tyran de tous les autres. Vous en ôtez l'incommo- 10 dité, mais non pas l'injustice.

Et ainsi vous ne le rendez pas aimable à ceux qui en haïssent l'injustice. Vous ne le rendez aimable qu'aux injustes, qui n'y trouvent plus leur ennemi. Et ainsi vous demeurez injuste, et ne pouvez plaire qu'aux injustes.

BLAISE PASCAL, Pensées, fragment 494.

Questions

1. Expliquez les notions de « tyrannie » et de « justice ».

2. Dans quelle mesure peuvent-elles s'appliquer au fragment 339 (p. 146) ?

3. Mettez en rapport la pratique de la définition par Pascal dans ce fragment avec ce qu'il reproche au père Étienne Noël sur la même question (voir p. 139).

1. Libertin célèbre.

2. Propriétés.

Questions

1. Quel(s) sens faut-il donner à « haïssable » dans ce fragment ? Quelle différence est faite entre « incommode » et « injuste » ?

2. Comment l'« honnête homme » est-il ici défini par Miton ? Pourquoi est-il dénigré par Pascal ?

3. Caractérisez la relation établie entre les deux interlocuteurs. Le lecteur est-il invité à s'identifier à l'un d'entre eux ?

Extrait 5

681

[...]

1. Entreprendre une
chose dangereuse.

Quel sujet de vanité de se voir dans des obscurités impénétrables, et comment se peut-il faire que ce raisonnement-ci se passe dans un homme raisonnable ?

« Je ne sais qui m'a mis au monde, ni ce que c'est que le monde, ni que moi-
5 même. Je suis dans une ignorance terrible de toutes choses. Je ne sais ce que c'est que mon corps, que mes sens, que mon âme et cette partie même de moi qui pense ce que je dis, qui fait réflexion sur tout et sur elle-même, et ne se connaît non plus que le reste. Je vois ces effroyables espaces de l'univers qui m'enferment, et je me trouve attaché à un coin de cette vaste étendue, sans que je sache pourquoi je suis
10 plutôt placé en ce lieu qu'en un autre, ni pourquoi ce peu de temps qui m'est donné à vivre m'est assigné à ce point plutôt qu'en un autre de toute l'éternité qui m'a précédé et de toute celle qui me suit.

Je ne vois que des infinités de toutes parts, qui m'enferment comme un atome et comme une ombre qui ne dure qu'un instant sans retour.

15 Tout ce que je connais est que je dois bientôt mourir, mais ce que j'ignore le plus est cette mort même que je ne saurais éviter.

Comme je ne sais d'où je viens, aussi je ne sais où je vais, et je sais seulement qu'en sortant de ce monde je tombe pour jamais ou dans le néant, ou dans les mains d'un Dieu irrité, sans savoir à laquelle de ces deux conditions je dois être
20 éternellement en partage. Voilà mon état, plein de faiblesse et d'incertitude. Et de tout cela je conclus que je dois donc passer tous les jours de ma vie sans songer à chercher ce qui doit m'arriver. Peut-être que je pourrais trouver quelque éclaircissement dans mes doutes, mais je n'en veux pas prendre la peine, ni faire un pas pour le chercher. Et après, en traitant avec mépris ceux qui se travailleront de ce
25 soin, je veux aller sans prévoyance et sans crainte tenter[1] un si grand événement, et me laisser mollement conduire à la mort, dans l'incertitude de l'éternité de ma condition future. »

BLAISE PASCAL, *Pensées*, fragment 681.

Questions

1. Quel est le raisonnement de cet homme ? En quoi est-il déraisonnable ?

2. En examinant la syntaxe, déterminez le trait fondamental qui caractérise ce discours. En analysant son contenu, demandez-vous si cette profession de foi est le fait d'un indifférent ou d'un libertin (voir p. 113).

3. Quelle est la tonalité du texte ? Analysez notamment le rythme des phrases.

4. Étudiez les images qui servent à évoquer la condition humaine.

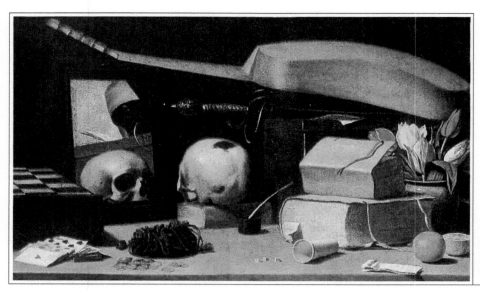

Anonyme, XVIIe siècle.
Vanité.
Paris, musée du Louvre.
Photo © Giraudon.

1. Par rapport à.

2. Arachnide minuscule, qui sert d'exemple à l'époque pour l'extrême petitesse (le premier microscope date de 1618).

Extrait 6

Transition de la connaissance de l'homme à Dieu

230

Que l'homme étant revenu à soi considère ce qu'il est au prix de[1] ce qui est, qu'il se regarde comme égaré dans ce canton détourné de la nature, et que de ce petit cachot où il se trouve logé, j'entends l'univers, il apprenne à estimer la terre, les royaumes, les villes et soi-même, son juste prix.

Qu'est-ce qu'un homme, dans l'infini ?   5

Mais pour lui présenter un autre prodige aussi étonnant, qu'il recherche dans ce qu'il connaît les choses les plus délicates, qu'un ciron[2] lui offre dans la petitesse de son corps des parties incomparablement plus petites, des jambes avec des jointures, des veines dans ses jambes, du sang dans ses veines, des humeurs dans ce sang, des gouttes dans ses humeurs, des vapeurs dans ces gouttes, que divisant   10 encore ces dernières choses il épuise ses forces en ces conceptions, et que le dernier objet où il peut arriver soit maintenant celui de notre discours. Il pensera peut-être que c'est là l'extrême petitesse de la nature.

Je veux lui faire voir là-dedans un abîme nouveau, je lui veux peindre non seulement l'univers visible, mais l'immensité qu'on peut concevoir de la nature dans   15 l'enceinte de ce raccourci d'atome. Qu'il y voie une infinité d'univers, dont chacun a son firmament, ses planètes, sa terre, en la même proportion que le monde visible, dans cette terre des animaux, et enfin des cirons, dans lesquels il retrouvera ce que les premiers ont donné, et trouvant encore dans les autres la même chose sans fin et sans repos, qu'il se perde dans ces merveilles aussi étonnantes   20 dans leur petitesse, que les autres par leur étendue ! Car qui n'admirera que notre corps, qui tantôt n'était pas perceptible dans l'univers imperceptible lui-même dans le sein du tout, soit à présent un colosse, un monde ou plutôt un tout à l'égard du néant où l'on ne peut arriver ?

231

L'homme n'est qu'un roseau, le plus faible de la nature, mais c'est un roseau pensant. Il ne faut pas que l'univers entier s'arme pour l'écraser, une vapeur, une goutte d'eau suffit pour le tuer. Mais quand l'univers l'écraserait, l'homme serait encore plus noble que ce qui le tue, puisqu'il sait qu'il meurt et l'avantage que l'univers a sur lui. L'univers n'en sait rien.

BLAISE PASCAL, *Pensées*, fragments 230, 231,
liasse « Transition de la connaissance de l'homme à Dieu ».

Questions

1. Caractérisez la situation de l'homme dans l'univers selon Pascal.

2. En quoi, dans le fragment 231, la grandeur de l'homme est-elle paradoxale ? Étudiez la mise en œuvre stylistique de ce paradoxe.

3. Quels sont la construction et le mouvement de pensée de cet extrait du fragment 230 ?

4. Étudiez l'appel à l'imagination et à la sensibilité du lecteur.

5. Quel rapport chacun de ces deux textes tend-il à instituer entre l'apologiste et son lecteur ? Étudiez spécialement les personnes et les modes des verbes.

Extrait 7

680

[...]

C'est le cœur qui sent Dieu, et non la raison : voilà ce que c'est que la foi. Dieu sensible au cœur, non à la raison.

Le cœur a ses raisons, que la raison ne connaît point : on le sait en mille choses. Je dis que le cœur aime l'être universel[1] naturellement, et soi-même naturelle-
5 ment, selon qu'il s'y adonne. Et il se durcit contre l'un ou l'autre, à son choix. Vous avez rejeté l'un et conservé l'autre : est-ce par raison que vous vous aimez ?

BLAISE PASCAL, *Pensées*, fragment 680.

1. Dieu.

Questions

1. Analysez l'opposition entre cœur et raison dans ce texte.
2. Étudiez les jeux sur le mot « raison ».

Extrait 8

Fondements de la religion, 274

Voulant paraître à découvert à ceux qui le cherchent de tout leur cœur, et caché à ceux qui le fuient de tout leur cœur, Dieu a tempéré[1] sa connaissance en sorte qu'il a donné des marques de soi visibles à ceux qui le cherchent et non à ceux qui ne le cherchent pas.
5 Il y a assez de lumière pour ceux qui ne désirent que de voir, et assez d'obscurité pour ceux qui ont une disposition contraire.

BLAISE PASCAL, *Pensées*, fragment 274, liasse «Fondements de la religion ».

1. Modéré en équilibrant une chose par son contraire.

Questions

1. En quoi, selon Pascal, Dieu est-il « caché » ?
2. Interprétez le fragment 339 ci-dessous en utilisant la notion de « Dieu caché ».

Extrait 9

Preuves de Jésus-Christ, 339

La distance infinie des corps aux esprits, figure la distance infiniment plus infinie des esprits à la charité, car elle est surnaturelle.

Tout l'éclat des grandeurs n'a point de lustre pour les gens qui sont dans les recherches de l'esprit.

5 La grandeur des gens d'esprit est invisible aux rois, aux riches, aux capitaines, à tous ces grands de chair.

La grandeur de la sagesse, qui n'est nulle sinon de Dieu, est invisible aux charnels et aux gens d'esprit. Ce sont trois ordres différents. De genre.

Les grands génies ont leur empire, leur éclat, leur grandeur, leur victoire et leur
10 lustre, et n'ont nul besoin des grandeurs charnelles, où elles n'ont pas de rapport. Ils sont vus non des yeux mais des esprits, c'est assez.

Les saints ont leur empire, leur éclat, leur victoire, leur lustre, et n'ont nul besoin des grandeurs charnelles ou spirituelles, où elles n'ont nul rapport car elles n'y ajoutent ni ôtent. Ils sont vus de Dieu et des anges, et non des corps ni des
15 esprits curieux, Dieu leur suffit.

1. Formule liturgique tirée du *Sanctus* de la messe.
2. Archimède passait pour être parent du roi de Syracuse.
3. Dans le choix de ses apôtres (d'humble origine sociale).
4. Elle n'est pas rapportée par les historiens contemporains.
5. Amour envers Dieu et son prochain.

Archimède sans éclat serait en même vénération. Il n'a pas donné des batailles, pour les yeux, mais il a fourni à tous les esprits ses inventions.
20 Ô qu'il a éclaté aux esprits !

Jésus-Christ sans biens, et sans aucune production au-dehors de science, est dans son ordre de sainteté. Il n'a point donné d'inventions, il
25 n'a point régné, mais il a été humble, patient, saint, saint, saint[1] à Dieu, terrible aux démons, sans aucun péché. Ô qu'il est venu en grande pompe et en une prodigieuse magnificence
30 aux yeux du cœur et qui voient la sagesse !

Il eût été inutile à Archimède de faire le prince dans ses livres de géométrie, quoiqu'il le fût[2].

35 Il eût été inutile à Notre Seigneur Jésus-Christ, pour éclater dans son règne de sainteté, de venir en roi. Mais il y est bien venu avec l'éclat de son ordre.

PHILIPPE DE CHAMPAIGNE
(1602-1674), *Le Christ et la Samaritaine.*
Caen, musée des Beaux-Arts.
Photo © Giraudon.

Il est bien ridicule de se scandaliser de la bassesse de Jésus-Christ, comme si
40 cette bassesse était du même ordre duquel est la grandeur qu'il venait faire paraître.

Qu'on considère cette grandeur-là dans sa vie, dans sa passion, dans son obscurité, dans sa mort, dans l'élection des siens[3], dans leur abandonnement, dans sa secrète[4] résurrection et dans le reste. On la verra si grande qu'on n'aura pas sujet
45 de se scandaliser d'une bassesse qui n'y est pas.

Mais il y en a qui ne peuvent admirer que les grandeurs charnelles, comme s'il n'y en avait pas de spirituelles. Et d'autres qui n'admirent que les spirituelles, comme s'il n'y en avait pas d'infiniment plus hautes dans la sagesse.

Tous les corps, le firmament, les étoiles, la terre et ses royaumes, ne valent pas
50 le moindre des esprits. Car il connaît tout cela, et soi, et les corps rien.

Tous les corps ensemble et tous les esprits ensemble et toutes leurs productions ne valent pas le moindre mouvement de charité[5]. Cela est d'un ordre infiniment plus élevé.

De tous les corps ensemble on ne saurait en faire réussir une petite pensée, cela
55 est impossible et d'un autre ordre. De tous les corps et esprits on n'en saurait tirer un mouvement de vraie charité, cela est impossible et d'un autre ordre, surnaturel.

BLAISE PASCAL, *Pensées*, fragment 339, liasse « Preuves de Jésus-Christ ».

Questions

1. Qu'est-ce qu'un « ordre » de réalité pour Pascal ?

2. Caractérisez, à partir du vocabulaire, chacun des trois ordres et, en analysant la notion de « figure » (l. 1), les rapports qu'ils entretiennent entre eux.

3. Étudiez les antithèses de ce texte. Comment sont-elles compatibles avec la tripartition des ordres ?

4. Quelle est la construction d'ensemble du texte ? Quel rapport a-t-elle avec la tripartition des ordres ?

5. En quoi ce texte est-il un poème en prose avant la lettre ?

6. Quelle est la fonction apologétique du texte ? Comment peut-il modifier le regard du lecteur sur Jésus ?

Molière

(1622-1673)

Molière dans le rôle de César dans *Pompée* de Corneille.
Marseille, musée des Beaux-Arts.
Photo © Yves Gallois.

Molière, pseudonyme de Jean-Baptiste Poquelin, fils d'un riche tapissier fournisseur de la Cour, orphelin de bonne heure, semble, après des études chez les jésuites, reprendre le métier paternel. Mais le goût du théâtre l'emporte. Deux périodes marquent sa carrière. Après une première expérience théâtrale qui le mène, en un an, à la prison pour dettes, il parcourt pendant treize ans les routes de France comme comédien, prend la direction de sa troupe, commence à écrire pour elle et gagne la protection du libertin prince de Conti, gouverneur du Languedoc. Conti se convertit et le chasse. C'est une chance : le frère du roi prend la relève. Voilà Molière de retour à Paris en 1658, où il conquiert la Cour avec sa farce du ***Docteur amoureux***. Désormais pensionné par Louis XIV, il reçoit la jouissance gratuite du théâtre du Palais-Royal, qu'il partage avec les Italiens (voir p. 161), et fournit des pièces pour les fêtes de la Cour. La protection royale ne le met cependant pas à l'abri d'attaques violentes de la part de ceux qu'il ridiculise sur scène, notamment les dévots réunis dans la Compagnie du Saint-Sacrement. Ces démêlés, ses déboires conjugaux (sa femme, la jeune actrice Armande Béjart, ne joue pas les coquettes seulement sur scène) et la maladie assombrissent la suite de sa vie mais ne ralentissent nullement le rythme de sa production. Le théâtre lui offre son apothéose finale avec une ironie toute moliéresque : il entre en agonie sur scène en jouant le rôle du Malade imaginaire.

Son œuvre est très diverse. Il s'essaie à la tragédie puis y renonce vite ; mais ses comédies prendront souvent des résonances tragiques. Il explore toute la palette du comique : il adapte la comédie de caractères latine, la farce française et la comédie d'intrigue à l'italienne ***(Les Fourberies de Scapin)***, il emprunte à Corneille la grande comédie sur le modèle tragique des cinq actes versifiés, et inaugure la comédie de mœurs. Pour la Cour, qui recherche le plaisir avant tout et à laquelle est destiné le tiers de sa production, il pratique une écriture novatrice : en associant les différents arts il crée le genre de la comédie-ballet, préfiguration de l'opéra à la française que son collaborateur d'un temps, le musicien Lully, illustrera peu après. À son public habituel, il propose des comédies mordantes dont les sujets sont tirés de l'actualité sociale, comme la préciosité et l'éducation des femmes. Il répond sur scène à ses détracteurs ***(L'Impromptu de Versailles)***. Il ose même aborder les questions religieuses et affronter, dans ***Tartuffe*** et dans ***Dom Juan***, le parti dévot, qui obtient l'interdiction de ces deux pièces (en 1664 et 1665). À partir de ***L'Avare*** en 1668, il revient à une conception moins dangereuse de la comédie : il raille plus les monomanies, qui affectent l'individu, que les tares de la société. Il est nettement attiré par la pensée libertine (voir p. 113). Ainsi, au nom du respect de la Nature, il dénonce les fausses valeurs sociales, l'étroitesse d'esprit des bourgeois et la vanité des nobles, et combat le mensonge sous toutes ses formes, l'hypocrisie envers les autres et l'aliénation de soi dans une passion unique. Le rire de la comédie est chargé de démystifier ou de faire tomber les masques que les hommes portent dans la société réelle. Il doit enfin purger chaque spectateur des humeurs noires de la mélancolie qui le menacent sans cesse et le restaurer dans la force joyeuse de la nature.

Les Précieuses ridicules

[1659]

1. Ces héros de deux romans récents de Mlle de Scudéry ne se marient qu'au bout de dix volumes (voir p. 133).

2. Recherche en mariage.

3. Du salon.

4. C'est-à-dire le mariage.

5. Faire la cour.

6. Voir p. 129 (repérez notamment les « terres inconnues »).

Gorgibus, bourgeois parisien traditionaliste, ne reconnaît plus sa fille et sa nièce depuis qu'elles veulent se mettre au diapason des salons aristocratiques à la mode : elles viennent d'éconduire leurs prétendants, coupables à leurs yeux de ne pas savoir faire leur cour dans les règles de l'art.

GORGIBUS. – [...] Je te dis que le mariage est une chose sainte et sacrée, et que c'est faire en honnêtes gens que de débuter par là.

MAGDELON. – Mon Dieu ! que, si tout le monde vous ressemblait, un roman serait bientôt fini ! La belle chose que ce serait si d'abord Cyrus épousait Mandane, et qu'Aronce de plain-pied fût marié à Clélie[1].   5

GORGIBUS. – Que me vient conter celle-ci ?

MAGDELON. – Mon père, voilà ma cousine qui vous dira, aussi bien que moi, que le mariage ne doit jamais arriver qu'après les autres aventures. Il faut qu'un amant, pour être agréable, sache débiter les beaux sentiments, pousser le doux, le tendre et le passionné, et que sa recherche[2] soit dans les formes. Premièrement, il   10 doit voir au temple, ou à la promenade, ou dans quelque cérémonie publique, la personne dont il devient amoureux : ou bien être conduit fatalement chez elle par un parent ou un ami, et sortir de là tout rêveur et mélancolique. Il cache un temps sa passion à l'objet aimé, et cependant lui rend plusieurs visites, où l'on ne manque jamais de mettre sur le tapis une question galante qui exerce les esprits de   15 l'assemblée[3]. Le jour de la déclaration arrive, qui se doit faire ordinairement dans une allée de quelque jardin, tandis que la compagnie s'est un peu éloignée ; et cette déclaration est suivie d'un prompt courroux, qui paraît à notre rougeur, et qui, pour un temps, bannit l'amant de notre présence. Ensuite il trouve moyen de nous apaiser, de nous accoutumer insensiblement au discours de sa passion et de   20 tirer de nous cet aveu qui fait tant de peine. Après cela viennent les aventures : les rivaux qui se jettent à la traverse d'une inclination établie, les persécutions des pères, les jalousies conçues sur de fausses apparences, les plaintes, les désespoirs, les enlèvements et ce qui s'ensuit[4]. Voilà comme les choses se traitent dans les belles manières, et ce sont des règles dont, en bonne galanterie, on ne saurait se   25 dispenser. Mais en venir de but en blanc à l'union conjugale, ne faire l'amour[5] qu'en faisant le contrat du mariage, et prendre justement le roman par la queue ; encore un coup, mon père, il ne se peut rien de plus marchand que ce procédé ; et j'ai mal au cœur de la seule vision que cela me fait.

GORGIBUS. – Quel diable de jargon entends-je ici ? Voici bien du haut style.   30

CATHOS. – En effet, mon oncle, ma cousine donne dans le vrai de la chose. Le moyen de bien recevoir des gens qui sont tout à fait incongrus en galanterie ! Je m'en vais gager qu'ils n'ont jamais vu la carte de Tendre[6], et que Billets-doux, Petits-soins, Billets-galants et Jolis-vers sont des terres inconnues pour eux.

MOLIÈRE, *Les Précieuses ridicules*, scène 4.

Questions

1. Dégagez les caractéristiques du langage employé par les deux jeunes filles. Pourquoi ont-elles adopté cette manière de parler ?

2. Étudiez la manière dont elles conçoivent l'amour : rôle de la femme, place du sentiment. Diriez-vous qu'elles sont féministes ?

3. À partir des questions 1 et 2, précisez le sens, linguistique, moral et social, du terme « préciosité » (voir p. 179).

4. En quoi ces deux précieuses sont-elles ici « ridicules », selon le titre de la pièce ?

5. La manière dont elles veulent mener leur vie selon le modèle des romans de Mlle de Scudéry (voir p. 128) est-elle libération ou aliénation ? Comparez leur attitude à celle de Javotte dans *Le Roman bourgeois* de Furetière (voir p. 164).

L'École des femmes
[1662]

Cette pièce provoqua une violente polémique. Certains critiques estimaient en effet qu'elle ridiculisait le mariage. Arnolphe, hanté par la crainte du « cocuage », a recueilli en secret et élevé à sa manière la jeune Agnès pour en faire une épouse aussi vertueuse que niaise. L'heure est venue pour lui de recueillir le fruit de ses efforts. Mais le bel Horace a tôt fait d'insuffler l'amour dans le cœur ignorant d'Agnès. La pupille acquiert de l'esprit au point de se laisser enlever fort romanesquement par son soupirant, lequel la confie au meilleur ami de son père, qui, non moins romanesquement, n'est autre qu'Arnolphe. Celui-ci se fait alors reconnaître d'Agnès et l'accable de reproches.

ARNOLPHE

[...]

Ah ! ah ! si jeune encor, vous jouez de ces tours !
Votre simplicité, qui semble sans pareille,
Demande si l'on fait les enfants par l'oreille ;
Et vous savez donner des rendez-vous la nuit,
1495 Et pour suivre un galant vous évader sans bruit !
Tudieu ! comme avec lui votre langue cajole !
Il faut qu'on vous ait mise à quelque bonne école.
Qui diantre tout d'un coup vous en a tant appris ?
Vous ne craignez donc plus de trouver des esprits ?
1500 Et ce galant, la nuit, vous a donc enhardie ?
Ah ! coquine, en venir à cette perfidie ?
Malgré tous mes bienfaits former un tel dessein !
Petit serpent que j'ai réchauffé dans mon sein,
Et qui, dès qu'il se sent, par une humeur ingrate,
1505 Cherche à faire du mal à celui qui le flatte !

AGNÈS
Pourquoi me criez-vous ?

ARNOLPHE
   J'ai grand tort en effet !

AGNÈS
Je n'entends point de mal dans tout ce que j'ai fait.

ARNOLPHE
Suivre un galant n'est pas une action infâme ?

AGNÈS
C'est un homme qui dit qu'il me veut pour sa femme ;
1510 J'ai suivi vos leçons, et vous m'avez prêché
Qu'il se faut marier pour ôter le péché.

ARNOLPHE
Oui. Mais pour femme, moi je prétendais vous prendre ;
Et je vous l'avais fait, me semble, assez entendre.

Allégorie sur les couples mal assortis. Gravure de JEAN LENFANT, XVIIe s. Paris, Bibliothèque nationale de France. Photo © B.n.F.

Questions

1. En quoi cette scène rend-elle compte du titre de la pièce ?

2. Précisez et analysez les différentes formes verbales que prend l'affrontement entre Arnolphe et Agnès.

3. Sur quels points porte cet affrontement ? Quelles sont les valeurs défendues de part et d'autre ?

4. Dans quelle mesure le désir amoureux est-il présenté comme naturel ? En quoi le personnage d'Agnès peut-il incarner ou non le danger de suivre la nature ?

5. Quelles sont les erreurs d'Arnolphe ? Quels sentiments Molière lui prête-t-il ? Quels sentiments éprouvez-vous vis-à-vis de ce personnage ?

AGNÈS

Oui. Mais, à vous parler franchement entre nous,
1515 Il est plus pour cela selon mon goût que vous.
Chez vous le mariage est fâcheux et pénible,
Et vos discours en font une image terrible ;
Mais, las ! il le fait, lui, si rempli de plaisirs,
Que de se marier il donne des désirs.

ARNOLPHE

1520 Ah ! c'est que vous l'aimez, traîtresse !

AGNÈS

                                    Oui, je l'aime.

ARNOLPHE

Et vous avez le front de le dire à moi-même !

AGNÈS

Et pourquoi, s'il est vrai, ne le dirais-je pas ?

ARNOLPHE

Le deviez-vous aimer, impertinente ?

AGNÈS

                                    Hélas !
Est-ce que j'en puis mais ? Lui seul en est la cause ;
1525 Et je n'y songeais pas lorsque se fit la chose.

ARNOLPHE

Mais il fallait chasser cet amoureux désir.

AGNÈS

Le moyen de chasser ce qui fait du plaisir ?

MOLIÈRE, *L'École des femmes*, V, 4.

Dom Juan
■■■■■ *[1665]*

1. Dont.
2. Touchés par la foi.
3. Réparé.
4. Rectifient.
5. Société secrète.
6. Repousserai.

Cette pièce, appelée comédie bien qu'elle suive en fait le modèle irrégulier de la tragi-comédie, est écrite juste après l'interdiction du premier Tartuffe, avant d'être interdite à son tour après treize représentations. On y voit Dom Juan en pleine action jusqu'à son châtiment final, « grand seigneur méchant homme », « épouseur à toutes mains », mais aussi libertin blasphémateur. Quand il prend ici la parole, il vient de réjouir son père en lui affirmant qu'il s'est converti et ne songe plus qu'au salut de son âme. Mais ce n'était que faux-semblant, dont il vante l'utilité à son valet et confident Sganarelle.

SGANARELLE. – Quoi ? vous ne croyez rien du tout, et vous voulez cependant vous ériger en homme de bien ?

DOM JUAN. – Et pourquoi non ? Il y en a tant d'autres comme moi, qui se mêlent de ce métier, et qui se servent du même masque pour abuser le monde !

5 SGANARELLE *(à part)*. – Ah ! quel homme ! quel homme !

DOM JUAN. – Il n'y a plus de honte maintenant à cela : l'hypocrisie est un vice à la mode, et tous les vices à la mode passent pour vertus. Le personnage d'homme de bien est le meilleur de tous les personnages qu'on puisse jouer aujourd'hui, et la profession d'hypocrite a de merveilleux avantages. C'est un art de qui[1] l'impos-

Le Trompeur. Gravure anonyme, France XVIIIe s. Paris, Bibliothèque nationale de France. Photo © B.n.F.

ture est toujours respectée ; et quoiqu'on la découvre, on n'ose rien dire contre ¹⁰ elle. Tous les autres vices des hommes sont exposés à la censure, et chacun a la liberté de les attaquer hautement ; mais l'hypocrisie est un vice privilégié, qui, de sa main, ferme la bouche à tout le monde, et jouit en repos d'une impunité souveraine. On lie, à force de grimaces, une société étroite avec tous les gens du parti. Qui en choque un se les jette tous sur les bras ; et ceux que l'on sait même agir de ¹⁵ bonne foi là-dessus, et que chacun connaît pour être véritablement touchés[2], ceux-là, dis-je, sont toujours les dupes des autres ; ils donnent hautement dans le panneau des grimaciers et appuient aveuglément les singes de leurs actions. Combien crois-tu que j'en connaisse qui, par ce stratagème, ont rhabillé[3] adroitement les désordres de leur jeunesse, qui se sont fait un bouclier du manteau de la religion, ²⁰ et, sous cet habit respecté, ont la permission d'être les plus méchants hommes du monde ? On a beau savoir leurs intrigues et les connaître pour ce qu'ils sont, ils ne laissent pas pour cela d'être en crédit parmi les gens ; et quelque baissement de tête, un soupir mortifié, et deux roulements d'yeux rajustent[4] dans le monde tout ce qu'ils peuvent faire. C'est sous cet abri favorable que je veux me sauver, et ²⁵ mettre en sûreté mes affaires. Je ne quitterai point mes douces habitudes ; mais j'aurai soin de me cacher et me divertirai à petit bruit. Que si je viens à être découvert, je verrai, sans me remuer, prendre mes intérêts à toute la cabale[5], et je serai défendu par elle envers et contre tous. Enfin c'est là le vrai moyen de faire impunément tout ce que je voudrai. Je m'érigerai en censeur des actions d'autrui, juge- ³⁰ rai mal de tout le monde, et n'aurai bonne opinion que de moi. Dès qu'une fois on m'aura choqué tant soit peu, je ne pardonnerai jamais et garderai tout doucement une haine irréconciliable. Je ferai le vengeur des intérêts du Ciel, et, sous ce prétexte commode, je pousserai[6] mes ennemis, je les accuserai d'impiété, et saurai déchaîner contre eux des zélés indiscrets, qui, sans connaissance de cause, crieront ³⁵ en public contre eux, qui les accableront d'injures, et les damneront hautement de leur autorité privée. C'est ainsi qu'il faut profiter des faiblesses des hommes, et qu'un sage esprit s'accommode aux vices de son siècle.

MOLIÈRE, *Dom Juan*, V, 2.

Questions

1. Étudiez précisément le schéma argumentatif de la tirade de Dom Juan.

2. Étudiez le vocabulaire, et notamment les métaphores, qui ont trait à l'hypocrisie et au pouvoir sur autrui. Quel est l'avantage de l'hypocrisie pour Dom Juan ? Dans quels domaines s'exerce-t-elle ?

3. Quelle conception du rapport entre les hommes Dom Juan suggère-t-il ? En quoi se pose-t-il paradoxalement en moraliste ?

4. Dans quelle mesure cette vision de la société ressemble-t-elle à celle que propose La Rochefoucauld (voir pp. 184 à 187) ?

Le mythe de Don Juan

L'histoire de Don Juan a connu de nombreuses versions orales jusqu'à ce qu'un moine espagnol, Tirso de Molina, la transpose à la scène, suivi en cela notamment par Molière puis par Mozart. En voici les grandes lignes : Don Juan a tué en duel le père d'une femme qu'il avait séduite ; il offense ce mort en invitant sa statue à manger avec les vivants ; celle-ci l'invite en retour et l'entraîne dans le feu de l'Enfer.

À partir de ce schéma initial, la tradition littéraire fait de Don Juan un personnage incarnant la liberté de l'esprit (il brave Dieu et les lois morales ordinaires) et la liberté de mœurs : il séduit des femmes, vite abandonnées, trouvant le plaisir dans la quête et non dans la possession. Le mythe de Don Juan – comme le mythe antithétique de Tristan (voir p. 16) – constitue un des rares mythes qui ne nous viennent pas de l'Antiquité.

Tartuffe

■■■■ *[1664-1669]*

Molière écrivit trois versions (dont seule la dernière est conservée) et mit cinq ans pour avoir enfin le droit, en 1669, de jouer durablement cette pièce. Les dévots en effet, regroupés dans la Congrégation du Saint-Sacrement (la « cabale » dont parle Dom Juan – voir p. 153), avaient fait pression sur le pouvoir et réussi à la faire interdire. Molière soutenait au contraire qu'elle ne ridiculisait pas la vraie dévotion mais visait seulement le comportement d'arrivistes hypocrites. Le riche Orgon a, en effet, introduit chez lui l'un de ceux-ci comme directeur de conscience et voudrait voir toute sa maison suivre les recommandations de ce « saint homme ». Il projette même de lui donner sa fille en mariage. Sa jeune femme, Elmire, essaie de détourner Tartuffe d'une telle union. Mais c'est d'une autre union que rêve celui-ci.

ELMIRE

Pour moi, je crois qu'au Ciel tendent tous vos soupirs,
Et que rien ici-bas n'arrête vos désirs.

TARTUFFE

L'amour qui nous attache aux beautés éternelles
N'étouffe pas en nous l'amour des temporelles ;
935 Nos sens facilement peuvent être charmés
Des ouvrages parfaits que le Ciel a formés.
Ses attraits réfléchis brillent dans vos pareilles ;
Mais il étale en vous ses plus rares merveilles :
Il a sur votre face épanché des beautés
940 Dont les yeux sont surpris, et les cœurs transportés,
Et je n'ai pu vous voir, parfaite créature,
Sans admirer en vous l'auteur de la nature,
Et d'une ardente amour sentir mon cœur atteint,
Au plus beau des portraits où lui-même il s'est peint.
945 D'abord j'appréhendai que cette ardeur secrète
Ne fût du noir esprit[1] une surprise adroite ;
Et même à fuir vos yeux mon cœur se résolut,
Vous croyant un obstacle à faire mon salut.
Mais enfin je connus, ô beauté toute aimable,
950 Que cette passion peut n'être point coupable,
Que je puis l'ajuster avecque la pudeur,
Et c'est ce qui m'y fait abandonner mon cœur.
Ce m'est, je le confesse, une audace bien grande
Que d'oser de ce cœur vous adresser l'offrande ;
955 Mais j'attends en mes vœux tout de votre bonté,
Et rien des vains efforts de mon infirmité[2] ;
En vous est mon espoir, mon bien, ma quiétude,
De vous dépend ma peine ou ma béatitude,
Et je vais être enfin, par votre seul arrêt,
960 Heureux, si vous voulez, malheureux, s'il vous plaît.

JUAN CARREÑO DE MIRANDA (1614-1685),
La Messe de fondation de l'ordre des Trinitaires.
Paris, musée du Louvre.
Photo © RMN-Jean ; J. Schormans.

1. Satan.
2. Faiblesse.
3. Bienveillante.
4. Se rabaisser.

ELMIRE

La déclaration est tout à fait galante,
Mais elle est, à vrai dire, un peu bien surprenante.
Vous deviez, ce me semble, armer mieux votre sein,
Et raisonner un peu sur un pareil dessein.
965 Un dévot comme vous, et que partout on nomme…

TARTUFFE

Ah ! pour être dévot, je n'en suis pas moins homme ;
Et lorsqu'on vient à voir vos célestes appas,
Un cœur se laisse prendre, et ne raisonne pas.
Je sais qu'un tel discours de moi paraît étrange ;
970 Mais, Madame, après tout, je ne suis pas un ange ;
Et si vous condamnez l'aveu que je vous fais,
Vous devez vous en prendre à vos charmants attraits.
Dès que j'en vis briller la splendeur plus qu'humaine,
De mon intérieur vous fûtes souveraine ;
975 De vos regards divins l'ineffable douceur
Força la résistance où s'obstinait mon cœur ;
Elle surmonta tout, jeûnes, prières, larmes,
Et tourna tous mes vœux du côté de vos charmes.
Mes yeux et mes soupirs vous l'ont dit mille fois,
980 Et pour mieux m'expliquer j'emploie ici la voix.
Que si vous contemplez d'une âme un peu bénigne[3]
Les tribulations de votre esclave indigne,
S'il faut que vos bontés veuillent me consoler
Et jusqu'à mon néant daignent se ravaler[4],
985 J'aurai toujours pour vous, ô suave merveille,
Une dévotion à nulle autre pareille.
Votre honneur avec moi ne court point de hasard,
Et n'a nulle disgrâce à craindre de ma part.
Tous ces galants de cour, dont les femmes sont folles,
990 Sont bruyants dans leurs faits et vains dans leurs paroles,
De leurs progrès sans cesse on les voit se targuer ;
Ils n'ont point de faveurs qu'ils n'aillent divulguer,
Et leur langue indiscrète, en qui l'on se confie,
Déshonore l'autel où leur cœur sacrifie.
995 Mais les gens comme nous brûlent d'un feu discret,
Avec qui pour toujours on est sûr du secret :
Le soin que nous prenons de notre renommée
Répond de toute chose à la personne aimée,
Et c'est en nous qu'on trouve, acceptant notre cœur,
1000 De l'amour sans scandale et du plaisir sans peur.

MOLIÈRE, *Tartuffe*,
III, 3.

Questions

1. Le genre d'amour que Tartuffe dit éprouver est-il celui d'une créature terrestre ou celui de Dieu ? Étudiez de ce point de vue le vocabulaire employé et le jeu des métaphores.

2. Quels arguments Tartuffe avance-t-il dans l'une et l'autre de ses deux tirades ? Quel est dans chacune le plan de son argumentation ?

3. Dans quelle mesure et comment Molière fait-il sentir que son personnage est un faux dévot ? Celui-ci paraît-il comique ou inquiétant ?

4. Étudiez le discours de Tartuffe à la lumière de l'*Introduction à la Vie dévote* de François de Sales (voir p. 108). Comment détourne-t-il la conception salésienne de l'amour de Dieu ?

Amphitryon

[1668]

Le sujet mythologique de cette pièce avait déjà été traité par l'auteur dramatique latin Plaute : Jupiter, pour séduire Alcmène, épouse fidèle, prend l'apparence de son mari, Amphitryon. Ce thème est adapté par Molière au goût de son temps : il autorise en effet une spirituelle apologie du jeu et du plaisir en général, et des amours multiples de son protecteur Louis XIV en particulier. Selon le principe du double registre, le registre élevé des maîtres et le registre bas des valets, ce qui arrive aux uns arrive aussi aux autres, mais selon des modalités appropriées : aux maîtres, la galanterie ; aux valets, le burlesque. Ainsi le valet Sosie, envoyé par son maître Amphitryon chez son épouse, a trouvé, à la porte de celle-ci, un double de lui-même, quoique nettement plus fort, qui lui a interdit d'entrer : il s'agissait du dieu Mercure, qui avait pris l'apparence de Sosie et qui protégeait les amours de son maître Jupiter. Sosie raconte la scène à son propre maître, incrédule.

AMPHITRYON

Le moyen d'en rien croire, à moins qu'être
[insensé ?

SOSIE

Je ne l'ai pas cru, moi, sans une peine extrême :
Je me suis d'être deux senti l'esprit blessé,
780 Et longtemps d'imposteur, j'ai traité ce moi-même.
Mais à me reconnaître enfin il m'a forcé :
J'ai vu que c'était moi, sans aucun stratagème ;
Des pieds jusqu'à la tête, il est comme moi fait,
Beau, l'air noble, bien pris, les manières
[charmantes ;
785   Enfin deux gouttes de lait
          Ne sont pas plus ressemblantes ;
Et n'était que ses mains sont un peu trop pesantes,
          J'en serais fort satisfait.

AMPHITRYON

À quelle patience il faut que je m'exhorte !
790 Mais enfin n'es-tu pas entré dans la maison ?

SOSIE

          Bon, entré ! Hé ! de quelle sorte ?
Ai-je voulu jamais entendre de raison ?
Et ne me suis-je pas interdit notre porte ?

AMPHITRYON

Comment donc ?

SOSIE

          Avec un bâton :
795 Dont mon dos sent encore une douleur très forte.

AMPHITRYON

On t'a battu ?

SOSIE

          Vraiment.

AMPHITRYON

          Et qui ?

SOSIE

          Moi.

AMPHITRYON

          Toi, te battre ?

SOSIE

          Oui, moi : non pas le moi d'ici,
Mais le moi du logis, qui frappe comme quatre.

AMPHITRYON

Te confonde le Ciel de me parler ainsi !

SOSIE

          Ce ne sont point des badinages.   800
          Le moi que j'ai trouvé tantôt
Sur le moi qui vous parle a de grands avantages :
          Il a le bras fort, le cœur haut ;
          J'en ai reçu des témoignages,
Et ce diable de moi m'a rossé comme il faut :   805
          C'est un drôle qui fait des rages[1].

---

1. Des mouvements de fureur.

CLAUDE GILLOT
(1673-1722), *Arlequin.*
Paris, musée du Louvre.
Photo © RMN – J.G. Berizzi.

2. Canaille.

Q u e s t i o n s

1. Le récit de Sosie est-il seulement informatif ? Quel effet est-il censé produire sur le maître de celui-ci ?

2. Observez comment Molière use librement de l'alexandrin. Quelles mises en valeur cette versification variée permet-elle notamment ?

3. Étudiez la virtuosité verbale de ce passage. Sur quels jeux repose-t-elle essentiellement ?

4. Quels sont les traits de caractère du valet Sosie ? Quelle image donne-t-il de son double ? Comment envisage-t-il la question de l'identité, notamment dans les vers 810 à 820 ?

AMPHITRYON

Achevons. As-tu vu ma femme ?

SOSIE

Non.

AMPHITRYON

Pourquoi ?

SOSIE

Par une raison assez forte.

AMPHITRYON

Qui t'a fait y manquer, maraud² ? explique-toi.

SOSIE

810 Faut-il le répéter vingt fois de même sorte ?
    Moi, vous dis-je, ce moi plus robuste que moi,
    Ce moi qui s'est de force emparé de la porte,
        Ce moi qui m'a fait filer doux,
        Ce moi qui le seul moi veut être,
815   Ce moi de moi-même jaloux,
        Ce moi vaillant, dont le courroux
        Au moi poltron s'est fait connaître,
    Enfin ce moi qui suis chez nous,
    Ce moi qui s'est montré mon maître,
820 Ce moi qui m'a roué de coups.

MOLIÈRE, *Amphitryon,* II, 1.

Le Misanthrope
[1666]

Alceste est un maniaque de la sincérité et ne peut supporter les conventions et les hypocrisies du jeu social. Mais, par un paradoxe aussi douloureux pour le personnage que plaisant pour le spectateur, il est amoureux de la coquette Célimène qui, de son côté, n'est pas insensible au charme bourru du misanthrope. Toutefois, elle adore se voir entourée de galants, qu'elle paie de quelques espoirs notamment par écrit. Alceste s'en est aperçu. Il somme Célimène de choisir, enfin.

ALCESTE

[...]

Oui, je veux bien, perfide, oublier vos forfaits ;
J'en saurai, dans mon âme, excuser tous les traits,
Et me les couvrirai du nom d'une faiblesse
1760 Où le vice du temps[1] porte votre jeunesse,
Pourvu que votre cœur veuille donner les mains[2]
Au dessein que j'ai fait de fuir tous les humains,
Et que dans mon désert[3], où j'ai fait vœu de vivre,
Vous soyez, sans tarder, résolue à me suivre :
1765 C'est par là seulement que, dans tous les esprits,
Vous pouvez réparer le mal de vos écrits,
Et qu'après cet éclat, qu'un noble cœur abhorre,
Il peut m'être permis de vous aimer encore.

CÉLIMÈNE

Moi, renoncer au monde avant que de vieillir,
1770 Et dans votre désert aller m'ensevelir !

ALCESTE

Et s'il faut qu'[4]à mes feux votre flamme réponde,
Que vous doit importer tout le reste du monde ?
Vos désirs avec moi ne sont-ils pas contents[5] ?

CÉLIMÈNE

La solitude effraie une âme de vingt ans :
1775 Je ne sens point la mienne assez grande, assez forte,
Pour me résoudre à prendre un dessein de la sorte.
Si le don de ma main peut contenter vos vœux,
Je pourrai me résoudre à serrer de tels nœuds :
Et l'hymen[6]...

ALCESTE

Non : mon cœur à présent vous déteste,
1780 Et ce refus lui seul fait plus que tout le reste.
Puisque vous n'êtes point, en des liens si doux,
Pour trouver tout en moi, comme moi tout en vous,
Allez, je vous refuse, et ce sensible outrage
De vos indignes fers pour jamais me dégage.

MOLIÈRE, *Le Misanthrope*, V, 4.

1. Corruption de notre temps.
2. Aider.
3. Retraite solitaire.
4. Dans l'hypothèse où.
5. Satisfaits.
6. Le mariage.

Questions

1. Quelle est la tonalité de ce dénouement du *Misanthrope*, pièce qualifiée par Molière de « comédie » ?

2. Étudiez et comparez le vocabulaire amoureux d'Alceste et celui de Célimène. Comment Alceste concilie-t-il misanthropie et amour ?

3. Molière présente-t-il ici une Célimène amoureuse ?

4. Le personnage d'Alceste est-il ou non comique ? Selon quels critères ?

Le Bourgeois gentilhomme

[1670]

ABRAHAM BOSSE (1602-1676). Frontispice gravé pour un ouvrage d'armoiries, 1639. Paris, Bibliothèque nationale de France. Photo © B.n.F.

1. Fonctions publiques.

Cette comédie-ballet est destinée au divertissement de la Cour. Monsieur Jourdain, fils de marchand, veut obstinément devenir noble. On le voit prendre, sans autre effet que de se ridiculiser, des leçons de danse, d'escrime et même de poésie amoureuse : il s'est en effet entiché d'une marquise. Un autre de ses rêves est de voir sa fille Lucile épouser un gentilhomme. Un soupirant, Cléonte, demande sa main.

Questions

1. Étudiez l'affrontement de M. Jourdain et du clan de ses opposants en analysant leurs arguments respectifs et leur manière de se comporter.

2. Que pensez-vous des désirs exprimés par M. Jourdain ? Molière vous semble-t-il vouloir prendre parti entre les valeurs de la bourgeoisie et celles de la noblesse, et, si oui, lequel ?

3. Étudiez la part du comique dans cette scène.

M. JOURDAIN. – Avant que de vous rendre réponse, monsieur, je vous prie de me dire si vous êtes gentilhomme.

CLÉONTE. – Monsieur, la plupart des gens sur cette question n'hésitent pas beaucoup. On tranche le mot aisément. Ce nom ne fait aucun scrupule à prendre, et l'usage aujourd'hui semble en autoriser le vol. Pour moi, je vous l'avoue, j'ai les 5 sentiments sur cette matière un peu plus délicats : je trouve que toute imposture est indigne d'un honnête homme, et qu'il y a de la lâcheté à déguiser ce que le Ciel nous a fait naître, à se parer aux yeux du monde d'un titre dérobé, à se vouloir donner pour ce qu'on n'est pas. Je suis né de parents, sans doute, qui ont tenu des charges[1] honorables. Je me suis acquis dans les armes l'honneur de six ans de ser- 10 vices, et je me trouve assez de bien pour tenir dans le monde un rang assez passable. Mais, avec tout cela, je ne veux point me donner un nom où d'autres en ma place croiraient pouvoir prétendre, et je vous dirai franchement que je ne suis point gentilhomme.

2. Touchez-moi la main (en signe d'accord).

3. De la famille de saint Louis, roi de France (comme Ève, selon la Bible, était tirée de la côte d'Adam).

4. D'ailleurs que de.

5. Approprié.

6. La servante.

7. Maladroit.

M. JOURDAIN. – Touchez là[2], monsieur : ma fille n'est pas pour vous. 15

CLÉONTE. – Comment ?

M. JOURDAIN. – Vous n'êtes point gentilhomme, vous n'aurez pas ma fille.

MME JOURDAIN. – Que voulez-vous donc dire avec votre gentilhomme ? est-ce que nous sommes, nous autres, de la côte de saint Louis[3] ?

M. JOURDAIN. – Taisez-vous, ma femme : je vous vois venir. 20

MME JOURDAIN. – Descendons-nous tous deux que de[4] bonne bourgeoisie ?

M. JOURDAIN. – Voilà pas le coup de langue ?

MME JOURDAIN. – Et votre père n'était-il pas marchand aussi bien que le mien ?

M. JOURDAIN. – Peste soit de la femme ! Elle n'y a jamais manqué. Si votre père a été marchand, tant pis pour lui ; mais pour le mien, ce sont des malavisés qui 25 disent cela. Tout ce que j'ai à vous dire, moi, c'est que je veux avoir un gendre gentilhomme.

MME JOURDAIN. – Il faut à votre fille un mari qui lui soit propre[5], et il vaut mieux pour elle un honnête homme riche et bien fait, qu'un gentilhomme gueux et mal bâti. 30

NICOLE[6]. – Cela est vrai. Nous avons le fils du gentilhomme de notre village, qui est le plus grand malitorne[7] et le plus sot dadais que j'aie jamais vu.

M. JOURDAIN. – Taisez-vous, impertinente. Vous vous fourrez toujours dans la conversation. J'ai du bien assez pour ma fille, je n'ai besoin que d'honneur, et je la veux faire marquise.

MOLIÈRE, *Le Bourgeois gentilhomme*, III, 12.

La commedia dell'arte

La ***commedia dell'arte,*** née au XVIᵉ siècle en Italie, est un théâtre d'acteurs de métier, connaissant donc les règles de l'art. Elle s'appuie sur l'improvisation et le canevas, le masque et la gestuelle.

L'improvisation ne s'improvise pas. Elle suppose une grande culture théâtrale de la part des comédiens, qui ont en mémoire tout un répertoire de scènes (par exemple le dépit amoureux), jeux de scène et de mots *(lazzi)* et tirades. Ils combinent ces passages en suivant un canevas, schéma de l'intrigue choisi à l'avance, et en tenant compte des réactions du public.

Chaque acteur de la troupe joue toujours le même rôle. Son personnage, stéréotypé (par exemple le Docteur, le Capitan, le valet Arlequin), est identifié par un costume et, s'il est comique, par un masque, qui le rendent facilement reconnaissable de pièce en pièce par le public. Ce masque oblige l'acteur à jouer de tout son corps avec souplesse et expressivité.

Cette forme de théâtre, introduite en France par les troupes italiennes qui y séjournent presque sans cesse de la fin du XVIᵉ siècle jusqu'au milieu du XVIIIᵉ siècle (voir p. 161), inspire directement Molière (par exemple le personnage d'Arnolphe, voir p. 150) et Marivaux.

neilleur ordre qu'aupar
infinité de fautes touc
av'ant par le Sieur de
hant le fens & les P

CONDITIONS MATÉRIELLES DU THÉÂTRE
AU XVIIᵉ SIÈCLE

Le théâtre français du XVIIᵉ siècle se joue dans des conditions très différentes de celles d'aujourd'hui. Elles expliquent nombre de ses traits spécifiques, qu'on aurait tort d'attribuer à des choix purement esthétiques. Le théâtre de Cour ignore ces contraintes spatiales et financières du théâtre commercial public.

■ Le système des troupes

Les troupes sont des associations d'acteurs, constituées pour un an devant notaire, sans recrutement en cours de saison, et se partageant les bénéfices des recettes et les dons des protecteurs. Elles doivent comprendre tous les types de rôles possibles, une douzaine en moyenne : deux couples de jeunes amoureux, un couple de parents, un couple de valets d'intrigue, un valet balourd et trois personnages pittoresques. Pour être jouable, une pièce doit correspondre à cette composition type.

La Troupe royale de la Comédie italienne à l'Hôtel de Bourgogne. Dessin pour L'Almanach de 1689. Paris, Bibliothèque nationale de France. © Photo Josse.

En province, ces troupes sont itinérantes. Paris seul dispose de théâtres permanents, mais très peu nombreux. Les auteurs savent donc généralement pour quels acteurs ils créent des rôles. Se font concurrence une troupe italienne de *commedia dell'arte* (voir p. 160), et les troupes de l'Hôtel de Bourgogne, du Marais et du Palais-Royal (dirigée par Molière), qui seront réunies en 1680 pour former la Comédie-Française. Elles suffisent étant donné la capacité des salles (plus de mille spectateurs) et la population : quinze représentations d'une pièce sont alors un triomphe.

■ Architecture et équipement des salles

Construites ou non dans des jeux de paume, les salles en adoptent toujours le plan rectangulaire, pourtant non prévu pour le théâtre. La scène, surélevée, en occupe une extrémité.

Les spectateurs sont répartis de façon hiérarchique. Au parterre, sur le terrain de jeu d'origine, s'entasse le public populaire, debout et donc souvent turbulent. La bonne société est assise, soit dans des loges latérales, soit au fond de la salle, sur les gradins de l'« amphithéâtre ». Sur la scène même, des sièges sont réservés de chaque côté pour les spectateurs de marque, qu'on ne peut empêcher d'arriver en retard ou de perturber le spectacle. Dans de telles conditions, l'attention du public est difficile à conquérir.

Le plateau, exigu, a une largeur utile réduite à six ou huit mètres. Pour cette raison s'impose le modèle intimiste du duo et du trio entre maîtres au premier plan, doublés au second plan de leurs suivants. Les scènes historiques à multiples personnages sont rares car difficiles à mettre en scène.

Le rideau de scène, s'il existe, ne peut être manœuvré. Les éventuels changements de décors se font donc à vue, ce qui brise l'illusion théâtrale.

Les éléments de décor sont disposés sur les côtés et le fond du plateau. Ce sont de grands panneaux peints suivant les lois de la perspective pour augmenter l'impression de profondeur. Il existe trois systèmes : soit un lieu d'action et donc un décor uniques, soit des lieux d'action multiples représentés soit simultanément, soit successivement avec changements aux entractes. Les acteurs apprécient évidemment l'unité de lieu, économique. Le public préfère les décors somptueux et animés des pièces à machines.

L'éclairage est assuré par des chandelles. Il faut les moucher toutes les demi-heures, sous peine d'enfumer le public. C'est pourquoi les pièces sont obligatoirement divisées en actes, tous de la même longueur. Il est, de plus, impossible de plonger la salle dans l'obscurité pendant la représentation.

Antoine Furetière
(1619-1688)

Portrait gravé, XVIIe s.
Photo © Hachette Livre.

ANTOINE FURETIÈRE mène une vie secrète et active d'ecclésiastique voué à l'étude. Les seuls événements qui la marquent touchent son engagement littéraire. Un amour de la langue française et un goût de la provocation constants unissent deux facettes apparemment opposées de cet auteur.

D'un côté, l'écrivain moqueur, émule de Scarron, qui publie l'*Énéide travestie* en 1649, épopée burlesque (voir p. 201), et *Le Roman bourgeois* en 1666 : cette satire réaliste des gens de loi et de leurs valeurs est aussi une sorte d'antiroman qui met à nu les stéréotypes narratifs héroïco-galants et s'interroge sur la possibilité même d'écrire un roman.

De l'autre côté, le grammairien rigoureux, académicien depuis 1662, assidu aux séances du dictionnaire, et qui, impatient, prend les devants en publiant à lui seul un *Dictionnaire universel* (première version en 1684). Il y introduit, outre le vocabulaire des honnêtes gens, qui sera privilégié par le premier *Dictionnaire de l'Académie française* de 1694, de nombreux termes techniques et spécialisés. Considéré comme un traître et exclu de l'Académie – cas unique –, il achève sa vie dans cette bataille des dictionnaires.

Le Roman bourgeois
[1666]

Extrait 1

Le titre de ce roman est pour l'époque une « alliance de mots » : un « roman » (voir p. 133) ne met pas en scène des bourgeois. Il se caractérise au contraire par le choix de personnages, de préoccupations et de lieux princiers. Les nobles méprisent les bourgeois pour leurs activités professionnelles et leur prétendue épaisseur d'esprit, comme le montre Le Bourgeois gentilhomme *que Molière crée quatre ans plus tard. Furetière met à profit la peinture de l'univers social et mental de la petite bourgeoisie parisienne aisée pour faire la satire à la fois des valeurs bourgeoises et des valeurs nobles, que beaucoup veulent singer.*
Dès le début de son roman, il précise ses intentions d'auteur.

Un autre auteur moins sincère, et qui voudrait paraître éloquent, ne manquerait jamais de faire ici une description magnifique de cette place. Il commencerait son éloge par l'origine de son nom ; il dirait qu'elle a été anoblie par ce fameux docteur Albert le Grand[1], qui y tenait son école, et qu'elle fut appelée
5 autrefois la place de Me Albert, et, par succession de temps, la place Maubert[2]. Que

1. Célèbre théologien du XIIIᵉ siècle.

2. Centre du quartier bourgeois, situé au bas du Quartier latin, où se déroule l'action du roman.

3. Centre du quartier aristocratique du Marais (aujourd'hui place des Vosges).

4. Parades équestres.

5. Rangées verticales.

6. Église d'un couvent proche de la place Maubert.

7. L'une des Sept Merveilles du monde pour les Anciens.

8. Les deux plus célèbres sculpteurs de l'Antiquité grecque.

9. Termes d'architecture.

10. Le plus célèbre des architectes romains (Iᵉʳ s. av. J.-C.).

11. Célèbre architecte italien du XVIᵉ siècle.

12. Palais du sultan à Istanbul.

si, par occasion, il écrivait la vie et les ouvrages de son illustre parrain, il ne serait pas le premier qui aurait fait une digression aussi peu à propos. Après cela il la bâtirait superbement selon la dépense qu'y voudrait faire son imagination. Le dessin de la place Royale[3] ne le contenterait pas ; il faudrait du moins qu'elle fût aussi belle que celle où se faisaient les carrousels[4], dans la galante et romanesque ville de Grenade. N'ayez pas peur qu'il allât vous dire (comme il est vrai) que c'est une place triangulaire, entourée de maisons fort communes pour loger de la bourgeoisie ; il se pendrait plutôt qu'il ne la fît carrée, qu'il ne changeât toutes les boutiques en porches et galeries, tous les auvents en balcons, et toutes les chaînes[5] de pierres de taille en beaux pilastres. Mais quand il viendrait à décrire l'église des Carmes[6], ce serait lors que l'architecture jouerait son jeu, et aurait peut-être beaucoup à souffrir. Il vous ferait voir un temple aussi beau que celui de Diane d'Éphèse[7] ; il le ferait soutenir par cent colonnes corinthiennes ; il remplirait les niches de statues faites de la main de Phidias[8] ou de Praxitèle[8] ; il raconterait les histoires figurées dans les bas-reliefs ; il ferait l'autel de jaspe et de porphyre ; et, s'il lui en prenait fantaisie, tout l'édifice : car, dans le pays des romans, les pierres précieuses ne coûtent pas plus que la brique et que le moellon. Encore il ne manquerait pas de barbouiller cette description de métopes, triglyphes, volutes, stylobates[9], et autres termes inconnus qu'il aurait trouvés dans les tables de Vitruve[10] ou de Vignole[11], pour faire accroire à beaucoup de gens qu'il serait fort expert en architecture. C'est aussi ce qui rend les auteurs si friands de telles descriptions, qu'ils ne laissent passer aucune occasion d'en faire ; et ils les tirent tellement par les cheveux, que, même pour loger un corsaire qui est vagabond et qui porte tout son bien avec soi, ils lui bâtissent un palais plus beau que le Louvre ni que le Sérail[12].

Grâce à ma naïveté, je suis déchargé de toutes ces peines, et quoique toutes ces belles choses se fassent pour la décoration du théâtre à fort peu de frais, j'aime mieux faire jouer cette pièce sans pompe et sans appareil, comme ces comédies qui se jouent chez le bourgeois avec un simple paravent. De sorte que je ne veux pas même vous dire comment est faite cette église, quoiqu'assez célèbre : car ceux qui ne l'ont point vue la peuvent aller voir, si bon leur semble, ou la bâtir dans leur imagination comme il leur plaira.

ANTOINE FURETIÈRE, *Le Roman bourgeois*, Livre premier.

Questions

1. Pour quelles raisons Furetière refuse-t-il de décrire la place Maubert ?

2. Quelles sont, selon Furetière, les parties d'une « description magnifique » (l. 2) ? Sur quelles références culturelles s'appuierait-elle ?

3. Comment ce refus d'une « description magnifique » permet-il cependant une description ?

4. Furetière oppose ici une conception idéaliste et une conception réaliste du roman : précisez-les.

Extrait 2

Pas de roman sans amours. Furetière feint de respecter cette attente des lecteurs : il entrecroise les récits des mésaventures sentimentales de Lucrèce et de Javotte. Cette dernière, fille du riche mais balourd procureur Vollichon, est courtisée par plusieurs prétendants. Pancrace, jeune homme à la mode, a trouvé une arme redoutable pour arriver à ses fins : il fait lire L'Astrée *(voir p. 110) à cette jeune bourgeoise « élevée dans l'obscurité ».*

En peu de jours il fut fort surpris de voir le progrès qu'elle avait fait à la lecture, et le changement qui était arrivé dans son esprit. Elle n'était plus muette comme auparavant, elle commençait à se mêler dans la conversation et à montrer que sa naïveté n'était pas tant un effet de son peu d'esprit que du manque d'édu-
5   cation, et de n'avoir pas vu le grand monde.

Il fut encore plus étonné de voir que l'ouvrage qu'il allait commencer était bien avancé, quand il découvrit qu'il était déjà si bien dans son cœur : car quoiqu'elle eût pris Astrée pour modèle et qu'elle imitât toutes ses actions et ses discours, qu'elle voulût même être aussi rigoureuse envers Pancrace que cette bergère l'était
10   envers Céladon, néanmoins elle n'était pas encore assez expérimentée ni assez adroite pour cacher tout à fait ses sentiments. Pancrace les découvrit aisément, et pour l'entretenir dans le style de son roman, il ne laissa pas de feindre qu'il était malheureux, de se plaindre de sa cruauté, et de faire toutes les grimaces et les emportements que font les amants passionnés qui languissent, ce qui plaisait infi-
15   niment à Javotte, qui voulait qu'on lui fît l'amour[1] dans les formes et à la manière du livre qui l'avait charmée. Aussi, dès qu'il eut connu son faible, il en tira de grands avantages. Il se mit lui-même à relire *L'Astrée*, et l'étudia si bien, qu'il contrefaisait admirablement Céladon. Ce fut ce nom qu'il prit pour son nom de roman, voyant qu'il plaisait à sa maîtresse, et en même temps elle prit celui
20   d'Astrée. Enfin ils imitèrent si bien cette histoire, qu'il sembla qu'ils la jouassent une seconde fois, si tant est qu'elle ait été jouée une première, à la réserve néanmoins de l'aventure d'Alexis[2], qu'ils ne purent exécuter. Pancrace lui donna encore d'autres romans, qu'elle lut avec la même avidité, et à force d'étudier nuit et jour, elle profita tellement en peu de temps, qu'elle devint la plus grande cau-
25   seuse et la plus coquette fille du quartier.

ANTOINE FURETIÈRE, *Le Roman bourgeois*, Livre premier.

Extrait 3

Voici la suite des amours, si l'on peut dire, de Javotte et de Pancrace.

Je ne tiens pas nécessaire de vous rapporter ici par le menu tous les sentiments passionnés qu'il étala et toutes les raisons qu'il allégua pour l'y faire résoudre, non plus que les honnêtes résistances qu'y fit Javotte, et les combats de l'amour et de l'honneur qui se firent dans son esprit : car vous n'êtes guère versés
5   dans la lecture des romans, ou vous devez savoir 20 ou 30 de ces entretiens par cœur, pour peu que vous ayez de mémoire. Ils sont si communs que j'ai vu des gens qui, pour marquer l'endroit où ils en étaient d'une histoire, disaient : J'en suis au huitième enlèvement, au lieu de dire : J'en suis au huitième tome.

---

1. Faire la cour (sens du XVIIᵉ s.).
2. Voir p. 111.

Questions

1. Quelle image des romans traditionnels cet extrait du *Roman bourgeois* donne-t-il ? Comment Furetière oppose-t-il son roman à ceux-ci ?

2. Étudiez le regard que le narrateur jette sur les personnages, comme individus et comme éléments représentatifs de la petite bourgeoisie parisienne.

3. Montrez en quoi Javotte est prête à devenir une précieuse ridicule.

4. Comment peut-on rapprocher ce que dit Bossuet du spectacle théâtral (voir p. 183) de ce que dit Furetière de la lecture romanesque ?

5. En quoi peut-on rapprocher Javotte de madame Bovary ?

Encore n'y a-t-il que les auteurs bien discrets qui en fassent si peu, car il y en a qui non seulement à chaque tome, mais à chaque livre, à chaque épisode ou histo- 10 riette, ne manquent jamais d'en faire. Un plus grand orateur ou poète que moi, quelque inventif qu'il fût, ne vous pourrait rien faire lire que vous n'eussiez vu cent fois. Vous en verrez dont on fait seulement la proposition, et on y résiste ; vous en verrez d'autres qui sont de nécessité, et on s'y résout. Je vous y renvoie donc, si vous voulez prendre la peine d'y en chercher, et je suis fâché, pour votre 15 soulagement, qu'on ne se soit point avisé dans ces sortes de livres de faire des tables, comme en beaucoup d'autres qui ne sont pas si gros et qui sont moins feuilletés. Vous entrelarderez ici celui que vous trouverez le plus à votre goût, et que vous croirez mieux convenir au sujet. J'ai pensé même de commander à l'imprimeur de laisser en cet endroit du papier blanc, pour y transplanter plus com- 20 modément celui que vous auriez choisi, afin que vous pussiez l'y placer. Ce moyen aurait satisfait toutes sortes de personnes : car il y en a tel qui trouvera à redire que je passe des endroits si importants sans les circonstancier, et qui dira que de faire un roman sans ce combat de passions qui en sont les plus beaux endroits, c'est la même chose que de décrire une ville sans parler de ses palais et de ses temples. 25 Mais il y en aura tel autre qui, voulant faire plus de diligence et battre bien du pays en peu de temps, n'en demandera que l'abrégé. C'était l'humeur de ce bon prêtre qui s'étonnait de ceux qui se plaignaient qu'il fallait employer bien du temps à dire leur bréviaire : car, par simplicité, il disait son office ponctuellement comme il le trouvait dans son livre, où il récitait tout de suite l'antienne, les ver- 30 sets, les leçons et les premiers mots de chaque psaume et de chaque hymne, avec l'etc. qui était au bout et le chiffre du renvoi qu'on faisait à la page où était le reste de l'hymne ou du psaume. Voilà le moyen 35 d'expédier besogne, et il ne mentait pas quand il assurait qu'il y employait moins d'un quart d'heure.

ANTOINE FURETIÈRE,
Le Roman bourgeois, Livre premier.

Gravure par ABRAHAM BOSSE.
Paris, Bibliothèque nationale de France.
Photo © B.n.F.

Guilleragues
(1628-1685)

Gigsbrechts, *Trompe œil à la fenêtre.*
Rouen, musée des Beaux-Arts.
● Photo © Josse.

GABRIEL-JOSEPH DE LA VERGNE DE GUILLERAGUES, vicomte gascon, entre d'abord dans l'entourage du prince de Conti avec lequel il fronde ; il se rallie ensuite à la Couronne et devient premier président de Cour à Bordeaux. Il passe enfin directement au service du roi, comme secrétaire ordinaire de la Chambre, de 1669 à 1675, puis comme ambassadeur à Constantinople, de 1679 à sa mort.

Ses **Lettres portugaises** (1669) sont présentées comme la traduction d'une correspondance réelle adressée par une religieuse portugaise à un officier français qui fut son amant. Lecteurs et critiques crurent, jusqu'au XXᵉ siècle, à leur authenticité. Leur succès immédiat témoigne d'un changement de goût du public. Celui-ci, las de ce qui lui paraît désormais invraisemblances romanesques et expression sclérosée de l'amour précieux, trouve sous la plume de la prétendue religieuse le modèle de la lettre d'amour naturelle et de la passion intensément vécue.

Lettres portugaises
[1669]

Dans ce recueil, Guilleragues ne fait entendre que la voix de Mariane, la religieuse séduite, abandonnée et toujours amoureuse. Le lecteur n'a pas connaissance des lettres envoyées par son amant rentré définitivement en France.

Extrait 1

Pourriez-vous être content d'une passion moins ardente que la mienne ? Vous trouverez, peut-être, plus de beauté (vous m'avez pourtant dit autrefois que j'étais assez belle), mais vous ne trouverez jamais tant d'amour, et tout le reste n'est rien. Ne remplissez plus vos lettres de choses inutiles, et ne m'écrivez plus de
5 me souvenir de vous. Je ne puis vous oublier, et je n'oublie pas aussi que vous m'avez fait espérer que vous viendriez passer quelque temps avec moi. Hélas ! pourquoi n'y voulez-vous pas passer toute votre vie ? S'il m'était possible de sortir de ce malheureux cloître, je n'attendrais pas en Portugal l'effet de vos promesses : j'irais, sans garder aucune mesure, vous chercher, vous suivre, et vous aimer par
10 tout le monde. Je n'ose me flatter que cela puisse être, je ne veux point nourrir une espérance qui me donnerait assurément quelque plaisir, et je ne veux plus être sensible qu'aux douleurs. J'avoue cependant que l'occasion que mon frère m'a donnée de vous écrire a surpris en moi quelques mouvements de joie, et qu'elle a suspendu pour un moment le désespoir où je suis. Je vous conjure de me dire
15 pourquoi vous vous êtes attaché à m'enchanter comme vous avez fait, puisque vous saviez bien que vous deviez m'abandonner ? Et pourquoi avez-vous été si

Q u e s t i o n s

1. Dans quelle mesure la situation amoureuse de la religieuse est-elle tragique ?

2. Étudiez la diversité des sentiments de la rédactrice et le plan de son développement s'il existe. Quelles conclusions en tirez-vous quant aux rapports entre la passion et l'écriture de la passion ?

3. Comment la religieuse conçoit-elle la temporalité de sa vie ? En a-t-elle ou non la maîtrise ? Appuyez-vous notamment sur le temps et le sens des verbes.

acharné à me rendre malheureuse ? que ne me laissiez-vous en repos dans mon cloître ? vous avais-je fait quelque injure ? Mais je vous demande pardon : je ne vous impute rien ; je ne suis pas en état de penser à ma vengeance, et j'accuse seulement la rigueur de mon destin.

GUILLERAGUES, *Lettres portugaises*, Première Lettre.

Extrait 2

Voici la fin de la cinquième et dernière lettre, les ultimes mots de l'amoureuse abandonnée à son amant infidèle.

Si quelque hasard vous ramenait en ce pays, je vous déclare que je vous livrerais à la vengeance de mes parents. J'ai vécu longtemps dans un abandonnement et dans une idolâtrerie qui me donne de l'horreur, et mon remords me persécute avec une rigueur insupportable, je sens vivement la honte des crimes que vous m'avez fait commettre, et je n'ai plus, hélas ! la passion qui m'empêchait d'en 5 connaître l'énormité ; quand est-ce que mon cœur ne sera plus déchiré ? quand est-ce que je serai délivrée de cet embarras cruel ! Cependant je crois que je ne vous souhaite point de mal, et que je me résoudrais à consentir que vous fussiez heureux ; mais comment pourrez-vous l'être, si vous avez le cœur bien fait ? Je veux vous écrire une autre lettre, pour vous faire voir que je serai peut-être plus 10 tranquille dans quelque temps ; que j'aurai de plaisir de pouvoir vous reprocher vos procédés injustes après que je n'en serai plus si vivement touchée, et lorsque je vous ferai connaître que je vous méprise, que je parle avec beaucoup d'indifférence de votre trahison, que j'ai oublié tous mes plaisirs et toutes mes douleurs, et que je ne me souviens de vous que lorsque je veux m'en souvenir ! Je demeure 15 d'accord que vous avez de grands avantages sur moi, et que vous m'avez donné une passion qui m'a fait perdre la raison ; mais vous devez en tirer peu de vanité ; j'étais jeune, j'étais crédule, on m'avait enfermée dans ce couvent depuis mon enfance, je n'avais vu que des gens désagréables, je n'avais jamais entendu les louanges que vous me donniez incessamment : il me semblait que je vous devais 20 les charmes et la beauté que vous me trouviez, et dont vous me faisiez apercevoir, j'entendais dire du bien de vous, tout le monde me parlait en votre faveur, vous faisiez tout ce qu'il fallait pour me donner de l'amour ; mais je suis, enfin, revenue de cet enchantement, vous m'avez donné de grands secours, et j'avoue que j'en avais un extrême besoin. En vous renvoyant vos lettres, je garderai soigneusement 25 les deux dernières que vous m'avez écrites, et je les relirai encore plus souvent que je n'ai lu les premières, afin de ne retomber plus dans mes faiblesses. Ah ! qu'elles me coûtent cher, et que j'aurais été heureuse, si vous eussiez voulu souffrir que je vous eusse toujours aimé ! Je connais bien que je suis encore un peu trop occupée de mes reproches et de votre infidélité, mais souvenez-vous que je me suis promis 30 un état plus paisible, et que j'y parviendrai, ou que je prendrai contre moi quelque résolution extrême, que vous apprendrez sans beaucoup de déplaisir ; mais je ne veux plus rien de vous, je suis une folle de redire les mêmes choses si souvent, il faut vous quitter et ne penser plus à vous, je crois même que je ne vous écrirai plus ; suis-je obligée de vous rendre un compte exact de tous mes divers mouve- 35 ments ?

GUILLERAGUES, *Lettres portugaises*, Cinquième Lettre.

Questions

1. La religieuse désire-t-elle parler ou se taire ? Le lecteur doit-il penser qu'elle écrit une lettre de rupture ? Déterminez précisément ce à quoi il est mis fin et ce qui se poursuivra.

2. Quelle nouvelle interprétation de sa vie passée la religieuse construit-elle ? Voyez quelle tonalité elle lui donne par le vocabulaire employé.

3. Comment raison et passions se mêlent-elles intimement ?

4. Confrontez cette lettre et celle d'Héloïse à Abélard citée p. 19.

Jean Racine

(1639-1699)

Portrait par son fils aîné.
Paris, Bibl. nationale de France.
● Photo © B.n.F.

Jean Racine, orphelin à deux ans, est élevé par sa grand-mère puis confié aux Petites Écoles de l'abbaye de Port-Royal où elle se retire. Éduqué jusqu'à l'âge de dix-neuf ans dans ce haut lieu du jansénisme, il bénéficie de maîtres remarquables dont l'helléniste Lancelot. Il annote de sa main les tragédies d'Euripide, où il trouvera son inspiration principale. Après deux ans de vie mondaine, il est envoyé sans succès près de Nîmes en vue d'une carrière ecclésiastique. Revenu à Paris, il est très vite attiré par le théâtre et par les actrices – certaines deviendront ses maîtresses, pour qui il écrira ses grands rôles. Il confie **La Thébaïde** (1664) et **Alexandre** (1665) à la troupe de Molière, qu'il accusera de mal les jouer, et rompt spectaculairement avec Port-Royal qui condamne le théâtre. À partir d'**Andromaque**, en 1667, il enchaîne les succès avec la troupe de l'Hôtel de Bourgogne et conquiert la Cour. Racine est également un carriériste. Aussi n'hé-site-t-il pas à abandonner le théâtre en pleine gloire pour devenir en 1677, avec Boileau, historiographe du roi. Il se marie, se consacre à ses enfants et se réconcilie avec Port-Royal et le jan-sénisme : il écrit des **Cantiques spirituels** (1694) et, en secret, un **Abrégé de l'histoire de Port-Royal**. Son retour temporaire au théâtre (1689 et 1691) ne contredit pas cette orientation définitive : ses deux der-nières pièces, bibliques, sont écrites pour les représentations scolaires des jeunes filles de Saint-Cyr, protégées par Mme de Maintenon.

Son œuvre théâtrale, sauf une comédie, **Les Plaideurs** (1668), est tragique. Racine met à profit les contraintes imposées par les règles classiques (voir p. 171) pour faire un théâtre fondamentalement poétique, à la fois dramatique et lyrique, dont la représentation doit se dérouler comme une cérémonie. Toute l'action y consiste en l'expression des paroles, qui séduisent, promettent, repoussent, mena-cent ou condamnent à mort ; tout le plaisir du spectateur réside dans leur audition. De violentes tensions dramatiques animent dialogues et monologues. Les désirs amoureux, les intrigues politiques, la fatalité païenne ou la malédiction biblique sont autant de forces, intimes, historiques et religieuses, qui font avancer les héros vers une catastrophe inéluctable. Ceux-ci trouvent leur seule liberté dans la force et la musicalité de leur parole. Le sujet des pièces de Racine varie, grec et mythologique **(Andromaque, Iphigénie, Phèdre)**, romain et historique **(Britannicus, Bérénice)**, turc **(Bajazet)** ou hébreu **(Esther, Athalie)**. Mais elles mettent toutes en scène une même humanité, dont les pulsions sont présentées comme intemporelles et universelles, et dont la situation de déchéance trouve son explication dans la vision janséniste de l'homme (voir pp. 106-107). Les héros portent en effet à son paroxysme le malheur de la condition humaine en éprouvant et révélant l'impossibilité de l'amour partagé et la contradiction, dans le domaine des motivations, entre appétit de domination et tendresse, impulsions involontaires et désir de pureté. Une telle exacerbation exige des sujets et une forme adéquats, que sont la grandeur des princes, la gravité des affaires d'État, la distance de l'Histoire et la solennité de l'alexandrin.

Andromaque
▬▬▬▬▬ *[1667]*

La guerre de Troie est finie. Andromaque, veuve du héros troyen Hector, est maintenant, avec son fils, la captive du vainqueur, le roi grec Pyrrhus, fils du légendaire Achille que le même Hector a tué au combat. Captive, mais aimée, elle est soumise au chantage de son maître : ou bien elle l'épouse (et trahit ainsi la mémoire d'Hector), ou bien il livre son fils aux Grecs qui veulent supprimer en lui un possible vengeur de Troie. Sa confidente Céphise lui conseille la première solution pour mettre fin à ce dilemme.

1. Selon l'*Iliade*, Achille avait attaché le cadavre d'Hector à son char.

2. Priam, roi de Troie.

3. Comment.

4. La servitude du mariage la forcerait alors à taire ses sentiments.

5. Résultat.

ANDROMAQUE

Dois-je les oublier, s'il ne s'en souvient plus ?
Dois-je oublier Hector privé de funérailles,
Et traîné sans honneur autour de nos murailles[1] ?
995 Dois-je oublier mon père[2] à mes pieds renversé,
Ensanglantant l'autel qu'il tenait embrassé ?
Songe, songe, Céphise, à cette nuit cruelle
Qui fut pour tout un peuple une nuit éternelle ;
Figure-toi Pyrrhus, les yeux étincelants,
1000 Entrant à la lueur de nos palais brûlants,
Sur tous mes frères morts se faisant un passage,
Et, de sang tout couvert, échauffant le carnage ;
Songe aux cris des vainqueurs, songe aux cris des mourants
Dans la flamme étouffés, sous le fer expirants ;
1005 Peins-toi dans ces horreurs Andromaque éperdue :
Voilà comme[3] Pyrrhus vint s'offrir à ma vue ;
Voilà par quels exploits il sut se couronner ;
Enfin, voilà l'époux que tu me veux donner.
Non, je ne serai point complice de ses crimes ;
1010 Qu'il nous prenne, s'il veut, pour dernières victimes.
Tous mes ressentiments lui seraient asservis[4] !

CÉPHISE

Eh bien ! allons donc voir expirer votre fils :
On n'attend plus que vous... Vous frémissez, madame !

ANDROMAQUE

Ah ! de quel souvenir viens-tu frapper mon âme !
1015 Quoi ! Céphise, j'irai voir expirer encor
Ce fils, ma seule joie, et l'image d'Hector,
Ce fils, que de sa flamme il me laissa pour gage !
Hélas ! je m'en souviens, le jour que son courage
Lui fit chercher Achille, où plutôt le trépas,
1020 Il demanda son fils, et le prit dans ses bras :
« Chère épouse, dit-il en essuyant mes larmes,
J'ignore quel succès[5] le sort garde à mes armes ;
Je te laisse mon fils pour gage de ma foi :
S'il me perd, je prétends qu'il me retrouve en toi.
1025 Si d'un heureux hymen la mémoire t'est chère,
Montre au fils à quel point tu chérissais le père. »

JEAN RACINE, *Andromaque*, III, 7.

Questions

1. Quelle argumentation Andromaque développe-t-elle ? Quelle est la place dans cette argumentation de ses souvenirs ? Quelle est celle de sa suivante Céphise ?

2. Quelles valeurs Andromaque défend-elle ? En quoi cet engagement la met-elle dans une situation tragique ?

3. Étudiez le lyrisme des propos d'Andromaque.

Britannicus

▬▬▬▬ *[1669]*

*Malgré son titre, cette tragédie n'est pas centrée sur le sort de Britannicus, prince écarté,
par sa belle-mère Agrippine, du trône qui lui revenait, et auquel il n'accorde plus de prix
maintenant qu'il aime Junie, qui est elle aussi de sang impérial. La pièce présente
essentiellement l'affrontement politique et passionnel entre une mère autoritaire,
l'impératrice Agrippine, et son fils Néron qu'elle a fait empereur : celui-ci n'est pas
encore ce monstre retenu par l'Histoire mais il commence à vouloir gouverner seul. La
nuit précédente, il a fait enlever Junie et en est tombé soudainement amoureux. Il
repousse le plus possible la confrontation avec sa mère Agrippine qui est furieuse de le
voir ruiner ses plans. En effet, après avoir marié son fils à Octavie, sœur de Britannicus,
elle prévoyait de satisfaire Britannicus en lui donnant Junie. Le traître Narcisse,
officiellement gouverneur de son rival, sert à Néron de confident et de conseiller.*

NÉRON

À combien de chagrins il faut que je m'apprête :
460 Que d'importunités !

NARCISSE

Quoi donc ! qui vous arrête,

Seigneur ?

NÉRON

Tout : Octavie, Agrippine, Burrhus[1],
Sénèque[1], Rome entière, et trois ans de vertus.
Non que pour Octavie un reste de tendresse
M'attache à son hymen[2] et plaigne sa jeunesse :
465 Mes yeux, depuis longtemps, fatigués de ses soins[3],
Rarement de ses pleurs daignent être témoins.
Trop heureux, si bientôt la faveur d'un divorce
Me soulageait d'un joug qu'on m'imposa par force !
Le ciel même en secret semble la condamner :
470 Ses vœux[4], depuis quatre ans, ont beau l'importuner,
Les dieux ne montrent point que sa vertu les touche :
D'aucun gage, Narcisse, ils n'honorent sa couche ;
L'empire vainement demande un héritier.

NARCISSE

Que tardez-vous, seigneur, à la répudier ?
475 L'empire, votre cœur, tout condamne Octavie.
Auguste, votre aïeul, soupirait pour Livie ;
Par un double divorce ils s'unirent tous deux ;
Et vous devez l'empire à ce divorce heureux.
Tibère[5], que l'hymen plaça dans sa famille,
480 Osa bien à ses yeux répudier sa fille.
Vous seul, jusques ici, contraire à vos désirs,
N'osez par un divorce assurer vos plaisirs.

NÉRON

Et ne connais-tu pas l'implacable Agrippine ?
Mon amour inquiet déjà se l'imagine
485 Qui m'amène Octavie, et d'un œil enflammé

PIERRE MIGNARD (1612-1695), *La tête de la Méduse.*
Paris, musée du Louvre.
• Photo © RMN - Daniel Arnaudet.

1. Burrhus, Sénèque :
ses deux gouverneurs.

2. Mariage.

3. Marques d'amour.

4. Prières.

5. Empereur romain, fils
adoptif d'Auguste.

6. Coups.

7. L'orgueilleux Pallas
(protégé d'Agrippine).

8. Divinité protectrice
d'une personne.

9. Frappé de stupeur.

Questions

1. Analysez précisément, à partir de ses propos, la situation politique et affective de Néron.

2. Étudiez les différentes formes de pouvoirs ici en question. En quoi consiste celui d'Agrippine ?

3. Quelle est la fonction dramatique de Narcisse ? Quelle psychologie Racine lui attribue-t-il pour qu'il remplisse cette fonction avec vraisemblance ?

Atteste les saints droits d'un nœud qu'elle a formé ;
Et, portant à mon cœur des atteintes[6] plus rudes,
Me fait un long récit de mes ingratitudes.
De quel front soutenir ce fâcheux entretien ?

NARCISSE

490 N'êtes-vous pas, seigneur, votre maître et le sien ?
Vous verrons-nous toujours trembler sous sa tutelle ?
Vivez, régnez pour vous : c'est trop régner pour elle.
Craignez-vous ? Mais seigneur, vous ne la craignez pas,
Vous venez de bannir le superbe Pallas[7],
495 Pallas, dont vous savez qu'elle soutient l'audace.

NÉRON

Éloigné de ses yeux, j'ordonne, je menace,
J'écoute vos conseils, j'ose les approuver ;
Je m'excite contre elle, et tâche à la braver.
Mais, je t'expose ici mon âme toute nue,
500 Sitôt que mon malheur me ramène à sa vue,
Soit que je n'ose encor démentir le pouvoir
De ces yeux où j'ai lu si longtemps mon devoir ;
Soit qu'à tant de bienfaits ma mémoire fidèle
Lui soumette en secret tout ce que je tiens d'elle,
505 Mais enfin mes efforts ne me servent de rien :
Mon génie[8] étonné[9] tremble devant le sien.
Et c'est pour m'affranchir de cette dépendance,
Que je la fuis partout, que même je l'offense,
Et que, de temps en temps, j'irrite ses ennuis,
510 Afin qu'elle m'évite autant que je la fuis.

JEAN RACINE, *Britannicus*, II, 1.

La règle des trois unités

*Qu'en un jour, qu'en un lieu, un seul fait accompli
Tienne jusqu'à la fin le théâtre rempli.*

Ce distique de Boileau, au Chant III de son *Art poétique* (voir p. 201), résume la règle des trois unités qui s'est imposée progressivement, mais jamais totalement, au théâtre français du XVIIᵉ siècle à partir de la querelle du *Cid* en 1637. Ces unités visent la vraisemblance en rapprochant l'histoire représentée des conditions de la représentation, laquelle se déroule en quelques heures sur un plateau unique.

Unité de jour : l'action doit se développer et se dénouer en 24 heures ou, mieux, entre le lever et le coucher du soleil ; **unité de lieu :** l'action doit se passer en un seul lieu, global (une ville par exemple) ou, de préférence, particulier (une place de ville, une pièce d'habitation) ; **unité d'action :** l'action doit suivre un fil directeur, mais non forcément unique ; il suffit que les actions secondaires servent à la progression de l'action principale.

Bérénice

[1670]

Racine affirme dans la préface à cette tragédie que toute l'invention du poète «consiste à faire quelque chose de rien». À partir d'une action apparemment simple – Titus renvoie Bérénice bien que leur amour soit partagé –, Racine réussit à bâtir cinq actes sans autres événements que les atermoiements des deux amants. Titus, qui vient de devenir empereur, a en effet décidé de se séparer de sa maîtresse Bérénice, la reine de Palestine, car il sait que Rome déteste trop la royauté pour supporter qu'il épouse cette reine comme il en avait eu le projet. Mais il lui reste à annoncer et faire accepter cette décision à Bérénice, tout en continuant à lui affirmer son amour.

Bérénice.
Frontispice de
l'édition de 1676.
Paris, Bibl. nationale de
France
Photo © Hachette Livre.

> **BÉRÉNICE**
> Eh bien ! régnez, cruel, contentez votre gloire :
> Je ne dispute[1] plus. J'attendais, pour vous croire,
> 1105 Que cette même bouche, après mille serments
> D'un amour qui devait unir tous nos moments,
> Cette bouche, à mes yeux s'avouant infidèle,
> M'ordonnât elle-même une absence éternelle.
> Moi-même j'ai voulu vous entendre en ce lieu.
> 1110 Je n'écoute plus rien : et, pour jamais, adieu...
> Pour jamais ! Ah ! seigneur ! songez-vous en vous-même
> Combien ce mot cruel est affreux quand on aime ?
> Dans un mois, dans un an, comment souffrirons-nous,
> Seigneur, que tant de mers me séparent de vous ;
> 1115 Que le jour recommence, et que le jour finisse,
> Sans que jamais Titus puisse voir Bérénice,
> Sans que, de tout le jour, je puisse voir Titus ?
> Mais quelle est mon erreur, et que de soins perdus !

1. Discute.
2. Mariage.
3. Désirez-vous m'enlever.

L'ingrat, de mon départ consolé par avance,
1120 Daignera-t-il compter les jours de mon absence ?
Ces jours si longs pour moi lui sembleront trop courts.

TITUS

Je n'aurai pas, madame, à compter tant de jours :
J'espère que bientôt la triste renommée
Vous fera confesser que vous étiez aimée.
1125 Vous verrez que Titus n'a pu, sans expirer...

BÉRÉNICE

Ah ! seigneur ! s'il est vrai, pourquoi nous séparer ?
Je ne vous parle point d'un heureux hyménée².
Rome à ne plus vous voir m'a-t-elle condamnée ?
Pourquoi m'enviez-vous³ l'air que vous respirez ?

TITUS

1130 Hélas ! vous pouvez tout, madame : demeurez :
Je n'y résiste point. Mais je sens ma faiblesse :
Il faudra vous combattre et vous craindre sans cesse,
Et sans cesse veiller à retenir mes pas,
Que vers vous à toute heure entraînent vos appas.
1135 Que dis-je ! En ce moment mon cœur, hors de lui-même,
S'oublie, et se souvient seulement qu'il vous aime.

BÉRÉNICE

Eh bien ! seigneur, eh bien ! qu'en peut-il arriver ?
Voyez-vous les Romains prêts à se soulever ?

TITUS

Et qui sait de quel œil ils prendront cette injure ?
1140 S'ils parlent, si les cris succèdent au murmure,
Faudra-t-il par le sang justifier mon choix ?
S'ils se taisent, madame, et me vendent leurs lois,
À quoi m'exposez-vous ? Par quelle complaisance
Faudra-t-il quelque jour payer leur patience ?
1145 Que n'oseront-ils point alors me demander ?
Maintiendrai-je des lois que je ne puis garder ?

BÉRÉNICE

Vous ne comptez pour rien les pleurs de Bérénice !

TITUS

Je les compte pour rien ! Ah ! ciel ! quelle injustice !

BÉRÉNICE

Quoi ! pour d'injustes lois que vous pouvez changer,
1150 En d'éternels chagrins vous-même vous plonger !
Rome a ses droits, seigneur : n'avez-vous pas les vôtres ?
Ses intérêts sont-ils plus sacrés que les nôtres ?
Dites, parlez.

TITUS

Hélas ! que vous me déchirez !

BÉRÉNICE

Vous êtes empereur, seigneur, et vous pleurez !

JEAN RACINE, *Bérénice*, IV, 5.

Questions

1. Ce dialogue est une joute : quels en sont les étapes et le vainqueur ? Quelles armes, et notamment quels arguments, Bérénice emploie-t-elle pour détourner Titus de son projet ?

2. Quelles conceptions du pouvoir s'affrontent ?

3. Ce dialogue est aussi un chant d'amour : étudiez-en le lyrisme. Racine prête-t-il des réactions affectives similaires aux deux amants ? Comment comprenez-vous l'expression « et vous pleurez » (v. 1154) ?

4. Cette scène est-elle ou non tragique ? Pourquoi ?

Phèdre
▬▬▬▬ *[1677]*

Phèdre, la jeune épouse du roi Thésée, brûle d'un amour aussi irrépressible que coupable pour Hippolyte, son beau-fils. Décidée à mourir, elle a avoué cette passion à sa nourrice le matin même. Or, on lui annonce la mort du roi. Phèdre prend alors le risque de revoir celui qui l'obsède pour régler les problèmes liés à la succession royale. Très vite, elle évoque sa rencontre avec Thésée venu en Crète tuer le Minotaure. Si seulement Hippolyte avait été assez âgé pour faire partie de l'expédition... !

[...]   PHÈDRE

Phèdre, mise en scène de Anne Delbée,
Comédie-Française, 1995.
Photo © Brigitte Enguerand.

Pourquoi, trop jeune encor, ne pûtes-vous alors
Entrer dans le vaisseau qui le mit sur nos bords ?
Par vous aurait péri le monstre de la Crète,
650 Malgré tous les détours de sa vaste retraite[1].
Pour en développer l'embarras incertain[2],
Ma sœur du fil fatal[3] eût armé votre main.
Mais non, dans ce dessein je l'aurais devancée ;
L'amour m'en eût d'abord inspiré la pensée.
655 C'est moi, prince, c'est moi, dont l'utile secours
Vous eût du Labyrinthe enseigné les détours.
Que de soins m'eût coûtés cette tête charmante !
Un fil n'eût point assez rassuré votre amante.
Compagne du péril qu'il vous fallait chercher,
660 Moi-même devant vous j'aurais voulu marcher ;
Et Phèdre au Labyrinthe avec vous descendue
Se serait avec vous retrouvée, ou perdue.

               HIPPOLYTE
Dieux ! qu'est-ce que j'entends ? Madame,
                             [oubliez-vous
Que Thésée est mon père, et qu'il est votre
                                [époux ?

               PHÈDRE
665 Et sur quoi jugez-vous que j'en perds la mémoire,
Prince ? Aurais-je perdu tout le soin de ma gloire ?

               HIPPOLYTE
Madame, pardonnez. J'avoue, en rougissant,
Que j'accusais à tort un discours innocent.
Ma honte ne peut plus soutenir votre vue ;
670 Et je vais...

---

1. Le labyrinthe bâti pour cacher le Minotaure, monstre mi-homme mi-taureau.

2. Débrouiller les détours qui laissent perplexe.

3. Le fil d'Ariane, sœur de Phèdre, qui permit à Thésée de ressortir du labyrinthe.

....

4. Comprise.

5. Ma famille (sa sœur Ariane et sa mère Pasiphaé, mère également du Minotaure).

6. Tromper.

7. Refuse.

Questions

1. Quelles attitudes différentes Phèdre adopte-t-elle dans cette scène ? Comment est-elle amenée progressivement à déclarer son amour ?

2. De quelles manières envisage-t-elle successivement son passé ?

3. Analysez, notamment d'un point de vue syntaxique, le langage que prête Racine à son personnage pour exprimer sa passion. Que signifient « fureur » (v. 672) et « charmes » (v. 689) ?

4. Analysez la façon dont Phèdre énonce l'état de dépossession d'elle-même dans lequel elle se trouve.

5. Cette passion est-elle, et dans quelle mesure, d'origine divine ou d'origine humaine ? En quoi Phèdre peut-elle parler de fatalité ? Fatalité divine et faute humaine sont-elles présentées par elle comme compatibles ?

6. Repérez des rimes riches signifiantes. Expliquez-les.

7. Trouvez-vous des points communs entre le traitement de cet épisode par Racine et celui d'un autre épisode du mythe de Thésée par Corneille dans *Médée* (voir p. 120) ?

PHÈDRE

Ah ! cruel, tu m'as trop entendue[4].
Je t'en ai dit assez pour te tirer d'erreur.
Hé bien ! connais donc Phèdre et toute sa fureur.
J'aime. Ne pense pas qu'au moment que je t'aime,
Innocente à mes yeux, je m'approuve moi-même,
675 Ni que du fol amour qui trouble ma raison
Ma lâche complaisance ait nourri le poison.
Objet infortuné des vengeances célestes,
Je m'abhorre encor plus que tu ne me détestes.
Les Dieux m'en sont témoins, ces Dieux qui dans mon flanc
680 Ont allumé le feu fatal à tout mon sang[5] ;
Ces Dieux qui se sont fait une gloire cruelle
De séduire[6] le cœur d'une faible mortelle.
Toi-même en ton esprit rappelle le passé.
C'est peu de t'avoir fui, cruel, je t'ai chassé.
685 J'ai voulu te paraître odieuse, inhumaine ;
Pour mieux te résister, j'ai recherché ta haine.
De quoi m'ont profité mes inutiles soins ?
Tu me haïssais plus, je ne t'aimais pas moins.
Tes malheurs te prêtaient encor de nouveaux charmes.
690 J'ai langui, j'ai séché, dans les feux, dans les larmes.
Il suffit de tes yeux pour t'en persuader,
Si tes yeux un moment pouvaient me regarder.
Que dis-je ? Cet aveu que je te viens de faire,
Cet aveu si honteux, le crois-tu volontaire ?
695 Tremblante pour un fils que je n'osais trahir,
Je te venais prier de ne le point haïr.
Faibles projets d'un cœur trop plein de ce qu'il aime !
Hélas ! je ne t'ai pu parler que de toi-même.
Venge-toi, punis-moi d'un odieux amour.
700 Digne fils du héros qui t'a donné le jour,
Délivre l'univers d'un monstre qui t'irrite.
La veuve de Thésée ose aimer Hippolyte !
Crois-moi, ce monstre affreux ne doit point t'échapper.
Voilà mon cœur. C'est là que ta main doit frapper.
705 Impatient déjà d'expier son offense,
Au-devant de ton bras je le sens qui s'avance.
Frappe. Ou si tu le crois indigne de tes coups,
Si ta haine m'envie[7] un supplice si doux,
Ou si d'un sang trop vil ta main serait trempée,
710 Au défaut de ton bras prête-moi ton épée.
Donne.

ŒNONE
Que faites-vous, Madame ? Justes Dieux !
Mais on vient. Éviter des témoins odieux ;
Venez, rentrez, fuyez une honte certaine.

Jean Racine, *Phèdre*, II, 5.

Bajazet

[1672]

L'action de cette tragédie se déroule à Constantinople, une quarantaine d'années seulement avant sa représentation sur scène. Roxane, déjà favorite du sultan Amurat, veut conquérir à la fois Bajazet, le frère de celui-ci, et le pouvoir. Elle fomente une conspiration où elle entraîne Bajazet et la princesse Atalide, mais elle ne peut supporter l'amour qui unit ses deux complices. Forte du pouvoir qu'elle exerce déjà sur le palais et qu'elle rappelle crûment, Roxane somme Bajazet de choisir : ou bien il accepte l'amour qu'elle lui propose et la mort d'Atalide, ou bien il mourra.

[...]   ROXANE

Laissons ces vains discours ; et, sans m'importuner,
1540 Pour la dernière fois, veux-tu vivre et régner ?
J'ai l'ordre d'Amurat[1], et je puis t'y soustraire.
Mais tu n'as qu'un moment : parle.

   BAJAZET

               Que faut-il faire ?

   ROXANE

Ma rivale est ici : suis-moi sans différer ;
Dans les mains des muets[2] viens la voir expirer ;
1545 Et, libre d'un amour à ta gloire funeste,
Viens m'engager ta foi ; le temps fera le reste.
Ta grâce est à ce prix, si tu veux l'obtenir.

   BAJAZET

Je ne l'accepterais que pour vous en punir ;
Que pour faire éclater aux yeux de tout l'empire
1550 L'horreur et le mépris que cette offre m'inspire.
Mais à quelle fureur me laissant emporter,
Contre ses tristes jours vais-je vous irriter !
De mes emportements elle n'est point complice,
Ni de mon amour même et de mon injustice[3] :
1555 Loin de me retenir par des conseils jaloux,
Elle me conjurait de me donner à vous.
En un mot, séparez ses vertus de mon crime.
Poursuivez, s'il le faut, un courroux légitime ;
Aux ordres d'Amurat hâtez-vous d'obéir ;
1560 Mais laissez-moi du moins mourir sans vous haïr.
Amurat avec moi ne l'a point condamnée :
Épargnez une vie assez infortunée.
Ajoutez cette grâce à tant d'autres bontés,
Madame ; et si jamais je vous fus cher...

   ROXANE

                   Sortez.

JEAN RACINE, *Bajazet*, V, 4.

Marie Desmares dite
« *La Champmeslé* » (1642-1698),
dans le rôle de Roxane.
Paris, musée de la Comédie-Française.
Photo © Josse.

....

1. L'ordre d'assassiner Bajazet.

2. Serviteurs du palais auxquels on a coupé la langue.

3. Injustice envers les bienfaits, intéressés, de Roxane.

Questions

1. Analysez l'évolution de la relation entre les deux personnages. Quels sentiments alternent dans cette scène ?

2. Caractérisez l'opposition des tons employés par les deux personnages.

3. Roxane sacrifie ce qu'elle aime : pourquoi ? Quelle conception a-t-elle de l'amour ? Quelle idée donne-t-elle du rapport entre hommes et femmes dans le théâtre de Racine ?

4. Commentez l'injonction finale : « Sortez ». En quoi consiste l'exercice du pouvoir ? Examinez de ce point de vue les domaines de la parole, des actes et des sentiments.

Athalie
■■■■■ *[1691]*

Cette tragédie religieuse met en scène l'affrontement manichéen et sans merci entre des Hébreux restés fidèles au Dieu de la Bible – qui l'emporteront – et ceux de leurs compatriotes qui se sont convertis à la religion païenne du dieu Baal, au premier rang desquels figure la reine Athalie. Celle-ci a même fait disparaître sa descendance afin d'empêcher tout retour à la religion traditionnelle. Mais, à son insu, le petit Joas a été sauvé : il est élevé par le grand prêtre qui travaille au rétablissement de la vraie foi. Alors que tout semble réussir à la reine, elle vit depuis peu dans l'inquiétude ; elle en explique la cause à ses proches, dont l'officier Abner fait partie.

1. Poignard.

ATHALIE

[...]
Un songe (me devrais-je inquiéter d'un songe ?)
Entretient dans mon cœur un chagrin qui le ronge :
Je l'évite partout, partout il me poursuit.
490 C'était pendant l'horreur d'une profonde nuit ;
Ma mère Jézabel devant moi s'est montrée,
Comme au jour de sa mort pompeusement parée,
Ses malheurs n'avaient point abattu sa fierté ;
Même elle avait encor cet éclat emprunté
495 Dont elle eut soin de peindre et d'orner son visage,
Pour réparer des ans l'irréparable outrage :
« Tremble, m'a-t-elle dit, fille digne de moi ;
Le cruel Dieu des Juifs l'emporte aussi sur toi.
Je te plains de tomber dans ses mains redoutables,
500 Ma fille. » En achevant ces mots épouvantables,
Son ombre vers mon lit a paru se baisser ;
Et moi je lui tendais les mains pour l'embrasser ;
Mais je n'ai plus trouvé qu'un horrible mélange
D'os et de chairs meurtris, et traînés dans la fange,
505 Des lambeaux pleins de sang, et des membres affreux
Que des chiens dévorants se disputaient entre eux.

ABNER
Grand Dieu !

ATHALIE
            Dans ce désordre à mes yeux se présente
Un jeune enfant couvert d'une robe éclatante,
Tels qu'on voit des Hébreux les prêtres revêtus.
510 Sa vue a ranimé mes esprits abattus ;
Mais lorsque, revenant de mon trouble funeste,
J'admirais sa douceur, son air noble et modeste,
J'ai senti tout à coup un homicide acier[1]
Que le traître en mon sein a plongé tout entier.

JEAN RACINE, *Athalie*, II, 5.

Questions

1. Que comprend le spectateur ? Comprend-il la même chose que les personnages ?

2. Analysez le caractère dramatique du contenu de ce songe et du récit qui en est donné par Athalie.

3. Examinez ce qui rend ce rêve présent sur scène et ce qui le rend inquiétant alors qu'il ne consiste qu'en images inconsistantes.

4. Comparez ce songe d'Athalie et le récit par Andromaque du sac de Troie et des dernières paroles d'Hector (voir p. 169) : étudiez-en notamment l'engagement des narratrices respectives et le style.

Paul de Gondi, cardinal de Retz

(1613-1679)

Portrait gravé d'après PHILIPPE DE CHAMPAIGNE.
● Photo © Hachette Livre.

PAUL DE GONDI, noble d'origine florentine, ecclésiastique par ambition, eut l'occasion de jouer un rôle important mais bref pendant la Fronde et le génie de l'immortaliser dans ses *Mémoires.* Coadjuteur (adjoint) de l'archevêque de Paris dès 1643, il utilise cette position pour s'entremettre, en de subtiles intrigues, entre le pouvoir royal et les factions de frondeurs, tout en étant farouchement opposé à Mazarin. Bien que devenu cardinal, il n'échappe pas à la vengeance de celui-ci quand le parti du roi reprend le dessus : il est emprisonné. Après une évasion spectaculaire, il parcourt l'Europe, puis rentre en grâce et se voit confier – retournement de situation mais non de compétence – diverses missions diplomatiques, notamment auprès de la Papauté.

Il consacre les dernières années de sa vie à rédiger ses *Mémoires,* si préjudiciables à l'autorité de Louis XIV qu'ils ne parurent qu'en 1717. Il s'y pose en observateur de l'Histoire, dont il affirme pouvoir, comme acteur, révéler bien des secrets. Il aime aussi se mettre lui-même en scène. Plus généralement, il développe une vision ironique de la politique et des motivations qui font agir les hommes : au XVIIᵉ siècle, le mémorialiste est aussi un moraliste qui met à nu le cœur humain. Mais, contrairement à La Rochefoucauld, autre ancien frondeur, il maintient une vision romanesque et volontiers libertine de l'homme. L'échec politique donne naissance à un récit allègre et à la construction réussie d'un moi : celui-ci, à défaut d'agir sur la réalité, parvient du moins à s'inventer par l'écriture.

Mémoires

[1717]

Suivant le goût des lecteurs de son époque, le cardinal de Retz émaille son récit de nombreux et brillants portraits. Voici, prélevés sur une longue suite de portraits présentés comme dans une galerie, ceux de deux frondeurs et séducteurs célèbres, le duc de La Rochefoucauld et la duchesse de Longueville. Le mémorialiste, au moment où il écrit, sait que le premier est devenu par la suite l'auteur ingénieux des Maximes *(voir p. 184).*

Il y a toujours eu du je ne sais quoi en tout M. de La Rochefoucauld. Il a voulu se mêler d'intrigue, dès son enfance, et dans un temps où il ne sentait pas les petits intérêts[1], qui n'ont jamais été son faible ; et où il ne connaissait pas les grands, qui, d'un autre sens, n'ont pas été son fort. Il n'a jamais été capable d'aucune affaire, et
5 je ne sais pourquoi ; car il avait des qualités qui eussent suppléé, en tout autre, celles qu'il n'avait pas. Sa vue n'était pas assez étendue, et il ne voyait pas même

1. Profits que l'on peut tirer d'une situation.
2. Réflexion abstraite.
3. Séduction.
4. Attribuer.
5. Défense (ici : de soi-même).
6. Subtilité et apparence de l'esprit.
7. Condé, son frère.
8. Celui des frondeurs.

Questions

1. Selon quel principe ces portraits sont-ils organisés ? Étudiez précisément la construction des phrases ainsi que le choix du lexique (par exemple, la distinction entre « guerrier » et « soldat », ligne 15).

2. Quels traits des personnages l'auteur retient-il ? Quels domaines de la vie ces traits concernent-ils ?

3. Flatterie ou dénigrement ? Étudiez le regard que jette le mémorialiste sur ses personnages et la manière dont il s'implique dans le portrait de ceux-ci.

4. Quelle conception de la noblesse le cardinal de Retz développe-t-il ?

tout ensemble ce qui était à sa portée ; mais son bon sens, et très bon dans la spéculation[2], joint à sa douceur, à son insinuation[3] et à sa facilité de mœurs, qui est admirable, devait récompenser plus qu'il n'a fait le défaut de sa pénétration. Il a toujours eu une irrésolution habituelle ; mais je ne sais même à quoi attribuer cette irrésolution. Elle n'a pu venir en lui de la fécondité de son imagination, qui n'est rien moins que vive. Je ne la puis donner[4] à la stérilité de son jugement ; car, quoiqu'il ne l'ait pas exquis dans l'action, il a un bon fonds de raison. Nous voyons les effets de cette irrésolution, quoique nous n'en connaissions pas la cause. Il n'a jamais été guerrier, quoiqu'il fût très soldat. Il n'a jamais été, par lui-même, bon courtisan, quoiqu'il ait eu toujours bonne intention de l'être. Il n'a jamais été bon homme de parti, quoique toute sa vie il y ait été engagé. Cet air de honte et de timidité que vous lui voyez dans la vie civile, s'était tourné, dans les affaires, en air d'apologie[5]. Il croyait toujours en avoir besoin, ce qui, joint à ses *Maximes*, qui ne marquent pas assez de foi en la vertu, et à sa pratique, qui a toujours été de chercher à sortir des affaires avec autant d'impatience qu'il y était entré, me fait conclure qu'il eût beaucoup mieux fait de se connaître et de se réduire à passer, comme il l'eût pu, pour le courtisan le plus poli qui eût paru dans son siècle.

Mme de Longueville a naturellement bien du fonds d'esprit, mais elle en a encore plus le fin et le tour[6]. Sa capacité, qui n'a pas été aidée par sa paresse, n'est pas allée jusques aux affaires, dans lesquelles la haine contre Monsieur le Prince[7] l'a portée, et dans lesquelles la galanterie l'a maintenue. Elle avait une langueur dans les manières, qui touchait plus que le brillant de celles mêmes qui étaient plus belles. Elle en avait une, même dans l'esprit, qui avait ses charmes, parce qu'elle avait des réveils lumineux et surprenants. Elle eût eu peu de défauts, si la galanterie ne lui en eût donné beaucoup. Comme sa passion l'obligea à ne mettre la politique qu'en second dans sa conduite, d'héroïne d'un grand parti[8] elle en devint l'aventurière. La grâce a rétabli ce que le monde ne lui pouvait rendre.

PAUL DE GONDI, CARDINAL DE RETZ, *Mémoires*, Seconde Partie.

Préciosité et salons

La préciosité, connue surtout par sa caricature chez Molière (voir *Les Précieuses ridicules*), est en fait un idéal de raffinement de la langue, de l'esprit et du cœur. Elle est à la mode dans les salons aristocratiques du XVIIe siècle, qui jugent grossières les manières communes. Elle affiche sa volonté de se distinguer jusque dans son langage, qu'elle veut pur de toute trivialité, surprenant et expressif par ses hyperboles et ses métaphores. Elle apprécie la complexité des sentiments et la subtilité de leur analyse. Elle revendique par dessus tout que la femme soit respectée, ait droit au savoir, et au libre choix en matière d'amour et de mariage.

Les salons, de Mme de Rambouillet ou de Mlle de Scudéry (voir p. 128), sont le centre de cette culture féministe et idéaliste. De nombreuses œuvres y sont conçues et discutées. Jeux de société, jeux poétiques, art du portrait et analyse des cas amoureux y occupent une société oisive et aimant la gaieté. C'est là que se forme aussi, par la conversation, l'honnête homme.

Madame de Sévigné
(1626-1696)

Portrait par CLAUDE LEFEBVRE
(1632-1675),
Paris, musée Carnavalet.
Photo © Josse.

MARIE DE RABUTIN-CHANTAL, orpheline élevée par ses oncles, reçoit une riche éducation artistique. Elle épouse en 1644 le volage marquis de Sévigné, dont elle a deux enfants. Veuve non éplorée à vingt-cinq ans, elle poursuit une vie brillante à la Cour et dans les salons, notamment celui de Mme de La Fayette. Elle-même reçoit La Rochefoucauld et Retz. En 1671, le départ de sa fille en Provence avec son époux, le comte de Grignan, déchire sa vie et confirme une vocation d'épistolière déjà affirmée et que seule la mort interrompra.

Les lettres de la marquise ne sont pas écrites pour être publiées. Elles ne seront imprimées, progressivement, qu'à partir de 1696. Mais elles circulent dans les salons, qui y voient le modèle de la lettre spirituelle. Les 1 400 lettres conservées, adressées en majorité à sa fille, sautent d'un sujet à l'autre pour rapporter menus événements familiaux et dernières nouvelles de l'actualité parisiennne. Les faits marquants donnent souvent lieu à des morceaux de bravoure. D'autres s'élargissent en réflexion sur la condition humaine. Mais un sujet revient toujours : l'amour passionné, et exacerbé par la séparation, d'une mère pour sa fille.

Lettre à Mme de Grignan
[1671]

Pour la Semaine sainte, qui précède Pâques, Madame de Sévigné s'est retirée chez son oncle l'abbé de Livry, près de Paris. Elle avait pris la résolution, qu'elle ne tient pas, de ne pas écrire à sa fille pendant cette période pour se consacrer entièrement à la prière.

Il n'y a point d'endroit, point de lieu, ni dans la maison, ni dans l'église, ni dans le pays, ni dans le jardin, où je ne vous aie vue. Il n'y en a point qui ne me fasse souvenir de quelque chose de quelque manière que ce soit. Et de quelque façon que ce soit aussi, cela me perce le cœur. Je vous vois ; vous m'êtes présente.
5 Je pense et repense à tout. Ma tête et mon esprit se creusent, mais j'ai beau tourner, j'ai beau chercher, cette chère enfant que j'aime avec tant de passion est à deux cents lieues de moi ; je ne l'ai plus. Sur cela, je pleure sans pouvoir m'en empêcher ; je n'en puis plus, ma chère bonne. Voilà qui est bien faible, mais pour moi, je ne sais point être forte contre une tendresse si juste et si naturelle. Je ne sais en
10 quelle disposition vous serez en lisant cette lettre. Le hasard peut faire qu'elle viendra mal à propos, et qu'elle ne sera peut-être pas lue de la manière qu'elle est écrite. À cela je ne sais point de remède. Elle sert toujours à me soulager présentement ; c'est tout ce que je lui demande. L'état où ce lieu ici m'a mise est une chose incroyable. Je vous prie de ne point parler de mes faiblesses, mais vous devez les
15 aimer, et respecter mes larmes qui viennent d'un cœur tout à vous.

MADAME DE SÉVIGNÉ, *Lettres*.

Questions

1. Étudiez la construction de cette lettre apparemment écrite au fil de la plume.

2. Quelles fonctions sont assignées à une telle lettre, du côté de celle qui l'écrit et du côté de celle à qui elle est destinée ?

3. Étudiez le vocabulaire de la passion, de la présence et de l'absence. Comment permet-il à l'auteur de passer, dans la rédaction de sa lettre, de l'amour pour Dieu à l'amour maternel ?

Lettre à M. de Coulanges

[1670]

Le projet de mariage de la Grande Mademoiselle, la propre cousine de Louis XIV, avec le simple M. de Lauzun, officier de mauvaise réputation, fait l'effet d'une bombe à la Cour. Madame de Sévigné trouve dans l'annonce de cette nouvelle à son cousin Coulanges une belle occasion de donner libre cours à son esprit.

À Paris, lundi 15 décembre 1670

Je m'en vais vous mander la chose la plus étonnante, la plus surprenante, la plus merveilleuse, la plus miraculeuse, la plus triomphante, la plus étourdissante, la plus inouïe, la plus singulière, la plus extraordinaire, la plus incroyable, la plus imprévue, la plus grande, la plus petite, la plus rare, la plus commune, la plus éclatante, la plus secrète jusqu'aujourd'hui, la plus brillante, la plus digne d'envie ; 5 enfin une chose dont on ne trouve qu'un exemple dans les siècles passés, encore cet exemple n'est-il pas juste ; une chose que nous ne saurions croire à Paris (comment la pourrait-on croire à Lyon[1] ?) ; une chose qui fait crier miséricorde à tout le monde ; une chose qui comble de joie Mme de Rohan et Mme de Hauterive[2], une chose enfin qui se fera dimanche, où ceux qui la verront croiront avoir la ber- 10 lue[3], une chose qui se fera dimanche, et qui ne sera peut-être pas faite lundi. Je ne puis me résoudre à la dire. Devinez-la ; je vous le donne en trois. Jetez-vous votre langue aux chiens ? Eh bien ! il faut donc vous la dire : M. de Lauzun épouse dimanche au Louvre, devinez qui ? Je vous le donne en quatre, je vous le donne en dix ; je vous le donne en cent. Mme de Coulanges dit : Voilà qui est bien difficile à 15 deviner ; c'est Mlle de La Vallière – Point du tout, Madame. – C'est donc Mlle de Retz ? – Point du tout, vous êtes bien provinciale. – Vraiment nous sommes bien bêtes, dites-vous, c'est Mlle Colbert ? – Encore moins. – C'est assurément Mlle de Créquy ? – Vous n'y êtes pas. Il faut donc à la fin vous le dire : il épouse, dimanche, au Louvre, avec la permission du Roi, Mademoiselle, Mademoiselle de... 20 Mademoiselle... devinez le nom : il épouse Mademoiselle, ma foi ! par ma foi ! ma foi jurée ! Mademoiselle, la Grande Mademoiselle ; Mademoiselle, fille de feu Monsieur[4], Mademoiselle, petite-fille de Henri IV ; mademoiselle d'Eu, mademoiselle de Dombes, mademoiselle de Montpensier, mademoiselle d'Orléans ; Mademoiselle, cousine germaine du Roi ; Mademoiselle, destinée au trône ; 25 Mademoiselle, le seul parti de France qui fût digne de Monsieur. Voilà un beau sujet de discourir. Si vous criez, si vous êtes hors de vous-même, si vous dites que nous avons menti, que cela est faux, qu'on se moque de vous, que voilà une belle raillerie, que cela est bien fade à imaginer ; si enfin vous nous dites des injures, nous trouverons que vous avez raison ; nous en avons fait autant que vous. 30

Adieu ; les lettres qui seront portées par cet ordinaire[5] vous feront voir si nous disons vrai ou non[6].

MADAME DE SÉVIGNÉ, *Lettres.*

1. Où se trouve alors Coulanges.
2. Ces deux grandes dames aussi avaient épousé de simples gentils-hommes.
3. Éblouissement.
4. Le frère du roi : ici, Gaston d'Orléans, frère de Louis XIII ; plus bas, Philippe d'Orléans, frère de Louis XIV.
5. Le courrier ordinaire.
6. Louis XIV interdira trois jours plus tard ce mariage (qui se fera cependant en 1681).

Questions

1. Quel type de relation une telle lettre établit-elle avec son destinataire ? Quel est le jeu de l'épistolière ?

2. Étudiez précisément la construction et la progression de la narration.

3. Examinez et caractérisez la syntaxe des phrases. Que peut-on en conclure sur le rythme de la lettre ?

4. Que pensez-vous de la phrase « Voilà un beau sujet de discourir » (l. 26) ? Que révèle-t-elle de la motivation à écrire des lettres ?

Jacques-Bénigne Bossuet

(1627-1704)

Portrait par HYACINTHE RIGAUD (1659-1743).
Paris, musée du Louvre.
• Photo © Josse.

BOSSUET consacre toute sa vie à l'étude et au combat pour la foi. Brillant élève des jésuites, il voit ensuite sa carrière ecclésiastique accélérée par le succès mondain de ses sermons. Précepteur du Dauphin de 1670 à 1680, actif évêque de Meaux ensuite, il s'affirme comme le héraut de l'Église de France, dont il défend l'autonomie par rapport à l'autorité du Pape. Il lutte inlassablement contre le jansénisme, le rationalisme cartésien, et surtout le protestantisme et le libertinage.

Son œuvre est vouée à la défense et l'illustration du catholicisme. Son ***Discours sur l'histoire universelle*** (1681), vaste traité pédagogique composé pour un futur roi, montre l'action permanente de la Providence divine. Ses sermons et ses oraisons funèbres, commandées pour célébrer la mort de Grands du royaume, visent un public épris de spectacles. Sous la magnificence paradoxale de leur expression, ces chefs-d'œuvre du lyrisme oratoire rappellent la vanité des biens de ce monde et la nécessité d'une conversion intime.

Oraison funèbre d'Henriette d'Angleterre

[1670]

Henriette, fille de Charles Ier *d'Angleterre et belle-sœur de Louis XIV, meurt à l'âge de vingt-six ans. Après avoir loué sa vie, Bossuet raconte sa mort.*

Considérez, Messieurs, ces grandes puissances que nous regardons de si bas. Pendant que nous tremblons sous leur main, Dieu les frappe, pour nous avertir. Leur élévation en est la cause ; et il les épargne si peu, qu'il ne craint pas de les sacrifier à l'instruction du reste des hommes. Chrétiens, ne murmurez pas si
5 Madame[1] a été choisie pour nous donner une telle instruction. Il n'y a rien ici de rude pour elle, puisque, comme vous le verrez dans la suite, Dieu la sauve par le même coup qui nous instruit. Nous devrions être assez convaincus de notre néant : mais s'il faut des coups de surprise à nos cœurs enchantés de[2] l'amour du monde, celui-ci est assez grand et assez terrible. Ô nuit désastreuse ! ô nuit
10 effroyable ! où retentit tout à coup, comme un éclat de tonnerre, cette étonnante nouvelle : Madame se meurt ! Madame est morte ! Qui de nous ne se sentit frappé à ce coup, comme si quelque tragique accident avait désolé sa famille ? Au premier bruit d'un mal si étrange[3], on accourut à Saint-Cloud de toutes parts ; on trouve tout consterné, excepté le cœur de cette princesse. Partout on entend des cris ; par-
15 tout on voit la douleur et le désespoir, et l'image de la mort. Le Roi, la Reine, Monsieur, toute la Cour, tout le peuple, tout est abattu, tout est désespéré ; et il me semble que je vois l'accomplissement de cette parole du prophète : *Le roi pleurera, le prince sera désolé, et les mains tomberont au peuple, de douleur et d'étonnement.*

JACQUES-BÉNIGNE BOSSUET, *Oraisons funèbres.*

1. Henriette, épouse de Monsieur (frère du roi).
2. Asservis par magie à.
3. Le bruit courut d'un empoisonnement.

1. Théâtre en général.
2. « Ou bien je dormirai, ou bien je rirai » (Horace, *Art poétique*).
3. Celle du P. Caffaro.
4. L'un des principaux « Pères de l'Église », à la doctrine duquel les penseurs du XVIIᵉ siècle font particulièrement référence (voir pp. 106-107).

Maximes et réflexions sur la comédie

[1694]

Le polémiste qu'est Bossuet répond à la publication par le P. Caffaro d'une Lettre *ou* Dissertation *pour la défense de la comédie, à une époque où la lutte contre les libertins s'intensifie. Il n'hésite pas à condamner le théâtre qu'il accuse d'enseigner le vice. Il fournit par la même occasion des arguments au pouvoir royal qui, après l'avoir affectionné, est tenté de l'interdire.*

Vous dites que ces représentations des passions agréables, *et les paroles des passions dont on se sert dans la comédie*[1], ne les excitent qu'indirectement, *par hasard et par accident*, comme vous parlez ; *et que ce n'est pas leur nature de les exciter* : mais, au contraire, il n'y a rien de plus direct, de plus essentiel, de plus naturel à ces pièces, que ce qui fait le dessein formel de ceux qui les composent, de ceux qui 5 les récitent, et de ceux qui les écoutent. Dites-moi, que veut un Corneille dans son *Cid*, sinon qu'on aime Chimène, qu'on l'adore avec Rodrigue, qu'on tremble avec lui lorsqu'il est dans la crainte de la perdre, et qu'avec lui on s'estime heureux lorsqu'il espère de la posséder ? Le premier principe sur lequel agissent les poètes tragiques et comiques, c'est qu'il faut intéresser le spectateur ; et si l'au- 10 teur ou l'acteur d'une tragédie ne le sait pas émouvoir, et le transporter de la passion qu'il veut exprimer, où tombe-t-il, si ce n'est dans le froid, dans l'ennuyeux, dans le ridicule, selon les règles des maîtres de l'Art ? *Aut dormitabo, aut ridebo*[2], et le reste. Ainsi, tout le dessein d'un poète, toute la fin de son travail, c'est qu'on soit, comme son héros, épris des belles personnes, qu'on les serve comme des 15 divinités ; en un mot, qu'on leur sacrifie tout, si ce n'est peut-être la gloire, dont l'amour est plus dangereux que celui de la beauté même. C'est donc combattre les règles et les principes des maîtres que de dire, avec la Dissertation[3], que le théâtre n'excite que *par hasard et par accident* les passions qu'il entreprend de trai- ter. [...] 20

Si le but de la comédie n'est pas de flatter ces passions, qu'on veut appeler délicates, mais dont le fond est si grossier, d'où vient que l'âge où elles sont le plus violentes est aussi celui où l'on est touché le plus vivement de leur expres- sion ? Mais pourquoi en est-on si touché, si ce n'est, dit saint Augustin[4], qu'on y voit, qu'on y sent l'image, l'attrait, la pâture de ses passions ? Et cela, dit le même 25 saint, qu'est-ce autre chose qu'une déplorable maladie de notre cœur ? On se voit soi-même, dans ceux qui nous paraissent comme transportés par de semblables objets : on devient bientôt un acteur secret dans la tragédie ; on y joue sa propre passion ; et la fiction au dehors est froide et sans agrément, si elle ne trouve au dedans une vérité qui lui réponde. C'est pourquoi ces plaisirs languissent dans 30 un âge plus avancé, dans une vie plus sérieuse ; si ce n'est qu'on se transporte par un souvenir agréable dans ses jeunes ans, les plus beaux de la vie humaine à ne consulter que les sens, et qu'on en réveille l'ardeur qui n'est jamais tout à fait éteinte.

JACQUES-BÉNIGNE BOSSUET,
Maximes et réflexions sur la comédie.

Questions

1. Quelle analyse Bossuet fait-il de ce que nous appelons « identi- fication » du spectateur aux personnages de théâtre ?

2. L'exemple du *Cid* vous paraît-il pertinent (voir p. 121) ?

3. Selon quels argu- ments ce principe d'identification théâ- trale est-il condamné ?

4. En quoi ce texte est- il paradoxalement une reconnaissance des pou- voirs du théâtre ?

François de La Rochefoucauld
(1613-1680)

École française, XVIIe siècle.
Versailles, musée national du Château.
Photo © Josse.

FRANÇOIS DE LA ROCHEFOUCAULD, issu de l'une des plus illustres familles de France, condense dans sa vie toute l'évolution de la grande noblesse d'épée au cours du siècle. Faiblement instruit, il excelle dans la bravoure militaire, la galanterie et les intrigues de Cour ; il est même embastillé pour avoir comploté contre Richelieu. Séduit par la Fronde, dont il dirige les armées contre le roi, il est vaincu puis amnistié. Il se consacre alors aux conquêtes amoureuses et aux salons où il charme les femmes de lettres. Et surtout, troquant l'épée contre la plume, il écrit. Pouvoir et gloire sont désormais déplacés sur le terrain impalpable, mais plus durable, des mots.

Comme beaucoup d'aristocrates après la Fronde (voir p. 105), il écrit ses **Mémoires**, qu'il publie dès 1662. Il est surtout connu pour ses **Réflexions ou Sentences et Maximes morales**, rédigées sur une vingtaine d'années à partir de 1658 et livrées au public en cinq éditions de 1664 à 1678. Conçues dans le salon janséniste de Mme de Sablé, elles allient indissolublement une vision pessimiste de l'homme et les goûts esthétiques des mondains qui rejettent les discours argumentés au profit de la brièveté frappante. La forme brillante et concise de la maxime répond, en effet, à la démarche incisive d'un esprit qui démystifie les vertus et les exploits et dévoile l'amour-propre tapi en tout cœur humain.

Réflexions ou Sentences et Maximes morales

[1664-1678]

Extrait 1

134

On n'est jamais si ridicule par les qualités que l'on a que par celles que l'on affecte d'avoir.

135

On est quelquefois aussi différent de soi-même que des autres.

136

Il y a des gens qui n'auraient jamais été amoureux s'ils n'avaient jamais entendu parler de l'amour.

137

On parle peu quand la vanité ne fait pas parler.

138

On aime mieux dire du mal de soi-même que de n'en point parler.

1. Éloignement.

2. Vaniteux.

3. Comprendre.

4. Voir l'introduction à l'extrait 2 ci-dessous.

5. Nuisible.

6. Occasions.

7. Opinions.

8. Poisson ventouse qui avait le pouvoir, selon la légende antique, d'arrêter les navires en se fixant à leur coque.

9. Calme plat sur la mer.

10. Efforts pour obtenir quelque chose.

139

Une des choses qui fait que l'on trouve si peu de gens qui paraissent raisonnables et agréables dans la conversation, c'est qu'il n'y a presque personne qui ne pense plutôt à ce qu'il veut dire qu'à répondre précisément à ce qu'on lui dit. Les plus habiles et les plus complaisants se contentent de montrer seulement une mine attentive, au même temps que l'on voit dans leurs yeux et dans leur esprit 5 un égarement[1] pour ce qu'on leur dit, et une précipitation pour retourner à ce qu'ils veulent dire ; au lieu de considérer que c'est un mauvais moyen de plaire aux autres ou de les persuader, que de chercher si fort à se plaire à soi-même, et que bien écouter et bien répondre est une des plus grandes perfections qu'on puisse avoir dans la conversation. 10

140

Un homme d'esprit serait souvent bien embarrassé sans la compagnie des sots.

141

Nous nous vantons souvent de ne nous point ennuyer ; et nous sommes si glorieux[2] que nous ne voulons pas nous trouver de mauvaise compagnie.

142

Comme c'est le caractère des grands esprits de faire entendre[3] en peu de paroles beaucoup de choses, les petits esprits au contraire ont le don de beaucoup parler, et de ne rien dire.

54[4]

De toutes les passions celle qui est la plus inconnue à nous-mêmes, c'est la paresse ; elle est la plus ardente et la plus maligne[5] de toutes, quoique sa violence soit insensible, et que les dommages qu'elle cause soient très cachés ; si nous considérons attentivement son pouvoir, nous verrons qu'elle se rend en toutes rencontres[6] maîtresse de nos sentiments[7], de nos intérêts et de nos plaisirs ; c'est 5 la rémore[8] qui a la force d'arrêter les plus grands vaisseaux, c'est une bonace[9] plus dangereuse aux plus importantes affaires que les écueils, et que les plus grandes tempêtes ; le repos de la paresse est un charme secret de l'âme qui suspend soudainement les plus ardentes poursuites[10] et les plus opiniâtres résolutions ; pour donner enfin la véritable idée de cette passion, il faut dire que la paresse est 10 comme une béatitude de l'âme, qui la console de toutes ses pertes, et qui lui tient lieu de tous les biens.

FRANÇOIS DE LA ROCHEFOUCAULD,
Réflexions ou Sentences et Maximes morales,
numérotation de l'éd. Jacques Truchet,
© Garnier, 1967.

1. Dans ces maximes, comment La Rochefoucauld parvient-il à la concision ?

2. Quelles sont les caractéristiques qui les rendent faciles à mémoriser ?

3. Observez le lexique utilisé pour dépeindre l'homme : repérez comment s'exprime l'opposition entre l'être et le paraître, la constance et l'inconstance, le bonheur et le malheur.

4. Que signifie exactement « amour-propre » (maximes 22 et 26) ? Quel rapport La Rochefoucauld établit-il entre amour-propre et opacité du cœur à lui-même ?

5. De qui l'homme est-il inconnu : des autres, de soi-même, de l'auteur des *Maximes* ?

Extrait 2

La Rochefoucauld a plusieurs fois remanié l'édition de ses Maximes *par ajouts, mais aussi par suppressions d'une édition à l'autre : c'est le cas de la maxime 54 ci-dessus, publiée comme les précédentes en 1664 mais retranchée en 1666. Il en a aussi écarté certaines, comme celles qui suivent, demeurées manuscrites et publiées seulement à la fin du XIXᵉ siècle.*

8

Nous craignons toutes choses comme mortels, et nous désirons toutes choses comme si nous étions immortels.

10

Une preuve convaincante que l'homme n'a pas été créé comme il est, c'est que plus il devient raisonnable et plus il rougit en soi-même de l'extravagance, de la bassesse et de la corruption de ses sentiments et de ses inclinations.

I I

Il ne faut pas s'offenser que les autres nous cachent la vérité puisque nous nous la cachons si souvent nous-mêmes.

21

L'homme est si misérable que, tournant toutes ses conduites à satisfaire ses passions, il gémit incessamment sous leur tyrannie ; il ne peut supporter ni leur violence ni celle qu'il faut qu'il se fasse pour s'affranchir de leur joug ; il trouve du dégoût[1] non seulement dans ses vices, mais encore dans leurs remèdes, et ne
5 peut s'accommoder ni des chagrins de ses maladies ni du travail de sa guérison.

22

Dieu a permis, pour punir l'homme du péché originel, qu'il se fît un dieu de son amour-propre pour en être tourmenté dans toutes les actions de sa vie.

26

L'intérêt est l'âme de l'amour-propre, de sorte que, comme le corps, privé de son âme, est sans vue, sans ouïe, sans connaissance, sans sentiment et sans mouvement, de même l'amour-propre séparé, s'il le faut dire ainsi, de son intérêt, ne voit, n'entend, ne sent et ne se remue plus ; de là vient qu'un même homme qui
5 court la terre et les mers pour son intérêt devient soudainement paralytique pour l'intérêt des autres ; de là vient le soudain assoupissement et cette mort que nous causons à tous ceux à qui
10 nous contons nos affaires ; de là vient leur prompte résurrection lorsque dans notre narration nous y mêlons quelque chose qui les regarde ; de sorte que nous voyons dans nos conversations et
15 dans nos traités[2] que dans un même moment un homme perd connaissance et revient à soi, selon que son propre intérêt s'approche de lui ou qu'il s'en retire.

FRANÇOIS DE LA ROCHEFOUCAULD,
Réflexions ou Sentences et Maximes morales.
numérotation de l'éd. Jacques Truchet,
© Garnier, 1967.

....
1. Déplaisir. – 2. Négociations.

Questions

6. Dans quelle mesure et selon quels arguments La Rochefoucauld présente-t-il une vision pessimiste de l'homme ? Vous pouvez vous référer aux *Pensées* de Pascal.

7. Selon quels critères vous semble-t-il que La Rochefoucauld ait retenu certaines maximes pour la publication et en ait écarté certaines autres, qui n'ont été publiées qu'après sa mort ?

Le Carnaval perpétuel. Gravure par NICOLAS GUÉRARD (1638-1719).
Paris, Bibliothèque nationale de France. Photo © B.n.F.

Réflexions diverses

La Rochefoucauld n'a pas seulement composé des maximes brèves. Il a laissé aussi notamment dix-huit Réflexions *plus longuement développées, qui n'ont été publiées qu'aux XVIIIe et XIXe siècles. Celle dont est tiré l'extrait ci-dessous examine l'attirance paradoxale des coquettes pour les vieillards.*

1. Empressés auprès des femmes.

2. Le plus visible (superlatif).

3. Suite d'un grand personnage.

4. Le plus célèbre des romans de chevalerie du Moyen Âge finissant, aux multiples versions, encore beaucoup lu au XVIIe siècle.

5. Accommodants.

6. À qui on peut se fier.

7. Supporté.

Mais le plus incompréhensible de tous leurs goûts est, à mon sens, celui qu'elles ont pour les vieillards qui ont été galants[1]. Ce goût paraît trop bizarre, et il y en a trop d'exemples, pour ne chercher pas la cause d'un sentiment tout à la fois si commun et si contraire à l'opinion que l'on a des femmes. Je laisse aux philosophes à décider si c'est un soin charitable de la nature, qui veut consoler 5 les vieillards dans leur misère, et qui leur fournit le secours des coquettes par la même prévoyance qui lui fait donner des ailes aux chenilles, dans le déclin de leur vie, pour les rendre papillons ; mais, sans pénétrer dans les secrets de la physique, on peut, ce me semble, chercher des causes plus sensibles de ce goût dépravé des coquettes pour les vieilles gens. Ce qui est plus apparent[2], c'est 10 qu'elles aiment les prodiges, et qu'il n'y en a point qui doive plus toucher leur vanité que de ressusciter un mort. Elles ont le plaisir de l'attacher à leur char, et d'en parer leur triomphe, sans que leur réputation en soit blessée ; au contraire, un vieillard est un ornement à la suite d'une coquette, et il est aussi nécessaire dans son train[3] que les nains l'étaient autrefois dans *Amadis*[4]. Elles n'ont point 15 d'esclaves si commodes[5] et si utiles. Elles paraissent bonnes et solides[6] en conservant un ami sans conséquence. Il publie leurs louanges, il gagne croyance vers les maris et leur répond de la conduite de leurs femmes. S'il a du crédit, elles en retirent mille secours ; il entre dans tous les intérêts et dans tous les besoins de la maison. S'il sait les bruits qui courent des véritables galanteries, il n'a garde de 20 les croire ; il les étouffe, et assure que le monde est médisant ; il juge par sa propre expérience des difficultés qu'il y a de toucher le cœur d'une si bonne femme ; plus on lui fait acheter des grâces et des faveurs et plus il est discret et fidèle ; son propre intérêt l'engage assez au silence ; il craint toujours d'être quitté, et il se trouve trop heureux d'être souffert[7]. Il se persuade aisément qu'il 25 est aimé, puisqu'on le choisit contre tant d'apparences ; il croit que c'est un privilège de son vieux mérite, et remercie l'amour de se souvenir de lui dans tous les temps.

FRANÇOIS DE LA ROCHEFOUCAULD, *Réflexions diverses*, 15,
« Des coquettes et des vieillards ».

Questions

1. Examinez la méthode et les fondements de l'analyse morale menée par La Rochefoucauld. Notamment, d'où dit-il tenir ce qu'il sait des coquettes ? Dans quelle mesure se pose-t-il en philosophe des mœurs ?

2. Étudiez les services rendus par les coquettes aux vieillards et l'intérêt paradoxal qu'elles y trouvent. Quel rapport cela a-t-il avec l'amour-propre ?

3. Étudiez l'ironie de l'analyse menée par La Rochefoucauld.

4. Comparez cette réflexion à l'éloge des dettes par Panurge chez Rabelais (voir p. 49).

Madame de La Fayette
(1634-1693)

École française, XVIIᵉ s.
Coll. M. Amaury de Ternay.

MARIE-MADELEINE PIOCHE DE LA VERGNE bénéficie d'une éducation très soignée, puis de la fréquentation des salons précieux. Mariée au comte de La Fayette, elle vit séparément de lui à Paris dès 1661. Elle ouvre son propre salon où paraissent notamment La Rochefoucauld, son ami le plus intime, et Mme de Sévigné. Elle séjourne aussi à la Cour, comme dame d'honneur de son amie Henriette d'Angleterre (voir p. 182), dont elle écrira la vie. Discrète dans son érudition et vive dans la conversation et l'amitié, elle est un exemple de l'« honnêteté » classique. Elle finit sa vie dans la piété.

SON ŒUVRE n'est pas publiée sous son nom : c'est la marque de la collaboration de ses amis mais aussi le signe qu'elle avait le souci – caractéristique des aristocrates – de ne pas paraître écrivain de métier. Initiatrice de la nouvelle historique, avec **La Princesse de Montpensier** (1662), elle contribue à renouveler le goût des lecteurs en choisissant, contre les grands romans de Mlle de Scudéry, la brièveté, la simplicité, l'ancrage historique des intrigues et la vraisemblance des sentiments. Après **Zaïde, histoire espagnole** en 1670-1671, elle publie en 1678 **La Princesse de Clèves**, qui suscite dès sa parution une intense querelle littéraire et devient le modèle du roman d'analyse (voir p. 133), puis un point de référence dans l'admiration ou le rejet pour le roman français ultérieur. Comme les *Maximes* de La Rochefoucauld, ces ouvrages portent l'empreinte du jansénisme.

La Princesse de Clèves
[1678]

Extrait 1

Mme de Clèves, mariée à un homme qu'elle ne fait qu'estimer, découvre, en faisant la connaissance du duc de Nemours, un sentiment inconnu, l'amour, qu'elle peine à identifier puis à accepter. Elle est alors partagée entre l'amour et la raison, entre le plaisir de voir le courtisan séduisant et d'être vue de lui, et la souffrance que provoque la lutte contre cette attirance adultère. Le duc, passionné et conquérant, veut obtenir quelque chose de cette femme. Un jour qu'il se trouve chez elle, avec d'autres visiteurs, l'assemblée admire un petit portrait de Mme de Clèves appartenant à son mari. Ce portrait est laissé sur une table.

1. Marie Stuart, fille du roi d'Écosse et épouse du Dauphin, futur François II.
2. Les dames font salon dans leur chambre.

Il y avait longtemps que M. de Nemours souhaitait d'avoir le portrait de Mme de Clèves. Lorsqu'il vit celui qui était à M. de Clèves, il ne put résister à l'envie de le dérober à un mari qu'il croyait tendrement aimé ; et il pensa que, parmi
5 tant de personnes qui étaient dans ce même lieu, il ne serait pas soupçonné plutôt qu'un autre.

Q u e s t i o n s

1. Étudiez la mise en scène de l'action et notamment l'importance de la situation des personnages dans l'espace de la chambre.

2. Comment le narrateur présente-t-il les personnages ? Quels types d'informations donne-t-il sur eux ? Jusqu'à quel point les connaît-il ?

3. Étudiez la distinction que font les personnages entre savoir, laisser voir qu'on sait et dire qu'on sait.

4. Comment chacun des deux personnages interprète-t-il le vol de ce portrait ? Étudiez en particulier la fonction des différentes focalisations dans le deuxième paragraphe.

Mme la Dauphine[1] était assise sur le lit[2] et parlait bas à Mme de Clèves, qui était debout devant elle. Mme de Clèves aperçut par un des rideaux, qui n'était qu'à demi fermé, M. de Nemours, le dos contre la table, qui était au pied du lit, et elle vit que, sans tourner la tête, il prenait adroitement quelque chose sur cette table. Elle n'eut pas de peine à deviner que c'était son portrait, et elle en fut si troublée que Mme la Dauphine remarqua qu'elle ne l'écoutait pas et lui demanda tout haut ce qu'elle regardait. M. de Nemours se tourna à ces paroles ; il rencontra les yeux de Mme de Clèves, qui étaient encore attachés sur lui, et il pensa qu'il n'était pas impossible qu'elle eût vu ce qu'il venait de faire. 10

Mme de Clèves n'était pas peu embarrassée. La raison voulait qu'elle demandât son portrait ; mais, en le demandant publiquement, c'était apprendre à tout le monde les sentiments que ce prince avait pour elle, et, en le lui demandant en particulier, c'était quasi l'engager à lui parler de sa passion. Enfin elle jugea qu'il valait mieux le lui laisser, et elle fut bien aise de lui accorder une faveur qu'elle lui pouvait faire sans qu'il sût même qu'elle la lui faisait. M. de Nemours, qui remarquait son embarras, et qui en devinait quasi la cause, s'approcha d'elle et lui dit tout bas : 15

– Si vous avez vu ce que j'ai osé faire, ayez la bonté, madame, de me laisser croire que vous l'ignorez ; je n'ose vous en demander davantage. Et il se retira après ces paroles et n'attendit point sa réponse. 25

MADAME DE LA FAYETTE, *La Princesse de Clèves*,
Tome deuxième.

Extrait 2

La princesse a communication d'une lettre d'amour perdue qui semble adressée au duc de Nemours. Elle découvre alors les tourments de la jalousie. Une fois détrompée, elle se voit offrir l'occasion d'un complet renversement de ses dispositions envers le duc. En effet, l'existence de cette lettre étant publiquement connue, mais non son contenu, ils sont chargés tous les deux par son véritable destinataire, le vidame de Chartres, qui est un proche, de rédiger une lettre de substitution dont la lecture ne puisse le compromettre. Cette situation suscite le plaisir troublant d'un tête-à-tête. Faisant ensuite retour sur elle-même, Mme de Clèves ne peut que constater les incertitudes de son propre cœur.

Q u e s t i o n s

1. Les « analyses » caractérisent largement ce roman : définissez à partir de cet extrait en quoi elles consistent.

2. À partir de l'examen des différents types de phrases et par la recherche des différents points de vue, déterminez qui, du narrateur ou du personnage, procède à cette « analyse ».

Elle avait ignoré jusqu'alors les inquiétudes mortelles de la défiance et de la jalousie ; elle n'avait pensé qu'à se défendre d'aimer M. de Nemours et elle n'avait point encore commencé à craindre qu'il en aimât une autre. Quoique les soupçons que lui avait donnés cette lettre fussent effacés, ils ne laissèrent pas de lui ouvrir les yeux sur le hasard d'être trompée et de lui donner des impressions de défiance 5 et de jalousie qu'elle n'avait jamais eues. Elle fut étonnée de n'avoir point encore pensé combien il était peu vraisemblable qu'un homme comme M. de Nemours, qui avait toujours fait paraître tant de légèreté parmi les femmes, fût capable d'un attachement sincère et durable. Elle trouva qu'il était presque impossible qu'elle pût être contente de sa passion. Mais quand je le pourrais être, disait-elle, qu'en 10

veux-je faire ? Veux-je la souffrir ? Veux-je y répondre ? Veux-je m'engager dans une galanterie ? Veux-je manquer à M. de Clèves ? Veux-je me manquer à moi-même ? Et veux-je enfin m'exposer aux cruels repentirs et aux mortelles douleurs que donne l'amour ? Je suis vaincue et surmontée par une inclination qui m'en-
15 traîne malgré moi. Toutes mes résolutions sont inutiles ; je pensai hier tout ce que je pense aujourd'hui et je fais aujourd'hui tout le contraire de ce que je résolus hier. Il faut m'arracher de la présence de M. de Nemours ; il faut m'en aller à la campagne, quelque bizarre que puisse paraître mon voyage ; et si M. de Clèves s'opiniâtre à l'empêcher ou à en vouloir savoir les raisons, peut-être lui ferai-je le
20 mal, et à moi-même aussi, de les lui apprendre. Elle demeura dans cette résolution et passa tout le soir chez elle, sans allez savoir de Mme la Dauphine ce qui était arrivé de la fausse lettre du vidame.

MADAME DE LA FAYETTE, La Princesse de Clèves,
Tome troisième.

Questions

3. Quelle image est ici donnée de la vie psychique ?

4. Quel rapport établissez-vous entre les caractéristiques de cette vie psychique et celles du texte qui est censé en rendre compte ? Quelles conceptions de l'homme et de l'écriture peut-on en déduire ?

Extrait 3

Pour éviter de céder à un amour dont elle ressent de plus en plus la force, Mme de Clèves doit dresser des obstacles extérieurs entre elle et le duc de Nemours. Elle se retire dans son château de Coulommiers. Elle va même jusqu'à avouer à son époux qu'elle aime un autre homme – scène qui, à l'époque, fut jugée de la plus haute invraisemblance. Mais le duc de Nemours n'a cure des obstacles autres que la volonté de la princesse. Il va à Coulommiers et trouve devant lui les palissades qui protègent le parc du château.

Les palissades étaient fort hautes, et il y en avait encore derrière, pour empêcher qu'on ne pût entrer ; en sorte qu'il était assez difficile de se faire passage. M. de Nemours en vint à bout néanmoins ; sitôt qu'il fut dans ce jardin, il n'eut pas de peine à démêler où était Mme de Clèves. Il vit beaucoup de lumières dans le
5 cabinet ; toutes les fenêtres en étaient ouvertes et, en se glissant le long des palissades, il s'en approcha avec un trouble et une émotion qu'il est aisé de se représenter. Il se rangea derrière une des fenêtres, qui servaient de porte, pour voir ce que faisait Mme de Clèves. Il vit qu'elle était seule ; mais il la vit d'une si admirable beauté qu'à peine fut-il maître du transport que lui donna cette vue. Il faisait chaud,
10 et elle n'avait rien, sur sa tête et sur sa gorge, que ses cheveux confusément rattachés. Elle était sur un lit de repos, avec une table devant elle, où il y avait plusieurs corbeilles pleines de rubans ; elle en choisit quelques-uns, et M. de Nemours remarqua que c'étaient des mêmes couleurs qu'il avait portées au tournoi. Il vit qu'elle en faisait des nœuds avec une canne des Indes[1], fort extraordinaire, qu'il avait por-
15 tée quelque temps et qu'il avait donnée à sa sœur, à qui Mme de Clèves l'avait prise sans faire semblant de la reconnaître pour avoir été à M. de Nemours. Après qu'elle eut achevé son ouvrage avec une grâce et une douceur que répandai[ent] sur son visage les sentiments qu'elle avait dans le cœur, elle prit un flambeau et s'en alla, proche d'une grande table, vis-à-vis du tableau du siège de Metz, où était le portrait
20 de M. de Nemours ; elle s'assit et se mit à regarder ce portrait avec une attention et une rêverie que la passion seule peut donner.

1. Canne en bambou, très à la mode à l'époque.

On ne peut exprimer ce que sentit M. de Nemours dans ce moment. Voir au milieu de la nuit, dans le plus beau lieu du monde, une personne qu'il adorait, la voir sans qu'elle sût qu'il la voyait, et la voir tout occupée de choses qui avaient du rapport à lui et à la passion qu'elle lui cachait, c'est ce qui n'a jamais été goûté ni imaginé par nul autre amant. 25

MADAME DE LA FAYETTE, *La Princesse de Clèves*,
Tome quatrième.

Questions

1. Examinez, à partir des verbes, ce que fait (et ne fait pas) le duc de Nemours. Classez ses actions : quelle conclusion en tirez-vous sur la situation du personnage et sur les traits psychologiques et moraux qui le caractérisent ?

2. Analysez le jeu des regards. Que peut-on en conclure ?

3. Comment l'auteur a-t-il arrangé cette scène pour en faire un moment fort et mémorable du roman ? Commentez de ce point de vue les premières et les dernières lignes du passage.

4. Quel rapport peut-on établir entre cette scène et celle du vol du portrait (p. 188) ?

5. Étudiez le rapport entre sobriété et émotion dans ce passage. Comment les personnages manifestent-ils leurs émotions ? Comment le narrateur rapporte-t-il ces émotions ?

PERUGIN, *Le Combat de l'Amour et de la Chasteté*. Paris, musée du Louvre. Photo © Giraudon.

Jean de La Fontaine
(1621-1695)

Portrait par NICOLAS LARGILLIÈRE
(1656-1746).
Versailles, musée national du Château.
Photo © Josse.

JEAN DE LA FONTAINE, fils d'un maître des Eaux et Forêts de Château-Thierry, familier de la campagne champenoise, restera toujours attiré par la nature. Après de solides études, dont un an de séminaire, il devient avocat, épuise ses biens et ceux de sa jeune femme, puis prend la succession de son père. Il conjugue vagabondage amoureux et tournées d'inspection. Séparé de sa femme en 1658, il s'installe à Paris. Déjà il écrit : il séduit le surintendant Fouquet, alors en pleine gloire, et bénéficie de sa protection. À l'arrestation de son mécène en 1661, il se montre fidèle, et le restera, jusqu'à oser intervenir en sa faveur auprès de Louis XIV – qui ne le lui pardonnera jamais. Après une retraite prudente en Limousin, il revient à Paris où sa double inspiration de conteur – **Contes** et **Fables**, publiés en alternance – lui vaut un immense succès. Il est de tous les salons, mais reste désargenté : il connaît plusieurs protecteurs, notamment Mme de La Sablière, son amie pendant vingt ans. Académicien depuis 1683, il se range du côté des « Anciens » (voir p. 211). Enfin, il renie solennellement ses **Contes**, écrit des poésies religieuses, et finit sa vie dans l'austérité.

SON ŒUVRE, qui comprend aussi du théâtre et des odes, est marquée en grande partie par l'inspiration libertine. Elle illustre les plaisirs raffinés et cultivés, parfois mélancoliques, qu'apportent l'amitié, l'amour, les arts et la sensibilité à la nature et au temps qui passe. Elle vise aussi le plaisir du lecteur par le charme et la variété des formes littéraires : alexandrins souples et mélodiques ; vers libres ; prose spirituelle et sensuelle (**Les Amours de Psyché**, 1669). Les **Contes**, édités de 1665 à 1674, date de leur interdiction, sont volontiers licencieux sous le couvert de l'élégance poétique. Les **Fables**, publiées de 1668 à 1693, présentent un monde souvent âpre et développent une philosophie du bonheur qui doit autant au stoïcisme qu'à l'épicurisme (voir p. 103 et p. 91) : la paix intérieure du sage, fondée sur la relativité de l'homme dans l'univers, est conquête de soi contre les fausses valeurs de la société, les coups du destin et la crainte de la mort. Ironie, lyrisme et musicalité qualifient une des voix poétiques majeures de la littérature française.

Les Amours de Psyché et de Cupidon
[1669]

La Fontaine reprend l'histoire célèbre qu'Apulée, écrivain latin du IIe siècle, a racontée dans les Métamorphoses. Comme dans La Belle et la Bête, conte très répandu dans le folklore européen, un amant refuse d'être vu de son aimée, qui, par curiosité, transgresse cet interdit. La Bête cachait à la Belle sa laideur physique. Cupidon, au contraire, le fils de Vénus, dissimulait dans l'obscurité son aveuglante beauté à Psyché – l'âme, en grec. Il en résulte pour celle-ci l'abandon puis une série d'épreuves qui forgent et purifient son cœur et son caractère. Elle retrouve finalement son amant et vit dans la félicité, comme toute âme qui a trouvé son idéal, selon l'interprétation philosophique d'Apulée, ou simplement comme tout être humain adonné à l'art d'aimer, selon l'interprétation plus galante de La Fontaine. Corneille, Molière, Quinault et Lully, pour la musique, s'associeront pour faire de ce conte une tragédie-ballet, créée à Versailles en 1671.

Dans l'extrait ci-dessous, Psyché a atteint le comble de ses souffrances. Elle est en effet une deuxième fois punie de sa curiosité : ouvrant une boîte offerte par la déesse des Enfers, elle a été noircie de façon indélébile par les vapeurs qui s'en sont échappées. Elle s'est réfugiée au fond d'une grotte pour échapper aux regards. Mais le terme de ses épreuves approche en la personne de l'Amour, son divin amant Cupidon parti à sa recherche.

1. Une Noire.
2. Autre façon de désigner une Noire.

Questions

1. Caractérisez d'une part le lyrisme de ce passage et d'autre part son érotisme.

2. Examinez l'humour du narrateur. Dans quelle mesure le lecteur est-il invité à croire à cette histoire ? Quel public vise La Fontaine ?

3. Comment ces différentes perspectives – lyrisme, érotisme et humour – s'articulent-elles entre elles ? Quel peut être l'objet d'un tel texte ?

4. Comparez la manière dont La Fontaine traite ce conte et celle de Perrault dans *La Barbe bleue* (p. 210).

5. Comparez la tonalité de cet épisode à celle du travestissement de Céladon dans *L'Astrée* (pp. 110-111) et à celle de la scène du pavillon dans *La Princesse de Clèves* (p. 191).

Un jour Psyché s'était endormie à l'entrée de sa caverne. Elle était couchée sur le côté, le visage tourné vers la terre, son mouchoir dessus, et encore un bras sur le mouchoir, pour plus grande précaution, et pour s'empêcher plus assurément d'être vue. Si elle eût pu s'envelopper de ténèbres, elle l'aurait fait. L'autre bras était couché le long de la cuisse ; il n'avait pas la même rondeur qu'autrefois : le moyen qu'une personne qui ne vivait que de fruits sauvages, et laquelle ne mangeait rien qui ne fût mouillé de ses pleurs, eût de l'embonpoint ? La délicatesse et la blancheur y étaient toujours. L'Amour l'aperçut de loin : il sentit un tressaillement qui lui dit que cette personne était Psyché. Plus il approchait, et plus il se confirmait dans ce sentiment ; car quelle autre qu'elle aurait eu une taille si bien formée ? Quand il se trouva assez près pour considérer le bras et la main, il n'en douta plus : non que la maigreur ne l'arrêtât ; mais il jugeait bien qu'une personne affligée ne pouvait être en meilleur état. La surprise de ce dieu ne fut pas petite ; pour sa joie, je vous la laisse à imaginer. Un amant que nos romanciers auraient fait serait demeuré deux heures à considérer l'objet de sa passion sans l'oser toucher, ni seulement interrompre son sommeil : l'Amour s'y prit d'une autre manière. Il s'agenouilla d'abord auprès de Psyché, et lui souleva une main, laquelle il étendit sur la sienne ; puis, usant de l'autorité d'un dieu et de celle d'un mari, il y imprima deux baisers. Psyché était si fort abattue qu'elle s'éveilla seulement au second baiser. Dès qu'elle aperçut l'Amour, elle se leva, s'enfuit dans son antre, s'alla cacher à l'endroit le plus profond, tellement émue qu'elle ne savait à quoi se résoudre. L'état où elle avait vu le dieu, cette posture de suppliant, ce baiser dont la chaleur lui faisait connaître que c'était un véritable baiser d'amour, et non un baiser de simple galanterie, tout cela l'enhardissait : mais de se montrer ainsi noire et défigurée à celui dont elle voulait regagner le cœur, il n'y avait pas d'apparence. Cependant l'Amour s'était approché de la caverne ; et, repensant à l'ébène de cette personne qu'il avait vue, il croyait s'être trompé, et se voulait quelque mal d'avoir pris une Éthiopienne[1] pour son épouse. Quand il fut dans l'antre : « Belle More[2], lui cria-t-il, vous ne savez guère ce que je suis, de me fuir ainsi ; ma rencontre ne fait pas peur. Dites-moi ce que vous cherchez dans ces provinces ; peu de gens y viennent que pour aimer : si c'est là ce qui vous amène, j'ai de quoi vous satisfaire. Avez-vous besoin d'un amant ? je suis le dieu qui les fait. Quoi ! vous dédaignez de me répondre ! vous me fuyez ! – Hélas ! dit Psyché, je ne vous fuis point ; j'ôte seulement de devant vos yeux un objet que j'appréhende que vous ne fuyiez vous-même. »

JEAN DE LA FONTAINE, *Les Amours de Psyché et de Cupidon.*

Les Animaux malades de la peste

[1678]

Un mal qui répand la terreur,
    Mal que le Ciel en sa fureur
Inventa pour punir les crimes de la terre,
  La Peste (puisqu'il faut l'appeler par son nom)
5 Capable d'enrichir en un jour l'Achéron[1],
    Faisait aux animaux la guerre.
Ils ne mouraient pas tous, mais tous étaient
             [frappés :
    On n'en voyait point d'occupés
À chercher le soutien d'une mourante vie ;
10   Nul mets n'excitait leur envie ;
    Ni Loups ni Renards n'épiaient
    La douce et l'innocente proie.
    Les Tourterelles se fuyaient ;
    Plus d'amour, partant[2] plus de joie.
15 Le Lion tint conseil, et dit : Mes chers amis,
    Je crois que le Ciel a permis
    Pour nos péchés cette infortune ;
    Que le plus coupable de nous
Se sacrifie aux traits du céleste courroux,
20 Peut-être il obtiendra la guérison commune.
  L'histoire nous apprend qu'en de tels accidents
    On fait de pareils dévouements :
Ne nous flattons[3] donc point ; voyons sans
             [indulgence
    L'état de notre conscience.
25 Pour moi, satisfaisant mes appétits gloutons,
    J'ai dévoré force moutons ;
    Que m'avaient-ils fait ? Nulle offense :
Même il m'est arrivé quelquefois de manger
    Le Berger.
30 Je me dévouerai[4] donc, s'il le faut ; mais je pense
Qu'il est bon que chacun s'accuse ainsi que moi
Car on doit souhaiter selon toute justice
    Que le plus coupable périsse.

Sire, dit le Renard, vous êtes trop bon Roi ;
35 Vos scrupules font voir trop de délicatesse ;
Et bien, manger moutons, canaille, sotte espèce,
Est-ce un péché ? Non, non. Vous leur fîtes
             [Seigneur
    En les croquant beaucoup d'honneur.
    Et quant au Berger, l'on peut dire
40   Qu'il était digne de tous maux,
Étant de ces gens-là qui sur les animaux
    Se font un chimérique empire[5].
Ainsi dit le Renard, et flatteurs d'applaudir.
    On n'osa trop approfondir
45 Du Tigre, ni de l'Ours, ni des autres puissances
    Les moins pardonnables offenses.
Tous les gens querelleurs, jusqu'aux simples
             [Mâtins,
  Au dire de chacun, étaient de petits saints.
L'Âne vint à son tour et dit : J'ai souvenance
50   Qu'en un pré de Moines passant,
La faim, l'occasion, l'herbe tendre, et je pense
    Quelque diable aussi me poussant,
Je tondis de ce pré la largeur de ma langue :
Je n'en avais nul droit, puisqu'il faut parler net.
55 À ces mots on cria haro sur le Baudet.
Un Loup quelque peu clerc[6] prouva par sa
             [harangue
Qu'il fallait dévouer[7] ce maudit Animal,
Ce pelé, ce galeux, d'où venait tout leur mal.
Sa peccadille fut jugée un cas pendable.
60 Manger l'herbe d'autrui ! quel crime abominable !
    Rien que la mort n'était capable
D'expier son forfait : on le lui fit bien voir.
Selon que vous serez puissant ou misérable,
Les jugements de Cour vous rendront blanc ou
             [noir.

JEAN DE LA FONTAINE, *Fables*, VII, 1.

---

1. L'un des fleuves des Enfers, selon les Anciens.
2. Par conséquent.
3. Excusons par complaisance.
4. Sacrifierai comme victime.
5. Un pouvoir imaginaire.
6. Savant (les ecclésiastiques faisaient des études).
7. Voir note 4.

Questions

1. La morale de l'histoire se réduit-elle aux deux derniers vers ? Envisagez successivement les domaines politique, social et psychologique.

2. Déterminez le découpage et le rythme de l'action.

3. Étudiez le bestiaire de cette fable : les procédés employés pour camper les animaux ; les types humains ou sociaux qu'ils représentent.

4. Quel intérêt y a-t-il à recourir à des animaux pour peindre les hommes ?

Le Singe et le Léopard
[1679]

Le Singe avec le Léopard
      Gagnaient de l'argent à la foire :
      Ils affichaient chacun à part.
L'un d'eux disait : Messieurs, mon mérite et ma gloire
5   Sont connus en bon lieu ; le Roi m'a voulu voir ;
      Et si je meurs il veut avoir
Un manchon de ma peau ; tant elle est bigarrée,
      Pleine de taches, marquetée,
      Et vergetée¹, et mouchetée.
10   La bigarrure plaît ; partant chacun le vit.
Mais ce fut bientôt fait, bientôt chacun sortit.
Le Singe de sa part disait : Venez de grâce,
Venez messieurs. Je fais cent tours de passe-passe.
Cette diversité dont on vous parle tant,
15   Mon voisin Léopard l'a sur soi seulement ;
Moi, je l'ai dans l'esprit : votre serviteur Gille²,
      Cousin et gendre de Bertrand,
      Singe du Pape en son vivant,
      Tout fraîchement en cette ville
20   Arrive en trois bateaux³, exprès pour vous parler ;
Car il parle, on l'entend ; il sait danser, baller⁴,
      Faire des tours de toute sorte,
Passer en des cerceaux ; et le tout pour six blancs⁵ !
Non messieurs, pour un sou ; si vous n'êtes contents
25   Nous rendrons à chacun son argent à la porte.

Le Singe avait raison ; ce n'est pas sur l'habit
Que la diversité me plaît, c'est dans l'esprit :
L'une fournit toujours des choses agréables ;
L'autre en moins d'un moment lasse les regardants.
Ô ! que de grands Seigneurs, au Léopard semblables,
30   N'ont que l'habit pour tous talents !

JEAN DE LA FONTAINE, *Fables*, IX, 3.

FRANÇOIS DESPORTES, *Singerie*.
Sèvres, Manufacture nationale de céramique.
Photo © M. Beck-Coppola.

....
1. Rayée verticalement.
2. Moi Gille (du nom d'un personnage populaire des théâtres de foire).
3. C'est dire l'importance de sa suite...
4. Exécuter un ballet.
5. Pièces de monnaie (six blancs valent deux sous et demi).

Questions

1. En quoi les deux personnages s'opposent-ils ? Analysez leur manière de se présenter et de parler et les arguments qu'ils emploient dans leur boniment.

2. Qui tire la morale : le fabuliste ou son personnage le Singe ? Quel rapport entretient le premier avec le second ?

3. La morale de cette fable vise les courtisans. Sur quels points cette critique porte-t-elle ?

4. Une autre conclusion, d'ordre esthétique cette fois, touchant la conception de la fable, peut se dégager. Laquelle ? En quoi complète-t-elle l'art poétique proposé par La Fontaine dans « Le Pouvoir des fables » (p. 194) ?

Le Pouvoir des fables

[1679]

Gravure de OUDRY,
Le Pouvoir des fables.
Photo © Hachette Livre.

M. de Barillon, envoyé en 1677 comme ambassadeur par Louis XIV auprès du roi d'Angleterre Charles II, est chargé de maintenir du côté français une Angleterre très tentée de s'allier aux pays hostiles à la France (ce fut un échec). C'est à lui qu'est dédiée cette fable.

À M. DE BARILLON

La qualité d'Ambassadeur
Peut-elle s'abaisser à des contes vulgaires ?
Vous puis-je offrir mes vers et leurs grâces légères ?
S'ils osent quelquefois prendre un air de grandeur,
5 Seront-ils point traités par vous de téméraires ?
      Vous avez bien d'autres affaires
      À démêler que les débats
      Du Lapin et de la Belette :
      Lisez-les, ne les lisez pas ;
10   Mais empêchez qu'on ne nous mette
      Toute l'Europe sur les bras.
      Que de mille endroits de la terre
      Il nous vienne des ennemis,
      J'y consens ; mais que l'Angleterre
15 Veuille que nos deux Rois se lassent d'être amis,

1. L'Hydre de Lerne, monstre mythologique dont les multiples têtes repoussaient dès qu'on les coupait. Seul Hercule (par ailleurs représentation fréquente de Louis XIV) en vint à bout lors d'un de ses célèbres « travaux ».

J'ai peine à digérer la chose.
N'est-il point encor temps que Louis se repose ?
Quel autre Hercule enfin ne se trouverait las
De combattre cette hydre[1] ? et faut-il qu'elle
                                    [oppose
20 Une nouvelle tête aux efforts de son bras ?
        Si votre esprit plein de souplesse,
        Par éloquence, et par adresse,
Peut adoucir les cœurs, et détourner ce coup,
Je vous sacrifierai cent moutons ; c'est beaucoup
25   Pour un habitant du Parnasse[2].
        Cependant faites-moi la grâce
        De prendre en don ce peu d'encens.
        Prenez en gré mes vœux ardents,
Et le récit en vers qu'ici je vous dédie.
30 Son sujet vous convient ; je n'en dirai pas plus :
        Sur les éloges que l'envie
        Doit avouer qui vous sont dus[3],
        Vous ne voulez pas qu'on appuie.

Dans Athène autrefois peuple vain et léger,
35 Un Orateur voyant sa patrie en danger,
Courut à la Tribune ; et d'un art tyrannique,
Voulant forcer les cœurs dans une république,
Il parla fortement sur le commun salut.
On ne l'écoutait pas : l'Orateur recourut
40   À ces figures violentes
Qui savent exciter les âmes les plus lentes.
Il fit parler les morts, tonna, dit ce qu'il put.
Le vent emporta tout ; personne ne s'émut.

        L'animal aux têtes frivoles,
45 Étant fait à ces traits, ne daignait l'écouter.
Tous regardaient ailleurs : il en vit s'arrêter
À des combats d'enfants, et point à ses paroles.
Que fit le harangueur ? Il prit un autre tour.
Cérès[4], commença-t-il, faisait voyage un jour
50   Avec l'Anguille et l'Hirondelle.
Un fleuve les arrête ; et l'Anguille en nageant,
        Comme l'Hirondelle en volant,
Le traversa bientôt. L'assemblée à l'instant
Cria tout d'une voix : Et Cérès, que fit-elle ?
55   Ce qu'elle fit ? un prompt courroux
        L'anima d'abord contre vous.
Quoi, de contes d'enfants son peuple
                                    [s'embarrasse !
        Et du péril qui le menace
Lui seul entre les Grecs il néglige l'effet !
60 Que ne demandez-vous ce que Philippe fait ?
        À ce reproche l'assemblée,
        Par l'apologue réveillée,
        Se donne entière à l'Orateur :
        Un trait de fable en eut l'honneur.
65 Nous sommes tous d'Athène en ce point ; et
                                    [moi-même
Au moment que je fais cette moralité,
        Si Peau d'âne[5] m'était conté,
        J'y prendrais un plaisir extrême,
Le monde est vieux, dit-on ; je le crois,
                                    [cependant
70 Il le faut amuser encor comme un enfant.

Jean de La Fontaine, *Fables*, VIII, 4.

---

2. Montagne grecque où étaient censés séjourner Apollon et les Muses, et donc en quelque sorte aussi, les poètes.

3. Dont même les envieux doivent avouer qu'ils vous sont dus.

4. Déesse de la Moisson, spécialement honorée à Athènes.

5. Conte populaire très connu (la version de Perrault est postérieure).

Questions

1. Analysez dans cette fable la position politique de La Fontaine et les valeurs qu'il défend. Que signifie, au vers 44, « animal aux têtes frivoles » ?

2. Plusieurs histoires sont emboîtées les unes dans les autres : distinguez-les et demandez-vous ce que chacune d'entre elles dit du pouvoir des fables. Concordent-elles ?

3. Cette fable est une sorte d'art poétique consacré au genre de la fable, considéré comme mineur à l'époque (voir p. 199). Comment le fabuliste définit-il le genre qu'il pratique ? Quelle valeur lui accorde-t-il, quelle valeur s'accorde-t-il à lui-même ? Quelles fonctions sociale et psychologique lui reconnaît-il ?

4. Finalement, selon cette fable, la fable est-elle ou non un genre sérieux ?

Le Songe d'un habitant du Mogol

[1679]

Jadis certain Mogol[1] vit en songe un Vizir[2]
Aux Champs Élysiens[3] possesseur d'un plaisir
Aussi pur qu'infini, tant en prix qu'en durée ;
Le même songeur vit en une autre contrée
5   Un Ermite entouré de feux,
Qui touchait de pitié même les malheureux.
Le cas parut étrange, et contre l'ordinaire ;
Minos[4] en ces deux morts semblait s'être mépris.
Le dormeur s'éveilla, tant il en fut surpris.
10 Dans ce songe pourtant soupçonnant du mystère,
        Il se fit expliquer l'affaire.
L'interprète lui dit : Ne vous étonnez point ;
Votre songe a du sens ; et, si j'ai sur ce point
        Acquis tant soit peu d'habitude,
15 C'est un avis des Dieux. Pendant l'humain séjour,
Ce Vizir quelquefois cherchait la solitude ;
Cet Ermite aux Vizirs allait faire sa cour.

Si j'osais ajouter au mot de l'interprète,
J'inspirerais ici l'amour de la retraite ;
20 Elle offre à ses amants des biens sans embarras,
Biens purs, présents du Ciel, qui naissent sous les pas.
Solitude où je trouve une douceur secrète,
Lieux que j'aimai toujours, ne pourrai-je jamais,
Loin du monde et du bruit, goûter l'ombre et le frais ?
25 Ô qui m'arrêtera sous vos sombres asiles !
Quand pourront les neuf Sœurs[5], loin des cours et des villes,
M'occuper tout entier, et m'apprendre des cieux
Les divers mouvements inconnus à nos yeux,
Les noms et les vertus de ces clartés errantes,
30 Par qui sont nos destins et nos mœurs différentes ?
Que si je ne suis né pour de si grands projets,
Du moins que les ruisseaux m'offrent de doux objets !
Que je peigne en mes vers quelque rive fleurie !
La Parque à filets d'or n'ourdira point ma vie[6] ;
35 Je ne dormirai point sous de riches lambris.
Mais voit-on que le somme en perde de son prix ?
En est-il moins profond, et moins plein de délices ?
Je lui voue au désert de nouveaux sacrifices.
Quand le moment viendra d'aller trouver les morts,
40 J'aurai vécu sans soins[7], et mourrai sans remords.

JEAN DE LA FONTAINE,
Fables, XI, 4.

1. Royaume du prince musulman le plus puissant de l'Inde (sans rapport géographique avec ce que nous appelons Mongolie) ; habitant de ce royaume.
2. Ministre d'un prince musulman.
3. Les Champs Élysées, dans la mythologie grecque, sont la partie la plus agréable des Enfers, réservée aux justes.
4. L'un des trois juges des Enfers.
5. Les neuf Muses, inspiratrices des Arts et des Sciences.
6. Les Parques, sous l'aspect de trois fileuses, veillent au déroulement de la vie de chaque homme. On comprend qu'une destinée ourdie avec un fil d'or soit celle d'un homme riche.
7. Soucis.

Questions

1. Comparez la construction de cette fable et celles des fables des pages précédentes. Examinez notamment le rapport de longueur entre le récit et la morale et leurs différences d'écriture. Quelle conclusion en tirez-vous quant à l'objet réel de cette fable ?

2. Cette fable comporte deux moralistes – identifiez-les –, et deux morales – analysez leurs différences et le passage de l'une à l'autre.

3. Étudiez les moyens d'expression du lyrisme.

4. Quelle conception de la vie La Fontaine développe-t-il ? Dans quelle mesure pourrait-on dire que le fabuliste se mue en philosophe d'une part, en sage d'autre part ?

Le songe d'un habitant du Mogol, Miniature de IMAN BAKHSH LAHORI,
Inde, XIXᵉ siècle.
Château-Thierry, musée Jean de La Fontaine.

La fable

 La fable est un genre ancien, illustré par le Grec Ésope (VIIᵉ-VIᵉ s. av. J.-C.)
et par le Latin Phèdre (Iᵉʳ s. av.-Iᵉʳ s. ap. J.-C.). Mais il est considéré comme
mineur, simple objet d'étude pour les élèves des petites classes. Ceux-ci y
trouvent une morale rendue plaisante par le pittoresque d'un récit qui met
en scène des animaux stéréotypés. Aussi est-ce une révolution que fait La
Fontaine en conférant à la fable, jusque-là impersonnelle et didactique, la
dignité d'un genre poétique à part entière. D'abord par la forme : liberté et
virtuosité de la versification, variété des structures qui jouent sur le rapport
entre récit et morale et entre fabuliste et personnages. Ensuite par les sujets,
empruntés à la tradition, mais renouvelés dans leurs perspectives : sociale,
avec une tonalité souvent ironique et critique ; et philosophique, parfois
même élargie en sagesse personnelle et en confidences lyriques. Enfin, par
la revendication d'une finalité non morale – le bonheur du lecteur –, qui est
sans doute la véritable morale des **Fables**. La Fontaine n'aura pas d'émules
notables, malgré quelques tentatives de Victor Hugo.

Nicolas Boileau

(1636-1711)

École française, XVIIᵉ s.
Versailles, musée national du Château.
● Photo © Josse.

Nicolas boileau despréaux, bourgeois parisien, avocat de formation et doté d'un bel héritage qui assure son indépendance, fréquente les milieux littéraires et écrit sans publier. Il est d'abord apprécié pour sa verve burlesque et redouté pour sa férocité de polémiste. Célèbre dès ses premières publications, il est finalement comblé d'honneurs, devenant historiographe du roi (1677), courtisan, académicien (1684). Il est le champion des « Anciens » dans la fameuse querelle (voir p. 211) et, choix risqué mais répondant à son évolution religieuse, soutient les jansénistes contre les jésuites. Il sait – mérite rare – reconnaître et faire reconnaître des auteurs d'envergure supérieure à la sienne, tels Molière, Racine, La Fontaine, et même en faire des amis.

Admirateur du poète latin Horace, il écrit à son tour des *Satires*, publiées à partir de 1666, où il attaque les mœurs déréglées et le mauvais goût de son temps, des *Épîtres* (1670 à 1695), tournées vers la réflexion morale, et un *Art poétique* (1674). Il y dresse et fige les règles de la doctrine classique. Mais il n'est que le législateur d'une époque qui s'achève. *Le Lutrin* (1674), pastiche héroï-comique de l'épopée, rappelle l'autre face de son œuvre : le goût du rire et de l'énergie.

Le Lutrin

[1674]

L'antique Troie n'a pas le monopole de l'épopée guerrière. Paris aussi abrite des exploits et des héros dignes de mémoire. La déesse de la Discorde s'attaque en effet aux chanoines de la Sainte-Chapelle en exacerbant le gravissime différend qui oppose le trésorier et le chantre : le second réussira-t-il à faire enlever du chœur le lutrin[1] que le premier a offert ? Six Chants seront nécessaires au développement de ce combat à la manière d'Homère.

> Dans le réduit obscur d'une alcôve[2] enfoncée
> S'élève un lit de plume à grands frais amassée :
> Quatre rideaux pompeux, par un double contour,
> 60 En défendent l'entrée à la clarté du jour.
> Là, parmi les douceurs d'un tranquille silence,
> Règne sur le duvet une heureuse indolence.
> C'est là que le prélat, muni d'un déjeuner,
> Dormant d'un léger somme, attendait le dîner.
> 65 La jeunesse en sa fleur brille sur son visage :
> Son menton sur son sein descend à double étage ;
> Et son corps, ramassé dans sa courte grosseur,
> Fait gémir les coussins sous sa molle épaisseur.

1. Pupitre de musique.
2. Enfoncement ménagé dans une chambre pour un lit.
3. Chanoine chargé de la direction des chants pendant les offices.
4. Prières commençant par ces mots (« Nous prions »).
5. Décret du pape et acte écrit assignant une fonction et le revenu correspondant.
6. Surplis (vêtement liturgique) et chapeau de l'évêque (le trésorier de la Sainte-Chapelle avait le privilège de porter ces insignes épiscopaux).

1. Sur quels points précis porte cette satire traditionnelle du clergé ?

2. En quoi la situation est-elle à la fois grave et comique ? Recherchez d'autres effets de décalage dans la présentation des deux personnages et dans le langage qui est prêté à la déesse.

3. Étudiez la parodie de l'épopée : dans quelle mesure ce poème mérite-t-il l'appellation d'« héroï-comique » que lui donne Boileau ?

4. L'évocation du sommeil du trésorier forme un ensemble autonome : montrez comment ce développement repose plus sur le plaisir des mots que sur les nécessités de la description.

La déesse en entrant, qui voit la nappe mise,
70 Admire un si bel ordre, et reconnaît l'Église,
Et, marchant à grands pas vers le lieu du repos,
Au prélat sommeillant elle adresse ces mots :
« Tu dors, prélat, tu dors ! et là-haut à ta place
Le chantre³ aux yeux du chœur étale son audace,
75 Chante les *oremus*⁴, fait des processions,
Et répand à grands flots les bénédictions !
Tu dors ! attends-tu donc que, sans bulle et sans titre⁵,
Il te ravisse encor le rochet et la mitre⁶ ?
Sors de ce lit oiseux qui te tient attaché,
80 Et renonce au repos, ou bien à l'évêché. »
Elle dit ; et, du vent de sa bouche profane,
Lui souffle avec ces mots l'ardeur de la chicane.
Le prélat se réveille, et, plein d'émotion,
Lui donne toutefois la bénédiction.
85 Tel qu'on voit un taureau qu'une guêpe en furie
A piqué dans les flancs aux dépens de sa vie ;
Le superbe animal, agité de tourments,
Exhale sa douleur en longs mugissements :
Tel le fougueux prélat, que ce songe épouvante,
90 Querelle en se levant et laquais et servante ;
Et, d'un juste courroux rallumant sa vigueur,
Même avant le dîner parle d'aller au chœur.

NICOLAS BOILEAU, *Le Lutrin*, Chant I.

Le burlesque

Le burlesque se définit comme une discordance entre le style et le sujet (*burla* en italien signifie plaisanterie). Il affecte tous les genres. À l'inverse de la préciosité, il souligne l'importance des réalités corporelles et les contradictions entre l'être et le paraître. Le burlesque proprement dit est un travestissement bouffon de l'épopée antique. Inauguré par Scarron (voir p. 130), il caractérise l'époque de la Fronde. De nobles héros y sont plongés dans des situations prosaïques ou ridiculisés par un style trivial. *L'Illusion comique* de Corneille et *Amphitryon* de Molière proposent une forme élégante de ce type de dissonance. L'héroï-comique, illustré plus tard par *Le Lutrin* de Boileau, applique, en sens inverse, un style épique à un sujet dérisoire, qui s'en trouve ironiquement rehaussé.

À la fois vision du monde et écriture, le burlesque libère l'imagination et conteste les hiérarchies. Il peut aussi bien manifester le goût du jeu d'esprit que le dégoût d'un monde privé de sens.

La Bruyère

Jean de La Bruyère

(1645-1696)

Portrait par NICOLAS
DE LARGILLIÈRE (1658-1746).
Versailles, musée national du Château.
Photo © Josse.

LA BRUYÈRE, bourgeois parisien, juriste de formation, mène d'abord une vie discrète d'avocat puis d'officier de finances. Il commence à préparer un ouvrage sur les mœurs de son temps. L'appui de Bossuet lui permet ensuite, en 1684, de devenir le précepteur du petit-fils du Grand Condé (le héros de la Fronde), puis son secrétaire. Jouissant alors d'une vie privilégiée chez ces princes, notamment au château de Chantilly, mais subordonné à leurs humeurs, il peut étendre aux Grands son champ d'investigation. Il prend fortement parti pour les « Anciens » contre les « Modernes » (voir p. 211), ce qui lui vaut d'être élu à l'Académie française en 1693.

Les Caractères ou les Mœurs de ce siècle se présentent modestement en 1688 comme une traduction anonyme de ceux de Théophraste (philosophe grec du IVᵉ s. av. J.-C.). Comme pour La Rochefoucauld, le succès de ces textes brefs stigmatisant avec esprit les travers des hommes suscite des éditions successives augmentées : 420 articles aux premières, 1 120 à la huitième, en 1694. Le projet initial se diversifie et s'approfondit. Le moraliste en effet, au-delà des maximes et réflexions générales, s'épanouit dans l'art du portrait (voir p. 204). Il croque des originaux ridicules, généralement pris dans les milieux à la mode, mais aussi des caractères typiques de conditions sociales déterminées. Il est ainsi parfois conduit à une dénonciation, exceptionnellement virulente pour l'époque, de la misère du peuple et des méfaits des Grands. Il émet enfin de nombreux jugements sur les écrivains et les « ouvrages de l'esprit ».

De l'homme

[1689]

L'on voit certains animaux farouches, des mâles et des femelles, répandus par la campagne, noirs, livides et tout brûlés du soleil, attachés à la terre qu'ils fouillent et qu'ils remuent avec une opiniâtreté invincible ; ils ont comme une voix articulée, et quand ils se lèvent sur leurs pieds, ils montrent une face
5 humaine, et en effet ils sont des hommes. Ils se retirent la nuit dans des tanières, où ils vivent de pain noir, d'eau et de racines ; ils épargnent aux autres hommes la peine de semer, de labourer et de recueillir[1] pour vivre, et méritent ainsi de ne pas manquer de ce pain qu'ils ont semé.

JEAN DE LA BRUYÈRE, Les Caractères, « De l'homme », 128.
(Numérotation de l'éd. Robert Garapon, Paris.
© Garnier, 1962.)

1. Récolter.

Questions

1. Étudiez le réalisme de ce tableau. Quels sont les procédés de l'ironie ?

2. Que dénonce précisément La Bruyère ?

3. En quoi ce tableau peut-il former un diptyque avec celui de la Cour (voir p. 203) ?

1. Raffinés.
2. Brutaux.
3. Aliments en général.
4. Vitriol (acide nitrique) étendu d'eau, qui servait à graver le cuivre.
5. Latitude.
6. Indiens du Canada français.

De la Cour

[1688]

L'on parle d'une région où les vieillards sont galants[1], polis et civils ; les jeunes gens au contraire, durs, féroces[2], sans mœurs ni politesse : ils se trouvent affranchis de la passion des femmes dans un âge où l'on commence ailleurs à la sentir ; ils leur préfèrent des repas, des viandes[3], et des amours ridicules. Celui-là chez eux est sobre et modéré, qui ne s'enivre que de vin : l'usage trop fréquent 5 qu'ils en ont fait le leur a rendu insipide ; ils cherchent à réveiller leur goût déjà éteint par des eaux-de-vie, et par toutes les liqueurs les plus violentes ; il ne manque à leur débauche que de boire de l'eau-forte[4]. Les femmes du pays précipitent le déclin de leur beauté par des artifices qu'elles croient servir à les rendre belles : leur coutume est de peindre leurs lèvres, leurs joues, leurs sourcils et leurs 10 épaules, qu'elles étalent avec leur gorge, leurs bras et leurs oreilles, comme si elles craignaient de cacher l'endroit par où elles pourraient plaire, ou de ne pas se montrer assez. Ceux qui habitent cette contrée ont une physionomie qui n'est pas nette, mais confuse, embarrassée dans une épaisseur de cheveux étrangers, qu'ils préfèrent aux naturels et dont ils font un long tissu pour couvrir leur tête : 15 il descend à la moitié du corps, change les traits, et empêche qu'on ne connaisse les hommes à leur visage. Ces peuples d'ailleurs ont leur Dieu et leur roi : les grands de la nation s'assemblent tous les jours, à une certaine heure, dans un temple qu'ils nomment église ; il y a au fond de ce temple un autel consacré à leur Dieu, où un prêtre célèbre des mystères qu'ils appellent saints, sacrés et 20 redoutables ; les grands forment un vaste cercle au pied de cet autel, et paraissent debout, le dos tourné directement au prêtre et aux saints mystères, et les faces élevées vers leur roi, que l'on voit à genoux sur une tribune, et à qui ils semblent avoir tout l'esprit et tout le cœur appliqués. On ne laisse pas de voir dans cet usage une espèce de subordination ; car ce peuple paraît adorer le prince, et le 25 prince adorer Dieu. Les gens du pays le nomment *** ; il est à quelque quarante-huit degrés d'élévation[5] du pôle, et à plus d'onze cents lieues de mer des Iroquois et des Hurons[6].

JEAN DE LA BRUYÈRE,
Les Caractères, « De la Cour », 74.

Questions

1. Sur quels travers porte essentiellement cette critique de la Cour ?
2. S'agit-il de la critique d'un milieu social en particulier ou de la critique morale de l'humanité en général ?
3. Étudiez tous les moyens par lesquels La Bruyère met cette société à distance du lecteur et la rend condamnable à ses yeux.
4. La Bruyère critique une réalité française : comment et pour quelles raisons feint-il de la croire exotique ? Connaissez-vous d'autres exemples, notamment au XVIIIe siècle, de ce procédé ?
5. Vérifiez, à partir des indications données par la dernière phrase du texte, qu'il s'agit bien de la France. Par quel nom remplaceriez-vous « *** » ?

De la société et de la conversation

[1694]

1. Invités.

Arrias a tout lu, a tout vu, il veut le persuader ainsi ; c'est un homme universel, et il se donne pour tel : il aime mieux mentir que de se taire ou de paraître ignorer quelque chose. On parle à la table d'un grand d'une cour du Nord : il prend la parole, et l'ôte à ceux qui allaient dire ce qu'ils en savent ; il s'oriente
5 dans cette région lointaine comme s'il en était originaire ; il discourt des mœurs de cette Cour, des femmes du pays, de ses lois et de ses coutumes ; il récite des historiettes qui y sont arrivées ; il les trouve plaisantes, et il en rit le premier jusqu'à éclater. Quelqu'un se hasarde de le contredire, et lui prouve nettement qu'il dit des choses qui ne sont pas vraies. Arrias ne se trouble point, prend feu au
10 contraire contre l'interrupteur : « Je n'avance, lui dit-il, je ne raconte rien que je ne sache d'original : je l'ai appris de *Sethon*, ambassadeur de France dans cette Cour, revenu à Paris depuis quelques jours, que je connais familièrement, que j'ai fort interrogé, et qui ne m'a caché aucune circonstance. » Il reprenait le fil de sa narration avec plus de confiance qu'il ne l'avait commencée, lorsque l'un des
15 conviés[1] lui dit : « C'est Sethon à qui vous parlez, lui-même, et qui arrive de son ambassade. »

JEAN DE LA BRUYÈRE, *Les Caractères*,
« De la société et de la conversation », 9.

Questions

1. Quelles sont les caractéristiques de la conduite d'Arrias en société ?
   Particulièrement, quel est ici le sens d'« homme universel » ?
2. Pouvez-vous déduire *a contrario* la conduite idéale de l'« honnête homme » ?
3. Comment le style de La Bruyère souligne-t-il les traits de caractère du personnage ?
4. Examinez la progression dramatique de ce qui aurait pu n'être qu'un portrait statique, et notamment la manière dont est amenée la « chute » finale.

Le portrait

L'art du portrait est très prisé au XVIIᵉ siècle. C'est à la fois un divertissement des salons mondains, souvent improvisé, et une pratique littéraire, remontant à l'Antiquité. À ce double titre, les écrivains se doivent d'y briller, soit dans l'ironie, soit dans le sublime. Les poètes dépeignent leur dame dans les « blasons », souvent conventionnels. Les romanciers (voir p. 133) et les mémorialistes conçoivent le portrait comme une œuvre d'art autonome, détachable de son contexte. La Bruyère porte ce principe à sa limite. Souvent, des personnes réelles sont peintes sous des masques ; des « clés », révélant leur nom, circulent alors. Le plus souvent, le portrait vise à montrer, derrière l'individualité physique et morale du modèle, des traits généraux de l'humanité.

● VAN DER MEULEN, *Le Rhin passé à la nage par les Français*. Grenoble, musée des Beaux-Arts. Photo © Giraudon.

1. Jeune homme tué à la guerre, en 1690, dont La Bruyère avait peut-être été le précepteur.

Du souverain ou de la république

[1689]

Questions

1. Étudiez précisément l'ironie de ce texte. Quels sont les arguments développés en faveur de la guerre ? Quel point de vue semble adopter La Bruyère ? À quoi voyez-vous qu'il ne partage pas ce point de vue ?

2. Énumérez les raisons pour lesquelles la guerre est condamnée.

3. Quelle conception de l'humanité La Bruyère développe-t-il ici ? Envisage-t-il que celle-ci puisse s'améliorer ou qu'elle aurait pu éviter la guerre ? Cette ré-flexion morale est-elle un simple constat ou un appel à de nouvelles règles politiques ?

La guerre a pour elle l'antiquité ; elle a été dans tous les siècles : on l'a toujours vue remplir le monde de veuves et d'orphelins, épuiser les familles d'héritiers, et faire périr les frères à une même bataille. Jeune Soyecour[1] ! je regrette ta vertu, ta pudeur, ton esprit déjà mûr, pénétrant, élevé, sociable ; je plains cette mort prématurée qui te joint à ton intrépide frère, et t'enlève à une cour où tu 5 n'as fait que te montrer : malheur déplorable, mais ordinaire ! De tout temps les hommes, pour quelque morceau de terre de plus ou de moins, sont convenus entre eux de se dépouiller, se brûler, se tuer, s'égorger les uns les autres ; et pour le faire plus ingénieusement et avec plus de sûreté, ils ont inventé de belles règles qu'on appelle l'art militaire ; ils ont attaché à la pratique de ces règles la gloire ou 10 la plus solide réputation ; et ils ont depuis renchéri de siècle en siècle sur la manière de se détruire réciproquement. De l'injustice des premiers hommes, comme de son unique source, est venue la guerre, ainsi que la nécessité où ils se sont trouvés de se donner des maîtres qui fixassent leurs droits et leurs prétentions. Si, content du sien, on eût pu s'abstenir du bien de ses voisins, on avait 15 pour toujours la paix et la liberté.

JEAN DE LA BRUYÈRE, *Les Caractères*,
« Du souverain ou de la république », 9.

Pierre Bayle
(1647-1706)

Portrait gravé, XVIIᵉ s.
Photo © Hachette Livre.

PIERRE BAYLE, fils d'un pauvre pasteur calviniste béarnais, illustre par sa vie la dégradation du sort des minorités religieuses à la fin du siècle. Converti temporairement au catholicisme mais revenu au protestantisme en 1670, il doit s'exiler. Il réside en Hollande de 1681 à sa mort et y écrit toute son œuvre. Il souffre là aussi de l'intolérance religieuse, cette fois de la part des autres réfugiés huguenots : il perd en 1693 sa chaire de philosophie et vit désormais de sa plume, à la fois victime et perturbateur.

Précurseur avec Fontenelle de la pensée des Lumières, Bayle reprend les méthodes argumentatives du libertinage érudit (voir p. 113). Dès ses ***Pensées diverses sur la comète*** (1683), il ridiculise la superstition et, dissociant la morale de la religion, réclame la liberté de conscience. En conjuguant, dans son ***Dictionnaire historique et critique*** (1696), une érudition immense et des commentaires caustiques, il établit une méthode et un style dont se souviendront les Encyclopédistes. Contre la crédulité et le fanatisme, il défend le libre examen par la raison et l'échange pacifique entre les savants.

De la tolérance
[1686]

Extrait 1

Si chacun avait la tolérance que je soutiens, il y aurait la même concorde dans un État divisé en dix religions, que dans une ville où les diverses espèces d'artisans s'entresupportent mutuellement. Tout ce qu'il pourrait y avoir, ce serait une honnête émulation à qui plus se signalerait en piété, en bonnes
5   mœurs, en science ; chacun se piquerait de prouver qu'elle est la plus amie de Dieu, en témoignant un plus fort attachement à la pratique des bonnes œuvres ; elles se piqueraient même de plus d'affection pour la patrie, si le souverain les protégeait toutes, et les tenait en équilibre par son équité. Or il est manifeste qu'une si belle émulation serait cause d'une infinité de biens ; et par conséquent
10 la tolérance est la chose du monde la plus propre à ramener le siècle d'or, et à faire un concert et une harmonie de plusieurs voix et instruments de différents tons et notes, aussi agréable pour le moins que l'uniformité d'une seule voix. Qu'est-ce donc qui empêche ce beau concert formé de voix et de tons si différents l'un de l'autre ? C'est que l'une des deux religions veut exercer une tyrannie
15 cruelle sur les esprits, et forcer les autres à lui sacrifier leur conscience ; c'est que les rois fomentent cette injuste partialité, et livrent le bras séculier aux désirs furieux et tumultueux d'une populace de moines et de clercs : en un mot tout le désordre vient non pas de la tolérance, mais de la non-tolérance.

PIERRE BAYLE, *Commentaire philosophique*, « De la tolérance ».

Questions

1. Par quels arguments Bayle retourne-t-il le préjugé selon lequel la diversité est cause de désordre ?

2. Quels rapports idéaux entre pouvoir civil et religions Bayle suggère-t-il ?

Extrait 2

Louis XIV a révoqué l'édit de Nantes un an plus tôt : les protestants sont contraints de se convertir au catholicisme, de se cacher ou de s'exiler. La répression est brutale. Bayle apprend que son frère est mort en prison. Il entreprend de réfuter la justification de ces violences par les théologiens catholiques qui interprètent à la lettre cette parabole de Jésus : « Forcez les gens d'entrer afin que ma maison se remplisse. »

Il n'y a que les maux qu'on fait aux fidèles qui soient persécution. Ceux qu'on fait aux hérétiques ne sont qu'actes de bonté, d'équité, de justice et de raison. Voilà qui est bien. Convenons donc *qu'une chose qui serait injuste, si elle n'était pas faite en faveur de la bonne religion, devient juste lorsqu'elle est faite pour la bonne religion.* Cette maxime est très clairement contenue dans ces paroles, *Contrains-les* 5 *d'entrer,* supposé que Jésus-Christ les ait entendues littéralement ; car elles signifient, *battez, fouettez, emprisonnez, pillez, tuez ceux qui seront opiniâtres, enlevez-leur leurs femmes et leurs enfants ; tout cela est bon quand on le pratique pour ma cause : en d'autres circonstances ce serait des crimes énormes, mais le bien qui en arrive à mon Église purge et nettoie ces actions parfaitement.* 10

[*Le droit de contraindre est le renversement général du Décalogue[1].*] Or c'est ce que je dis être la plus abominable doctrine qui ait été jamais imaginée, et je doute qu'il y ait dans les enfers des diables assez méchants pour souhaiter tout de bon que le genre humain se conduise par cet esprit. De sorte qu'attribuer cela au Fils éternel de Dieu, qui n'est venu au monde que pour y apporter le salut, et pour y 15 enseigner aux hommes les vérités les plus saintes et les plus charitables, c'est lui faire la plus sanglante de toutes les injures[2], car considérez, je vous prie, les horreurs et les abominations qui viennent à la suite de cette morale détestable, c'est que toutes les barrières qui séparent la vertu d'avec le vice, étant levées, il n'y aura plus d'action si infâme qui ne devienne un acte de piété et de religion, dès 20 qu'on la fera pour l'affaiblissement de l'hérésie. Ainsi dès qu'un hérétique par son esprit, par son éloquence, par ses bonnes mœurs confirmera les autres dans leur hérésie, et persuadera même aux fidèles qu'ils se trompent, il sera permis de le faire assassiner, ou empoisonner, ou de divulguer contre sa réputation mille calomnies infâmes, et gagner de faux témoins pour les appuyer. Car on aura beau 25 dire que cela est injuste, la réponse est toute prête. *Cela serait injuste à la vérité en d'autres cas, mais s'agissant de l'intérêt de l'Église il n'y a rien de plus juste.* On voit, sans que j'entre dans un détail odieux, qu'il n'y aurait point de crime qui ne devînt un acte de religion.

Pierre Bayle, *Commentaire philosophique*, « De la tolérance ».

1. Les dix lois que Moïse a reçues de Dieu selon la Bible.
2. Injustices.

Questions

1. Caractérisez la tonalité de ce texte et relevez les marques stylistiques de l'engagement personnel de Bayle dans la cause qu'il défend.
2. Quelle est la thèse des théologiens catholiques ? Quelle est celle de Bayle ?
3. Examinez la méthode mise en œuvre par Bayle pour combattre la thèse adverse. Selon quels principes commente-t-il les textes cités en italique ? Quelle part accorde-t-il à la raison humaine et quelle part à l'autorité des textes reconnus comme sacrés par l'Église ?
4. À votre avis, ce texte attaque-t-il le fanatisme catholique ou le fanatisme religieux en général ?

Bernard de Fontenelle
(1657-1757)

Portrait par LOUIS GALLOCHE
(1670-1761).
Versailles, musée national du Château.
Photo © Josse.

BERNARD LE BOVIER DE FONTENELLE, fils d'un avocat aisé de Rouen et neveu de Corneille, se fait aisément connaître à Paris. Curieux de nouveauté, écrivain et homme de conversation brillant, il règne sur les salons. Il est élu par de nombreuses académies françaises et étrangères, notamment l'Académie des sciences dont il est le secrétaire perpétuel dès 1699.

Ses ouvrages de vulgarisation scientifique, *Entretiens sur la pluralité des mondes* (1686) et *Histoire des oracles* (1687), le rendent célèbre. Il y affirme sa foi dans le progrès des connaissances et les capacités critiques de l'esprit humain et se moque de la crédulité et des idées reçues. Le public mondain apprécie son ton ironique et son souci d'une écriture vive et élégante. Fontenelle affectionne la forme du dialogue qui exclut tout pédantisme et convient à l'idée, centrale dans sa pensée, que l'homme est un être relatif, susceptible d'une multiplicité de points de vue. Partisan des « Modernes » (voir p. 211), il fait s'affronter auteurs anciens et récents dans ses spirituels *Dialogues des morts* (1683).

Entretiens sur la pluralité des mondes
[1686]

Une marquise reçoit d'un ami cultivé et galant sa première leçon de philosophie.

Toute la philosophie, lui dis-je, n'est fondée que sur deux choses, sur ce qu'on a l'esprit curieux et les yeux mauvais ; car si vous aviez les yeux meilleurs que vous ne les avez, vous verriez bien si les étoiles sont des soleils qui éclairent autant de mondes, ou si elles n'en sont pas ; et si d'un autre côté vous étiez moins
5 curieuse, vous ne vous soucieriez pas de le savoir, ce qui reviendrait au même ; mais on veut savoir plus qu'on ne voit, c'est là la difficulté. Encore si ce qu'on voit, on le voyait bien, ce serait toujours autant de connu ; mais on le voit tout autrement qu'il n'est. Ainsi les vrais philosophes passent leur vie à ne point croire ce qu'ils voient, et à tâcher de deviner ce qu'ils ne voient point ; et cette
10 condition n'est pas, ce me semble, trop à envier. Sur cela je me figure toujours que la nature est un grand spectacle qui ressemble à celui de l'opéra. Du lieu où vous êtes à l'opéra, vous ne voyez pas le théâtre tout à fait comme il est ; on a disposé les décorations et les machines pour faire de loin un effet agréable, et on cache à votre vue ces roues et ces contre-poids qui font tous les mouvements.
15 Aussi ne vous embarrassez-vous guère de deviner comment tout cela joue. Il n'y a peut-être que quelque machiniste[1] caché dans le parterre qui s'inquiète d'un vol qui lui aura paru extraordinaire, et qui veut absolument démêler comment ce vol a été exécuté. Vous voyez bien que ce machiniste-là est assez fait comme les philosophes.

FONTENELLE, *Entretiens sur la pluralité des mondes*, Premier soir.

1. Inventeur ou expert en machines (notamment de théâtre).

Questions

1. Que veut montrer précisément le philosophe ? Quels rapports établit-il entre disposition d'esprit et capacité à connaître, entre capacité et possibilité de connaître ?

2. Quelle est la fonction de la métaphore théâtrale ? En quoi est-elle ou non adaptée à la situation des personnages et au sujet traité ?

Histoire des oracles

[1687]

Déjà dans l'Antiquité, certains dénonçaient les oracles comme impostures. Mais l'Église catholique ne répugnait pas à en tirer profit auprès des esprits crédules, ce que condamnaient les protestants.

I l serait difficile de rendre raison des histoires et des oracles que nous avons rapportés, sans avoir recours aux démons[1], mais aussi tout cela est-il bien vrai ? Assurons-nous bien du fait, avant que de nous inquiéter de la cause. Il est vrai que cette méthode est bien lente pour la plupart des gens, qui courent naturellement à la cause, et passent par-dessus la vérité du fait ; mais enfin nous éviterons ⁵ le ridicule d'avoir trouvé la cause de ce qui n'est point.

Ce malheur arriva si plaisamment sur la fin du siècle passé à quelques savants d'Allemagne, que je ne puis m'empêcher d'en parler ici.

En 1593, le bruit courut que les dents étant tombées à un enfant de Silésie, âgé de sept ans, il lui en était venu une d'or, à la place d'une de ses grosses dents. ₁₀ Horstius, professeur en médecine dans l'université de Helmstad[2], écrivit en 1595 l'histoire de cette dent, et prétendit qu'elle était en partie naturelle, en partie miraculeuse, et qu'elle avait été envoyée de Dieu à cet enfant pour consoler les chrétiens affligés par les Turcs[3]. Figurez-vous quelle consolation, et quel rapport de cette dent aux chrétiens, ni aux Turcs. En la même année, afin que cette dent ₁₅ d'or ne manquât pas d'historiens, Rullandus en écrit encore l'histoire. Deux ans après, Ingolsteterus, autre savant, écrit contre le sentiment que Rullandus avait de la dent d'or, et Rullandus fait aussitôt une belle et docte réplique[4]. Un autre grand homme nommé Libavius ramasse tout ce qui avait été dit de la dent, et y ajoute son sentiment particulier. Il ne manquait autre chose à tant de beaux ₂₀ ouvrages, sinon qu'il fût vrai que la dent était d'or. Quand un orfèvre l'eut examinée, il se trouva que c'était une feuille d'or appliquée à la dent avec beaucoup d'adresse ; mais on commença par faire des livres, et puis on consulta l'orfèvre.

Rien n'est plus naturel que d'en faire autant sur toutes sortes de matières. Je ne suis pas si convaincu de notre ignorance par les choses qui sont, et dont la rai- ₂₅ son nous est inconnue, que par celles qui ne sont point, et dont nous trouvons la raison. Cela veut dire que non seulement nous n'avons pas les principes qui mènent au vrai, mais que nous en avons d'autres qui s'accommodent très bien avec le faux.

FONTENELLE, *Histoire des oracles*, chap. 4. « Que les histoires surprenantes qu'on débite sur les oracles doivent être fort suspectes ».

1. Êtres surnaturels en général.
2. Ville universitaire allemande, célèbre à l'époque.
3. Ils étaient en passe de conquérir l'Europe centrale.
4. Réponse.

Questions

1. Étudiez la progression du texte, notamment du récit central jusqu'à son dénouement.

2. Comment se construit une erreur selon Fontenelle ? Quelle méthode d'examen des faits peut-on en déduire ?

3. Comment l'humour est-il mis au service de la philosophie ?

4. Sur quelle conception de la raison et de la science repose ce développement ?

Charles Perrault

(1628-1703)

École française du XVIIᵉ s.
Versailles, musée national du Château.
Photo © R.M.N.

CHARLES PERRAULT appartient à une riche famille de la bourgeoisie parisienne, appréciée du pouvoir. Son frère Claude sera un des architectes préférés de Louis XIV. Lui-même profite de sa fonction de grand commis de l'État, protégé par Colbert, pour effectuer, de ses premiers poèmes galants jusqu'à son entrée à l'Académie française en 1671, une carrière littéraire sans à-coups mais sans grand intérêt. Deux coups d'éclat ultérieurs le font cependant passer à la postérité.

En un seul poème de 1687, **Le Siècle de Louis le Grand**, où il fait le panégyrique du roi, il devient le chef de file des « Modernes » (voir p. 211). Les **Parallèles des Anciens et des Modernes** (1688 à 1697) confortent cette position. Avec les **Contes du temps passé**, également appelés **Contes de ma mère l'Oye** et publiés en 1697, Perrault inaugure le genre littéraire des contes de fées, appelé à un grand avenir au siècle suivant, et en fournit le modèle jamais dépassé en France. Écrivant sous le nom de son fils, âgé de dix ans, il puise des histoires dans le fonds immémorial des contes populaires merveilleux et en adapte le contenu aux bienséances de la société mondaine à laquelle ses propres contes sont destinés. Les uns sont versifiés. Les autres sont rédigés dans une prose faussement naïve, ce qui fera croire à tort, par la suite, qu'ils s'adressent aux seuls enfants.

La Barbe bleue

[1697]

Le riche et terrifiant Barbe bleue, partant en voyage, interdit à sa jeune épouse de pénétrer dans un petit cabinet dont il lui laisse cependant la clef.

Elle fut si pressée de sa curiosité, que sans considérer qu'il était malhonnête[1] de quitter sa compagnie[2], elle y descendit par un petit escalier dérobé, et avec tant de précipitation, qu'elle pensa se rompre le cou deux ou trois fois. Étant arrivée à la porte du cabinet, elle s'y arrêta quelque temps, songeant à la défense que son
5   Mari lui avait faite, et considérant qu'il pourrait lui arriver malheur d'avoir été désobéissante ; mais la tentation était si forte qu'elle ne put la surmonter : elle prit donc la petite clef, et ouvrit en tremblant la porte du cabinet. D'abord elle ne vit rien, parce que les fenêtres étaient fermées ; après quelques moments elle commença à voir que le plancher était tout couvert de sang caillé, et que dans ce sang
10 se miraient les corps de plusieurs femmes mortes et attachées le long des murs (c'était toutes les femmes que la Barbe bleue avait épousées et qu'il avait égorgées l'une après l'autre). Elle pensa mourir de peur, et la clef du cabinet qu'elle venait de retirer de la serrure lui tomba de la main. Après avoir un peu repris ses esprits, elle ramassa la clef, referma la porte, et monta à sa chambre pour se remettre un

1. Impoli, qui ne se conduit pas en « honnête homme ».
2. Les amies qui sont venues visiter sa maison.
3. Sable très fin.
4. Bientôt.
5. Délais accordés.

1. Étudiez la construction de ce récit. Comment la curiosité du lecteur est-elle piquée ?

2. Ce récit vous paraît-il naïf ? Examinez notamment sa linéarité et le choix du vocabulaire.

3. Quels types généraux – psychologiques et sociaux – incarnent ces deux personnages ? En quoi s'opposent-ils ? Quelle image de la femme donne ce conte ?

4. Examinez l'interdiction du point de vue des personnages. Quel est son contenu ? Pourquoi n'est-elle pas respectée ?

5. Examinez l'interdiction du point de vue du lecteur. Quelle image lui en est donnée ? Dans quelle mesure est-il invité à croire au caractère merveilleux de la clef ?

peu ; mais elle n'en pouvait venir à bout, tant elle était émue. Ayant remarqué que 15 la clef du cabinet était tachée de sang, elle l'essuya deux ou trois fois, mais le sang ne s'en allait point ; elle eut beau la laver, et même la frotter avec du sablon[3] et avec du grès, il y demeura toujours du sang, car la clef était Fée, et il n'y avait pas moyen de la nettoyer tout à fait : quand on ôtait le sang d'un côté, il revenait de l'autre. La Barbe bleue revint de son voyage dès le soir même, et dit qu'il avait reçu 20 des Lettres dans le chemin, qui lui avaient appris que l'affaire pour laquelle il était parti venait d'être terminée à son avantage. Sa femme fit tout ce qu'elle put pour lui témoigner qu'elle était ravie de son prompt retour. Le lendemain il lui redemanda les clefs, et elle les lui donna, mais d'une main si tremblante, qu'il devina sans peine tout ce qui s'était passé. « D'où vient, lui dit-il, que la clef du cabinet 25 n'est point avec les autres ? – Il faut, dit-elle, que je l'aie laissée là-haut sur ma table. – Ne manquez pas, dit la Barbe bleue, de me la donner tantôt[4]. » Après plusieurs remises[5], il fallut apporter la clef. La Barbe bleue, l'ayant considérée, dit à sa femme : « Pourquoi y a-t-il du sang sur cette clef ? – Je n'en sais rien, répondit la pauvre femme, plus pâle que la mort. – Vous n'en savez rien, reprit la Barbe bleue, 30 je le sais bien, moi ; vous avez voulu entrer dans le cabinet ! Hé bien, Madame, vous y entrerez, et irez prendre votre place auprès des Dames que vous y avez vues. » Elle se jeta aux pieds de son Mari, en pleurant et en lui demandant pardon, avec toutes les marques d'un vrai repentir de n'avoir pas été obéissante. Elle aurait attendri un rocher, belle et affligée comme elle était ; mais la Barbe bleue avait le 35 cœur plus dur qu'un rocher. « Il faut mourir, Madame, lui dit-il, et tout à l'heure. – Puisqu'il faut mourir, répondit-elle, en le regardant les yeux baignés de larmes, donnez-moi un peu de temps pour prier Dieu. – Je vous donne un demi-quart d'heure, reprit la Barbe bleue, mais pas un moment davantage. »

CHARLES PERRAULT, *Contes du temps passé*, « La Barbe bleue ».

La querelle des Anciens et des Modernes

Cet affrontement, qui traverse en fait tout le siècle, connaît son paroxysme avec les réactions suscitées par les prises de position de Perrault. Pour les « Modernes », dont il fait partie, les arts et les critères de la beauté progressent comme les sciences. L'époque de Louis XIV surpasse ainsi l'Antiquité, et ce pour plusieurs raisons : le christianisme a accru les exigences morales, l'élégance de la vie mondaine a affiné le goût esthétique et, tout simplement, les Modernes ajoutent leurs innovations à celles des Anciens. Les choix artistiques doivent donc répondre aux caractéristiques de leur époque. Une violente querelle de sept ans s'engage avec les « Anciens », Boileau, La Fontaine et La Bruyère en tête. Ceux-ci soutiennent, au contraire, que le beau est intemporel et que les artistes et les écrivains grecs et romains en ont atteint l'expression parfaite : les artistes modernes ne peuvent alors que tenter de les égaler en étudiant et en imitant leur manière de créer.

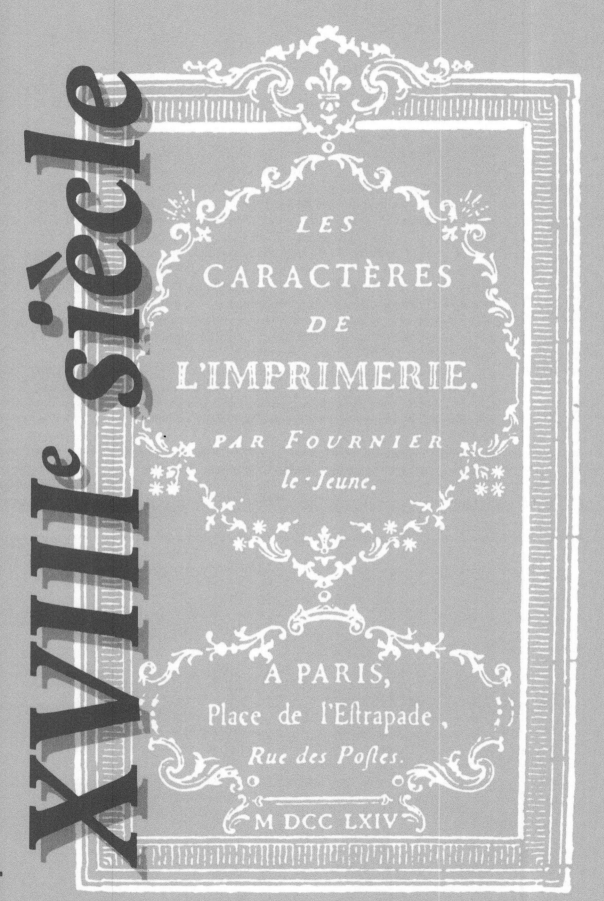

LES
CARACTÈRES
DE
L'IMPRIMERIE.

PAR FOURNIER
le-Jeune.

A PARIS,
Place de l'Estrapade,
Rue des Postes.

M DCC LXIV

XVIIIe siècle

Le XVIIIe siècle
Repères historiques

D'après Jean-Louis David, *Le Serment du Jeu de Paume le 20 juin 1789*. Paris, musée Carnavalet. Photo © Josse.

1715-1789

Le règne de Louis XV débute par une période de régence (1715-1723), dominée par la personnalité du Duc d'Orléans, le « Régent ». Une réaction contre le règne de Louis XIV se manifeste alors dans tous les domaines (appui donné aux jansénistes, liberté des mœurs et irréligion à Paris...).

À la mort du Régent, Louis XV laisse d'abord le pouvoir au prudent Cardinal Fleury, puis, à partir de 1743, gouverne sans Premier ministre.

Ces années sont marquées par la poursuite d'un développement économique qui favorise la bourgeoisie financière et marchande. Dans le même temps, les idées des Lumières continuent à se diffuser, incitant cette bourgeoisie, comme la noblesse, à contester de plus en plus l'absolutisme royal.

Louis XVI rencontre une situation de plus en plus difficile. En effet, si nobles et bourgeois sont unis contre l'absolutisme royal, ils ne le sont pas sur d'autres points : les bourgeois voudraient l'égalité des droits, et des réformes économiques libérales, alors que les nobles veulent conserver leurs privilèges et leurs droits seigneuriaux.

Louis XVI, bien intentionné mais faible, hésite sur la politique à suivre : c'est ainsi qu'après avoir soutenu les réformes de Turgot, il le renvoie, en raison de l'attitude des nobles et du parlement de Paris, qui, au nom de la liberté, s'opposent à une réforme fiscale équitable, mais contraire à leurs intérêts.

Incapable de résoudre les difficultés économiques et financières des années 80, le roi doit finalement accepter de convoquer les États généraux.

1789-1799

Les États généraux, devenus Assemblée nationale, mettent fin à la monarchie absolue, et suppriment les privilèges. La Constitution de 1791 établit une monarchie constitutionnelle libérale.

Mais la guerre, les difficultés économiques, et les divisions dans le pays, provoquent une aggravation de la situation et un durcissement de la politique, avec la proclamation de la République, le 23 septembre 1792, puis le vote de mesures de Terreur sous la Convention. (Louis XVI est guillotiné le 21 janvier 1793.)

Le retour de la paix facilite la restauration des libertés, à la fin de la Convention et sous le Directoire. Mais le régime, menacé par les attaques des royalistes et les exigences populaires, est fragilisé par une nouvelle guerre, ce qui explique le succès du coup d'État de Bonaparte (18 brumaire an VIII = 9 novembre 1799).

1799-1815

Bonaparte, devenu l'Empereur Napoléon Ier en 1804, rétablit l'ordre dans le pays aux dépens des libertés, apaise les querelles religieuses par le Concordat, maintient certaines réformes de la Révolution, en rédigeant le Code civil. Mais sa politique d'expansion militaire, se termine par le désastre de Waterloo et son abdication, en 1815.

Le XVIIIᵉ siècle
Contextes

Une vie intellectuelle cosmopolite

PARISIENNES OU PROVINCIALES, LES « ACADÉMIES » PARTICIPENT ACTIVEMENT AU DÉBAT D'IDÉES : l'Académie des sciences discute la philosophie de Newton, l'Académie de Dijon met au concours le sujet qui fait connaître Rousseau. Les salons (comme celui de Mme de Tencin qui reçoit Marivaux ou celui de Mme du Deffand à partir des années 1740), pratiquent l'art d'une conversation plus libre que celle de la Cour, surtout sous la Régence, qui tranche avec l'autoritarisme de la fin du règne de Louis XIV. On y développe un nouveau genre d'écrits, la critique littéraire et artistique dont témoignent les *Salons* de Diderot. Les cafés se multiplient, les loges maçonniques, venues d'Écosse, tissent entre penseurs un réseau intellectuel fructueux.

L'ANGLETERRE FASCINE. Voltaire, condamné à s'y exiler en 1726, s'intéresse à l'empirisme de Locke, ainsi qu'au principe d'une monarchie parlementaire. Les romans épistolaires de Richardson, comme *Pamela* (1740), connaissent un succès considérable ; leur influence se ressent jusque dans le choix des personnages comme Milord Édouard dans *La Nouvelle Héloïse* (1776). Rousseau se rend chez le philosophe anglais Hume, Diderot conseille Catherine de Russie, Voltaire est invité à Berlin. À la fin de cette période, la civilisation germanique, symbolisée par *Les Souffrances du jeune Werther* de Goethe (1774), est mise à l'honneur dans *De l'Allemagne* de Mme de Staël (1813) ; Kant instruit le procès de la raison (*Critique de la raison pure*, 1781) et commente la Révolution française. On redécouvre l'Italie, grâce aux fouilles de Pompéi et d'Herculanum, en 1748. Les voyages lointains, favorisés par le commerce triangulaire ou les explorations scientifiques, suscitent rêverie (*Paul et Virginie*, 1788) et controverses (*Supplément au voyage de Bougainville*, publié en 1796). On assiste à la naissance d'une conscience européenne qui s'accompagne de celle de la différence des cultures. On oppose Européens et « bons sauvages » ; l'idée de patrie se forme peu à peu, culminant sous la Révolution, concrétisée par la conscription massive des armées napoléoniennes.

Le développement de l'écrit

LES JOURNAUX FAVORISENT LA DIVULGATION DE LA PENSÉE. Les écrivains, dont la situation matérielle est très diverse (ils peuvent être rentiers, mais rares sont ceux qui vivent de leur plume), se heurtent souvent à une censure féroce : Montesquieu fait imprimer les *Lettres persanes* en Hollande et *De l'Esprit des lois* à Genève ; l'*Émile* est brûlé en public. Les livres publiés ne bénéficient pas tous du privilège royal : les auteurs doivent se méfier autant des menaces d'exil ou d'emprisonnement, des contrefaçons que des libraires indélicats. Ce n'est qu'au milieu du siècle que naît le principe du droit d'auteur. Beaumarchais crée, en 1777, la première Société de gens de Lettres.

GABRIEL LEMONNIER (1743-1824), *Salon de Madame Geoffrin en 1755*. Rouen, musée des Beaux-Arts. Photo © Josse.

JOSEPH VERNET (1714-1789), *Construction d'une route*. Paris, musée du Louvre. Photo © Josse.

JUSQU'EN 1750, LA MOITIÉ DE LA POPULATION FRANÇAISE EST ENCORE ANALPHABÈTE : les idées des « gens de lettres » (l'expression est de Voltaire, et désigne l'honnête homme éclairé tant dans les domaines scientifiques que les arts ou la littérature) sont peu accessibles au peuple non instruit. Il existe pourtant une forme de littérature populaire diffusée par des colporteurs, très active au nord de la Loire : la Bibliothèque bleue, depuis Troyes, propose almanachs, contes populaires traditionnels et romans sentimentaux.

Une Europe « éclairée »

LE XVIIIᵉ SIÈCLE VOIT L'APOGÉE DES LUMIÈRES. Le despotisme éclairé est reconnu par les princes d'Europe qui s'entourent de ministres acquis à l'exercice intellectuel (le marquis d'Argenson, ministre en 1744, est le dédicataire de l'*Encyclopédie*). Le principe d'une raison normative, qui gouvernerait hommes et univers, à l'image du système de l'attraction universelle de Newton, est tempéré par l'exaltation de la sensibilité et des passions. Locke, philosophe empiriste, explique, dans son *Essai sur l'entendement humain*, que les idées naissent de la sensation ; il inspire les Français Condillac et Helvétius. Le style rococo, qui privilégie lignes gracieuses et arabesques, et le néoclassicisme, plus austère, qui domine à la fin de la période, symbolisent cette double tendance. On s'intéresse aux mystères de l'âme humaine, reflétés par les romans noirs de l'Anglaise Ann Radcliffe. La science passionne : l'invention du paratonnerre (1752) par Franklin, de la montgolfière (1783) par les frères Montgolfier, sont les témoins éclatants des progrès de l'humanité, grâce à une pensée qui se soumet sans cesse à l'observation et à l'expérience.

LA DESTINÉE HUMAINE EST DÉSORMAIS CONÇUE DANS LE MOUVEMENT D'UNE DURÉE, qu'elle soit envisagée par Buffon dans son *Histoire naturelle* (rédigée à partir de 1744), au titre révélateur, ou par Rousseau qui émet l'hypothèse de l'état originel de l'homme pour mieux comprendre l'état présent. Les idées religieuses sont à l'image de ce bouillonnement : si les tenants de l'athéisme sont encore rares au début du siècle, les déistes, à la manière de Voltaire, font entendre leur voix. Ils ne se représentent pas le monde sans Dieu mais suggèrent un être humain libéré de toute malédiction divine, condition indispensable à la tolérance.

L'IDÉE D'UNE SOCIÉTÉ QUI DOIT TENDRE VERS LE BONHEUR, « idée neuve en Europe », dit Saint-Just, domine. Les « idéologues », de l'entourage de d'Holbach, interviennent massivement dans l'élaboration des nouveaux concepts républicains sous la Révolution. Les « gens de lettres » travaillent sans cesse en faveur du progrès, de manière romanesque (Clarens dans *La Nouvelle Héloïse*), pratique (Voltaire intervient en faveur de Calas ou du chevalier de La Barre) ou théorique (Condorcet publie une *Esquisse pour un tableau des progrès de l'esprit humain*, en 1794).

Montesquieu
(1689-1755)

Montesquieu en costume
de président de Parlement
Bordeaux, Académie.
Photo © Académie de Bordeaux.

CHARLES-LOUIS DE SECONDAT est né près de Bordeaux en 1689. Sa vie se caractérise par sa relative sérénité. Issu de la noblesse de robe, Montesquieu étudie le droit avant d'exercer, en 1714, de hautes responsabilités au parlement de Guyenne. En 1716, à la mort de son oncle paternel, il hérite à la fois d'une charge de magistrat, d'un titre de baron et d'un nom : Montesquieu. Mais ces seules prérogatives ne sauraient le satisfaire. Son intérêt pour les disciplines scientifiques l'amène à siéger à l'Académie de Bordeaux ; son goût pour la littérature, à publier un ouvrage à succès, les *Lettres persanes* (1721). Commence alors une période mondaine, pendant laquelle l'écrivain fréquente les salons parisiens et est élu à l'Académie française (1728). La tentation du voyage entraîne ensuite Montesquieu un peu partout en Europe. À partir de 1732, il se fixe dans son château de la Brède, où il poursuit, avec une même application, la gestion de son domaine et la rédaction de son œuvre.

SON ŒUVRE relève de la tradition moraliste, héritée du XVIIe siècle, et de l'inspiration philosophique propre à l'âge des Lumières. Œuvre de jeunesse, les **Lettres persanes** sacrifient aux modes du temps par l'exotisme oriental – Galland vient de traduire *Les Mille et Une Nuits* – et le jeu libertin. La publication intervient sous la Régence, période d'émancipation des mœurs. Montesquieu y teste cependant une méthode critique particulièrement efficace : les modes de vie parisiens et les institutions françaises, observés de l'extérieur par deux voyageurs étrangers, perdent ainsi toute évidence et affichent leur ridicule. La question du pouvoir politique, abordée sur un mode satirique, se développe selon une perspective historique dans **Les Considérations sur les causes de la grandeur des Romains et de leur décadence** (1734) et connaît son accomplissement dans **L'Esprit des lois** (1748). Ce traité étudie à la fois les différents types de systèmes politiques – la monarchie, la république, le despotisme – et les valeurs qui les sous-tendent : l'honneur pour le premier, la vertu pour le deuxième, la peur pour les derniers. Montesquieu dénombre aussi plusieurs causes, sociales ou géographiques, expliquant pourquoi les systèmes politiques varient d'un pays à l'autre. Il devient ainsi subversif. En effet, à partir du moment où une loi et un pouvoir s'expliquent par des données objectives, leur valeur sacrée se perd. Parce qu'il élucide l'origine des lois, le philosophe rend possible leur réforme : quelques-uns de ses lecteurs, comme Marat ou Robespierre, retiendront la leçon. Pour sa part, Montesquieu condamne la monarchie absolue, à laquelle il oppose le système parlementaire anglais, et il fustige les atteintes à la dignité humaine, torture ou esclavage, au nom d'une valeur qu'il révère : la liberté.

Lettres persanes
[1721]

*Des Persans voyagent et échangent par lettres leurs impressions : la structure épistolaire
des* Lettres persanes *se justifie ainsi. Rica accompagne Usbek à Paris et lui transmet
ses premières réactions. La satire résulte du regard faussement ingénu que porte
l'étranger sur le Parisien – lettre 30 – ou la Parisienne – lettre 52.*

Lettre 30   Rica au même, à Smyrne.

Les habitants de Paris sont d'une curiosité qui va jusqu'à l'extravagance.
Lorsque j'arrivai, je fus regardé comme si j'avais été envoyé du ciel : vieillards,
hommes, femmes, enfants, tous voulaient me voir. Si je sortais, tout le monde se
mettait aux fenêtres ; si j'étais aux Tuileries, je voyais aussitôt un cercle se former
autour de moi ; les femmes même faisaient un arc-en-ciel nuancé de mille cou-   5
leurs, qui m'entourait : si j'étais aux spectacles, je trouvais d'abord cent lorgnettes
dressées contre ma figure : enfin, jamais homme n'a tant été vu que moi. Je sou-
riais quelquefois d'entendre des gens qui n'étaient presque jamais sortis de leur
chambre, qui disaient entre eux : « Il faut avouer qu'il a l'air bien Persan. »
Chose admirable ! je trouvais de mes portraits partout ; je me voyais multiplié   10
dans toutes les boutiques, sur toutes les cheminées, tant on craignait de ne
m'avoir pas assez vu.

Tant d'honneurs ne laissent pas d'être à charge : je ne me croyais pas un
homme si curieux et si rare ; et, quoique j'aie très bonne opinion de moi, je ne
me serais jamais imaginé que je dusse troubler le repos d'une grande ville, où je   15
n'étais point connu. Cela me fit résoudre à quitter l'habit persan, et à en endos-
ser un à l'européenne, pour voir s'il resterait encore, dans ma physionomie,
quelque chose d'admirable. Cet essai me fit connaître ce que je valais réellement.
Libre de tous les ornements étrangers, je me vis apprécié au plus juste. J'eus sujet
de me plaindre de mon tailleur, qui m'avait fait perdre, en un instant, l'attention   20
et l'estime publique : car j'entrai tout à coup dans un néant affreux. Je demeurais
quelquefois une heure dans une compagnie, sans qu'on m'eût regardé, et qu'on
m'eût mis en occasion d'ouvrir la bouche. Mais, si quelqu'un, par hasard, apprenait à la compagnie que j'étais Persan, j'entendais aussitôt autour de moi un
bourdonnement : « Ah ! ah ! monsieur est Persan ? C'est une chose bien extraor-   25
dinaire ! Comment peut-on être Persan ? »

De Paris,
le 6 de la lune de Chalval 1712 (décembre).

MONTESQUIEU, *Lettres persanes.*

Q u e s t i o n s

1. Relevez le champ lexical de la vue. Quelles conclusions en tirez-vous ?
2. Identifiez les différents procédés de l'ironie utilisés par l'écrivain.
3. Quels travers humains cette lettre met-elle en relief ?
4. Comment comprenez-vous la dernière phrase de cet extrait ?

MARTIN CARLIN, *Scène musicale.*
Guéridon de Mme du Barry pro-
venant de la manufacture de Sèvres.
Paris, musée du Louvre. Photo © Josse.

Lettre 52

Rica à Usbek, à ***.

J'étais l'autre jour dans une société, où je me divertis assez bien. Il y avait là des femmes de tous les âges ; une de quatre-vingts ans, une de soixante, une de quarante, qui avait une nièce de vingt à vingt-deux. Un certain instinct me fit approcher de cette dernière, et elle me dit à l'oreille : « Que dites-vous de ma
5 tante, qui, à son âge, veut avoir des amants, et fait encore la jolie ? – Elle a tort, lui dis-je ; c'est un dessein qui ne convient qu'à vous. » Un moment après, je me trouvai auprès de sa tante, qui me dit : « Que dites-vous de cette femme qui a pour le moins soixante ans, qui a passé aujourd'hui plus d'une heure à sa toilette ? – C'est du temps perdu, lui dis-je ; et il faut avoir vos charmes pour devoir
10 y songer. » J'allai à cette malheureuse femme de soixante ans, et la plaignais dans mon âme, lorsqu'elle me dit à l'oreille : « Y a-t-il rien de si ridicule ? Voyez cette femme qui a quatre-vingts ans, et qui met des rubans couleur-de-feu : elle veut faire la jeune, et elle y réussit ; car cela approche de l'enfance. – Ah, bon Dieu ! dis-je en moi-même, ne sentirons-nous jamais que le ridicule des autres ? C'est
15 peut-être un bonheur, disais-je ensuite, que nous trouvions de la consolation dans les faiblesses d'autrui. » Cependant j'étais en train de me divertir, et je dis : « Nous avons assez monté ; descendons à présent, et commençons par la vieille qui est au sommet. » – « Madame, vous vous ressemblez si fort, cette dame à qui je viens de parler et vous, qu'il semble que vous soyez deux sœurs ; je vous crois,
20 à peu près, de même âge. – Vraiment, monsieur, me dit-elle, lorsque l'une

Questions

1. Repérez les diffé-rentes formes d'insertion du discours dans le récit et dégagez l'originalité de la structure de l'ex-trait.

2. À quel « instinct » le narrateur fait-il référence au début de l'extrait ? Quelles attitudes adopte-t-il par la suite ?

3. Quels procédés comiques ce passage développe-t-il ?

4. Pour quelles raisons peut-on rattacher cet extrait au genre de la fable ? Quelle en est la portée morale ?

mourra, l'autre devra avoir grand-peur : je ne crois pas qu'il y ait d'elle à moi deux jours de différence. » Quand je tins cette femme décrépite, j'allai à celle de soixante ans. « Il faut, madame, que vous décidiez un pari que j'ai fait : j'ai gagé que cette dame et vous, lui montrant la femme de quarante ans, étiez de même âge. – Ma foi, dit-elle, je ne crois pas qu'il y ait six mois de différence. » Bon, m'y 25 voilà ; continuons. Je descendis encore, et j'allai à la femme de quarante ans. « Madame, faites-moi la grâce de me dire si c'est pour rire que vous appelez cette demoiselle, qui est à l'autre table, votre nièce ? Vous êtes aussi jeune qu'elle ; elle a même quelque chose dans le visage de passé, que vous n'avez certainement pas ; et ces couleurs vives qui paraissent sur votre teint ... – Attendez, me dit-elle : 30 je suis sa tante ; mais sa mère avait, pour le moins, vingt-cinq ans de plus que moi : nous n'étions pas de même lit ; j'ai ouï dire à feue ma sœur que sa fille et moi naquîmes la même année. – Je le disais bien, madame ; et je n'avais pas tort d'être étonné. »

De Paris,
le 3 de la lune de Chalval 1713 (décembre).

MONTESQUIEU, *Lettres persanes.*

Lettre 37

Usbek, à Ibben, à Smyrne.

Le roi de France est vieux. Nous n'avons point d'exemple, dans nos histoires, d'un monarque qui ait si longtemps régné. On dit qu'il possède à un très haut degré le talent de se faire obéir : il gouverne avec le même génie sa famille, sa cour, son État : on lui a souvent entendu dire que, de tous les gouvernements du monde, celui des Turcs, ou celui de notre auguste sultan, lui plairait le mieux ; 5 tant il fait cas de la politique orientale !

J'ai étudié son caractère, et j'y ai trouvé des contradictions qu'il m'est impossible de résoudre : par exemple, il a un ministre qui n'a que dix-huit ans, et une maîtresse qui en a quatre-vingts[1] : il aime sa religion, et il ne peut souffrir ceux qui disent qu'il la faut observer à la rigueur : quoiqu'il fuie le tumulte des villes, 10 et qu'il se communique peu, il n'est occupé, depuis le matin jusqu'au soir, qu'à faire parler de lui : il aime les trophées et les victoires ; mais il craint autant de voir un bon général à la tête de ses troupes, qu'il aurait sujet de le craindre à la tête d'une armée ennemie. Il n'est, je crois, jamais arrivé qu'à lui, d'être, en même temps, comblé de plus de richesses qu'un prince n'en saurait espérer, et 15 accablé d'une pauvreté qu'un particulier ne pourrait soutenir.

Il aime à gratifier ceux qui le servent ; mais il paie aussi libéralement les assiduités, ou plutôt l'oisiveté de ses courtisans, que les campagnes laborieuses de ses capitaines : souvent il préfère un homme qui le déshabille, ou qui lui donne la serviette lorsqu'il se met à table, à un autre qui lui prend des villes, ou lui gagne 20 des batailles : il ne croit pas que la grandeur souveraine doive être gênée dans la distribution des grâces ; et, sans examiner si celui qu'il comble de biens est homme de mérite, il croit que son choix va le rendre tel : aussi lui a-t-on vu donner une petite pension à un homme qui avait fui deux lieues, et un beau gouvernement à un autre qui en avait fui quatre.

De Paris,
le 7 de la lune de Maharram 1713 (mars).

MONTESQUIEU, *Lettres persanes.*

De l'Esprit des lois
■■■■ *[1748]*

Dans De l'Esprit des lois, *publié en 1748, Montesquieu étudie différents systèmes politiques en tentant de dégager les principes qui les fondent, à défaut de les justifier.*

Il y a, dans chaque État, trois sortes de pouvoirs : la puissance législative, la puissance exécutrice des choses qui dépendent du droit des gens, et la puissance exécutrice de celles qui dépendent du droit civil.

Par la première, le prince ou le magistrat fait des lois pour un temps ou pour
5 toujours, et corrige ou abroge celles qui sont faites. Par la seconde, il fait la paix ou la guerre, envoie ou reçoit des ambassades, établit la sûreté, prévient les invasions. Par la troisième, il punit les crimes ou juge les différends des particuliers. On appellera cette dernière la puissance de juger ; et l'autre, simplement la puissance exécutrice de l'État.

10 La liberté politique dans un citoyen est cette tranquillité d'esprit qui provient de l'opinion que chacun a de sa sûreté ; et pour qu'on ait cette liberté, il faut que le gouvernement soit tel qu'un citoyen ne puisse pas craindre un autre citoyen.

Lorsque, dans la même personne ou dans le même corps de magistrature, la puissance législative est réunie à la puissance exécutrice, il n'y a point de liberté,
15 parce qu'on peut craindre que le même monarque ou le même sénat ne fasse des lois tyranniques pour les exécuter tyranniquement.

Il n'y a point encore de liberté si la puissance de juger n'est pas séparée de la puissance législative et de l'exécutrice. Si elle était jointe à la puissance législative, le pouvoir sur la vie et la liberté des citoyens serait arbitraire : car le juge
20 serait législateur. Si elle était jointe à la puissance exécutrice, le juge pourrait avoir la force d'un oppresseur.

Tout serait perdu si le même homme, ou le même corps des principaux, ou des nobles, ou du peuple, exerçait ces trois pouvoirs : celui de faire des lois, celui d'exécuter les résolutions publiques, et celui de juger les crimes ou les différends
25 des particuliers.

Dans la plupart des royaumes de l'Europe, le gouvernement est modéré, parce que le prince, qui a les deux premiers pouvoirs, laisse à ses sujets l'exercice du troisième. Chez les Turcs, où les trois pouvoirs sont réunis sur la tête du sultan, il règne un affreux despotisme.

MONTESQUIEU, *De l'Esprit des lois*, XI, 6.

Questions

1. Dégagez avec exactitude la thèse de Montesquieu.

2. Sur quel principe politique repose-t-elle ?

3. Quels arguments essentiels l'auteur développe-t-il pour la défendre ?

4. Relevez des expressions, implicitement ou explicitement, polémiques.

De l'esclavage des nègres

Dans cet extrait, Montesquieu pourfend la pratique et la justification de l'esclavage.

Si j'avais à soutenir le droit que nous avons eu de rendre les nègres esclaves, voici ce que je dirais :

Les peuples d'Europe ayant exterminé ceux de l'Amérique, ils ont dû mettre en esclavage ceux de l'Afrique, pour s'en servir à défricher tant de terres.

Le sucre serait trop cher, si l'on ne faisait travailler la plante qui le produit par 5
des esclaves.

Ceux dont il s'agit sont noirs depuis les pieds jusqu'à la tête ; et ils ont le nez
si écrasé qu'il est presque impossible de les plaindre.

On ne peut se mettre dans l'idée que Dieu, qui est un être très sage, ait mis
une âme, surtout une âme bonne, dans un corps tout noir. 10

Il est si naturel de penser que c'est la couleur qui constitue l'essence de l'humanité, que les peuples d'Asie, qui font des eunuques, privent toujours les Noirs
du rapport qu'ils ont avec nous d'une façon plus marquée.

On peut juger de la couleur de la peau par celle des cheveux, qui, chez les
Égyptiens, les meilleurs philosophes du monde, étaient d'une si grande consé- 15
quence, qu'ils faisaient mourir tous les hommes roux qui leur tombaient entre
les mains.

Une preuve que les nègres n'ont pas le sens commun, c'est qu'ils font plus de
cas d'un collier de verre que de l'or, qui, chez des nations policées, est d'une si
grande conséquence. 20

Il est impossible que nous supposions que ces gens-là soient des hommes ;
parce que, si nous les supposions des hommes, on commencerait à croire que
nous ne sommes pas nous-mêmes chrétiens.

De petits esprits exagèrent trop l'injustice que l'on fait aux Africains. Car, si
elle était telle qu'ils le disent, ne serait-il pas venu dans la tête des princes 25
d'Europe, qui font entre eux tant de conventions inutiles, d'en faire une générale
en faveur de la miséricorde et de la pitié ?

MONTESQUIEU, De l'Esprit des lois, XV, 5.

Questions

1. Quelle figure de style
l'auteur développe-t-il
tout au long de l'extrait ?
Quel ton implique-t-
elle ? Pourquoi ?

2. Relevez les différents
arguments supposés
défendre l'esclavage.

3. Quelle originalité
présente la structure
d'ensemble du texte ?
Quelle justification pou-
vez-vous en donner ?

4. À qui renvoie l'expression : « de petits
esprits » ? Pourquoi ?

JEAN-ANTOINE WATTEAU,
(1684-1721), _Trois études
de la tête d'un jeune Noir._
Paris, musée du Louvre.
Photo © RMN -
Michèle Bellot.

Robert Challe
(1659-1721)

ROBERT CHALLE, choisit d'abord la carrière des armes ; mais en 1683, sa famille l'envoie en Acadie travailler dans une compagnie de pêcheries. En 1690 il part pour les Indes, comme « écrivain du Roi ».

Conteur par vocation, il publie les **Illustres Françaises** (1713), sept « Histoires véritables » racontées par quatre narrateurs impliqués ou non dans leurs récits. Le thème central de ce roman, aux nettes intentions réalistes, est l'amour qui se heurte aux contraintes sociales. Challe propose une subtile analyse psychologique des héroïnes féminines qui résistent avec esprit aux accès de misogynie des personnages masculins. La construction d'ensemble de l'œuvre fait réapparaître les personnages tour à tour dans les histoires qui interfèrent entre elles. Le roman a séduit le XVIIIe siècle et inspiré bien des auteurs.

Challe rédige aussi son **Journal de voyage aux Indes** (1721), qui, inspiré de ses tribulations commerciales, abonde en notations sur les régions traversées, en détails ethnographiques et en réflexions philosophiques parsemées d'anecdotes.

H.-J. VAN BLAREMBERGHE, *Le Bal costumé*.
Lille, musée des Beaux-Arts.
Photo © Lauros-Giraudon.

Les Illustres Françaises
[1713]

Extrait 1

Des Ronais raconte à son ami Des Frans l'histoire de Dupuis. Ce dernier, un peu aventurier, est revenu chez lui sans avoir fait fortune et a consenti à épouser la maîtresse qu'il avait laissée en partant.

Elle mourut, comme je vous ai dit, il y a environ quatre ans et demi, aux jours gras ; le propre jour de sa mort, son mari masqua[1] et alla chez le marquis de Verry. Ce marquis donnait à souper, après lequel il devait y avoir bal, et la fête était faite pour une fille de très grande qualité, qu'il épousa quatre jours après. Il

5 avait été averti de la mort de Mademoiselle Dupuis[2], et on remarqua que cette nouvelle l'avait attristé. Il était en effet de ses amis, mais non pas son amant ; et n'a jamais parlé d'elle qu'avec vénération. Dupuis fort proprement masqué entra dans la salle, où il était avec belle compagnie, et lui présenta un momon[3] de cinquante louis d'or ; le marquis topa et perdit masse et paroli[4], et ne voulut pas

1. Alla au bal masqué.

2. La jeune épouse de M. Dupuis, devenu soupçonneux dans ses vieux jours.

3. « Défi d'un coup de dés qu'on fait quand on est déguisé en masque » (définition du *Dictionnaire* de Furetière).

4. Parier ; jouer masse et paroli : jouer en pariant deux fois, la seconde fois en pariant double.

5. L'usage et le profit.

jouer davantage. Un des conviés prit sa revanche, et perdit aussi bien que plu- 10
sieurs autres qui jouèrent contre Dupuis, qui gagna six cents louis ; et c'était, à ce qu'il disait, la seule journée de bonheur qu'il eût eu en sa vie, mettant la mort de sa femme et son gain dans le même rang.

Comme il avait joué beau jeu, on le prit pour un homme très riche, du moins ses manières le disaient. On le pria de se démasquer, il parut vouloir s'en 15
défendre d'abord ; mais enfin il se démasqua. Le marquis qui le reconnut fit un grand cri. Comment, dit-il, un homme dont la femme vient d'expirer, se déguise et court le momon ! Malheureux, poursuivit-il, sont-ce là les larmes que vous répandez, et que vous devrait arracher la perte d'une des plus belles et des plus vertueuses femmes du monde ? – Doucement, Monsieur le Marquis, répondit 20
Dupuis, ne vous emportez pas. La perte de ma femme est plus grande pour vous que pour moi. Toute la différence que j'y trouve, c'est que j'en avais la propriété et vous l'usufruit[5], l'un vaut bien l'autre. Pour le masque et le momon, si j'avais perdu mon argent, j'aurais peut-être pleuré ; du moins j'aurais été triste, et par là j'aurais fait ma cour aux femmes, qui auraient cru que j'aurais regretté la 25
mienne ; mais à présent je suis en droit de me réjouir. Je perds une femme qui me chagrinait ; et je gagne six cents louis. J'ai sujet de joie, et vous non, puisque vous perdez dans un même jour une Cloris qui ne vous coûtait rien, et votre argent ; et là-dessus je vous donne le bonsoir, et sortit sans attendre de réponse.

ROBERT CHALLE, *Les Illustres Françaises*, I, 1,
« Histoire de M. des Ronais et de Mlle Dupuis ».

Extrait 2

Challe fait ici le portrait de Mlle Fenouil, riche orpheline, qui sera enlevée par son amant, le jeune et pauvre Jussy.

Mademoiselle Fenouil était grande et bien faite, la taille aisée, la peau délicate et fort blanche, aussi bien que le teint ; elle avait les yeux, les sourcils et les cheveux noirs, les yeux grands et bien fendus naturellement vifs, mais le moindre chagrin les rendait languissants et pour lors ils semblaient demander le cœur de tous ceux qu'elle regardait. Le front large et uni, le nez bien fait, la forme du 5
visage ovale, une fossette au menton, la bouche fort petite et vermeille, les dents blanches et bien rangées, le nez serré et un peu aquilin, la gorge[1] faite au tour[2], le sein haut et rempli, le bras comme la gorge, et la plus belle main que femme puisse avoir. Vous voyez par son portrait que je suis excusable de l'avoir aimée, jusques au point de tout hasarder pour elle. Les qualités de son corps ne sont 10
pourtant pas ce qu'elle a de plus aimable : c'est une âme toute belle, un esprit ferme, sincère, ennemi de la contrainte et de la flatterie : elle est généreuse, hardie, désintéressée et entreprenante ; mais fidèle dans l'exécution. Elle est savante plus qu'une fille ne doit l'être. Les histoires sacrées et profanes lui sont familières. Tous les poètes anciens et modernes n'ont rien d'obscur pour elle. Elle sait même 15
de l'astrologie ; mais cette science capable de faire tourner l'esprit d'une autre, ou du moins de la jeter dans le ridicule ne lui sert que d'amusement.

ROBERT CHALLE, *Les Illustres Françaises*, I, 4,
« Histoire de M. de Jussy et de Mlle Fenouil ».

Alain-René Lesage

(1668-1747)

ALAIN-RENÉ LESAGE, avocat de profession, se fait connaître, en 1707, grâce à une comédie, **Crispin**, **rival de son maître**, et à un roman, **Le Diable boiteux**. Deux ans plus tard, il écrit **Turcaret**, pièce dont le héros est un financier entouré de personnages peu recommandables. Puis il compose l'**Histoire de Gil Blas de Santillane**, premier grand roman picaresque français qui paraît en trois livraisons, de 1715 à 1735. Le récit de la vie itinérante de Gil Blas est l'occasion d'une peinture satirique ou humoristique des mœurs et de la société de la première moitié du XVIIIe siècle.

Portrait gravé par J.-B. Guélard.
Paris, Bibl. de la Comédie-Française.
Photo © Hachette Livre.

Gil Blas
[1715-1735]

Extrait 1

Il s'agit ici du début des « mémoires » de Gil Blas : le picaro se présente.

Blas de Santillane[1], mon père, après avoir longtemps porté les armes pour le service de la monarchie espagnole, se retira dans la ville où il avait pris naissance. Il y épousa une petite-bourgeoise qui n'était plus dans sa première jeunesse, et je vins au monde dix mois après leur mariage. Ils allèrent ensuite
5 demeurer à Oviedo[2], où ils furent obligés de se mettre en condition[3] : ma mère devint femme de chambre, et mon père écuyer. Comme ils n'avaient pour tout bien que leurs gages, j'aurais couru risque d'être assez mal élevé, si je n'eusse pas eu dans la ville un oncle chanoine. Il se nommait Gil Perez. Il était frère aîné de ma mère et mon parrain. Représentez-vous un petit homme haut de trois
10 pieds et demi, extraordinairement gros, avec une tête enfoncée entre les deux épaules : voilà mon oncle. Au reste, c'était un ecclésiastique qui ne songeait qu'à bien vivre, c'est-à-dire qu'à faire bonne chère, et sa prébende[4], qui n'était pas mauvaise, lui en fournissait les moyens.

Il me prit chez lui dès mon enfance, et se chargea de mon éducation. Je lui
15 parus si éveillé, qu'il résolut de cultiver mon esprit. Il m'acheta un alphabet, et entreprit de m'apprendre lui-même à lire : ce qui ne lui fut pas moins utile qu'à moi, car, en me faisant connaître mes lettres, il se remit à la lecture, qu'il avait toujours fort négligée, et, à force de s'y appliquer, il parvint à lire couramment son bréviaire : ce qu'il n'avait jamais fait auparavant.

ALAIN-RENÉ LESAGE, *Histoire de Gil Blas de Santillane*, I, 1,
« De la naissance de Gil Blas et de son éducation ».

1. Ville de la province des Asturies, en Espagne.
2. Ville située au nord de l'Espagne, le long du golfe de Gascogne.
3. Avoir une situation.
4. Revenu attaché à un titre ecclésiastique.

Questions

1. Quelle impression produit ce début de roman ? Quelles hypothèses peut-on formuler sur le déroulement ultérieur de l'histoire ?

2. Quels aspects de la personnalité de ses parents Gil Blas présente-t-il ? Peut-on réellement parler de portrait ? Pourquoi ?

3. Quelle image nous est donnée du personnage du parrain ? Qu'apporte-t-il au récit et à l'atmosphère générale ?

4. Pourquoi le narrateur s'adresse-t-il au lecteur (l. 9) ?

1. Qui est amoureux à
s'en rendre malade.

2. Pistole dont la légende
assure qu'elle revient toujours à celui qui la
dépense.

Extrait 2

*Gil Blas, après avoir connu la prison pour complicité de vol, et été secrétaire d'un médecin
puis médecin lui-même, vient de faire connaissance avec les valets des « petits-maîtres »
qui lui enseignent comment on peut, à peu de frais, avoir une réputation d'homme d'esprit
et être aimé. Gil Blas suit la leçon immédiatement : il se déguise en homme de qualité,
bien décidé à séduire de belles personnes. C'est alors qu'il rencontre une jeune veuve dans
la rue et obtient, par l'entremise d'une vieille femme, un rendez-vous pour le lendemain.*

L'héroïne du rendez-vous arriva bientôt en carrosse de louage comme le
jour précédent, et vêtue de superbes habits. D'abord qu'elle parut dans la salle,
je débutai par cinq ou six révérences de petit-maître, accompagnées de leurs plus
gracieuses contorsions. Après quoi je m'approchai d'elle d'un air très familier, et
lui dis : Ma princesse, vous voyez un seigneur qui en a dans l'aile[1]. Votre image, 5
depuis hier, s'offre incessamment à mon esprit, et vous avez expulsé de mon
cœur une duchesse qui commençait à y prendre pied. Le triomphe est trop glorieux pour moi, répondit-elle en ôtant son voile ; mais je n'en ressens pas une
joie pure. Un jeune seigneur aime le changement, et son cœur est, dit-on, plus
difficile à garder que la pistole volante[2]. Eh ! ma reine, repris-je, laissons là, s'il 10
vous plaît, l'avenir ; ne songeons qu'au présent. Vous êtes belle, je suis amoureux.
Si mon amour vous est agréable, engageons-nous sans réflexion. Embarquons-
nous comme les matelots ; n'envisageons point les périls de la navigation, n'en
regardons que les plaisirs.

En achevant ces paroles, je me jetai avec transport aux genoux de ma 15
nymphe ; et, pour mieux imiter les petits-maîtres, je la pressai d'une manière
pétulante de faire mon bonheur. Elle me parut un peu émue de mes instances,
mais elle ne crut pas devoir s'y rendre encore, et, me repoussant : Arrêtez-vous,
me dit-elle, vous êtes trop vif ; vous avez l'air libertin. J'ai bien peur que vous ne
soyez un petit débauché. Fi donc ! madame, m'écriai-je ; pouvez-vous haïr ce 20
qu'aiment les femmes hors du commun ? Il n'y a plus que quelques bourgeoises
qui se révoltent contre la débauche. C'en est trop, reprit-elle, je me rends à une
raison si forte. Je vois bien qu'avec vous autres seigneurs les grimaces sont
inutiles : il faut qu'une femme fasse la moitié du chemin. Apprenez donc votre
victoire, ajouta-t-elle avec une apparence de confusion, comme si sa pudeur eût 25
souffert de cet aveu ; vous m'avez inspiré des sentiments que je n'ai jamais eus
pour personne, et je n'ai plus besoin que de savoir qui vous êtes pour me déterminer à vous choisir pour mon amant. Je vous crois un jeune seigneur, et même
un honnête homme : cependant je n'en suis point assurée ; et, quelque prévenue
que je sois en votre faveur, je ne veux pas donner ma tendresse à un inconnu. 30

ALAIN-RENÉ LESAGE, *Histoire de Gil Blas de Santillane*, I, 3, 5.

Q u e s t i o n s

1. Que pensez-vous de
la manière dont Gil Blas
tente de séduire la dame
de ses pensées ? Com-
mentez en particulier le
premier paragraphe :
quelles images utilise-
t-il ? Vous semblent-
elles originales ? effi-
caces ? comiques ?

2. Montrez que la sé-
duction est, aussi, une
affaire de comédie.

3. Repérez quel chemi-
nement suit la jeune
femme et expliquez sa
décision finale.

4. Quelle est, selon
vous, l'intention de
Alain-René Lesage en
écrivant une telle page ?
Parodie ? Divertisse-
ment ? Justifiez votre
réponse.

Le roman picaresque

« Picaresque » vient du mot espagnol *picaro* qui signifie gueux ou valet.
Le roman picaresque, d'origine espagnole, raconte la vie itinérante d'un
héros de basse extraction qui va de ville en ville et d'aventure en aventure
et qui cherche, au gré de rencontres successives, les moyens d'une ascension sociale. Ce type de récit comporte le plus souvent une satire des
mœurs et de la société d'une époque.

Saint-Simon

(1675-1755)

Portrait peint d'après H. Rigaud.
Versailles, musée national du Château.
• Photo © Josse.

LOUIS DE ROUVROY, DUC DE SAINT-SIMON, fils d'un page de Louis XIII, entreprend d'abord sous Louis XIV une carrière militaire. À la mort du roi, tirant parti de son amitié avec le régent Philippe d'Orléans, il joue un rôle politique, qui se révèle pourtant peu à la mesure de ses ambitions. Quand le Prince meurt en 1723, Saint-Simon se retire de la Cour et se fait historien. Il construit, de 1739 à 1750, à partir d'une documentation abondante et variée, ses *Mémoires*, œuvre monumentale qui couvre la fin du règne de Louis XIV jusqu'à la Régence (1691-1723). Il observe et décrit avec minutie la vie de la Cour, ses rituels et son mécanisme qu'il démonte savoureusement, mais avec férocité. Conscient d'appartenir à une aristocratie que l'absolutisme royal menace, il porte sur celui-ci un regard corrosif. Il réprouve la tendance de Louis XIV à céder la place à une bourgeoisie avide de puissance, il dénonce le peu de cas que fait le souverain de la liberté de ses sujets et désapprouve vigoureusement certaines de ses décisions, comme la révocation de l'édit de Nantes. Perplexe devant une évolution politique dont il pressent l'issue dramatique, il rédige ses témoignages d'une plume souvent ironique, parfois violente, où anecdotes piquantes et bons mots côtoient portraits et tableaux d'ensemble, inaugurant ainsi une nouvelle manière d'écrire l'Histoire, qui influencera profondément Chateaubriand et Proust.

Mémoires

▬▬▬▬▬ *[1739-1750]*

Mme de Maintenon, veuve de Scarron, maîtresse de Louis XIV depuis longtemps, vient d'épouser le roi. Saint-Simon nous éclaire sur celle qui exerça une influence considérable à la Cour.

C'était une femme de beaucoup d'esprit, que les meilleures compagnies, où elle avait d'abord été soufferte[1] et dont bientôt elle fit le plaisir, avaient fort polie et ornée de la science du monde, et que la galanterie avait achevé de tourner au plus agréable. Ses divers états l'avaient rendue flatteuse, insinuante[2], com-
5 plaisante, cherchant toujours à plaire. Le besoin de l'intrigue, toutes celles qu'elle avait vues en plus d'un genre, et de beaucoup desquelles elle avait été tant pour elle-même que pour en servir d'autres, l'y avaient formée, et lui en avaient donné le goût, l'habitude et toutes les adresses. Une grâce incomparable à tout, un air d'aisance, et toutefois de retenue et de respect, qui par sa longue bassesse lui était
10 devenu naturel, aidaient merveilleusement ses talents, avec un langage doux,

1. Admise.

2. Qui sait s'introduire auprès des gens.

3. Espace réservé aux conversations de salon dans la chambre de la dame qui reçoit.

4. Enthousiasmée.

5. Indifférente.

6. Avait rétréci : accord suivant le sujet le plus proche.

7. Qui empêche, qui annule.

juste, en bons termes, et naturellement éloquent et court. Son beau temps, car elle avait trois ou quatre ans plus que le Roi, avait été celui des belles conversations, de la belle galanterie, en un mot de ce qu'on appelait les ruelles[3], [et] lui en avait tellement donné l'esprit, qu'elle en retint toujours le goût et la plus forte teinture. Le précieux et le guindé ajouté à l'air de ce temps-là, qui en tenait un 15 peu, s'était augmenté par le vernis de l'importance, et s'accrut depuis par celui de la dévotion, qui devint le caractère principal, et qui fit semblant d'absorber tout le reste. Il lui était capital pour se maintenir où il l'avait portée, et ne le fut pas moins pour gouverner. Ce dernier point était son être ; tout le reste y fut sacrifié sans réserve. La droiture et la franchise étaient trop difficiles à accorder 20 avec une telle vue, et avec une telle fortune ensuite, pour imaginer qu'elle en retînt plus que la parure. Elle n'était pas aussi tellement fausse que ce fût son véritable goût ; mais la nécessité lui en avait de longue main donné l'habitude, et sa légèreté naturelle la faisait paraître au double de fausseté plus qu'elle n'en avait. Elle n'avait de suite en rien que par contrainte et par force. Son goût était 25 de voltiger en connaissances et en amis comme en amusements, excepté quelques amis fidèles de l'ancien temps dont on a parlé, sur qui elle ne varia point, et quelques nouveaux des derniers temps, qui lui étaient devenus nécessaires. À l'égard des amusements, elle ne les put guère varier depuis qu'elle se vit reine. Son inégalité tomba en plein sur le solide, et fit par là de grands maux. Aisément 30 engouée[4], elle l'était à l'excès ; aussi facilement déprise[5], elle se dégoûtait de même, et l'un et l'autre très souvent sans cause ni raison. L'abjection et la détresse où elle avait si longtemps vécu lui avait rétréci[6] l'esprit, et avili le cœur et les sentiments. Elle pensait et sentait si fort en petit en toutes choses, qu'elle était toujours en effet moins que Mme Scarron, et qu'en tout et partout elle se 35 retrouvait telle. Rien n'était si rebutant que cette bassesse jointe à une situation si radieuse ; rien aussi n'était, à tout bien, empêchement si dirimant[7], comme rien de si dangereux que cette facilité à changer d'amitié et de confiance.

SAINT-SIMON, *Mémoires*,
« Caractère de Mme de Maintenon ».

Questions

1. Quels sentiments produit le personnage de Mme de Maintenon ainsi présenté ?

2. Montrez que Saint-Simon n'hésite pas à égarer son lecteur et à faire de son personnage, parfois, quelqu'un de sympathique. Pourquoi adopte-t-il une telle démarche ?

3. Quel trait de caractère semble dominer chez cette femme ? Comment l'auteur le présente-t-il ?

4. Pourquoi ne donne-t-il aucune caractéristique physique de cette femme octogénaire ?

5. Quelle image de la cour de Louis XIV se dessine ici ?

Marivaux
(1688-1763)

Portrait par Jean-Baptiste Van Loo
(1684-1745).
Paris, musée de la Comédie Française.
● Photo © Josse.

Marivaux, de son vrai nom Pierre Carlet de Chamblain de Marivaux, après des études de droit à Paris, commence sa carrière littéraire en 1712, avec la première partie d'un roman, **Les Effets surprenants de la sympathie**, suivi de **La Voiture embourbée** (1714) et de **L'Iliade travestie** (1717). Il collabore au journal *Le Nouveau Mercure* et publie lui-même un périodique, le *Spectateur français* (1721-1724), dans lequel il propose anecdotes, réflexions morales, sous les formes les plus diverses. Sa carrière d'auteur dramatique commence en 1720, avec **Arlequin poli par l'amour**, joué à la Comédie Italienne, dont les acteurs s'inspirent de la tradition de la *commedia dell'arte*. L'œuvre est un succès, et Marivaux écrit par la suite une trentaine de pièces : **La Surprise de l'amour** (1722), **La Double Inconstance** (1723), **La Fausse Suivante** (1724). En 1725 les Italiens créent **L'Île des esclaves**, première pièce sociale de Marivaux, suivie de **La Colonie** (1728). L'année 1730 marque l'apogée de sa maturité dramatique avec **Le Jeu de l'amour et du hasard** (1730). On citera encore **Les Serments indiscrets** (1732), **Les Fausses Confidences** (1737) et **L'Épreuve** (1740). Il poursuit parallèlement son œuvre de romancier : **La Vie de Marianne** (1731 à 1741) et **Le Paysan parvenu** (1735-1736), bien que tous deux inachevés, témoignent de la diversité de la production de leur auteur. Élu à l'Académie française en 1742, Marivaux meurt en 1763.

L'œuvre de Marivaux témoigne d'une exceptionnelle profondeur. Le thème de l'amour en constitue indiscutablement le centre. Chaque personnage, désireux d'en faire l'expérience, après s'y être laissé prendre, souvent par « surprise » (le titre d'une pièce de Marivaux comporte ce mot), doit déjouer les pièges et les « épreuves » imposées par un ordre social qui se trouve ainsi mis en question. Le temps de la pièce, les conventions sont imaginairement bousculées : ainsi il arrive que les maîtres se déguisent en valets et inversement, signe extérieur du trouble qui anime jeunes gens et jeunes filles de la bourgeoisie. Mais Marivaux n'a pas l'intention de proposer des utopies politiques et il rétablit l'ordre des choses avant le dénouement : le valet Arlequin et la servante Cléanthis de **L'Île des esclaves** (île où les esclaves deviennent les maîtres) retrouvent finalement leur situation première ; dans **Le Jeu de l'amour et du hasard**, Silvia, fille d'un homme de condition, apprend que Dorante, qu'elle aime, et qu'elle a pris pour un valet, est d'un milieu social semblable au sien. Dans ses romans, Marivaux mêle une analyse psychologique très fine à des observations concrètes sur la société et la vie quotidienne.

La Surprise de l'amour

[1722]

Lélio vient d'être surpris avec le portrait de la comtesse dans sa poche. Confus, il intime l'ordre à son valet de se retirer. Arlequin assiste du fond de la scène à l'entretien entre Lélio et la comtesse.

LÉLIO. – Je vous prie, Madame, de n'être point fâchée de ce que j'avais votre portrait ; j'étais dans l'ignorance.

LA COMTESSE, *d'un air embarrassé.* – Ce n'est rien que 5 cela, Monsieur.

LÉLIO. – C'est une aventure qui ne laisse pas que d'avoir[1] un air singulier.

LA COMTESSE. – Effectivement.

LÉLIO. – Il n'y a personne qui ne se persuade là-des-10 sus que je vous aime.

LA COMTESSE. – Je l'aurais cru moi-même, si je ne vous connaissais pas.

LÉLIO. – Quand vous le croiriez encore, je ne vous estimerais guère moins clairvoyante.

15 LA COMTESSE. – On n'est pas clairvoyant quand on se trompe, et je me tromperais.

LÉLIO. – Ce n'est presque pas une erreur que cela ; la chose est si naturelle à penser.

LA COMTESSE. – Mais voudriez-vous que j'eusse cette 20 erreur-là ?

LÉLIO. – Moi, Madame ! vous êtes la maîtresse.

LA COMTESSE. – Et vous le maître, Monsieur.

LÉLIO. – De quoi le suis-je ?

LA COMTESSE. – D'aimer ou de n'aimer pas.

25 LÉLIO. – Je vous reconnais : l'alternative est bien de vous, Madame.

LA COMTESSE. – Eh ! pas trop.

LÉLIO. – Pas trop ! si j'osais interpréter ce mot-là...

LA COMTESSE. – Et que trouvez-vous donc qu'il signi-30 fie ?

LÉLIO. – Ce qu'apparemment vous n'avez pas pensé.

LA COMTESSE. – Voyons.

LÉLIO. – Vous ne me le pardonneriez jamais.

LA COMTESSE. – Je ne suis pas vindicative.

35 LÉLIO, *à part.* – Ah ! je ne sais ce que je dois faire.

LA COMTESSE, *d'un air impatient.* – Monsieur Lélio, expliquez-vous, et ne vous attendez pas que je vous devine.

LÉLIO, *à genoux.* – Eh ! bien ! Madame, me voilà 40 expliqué... M'entendez-vous ? Vous ne répondez rien... Vous avez raison : mes extravagances ont combattu trop longtemps contre vous, et j'ai mérité votre haine.

LA COMTESSE. – Levez-vous, Monsieur.

45 LÉLIO. – Non, Madame, condamnez-moi ou faites-moi grâce.

LA COMTESSE, *confuse.* – Ne me demandez rien à présent, reprenez le portrait de votre parente, et laissez-moi respirer.

50 ARLEQUIN. – *Vivat !* Enfin, voilà la fin. [...]

MARIVAUX, *La Surprise de l'amour*, III, 6.

---

1. Qui ne manque pas d'avoir, qui a.

Questions

1. Comment, sur les plans psychologique et dramaturgique, le motif de l'erreur est-il exploité par Marivaux au cours de l'entretien des deux jeunes gens ?

2. Qui mène le jeu ? En vous fondant sur la structure du texte, montrez que chaque personnage se dérobe tour à tour.

3. Étudiez les apartés de la scène : que nous indiquent-ils sur le sens du passage ?

4. De quelle manière Marivaux fait-il avouer leur amour à ses personnages ? Pourquoi ?

5. Comment expliquez-vous la réaction d'Arlequin dans la dernière réplique ?

L'Île des esclaves

[1725]

Dans cette pièce en un acte, Marivaux exploite la tradition littéraire de l'utopie sociale, mettant en scène Arlequin et son maître Iphicrate, jetés sur une île à la suite d'un naufrage.

IPHICRATE. – Eh ! ne perdons point de temps ; suis-moi : ne négligeons rien pour nous tirer d'ici. Si je ne me sauve, je suis perdu ; je ne reverrai jamais Athènes, car nous sommes dans l'île des Esclaves.

ARLEQUIN. – Oh ! oh ! qu'est-ce que c'est que cette race-là ?

5 IPHICRATE. – Ce sont des esclaves de la Grèce révoltés contre leurs maîtres, et qui depuis cent ans sont venus s'établir dans une île, et je crois que c'est ici : tiens, voici sans doute quelques-unes de leurs cases ; et leur coutume, mon cher Arlequin, est de tuer tous les maîtres qu'ils rencontrent, ou de les jeter dans l'esclavage.

10 ARLEQUIN. – Eh ! chaque pays a sa coutume ; ils tuent les maîtres, à la bonne heure ; je l'ai entendu dire aussi, mais on dit qu'ils ne font rien aux esclaves comme moi.

IPHICRATE. – Cela est vrai.

ARLEQUIN. – Eh ! encore vit-on.

15 IPHICRATE. – Mais je suis en danger de perdre la liberté, et peut-être la vie : Arlequin, cela ne suffit-il pas pour me plaindre ?

ARLEQUIN, *prenant sa bouteille pour boire.* – Ah ! je vous plains de tout mon cœur, cela est juste.

IPHICRATE. – Suis-moi donc.

20 ARLEQUIN *siffle.* – Hu ! hu ! hu !

IPHICRATE. – Comment donc ! que veux-tu dire ?

ARLEQUIN, *distrait, chante.* – Tala ta lara.

IPHICRATE. – Parle donc, as-tu perdu l'esprit ? à quoi penses-tu ?

ARLEQUIN, *riant.* – Ah ! ah ! ah ! Monsieur Iphicrate, la drôle d'aventure ! je vous
25 plains, par ma foi, mais je ne saurais m'empêcher d'en rire.

IPHICRATE, *à part les premiers mots.* – Le coquin abuse de ma situation ; j'ai mal fait de lui dire où nous sommes. Arlequin, ta gaieté ne vient pas à propos ; marchons de ce côté.

ARLEQUIN. – J'ai les jambes si engourdies !...

30 IPHICRATE. – Avançons, je t'en prie.

ARLEQUIN. – Je t'en prie, je t'en prie ; comme vous êtes civil et poli ; c'est l'air du pays qui fait cela.

IPHICRATE. – Allons, hâtons-nous, faisons seulement une demi-lieue sur la côte pour chercher notre chaloupe, que nous trouverons peut-être avec une partie de
35 nos gens ; et en ce cas-là, nous nous rembarquerons avec eux.

ARLEQUIN, *en badinant.* – Badin ! comme vous tournez cela !

Il chante :   L'embarquement est divin
Quand on vogue, vogue, vogue
L'embarquement est divin,
40   Quand on vogue avec Catin.

IPHICRATE, *retenant sa colère.* – Mais je ne te comprends point, mon cher Arlequin.

ARLEQUIN. – Mon cher patron, vos compliments me charment ; vous avez coutume de m'en faire à coups de gourdin qui ne valent pas ceux-là ; et le gourdin est dans la chaloupe.

LE METTAY (1726-1759),
Naufrage. Fécamp, musée
des Beaux-Arts.
Photo © Josse.

IPHICRATE. – Eh ! ne sais-tu pas que je t'aime ?   45

ARLEQUIN. – Oui ; mais les marques de votre amitié tombent toujours sur mes épaules, et cela est mal placé. Ainsi, tenez, pour ce qui est de nos gens, que le Ciel les bénisse ! s'ils sont morts, en voilà pour longtemps ; s'ils sont en vie, cela se passera, et je m'en goberge.

IPHICRATE, *un peu ému.* – Mais j'ai besoin d'eux, moi.   50

ARLEQUIN, *indifféremment.* – Oh ! cela se peut bien, chacun a ses affaires : que je ne vous dérange pas !

IPHICRATE. – Esclave insolent !

ARLEQUIN, *riant.* – Ah ! ah ! vous parlez la langue d'Athènes ; mauvais jargon que je n'entends plus.   55

IPHICRATE. – Méconnais-tu ton maître, et n'es-tu plus mon esclave ?

ARLEQUIN, *se reculant d'un air sérieux.* – Je l'ai été, je le confesse à ta honte ; mais va, je te le pardonne ; les hommes ne valent rien. Dans le pays d'Athènes j'étais ton esclave, tu me traitais comme un pauvre animal, et tu disais que cela était juste, parce que tu étais le plus fort. Eh bien ! Iphicrate, tu vas trouver ici plus fort 60 que toi ; on va te faire esclave à ton tour ; on te dira aussi que cela est juste, et nous verrons ce que tu penseras de cette justice-là ; tu m'en diras ton sentiment, je t'attends là. Quand tu auras souffert, tu seras plus raisonnable ; tu sauras mieux ce qu'il est permis de faire souffrir aux autres. Tout en irait mieux dans le monde, si ceux qui te ressemblent recevaient la même leçon que toi. Adieu, mon 65 ami ; je vais trouver mes camarades et tes maîtres. *(Il s'éloigne.)*

IPHICRATE, *au désespoir, courant après lui l'épée à la main.* – Juste Ciel ! peut-on être plus malheureux et plus outragé que je le suis ? Misérable ! tu ne mérites pas de vivre.

ARLEQUIN. – Doucement, tes forces sont bien diminuées, car je ne t'obéis plus, 70 prends-y garde.

MARIVAUX, *L'Île des esclaves*, scène **1**.

Questions

1. Quels traits tradition- nels du personnage d'Arlequin Marivaux a- t-il retenus ? Montrez que cela répond à son propos.

2. Étudiez le langage qu'il prête au valet (chanson, argot, jeux de mots). Comment celui- ci revêt-il dans les cir- constances présentes une puissance toute par- ticulière ?

3. Comment Marivaux traite-t-il ici, dès l'ou- verture de la pièce, le motif du couple de comédie maître- esclave ?

4. Au-delà de la comé- die, quelle est la portée sociale et idéologique du passage ?

Le Jeu de l'amour et du hasard

[1730]

Pour éprouver la sincérité du sentiment de Dorante, qu'elle doit épouser, Silvia revêt les habits de sa suivante Lisette, sans savoir que le jeune homme a eu, de son côté, la même idée. Parallèlement à l'intrigue des maîtres se joue celle des valets : Lisette et Arlequin se font eux aussi la cour, habillés en « homme et femme de qualité », et se plaisant parfois à imiter le jeu de séduction des maîtres.

LISETTE. – Je regarde pourtant votre amour comme un présent du Ciel.

ARLEQUIN. – Le présent qu'il vous a fait ne le ruinera pas, il est bien mesquin.

LISETTE. – Je ne le trouve que trop magnifique.

ARLEQUIN. – C'est que vous ne le voyez pas au grand jour.

5 LISETTE. – Vous ne sauriez croire combien votre modestie m'embarrasse.

ARLEQUIN. – Ne faites point dépense d'embarras ; je serais bien effronté, si je n'étais pas modeste.

LISETTE. – Enfin, Monsieur, faut-il vous dire que c'est moi que votre tendresse honore ?

10 ARLEQUIN. – Ahi ! ahi ! je ne sais plus où me mettre.

LISETTE. – Encore une fois, Monsieur, je me connais.

ARLEQUIN. – Eh, je me connais bien aussi, et je n'ai pas là une fameuse connaissance, ni vous non plus, quand vous l'aurez faite ; mais c'est là le diable que de me connaître, vous ne vous attendez pas au fond du sac.

15 LISETTE, *à part.* – Tant d'abaissement n'est pas naturel. *(Haut.)* D'où vient que vous me dites cela ?

ARLEQUIN. – Et voilà où gît le lièvre.

LISETTE. – Mais encore ? Vous m'inquiétez : est-ce que vous n'êtes pas… ?

ARLEQUIN. – Ahi ! ahi ! vous m'ôtez ma couverture.

20 LISETTE. – Sachons de quoi il s'agit ?

ARLEQUIN, *à part.* – Préparons un peu cette affaire-là… *(Haut.)* Madame, votre amour est-il d'une constitution bien robuste, soutiendra-t-il bien la fatigue que je vais lui donner, un mauvais gîte lui fait-il peur ? Je vais le loger petitement.

LISETTE. – Ah, tirez-moi d'inquiétude ! En un mot, qui êtes-vous ?

25 ARLEQUIN. – Je suis… N'avez-vous jamais vu de fausse monnaie ? Savez-vous ce que c'est qu'un louis d'or faux ? Eh bien, je ressemble assez à cela.

LISETTE. – Achevez donc, quel est votre nom ?

ARLEQUIN. – Mon nom ? *(À part.)* Lui dirai-je que je m'appelle Arlequin ? Non ; cela rime trop avec coquin.

30 LISETTE. – Eh bien ?

ARLEQUIN. – Ah dame, il y a un peu à tirer ici ! Haïssez-vous la qualité de soldat ?

LISETTE. – Qu'appelez-vous un soldat ?

ARLEQUIN. – Oui, par exemple, un soldat d'antichambre.

LISETTE. – Un soldat d'antichambre ! Ce n'est donc point Dorante à qui je parle
35 enfin ?

ARLEQUIN. – C'est lui qui est mon capitaine.

LISETTE. – Faquin !

ARLEQUIN, *à part.* – Je n'ai pu éviter la rime.

Questions

1. En vous appuyant sur des indices lexicaux et syntaxiques, montrez ce qu'il y a de parodique dans le langage amoureux des valets.

2. Comment Arlequin prend-il au pied de la lettre ce que dit Lisette ? Quelle atmosphère est ainsi produite ?

3. Relevez des images dans les propos d'Arlequin : pourquoi Marivaux lui fait-il employer ce langage ?

4. Pourquoi la reconnaissance des deux valets se produit-elle au cours d'une même scène, alors qu'il en faudra deux pour les maîtres ?

LISETTE. – Mais voyez ce magot, tenez !

40 ARLEQUIN. – La jolie culbute que je fais là !

LISETTE. – Il y a une heure que je lui demande grâce, et que je m'épuise en humi-lités pour cet animal-là !

ARLEQUIN. – Hélas, Madame, si vous préfériez l'amour à la gloire, je vous ferais bien autant de profit qu'un monsieur.

45 LISETTE, *riant.* – Ah ! ah ! ah ! je ne saurais pourtant m'empêcher d'en rire, avec sa gloire, et il n'y a plus que ce parti-là à prendre... Va, va, ma gloire te pardonne, elle est de bonne composition.

ARLEQUIN. – Tout de bon, charitable dame ? Ah, que mon amour vous promet de reconnaissance !

50 LISETTE. – Touche là, Arlequin ; je suis prise pour dupe : le soldat d'antichambre de Monsieur vaut bien la coiffeuse de Madame.

ARLEQUIN. – La coiffeuse de Madame !

LISETTE. – C'est mon capitaine ou l'équivalent.

ARLEQUIN. – Masque !

55 LISETTE. – Prends ta revanche.

ARLEQUIN. – Mais voyez cette magotte[1], avec qui, depuis une heure, j'entre en confusion de ma misère !

LISETTE. – Venons au fait ; m'aimes-tu ?

ARLEQUIN. – Pardi oui, en changeant de nom, tu n'as pas changé de visage, et tu

60 sais bien que nous nous sommes promis fidélité en dépit de toutes les fautes d'or-thographe.

LISETTE. – Va, le mal n'est pas grand, consolons-nous ; ne faisons semblant de rien, et n'apprêtons point à rire. Il y a apparence que ton maître est encore dans l'erreur à l'égard de ma maî-

65 tresse, ne l'avertis de rien, lais-sons les choses comme elles sont : je crois que le voici qui entre. Monsieur, je suis votre servante.

ARLEQUIN. – Et moi votre valet,

70 Madame. *(Riant.)* Ah ! ah ! ah !

> MARIVAUX, *Le Jeu de l'amour et du hasard*, III, 6.

1. Féminin de magot : petite fille.

JEAN-ANTOINE WATTEAU
(1684-1721),
Arlequin et Colombine.
Londres, Wallace collection.
Photo © Bridgeman / Giraudon.

La Vie de Marianne

[1731-1742]

Extrait 1

Marianne, au soir de sa vie, raconte ses souvenirs. Au début de l'âge adulte, elle est seule à Paris et se rend un jour, très élégamment vêtue, à la messe.

Ce jeune homme, à son tour[1], m'examinait d'une façon toute différente de celle des autres ; elle était plus modeste, et pourtant plus attentive : il y avait quelque chose de plus sérieux qui se passait
5 entre lui et moi. Les autres applaudissaient[2] ouvertement à mes charmes, il me semblait que celui-ci les sentait ; du moins je le soupçonnais quelquefois, mais si confusément, que je n'aurais pu dire ce que je pensais de lui, non plus que ce que je pensais de
10 moi.

Tout ce que je sais, c'est que ses regards m'embarrassaient, que j'hésitais de les lui rendre, et que je les lui rendais toujours ; que je ne voulais pas qu'il me vît y répondre, et que je n'étais pas fâchée
15 qu'il l'eût vu.

Enfin on sortit de l'église, et je me souviens que j'en sortis lentement, que je retardais mes pas ; que je regrettais la place que je quittais ; et que je m'en allais avec un cœur à qui il manquait quelque chose,
20 et qui ne savait pas ce que c'était. Je dis qu'il ne le savait pas ; c'est peut-être trop dire, car, en m'en allant, je retournais souvent la tête pour revoir encore le jeune homme que je laissais derrière moi ; mais je ne croyais pas me retourner pour lui.

25 De son côté, il parlait à des personnes qui l'arrêtaient, et mes yeux rencontraient toujours les siens.

La foule à la fin m'enveloppa et m'entraîna avec elle ; je me trouvai dans la rue, et je pris tristement le chemin de la maison.

Je ne pensais plus à mon ajustement[3] en m'en retournant ; je négligeais ma
30 figure, et ne me souciais plus de la faire valoir.

J'étais si rêveuse, que je n'entendis pas le bruit d'un carrosse qui venait derrière moi, et qui allait me renverser, et dont le cocher s'enrouait à me crier : Gare !

Son dernier cri me tira de ma rêverie ; mais le danger où je me vis m'étourdit
35 si fort que je tombai en voulant fuir, et me blessai le pied en tombant.

MARIVAUX, *La Vie de Marianne*, II.

JEAN-ANTOINE WATTEAU (1684-1721), *Neuf têtes, dont deux masculines* (détail). Paris, musée du Petit-Palais. Photo © Photothèque des musées de la Ville de Paris - Pierrain.

---

1. C'est un jeune homme sur qui les yeux de Marianne « tombaient plus volontiers que sur les autres ». – 2. Admiraient. – 3. À ma façon d'être habillée.

Questions

1. Quel intérêt présente l'emploi de la 1re personne ?

2. Montrez que Marivaux mêle récit et commentaire. Pourquoi choisit-il cette technique ?

3. En quoi consiste de part et d'autre le stratagème de la séduction amoureuse ?

4. En quoi peut-on qualifier ce passage de romanesque ?

Extrait 2

Je n'ai de ma vie été si agitée. Je ne saurais vous définir ce que je sentais.

C'était un mélange de trouble, de plaisir et de peur ; oui, de peur, car une jeune fille qui est
5 là-dessus à son apprentissage ne sait point où tout cela la mène : ce sont des mouvements inconnus qui l'enveloppent, qui disposent d'elle, qu'elle ne possède point, qui la possèdent ; et la nouveauté de cet état l'alarme. Il est vrai qu'elle
10 y trouve du plaisir ; mais c'est un plaisir fait comme un danger, sa pudeur même en est effrayée ; il y a quelque chose qui la menace, qui l'étourdit, et qui prend déjà sur elle.

On se demanderait volontiers dans ces ins-
15 tants-là : Que vais-je devenir ? Car, en vérité, l'amour ne nous trompe point : dès qu'il se montre, il nous dit ce qu'il est, et de quoi il sera question : l'âme, avec lui, sent la présence d'un maître qui la flatte, mais avec une autorité décla-
20 rée qui ne la consulte pas, et qui lui laisse hardiment les soupçons de son esclavage futur.

Voilà ce qui m'a semblé de l'état où j'étais, et je pense aussi que c'est l'histoire de toutes les jeunes personnes de mon âge en pareil cas.

25 Enfin on me porta chez Valville, c'était le nom du jeune homme en question[1], qui fit ouvrir une salle où l'on me mit sur un lit de repos.

J'avais besoin de secours, je sentais beaucoup
30 de douleur à mon pied, et Valville envoya sur-le-champ chercher un chirurgien, qui ne tarda pas à venir. Je passe quelques petites excuses que je lui fis dans l'intervalle sur l'embarras que je lui causais ; excuses communes que tout le monde
35 sait faire, et auxquelles il répondit à la manière ordinaire.

Ce qu'il y eut pourtant de particulier entre nous deux, c'est que je lui parlai de l'air d'une personne qui sent qu'il y a bien autre chose sur
40 le tapis que des excuses ; et qu'il me répondit d'un ton qui me préparait à voir entamer la matière.

Nos regards même l'entamaient déjà ; il n'en jetait pas un sur moi qui ne signifiât : *Je vous
45 aime* ; et moi, je ne savais que faire des miens, parce qu'ils lui en auraient dit autant.

Nous en étions, lui et moi, à ce muet entretien de nos cœurs, quand nous vîmes entrer le chirurgien, qui, sur le récit que lui fit Valville de
50 mon accident, débuta par dire qu'il fallait voir mon pied.

À cette proposition, je rougis d'abord par un sentiment de pudeur ; et puis, en rougissant, pourtant je songeai que j'avais le plus joli petit
55 pied du monde ; que Valville allait le voir, que ce ne serait point ma faute, puisque la nécessité voulait que je le montrasse devant lui ; ce qui était une bonne fortune pour moi, bonne fortune honnête et faite à souhait : car on croyait
60 qu'elle me faisait de la peine ; on tâchait de m'y résoudre, et j'allais en avoir le profit immodeste, en conservant tout le mérite de la modestie, puisqu'il me venait d'une aventure dont j'étais innocente : c'était ma chute qui avait tort.

MARIVAUX, *La Vie de Marianne*, II.

1. Valville : le jeune homme de l'église (voir extrait 1).

Questions

1. Par des repérages lexicaux précis, mettez en évidence ce qui caractérise le trouble amoureux tel que le perçoit la jeune fille (commentez en particulier le style du deuxième paragraphe).

2. Pourquoi Marivaux fait-il préciser à Marianne « je pense que c'est l'histoire de toutes les jeunes personnes de mon âge en pareil cas » ? (l. 23-24).

3. Tout est-il mouvement spontané et sincère dans l'amour ? Justifiez votre point de vue.

4. Analysez le raisonnement final de Marianne face à un événement imprévu. Qu'en pensez-vous ?

Le Paysan parvenu

[1734-1735]

Extrait 1

Le héros du roman, auquel Marivaux donne la parole, est Jacob, un valet qui franchira les différentes étapes d'une ascension sociale au terme de laquelle il deviendra M. de La Vallée. Le texte qui suit est le début de ses « mémoires », autrement dit le début du roman.

Le titre que je donne à mes mémoires annonce ma naissance. Je ne l'ai jamais dissimulée à qui me l'a demandée, et il semble qu'en tout temps Dieu ait récompensé ma franchise là-dessus ; car je n'ai pas remarqué qu'en aucune occasion on en ait eu moins d'égards et moins d'estime pour moi.

5 J'ai pourtant vu nombre de sots qui n'avaient et ne connaissaient point d'autre mérite dans le monde que celui d'être nés nobles, ou dans un rang distingué. Je les entendais mépriser beaucoup de gens qui valaient mieux qu'eux et cela seulement parce qu'ils n'étaient pas gentilshommes ; mais c'est que ces gens qu'ils méprisaient, respectables d'ailleurs par mille bonnes qualités, avaient la 10 faiblesse de rougir eux-mêmes de leur naissance, de la cacher, et de tâcher de s'en donner une qui embrouillât la véritable, et qui les mît à couvert du dédain du monde.

Or, cet artifice-là ne réussit presque jamais ; on a beau déguiser la vérité là-dessus, elle se venge tôt ou tard des mensonges dont on a voulu la couvrir, et l'on 15 est toujours trahi par une infinité d'événements qu'on ne saurait ni parer ni prévoir ; jamais je ne vis, en pareille matière, de vanité qui fît une bonne fin.

C'est une erreur, au reste, que de penser qu'une obscure naissance vous avilisse, quand c'est vous-même qui l'avouez, et que c'est de vous qu'on la sait. La malignité des hommes vous laisse là ; vous la frustrez de ses droits ; elle ne vou-20 drait que vous humilier, et vous faites sa charge[1], vous vous humiliez vous-même, elle ne sait plus que dire.

Les hommes ont beau faire, ils ont des mœurs[2] malgré eux ; ils trouvent qu'il est beau d'affronter des mépris injustes ; cela les rend à la raison. Ils sentent dans ce courage une noblesse qui les fait taire ; c'est une fierté qui confond un orgueil 25 impertinent.

MARIVAUX, *Le Paysan parvenu*, I.

---

1. Vous allez dans le même sens, vous la favorisez.

2. Ils ont le sens du bien et du mal.

Questions

1. Quelle importance l'aveu de franchise du personnage revêt-il pour ce qui concerne la technique romanesque (l. 1 à 4) ?

2. Quelle idée Marivaux nous révèle-t-il sur les masques dont chacun se couvre le visage en société ?

3. Dégagez le point de vue du personnage sur l'inégalité sociale, en montrant qu'il est le fruit d'une expérience.

4. Commentez le dernier paragraphe : en quoi ce discours général nous renseigne-t-il sur le personnage principal ?

Qu'est-ce qu'un moraliste ?

On appelle « moraliste » un écrivain qui, à travers un portrait caractéristique ou un énoncé à valeur générale (souvent au présent de l'indicatif), fait part de ses observations sur les mœurs, les comportements ou la nature de l'homme. La Bruyère, La Rochefoucauld sont des moralistes ; des romanciers comme Marivaux, Proust, Mauriac peuvent adopter, l'espace d'une phrase ou d'une séquence, un ton ou un style de moraliste.

NICOLAS HENRI JEAURAT
DE BERTRY (1728-1796),
Le Déjeuner gras.
Coll. particulière.
Photo © Édimédia.

Extrait 2

*Jacob n'est plus paysan : le voici à présent domestique chez les sœurs Habert, dames
dévotes dont il raconte un « succulent petit dîner ».*

1. Faire des tours de
passe-passe.
2. Cette bonne nourri-
ture.

Je sus depuis que mon devancier n'avait pas eu comme moi part à l'aumône,
parce qu'il était trop libertin pour mériter de la faire, et pour être réduit au rôt
et au ragoût.

Je ne sais pas au reste comment nos deux sœurs faisaient en mangeant, mais
assurément c'était jouer des gobelets[1] que de manger ainsi.   5

Jamais elles n'avaient d'appétit ; du moins on ne voyait point celui qu'elles
avaient ; il escamotait les morceaux ; ils disparaissaient sans qu'il parût presque
y toucher.

On voyait ces dames se servir négligemment de leurs fourchettes, à peine
avaient-elles la force d'ouvrir la bouche ; elles jetaient des regards indifférents sur 10
ce bon vivre[2] : Je n'ai point de goût aujourd'hui. Ni moi non plus. Je trouve tout
fade. Et moi tout trop salé.

Ces discours-là me jetaient de la poudre aux yeux, de manière que je croyais
voir les créatures les plus dégoûtées du monde, et cependant le résultat de tout
cela était que les plats se trouvaient si considérablement diminués quand on des- 15
servait, que je ne savais les premiers jours comment ajuster tout cela.

Mais je vis à la fin de quoi j'avais été les premiers jours dupé. C'était de ces
airs de dégoût, que marquaient nos maîtresses, et qui m'avaient caché la sourde
activité de leurs dents.

Le plus plaisant, c'est qu'elles s'imaginaient elles-mêmes être de très petites et 20
de très sobres mangeuses ; et comme il n'était pas décent que des dévotes fussent
gourmandes, qu'il faut se nourrir pour vivre, et non pas vivre pour manger ; que
malgré cette maxime raisonnable et chrétienne, leur appétit glouton ne voulait
rien perdre, elles avaient trouvé le secret de le laisser faire, sans tremper dans sa
gloutonnerie ; et c'était par le moyen de ces apparences de dédain pour les 25
viandes, c'était par l'indolence avec laquelle elles y touchaient, qu'elles se per-
suadaient être sobres en se conservant le plaisir de ne pas l'être ; c'était à la faveur
de cette singerie, que leur dévotion laissait innocemment le champ libre à l'intempérance.

MARIVAUX, *Le Paysan parvenu*, I.

Questions

1. Quelle vous semble
être la tonalité d'en-
semble de ce récit ?

2. Relevez les passages
où sont précisées les
mimiques des deux
sœurs. Quel commen-
taire vous suggèrent-ils ?
Commentez en particu-
lier le mot « singerie »
(l. 28).

3. En quoi ce texte
peut-il être qualifié de
réaliste ?

4. Quelle est la portée
satirique du passage ?

Les Fausses Confidences
[1737]

Dorante, amoureux d'Araminte, se fait engager chez elle comme intendant. Il y retrouve son ancien valet Dubois qui accepte de favoriser la liaison et distille de « fausses confidences », faux indices destinés à faire avouer son amour naissant à Araminte.

DUBOIS. – Savez-vous à qui vous avez affaire ?

ARAMINTE. – Au neveu de Monsieur Remy, mon procureur.

DUBOIS. – Ah ! Par quel tour d'adresse est-il connu de Madame ? comment a-t-il fait pour arriver jusqu'ici ?

5 ARAMINTE. – C'est Monsieur Remy qui me l'a envoyé pour intendant.

DUBOIS. – Lui, votre intendant ! Et c'est Monsieur Remy qui vous l'envoie ? Hélas ! le bon homme, il ne sait pas qui il vous donne ; c'est un démon que ce garçon-là.

ARAMINTE. – Mais que signifient tes exclamations ? Explique-toi ; est-ce que tu le
10 connais ?

DUBOIS. – Si je le connais, Madame ! si je le connais ! Ah ! vraiment oui ; et il me connaît bien aussi. N'avez-vous pas vu comme il se détournait, de peur que je ne le visse ?

ARAMINTE. – Il est vrai, et tu me surprends à mon tour. Serait-il capable de
15 quelque mauvaise action, que tu saches ? Est-ce que ce n'est pas un honnête homme ?

DUBOIS. – Lui ! il n'y a point de plus brave homme dans toute la terre, il a, peut-être, plus d'honneur à lui tout seul que cinquante honnêtes gens ensemble. Oh ! c'est une probité merveilleuse ; il n'a peut-être pas son pareil.

20 ARAMINTE. – Eh ! De quoi peut-il donc être question ? D'où vient que tu m'alarmes ? En vérité, j'en suis tout émue.

DUBOIS. – Son défaut, c'est là. *(Il se touche le front.)* C'est à la tête que le mal le tient.

ARAMINTE. – À la tête ?

25 DUBOIS. – Oui ; il est timbré, mais timbré comme cent.

ARAMINTE. – Dorante ! il m'a paru de très bon sens. Quelle preuve as-tu de sa folie ?

DUBOIS. – Quelle preuve ? Il y a six mois qu'il est tombé fou ; il y a six mois qu'il extravague d'amour, qu'il en a la cervelle brûlée, qu'il en est comme un perdu :
30 je dois bien le savoir, car j'étais à lui, je le servais ; et c'est ce qui m'a obligé de le quitter ; et c'est ce qui me force de m'en aller encore ; ôtez cela, c'est un homme incomparable.

ARAMINTE, *un peu boudant.* – Oh bien ! il fera ce qu'il voudra, mais je ne le garderai pas. On a bien affaire d'un esprit renversé, et, peut-être encore, je gage,
35 pour quelque objet qui n'en vaut pas la peine, car les hommes ont des fantaisies !...

DUBOIS. – Ah ! vous m'excuserez ; pour ce qui est de l'objet, il n'y a rien à dire. Malepeste ! sa folie est de bon goût.

ARAMINTE. – N'importe, je veux le congédier. Est-ce que tu la connais, cette per-
40 sonne ?

DUBOIS. – J'ai l'honneur de la voir tous les jours ; c'est vous, Madame.

ARAMINTE. – Moi, dis-tu ?

DUBOIS. – Il vous adore ; il y a six mois qu'il n'en vit point, qu'il donnerait sa vie pour avoir le plaisir de vous contempler un instant. Vous avez dû voir qu'il a l'air enchanté quand il vous parle.   45

ARAMINTE. – Il y a bien en effet quelque petite chose qui m'a paru extraordinaire. Eh ! juste Ciel ! le pauvre garçon, de quoi s'avise-t-il ?

DUBOIS. – Vous ne croiriez pas jusqu'où va sa démence ; elle le ruine, elle lui coupe la gorge. Il est bien fait, d'une figure passable, bien élevé et de bonne famille ; mais il n'est pas riche ; et vous saurez qu'il n'a tenu qu'à lui d'épouser   50 des femmes qui l'étaient, et de fort aimables, ma foi, qui offraient de lui faire sa fortune, et qui auraient mérité qu'on la leur fît à elles-mêmes. Il y en a une qui n'en saurait revenir, et qui le poursuit encore tous les jours ; je le sais, car je l'ai rencontrée.

ARAMINTE, *avec négligence.* – Actuellement ?   55

DUBOIS. – Oui, Madame, actuellement ; une grande brune très piquante, et qu'il fuit. Il n'y a pas moyen, Monsieur refuse tout. « Je les tromperais, me disait-il ; je ne puis les aimer, mon cœur est parti. » Ce qu'il disait quelquefois la larme à l'œil ; car il sent bien son tort.

MARIVAUX, *Les Fausses Confidences*, I, 14.

Questions

1. Montrez que Dubois mène le jeu.

2. Par des repérages structuraux, mettez en évidence l'ambiguïté des propos du valet. Pourquoi Marivaux le fait-il parler ainsi ?

3. À quel moment la scène prend-elle un nouveau tournant ? Pourquoi ?

4. Araminte est-elle déjà consciente du sentiment qui naît en elle ?

JEAN-ANTOINE WATTEAU (1684-1721), *La Boudeuse.* Moscou, musée de l'Ermitage. Photo © Josse.

LE ROMAN AU XVIIIᵉ SIÈCLE

Le genre romanesque est particulièrement florissant en France dès la première moitié du XVIIIᵉ siècle : près de 1 000 titres sont dénombrés entre 1700 et 1750. Le roman, très prisé par le public, est en même temps méprisé par les critiques : ceux-ci s'en prennent à l'invraisemblance du récit et au danger de la représentation des passions qui caractérise, selon eux, ce type d'œuvres.

■ L'illusion romanesque

Le genre romanesque étant décrié, les auteurs de fiction vont prétendre que leurs œuvres ne sont pas des romans. Robert Challe, dans *Les Illustres Françaises*, se déclare soucieux d'évoquer des vérités « qui ont leurs règles toutes contraires à celles des romans ». Et Marivaux fait écrire à Marianne, au début de *La Vie de Marianne* : « ce début paraît annoncer un roman : ce n'en est pourtant pas un ». Les romanciers cherchent en conséquence à donner l'illusion qu'ils proposent au lecteur non des créations de leur imagination, mais des écrits authentiques : mémoires qu'un éditeur a trouvés dans une armoire, *(La Vie de Marianne)*, correspondances découvertes par hasard *(Les Liaisons dangereuses)*, ou lettres confiées par des étrangers et traduites en français *(Lettres persanes)*. Deux cents faux « mémoires » sont ainsi publiés pendant la première moitié du siècle, et les romans épistolaires connaissent une vogue considérable, des *Lettres Persanes* jusqu'à *Julie ou la Nouvelle Héloïse* et au-delà. Très souvent, l'auteur prétendument réel des mémoires ou l'« éditeur » des lettres indiquent que le texte proposé au lecteur est écrit « sans art », et comporte des maladresses de style et de composition, éléments qui prouvent son authenticité.

Ce sera une originalité de Diderot que de jouer avec l'illusion romanesque en dialoguant avec le lecteur à propos de l'évolution du récit, dans *Jacques le Fataliste* (1771). Cette œuvre, qui reprend certains des procédés des « romans comiques » du XVIIᵉ siècle, a pu être définie comme un « anti-roman ».

■ L'intention morale

Pour donner au roman toute la dignité attachée aux genres nobles, cultivés dès l'Antiquité, des auteurs comme Lesage ou Prévost se mettent sous le patronage d'Horace, poète latin pour qui l'œuvre d'art devait joindre « l'utile » à « l'agréable ». Cette formule se retrouve, sous une forme ou sous une autre, dans nombre de romans. L'« utile », pour nos romanciers, consiste à « instruire » le lecteur. « Le récit de mes aventures ne sera pas inutile à ceux qui aiment à s'instruire » déclare Jacob, le héros de Marivaux. Cette « instruction » s'exerce en particulier dans le domaine de la morale : les auteurs affirment que l'on peut tirer une leçon morale d'un livre qui ne l'est pas ; ils prétendent que la peinture des méfaits de

NICOLAS BERNARD LÉPICIÉ
(1735-1784),
Le Lever de Fanchon.
Saint-Omer, hôtel Sandelin.
Photo © Lauros-Giraudon.

l'amour permet aux lectrices de s'en détourner, et celle des vices, de les éviter. Laclos déclare même, dans la préface aux *Liaisons dangereuses,* que « c'est rendre un service aux mœurs que de dévoiler les moyens qu'emploient ceux qui en ont de mauvaises pour corrompre ceux qui en ont de bonnes ».

Prétendue authenticité des textes, caractère spontané de l'écriture, utilité morale du propos romanesque, constituent ainsi des thématiques habituelles aux romans de cette époque.

■ Le réalisme

Tenant compte des critiques qui concernent les récits héroïques et galants du siècle précédent, les auteurs de fiction cherchent à inscrire leur œuvre dans la réalité contemporaine. Sans exclure les aristocrates de leur monde romanesque, ils mettent en scène des personnages de bourgeois ou d'hommes et femmes du peuple – comme les sœurs Habert ou la lingère Madame Dutour chez Marivaux, le pauvre hère Gil Blas qui devient valet puis secrétaire chez Lesage, etc. La vie quotidienne est évoquée dans plusieurs de ses composantes : repas longuement dégusté dans *le Paysan parvenu,* festin offert à un parasite dans *Gil Blas,* marche effectuée dans la boue dans *La Voiture embourbée,* querelle entre une lingère et un cocher où s'exprime la verdeur du langage populaire dans *La Vie de Marianne.* De façon plus large, nombre de romans constituent, en partie au moins, ce qu'on appelle des « romans de mœurs » qui proposent une évocation, éventuellement satirique, de la société de cette époque. Apparaît ainsi chez ces romanciers une visée réaliste qui n'avait pris corps, au XVIIe siècle, que sous la forme du burlesque ou de la raillerie dans les romans « comiques » (voir p. 133). Toutefois n'émerge de ces œuvres aucune ambition de procéder à une explication des rouages de la société comme le fera Balzac au siècle suivant.

■ L'analyse psychologique

L'étude du cœur humain reste le thème essentiel du roman, qu'il s'agisse de décrire les subtilités de la naissance de l'amour, comme chez Marivaux, d'évoquer l'entraînement tragique de la passion, comme chez l'abbé Prévost, de dénoncer l'imposture de ceux qui donnent au pur désir le masque du sentiment, comme chez Crébillon fils, ou d'analyser les jeux de l'intelligence et de la rouerie mises au service de la séduction cynique des femmes comme chez Laclos. Il reviendra à Balzac en particulier d'étendre l'investigation psychologique à d'autres domaines que celui de l'amour.

■ La structure des romans

Les romans du XVIIe siècle constituaient, on l'a dit (voir p. 133), des romans-fleuves avant la lettre, évoquant de longues histoires à multiples rebondissements qui semblaient ne jamais pouvoir finir. Le XVIIIe siècle cultive encore ce type de structure : la forme des mémoires invite à enchaîner très librement les épisodes les uns aux autres : les *Mémoires et Aventures d'un homme de qualité* de l'abbé Prévost comportent un nombre important de volumes ; *Cleveland* multiplie péripéties et coups de théâtre ; certains récits, comme *Gil Blas* ou *Jacques le Fataliste* comportent, comme par le passé, des épisodes enchâssés. Pourtant quelques romanciers empruntent la voie tracée à la fin du XVIIe siècle par Mme de La Fayette avec *La Princesse de Clèves* et proposent une structure à forte concentration dramatique : c'est le cas de *Manon Lescaut* (un des épisodes, publié séparément, des *Mémoires d'un homme de qualité*), ou des *Liaisons dangereuses* : dans ces deux œuvres, une intrigue rigoureuse conduit à une fin inéluctable, qui exclut tout rebondissement. Cette structure « dramatique » caractérisera de nombreux romans du XIXe siècle.

Enfin il convient de signaler que la composition de nombre de ces récits fait alterner anecdotes romanesques et discours à valeur générale : portraits types, réflexions en forme de maximes, appréciations sur les mœurs et le comportement humain : ces romanciers sont volontiers des moralistes (voir p. 236).

NICOLAS BERNARD LÉPICIÉ (1735-1784),
La Demande accordée.
Cherbourg, musée Thomas Henry.
● Photo © Giraudon.

Abbé Prévost
(1697-1763)

Portrait gravé par G. F. SCHMIDT.
Paris, Bibl. nat. de France.
Photo © Hachette Livre.

ANTOINE FRANÇOIS PRÉVOST, né d'une famille bourgeoise, hésite entre la carrière militaire et la vie religieuse : soldat en 1712 et en 1716, élève des Jésuites en 1713 et en 1717, il prononce ses vœux de bénédictin en 1721, mais y renonce sept ans plus tard. Le reste de sa vie et son œuvre sont à l'image de ces contradictions et de ces passions. Perpétuellement en quête d'un lieu où il échapperait à des chaînes qui l'entraveraient trop, il mène une vie d'aventurier en France, en Hollande et en Angleterre, où il connaît de nombreux démêlés avec les autorités ecclésiastiques et politiques. Il adopte le pseudonyme Prévost d'Exiles et trouve sa voie dans une activité littéraire débordante. Connu surtout comme romancier, il est aussi gazettiste et éditeur d'une histoire des voyages, traducteur des romans anglais de Richardson *(Pamela, Clarisse Harlowe)*, multipliant les projets littéraires de toutes sortes. Ses ***Mémoires et Aventures d'un homme de qualité*** (1728-1731), qui comportent, entre autres récits, l'***Histoire du chevalier Des Grieux et de Manon Lescaut,*** connaissent un large succès, ce qui lui permet de mener sa carrière littéraire en vivant de sa plume, comme Lesage et Marivaux. On retiendra également l'histoire de l'Anglais ***Cleveland*** (1731-1739) et l'***Histoire d'une Grecque moderne*** (1740).

DANS SON ŒUVRE, la narration est fréquemment menée à la première personne par le héros. Ce choix narratif se présente comme un gage de sincérité par lequel Prévost entreprend son voyage dans le « monde souterrain » du cœur. Le personnage tente d'expliquer sa propre histoire, qui lui paraissait indéchiffrable au moment des faits. Aucune zone d'ombre n'échappe à cette exploration dont le héros ne sort pas nécessairement grandi tant cela met au jour ses insurmontables contradictions. Un pessimisme profond se lit dans la plupart des récits de Prévost, même s'il semble compensé par une foi enthousiaste en l'amour : celui-ci rachète et élève les personnages qui suscitaient les sentiments les plus mitigés. La réalité de la Régence, perçue par des notations brèves et dont le bouleversement est illustré par des intrigues complexes, pèse sur l'homme comme un obstacle supplémentaire à la quête d'un bonheur jamais atteint.

Histoire du chevalier Des Grieux et de Manon Lescaut
[1731]

Extrait 1

Le roman est construit selon un principe d'enchâssement de récits : le chevalier Des Grieux raconte ici au narrateur initial sa rencontre avec Manon.

J'avais marqué le temps de mon départ d'Amiens. Hélas ! que ne le marquais-je un jour plus tôt ! j'aurais porté chez mon père toute mon innocence. La veille même de celui que je devais quitter cette ville, étant à me promener avec mon ami, qui s'appelait Tiberge, nous vîmes arriver le coche d'Arras, et nous le suivîmes jusqu'à l'hôtellerie où ces voitures descendent. Nous n'avions pas 5 d'autre motif que la curiosité. Il en sortit quelques femmes, qui se retirèrent aussitôt. Mais il en resta une, fort jeune, qui s'arrêta seule dans la cour, pendant qu'un homme d'un âge avancé, qui paraissait lui servir de conducteur, s'empressait pour faire tirer son équipage des paniers. Elle me parut si charmante, que moi, qui n'avais jamais pensé à la différence des sexes, ni regardé une fille avec 10 un peu d'attention, moi, dis-je, dont tout le monde admirait la sagesse et la retenue, je me trouvai enflammé tout d'un coup jusqu'au transport. J'avais le défaut d'être excessivement timide et facile à déconcerter ; mais, loin d'être arrêté alors par cette faiblesse, je m'avançai vers la maîtresse de mon cœur. Quoiqu'elle fût encore moins âgée que moi, elle reçut mes politesses sans paraître embarrassée. 15 Je lui demandai ce qui l'amenait à Amiens, et si elle y avait quelques personnes de connaissance. Elle me répondit ingénument qu'elle y était envoyée par ses parents, pour être religieuse. L'amour me rendait déjà si éclairé, depuis un moment qu'il était dans mon cœur, que je regardai ce dessein comme un coup mortel pour mes désirs. Je lui parlai d'une manière qui lui fit comprendre mes 20 sentiments, car elle était bien plus expérimentée que moi. C'était malgré elle qu'on l'envoyait au couvent, pour arrêter sans doute son penchant au plaisir, qui s'était déjà déclaré, et qui a causé dans la suite tous ses malheurs et les miens. Je combattis la cruelle intention de ses parents, par toutes les raisons que mon amour naissant et mon éloquence scolastique purent me suggérer. Elle n'affecta 25 ni rigueur ni dédain.

ABBÉ PRÉVOST, Histoire du chevalier Des Grieux et de Manon Lescaut, Iʳᵉ partie.

Extrait 2

Le chevalier parvient à retrouver Manon, qui l'avait délaissé pour suivre M. G... M..., et vient de lui écrire en l'assurant de son amour. Il lui rend visite dans la maison de son protecteur.

J'étais dans le fond si charmé de la revoir, qu'avec tant de justes sujets de colère, j'avais à peine la force d'ouvrir la bouche pour la quereller. Cependant mon cœur saignait du cruel outrage qu'elle m'avait fait. Je le rappelais vivement à ma mémoire, pour exciter mon dépit, et je tâchais de faire briller dans mes yeux un autre feu que celui de l'amour. Comme je demeu- 5 rai quelque temps en silence, et qu'elle remarqua mon agitation, je la vis trembler, apparemment par un effet de sa crainte.

Je ne pus soutenir ce spectacle. Ah ! Manon, lui dis-je d'un ton tendre, infidèle et parjure Manon ! par où commencerai-je à me plaindre ? Je vous vois pâle et tremblante, et je suis encore si sensible à vos moindres peines, 10 que je crains de vous affliger trop par mes reproches. Mais, Manon, je vous le dis, j'ai le cœur percé de la douleur de votre trahison. Ce sont là des coups qu'on ne porte point à un amant, quand on n'a pas résolu sa mort. Voici la

Questions

1. Quels sentiments le personnage de Des Grieux vous inspire-t-il à la lecture de ce passage ?

2. Comment le personnage de Manon est-il introduit dans le récit du Chevalier ?

3. Commentez la conversation qui a lieu entre les deux futurs amants (l. 16 à 26) : quels arguments l'un et l'autre déploient-ils ? Étudiez l'emploi du discours indirect : qu'apporte-t-il au récit ?

4. Relevez les indices temporels qui organisent la suite du récit : pourquoi l'auteur les a-t-il disposés ainsi ?

troisième fois, Manon ; je les ai bien comptées ; il est impossible que cela
15 s'oublie. C'est à vous de considérer à l'heure même quel parti vous voulez
prendre ; car mon triste cœur n'est plus à l'épreuve d'un si cruel traitement.
Je sens qu'il succombe et qu'il est prêt à se fendre de douleur. Je n'en puis
plus, ajoutai-je en m'asseyant sur une chaise ; j'ai à peine la force de parler et
de me soutenir.

20 Elle ne me répondit point ; mais lorsque je fus assis, elle se laissa tomber à
genoux, et elle appuya sa tête sur les miens, en cachant son visage de mes
mains. Je sentis en un instant qu'elle les mouillait de larmes. Dieux ! de quels
mouvements n'étais-je point agité ! Ah ! Manon, Manon, repris-je avec un soupir, il est bien tard de me donner des larmes, lorsque vous avez causé ma mort.
25 Vous affectez une tristesse que vous ne sauriez sentir. Le plus grand de vos
maux est sans doute ma présence, qui a toujours été importune à vos plaisirs.
Ouvrez les yeux, voyez qui je suis ; on ne verse pas des pleurs si tendres pour
un malheureux qu'on a trahi, et qu'on abandonne cruellement. Elle baisait
mes mains sans changer de posture. Inconstante Manon, repris-je encore, fille
30 ingrate et sans foi, où sont vos promesses et vos serments ? Amante mille fois
volage et cruelle, qu'as-tu fait de cet amour que tu me jurais encore aujour-
d'hui ? Juste Ciel, ajoutai-je, est-ce ainsi qu'une infidèle se rit de vous, après
vous avoir attesté si saintement ? C'est donc le parjure qui est récompensé ! Le
désespoir et l'abandon sont pour la constance et la fidélité.

ABBÉ PRÉVOST, *Histoire du chevalier Des Grieux et de Manon Lescaut*, IIᵉ partie.

Questions

1. Relevez le champ lexical du regard dans tout le passage et commentez la façon dont il est exploité par l'auteur.

2. Quel usage l'auteur fait-il de la parole et du silence pour chacun des deux personnages ? Pourquoi ?

3. Commentez plus précisément les dernières lignes (à partir de « Elle baisait mes mains sans changer de posture »).

4. En quels sens peut-on dire que cette scène est pathétique ?

Histoire d'une Grecque moderne
[1740]

Un ambassadeur de France à Constantinople s'éprend d'une esclave grecque sortie du sérail, Théophé, qui se refuse à lui malgré sa proposition de mariage. Le personnage de l'ambassadeur, qui conduit le récit, soupçonne bientôt la jeune fille de liaisons imaginaires.

Le soir arriva. Je l'attendais avec impatience pour éclaircir des soupçons beaucoup plus terribles. La chambre de Théophé était voisine de la mienne. Je me levai aussitôt que mon valet de chambre m'eut mis au lit, et je cherchai quelque endroit d'où je pusse découvrir tout ce qui s'approcherait de notre
5 appartement.

Cependant je sentais un remords cruel de l'outrage que je faisais à l'aimable Théophé ; et dans l'agitation de mille sentiments qui combattaient en sa faveur, je me demandais si mes noires défiances étaient assez bien fondées pour autoriser des observations si injurieuses. La nuit se passa tout entière sans qu'il se pré-
10 sentât rien qui pût blesser mes yeux. Je m'approchai même plusieurs fois de la porte. J'y prêtai curieusement l'oreille. Le moindre bruit réveillait mes soupçons, et je fus tenté sur un léger mouvement que je crus entendre de frapper brusquement pour me faire ouvrir. Enfin, j'allais me retirer au lever du soleil, lorsque la porte de Théophé s'ouvrit. Un frisson mortel me glaça le sang tout d'un coup ;
15 c'était elle-même qui sortait avec sa suivante. Cette diligence à se lever me causa d'abord un autre trouble ; mais je me souvins qu'elle m'avait averti plusieurs fois

Questions

1. Le texte se déroule en deux temps : montrez-le. Quelle intensité dramatique supplémentaire apporte la seconde partie ? Pourquoi ?

2. Étudiez le choix des circonstances par l'auteur : moment de la journée et peinture de la vie quotidienne à Constantinople. Quelle est la portée romanesque de ces détails ?

3. Sous quels aspects le personnage de l'ambassadeur se présente-t-il ? Quel est l'effet produit ?

4. Quels signes permettent de diagnostiquer une jalousie féroce ? Fondez-vous sur le vocabulaire et les figures de style, en particulier celle de l'hyperbole.

que dans la chaleur excessive où nous étions, elle allait prendre l'air au jardin, qui donnait sur la mer. Je la suivis des yeux, et je ne fus rassuré qu'après lui avoir vu prendre ce chemin.

Il semblera que je devais être satisfait de l'emploi que j'avais fait de la nuit, et qu'après une épreuve de cette nature il ne me restait qu'à m'aller livrer au sommeil, dont je me sentais un extrême besoin. Cependant mon cœur n'était qu'à demi soulagé. Le mouvement que j'avais entendu dans la chambre me laissait encore des doutes. La clef était restée à la porte. J'y entrai, dans l'espérance de trouver quelque vestige de ce qui m'avait alarmé. C'était peut-être une chaise ou un rideau que Théophé avait elle-même remué. Mais en portant un œil curieux dans toutes les parties de la chambre, j'aperçus une petite porte qui donnait sur un escalier dérobé, et que je n'avais point encore eu l'occasion de remarquer. Toutes mes agitations se renouvelèrent à cette vue. Voilà le chemin du comte, m'écriai-je douloureusement. Voilà la source de ma honte ; et celle de ton crime, misérable Théophé ! Je ne pourrais donner qu'une faible idée de l'ardeur avec laquelle j'examinai tous les passages pour m'assurer où l'escalier pouvait conduire. Il conduisait dans une cour écartée, et la porte qui était au pied paraissait fermée soigneusement. Mais ne pouvait-elle pas avoir été ouverte pendant la nuit ? Il me vint à l'esprit que si j'avais des lumières certaines à espérer, c'était au lit même de Théophé, qui était encore en désordre. Je saisis avidement cette pensée. Je m'en rapprochai avec un redoublement de crainte, comme si j'eusse touché à des éclaircissements qui emportaient la dernière conviction. J'observai jusqu'aux moindres circonstances la figure du lit, l'état des draps et des couvertures. J'allai jusqu'à mesurer la place qui suffisait à Théophé, et à chercher si rien ne paraissait foulé hors des bornes que je donnais à sa taille. Je n'aurais pu m'y tromper ; et quoique je fisse réflexion que dans une grande chaleur elle pouvait s'être agitée pendant le sommeil, il me semblait que rien n'était capable de me faire méconnaître ses traces. Cette étude, qui dura longtemps, produisit un effet que j'étais fort éloigné de prévoir. N'ayant rien découvert qui n'eût servi par degrés à me rendre plus tranquille, la vue du lieu où ma chère Théophé venait de reposer, sa forme que j'y voyais imprimée, un reste de chaleur que j'y trouvais encore, les esprits qui s'étaient exhalés d'elle par une douce transpiration, m'attendrirent jusqu'à me faire baiser mille fois tous les endroits qu'elle avait touchés. Fatigué comme j'étais d'avoir veillé toute la nuit, je m'oubliai si entièrement dans cette agréable occupation que le sommeil s'étant emparé de mes sens, je demeurai profondément endormi dans la place même qu'elle avait occupée.

ABBÉ PRÉVOST,
Histoire d'une Grecque moderne.

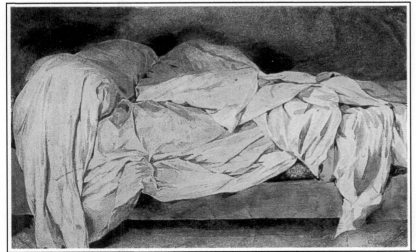

EUGÈNE DELACROIX (1798-1863),
Un lit défait. Aquarelle.
Paris, musée Eugène Delacroix.
Photo © R.M.N. - Michèle Bellot.

Crébillon fils
(1707-1777)

CLAUDE-PROSPER JOLYOT DE CRÉBILLON, fils d'un poète tragique fait paraître en 1732 les **Lettres de la marquise de M*** au comte de R*****, un roman épistolaire, puis entre 1735 et 1738, **Les Égarements du cœur et de l'esprit** (1735-1738), roman d'éducation sentimentale. Son œuvre se distingue par la diversité des formes adoptées : lettres, mémoires, dialogue, narration « objective ». Crébillon fils apparaît aujourd'hui comme un grand romancier d'analyse attaché à décrire les rapports entre désir et sentiment et à démystifier le discours amoureux.

Portrait par M. QUENTIN DE LA TOUR.
Saint-Quentin, musée Antoine Lécuyer.
Photo © Giraudon.

Lettres de la marquise de M*** au comte de R***
[1732]

Ce roman épistolaire à une voix (les lettres de l'amant ont été brûlées) donne à entendre la passion de la Marquise pour le comte, après qu'elle eut tenté d'y résister sur le mode du badinage et au nom du « plus sacré des devoirs ».

Ayez pitié de l'état où je suis. Si vous m'aimez, respectez-le ; ne me revoyez plus : que mon exemple vous serve à détruire un amour qui ne peut avoir que des suites funestes pour moi. Envisagez les malheurs qui seraient inséparables de notre commerce[1] : la perte de ma réputation, celle de l'estime de mon mari :
5 peut-être pis encore. Quelque épurés que soient nos sentiments, car je veux bien croire que les vôtres sont conformes aux miens, croyez-vous qu'on leur rende justice, et qu'on ne saisisse pas, avec malignité, l'occasion de me perdre dans le monde[2] ? Votre mérite même servirait à me condamner. Les femmes, jugeant de moi par elles, ne croiraient pas que je m'en fusse tenue avec vous à l'amitié. Les
10 plus décriées seraient les premières à blâmer ma conduite ; et je n'ai pas, comme elles, le front de soutenir des discours injurieux.

L'unique moyen de me délivrer de tant de craintes, est de m'éloigner de vous ; tant que nous serons dans le même lieu, je ne serai pas sûre de moi. Aidez-moi, je vous en conjure, à vaincre ma faiblesse. Vous voulez que je vous revoie encore !
15 dois-je m'y exposer ? Ce rendez-vous aura-t-il le succès du dernier ? Aurai-je encore assez de fermeté pour vous dire que je vous quitte ? Si vous m'en croyiez, vous ne me verriez pas. Consultez-vous là-dessus ; je ferai, quelque chose qu'il en arrive, tout ce que vous voudrez. Je serai à midi chez Madame de*** ; que de larmes cette journée me coûte !

CRÉBILLON FILS, *Lettres de la marquise de M****
*au comte de R****, Lettre XIV.

1. Le fait de se fréquenter.
2. Le milieu mondain des salons aristocratiques.

Questions

1. Quelle conception de la passion la marquise met-elle en évidence ?

2. Analysez l'état de bouleversement dans lequel se trouve le personnage.

3. Étudiez la progression et la structure syntaxique du second paragraphe.

Les Égarements du cœur et de l'esprit, ou Mémoires de M. de Meilcour

[1736]

Ce roman se présente, ainsi que de nombreuses autres fictions du XVIIIe siècle, comme des « mémoires » authentiques, écrits par M. de Meilcour. Celui-ci y raconte les étapes de son éducation amoureuse et mondaine. Le héros tente de conquérir Mme de Lursay, femme d'un certain âge, mais voici qu'il fait une rencontre décisive en allant à l'opéra.

1. Le narrateur vient de se rendre chez Mme de Lursay sans l'y avoir trouvée.

J'étais de si mauvaise humeur en arrivant à l'Opéra[1], où d'ailleurs je trouvai assez peu de monde, que, pour n'être pas distrait de la rêverie dans laquelle j'étais plongé, je me fis ouvrir une loge, plutôt que de me mettre dans les balcons où je n'aurais pas été si tranquille. J'attendais sans impatience et sans désirs que le spectacle commençât. Tout entier à Madame de Lursay, je ne m'occupais que 5
du chagrin d'être privé de sa présence, lorsqu'une loge s'ouvrit à côté de la mienne. Curieux de voir les personnes qui l'allaient occuper, j'y portai mes regards ; et l'objet qui s'y offrit les fixa. Qu'on se figure tout ce que la beauté la plus régulière a de plus noble, tout ce que les grâces ont de plus séduisant, en un mot, tout ce que la jeunesse peut répandre de fraîcheur et d'éclat, à peine pourra- 10
t-on se faire une idée de la personne que je voudrais dépeindre. Je ne sais quel mouvement singulier et subit m'agita à cette vue : frappé de tant de beautés, je demeurai comme anéanti. Ma surprise allait jusques au transport. Je sentis dans mon cœur un désordre qui se répandit sur tous mes sens : loin qu'il se calmât, il redoublait par l'examen secret que je faisais de ses charmes. Elle était mise sim- 15
plement, mais avec noblesse. Elle n'avait pas en effet besoin de parure ; en était-il de si brillante qu'elle ne l'eût effacée ? était-il d'ornement si modeste qu'elle ne l'eût embelli ? Sa physionomie était douce et réservée ; le sentiment et l'esprit paraissaient briller dans ses yeux. Cette personne me parut extrêmement jeune ; et je crus, à la surprise des spectateurs, qu'elle ne paraissait en public que de ce 20
jour-là : j'en eus involontairement un mouvement de joie, et j'aurais souhaité qu'elle n'eût jamais été connue que de moi. Deux dames mises du plus grand air étaient avec elle ; nouvelle surprise pour moi, de ne les pas connaître, mais elle m'arrêta peu. Uniquement occupé de ma belle inconnue, je ne cessais de la regarder, que quand par hasard elle jetait ses yeux sur quelqu'un. Les miens se por- 25
taient aussitôt sur l'objet qu'elle avait paru vouloir chercher : si elle s'y arrêtait un peu de temps, et que ce fût un jeune homme, je croyais qu'un amant seul pouvait la rendre si attentive. Sans pénétrer le motif qui me faisait agir, je conduisais, j'interprétais ses regards ; je cherchais à lire dans ses moindres mouvements. Tant d'opiniâtreté à ne la pas perdre de vue, me fit enfin remarquer d'elle ; elle 30
regarda à son tour ; je la fixais sans le savoir et, dans le charme qui m'entraînait malgré moi-même, je ne sais ce que mes yeux lui dirent, mais elle détourna les siens en rougissant un peu.

CRÉBILLON FILS, *Les Égarements du cœur et de l'esprit, ou Mémoires de M. de Meilcour.*

Questions

1. Par des repérages précis, montrez que l'opéra est un lieu important de la sociabilité de l'époque.

2. Commentez la façon dont l'auteur exploite le motif du regard dans le texte : relevez le champ lexical, précisez comment les différents moments du récit sont organisés par l'intermédiaire de ce thème, montrez-en l'importance.

3. En quoi peut-on dire qu'il s'agit ici d'une scène de « coup de foudre » ? Dégagez-en les principales caractéristiques.

4. Mettez en évidence le langage de la passion amoureuse : lexique, figures de rhétorique.

Voltaire
(1694-1778)

Portrait d'après M. Quentin de La Tour (1704-1788). Versailles, musée national du Château. Photo © Josse.

François-Marie Arouet, dit Voltaire, est éduqué par les Jésuites. Il n'est pas insensible à l'épicurisme des libertins qu'il fréquente dans ses jeunes années. Ses ambitions sont un temps contrariées par des frasques de jeunesse et il doit quitter la France en 1726, suite à un incident avec le chevalier de Rohan. Exil salutaire en Angleterre, dans une société plus ouverte, où il se lie avec les écrivains Pope et Swift. De retour en France, il entreprend la rédaction des ***Lettres philosophiques*** ou ***Lettres anglaises*** dont la publication, en 1734, le contraint à se cacher : il se réfugie chez Mme du Châtelet, en Lorraine. En 1750, Voltaire cède aux instances de Frédéric II de Prusse qui depuis longtemps l'invitait à Berlin. Le philosophe y travaille au ***Siècle de Louis XIV***, monument à la gloire du monarque. Il y conçoit aussi le projet de son ***Dictionnaire philosophique***. Mais sa plume, virulente, met en péril la tranquillité de la Cour prussienne : la rupture est consommée entre le prince et le philosophe qui ne conserveront de relations qu'épistolaires. Interdit de séjour à Paris, Voltaire s'installe en Suisse, à Genève, puis à Ferney. Il collabore à l'*Encyclopédie* ; sa plume s'aiguise à toutes les causes : grâce à lui, le protestant Jean Calas, accusé d'avoir tué son fils pour l'empêcher de se convertir, est réhabilité. Voltaire tente vainement de reconquérir la scène et règle ses comptes avec Rousseau à qui il reproche sa haine du théâtre et ses développements sur l'homme à l'« état de nature ». Les Parisiens accueillent triomphalement Voltaire en 1778 lors de la présentation de sa pièce ***Irène***. Il meurt d'épuisement quelques jours plus tard. Les Révolutionnaires transfèrent ses cendres au Panthéon en 1791.

Son œuvre comprend tous les genres. Outre le théâtre, abondant, Voltaire écrit des poèmes satiriques (***Le Mondain***, en 1743, qui lui vaut la méfiance du roi), et une épopée (***La Henriade***, en 1728), où l'on voit Henri IV mettre fin aux guerres de religion. Ce poème lui vaudra d'être suspecté d'amitié pour les protestants. Sa réflexion philosophique prend des formes variées : dans les ***Lettres philosophiques***, écrites sur le modèle des *Lettres persanes* de Montesquieu, un voyageur décrit avec candeur un pays où règne une liberté sans égal, grâce à un régime politique parlementaire propice à la tolérance. Voltaire multiplie les réflexions philosophiques et scientifiques (***Éléments de la philosophie de Newton***, en 1738 ; ***Lettres sur la tolérance***, en 1763 ; ***Dictionnaire philosophique portatif***, en 1764, dont l'idée maîtresse est d'« écraser l'infâme », c'est-à-dire la religion persécutrice). ***Le Siècle de Louis XIV*** fait date dans l'écriture de l'Histoire. Il y décrit un État entier, son système, sa culture, n'omettant ni anecdote politique ni critique de document.

Son œuvre narrative, enfin, sous forme de contes philosophiques, est considérable. ***Zadig ou la Destinée*** (1747) prolonge les interrogations du philosophe allemand Leibniz sur le Bien ; le géant de *Micromégas* (1752) discute mathématiques et métaphysique avec un nain de Saturne et s'interroge sur la notion de relativité ; ***Candide*** (1759) raconte, sur le mode parodique, le parcours initiatique d'un jeune homme qu'un « philosophe » veut persuader que « tout est pour le mieux dans le meilleur des mondes ». Peu à peu s'y dessine le projet d'un bonheur raisonnable ici-bas. Les contes sont marqués d'une ironie souvent décapante, visant, entre autres, à dénoncer tous les fanatismes et toutes les intolérances.

1. La Chine ancienne.
2. De Cathay.

Zadig ou la Destinée
[1748]

Extrait 1

Voltaire, dans ce conte, met en scène un Babylonien, Zadig, qui éprouve une grande confiance dans le destin. Très vite pourtant, son amour pour la reine de Babylone, Astarté, l'oblige à prendre la fuite. Après bien des périples et des mésaventures, il revient dans son pays, devient roi et épouse Astarté. Voltaire met ici au point un schéma narratif qu'il réutilisera dans Candide et qui consiste à suivre son personnage, d'épisode en épisode, dans une quête du bonheur, toujours vaine, jusqu'à ce que le héros revienne à son point de départ et vive enfin relativement heureux et sage. Dans le chapitre intitulé « Le souper », Zadig, devenu esclave, accompagne son maître Sétoc dans un banquet où des convives de toutes nationalités engagent une vive discussion à propos des caractéristiques spécifiques de chaque religion. C'est la fin de ce débat que propose l'extrait suivant.

« Vous êtes de grands ignorants tous tant que vous êtes ! s'écria le Grec ; est-ce que vous ne savez pas que le chaos est le père de tout, et que la forme et la matière ont mis le monde dans l'état où il est ? » Ce Grec parla longtemps ; mais il fut enfin interrompu par le Celte, qui, ayant beaucoup bu pendant qu'on disputait, se crut alors plus savant que tous les autres, et dit en jurant qu'il n'y avait 5
que Teutath et le gui de chêne qui valussent la peine qu'on en parlât ; que, pour lui, il avait toujours du gui dans sa poche ; que les Scythes, ses ancêtres, étaient les seules gens de bien qui eussent jamais été au monde ; qu'ils avaient, à la vérité, quelquefois mangé des hommes, mais que cela n'empêchait pas qu'on ne dût avoir beaucoup de respect pour sa nation ; et qu'enfin, si quelqu'un parlait 10
mal de Teutath, il lui apprendrait à vivre. La querelle s'échauffa pour lors, et Sétoc vit le moment où la table allait être ensanglantée. Zadig, qui avait gardé le silence pendant toute la dispute, se leva enfin : il s'adressa d'abord au Celte, comme au plus furieux ; il lui dit qu'il avait raison, et lui demanda du gui ; il loua le Grec sur son éloquence, et adoucit tous les esprits échauffés. Il ne dit que très 15
peu de chose à l'homme du Cathay[1], parce qu'il avait été le plus raisonnable de tous. Ensuite il leur dit : « Mes amis, vous alliez vous quereller pour rien, car vous êtes tous du même avis. » À ce mot, ils se récrièrent tous. « N'est-il pas vrai, dit-il au Celte, que vous n'adorez pas ce gui, mais celui qui a fait le gui et le chêne ? – Assurément, répondit le Celte. – Et vous, monsieur l'Égyptien, vous 20
révérez apparemment dans un certain bœuf celui qui vous a donné les bœufs ? – Oui, dit l'Égyptien. – Le poisson Oannès, continua-t-il, doit céder à celui qui a fait la mer et les poissons. – D'accord, dit le Chaldéen. – L'Indien, ajouta-t-il, et le Cathayen[2], reconnaissent comme vous un premier principe ; je n'ai pas trop bien compris les choses admirables que le Grec a dites, mais je suis sûr qu'il admet 25
aussi un Être supérieur, de qui la forme et la matière dépendent. » Le Grec, qu'on admirait, dit que Zadig avait très bien pris sa pensée. « Vous êtes donc tous de même avis, répliqua Zadig, et il n'y a pas là de quoi se quereller. » Tout le monde l'embrassa. Sétoc, après avoir vendu fort cher ses denrées, reconduisit son ami Zadig dans sa tribu. Zadig apprit en arrivant qu'on lui avait fait son procès en son 30
absence, et qu'il allait être brûlé à petit feu.

VOLTAIRE, *Zadig ou la Destinée*, chap. XII, « Le Souper ».

Questions

1. Comment expliquez-vous la réaction de Sétoc à la ligne 29 ?

2. En quoi le personnage de Zadig apparaît-il habile ?

3. Relevez les passages au discours direct et au discours indirect, et commentez ce choix de l'auteur.

4. Quelle tonalité le texte prend-il soudain avec la dernière phrase ?

5. Quels indices permettent d'affirmer que ce texte appartient au genre du conte ?

Extrait 2

L'extrait qui suit se situe au début du conte : Zadig est surpris et choqué par les commentaires indignés de sa femme au sujet d'une jeune veuve ; celle-ci, ayant juré qu'elle demeurerait auprès du tombeau de son époux tant que coulerait l'eau du ruisseau qui bordait la pierre tombale, finit par faire détourner l'eau du ruisseau. Zadig souhaite éprouver son épouse en lui tendant un piège : il va se prétendre mort et envoyer son ami Cador la consoler ; celle-ci, pour complaire à ce prétendant possible, se déclarera prête à aller couper le nez de son mari « défunt ». L'extrait qui suit évoque la rencontre entre Cador et Azora, la femme de Zadig.

Il avait un ami, nommé Cador, qui était un de ces jeunes gens à qui sa femme trouvait plus de probité et de mérite qu'aux autres : il le mit dans sa confidence, et s'assura, autant qu'il le pouvait, de sa fidélité par un présent considérable. Azora, ayant passé deux jours chez une de ses amies à la campagne, revint
5 le troisième jour à la maison. Des domestiques en pleurs lui annoncèrent que son mari était mort subitement la nuit même, qu'on n'avait pas osé lui porter cette funeste nouvelle, et qu'on venait d'ensevelir Zadig dans le tombeau de ses pères, au bout du jardin. Elle pleura, s'arracha les cheveux, et jura de mourir. Le soir, Cador lui demanda la permission de lui parler, et ils pleurèrent tous deux. Le len-
10 demain ils pleurèrent moins et dînèrent ensemble. Cador lui confia que son ami lui avait laissé la plus grande partie de son bien, et lui fit entendre qu'il mettrait son bonheur à partager sa fortune avec elle. La dame pleura, se fâcha, s'adoucit ; le souper fut plus long que le dîner ; on se parla, avec plus de confiance. Azora fit l'éloge du défunt ; mais elle avoua qu'il avait des défauts dont Cador était
15 exempt.

VOLTAIRE, *Zadig ou la Destinée*, chap. III, « Le Nez ».

Questions

1. Interrogez-vous sur la façon dont les phrases de ce texte se suivent les unes les autres : quelle conclusion en tirez-vous ?

2. Relevez toutes les indications temporelles : quelle conclusion dégagez-vous de ce relevé ?

3. Analysez toutes les marques d'ironie ou de satire que comporte cet extrait.

JEAN RAOUX (1677-1734), *Portrait de femme*. Marseille, musée des Beaux-Arts. Photo © Jean Bernard.

Micromégas
[1752]

Voltaire, qui une quinzaine d'années auparavant a rédigé les Éléments de la philosophie de Newton, *entreprend* Micromégas, *dont le nom signifie « Petit-grand ». Le
géant Micromégas, habitant de l'étoile Sirius, se promène dans l'univers en compagnie
d'un nain de Saturne et procède à une enquête sur la nature des choses. Sur Terre
(chap. VII), ils rencontrent une « volée de philosophes » qui leur apprennent que les
êtres les plus petits, de la taille d'atomes par rapport au géant Micromégas, ont aussi
une intelligence.*

Ô atomes intelligents, dans qui l'Être éternel s'est plu à manifester son
adresse et sa puissance, vous devez sans doute goûter des joies bien pures sur
votre globe : car, ayant si peu de matière, et paraissant tout esprit, vous devez passer votre vie à aimer et à penser ; c'est la véritable vie des esprits. Je n'ai vu nulle
part le vrai bonheur ; mais il est ici, sans doute. » À ce discours, tous les philo- 5
sophes secouèrent la tête ; et l'un d'eux, plus franc que les autres, avoua de bonne
foi que, si l'on en excepte un petit nombre d'habitants fort peu considérés, tout
le reste est un assemblage de fous, de méchants et de malheureux. « Nous avons
plus de matière qu'il ne nous en faut, dit-il, pour faire beaucoup de mal, si le mal
vient de la matière ; et trop d'esprit, si le mal vient de l'esprit. Savez-vous bien, 10
par exemple, qu'à l'heure que je vous parle, il y a cent mille fous de notre espèce,
couverts de chapeaux, qui tuent cent mille autres animaux couverts d'un turban,
ou qui sont massacrés par eux, et que, presque par toute la terre, c'est ainsi qu'on
en use de temps immémorial ? » Le Sirien frémit, et demanda quel pouvait être
le sujet de ces horribles querelles entre de si chétifs animaux. « Il s'agit, dit le phi- 15
losophe, de quelque tas de boue grand comme votre talon. Ce n'est pas qu'aucun
de ces millions d'hommes qui se font égorger prétende un fétu sur ce tas de boue.
Il ne s'agit que de savoir s'il appartiendra à un certain homme qu'on nomme
Sultan, ou à un autre qu'on nomme, je ne sais pourquoi, *César*. Ni l'un ni l'autre
n'a jamais vu ni ne verra jamais le petit coin de terre dont il s'agit ; et presque 20
aucun de ces animaux, qui s'égorgent mutuellement, n'a jamais vu l'animal pour
lequel ils s'égorgent.

— Ah ! malheureux ! s'écria le Sirien avec indignation, peut-on concevoir cet
excès de rage forcenée ! Il me prend envie de faire trois pas, et d'écraser de trois
coups de pied toute cette fourmilière d'assassins ridicules. — Ne vous en donnez 25
pas la peine, lui répondit-on ; ils travaillent assez à leur ruine. Sachez qu'au bout
de dix ans, il ne reste jamais la centième partie de ces misérables ; sachez que,
quand même ils n'auraient pas tiré l'épée, la faim, la fatigue ou l'intempérance,
les emportent presque tous. D'ailleurs, ce n'est pas eux qu'il faut punir, ce sont
ces barbares sédentaires qui du fond de leur cabinet ordonnent, dans le temps de 30
leur digestion, le massacre d'un million d'hommes, et qui ensuite en font remercier Dieu solennellement. »

VOLTAIRE, *Micromégas*, VII,
« Conversation avec les hommes ».

Questions

1. Commentez les deux
réactions de Micromé-
gas : montrez en parti-
culier le contraste qui
les oppose et expliquez-
le.

2. Quelle philosophie
ou quelle idéologie re-
présentent les philo-
sophes dont parle Vol-
taire ?

3. Dégagez les argu-
ments par lesquels
Voltaire condamne la
guerre. Quel est le poids
de la rhétorique dans
cette condamnation ?

4. À qui s'adresse Voltaire quand il fait allu-
sion aux « barbares sé-
dentaires » (l. 30) ?

Essai sur les mœurs et l'esprit des nations

[1756]

Dans cet essai, Voltaire se propose d'expliquer le monde, les hommes, leur histoire, mais aussi leur culture et les sentiments qui les animent, à la lumière de la raison.

Entendez-vous par *sauvages* des rustres vivant dans des cabanes avec leurs femelles et quelques animaux, exposés sans cesse à toute l'intempérie des saisons ; ne connaissant que la terre qui les nourrit, et le marché où ils vont quelquefois vendre leurs denrées pour y acheter quelques habillements grossiers ;
5 parlant un jargon qu'on n'entend pas dans les villes ; ayant peu d'idées, et par conséquent peu d'expressions ; soumis, sans qu'ils sachent pourquoi, à un homme de plume, auquel ils portent tous les ans la moitié de ce qu'ils ont gagné à la sueur de leur front ; se rassemblant, certains jours, dans une espèce de grange pour célébrer des cérémonies où ils ne comprennent rien, écoutant un homme
10 vêtu autrement qu'eux et qu'ils n'entendent point ; quittant quelquefois leur chaumière lorsqu'on bat le tambour, et s'engageant à s'aller faire tuer dans une terre étrangère, et à tuer leurs semblables, pour le quart de ce qu'ils peuvent gagner chez eux en travaillant ? Il y a de ces sauvages-là dans toute l'Europe. Il faut convenir surtout que les peuples du Canada et les Cafres[1] qu'il nous a plu
15 d'appeler sauvages, sont infiniment supérieurs aux nôtres. Le Huron, l'Algonquin, l'Illinois, le Cafre, le Hottentot, ont l'art de fabriquer eux-mêmes tout ce dont ils ont besoin, et cet art manque à nos rustres. Les peuplades d'Amérique et d'Afrique sont libres, et nos sauvages n'ont pas même d'idée de la liberté.
20 Les prétendus sauvages d'Amérique sont des souverains qui reçoivent des ambassadeurs de nos colonies transplantées auprès de leur territoire par l'avarice et par la légèreté. Ils connaissent l'honneur, dont jamais nos sauvages d'Europe n'ont entendu parler. Ils ont une patrie, ils l'aiment, ils la défendent ; ils font des traités : ils se battent avec courage, et parlent souvent avec une énergie héroïque.
25 Y a-t-il une plus belle réponse, dans les *Grands Hommes* de Plutarque, que celle de ce chef de Canadiens à qui une nation européenne proposait de lui céder son patrimoine ? « Nous sommes nés sur cette terre, nos pères y sont ensevelis ; dirons-nous aux ossements de nos pères : levez-vous, et venez avec nous dans une terre étrangère ? »
30 Ces Canadiens étaient des Spartiates, en comparaison de nos rustres qui végètent dans nos villages, et des sybarites[2] qui s'énervent[3] dans nos villes.
Entendez-vous par sauvages des animaux à deux pieds, marchant sur les mains dans le besoin, isolés, errant dans les forêts, *Salvatici, Salvaggi*[4], s'accouplant à l'aventure, oubliant les femmes auxquelles ils se sont joints, ne connais-
35 sant ni leurs fils ni leurs pères ; vivant en brutes, sans avoir ni l'instinct ni les ressources des brutes ? On[5] a écrit que cet état est le véritable état de l'homme, et que nous n'avons fait que dégénérer misérablement depuis que nous l'avons quitté. Je ne crois pas que cette vie solitaire, attribuée à nos pères, soit dans la nature humaine.

VOLTAIRE, *Essai sur les mœurs et l'esprit des nations*, « Des sauvages ».

---

1. Peuple d'Afrique centrale.

2. Les habitants de Sybaris, en Italie du Sud, passaient pour aimer le luxe et adopter des mœurs libres.

3. Qui sont sans nerf, sans énergie.

4. Le terme « sauvage » vient du latin *silva* qui veut dire forêt. Les mots cités en italique sont italiens.

5. Rousseau.

Questions

1. Déterminez la composition du texte. Combien de types de « sauvages » l'auteur dépeint-il ?

2. Montrez comment on reconnaît progressivement, dans le portrait du « sauvage » esquissé au début du texte, le prototype de l'Européen du XVIIIe siècle.

3. Comparez le portrait du sauvage d'Europe et celui du sauvage d'Amérique. Relevez les modalisations : que nous révèlent-elles des vues du philosophe ?

4. Pourquoi Voltaire choisit-il une énonciation à la 2e personne ? Montrez qu'il scande son texte en se servant de ce procédé, et commentez l'effet produit.

5. Renseignez-vous sur Plutarque. Qu'y a-t-il de piquant à le citer en cet endroit du texte, à la ligne 25 ? Quel intérêt présente cette citation ?

Poème sur le désastre de Lisbonne, ou examen de cet axiome : « Tout est bien »

[1756]

En 1755, Lisbonne est dévastée par un tremblement de terre. C'est l'occasion pour Voltaire de reprendre son argumentation contre la philosophie optimiste de Leibnitz. Cet événement déclencha une réflexion chez de nombreux penseurs européens, tels Rousseau ou Kant.

Ô malheureux mortels ! ô terre déplorable !
Ô de tous les mortels assemblage effroyable !
D'inutiles douleurs éternel entretien !
Philosophes trompés qui criez : « Tout est bien » ;
5 Accourez, contemplez ces ruines affreuses,
Ces débris, ces lambeaux, ces cendres
                    [malheureuses,
Ces femmes, ces enfants l'un sur l'autre entassés,
Sous ces marbres rompus ces membres dispersés ;
Cent mille infortunés que la terre dévore,
10 Qui, sanglants, déchirés, et palpitants encore,
Enterrés sous leurs toits, terminent sans secours
Dans l'horreur des tourments leurs lamentables
                    [jours !
Aux cris demi-formés de leurs voix expirantes,
Au spectacle effrayant de leurs cendres fumantes,
15 Direz-vous : « C'est l'effet des éternelles lois

Qui d'un Dieu libre et bon nécessitent le choix » ?
Direz-vous, en voyant cet amas de victimes :
« Dieu s'est vengé, leur mort est le prix de leurs
                    [crimes » ?
Quel crime, quelle faute ont commis ces enfants
20 Sur le sein maternel écrasés et sanglants ?
Lisbonne, qui n'est plus, eut-elle plus de vices
Que Londres, que Paris, plongés dans les délices ?
Lisbonne est abîmée, et l'on danse à Paris.
Tranquilles spectateurs, intrépides esprits,
25 De vos frères mourants contemplant les naufrages,
Vous recherchez en paix les causes des orages :
Mais du sort ennemi quand vous sentez les coups,
Devenus plus humains, vous pleurez comme
                    [nous.
Croyez-moi, quand la terre entrouvre ses abîmes,
30 Ma plainte est innocente et mes cris légitimes.

VOLTAIRE, *Poème sur le désastre de Lisbonne, ou examen de cet axiome :*
« Tout est bien ».

GLAMA, *Tremblement de terre à Lisbonne en 1755.*
Lisbonne, musée d'Art ancien. Photo © G. Dagli Orti.

Questions

1. Déterminez le rythme et les procédés rhétoriques de l'apostrophe initiale, et relevez le lexique dominant. Quelle tonalité est créée ? Quelle généralisation est amorcée ?

2. À qui s'adresse Voltaire ? Précisez votre réponse.

3. Relevez et expliquez tous les ressorts du pathétique exploités dans ce texte.

4. Analysez comment Voltaire installe la discussion philosophique (introduction des arguments de l'adversaire et répliques du philosophe).

5. Où et comment Voltaire justifie-t-il son poème ? Tâchez de trouver d'autres arguments que ceux qu'il énonce explicitement.

Candide ou l'Optimisme

[1759]

Dans ce conte, Voltaire entend répondre au philosophe Leibniz qui affirme que le monde est le meilleur des mondes possibles. Il met en scène un personnage nommé Candide, dont le lecteur suit les aventures souvent inspirées du roman picaresque (voir p. 225). Voici le début du conte.

Extrait 1

Il y avait en Westphalie, dans le château de M. le baron de Thunder-ten-tronckh, une jeune garçon à qui la nature avait donné les mœurs les plus douces. Sa physionomie annonçait son âme. Il avait le jugement assez droit, avec l'esprit le plus simple ; c'est, je crois, pour cette raison qu'on le nommait Candide. Les
5 anciens domestiques de la maison soupçonnaient qu'il était fils de la sœur de monsieur le baron et d'un bon et honnête gentilhomme du voisinage, que cette demoiselle ne voulut jamais épouser parce qu'il n'avait pu prouver que soixante et onze quartiers, et que le reste de son arbre généalogique avait été perdu par l'injure du temps.

10 Monsieur le baron était un des plus puissants seigneurs de la Westphalie, car son château avait une porte et des fenêtres. Sa grande salle même était ornée d'une tapisserie. Tous les chiens de ses basses-cours composaient une meute dans le besoin ; ses palefreniers étaient ses piqueurs ; le vicaire du village était son grand aumônier. Ils l'appelaient tous monseigneur, et ils riaient quand il faisait
15 des contes.

Madame la baronne, qui pesait environ trois cent cinquante livres, s'attirait par là une très grande considération, et faisait les honneurs de la maison avec une dignité qui la rendait encore plus respectable. Sa fille Cunégonde, âgée de dix-sept ans, était haute en couleur, fraîche, grasse, appétissante. Le fils du baron
20 paraissait en tout digne de son père. Le précepteur Pangloss était l'oracle de la maison, et le petit Candide écoutait ses leçons avec toute la bonne foi de son âge et de son caractère.

Pangloss enseignait la métaphysico-théologo-cosmolonigologie. Il prouvait admirablement qu'il n'y a point d'effet sans cause, et que, dans ce meilleur des
25 mondes possibles, le château de monseigneur le baron était le plus beau des châteaux et madame la meilleure des baronnes possibles.

« Il est démontré, disait-il, que les choses ne peuvent être autrement : car, tout étant fait pour une fin, tout est nécessairement pour la meilleure fin. Remarquez bien que les nez ont été faits pour porter des lunettes, aussi avons-nous des
30 lunettes. Les jambes sont visiblement instituées pour être chaussées, et nous avons des chausses. Les pierres ont été formées pour être taillées, et pour en faire des châteaux, aussi monseigneur a un très beau château ; le plus grand baron de la province doit être le mieux logé ; et, les cochons étant faits pour être mangés, nous mangeons du porc toute l'année : par conséquent, ceux qui ont avancé que
35 tout est bien ont dit une sottise ; il fallait dire que tout est au mieux. »

VOLTAIRE, *Candide ou l'Optimisme*, chap. I, « Comment Candide fut élevé dans un beau château et comment il fut chassé d'icelui ».

Questions

1. Quelles impressions d'ensemble vous laisse le début de ce conte ?

2. Commentez le choix des noms de chaque personnage, en vous fondant notamment sur les sonorités.

3. Que pensez-vous de l'appellation du métier de Pangloss ? Analysez le raisonnement de ce dernier (l. 27-35) : comment procède-t-il ? vous semble-t-il convaincant ?

4. Lisez le début de la *Genèse* : en quoi peut-on rapprocher les deux textes ? Comment Voltaire se situe-t-il par rapport à ce motif traditionnel du paradis sur terre ?

5. Repérez les passages qu'on peut qualifier d'ironiques et expliquez-les : où réside l'ironie, et quel sens donne-t-elle au texte ?

6. Quel est le rôle de l'absurde dans cet incipit ?

1. Élégant.

2. Raison suffisante : expression empruntée à Leibniz.

3. Actions de grâces.

4. Le droit des gens, ou droit international.

Extrait 2

Candide est chassé de son château natal pour avoir séduit Cunégonde. Il se laisse enrôler dans l'armée bulgare, qui doit livrer combat contre les Abares. Voltaire fait ici allusion à la guerre de Sept Ans qui mit aux prises, de 1756 à 1763, presque toutes les puissances européennes, et qui n'est pas achevée au moment où il écrit.

Rien n'était si beau, si leste[1], si brillant, si bien ordonné que les deux armées. Les trompettes, les fifres, les hautbois, les tambours, les canons, formaient une harmonie telle qu'il n'y en eut jamais en enfer. Les canons renversèrent d'abord à peu près six mille hommes de chaque côté ; ensuite la mousqueterie ôta du meilleur des mondes environ neuf à dix mille coquins qui en infectaient la surface. La baïonnette fut aussi la raison suffisante[2] de la mort de quelques milliers d'hommes. Le tout pouvait bien se monter à une trentaine de mille âmes. Candide, qui tremblait comme un philosophe, se cacha du mieux qu'il put pendant cette boucherie héroïque.

Enfin, tandis que les deux rois faisaient chanter des *Te Deum*[3], chacun dans son camp, il prit le parti d'aller raisonner ailleurs des effets et des causes. Il passa par-dessus des tas de morts et de mourants, et gagna d'abord un village voisin ; il était en cendres : c'était un village abare que les Bulgares avaient brûlé, selon les lois du droit public[4]. Ici des vieillards criblés de coups regardaient mourir leurs femmes égorgées, qui tenaient leurs enfants à leurs mamelles sanglantes ; là des filles, éventrées après avoir assouvi les besoins naturels de quelques héros, rendaient les derniers soupirs ; d'autres, à demi brûlées, criaient qu'on achevât de leur donner la mort. Des cervelles étaient répandues sur la terre à côté de bras et de jambes coupés.

Candide s'enfuit au plus vite dans un autre village : il appartenait à des Bulgares, et les héros abares l'avaient traité de même. Candide, toujours marchant sur des membres palpitants, ou à travers des ruines, arriva enfin hors du théâtre de la guerre, portant quelques petites provisions dans son bissac, et n'oubliant jamais mademoiselle Cunégonde.

VOLTAIRE, *Candide*, chap. III,
« Comment Candide se sauva d'entre les Bulgares et ce qu'il devint ».

Questions

1. Par quels procédés rhétoriques Voltaire présente-t-il la guerre dans le premier paragraphe ? À quelles fins ?

2. Commentez l'expression « boucherie héroïque » (l. 9). D'où vient sa force ?

3. Comment Voltaire associe-t-il critique de la guerre et critique de la religion ?

4. Analysez les ressorts de l'ironie dans ce passage.

NATTIER, *La Bataille de la Poltova*.
Moscou, musée Pouchkine.
Photo © Cercle d'art / Artéphot.

Extrait 3

Candide a retrouvé Pangloss, en piètre état depuis qu'il a contracté la syphilis dans les bras de la suivante Paquette. Mais Jacques, un anabaptiste, adepte d'une branche de la religion protestante qui refusait de faire baptiser les enfants trop tôt, le soigne et les embauche tous deux pour l'assister dans son commerce qui doit tous les conduire à Lisbonne. La traversée est rude : les passagers essuient une tempête, et à leur arrivée la capitale portugaise a été ravagée par un tremblement de terre.

Après le tremblement de terre qui avait détruit les trois quarts de Lisbonne, les sages du pays n'avaient pas trouvé un moyen plus efficace pour prévenir une ruine totale que de donner au peuple un bel auto-da-fé[1], il était décidé par l'université de Coïmbre que le spectacle de quelques personnes brûlées à
5 petit feu, en grande cérémonie, est un secret infaillible pour empêcher la terre de trembler.

On avait en conséquence saisi un Biscayen convaincu d'avoir épousé sa commère, et deux Portugais qui en mangeant un poulet en avaient arraché le lard : on vint lier après le dîner le docteur Pangloss et son disciple Candide, l'un pour
10 avoir parlé, et l'autre pour avoir écouté avec un air d'approbation : tous deux furent menés séparément dans des appartements d'une extrême fraîcheur, dans lesquels on n'était jamais incommodé du soleil : huit jours après ils furent tous deux revêtus d'un *san-benito*[2], et on orna leurs têtes de mitres de papier : la mitre et le san-benito de Candide étaient peints de flammes renversées, et de diables
15 qui n'avaient ni queues ni griffes ; mais les diables de Pangloss portaient griffes et queues, et les flammes étaient droites. Ils marchèrent en procession ainsi vêtus, et entendirent un sermon très pathétique, suivi d'une belle musique en faux-bourdon[3]. Candide fut fessé en cadence, pendant qu'on chantait ; le Biscayen et les deux hommes qui n'avaient point voulu manger de lard furent
20 brûlés, et Pangloss fut pendu, quoique ce ne soit pas la coutume. Le même jour, la terre trembla de nouveau avec un fracas épouvantable.

Candide, épouvanté, interdit, éperdu, tout sanglant, tout palpitant, se disait à lui-même : « Si c'est ici le meilleur des mondes possibles, que sont donc les autres ? Passe encore si je n'étais que fessé, je l'ai été chez les Bulgares ; mais, ô
25 mon cher Pangloss ! le plus grand des philosophes, faut-il vous avoir vu pendre, sans que je sache pourquoi ! Ô mon cher anabaptiste ! le meilleur des hommes, faut-il que vous ayez été noyé dans le port[4] ! ô mademoiselle Cunégonde ! la perle des filles, faut-il qu'on vous ait fendu le ventre[5] ! »

Il s'en retournait, se soutenant à peine, prêché, fessé, absous et béni, lors-
30 qu'une vieille l'aborda, et lui dit : « Mon fils, prenez courage, suivez-moi. »

VOLTAIRE, *Candide*, chap. VI,
« Comment on fit un bel auto-da-fé pour empêcher les tremblements de terre,
et comment Candide fut fessé ».

Extrait 4

Voici la fin du conte.

« Vous devez avoir, dit Candide au Turc, une vaste et magnifique terre ? – Je n'ai que vingt arpents[1], répondit le Turc ; je les cultive avec mes enfants ; le travail éloigne de nous trois grands maux, l'ennui[2], le vice, et le besoin. »

1. « Acte de foi » : cérémonie au cours de laquelle on brûlait les hérétiques.

2. Casaque jaune rappelant le vêtement de l'ordre de Saint-Benoît.

3. Chant à plusieurs voix.

4. L'anabaptiste Jacques est mort à l'arrivée à Lisbonne.

5. Cunégonde a été torturée par les Bulgares.

Questions

1. Mettez en évidence les différentes articulations du chapitre et expliquez leur importance pour le propos de Voltaire.

2. Que pensez-vous de l'argument des « sages du pays » dans le premier paragraphe ? Comment Voltaire l'amène-t-il ? Comment le récit le détruit-il ?

3. Analysez le caractère spectaculaire de l'auto-dafé (rituel, musique, costumes). Quelle en est la portée satirique ?

4. La réaction de Candide est-elle celle d'un être purement naïf ?

1. Un arpent correspond à environ 35 ares.

2. L'inquiétude.

Candide, en retournant dans sa métairie[3], fit de profondes réflexions sur le
5 discours du Turc. Il dit à Pangloss et à Martin : « Ce bon vieillard me paraît s'être
fait un sort bien préférable à celui des six rois avec qui nous avons eu l'honneur
de souper. – Les grandeurs, dit Pangloss, sont fort dangereuses, selon le rapport
de tous les philosophes : car enfin Eglon, roi des Moabites, fut assassiné par Aod ;
Absalon fut pendu par les cheveux et percé de trois dards ; le roi Nadab, fils de
10 Jéroboam, fut tué par Baasa ; le roi Ela, par Zambri ; Ochosias, par Jéhu ; Athalia,
par Joïada ; les rois Joachim, Jéchonias, Sédécias, furent esclaves. Vous savez
comment périrent Crésus, Astyage, Darius, Denys de Syracuse, Pyrrhus,
Persée, Annibal, Jugurtha, Arioviste, César, Pompée, Néron, Othon, Vitellius,
Domitien, Richard II d'Angleterre, Édouard II, Henri VI, Richard III, Marie
15 Stuart, Charles Ier, les trois Henri de France, l'empereur Henri IV ? Vous savez...
– Je sais aussi, dit Candide, qu'il faut cultiver notre jardin. – Vous avez raison, dit
Pangloss ; car quand l'homme fut mis dans le jardin d'Éden, il y fut mis *ut opera-
retur eum*, pour qu'il travaillât, ce qui prouve que l'homme n'est pas né pour le
repos. – Travaillons sans raisonner, dit Martin ; c'est le seul moyen de rendre la
20 vie supportable. »

Toute la petite société entra dans ce louable dessein ; chacun se mit à exercer
ses talents. La petite terre rapporta beaucoup. Cunégonde était, à la vérité, bien
laide ; mais elle devint une exellente pâtissière ; Paquette broda ; la vieille eut
soin du linge. Il n'y eut pas jusqu'à frère Giroflée qui ne rendît service ; il fut un
25 très bon menuisier, et même devint honnête homme ; et Pangloss disait quelquefois à Candide : « Tous les événe-
ments sont enchaînés dans le meilleur
des mondes possibles : car enfin si vous
n'aviez pas été chassé d'un beau château à
30 grands coups de pied dans le derrière
pour l'amour de mademoiselle Cunégonde, si vous n'aviez pas été mis à
l'Inquisition, si vous n'aviez pas couru
l'Amérique à pied, si vous n'aviez pas
35 donné un bon coup d'épée au baron, si
vous n'aviez pas perdu tous vos moutons
du bon pays d'Eldorado, vous ne mange-
riez pas ici des cédrats confits et des pis-
taches. – Cela est bien dit, répondit
40 Candide, mais il faut cultiver notre jardin. »

VOLTAIRE, *Candide*, chap. XXX,
« Conclusion ».

....
3. Ce retour dans « sa métairie » marque la fin des
tribulations de Candide.

1. Étudiez successivement la teneur des dis-
cours du Turc, de Pan-
gloss et de Martin.

2. Comparez la longue
énumération de Pan-
gloss et la réplique de
Candide (l. 16) : qu'en
pensez-vous ?

3. Candide est le dernier à parler : en quoi
est-ce signifiant ?

4. Quels différents sens
recouvre la réplique « Il
faut cultiver notre jar-
din » qui marque la fin
du conte ?

5. Quel est, selon vous,
le plus sage ? Pourquoi ?

6. Est-ce finalement le
pessimisme ou l'opti-
misme qui domine dans
cet épilogue ?

FRANÇOIS WATTEAU (1758-1823), *L'Heureuse famille.*
Lilles, musée des Beaux-Arts. Photo © G. Dagli Orti.

Dictionnaire philosophique portatif

[1764]

Beau, beauté

Demandez à un crapaud ce que c'est que la beauté, le grand beau, le *to kalon*[1] ? il vous répondra que c'est la femelle avec deux gros yeux ronds, sortant de sa petite tête, une gueule large et plate, un ventre jaune, un dos brun. Interrogez un nègre de Guinée, le beau est pour lui une peau noire huileuse, des
5 yeux enfoncés, un nez épaté.

Interrogez le diable, il vous dira que le beau est une paire de cornes, quatre griffes et une queue. Consultez enfin les philosophes, ils vous répondront par du galimatias ; il leur faut quelque chose de conforme à l'archétype du beau en essence, au *to kalon*.

10 J'assistais un jour à une tragédie auprès d'un philosophe ; « Que cela est beau ! disait-il. – Que trouvez-vous là de beau ? » lui dis-je. « C'est, dit-il, que l'auteur a atteint son but. » Le lendemain il prit une médecine qui lui fit du bien. « Elle a atteint son but, lui dis-je ; voilà une belle médecine ? » Il comprit qu'on ne peut dire qu'une médecine est belle, et que pour donner à quelque chose le
15 nom de beauté, il faut qu'elle vous cause de l'admiration et du plaisir. Il convint que cette tragédie lui avait inspiré ces deux sentiments, et que c'était là le *to kalon*, le beau.

Nous fîmes un voyage en Angleterre : on y joua la même pièce, parfaitement traduite ; elle
20 fit bâiller tous les spectateurs. « Oh, oh, dit-il, le *to kalon* n'est pas le même pour les Anglais et pour les Français. » Il conclut après bien des réflexions, que le beau est souvent très relatif, comme ce qui est décent au Japon est indécent à
25 Rome, et ce qui est de mode à Paris ne l'est pas à Pékin ; et il s'épargna la peine de composer un long traité sur le beau.

VOLTAIRE, *Dictionnaire philosophique portatif,*
« Beau, beauté ».

1. Le beau, en grec.

PIETRO LONGHI (1702-1785),
La Femme à la « mouche ».
Venise, coll. particulière.
• Photo © G. Dagli Orti.

Questions

1. Pourquoi l'exemple du crapaud est-il cocasse ? En quoi est-il utile à la thèse développée ? Que pensez-vous de la réponse que feraient les philosophes (l. 7) ?

2. Montrez comment l'auteur organise sa démonstration. Correspond-elle aux canons de la rhétorique ?

3. Quelle idée plus générale Voltaire illustre-t-il dans son article ?

4. Rapprochez les lignes 8-9 et 20 à 22 ; quelle image du philosophe le penseur Voltaire rejette-t-il ?

De l'horrible danger de la lecture
[1765]

Dans une parodie de document officiel publié dans un pays imaginaire où règne la dictature de la religion, Voltaire s'en prend à l'intolérance à laquelle se heurtent les esprits libres.

Nous Joussouf-Chéribi, par la grâce de Dieu mouphti[1] du Saint-Empire ottoman, lumière des lumières, élu entre les élus, à tous les fidèles qui ces présentes verront, sottise et bénédiction.

Comme ainsi soit que Saïd Effendi, ci-devant ambassadeur de la Sublime-Porte vers un petit État nommé Frankrom[2], situé entre l'Espagne et l'Italie, a rap- 5
porté parmi nous le pernicieux usage de l'imprimerie, ayant consulté sur cette nouveauté nos vénérables frères les cadis[3] et imans[4] de la ville impériale de Stamboul, et surtout les fakirs connus par leur zèle contre l'esprit, il a semblé bon à Mahomet et à nous de condamner, proscrire, anathématiser ladite infernale invention de l'imprimerie, pour les causes ci-dessous énoncées. 10

1. Cette facilité de communiquer ses pensées tend évidemment à dissiper l'ignorance, qui est la gardienne et la sauvegarde des États bien policés.

2. Il est à craindre que, parmi les livres apportés d'Occident, il ne s'en trouve quelques-uns sur l'agriculture et sur les moyens de perfectionner les arts mécaniques, lesquels ouvrages pourraient à la longue, ce qu'à Dieu ne plaise, réveiller 15
le génie de nos cultivateurs et de nos manufacturiers, exciter leur industrie, augmenter leurs richesses, et leur inspirer un jour quelque élévation d'âme, quelque amour du bien public, sentiments absolument opposés à la saine doctrine.

3. Il arriverait à la fin que nous aurions des livres d'histoire dégagés du merveilleux qui entretient la nation dans une heureuse stupidité. On aurait dans ces 20
livres l'imprudence de rendre justice aux bonnes et aux mauvaises actions, et de recommander l'équité et l'amour de la patrie, ce qui est visiblement contraire aux droits de notre place.

4. Il se pourrait, dans la suite des temps, que de misérables philosophes, sous le prétexte spécieux, mais punissable, d'éclairer les hommes et de les rendre 25
meilleurs, viendraient nous enseigner des vertus dangereuses dont le peuple ne doit jamais avoir de connaissance.

5. Ils pourraient, en augmentant le respect qu'ils ont pour Dieu, et en imprimant scandaleusement qu'il remplit tout de sa présence, diminuer le nombre des pèlerins de La Mecque, au grand détriment du salut des âmes. 30

6. Il arriverait sans doute qu'à force de lire les auteurs occidentaux qui ont traité des maladies contagieuses, et de la manière de les prévenir, nous serions assez malheureux pour nous garantir de la peste, ce qui serait un attentat énorme contre les ordres de la Providence.

[...] 35

Donné dans notre palais de la stupidité, le 7 de la lune de Muharem, l'an 1143 de l'hégire.

VOLTAIRE, *De l'horrible danger de la lecture* (extrait).

---

1. Prêtre.
2. La France.
3. Magistrats musulmans.
4. Chefs de prières dans une mosquée.

Questions

1. Quelle est la part de pastiche dans le texte ?

2. Déterminez la tonalité du texte par des repérages précis.

3. Quelle est la thèse de Joussouf-Chéribi ? Classez les arguments par lesquels il la soutient.

4. Par quels termes Voltaire suggère-t-il que la critique peut aussi concerner la situation de son pays ?

5. Quel portrait de l'honnête homme et du philosophe éclairé se dessine-t-il ici ?

L'Ingénu
[1767]

L'image du « bon sauvage » fascine la littérature et inspire la fiction. Dans ce conte, un jeune Huron d'Amérique débarque en Basse-Bretagne où il est accueilli par un prieur, M. de Kerkabon.

L'Ingénu, selon sa coutume, s'éveilla avec le soleil, au chant du coq, qu'on appelle en Angleterre et en Huronie *la trompette du jour*. Il n'était pas comme la bonne compagnie, qui languit dans un lit oiseux jusqu'à ce que le soleil ait fait la moitié de son tour, qui ne peut ni dormir ni se lever, qui perd tant d'heures pré-
5 cieuses dans cet état mitoyen entre la vie et la mort, et qui se plaint encore que la vie est trop courte.

Il avait déjà fait deux ou trois lieues, il avait tué trente pièces de gibier à balle seule, lorsqu'en rentrant il trouva monsieur le prieur de Notre-Dame de la Montagne et sa discrète sœur, se promenant en bonnet de nuit dans leur petit
10 jardin. Il leur présenta toute sa chasse, et en tirant de sa chemise une espèce de petit talisman qu'il portait toujours à son cou, il les pria de l'accepter en reconnaissance de leur bonne réception. « C'est ce que j'ai de plus précieux, leur dit-il ; on m'a assuré que je serais toujours heureux tant que je porterais ce petit brimborion sur moi, et je vous le donne afin que vous soyez toujours heureux. »
15 Le prieur et mademoiselle sourirent avec attendrissement de la naïveté de l'Ingénu. Ce présent consistait en deux petits portraits assez mal faits, attachés ensemble avec une courroie fort grasse.

Mademoiselle de Kerkabon lui demanda s'il y avait des peintres en Huronie. « Non, dit l'Ingénu ; cette rareté me vient de ma nourrice ; son mari l'avait eue
20 par conquête, en dépouillant quelques Français du Canada qui nous avaient fait la guerre ; c'est tout ce que j'en ai su. »

Le prieur regardait attentivement ces portraits ; il changea de couleur, il s'émut, ses mains tremblèrent. « Par Notre-Dame de la Montagne, s'écria-t-il, je crois que voilà le visage de mon frère le capitaine et de sa femme ! »
25 Mademoiselle, après les avoir considérés avec la même émotion, en jugea de même. Tous deux étaient saisis d'étonnement et d'une joie mêlée de douleur ; tous deux s'attendrissaient ; tous deux pleuraient ; leur cœur palpitait ; ils poussaient des cris ; ils s'arrachaient les portraits ; chacun d'eux les prenait et les rendait
30 vingt fois en une seconde ; ils dévoraient des yeux les portraits et le Huron ; ils lui demandaient l'un après l'autre, et tous deux à la fois, en quel lieu, en quel temps, comment ces miniatures étaient tombées entre les mains de sa nourrice ; ils rap-
35 prochaient, ils comptaient les temps depuis le départ du capitaine ; ils se souvenaient d'avoir eu nouvelle qu'il avait été jusqu'au pays des Hurons, et que depuis ce temps ils n'en avaient jamais entendu parler.

VOLTAIRE, L'Ingénu, chap. II, « Le Huron,
nommé l'Ingénu, reconnu de ses parents ».

Autre approche du mythe du sauvage :
« Guerrier iroquois scalpant un blanc ».
Gravure de Grasset de St-Sauveur pour
l'Encyclopédie des Voyages (1796).
Paris, Bibliothèque des Arts décoratifs.
Photo © G. Dagli Orti.

Questions

1. Analysez le mouvement du texte : quelles tonalités successives l'auteur donne-t-il au passage ? Dans quel but ?

2. Comment apparaît le personnage du Huron aux lignes 1 à 14 ? Que pensez-vous de son idée de cadeau à M. et Mlle de Kerkabon ?

3. Étudiez avec précision le style des lignes 26 à 34 (rythme et longueur des phrases, répétitions, temps des verbes) : qu'en concluez-vous sur les personnages ? Leur émotion tient-elle seulement aux retrouvailles d'un cousin ?

4. Quels sont les procédés de l'humour, dans l'ensemble du texte ?

Histoire de Jenni, ou le Sage et l'Athée

[1755]

Voltaire défend dans ce conte la thèse du déisme. Il soutient l'existence d'un Dieu unique, créateur de l'univers, archétype de tous les dieux, punissant le mal et récompensant les bonnes actions.
Une guerre oppose les Anglais aux Espagnols : le jeune Anglais Jenni, fait prisonnier, est destiné à être brûlé.

1. Le conte se présente sous forme d'une lettre de M. Sherloc adressée à un ami qui lui demande des nouvelles de M. Freind, père de Jenni.

2. Tribunal de l'Inquisition à Séville au XVe siècle.

3. Des courses de chevaux y avaient lieu, que la France allait bientôt imiter.

Mais vous[1] peindrez-vous bien la surprise, la douleur, l'anéantissement, la colère, les larmes, les transports de notre ami Freind, quand il apprit que Jenni était dans les cachots du Saint-Office[2], et que son bûcher était préparé ? Vous savez que les têtes les plus froides sont les plus animées dans les grandes occa-sions. Vous eussiez vu ce père, que vous avez connu si grave et si imperturbable, 5 voler à l'antre de l'Inquisition plus vite que nos chevaux de race ne courent à Newmarket[3]. Cinquante soldats, qui le suivaient hors d'haleine, étaient toujours à deux cents pas de lui. Il arrive, il entre dans la caverne. Quel moment ! que de pleurs et que de joie ! Vingt victimes destinées à la même cérémonie que Jenni sont délivrées. Tous ces prisonniers s'arment ; tous se joignent à nos soldats ; ils 10 démolissent le Saint-Office en dix minutes et déjeunent sur ses ruines avec le vin et les jambons des inquisiteurs.

Au milieu de ce fracas, et des fanfares, et des tambours, et du retentissement de quatre cents canons qui annonçaient notre victoire à la Catalogne, notre ami Freind avait repris la tranquillité que vous lui connaissez. Il était calme comme 15 l'air dans un beau jour après un orage. Il élevait à Dieu un cœur aussi serein que son visage, lorsqu'il vit sortir du soupirail d'une cave un spectre noir en surplis, qui se jeta à ses pieds et qui lui criait miséricorde. « Qui es-tu ? lui dit notre ami ; viens-tu de l'enfer ? – À peu près, répondit l'autre ; je suis don Jeronimo Bueno Caracucarador, inquisiteur pour la foi ; je vous demande très humblement par- 20 don d'avoir voulu cuire monsieur votre fils en place publique : je le prenais pour un juif.

– Eh ! quand il serait juif, répondit notre ami avec son sang-froid ordinaire, vous sied-il bien, monsieur Caracucarador, de cuire des gens parce qu'ils sont des-cendus d'une race qui habitait autrefois un petit canton pierreux tout près du 25 désert de Syrie ? Que vous importe qu'un homme ait un prépuce ou qu'il n'en ait pas, et qu'il fasse sa pâque dans la pleine lune rousse, ou le dimanche d'après ? Cet homme est juif, donc il faut que je le brûle, et tout son bien m'appartient : voilà un très mauvais argument ; on ne raisonne point ainsi dans la Société royale de Londres. 30

« Savez-vous bien, monsieur Caracucarador, que Jésus-Christ était juif, qu'il naquit, vécut, et mourut juif ; qu'il fit sa pâque en juif dans la pleine lune ; que tous ses apôtres étaient juifs ; qu'ils allèrent dans le temple juif après son mal-heur, comme il est dit expressément ; que les quinze premiers évêques secrets de Jérusalem étaient juifs ? Mon fils ne l'est pas, il est anglican : quelle idée vous a 35 passé par la tête de le brûler ? »

VOLTAIRE, *Histoire de Jenni, ou le Sage et l'Athée*, chap. II,
« Suite des aventures du jeune Anglais Jenni et de celles de son père,
docteur en théologie, membre du Parlement et de la Société royale ».

Questions

1. Commentez « l'ex-cuse » formulée par l'inquisiteur et la manière dont lui répond M. Freind.

2. Pourquoi M. Freind insiste-t-il autant sur le fait que Jésus était juif ?

3. Comment compre-nez-vous son dernier argument ?

4. Pourquoi Voltaire choisit-il un Anglais comme héros de son conte ?

5. Que pensez-vous du dénouement qui permet la délivrance de Jenni ?

6. En vous appuyant sur les marques d'énoncia-tion, déterminez la place du lecteur dans le texte.

L'Encyclopédie
(1751-1772)

Planche extraite de *L'Encyclopédie* sur le lavage du minerai.
Photo © Lauros - Giraudon.

Le libraire et imprimeur Le Breton décide en 1745 de commercialiser *La Cyclopedia* de Chambers, parue à Londres en 1728. Il charge Diderot d'en assurer la traduction et d'Alembert, homme de sciences réputé, d'en contrôler la pertinence. Dès 1747, le projet s'élargit.

Le titre de l'ouvrage énonce son enjeu didactique. Ensemble de connaissances, **L'Encyclopédie** fait la somme alphabétique des savoirs universels. Des articles théoriques abordent les mathématiques, les sciences naturelles, l'histoire, l'économie, la politique, la religion, la langue, la littérature, la philosophie. Des applications pratiques les complètent, sous forme de planches illustrant les arts mécaniques et les techniques industrielles. La réalisation se montre à la hauteur de l'ambition : une publication échelonnée sur 21 ans (1751-1772), 17 volumes de textes, 11 de planches, 60 200 articles, 2 900 pages de gravures. Diderot recrute les auteurs, répartit les travaux, supervise les articles, en écrit lui-même un bon nombre. Plus de deux cents collaborateurs participent à l'aventure, parmi lesquels des compagnons de la première heure – Dumarsais, l'abbé de Prades, Daubenton –, quelques gloires des salons littéraires – Voltaire, Montesquieu, Buffon –, d'illustres scientifiques – Quesnay, d'Holbach, Tronchin – et le chevalier de Jaucourt, qui traite tout sujet.

En fait, **L'Encyclopédie** exprime les antagonismes du siècle. Elle reçoit le soutien de personnalités comme Malesherbes, qui contrôle l'ensemble des publications, et Mme de Pompadour. Les lecteurs, issus de la bourgeoisie active et de la noblesse éclairée, l'achètent par souscription. Mais jésuites, jansénistes, dignitaires ecclésiastiques et écrivains conservateurs, désobligés par ses idées progressistes, la critiquent avec virulence et manœuvrent la censure. En 1752, puis en 1759, des cabales, des interdictions, une condamnation par le pape, l'emprisonnement de Le Breton, ralentissent sa parution sans toutefois la faire cesser.

Mais on ne peut interdire une œuvre qui reflète et précipite de profonds bouleversements culturels. Une nouvelle représentation de l'être humain se profile dans **L'Encyclopédie**. Libéré des cadres séculaires qui l'asservissent politiquement – la monarchie absolue – et idéologiquement – la religion chrétienne –, l'Homme s'émancipe par le savoir. L'objectif didactique de l'ouvrage est donc inséparable de sa vocation éthique. Un éloge raisonné de la liberté se développe : liberté de l'individu ; libertés d'expression, de pensée et d'agir ; liberté économique, conformément aux attentes d'une bourgeoisie en plein essor que les réglementations archaïques du système français entravent. L'ouvrage est subversif même s'il multiplie les prudences d'écriture. Le dogmatisme, l'esprit de superstition, la foi y sont condamnés au nom de la raison ; la censure, l'emprisonnement arbitraire et l'esclavage également. **L'Encyclopédie** opte pour le modèle politique de la monarchie constitutionnelle. Sans l'appeler, elle annonce ainsi la Révolution.

L'Encyclopédie
■■■■ *[1751-1772]*

Le rejet de tout pouvoir absolu est la position commune des Encyclopédistes dans le domaine politique.

AUTORITÉ POLITIQUE. Aucun homme n'a reçu de la nature le droit de commander aux autres. La liberté est un présent du Ciel, et chaque individu de la même espèce a le droit d'en jouir aussitôt qu'il jouit de la raison. Si la nature a établi quelque *autorité*, c'est la puissance paternelle : mais la puissance paternelle a ses bornes ; et dans l'état de nature, elle finirait aussitôt que les enfants seraient 5 en état de se conduire. Toute autre *autorité* vient d'une autre origine que la nature. Qu'on examine bien et on la fera toujours remonter à l'une de ces deux sources : ou la force et la violence de celui qui s'en est emparé ; ou le consentement de ceux qui s'y sont soumis par un contrat fait ou supposé entre eux et celui à qui ils ont déféré l'*autorité*.   10

La puissance qui s'acquiert par la violence n'est qu'une usurpation et ne dure qu'autant que la force de celui qui commande l'emporte sur celle de ceux qui obéissent ; en sorte que, si ces derniers deviennent à leur tour les plus forts, et qu'ils secouent le joug, ils le font avec autant de droit et de justice que l'autre qui le leur avait imposé. La même loi qui a fait l'*autorité* la défait alors ; c'est la loi du 15 plus fort.

Quelquefois, l'*autorité* qui s'établit par la violence change de nature ; c'est lorsqu'elle continue et se maintient du consentement exprès de ceux qu'on a soumis ; mais elle rentre par là dans la seconde espèce dont je vais parler et celui qui se l'était arrogée devenant alors prince cesse d'être tyran.   20

La puissance, qui vient du consentement des peuples, suppose nécessairement des conditions qui en rendent l'usage légitime, utile à la société, avantageux à la république, et qui la fixent et la restreignent entre des limites ; car l'homme ne doit ni ne peut se donner entièrement et sans réserve à un autre homme, parce qu'il a un maître supérieur au-dessus de tout, à qui seul il appartient tout entier. 25

L'Encyclopédie, article « Autorité politique », DIDEROT, 1751.

Questions

1. Dégagez la composition logique de ce texte.

2. Comment comprenez-vous la première phrase ?

3. Quels différents types d'autorités Diderot envisage-t-il ? Lesquels condamne-t-il, lequel admet-il ? Pourquoi ?

4. Montrez comment, par-delà l'apparence neutre de l'analyse et de l'expression, l'auteur intervient personnellement.

Les Lumières

Ce mot imagé désigne le mouvement philosophique et littéraire qui, au XVIIIᵉ siècle, vise à « éclairer » l'homme, en proposant une démarche intellectuelle fondée sur la raison et l'expérience scientifique : les philosophes des Lumières dénoncent ainsi tous les obscurantismes, tous les faux-savoirs et toutes les intolérances (en particulier dans le domaine religieux), participent à la vulgarisation des connaissances nouvelles (c'est le rôle de *L'Encyclopédie*), travaillent à donner à chacun les moyens d'assumer sa liberté, et manifestent leur confiance en la possibilité du progrès et du bonheur terrestre.

Pour L'Encyclopédie, la politique internationale ne se résume pas à la seule pratique de la guerre, comme c'était alors fréquemment le cas.

PAIX. La guerre est un fruit de la dépravation[1] des hommes : c'est une maladie convulsive et violente du corps politique, il n'est en santé, c'est-à-dire dans son état naturel que lorsqu'il jouit de la *paix* ; c'est elle qui donne de la vigueur aux empires ; elle maintient l'ordre parmi les citoyens ; elle laisse aux lois la force
5 qui leur est nécessaire ; elle favorise la population, l'agriculture et le commerce : en un mot elle procure aux peuples le bonheur qui est le but de toute société. La guerre au contraire dépeuple les États ; elle y fait régner le désordre ; les lois sont forcées de se taire à la vue de la licence qu'elle introduit ; elle rend incertaines la liberté et la propriété des citoyens ; elle trouble et fait négliger le commerce ; les
10 terres deviennent incultes et abandonnées. Jamais les triomphes les plus éclatants ne peuvent dédommager une nation de la perte d'une multitude de ses membres que la guerre sacrifie ; ses victoires même lui font des plaies profondes que la *paix* seule peut guérir.

Si la raison gouvernait les hommes, si elle avait sur les chefs des nations l'em-
15 pire qui lui est dû, on ne les verrait point se livrer inconsidérément aux fureurs de la guerre, ils ne marqueraient point cet acharnement qui caractérise les bêtes féroces. Attentifs à conserver une tranquillité de qui dépend leur bonheur, ils ne saisiraient point toutes les occasions de troubler celle des autres ; satisfaits des biens que la nature a distribués à tous ses enfants, ils ne regarderaient point avec
20 envie ceux qu'elle a accordés à d'autres peuples ; les souverains sentiraient que des conquêtes payées du sang de leurs sujets, ne valent jamais le prix qu'elles ont coûté. Mais par une fatalité déplorable, les nations vivent entre elles dans une défiance réciproque ; perpétuellement occupées à repousser les entreprises

1. Avilissement.

Questions

1. Quel est le principe de composition de chaque paragraphe ? Quelles thèses permet-il de souligner ?

2. Quelle métaphore filée l'auteur emploie-t-il dans le premier paragraphe ? Pourquoi ?

3. Dans le second paragraphe, repérez les procédés rhétoriques, les champs lexicaux, le rythme des phrases, l'emploi des temps et des modes verbaux qui mettent en valeur l'idée principale.

4. La critique se limite-t-elle à la dénonciation de la guerre ?

5. Comment cette page s'accorde-t-elle avec l'esprit des Lumières ?

PIERRE LENFANT (1704-1787), *Bataille de Lawfeld le 2 juillet 1747.* Versailles, musée national du Château. Photo © Dagli Orti.

injustes des autres, ou à en former elles-mêmes, les prétextes les plus frivoles leur mettent les armes à la main, et l'on croirait qu'elles ont une volonté permanente de se priver des avantages que la Providence ou l'industrie leur ont procurés. Les passions aveugles des princes les portent à étendre les bornes de leurs États ; peu occupés du bien de leurs sujets, ils ne cherchent qu'à grossir le nombre des hommes qu'ils rendent malheureux.

L'Encyclopédie, article « Paix », DAMILAVILLE, 1765.

Déistes ou athées, les philosophes attaquent en commun l'institution que représente l'Église. À l'obscurantisme des pratiques religieuses, ils opposent les lumières de la raison. Les idées de tolérance et de morale laïque constituent également les enjeux de cette lutte idéologique, qui provoqua de multiples répressions contre le projet encyclopédiste.

PRÊTRES (*Religion et politique*). On désigne sous ce nom tous ceux qui remplissent les fonctions des cultes religieux établis chez les différents peuples de la terre.

Le culte extérieur suppose des cérémonies dont le but est de frapper le sens des hommes et de leur imprimer de la vénération pour la divinité à qui ils rendent leurs hommages. La superstition ayant multiplié les cérémonies des différents cultes, les personnes destinées à les remplir ne tardèrent point à former un ordre séparé qui fut uniquement destiné au service des autels ; on crut que ceux qui étaient chargés de soins si importants se devaient tout entiers à la divinité ; dès lors, ils partagèrent avec elle le respect des humains ; les occupations du vulgaire parurent au-dessous d'eux, et les peuples se crurent obligés de pourvoir à la subsistance de ceux qui étaient revêtus du plus saint et du plus important des ministères ; ces derniers, renfermés dans l'enceinte de leurs temples, se communiquèrent peu ; cela dut augmenter encore le respect qu'on avait pour ces hommes isolés ; on s'accoutuma à les regarder comme des favoris des dieux, comme les dépositaires et les interprètes de leurs volontés, comme des médiateurs entre eux et les mortels.

Il est doux de dominer sur ses semblables ; les *prêtres* surent mettre à profit la haute opinion qu'ils avaient fait naître dans l'esprit de leurs concitoyens ; ils prétendirent que les dieux se manifestaient à eux ; ils annoncèrent leurs décrets ; ils enseignèrent des dogmes ; ils prescrivirent ce qu'il fallait croire et ce qu'il fallait rejeter ; ils fixèrent ce qui plaisait ou déplaisait à la divinité ; ils rendirent des oracles ; ils prédirent l'avenir à l'homme inquiet et curieux, ils le firent trembler par la crainte des châtiments dont les dieux irrités menaçaient les téméraires qui oseraient douter de leur mission ou discuter leur doctrine.

Pour établir plus sûrement leur empire, ils peignirent les dieux comme cruels, vindicatifs[1], implacables ; ils introduisirent des cérémonies, des initiations, des mystères, dont l'atrocité pût nourrir dans les hommes cette sombre mélancolie, si favorable à l'empire du fanatisme ; alors le sang humain coula à grands flots sur les autels, les peuples subjugués par la crainte et enivrés de superstition ne crurent jamais payer trop chèrement la bienveillance céleste : les mères livrèrent d'un œil sec leurs tendres enfants aux flammes dévorantes ; des milliers de victimes humaines tombèrent sous le couteau des sacrificateurs ; on se soumit à une multitude de pratiques et les superstitions les plus absurdes achevèrent d'étendre et d'affermir leur puissance.

L'Encyclopédie, article « Prêtres », D'HOLBACH, 1765.

1. Animés par le désir de vengeance.

Questions

1. Explicitez le caractère provocateur inclus dans le sous-titre et la définition qui suit.

2. Par quelles causes successives l'auteur explique-t-il la puissance des prêtres ?

3. Dans le deuxième paragraphe, repérez les termes et les figures de rhétorique dépréciatifs. Quelle est leur fonction ?

4. Par une étude des champs lexicaux, des figures de style et du rythme des phrases, analysez l'art de la conviction dans les paragraphes 3 et 4.

5. Établissez les différentes critiques instruites dans ce procès.

Au XVIIIe siècle, la notion de philosophie évolue. L'Encyclopédie, dont la publication illustre cette mutation, en redéfinit le sens.

PHILOSOPHIE. L'esprit philosophique est donc un esprit d'observation et de justesse, qui rapporte tout à ses véritables principes ; mais ce n'est pas l'esprit seul que le *philosophe* cultive, il porte plus loin son attention et ses soins.

L'homme n'est point un monstre qui ne doive vivre que dans les abîmes de la
5 mer ou dans le fond d'une forêt : les seules nécessités de la vie lui rendent le commerce des autres nécessaire ; et dans quelque état où il puisse se trouver, ses besoins et le bien-être l'engagent à vivre en société. Ainsi la raison exige de lui qu'il connaisse, qu'il étudie, et qu'il travaille à acquérir les qualités sociables.

Notre *philosophe* ne se croit pas en exil dans ce monde : il ne croit point être
10 en pays ennemi ; il veut jouir en sage économe des biens que la nature lui offre ; il veut trouver du plaisir avec les autres ; et pour en trouver, il faut en faire : ainsi il cherche à convenir à ceux avec qui le hasard ou son choix le font vivre ; et il trouve en même temps ce qui lui convient : c'est un honnête homme qui veut plaire et se rendre utile.

15 La plupart des grands à qui les dissipations ne laissent pas assez de temps pour méditer, sont féroces envers ceux qu'ils ne croient pas leurs égaux. Les *philosophes* ordinaires qui méditent trop, ou plutôt qui méditent mal, le sont envers
20 tout le monde ; ils fuient les hommes, et les hommes les évitent. Mais notre *philosophe* qui sait se partager entre la retraite et le commerce des hommes, est plein d'humanité. [...]

Il serait inutile de remarquer ici combien le
25 *philosophe* est jaloux de tout ce qui s'appelle *honneur* et *probité*. La société civile est, pour ainsi dire, une divinité pour lui sur la terre ; il l'encense, il l'honore par la probité, par une attention exacte à ses devoirs, et par un désir sincère
30 de n'en être pas un membre inutile ou embarrassant. Les sentiments de probité entrent autant dans la constitution mécanique du *philosophe*, que les lumières de l'esprit. Plus vous trouverez de raison dans un homme, plus vous trouverez
35 en lui de probité. Au contraire où règnent le fanatisme et la superstition, règnent les passions et l'emportement.

L'Encyclopédie, article « Philosophie »,
DUMARSAIS.

Questions

1. Étudiez les marques pronominales de l'énonciation. Que remarquez-vous ? Pourquoi ?

2. Quels anti modèles l'auteur oppose-t-il au philosophe ?

3. En quoi ce texte présente-t-il un idéal de société ? Quels en sont les termes ?

4. Cette définition recoupe-t-elle l'idée que vous vous faites du philosophe ?

Établissement de la nouvelle philosophie.
Notre berceau fut un café (café Procope).
Paris, musée Carnavalet.
Photo © Dagli Orti.

L'économie représente également un sujet de prédilection pour certains philosophes comme Quesnay, proches des physiocrates, qui considèrent la terre et l'agriculture comme les sources essentielles de la richesse.

GRAINS *(Économie politique).* Les principaux objets du commerce en France sont les *grains*, les vins et eaux-de-vie, le sel, les chanvres et les lins, les laines, et les autres produits que fournissent les bestiaux ; les manufactures des toiles et des étoffes communes peuvent augmenter beaucoup la valeur des chanvres, des lins et des laines, et procurer la subsistance à beaucoup d'hommes qui seraient 5 occupés à des travaux si avantageux. Mais on s'aperçoit aujourd'hui que la production et le commerce de la plupart de ces denrées sont presque anéantis en France. Depuis longtemps les manufactures de luxe ont séduit la nation ; nous n'avons ni la soie ni les laines convenables pour fabriquer les belles étoffes et les draps fins ; nous nous sommes livrés à une industrie qui nous était étrangère ; et 10 on y a employé une multitude d'hommes dans le temps que le royaume se dépeuplait et que les campagnes devenaient désertes. On a fait baisser le prix de nos blés afin que la fabrication et la main-d'œuvre fussent moins chères que chez l'étranger : les hommes et les richesses se sont accumulés dans les villes ; l'agriculture, la plus féconde et la plus noble partie de notre commerce, la source des 15 revenus du royaume, n'a pas été envisagée comme le fonds primitif de nos richesses ; elle n'a paru intéresser que le fermier et le paysan : on a borné leurs travaux à la subsistance de la nation qui, par l'achat des denrées, paye les dépenses de la culture ; et on a cru que c'était un commerce ou un trafic établi sur l'industrie, qui devait apporter l'or et l'argent dans le royaume. 20

Ce sont les grands revenus qui procurent les grandes dépenses ; ce sont les grandes dépenses qui augmentent la population, parce qu'elles étendent le commerce et les travaux et qu'elles procurent des grains à un grand nombre d'hommes. Ceux qui n'envisagent les avantages d'une grande population que pour entretenir de grandes armées jugent mal de la force d'un État. Les militaires 25 n'estiment les hommes qu'autant qu'ils sont propres à faire des soldats ; mais l'homme d'État regrette les hommes destinés à la guerre comme un propriétaire regrette la terre employée à former le fossé qui est nécessaire pour conserver le champ. Les grandes armées l'épuisent ; une grande population et de grandes richesses le rendent redoutable. Les avantages les plus essentiels qui résultent 30 d'une grande population sont les productions et la consommation, qui augmentent ou font mouvoir les richesses pécuniaires du royaume. Plus une nation qui a un bon territoire et un commerce facile est peuplée, plus elle est riche : et plus elle est riche, plus elle est puissante.

L'Encyclopédie, article « Grains »,
QUESNAY, 1757.

Questions

1. Quel rapport établissez-vous entre le titre, la parenthèse qui le suit et le texte ?

2. Quels sont, selon Quesnay, les bienfaits de la production et du commerce des produits agricoles ?

3. Quel bilan fait-il de la situation agricole en France ?

4. Déterminez les trois étapes successives de ce texte et identifiez leur fonction dans le raisonnement.

5. Quelle conception de la vie publique ce texte refuse-t-il ? Quel idéal politique envisage-t-il ?

Denis Diderot
(1713-1784)

Portrait par Louis Michel Van Loo
(1707-1771).
Paris, musée du Louvre.
● Photo © Josse.

DENIS DIDEROT naît à Langres en 1713. Son père est artisan coutelier. Un frère prêtre, une sœur religieuse – elle mourra folle –, un oncle chanoine semblent lui ouvrir la voie. Élève chez les Jésuites, tonsuré, Diderot n'entre pourtant pas dans la carrière ecclésiastique. Il part à seize ans pour Paris, passe une maîtrise ès arts, mène une vie de bohème. Dans les années 1740, il se marie clandestinement avec une lingère – quatre enfants naîtront, une seule survivra –, fréquente les cafés littéraires, se lie d'amitié avec Grimm et Jean-Jacques Rousseau. En 1746, il commence à superviser la rédaction et la parution de *L'Encyclopédie*. Pendant une vingtaine d'années, l'écrivain fait ainsi alterner les travaux sur commande et l'élaboration d'une œuvre personnelle. L'originalité de sa pensée, son acuité critique, en politique comme en religion, lui valent tantôt la sanction la moins supportable – la prison à Vincennes en 1749 – tantôt l'admiration la plus prestigieuse : l'impératrice Catherine II l'appelle en 1773 à Saint-Pétersbourg. Il y découvre pendant quelques mois les ambiguïtés du despotisme éclairé. Diderot meurt à Paris en 1784, cinq mois après celle qui représentait pour lui, depuis plus de trente-cinq ans, l'âme sœur, Sophie Volland.

SON ŒUVRE ressemble à sa personnalité, variée, exubérante, emportée. L'écrivain, polygraphe, passe d'un genre à l'autre et bouleverse les catégories fixes. L'écriture, dans ce tumulte, s'adapte à une représentation philosophique de l'univers qui privilégie les mouvements incessants de la matière, l'instabilité chaotique, l'élan des forces de vie. Diderot écrit des romans : licencieux – *Les Bijoux indiscrets* (1748) –, polémiques – *La Religieuse* (1760) – ou anticonformistes – *Le Neveu de Rameau* (1762), *Jacques le Fataliste* (1765). Il conçoit un nouveau type de pièces de théâtre, le drame bourgeois, qui désacralise l'univers de la tragédie : *Le Père de famille* (1758). Il rédige des essais comme *Le Paradoxe sur le comédien* (1769). Il pratique une critique d'art résolument novatrice, avec les *Salons*, publiés à partir de 1759 dans *La Correspondance littéraire*, journal fondé par Grimm. La partie épistolaire de son œuvre inclut une correspondance féconde avec Sophie Volland. Et surtout, Diderot multiplie les opuscules hybrides, des entretiens, des dialogues, des paradoxes, des ébauches de traités et de contes. Il y cultive, dans une langue déliée, une interrogation philosophique qui tente d'expliquer, sans *a priori* théologique ou métaphysique, l'énigme de la vie. Son matérialisme le conduit à concevoir le monde comme une association dynamique d'atomes, l'homme comme un hasard éphémère doté d'un esprit parvenant à la connaissance par la seule entremise des sens. Plusieurs ouvrages développent ces thèmes : *Le Rêve de d'Alembert* (1769), *Principe philosophique sur la matière et le mouvement* (1771), *Supplément au voyage de Bougainville* (1772). L'audace de ce cheminement intellectuel explique en partie la publication posthume de nombreux écrits.

Lettre sur les aveugles
[1749]

En 1749, Réaumur réalise une délicate opération de la cataracte. Diderot s'approprie cet événement en philosophe, pour développer une pensée matérialiste qui lui vaut un embastillement immédiat.

Extrait 1

1. Étude philosophique des premiers principes et des causes premières qui expliqueraient l'origine de l'être humain et de la vie.

Comme je n'ai jamais douté que l'état de nos organes et de nos sens n'ait beaucoup d'influence sur notre métaphysique[1] et sur notre morale, et que nos idées les plus purement intellectuelles, si je puis parler ainsi, ne tiennent de fort près à la conformation de notre corps, je me mis à questionner notre aveugle sur les vices et sur les vertus. Je m'aperçus d'abord qu'il avait une aversion prodi- 5
gieuse pour le vol ; elle naissait en lui de deux causes : de la facilité qu'on avait de le voler sans qu'il s'en aperçût ; et plus encore, peut-être, de celle qu'on avait de l'apercevoir quand il volait. Ce n'est pas qu'il ne sache très bien se mettre en garde contre le sens qu'il nous connaît de plus qu'à lui, et qu'il ignore la manière de bien cacher un vol. Il ne fait pas grand cas de la pudeur : sans les injures de 10
l'air, dont les vêtements le garantissent, il n'en comprendrait guère l'usage ; et il avoue franchement qu'il ne devine pas pourquoi l'on couvre plutôt une partie du corps qu'une autre, et moins encore par quelle bizarrerie on donne entre ces parties la préférence à certaines, que leur usage et les indispositions auxquelles elles sont sujettes demanderaient que l'on tînt libres. Quoique nous soyons dans un 15
siècle où l'esprit philosophique nous a débarrassés d'un grand nombre de préju-
gés, je ne crois pas que nous en venions jamais jusqu'à méconnaître les prérogatives de la pudeur aussi parfaitement que mon aveugle.

Extrait 2

Questions

1. Quelle thèse cha-
que texte présente-t-il ?
Quels arguments et
quels exemples la déve-
loppent ?

2. Étudiez les marques
personnelles et gram-
maticales de l'énoncia-
tion. Que remarquez-
vous ?

3. Expliquez la position
matérialiste de Diderot ?

4. Quelle leçon de rela-
tivité chaque texte pré-
sente-t-il ?

Notre aveugle nous dit, à ce sujet, qu'il se trouverait fort à plaindre d'être privé des mêmes avantages que nous, et qu'il aurait été tenté de nous regarder comme des intelligences supérieures, s'il n'avait éprouvé cent fois combien nous lui cédions à d'autres égards. Cette réflexion nous en fit faire une autre. Cet aveugle, dîmes-nous, s'estime autant et plus peut-être que nous qui voyons : 5
pourquoi donc, si l'animal raisonne, comme on n'en peut guère douter, balan-
çant ses avantages sur l'homme, qui lui sont mieux connus que ceux de l'homme sur lui, ne porterait-il pas un semblable jugement ? Il a des bras, dit peut-être le moucheron, mais j'ai des ailes. S'il a des armes, dit le lion, n'avons-nous pas des ongles ? L'éléphant nous verra comme des insectes ; et tous les animaux, nous 10
accordant volontiers une raison avec laquelle nous aurions grand besoin de leur instinct, se prétendront doués d'un instinct avec lequel ils se passent fort bien de notre raison. Nous avons un si violent penchant à surfaire nos qualités et à diminuer nos défauts, qu'il semblerait presque que c'est à l'homme à faire le traité de la force, et à l'animal celui de la raison.

DIDEROT, *Lettre sur les aveugles.*

Le Rêve de d'Alembert
━━━━━━ [1769]

Dans Le Rêve de d'Alembert, *qui met en scène ses échanges avec le mathématicien d'Alembert, l'écrivain radicalise sa pensée matérialiste. Il aborde ici le phénomène du rêve.*

MADEMOISELLE DE L'ESPINASSE. – Si le rêve m'offre le spectacle d'un ami que j'ai perdu, et me l'offre aussi vrai que si cet ami existait ; s'il me parle et que je l'entende ; si je le touche et qu'il fasse l'impression de la solidité sur mes mains ; si, à mon réveil, j'ai l'âme pleine de tendresse et de douleur, et mes yeux inondés
5 de larmes ; si mes bras sont encore portés vers l'endroit où il m'est apparu, qui me répondra que je ne l'ai pas vu, entendu, touché réellement ?

BORDEU. – Son absence. Mais, s'il est impossible de discerner la veille du sommeil, qui est-ce qui en apprécie la durée ? Tranquille, c'est un intervalle étouffé entre le moment du coucher et celui du lever : trouble, il dure quelquefois des
10 années. Dans le premier cas, du moins, la conscience du soi cesse entièrement. Un rêve qu'on n'a jamais fait, et qu'on ne fera jamais, me le diriez-vous bien ?

MADEMOISELLE DE L'ESPINASSE. – Oui, c'est qu'on est un autre.

D'ALEMBERT. – Et dans le second cas, on n'a pas seulement la conscience du soi, mais on a encore celle de sa volonté et de sa liberté. Qu'est-ce que cette
15 liberté, qu'est-ce que cette volonté de l'homme qui rêve ?

BORDEU. – Qu'est-ce ? c'est la même que celle de l'homme qui veille : la dernière impulsion du désir et de l'aversion, le dernier résultat de tout ce qu'on a été depuis sa naissance jusqu'au moment où l'on est ; et je défie l'esprit le plus délié d'y apercevoir la moindre différence.

20 D'ALEMBERT. – Vous croyez ?

Jeune homme endormi.
Dessin d'après Greuze,
Tournus, musée Greuze.
Photo © Pascal Tournier.

Questions

1. Identifiez avec précision les positions ou les propositions des différents personnages sur le rêve.

2. Quelle forme littéraire Diderot emprunte-t-il ? Pourquoi ? Quelles remarques stylistiques vous inspire la dernière intervention de Bordeu ?

3. Comment comprenez-vous la dernière phrase ?

4. Cette approche rejoint-elle votre propre pratique du rêve ?

BORDEU. – Et c'est vous qui me faites cette question ! vous qui, livré à des spéculations profondes, avez passé les deux tiers de votre vie à rêver les yeux ouverts, et à agir sans vouloir ; oui, sans vouloir, bien moins que dans votre rêve. Dans votre rêve vous commandiez, vous ordonniez, on vous obéissait ; vous étiez mécontent ou satisfait, vous éprouviez de la contradiction, vous 25 trouviez des obstacles, vous vous irritiez, vous aimiez, vous haïssiez, vous blâmiez, vous alliez, vous veniez. Dans le cours de vos méditations, à peine vos yeux s'ouvraient le matin que, ressaisi de l'idée qui vous avait occupé la veille, vous vous vêtiez, vous vous asseyiez à votre table, vous méditiez, vous traciez des figures, vous suiviez des calculs, vous dîniez, vous repreniez vos 30 combinaisons, quelquefois vous quittiez la table pour les vérifier ; vous parliez à d'autres, vous donniez des ordres à votre domestique, vous soupiez, vous vous couchiez, vous vous endormiez sans avoir fait le moindre acte de volonté. Vous n'avez été qu'un point ; vous avez agi, mais vous n'avez pas voulu.

DIDEROT, *Le Rêve de d'Alembert.*

Regrets sur ma vieille robe de chambre
[1772]

Désireuse de manifester sa sympathie à Diderot, Mme Geoffrin lui offre une nouvelle garde-robe. L'esprit vagabond de l'écrivain s'empare de cet événement intime...

Pourquoi ne l'avoir pas gardée ? Elle était faite à moi ; j'étais fait à elle. Elle moulait tous les plis de mon corps sans le gêner ; j'étais pittoresque et beau. L'autre, raide, empesée, me mannequine. Il n'y avait aucun besoin auquel sa complaisance ne se prêtât ; car l'indigence est presque toujours officieuse. Un livre était-il couvert de poussière, un de ses pans s'offrait à l'essuyer. L'encre 5 épaissie refusait-elle de couler de ma plume, elle présentait le flanc. On y voyait tracés en longues raies noires les fréquents services qu'elle m'avait rendus. Ces longues raies annonçaient le littérateur, l'écrivain, l'homme qui travaille. À présent, j'ai l'air d'un riche fainéant ; on ne sait qui je suis.

Sous mon abri, je ne redoutais ni la maladresse d'un valet, ni la mienne, ni les 10 éclats du feu, ni la chute de l'eau. J'étais le maître absolu de ma vieille robe de chambre ; je suis devenu l'esclave de la nouvelle.

Le dragon qui surveillait la Toison d'or ne fut pas plus inquiet que moi. Le souci m'enveloppe.

Le vieillard passionné qui s'est livré, pieds et poings liés, aux caprices, à la 15 merci d'une jeune folle, dit depuis le matin jusqu'au soir : Où est ma bonne, ma vieille gouvernante ? Quel démon m'obsédait le jour que je la chassai pour celle-ci ! Puis il pleure, il soupire.

Je ne pleure pas, je ne soupire pas ; mais à chaque instant je dis : Maudit soit celui qui inventa l'art de donner du prix à l'étoffe commune en la teignant en 20 écarlate ! Maudit soit le précieux vêtement que je révère !

DIDEROT, *Regrets sur ma vieille robe de chambre.*

Questions

1. Sur quel effet de surprise ce texte est-il construit ? Relevez à cet égard des antithèses porteuses de sens.

2. Quels sont les différents usages d'une robe de chambre selon Diderot ? Par quelles images et personnifications les développe-t-il ?

3. Quelle est la moralité de ce texte ? Quel rôle jouent de ce point de vue les analogies dans les deux derniers paragraphes ?

Paradoxe sur le comédien

[1773]

1. Remémorée.
2. Dans l'Antiquité, chaussure basse des acteurs comiques.
3. Dans l'Antiquité, chaussure à semelle épaisse des acteurs tragiques.

Dans cet ouvrage, Diderot associe le génie artistique à la lucidité, la domination de soi, la préméditation de l'effet esthétique. Il s'oppose ainsi à toute idée d'inspiration sauvage.

Ce tremblement de la voix, ces mots suspendus, ces sons étouffés ou traînés, ce frémissement des membres, ce vacillement des genoux, ces évanouissements, ces fureurs, pure imitation, leçon recordée[1] d'avance, grimace pathétique, singerie sublime dont l'acteur garde le souvenir longtemps après l'avoir étudiée,
5 dont il avait la conscience présente au moment où il l'exécutait, qui lui laisse, heureusement pour le poète, pour le spectateur et pour lui, toute la liberté de son esprit, et qui ne lui ôte, ainsi que les autres exercices, que la force du corps. Le socque[2] ou le cothurne[3] déposé, sa voix est éteinte, il éprouve une extrême fatigue, il va changer de linge ou se coucher ; mais il ne lui reste ni trouble, ni
10 douleur, ni mélancolie, ni affaissement d'âme. C'est vous qui remportez toutes ces impressions. L'acteur est las, et vous tristes ; c'est qu'il s'est démené sans rien sentir, et que vous avez senti sans vous démener. S'il en était autrement, la condition du comédien serait la plus malheureuse des conditions ; mais il n'est pas le personnage, il le joue et le joue si bien que vous le prenez pour tel : l'illusion
15 n'est que pour vous ; il sait bien, lui, qu'il ne l'est pas.

Des sensibilités diverses, qui se concertent entre elles pour obtenir le plus grand effet possible, qui se diapasonnent, qui s'affaiblissent, qui se fortifient, qui se nuancent pour former un tout qui soit un, cela me fait rire. J'insiste donc, et je dis : « C'est l'extrême sensibilité qui fait les acteurs médiocres : c'est la sensi-
20 bilité médiocre qui fait la multitude des mauvais acteurs ; et c'est le manque absolu de sensibilité qui prépare les acteurs sublimes. » Les larmes du comédien descendent de son cerveau ; celles de l'homme sensible montent de son cœur ; ce sont les entrailles qui troublent sans mesure la tête de l'homme sensible ; c'est la tête du comédien qui porte quelquefois un trouble passager dans ses entrailles ;
25 il pleure comme un prêtre incrédule qui prêche la Passion ; comme un séducteur aux genoux d'une femme qu'il n'aime pas, mais qu'il veut tromper ; comme un gueux dans la rue ou à la porte d'une église, qui vous injurie lorsqu'il désespère de vous toucher ; ou comme une courtisane qui ne sent rien, mais qui se pâme entre vos bras.

DIDEROT, *Paradoxe sur le comédien*.

Questions

1. Comment cet extrait permet-il de comprendre le titre de l'ouvrage ?

2. À quelles règles techniques le comédien obéit-il ? Avec quelles attitudes psychologiques joue-t-il ?

3. Relevez les expressions qui opposent le bon comédien au mauvais acteur : quel point de divergence fondamental Diderot met-il en lumière ?

4. Par l'étude détaillée des procédés d'expression et des effets de rythme, montrez comment Diderot transforme ce texte en un véritable spectacle de mots.

5. Sur quelle provocation le texte s'achève-t-il ?

La Religieuse

[1796]

La Religieuse se présente comme une lettre que le personnage principal, Suzanne Simonin, envoie à un homme de confiance susceptible de l'aider. Entrée sous la contrainte au couvent, elle veut s'en échapper avant d'avoir prononcé ses vœux. En effet, le couvent l'aliène en la privant de son droit le plus naturel, la liberté.

NICOLAS LANCRET,
Étude d'une religieuse.
Paris, musée du Louvre.
Photo © R.M.N.-
Michèle Bellot

1. Malédictions.
2. Nuisibles.

Il arriva un jour qu'il s'en échappa une de ces dernières de la cellule où on la tenait renfermée. Je la vis. Voilà l'époque de mon bonheur ou de mon malheur, selon, monsieur, la manière dont vous en userez avec moi. Je n'ai jamais rien vu de si hideux. Elle était échevelée et presque sans vêtement ; elle traînait des chaînes de fer ; ses yeux étaient égarés ; elle s'arrachait les cheveux ; elle se 5 frappait la poitrine avec les poings, elle courait, elle hurlait ; elle se chargeait elle-même, et les autres, des plus terribles imprécations[1] ; elle cherchait une fenêtre pour se précipiter. La frayeur me saisit, je tremblai de tous mes membres, je vis mon sort dans celui de cette infortunée, et sur-le-champ il fut décidé, dans mon cœur, que je mourrais mille fois plutôt que de m'y exposer. On pressentit l'effet 10 que cet événement pourrait faire sur mon esprit ; on crut devoir le prévenir. On me dit de cette religieuse je ne sais combien de mensonges ridicules qui se contredisaient : qu'elle avait déjà l'esprit dérangé quand on l'avait reçue ; qu'elle avait eu un grand effroi dans un temps critique ; qu'elle était devenue sujette à des visions ; qu'elle se croyait en commerce avec les anges ; qu'elle avait fait des lec- 15 tures pernicieuses[2] qui lui avaient gâté l'esprit ; qu'elle avait entendu des novateurs d'une morale outrée, qui l'avaient si fort épouvantée des jugements de Dieu, que sa tête ébranlée en avait été renversée ; qu'elle ne voyait plus que des démons, l'enfer et des gouffres de feu ; qu'elles étaient bien malheureuses ; qu'il était inouï qu'il y eût jamais eu un pareil sujet dans la maison ; que sais-je encore 20 quoi ? Cela ne prit point auprès de moi. À tout moment ma religieuse folle me revenait à l'esprit, et je me renouvelais le serment de ne faire aucun vœu.

DIDEROT, *La Religieuse.*

Jacques le Fataliste et son maître

[publié en 1796]

Dans Jacques le Fataliste, écrit vers 1774, inspiré par Tristram Shandy, un roman de l'écrivain anglais Sterne, Diderot aborde le problème de la liberté. L'incipit insiste à cet égard sur la libre fantaisie du romancier face à une fiction romanesque dont il souligne l'arbitraire.

Extrait 1

Comment s'étaient-ils rencontrés ? Par hasard, comme tout le monde. Comment s'appelaient-ils ? Que vous importe ? D'où venaient-ils ? Du lieu le plus prochain. Où allaient-ils ?
5 Est-ce que l'on sait où l'on va ? Que disaient-ils ? Le maître ne disait rien ; et Jacques disait que son capitaine disait que tout ce qui nous arrive de bien et de mal ici-bas était écrit là-haut.

LE MAÎTRE. – C'est un grand mot que cela.

10 JACQUES. – Mon capitaine ajoutait que chaque balle qui partait d'un fusil avait son billet.

LE MAÎTRE. – Et il avait raison...

Après une courte pause, Jacques s'écria : « Que le diable emporte le cabaretier et son
15 cabaret !

LE MAÎTRE. – Pourquoi donner au diable son prochain ? Cela n'est pas chrétien.

JACQUES. – C'est que, tandis que je m'enivre de son mauvais vin, j'oublie de mener nos che-
20 vaux à l'abreuvoir. Mon père s'en aperçoit, il se fâche. Je hoche de la tête ; il prend un bâton et m'en frotte un peu durement les épaules. Un régiment passait pour aller au camp devant Fontenoy ; de dépit je m'enrôle. Nous arrivons ;
25 la bataille se donne.

LE MAÎTRE. – Et tu reçois la balle à ton adresse.

JACQUES. – Vous l'avez deviné ; un coup de feu au genou ; et Dieu sait les bonnes et mau-
30 vaises aventures amenées par ce coup de feu. Elles se tiennent ni plus ni moins que les chaînons d'une gourmette. Sans ce coup de feu, par exemple, je crois que je n'aurais été amoureux de ma vie, ni boiteux.

35 LE MAÎTRE. – Tu as donc été amoureux ?

JACQUES. – Si je l'ai été !

LE MAÎTRE. – Et cela par un coup de feu ?

JACQUES. – Par un coup de feu.

LE MAÎTRE. – Tu ne m'en as jamais dit un mot.

40 JACQUES. – Je le crois bien.

LE MAÎTRE. – Et pourquoi cela ?

JACQUES. – C'est que cela ne pouvait être dit ni plus tôt ni plus tard.

LE MAÎTRE. – Et le moment d'apprendre ces
45 amours est-il venu ?

JACQUES. – Qui le sait ?

LE MAÎTRE. – À tout hasard, commence toujours...

Jacques commença l'histoire de ses amours.
50 C'était l'après-dînée : il faisait un temps lourd ; son maître s'endormit. La nuit les surprit au milieu des champs ; les voilà foudroyés. Voilà le maître dans une colère terrible et tombant à grands coups de fouet sur son valet, et le pauvre
55 diable disant à chaque coup : « Celui-là était apparemment encore écrit là-haut... »

Vous voyez, lecteur, que je suis en beau chemin, et qu'il ne tiendrait qu'à moi de vous faire attendre un an, deux ans, trois ans, le récit des
60 amours de Jacques, en le séparant de son maître et en leur faisant courir à chacun tous les hasards qu'il me plairait. Qu'est-ce qui m'empêcherait de marier le maître et de le faire cocu ? d'embarquer Jacques pour les îles ? d'y conduire son
65 maître ? de les ramener tous les deux en France sur le même vaisseau ? Qu'il est facile de faire des contes !

DIDEROT, *Jacques le Fataliste.*

Questions

1. Quel double dialogue cet incipit instaure-t-il ?

2. Quelles remarques pouvez-vous faire sur le type de phrases employées par Diderot et, de façon plus générale, sur leur rythme ?

3. Où se situe la désinvolture du narrateur ? Qu'apporte-t-elle au texte ?

4. Quelles réflexions plus profondes recouvre-t-elle ?

JEAN-LOUIS DEMARNE,
(1752-1829),
Halte devant une auberge.
Dunkerque,
musée des Beaux-Arts.
Photo © Lauros-Giraudon.

Extrait 2

*Jacques et son maître passent la nuit dans un bouge, auberge mal famée. Au petit matin,
ils s'en vont précipitamment et renouent le fil de leur dialogue, passablement décousu.*

1. À ce point de leur discussion.

Comme ils en étaient là[1], ils entendirent à quelque distance derrière eux
du bruit et des cris ; ils retournèrent la tête, et virent une troupe d'hommes
armés de gaules et de fourches qui s'avançaient vers eux à toutes jambes. Vous
allez croire que c'étaient les gens de l'auberge, leurs valets et les brigands dont
nous avons parlé. Vous allez croire que le matin on avait enfoncé leur porte faute   5
de clefs, et que ces brigands s'étaient imaginé que nos deux voyageurs avaient
décampé avec leurs dépouilles. Jacques le crut, et il disait entre ses dents :
« Maudites soient les clefs et la fantaisie ou la raison qui me les fit emporter !
Maudite soit la prudence ! etc. etc. » Vous allez croire que cette petite armée tom-
bera sur Jacques et son maître, qu'il y aura une action sanglante, des coups de   10
bâton donnés, des coups de pistolet tirés ; et il ne tiendrait qu'à moi que tout cela
n'arrivât ; mais adieu la vérité de l'histoire, adieu le récit des amours de Jacques.
Nos deux voyageurs n'étaient point suivis : j'ignore ce qui se passa dans l'auberge
après leur départ. Ils continuèrent leur route, allant toujours sans savoir où ils
allaient, quoiqu'ils sussent à peu près où ils voulaient aller ; trompant l'ennui et   15
la fatigue par le silence et le bavardage, comme c'est l'usage de ceux qui marchent, et quelquefois de ceux qui sont assis.

    Il est bien évident que je ne fais pas un roman, puisque je néglige ce qu'un
romancier ne manquerait pas d'employer. Celui qui prendrait ce que j'écris pour la
vérité, serait peut-être moins dans l'erreur que celui qui le prendrait pour une fable.   20

    Cette fois-ci ce fut le maître qui parla le premier et qui débuta par le refrain
accoutumé : « Eh bien ! Jacques, l'histoire de tes amours ?

JACQUES. – Je ne sais où j'en étais. J'ai été si souvent interrompu, que je ferais
tout aussi bien de recommencer.

DIDEROT, *Jacques le Fataliste.*

Questions

1. Quels éléments rat-
tachent l'extrait à la
catégorie des romans
d'aventures ? Quels
autres l'en distancient ?

2. À quelle fonction
répondent les figures de
rhétorique dans le
texte ?

3. Que penser de la
prise de position litté-
raire de Diderot dans le
troisième paragraphe ?

4. Quelles réflexions
sur les mécanismes de
lecture et d'écriture ce
texte suggère-t-il ?

Extrait 3

En bon valet de comédie, Jacques tente de raisonner son maître.

JACQUES. – C'est la fable de la Gaine et du Coutelet. Un jour la Gaine et le Coutelet se prirent de querelle ; le Coutelet dit à la Gaine : « Gaine, ma mie, vous êtes une friponne, car tous les jours, vous recevez de nouveaux Coutelets... La Gaine répondit au Coutelet : Mon ami Coutelet, vous êtes un fripon, car tous
5 les jours vous changez de Gaine... Gaine, ce n'est pas là ce que vous m'avez promis... Coutelet, vous m'avez trompée le premier... » Ce débat s'était élevé à table ; Cil[1] qui était assis entre la Gaine et le Coutelet, prit la parole et leur dit : « Vous, Gaine, et vous, Coutelet, vous fîtes bien de changer, puisque changement vous duisait[2] ; mais vous eûtes tort de vous promettre que vous ne changeriez
10 pas. Coutelet, ne voyais-tu pas que Dieu te fit pour aller à plusieurs Gaines ; et toi, Gaine, pour recevoir plus d'un Coutelet ? Vous regardiez comme fous certains Coutelets qui faisaient vœu de se passer à forfait de Gaines, et comme folles certaines Gaines qui faisaient vœu de se fermer pour tout Coutelet ; et vous ne pensiez pas que vous étiez presque aussi fous lorsque vous juriez, toi, Gaine, de
15 t'en tenir à un seul Coutelet ; toi, Coutelet, de t'en tenir à une seule Gaine. »

Ici le maître dit à Jacques : « Ta fable n'est pas trop morale ; mais elle est gaie. »

DIDEROT, *Jacques le Fataliste.*

1. Forme ancienne du pronom « celui ».
2. Vous plaisait.

D'après BAUDOUIN,
Annette et Lubin.
Paris, musée Cognacq-Jay.
Photo © Lauros-Giraudon.

1. D'une pâleur et d'une maigreur maladives.

2. Amaigrissement et dépérissement progressifs.

3. Abbaye fondée au XIIe siècle et célèbre pour son extrême rigueur.

4. Grassouillet.

Le Neveu de Rameau
[publié en 1891]

Diderot met en scène un personnage réel, neveu du compositeur Jean-Philippe Rameau, qui vécut en vagabond contestant les préjugés communs. Sous forme d'une libre conversation, sans contrainte de genre ni de logique apparente, l'écrivain brasse différents thèmes comme les relations sociales, la musique, le plaisir.

Rien ne dissemble plus de lui que lui-même. Quelquefois, il est maigre et hâve[1] comme un malade au dernier degré de la consomption[2], on compterait ses dents à travers ses joues ; on dirait qu'il a passé plusieurs jours sans manger, ou qu'il sort de la Trappe[3]. Le mois suivant, il est gras et replet[4] comme s'il n'avait pas quitté la table d'un financier, ou qu'il eût été renfermé dans un couvent de 5 Bernardins. Aujourd'hui, en linge sale, en culotte déchirée, couvert de lambeaux, presque sans souliers, il va la tête basse, il se dérobe, on serait tenté de l'appeler pour lui donner l'aumône. Demain, poudré, chaussé, frisé, bien vêtu, il marche la tête haute, il se montre, et vous le prendriez au peu près pour un honnête homme. Il vit au jour la journée, triste ou gai selon les circonstances. Son premier 10 soin, le matin, quand il est levé, est de savoir où il dînera ; après dîner, il pense où il ira souper. La nuit amène aussi son inquiétude. Ou il regagne à pied un petit grenier qu'il habite, à moins que l'hôtesse, ennuyée d'attendre son loyer, ne lui en ait redemandé la clef ; ou il se rabat dans une taverne du faubourg où il attend le jour, entre un morceau de pain et un pot de bière. Quand il n'a pas six sols 15 dans sa poche, ce qui lui arrive quelquefois, il a recours soit à un fiacre de ses amis, soit au cocher d'un grand seigneur qui lui donne un lit sur de la paille, à côté de ses chevaux. Le matin, il a encore une partie de son matelas dans ses cheveux. Si la saison est douce, il arpente toute la nuit le Cours ou les Champs-Élysées. Il reparaît avec le jour à la ville, habillé de la veille pour le lendemain, et du 20 lendemain quelquefois pour le reste de la semaine. Je n'estime pas ces originaux-là ; d'autres en font leurs connaissances familières, même leurs amis. Ils m'arrêtent une fois l'an, quand je les rencontre, parce que leur caractère tranche avec celui des autres, et qu'ils rompent cette fastidieuse uniformité que notre éducation, nos conventions de société, nos bienséances d'usage ont introduite. S'il en 25 paraît un dans une compagnie, c'est un grain de levain qui fermente et qui restitue à chacun une portion de son individualité naturelle. Il secoue, il agite, il fait approuver ou blâmer, il fait sortir la vérité, il fait connaître les gens de bien, il démasque les coquins ; c'est alors que l'homme de bon sens écoute et démêle son monde.

DIDEROT, *Le Neveu de Rameau.*

Questions

1. Comment comprenez-vous la première phrase ? Quelle est sa fonction dans la composition générale du texte ?

2. Quels sont les différents éléments permettant de rattacher cette page au genre littéraire du portrait ?

3. Identifiez trois figures de style récurrentes et commentez leur effet.

4. Quelle portée accordez-vous à la dernière phrase ?

Jean-Jacques Rousseau
(1712-1778)

Portrait par CHARLES ESCOT (1834-1902),
d'après M. Quentin de la Tour.
Versailles, musée national du Château.
Photo © Josse.

JEAN-JACQUES ROUSSEAU, né à Genève en 1712, est orphelin de mère très jeune. Il fuit à seize ans la cité calviniste, et est recueilli à Annecy par Mme de Warens, de confession catholique. Il effectuera auprès d'elle plusieurs longs séjours, en particulier dans une demeure savoyarde appelée « Les Charmettes » qu'il évoquera à plusieurs reprises, avec beaucoup de nostalgie, dans son œuvre. Parisien à partir de 1742, il rencontre les philosophes de *L'Encyclopédie* à laquelle il contribue en proposant des articles de musicologie. L'année 1749 est décisive pour lui : à l'occasion d'un concours proposé par l'Académie de Dijon, il rédige le *Discours sur les sciences et les arts*, qui le rend célèbre. Son *Discours sur l'origine et les fondements de l'inégalité parmi les hommes* (1755), puis sa *Lettre à d'Alembert sur les spectacles* (1758) sont en revanche mal perçus, et il ne tarde pas à se brouiller avec ses amis philosophes. Il choisit de se retirer à Montmorency, de 1759 à 1762 : il y compose un roman par lettres, *Julie ou la Nouvelle Héloïse*, et poursuit sa réflexion politique avec *Du contrat social* et l'*Émile* (1762). Mais il subit l'humiliation de voir ces œuvres condamnées par le Parlement de Paris et brûlées en public à Genève. Il se résout à une fuite qui le conduit de Suisse en Angleterre et occupe ses dernières années à rédiger ses *Confessions* (1765-1770), puis les *Rêveries du promeneur solitaire* (1776-1778). Il meurt le 2 juillet 1778 à Ermenonville. Ses cendres sont transférées au Panthéon par la Convention en 1794.

SON ŒUVRE : l'idée fondamentale qui guide les textes politiques de Rousseau, et dont il a l'intuition en 1749, est celle de la bonté naturelle de l'homme, homme que les institutions corrompent et font « devenir méchant ». La fougue et la sincérité du philosophe ébranlent le public. Dans le *Discours sur l'origine et les fondements de l'inégalité parmi les hommes*, Rousseau peint l'homme à l'état de nature, état hypothétique révolu, remplacé par une société unie par le pacte des plus forts. Dans *Du contrat social*, il énonce l'idée d'un pacte que tous les hommes concluent entre eux, en vertu duquel chacun renonce à une partie de sa liberté pour se soumettre aux règles définies par l'ensemble de la communauté : c'est l'idéal républicain, qui fait du peuple la source de toute légitimité. Le texte, qui se caractérise par une fermeté et parfois une intransigeance de ton, et par la rigueur du raisonnement, sera le livre de chevet de Robespierre. Il est complété par le traité *Émile ou De l'éducation* (1762) qui envisage l'éducation de l'individu conformément aux principes de la nature et visant à former un citoyen. Composé à la même époque, le roman épistolaire *Julie ou la Nouvelle Héloïse* (1761) propose une réflexion philosophique à travers une fiction romanesque. Dans les *Confessions*, qui paraissent en édition posthume en 1782, l'auteur revisite son passé pour adoucir des blessures que lui ont infligées déceptions sentimentales et persécutions, et pour répondre à ses détracteurs. Cette exploration intérieure sans concession se poursuit avec les *Rêveries du promeneur solitaire*, écho, en une prose poétique qui fait date, de moments de bonheur que Rousseau fait ressurgir.

Discours sur les sciences et les arts
== *[1750]*

La question posée par l'Académie de Dijon invitait à réfléchir aux conséquences des lettres et des arts sur les mœurs des hommes : avaient-ils été corrompus ou épurés ? Rousseau répond en attaquant le luxe et les douceurs d'une société qu'il juge trop matérielle, à contre-courant de la pensée de l'époque. Son discours lui vaudra d'être couronné par l'Académie. Il donne ici la parole au Romain Fabricius, homme politique du III⁰ siècle av. J.-C., célèbre pour son incorruptibilité, en utilisant la figure de la prosopopée (figure de style par laquelle on fait parler un mort ou une chose personnifiée).

1. Homme politique romain (II⁰ siècle av. J.-C.), partisan de la défense des vertus romaines traditionnelles.

2. Épicure (IV⁰ s. av. J.-C.) : philosophe grec fondateur de l'épicurisme ; Zénon (IV⁰-III⁰ s. av. J.-C.) : fondateur du stoïcisme ; Arcésilas (fin du IV⁰ s. av. J.-C.) : fondateur de la Nouvelle Académie, rivale des Stoïciens.

3. Néron.

Socrate avait commencé dans Athènes, le vieux Caton[1] continua dans Rome de se déchaîner contre ces Grecs artificieux et subtils qui séduisaient la vertu et amollissaient le courage de ses concitoyens. Mais les sciences, les arts et la dialectique prévalurent encore : Rome se remplit de philosophes et d'orateurs ; on négligea la discipline militaire, on méprisa l'agriculture, on embrassa des sectes 5 et l'on oublia la patrie. Aux noms sacrés de liberté, de désintéressement, d'obéissance aux lois, succédèrent les noms d'Épicure, de Zénon, d'Arcésilas[2]. *Depuis que les savants ont commencé à paraître parmi nous,* disaient leurs propres philosophes, *les gens de bien se sont éclipsés.* Jusqu'alors les Romains s'étaient contentés de pratiquer la vertu ; tout fut perdu quand ils commencèrent à l'étudier. 10

Ô Fabricius ! qu'eût pensé votre grande âme, si pour votre malheur rappelé à la vie, vous eussiez vu la face pompeuse de cette Rome sauvée par votre bras et que votre nom respectable avait plus illustrée que toutes ses conquêtes ? « Dieux ! eussiez-vous dit, que sont devenus ces toits de chaume et ces foyers rustiques qu'habitaient jadis la modération et la vertu ? Quelle splendeur funeste a 15 succédé à la simplicité Romaine ? Quel est ce langage étranger ? Quelles sont ces mœurs efféminées ? Que signifient ces statues, ces tableaux, ces édifices ? Insensés, qu'avez-vous fait ? Vous les maîtres des nations, vous vous êtes rendus les esclaves des hommes frivoles que vous avez vaincus ? Ce sont des rhéteurs qui vous gouvernent ? C'est pour enrichir des architectes, des peintres, des statuaires 20 et des histrions, que vous avez arrosé de votre sang la Grèce et l'Asie ? Les dépouilles de Carthage sont la proie d'un joueur de flûte[3] ? Romains, hâtez-vous de renverser ces amphithéâtres ; brisez ces marbres ; brûlez ces tableaux ; chassez ces esclaves qui vous subjuguent, et dont les funestes arts vous corrompent. Que d'autres mains s'illustrent par de vains talents ; le seul talent digne de Rome est 25 celui de conquérir le monde et d'y faire régner la vertu. Quand Cynéas prit notre Sénat pour une assemblée de rois, il ne fut ébloui ni par une pompe vaine, ni par une élégance recherchée. Il n'y entendit point cette éloquence frivole, l'étude et le charme des hommes futiles. Que vit donc Cynéas de si majestueux ? Ô citoyens ! Il vit un spectacle que ne donneront jamais vos richesses ni tous vos 30 arts ; le plus beau spectacle qui ait jamais paru sous le ciel, l'assemblée de deux cent hommes vertueux, dignes de commander à Rome et de gouverner la terre ».

Jean-Jacques Rousseau,
Discours sur les sciences et les arts, I.

Questions

1. Par des repères lexicaux, syntaxiques et rhétoriques, déterminez quel intérêt, pour le contenu du propos de Rousseau, présente le discours au style direct de Fabricius.

2. Commentez la phrase de la ligne 18. En quoi est-elle révélatrice de la pensée politique de Rousseau ?

3. Montrez comment est traité le thème de l'esclavage.

Discours sur l'origine et les fondements de l'inégalité parmi les hommes

[1755]

Répondant à une nouvelle question de l'Académie de Dijon (« Quelle est l'origine de l'inégalité parmi les hommes et si elle est autorisée par la loi naturelle ? »), Rousseau imagine, pour les besoins de sa démonstration, un homme « à l'état de nature », vivant solitaire et heureux en harmonie avec son environnement.

Le monde de l'homme à « l'état de nature », tel que le voit Rousseau, est un monde mythique. *Une forêt tropicale avec des Indiens.* Début XIXᵉ s. La Rochelle, musée du Nouveau Monde. Photo © G. Dagli Orti.

Le premier qui ayant enclos un terrain s'avisa de dire : *Ceci est à moi*, et trouva des gens assez simples pour le croire, fut le vrai fondateur de la société civile. Que de crimes, de guerres, de
5 meurtres, que de misères et d'horreurs n'eût point épargnés au genre humain celui qui, arrachant les pieux ou comblant le fossé, eût crié à ses semblables : « Gardez-vous d'écouter cet imposteur ; vous êtes perdus si vous oubliez que
10 les fruits sont à tous, et que la terre n'est à personne ! » Mais il y a grande apparence qu'alors les choses en étaient déjà venues au point de ne pouvoir plus durer comme elles étaient : car cette idée de propriété, dépendant de beaucoup d'idées antérieures qui n'ont pu
15 naître que successivement, ne se forma pas tout d'un coup dans l'esprit humain : il fallut faire bien des progrès, acquérir bien de l'industrie et des lumières, les transmettre et les augmenter d'âge en âge, avant que d'arriver à ce dernier terme de l'état de nature. Reprenons donc les choses de plus haut, et tâchons de rassembler sous un seul point de vue cette lente succession d'événements et de
20 connaissances dans leur ordre le plus naturel.

Le premier sentiment de l'homme fut celui de son existence ; son premier soin celui de sa conservation. Les productions de la terre lui fournissaient tous les secours nécessaires ; l'instinct le porta à en faire usage. La faim, d'autres appétits, lui faisant éprouver tour à tour diverses manières d'exister, il y en eut une qui
35 l'invita à perpétuer son espèce ; et ce penchant aveugle, dépourvu de tout sentiment du cœur, ne produisait qu'un acte purement animal : le besoin satisfait, les deux sexes ne se reconnaissaient plus, et l'enfant même n'était plus rien à la mère sitôt qu'il pouvait se passer d'elle.

JEAN-JACQUES ROUSSEAU,
Discours sur l'origine et les fondements de l'inégalité parmi les hommes, II.

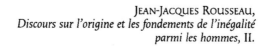

Questions

1. Étudiez le style des lignes 1 à 11. Quelle est leur portée symbolique ?

2. En quoi peut-on apparenter ce texte à un mythe ?

3. Quels éléments lui donnent sa coloration historique ?

4. Sur quels aspects de l'être humain Rousseau insiste-t-il dans le second paragraphe ? Pourquoi ?

Lettre à d'Alembert sur les spectacles

[1758]

*D'Alembert, dans l'article de l'*Encyclopédie *intitulé « Genève », s'était récrié contre
la ville suisse qui refusait que le théâtre entrât dans ses murs. Rousseau lui répond,
prônant de vraies fêtes républicaines qui permettraient aux hommes d'être de bons citoyens.*

Quoi ! Ne faut-il donc aucun spectacle dans une République ? Au
contraire, il en faut beaucoup. C'est dans les Républiques qu'ils sont nés, c'est
dans leur sein qu'on les voit briller avec un véritable air de fête. À quels peuples
convient-il mieux de s'assembler souvent et de former entre eux les doux liens du
plaisir et de la joie, qu'à ceux qui ont tant de raisons de s'aimer et de rester à 5
jamais unis ? Nous avons déjà plusieurs de ces fêtes publiques ; ayons-en davantage encore, je n'en serai que plus charmé. Mais n'adoptons point ces spectacles
exclusifs qui renferment tristement un petit nombre de gens dans un antre obscur ; qui les tiennent craintifs et immobiles dans le silence et l'inaction ; qui n'offrent aux yeux que cloisons, que pointes de fer, que soldats, qu'affligeantes 10
images de la servitude et de l'inégalité. Non, peuples heureux, ce ne sont pas là
vos fêtes ! C'est en plein air, c'est sous le ciel qu'il faut vous rassembler et vous
livrer au doux sentiment de votre bonheur.

Que vos plaisirs ne soient efféminés ni mercenaires, que rien de ce qui sent la
contrainte et l'intérêt ne les empoisonne, qu'ils soient libres et généreux comme 15
vous, que le soleil éclaire vos innocents spectacles ; vous en formerez un vous-
mêmes, le plus digne qu'il puisse éclairer.

Mais quels seront enfin les objets de ces spectacles ? Qu'y montrera-t-on ?
Rien, si l'on veut. Avec la liberté, partout ou règne l'affluence, le bien-être y règne
aussi. Plantez au milieu d'une place un piquet couronné de fleurs, rassemblez-y 20
le peuple, et vous aurez une fête. Faites mieux encore : donnez les spectateurs en
spectacle ; rendez-les acteurs en eux-mêmes ; faites que chacun se voie et s'aime
dans les autres, afin que tous en soient mieux unis. Je n'ai pas besoin de renvoyer
aux jeux des anciens Grecs : il en est de plus modernes, il en est d'existants
encore, et je les trouve précisément parmi nous. Nous avons tous les ans des 25
revues ; des prix publics ; des rois de l'arquebuse, du canon, de la navigation. On
ne peut trop multiplier des établissements si utiles et si agréables ; on ne peut
trop avoir de semblables rois. Pourquoi ne ferions-nous pas, pour nous rendre
dispos et robustes, ce que nous faisons pour nous exercer aux armes ? La
République a-t-elle moins besoin d'ouvriers que de soldats ? Pourquoi, sur le 30
modèle des prix militaires, ne fonderions-nous pas d'autres prix de gymnastique,
pour la lutte, pour la course, pour le disque, pour divers exercices du corps ?
Pourquoi n'animerions-nous pas nos bateliers pour des joutes sur le lac ? Y
aurait-il au monde un plus brillant spectacle que de voir, sur ce vaste et superbe
bassin, des centaines de bateaux, élégamment équipés, partir à la fois au signal 35
donné, pour aller enlever un drapeau arboré au but, puis servir de cortège au
vainqueur revenant en triomphe recevoir le prix mérité ? Toutes ces sortes de
fêtes ne sont dispendieuses qu'autant qu'on le veut bien, et le seul concours les
rend assez magnifiques.

JEAN-JACQUES ROUSSEAU, *Lettre à d'Alembert sur les spectacles.*

Lettre à Diderot
[1758]

Rousseau répond à son ami Diderot qui, dans sa pièce Le Fils naturel, *avait développé l'idée exactement inverse de celle du philosophe genevois : pour lui, « l'homme de bien est dans la société, et il n'y a que le méchant qui soit seul ».*

Il faut, mon cher Diderot, que je vous écrive encore une fois en ma vie : vous ne m'en avez que trop dispensé ; mais le plus grand crime de cet homme que vous noircissez d'une si étrange manière est de ne pouvoir se détacher de vous.

Je suis un méchant homme, n'est-ce pas ? vous en avez les témoignages les
5 plus sûrs ; cela vous est bien attesté. Quand vous avez commencé à l'apprendre, il y avait seize ans que j'étais pour vous un homme de bien, et quarante ans que je l'étais pour tout le monde : en pouvez-vous dire autant de ceux qui vous ont communiqué cette belle découverte ? Si l'on peut porter à faux si longtemps le masque d'un honnête homme, quelle preuve avez-vous que le masque ne couvre
10 pas leur visage aussi bien que le mien ? Est-ce un moyen bien propre à donner du poids à leur autorité que de charger en secret un homme absent, hors d'état de se défendre ? Mais ce n'est pas de cela qu'il s'agit.

Je suis un méchant ; mais pourquoi le suis-je ? Prenez bien garde, mon cher Diderot, ceci mérite votre attention : on n'est pas malfaisant pour rien, s'il y avait
15 quelque monstre ainsi fait, il n'attendrait pas quarante ans à satisfaire ses inclinations dépravées. Considérez donc ma vie, mes passions, mes goûts, mes penchants ; cherchez , si je suis méchant, quel intérêt m'a pu porter à l'être. Moi qui, pour mon malheur, portais toujours un cœur trop sensible, que gagnerais-je à rompre avec ceux qui m'étaient chers ? À quelle place ai-je aspiré ? à quelles pen-
20 sions, à quels honneurs m'a-t-on vu prétendre ? quels concurrents ai-je à écarter ? Que m'en peut-il revenir de mal faire ? Moi qui ne cherche que la solitude et la paix, moi dont le souverain bien consiste dans la paresse et l'oisiveté, moi dont l'indolence et les maux me laissent à peine le temps de pourvoir à ma subsistance, à quel propos, à quoi bon m'irais-je plonger dans les agitations du crime,
25 et m'embarquer dans l'éternel manège des scélérats ? Quoi que vous en disiez, on ne fuit point les hommes quand on cherche à leur nuire ; le méchant peut méditer ses coups dans la solitude, mais c'est dans la solitude qu'il les porte. Un fourbe a de l'adresse et du sang-froid ; un perfide se possède et ne s'emporte point : reconnaissez-vous en moi quelque chose de tout cela ? Je suis emporté
30 dans la colère, et souvent étourdi de sang-froid. Ces défauts font-ils le méchant ? Non, sans doute ; mais le méchant en profite pour perdre celui qui les a. [...]

Cependant votre ami gémit dans sa solitude, oublié de tout ce qui lui était cher. Il peut y tomber dans le désespoir, y mourir enfin, maudissant l'ingrat dont l'adversité lui fit tant verser de larmes, et qui l'accable indignement dans la
35 sienne. Il se peut que les preuves de son innocence vous parviennent enfin, que vous soyez forcé d'honorer sa mémoire, et que l'image de votre ami mourant ne vous laisse pas des nuits tranquilles. Diderot, pensez-y. Je ne vous en parlerai plus.

JEAN-JACQUES ROUSSEAU, *Lettre à Diderot.*

Questions

1. Quel effet produit la lecture de cette lettre ? En quoi éclaire-t-elle le personnage de Rousseau ?

2. Montrez que Rousseau a été blessé par les conversations que les deux hommes ont eues et les positions adoptées par Diderot.

3. Analysez la phrase des lignes 21 à 25 (style et contenu).

4. Montrez qu'on peut déjà lire ici le projet des *Confessions* qui sera réalisé quelques années plus tard (voir p. 287).

Julie ou la Nouvelle Héloïse
[1761]

Ce roman par lettres évoque les amours contrariées de Julie et de son précepteur Saint-Preux. Dans la lettre qui suit, Saint-Preux explique à Julie « la situation de [son] âme » après un voyage de quelques jours dans le Valais dont il esquisse la relation.

Tous les arbres que je rencontrais vous prêtaient leur ombre, tous les gazons vous servaient de siège. Tantôt assis à vos côtés, je vous aidais à parcourir des yeux les objets ; tantôt à vos genoux j'en contemplais un plus digne des regards d'un homme sensible. Rencontrais-je un pas difficile, je vous le voyais
5 franchir avec la légèreté d'un faon qui bondit après sa mère. Fallait-il traverser un torrent, j'osais presser dans mes bras une si douce charge ; je passais le torrent lentement, avec délices, et voyais à regret le chemin que j'allais atteindre. Tout me rappelait à vous dans ce séjour paisible ; et les touchants attraits de la nature, et l'inaltérable pureté de l'air, et les mœurs simples des habitants, et leur sagesse
10 égale et sûre, et l'aimable pudeur du sexe[1], et ses innocentes grâces, et tout ce qui frappait agréablement mes yeux et mon cœur leur peignait celle qu'ils cherchent.

Ô ma Julie, disais-je avec attendrissement, que ne puis-je couler mes jours avec toi dans ces lieux ignorés, heureux
15 de notre bonheur et non du regard des hommes ! Que ne puis-je ici rassembler toute mon âme en toi seule, et devenir à mon tour l'univers pour toi ! Charmes adorés, vous jouiriez alors des hommages
20 qui vous sont dus ! Délices de l'amour, c'est alors que nos cœurs vous savoureraient sans cesse ! Une longue et douce ivresse nous laisserait ignorer le cours des ans : et quand enfin l'âge aurait calmé nos
25 premiers feux, l'habitude de penser et sentir ensemble ferait succéder à leurs transports une amitié non moins tendre. Tous les sentiments honnêtes, nourris dans la jeunesse avec ceux de l'amour, en
30 rempliraient un jour le vide immense ; nous pratiquerions au sein de cet heureux peuple, et à son exemple, tous les devoirs de l'humanité : sans cesse nous nous unirions pour bien faire, et nous ne
35 mourrions point sans avoir vécu.

JEAN-JACQUES ROUSSEAU,
Julie ou la Nouvelle Héloïse, I, 23.

Questions

1. Que pensez-vous du tableau de la nature tel qu'il est brossé au premier paragraphe ? En quoi contribue-t-il à renforcer le romanesque des amours de Julie et de Saint-Preux ?

2. Montrez, en vous appuyant sur le texte (forme des phrases, mode des verbes...) que l'émotion du jeune homme s'accroît au fur et à mesure de la rédaction de la lettre.

3. En quoi l'amour des jeunes gens est-il indissociable d'une harmonie dans la société ?

4. Pourquoi le choix du genre épistolaire se révèle-t-il intéressant ?

« Saint Preux et Julie », gravure de WHEATLEY pour *La Nouvelle Héloïse*.
Paris, Bibl. des Arts décoratifs.
Photo © G. Dagli Orti.

------

1. Le sexe féminin.

Émile ou De l'éducation
[1762]

Rousseau expose dans ce livre toutes les étapes de l'éducation d'un enfant, Émile, depuis ses premières années jusqu'au mariage. L'idée qui guide ce « roman pédagogique » est qu'il convient de préserver les qualités naturelles de l'enfant et de le faire participer activement à la découverte de la nature et de la société pour en faire un bon citoyen. Le livre III est consacré à la période de l'adolescence, au cours de laquelle Émile parfait son instruction en suivant un principe fondamental : toujours observer d'abord les phénomènes les plus simples qu'on rencontre dans la nature.

Je hais les livres ; ils n'apprennent qu'à parler de ce qu'on ne sait pas. On dit qu'Hermès grava sur des colonnes les éléments des sciences, pour mettre ses découvertes à l'abri d'un déluge. S'il les eût bien imprimées dans la tête des hommes, elles s'y seraient conservées par tradition. Des cerveaux bien préparés
5 sont les monuments où se gravent le plus sûrement les connaissances humaines.

N'y aurait-il point moyen de rapprocher tant de leçons éparses dans tant de livres, de les réunir sous un objet commun qui pût être facile à voir, intéressant à suivre, et qui pût servir de stimulant, même à cet âge ? Si l'on peut inventer une situation où tous les besoins naturels de l'homme se montrent d'une manière
10 sensible à l'esprit d'un enfant, et où les moyens de pourvoir à ces mêmes besoins se développent successivement avec la même facilité, c'est par la peinture vive et naïve de cet état qu'il faut donner le premier exercice à son imagination.

Philosophe ardent, je vois déjà s'allumer la vôtre. Ne vous mettez pas en frais ; cette situation est trouvée, elle est décrite, et, sans vous faire tort, beaucoup
15 mieux que vous ne la décririez vous-même, du moins avec plus de vérité et de simplicité. Puisqu'il nous faut absolument des livres, il en existe un qui fournit, à mon gré, le plus heureux traité d'éducation naturelle. Ce livre sera le premier que lira mon Émile ; seul il composera durant longtemps toute sa bibliothèque, et il y tiendra toujours une place distinguée. Il sera le texte auquel tous nos entre-
20 tiens sur les sciences naturelles ne serviront que de commentaire. Il servira d'épreuve durant nos progrès à l'état de notre jugement ; et, tant que notre goût ne sera pas gâté, sa lecture nous plaira toujours. Quel est donc ce merveilleux livre ? Est-ce Aristote[1] ? est-ce Pline[1] ? est-ce Buffon[1] ? Non ; c'est *Robinson Crusoé*[2].

25 Robinson Crusoé dans son île, seul, dépourvu de l'assistance de ses semblables et des instruments de tous les arts[3], pourvoyant cependant à sa subsistance, à sa conservation, et se procurant même une sorte de bien-être, voilà un objet intéressant pour tout âge, et qu'on a mille moyens de rendre agréable aux enfants. Voilà comment nous réalisons l'île déserte qui me servait d'abord de
30 comparaison. Cet état n'est pas, j'en conviens, celui de l'homme social ; vraisemblablement il ne doit pas être celui d'Émile : mais c'est sur ce même état qu'il doit apprécier tous les autres. Le plus sûr moyen de s'élever au-dessus des préjugés et d'ordonner ses jugements sur les vrais rapports des choses, est de se mettre à la place d'un homme isolé, et de juger de tout comme cet homme en doit juger lui-
35 même, eu égard à sa propre utilité.

JEAN-JACQUES ROUSSEAU, *Émile ou De l'éducation*, III.

1. Aristote (IVᵉ siècle av. J.-C.) ; Pline l'Ancien (Iᵉʳ siècle ap. J.-C.) et Buffon (XVIIIᵉ siècle) étaient les auteurs d'histoires naturelles ou de traités de sciences.
2. Le roman de l'Anglais Daniel Defoe (1719) connut un immense succès en Europe.
3. Les techniques (du latin *artes*).

Questions

1. Commentez la première phrase : qu'a-t-elle de provocateur ? En quoi l'idée qu'elle exprime est-elle justifiée par le propos général de Rousseau dans ce texte ?

2. Commentez le style du deuxième paragraphe : en quoi sert-il le propos de Rousseau ?

3. Montrez la force que recèle le mot « peinture » à la ligne 11.

4. *Robinson Crusoé* est un roman : montrez le paradoxe, mais aussi l'intérêt, qu'il y a à rechercher dans un tel texte (le roman était alors un genre littéraire encore peu reconnu) les réalisations concrètes d'une philosophie.

5. Rapprochez ce que Rousseau rapporte de Robinson et de sa représentation de l'homme à l'état de nature.

Du contrat social

[1762]

Déclaration des Droits de l'Homme et du Citoyen. Peinture de 1789. Paris, musée Carnavalet. Photo © G. Dagli Orti.

Rousseau, dans cet écrit politique, recherche quel peut être le meilleur pacte permettant d'associer les hommes en vue du bien commun. Il est nécessaire, pour lui, que chacun renonce partiellement à sa liberté naturelle au profit de la communauté, et reçoive en retour la liberté civile. Le peuple est souverain et les lois sont proposées par le législateur, avant d'être exécutées par un gouvernement : Rousseau propose le modèle de la démocratie directe.

Extrait 1

Q u e s t i o n s

1. Sur quel ton est prononcée l'ouverture de ce traité ? Par quels procédés rhétoriques Rousseau lui donne-t-il de la gravité et de la solennité ?

2. Montrez la part respective de la nature et de l'ordre social dans sa pensée.

3. Résumez les postulats que Rousseau se propose d'« établir » à la dernière ligne.

L'homme est né libre, et partout il est dans les fers. Tel se croit le maître des autres, qui ne laisse pas d'être plus esclave qu'eux. Comment ce changement s'est-il fait ? Je l'ignore. Qu'est-ce qui peut le rendre légitime ? Je crois pouvoir résoudre cette question.

Si je ne considérais que la force et l'effet qui en dérive, je dirais : « Tant qu'un 5 peuple est contraint d'obéir et qu'il obéit, il fait bien ; sitôt qu'il peut secouer le joug, et qu'il le secoue, il fait encore mieux : car, recouvrant sa liberté par le même droit qui la lui a ravie, ou il est fondé à la reprendre, ou on ne l'était point à la lui ôter. » Mais l'ordre social est un droit sacré qui sert de base à tous les autres. Cependant, ce droit ne vient point de la nature ; il est donc fondé sur des 10 conventions. Il s'agit de savoir quelles sont ces conventions. Avant d'en venir là, je dois établir ce que je viens d'avancer.

JEAN-JACQUES ROUSSEAU, *Du contrat social*, livre I, chap. 1, « Sujet de ce premier livre ».

Extrait 2

*Après avoir établi que la famille est le premier modèle des sociétés politiques, car elle
met en jeu la liberté de chacun, libre d'y rester ou non, Rousseau réfute l'argument selon
lequel l'esclavage est naturel à l'homme.*

Dire qu'un homme se donne gratuitement, c'est dire une chose absurde et
inconcevable ; un tel acte est illégitime et nul, par cela seul que celui qui le fait
n'est pas dans son bon sens. Dire la même chose de tout un peuple, c'est supposer un peuple de fous ; la folie ne fait pas droit.

5   Quand chacun pourrait s'aliéner lui-même, il ne peut aliéner ses enfants ; ils
naissent hommes et libres ; leur liberté leur appartient, nul n'a droit d'en disposer
qu'eux. Avant qu'ils soient en âge de raison, le père peut, en leur nom, stipuler des
conditions pour leur conservation, pour leur bien-être, mais non les donner irré-
vocablement et sans condition ; car un tel don est contraire aux fins de la nature,
10   et passe les droits de la paternité. Il faudrait donc, pour qu'un gouvernement arbitraire fût légitime, qu'à chaque génération le peuple fût le maître de l'admettre ou
de le rejeter : mais alors ce gouvernement ne serait plus arbitraire.

Renoncer à sa liberté, c'est renoncer à sa qualité d'homme, aux droits de l'humanité, même à ses devoirs. Il n'y a nul dédommagement possible pour qui-
15   conque renonce à tout. Une telle renonciation est incompatible avec la nature de
l'homme, et c'est ôter toute moralité à ses actions que d'ôter toute liberté à sa
volonté. Enfin c'est une convention vaine et contradictoire de stipuler d'une part
une autorité absolue et de l'autre une obéissance sans bornes. N'est-il pas clair
qu'on n'est engagé à rien envers celui dont on a droit de tout exiger, et cette seule
20   condition, sans équivalent, sans échange, n'entraîne-t-elle pas la nullité de l'acte ?
Car quel droit mon esclave aurait-il contre moi, puisque tout ce qu'il a m'appartient, et que son droit étant le mien, ce droit de moi contre moi-même est un mot
qui n'a aucun sens ?

JEAN-JACQUES ROUSSEAU, *Du contrat social,*
livre 5, chap. 4, « De l'esclavage ».

Questions

1. Montrez comment le
motif de la famille est
utilisé par Rousseau
pour sa démonstration.

2. Quelle part Rous-
seau attribue-t-il ici à la
nature ?

3. Relevez les indices
(lexicaux, syntaxiques,
rhétoriques) qui révè-
lent le sentiment de
profonde conviction
qui anime Rousseau
(par ex., dans le para-
graphe 1).

4. Restituez le schéma
argumentatif du para-
graphe 3.

NICOLAS MONSIAU
(1754-1837),
*Abolition de l'esclavage procla-
mée à la Convention* (1794).
Paris, musée Carnavalet.
Photo © Josse.

Confessions
▬▬▬ [1782]

*Sur l'insistance de son éditeur, Rousseau commence dès 1760 à rédiger ses
« confessions », où il « rendrait justice à lui-même, à ses amis et ses ennemis », ainsi
que le révèle le philosophe anglais Hume chez qui l'écrivain se réfugie en 1766.
L'ouvrage, dont Rousseau est conscient qu'il fonde un genre littéraire encore inexistant,
est rédigé entre 1765 et 1770, mais ne paraît en librairie qu'après sa mort. D'apparence
peu structurée, l'œuvre a été plus d'une fois remaniée. En voici la première page.*

Extrait 1

Je forme une entreprise qui n'eut jamais d'exemple et dont l'exécution
n'aura point d'imitateur. Je veux montrer à mes semblables un homme dans
toute la vérité de la nature ; et cet homme ce sera moi.

Moi, seul. Je sens mon cœur et je connais les hommes. Je ne suis fait comme
aucun de ceux que j'ai vus ; j'ose croire n'être fait comme aucun de ceux qui exis- 5
tent. Si je ne vaux pas mieux, au moins je suis autre. Si la nature a bien ou mal
fait de briser le moule dans lequel elle m'a jeté, c'est ce dont on ne peut juger
qu'après m'avoir lu.

Que la trompette du Jugement dernier sonne quand elle voudra, je viendrai,
ce livre à la main, me présenter devant le souverain juge. Je dirai hautement : 10
« Voilà ce que j'ai fait, ce que j'ai pensé, ce que je fus. J'ai dit le bien et le mal
avec la même franchise. Je n'ai rien tu de mauvais, rien ajouté de bon, et s'il m'est
arrivé d'employer quelque ornement indifférent, ce n'a jamais été que pour remplir un vide occasionné par mon défaut de mémoire ; j'ai pu supposer vrai ce que
je savais avoir pu l'être, jamais ce que je savais être faux. Je me suis montré tel 15
que je fus ; méprisable et vil quand je l'ai été, bon, généreux, sublime, quand je
l'ai été : j'ai dévoilé mon intérieur tel que tu l'as vu toi-même. Être éternel, rassemble autour de moi l'innombrable foule de mes semblables ; qu'ils écoutent
mes confessions, qu'ils gémissent de mes indignités, qu'ils rougissent de mes
misères. Que chacun d'eux découvre à son tour son cœur aux pieds de ton trône 20
avec la même sincérité ; et puis qu'un seul te dise, s'il l'ose : *Je fus meilleur que cet
homme-là.* »

Je suis né à Genève en 1712, d'Isaac Rousseau, citoyen, et de Suzanne
Bernard, citoyenne. Un bien fort médiocre à partager entre quinze enfants ayant
réduit presque à rien la portion de mon père, il n'avait pour subsister que son 25
métier d'horloger, dans lequel il était à la vérité fort habile. Ma mère, fille du
ministre Bernard, était plus riche ; elle avait de la sagesse et de la beauté ; ce
n'était pas sans peine que mon père l'avait obtenue.

JEAN-JACQUES ROUSSEAU, *Confessions*, I.

Questions

1. En vous appuyant sur
le champ lexical domi-
nant, précisez quelle
finalité Rousseau donne
à son projet et comment
il le justifie.

2. Quelle image Rous-
seau donne-t-il de lui
dans le premier para-
graphe ? En quoi le style
de la première phrase la
met-il en lumière ?

3. Comment compre-
nez-vous l'allusion au
Jugement dernier ?
Comment permet-elle
de donner de la gran-
deur à l'entreprise ?

4. Quel étonnant ren-
versement observez-
vous entre le début et la
fin du troisième para-
graphe ?

5. Comparez le dernier
paragraphe au début des
textes des pages 570 et
619.

Extrait 2

Rousseau était entré à seize ans comme secrétaire chez Mme de Vercellis et avait dû quitter la maison à la mort de celle-ci. À la fin du livre II des Confessions, *il fait l'aveu d'une faute qui a été pour lui source de grands remords.*

Il est bien difficile que la dissolution d'un ménage n'entraîne un peu de confusion dans la maison, et qu'il ne s'égare bien des choses : cependant, la seule Mlle Pontal[1] perdit un petit ruban couleur de rose et argent, déjà vieux. Beaucoup d'autres meilleures choses étaient à ma portée ; ce ruban seul me tenta,
5 je le volai, et comme je ne le cachais guère, on me le trouva bientôt. On voulut savoir où je l'avais pris. Je me trouble, je balbutie, et enfin je dis, en rougissant, que c'est Marion qui me l'a donné. Marion était une jeune Mauriennoise dont Mme de Vercellis avait fait sa cuisinière. Non seulement Marion était jolie, mais elle avait une fraîcheur de coloris qu'on ne trouve que dans les montagnes, et sur-
10 tout un air de modestie et de douceur qui faisait qu'on ne pouvait la voir sans l'aimer ; d'ailleurs bonne fille, sage et d'une fidélité à toute épreuve. C'est ce qui surprit quand je la nommai. L'on n'avait guère moins de confiance en moi qu'en elle, et l'on jugea qu'il importait de vérifier lequel était le fripon des deux. On la fit venir ; l'assemblée était nombreuse, le comte de La Roque[2] y était. Elle arrive,
15 on lui montre le ruban, je la charge effrontément ; elle reste interdite, se tait, me jette un regard qui aurait désarmé les démons, et auquel mon barbare cœur résiste. Elle nie enfin avec assurance, mais sans emportement, m'apostrophe, m'exhorte à rentrer en moi-même, à ne pas déshonorer une fille innocente qui ne m'a jamais fait de mal ; et moi, avec une impudence infernale, je confirme ma
20 déclaration, et lui soutiens en face qu'elle m'a donné le ruban. La pauvre fille se mit à pleurer, et ne me dit que ces mots : « Ah ! Rousseau, je vous croyais un bon caractère. Vous me rendez bien malheureuse ; mais je ne voudrais pas être à votre place. » Voilà tout. Elle continua de se défendre avec autant de simplicité que de fermeté, mais sans se permettre jamais contre moi la moindre invective. Cette
25 modération, comparée à mon ton décidé, lui fit tort. Il ne semblait pas naturel de supposer d'un côté une audace aussi diabolique, et de l'autre une aussi angélique douceur. On ne parut pas se décider absolument, mais les préjugés étaient pour moi. Dans le tracas où l'on était, on ne se donna pas le temps d'approfondir la chose ; et le comte de La Roque, en nous renvoyant tous deux, se contenta de dire
30 que la conscience du coupable vengerait assez l'innocent. Sa prédiction n'a pas été vaine ; elle ne cesse pas un seul jour de s'accomplir.

JEAN-JACQUES ROUSSEAU, *Confessions*, II.

1. Femme de chambre de Mme de Vercellis.
2. Neveu et héritier de la comtesse.

Questions

1. Quels sont les indices du texte autobiographique ?
2. Quelle est la fonction des différentes sortes de discours par rapport au récit ?
3. Mettez en relation ce texte, et notamment la dernière phrase, avec le texte précédent.

Extrait 3

Deux choses presque inaliables s'unissent en moi sans que j'en puisse concevoir la manière ; un tempérament très ardent, des passions vives, impétueuses, et des idées lentes à naître, embarrassées et qui ne se présentent jamais qu'après coup. On dirait que mon cœur et mon esprit n'appartiennent pas au
5 même individu. Le sentiment, plus prompt que l'éclair, vient remplir mon âme ; mais au lieu de m'éclairer, il me brûle et m'éblouit. Je sens tout et je ne vois rien. Je suis emporté, mais stupide ; il faut que je sois de sang-froid pour penser. Ce

1. Sur le moment.
2. Le duc de Savoie avait proposé d'acheter à un marchand un objet à un prix fort déraisonnable, et le commerçant lui répondit par le mot de Cambronne. Ce n'est que quelques jours après que le duc s'exclama : « À votre gorge, marchand de Paris ! »

3. Décors.

qu'il y a d'étonnant est que j'ai cependant le tact assez sûr, de la pénétration, de la finesse même, pourvu qu'on m'attende : je fais d'excellents impromptus à loisir, mais sur le temps[1] je n'ai jamais rien fait ni dit qui vaille. Je ferais une fort jolie conversation par la poste, comme on dit que les Espagnols jouent aux échecs. Quand je lus le trait d'un duc de Savoie qui se retourna, faisant route, pour crier : *À votre gorge, marchand de Paris,* je dis : « Me voilà[2]. »

Cette lenteur de penser, jointe à cette vivacité de sentir, je ne l'ai pas seulement dans la conversation, je l'ai même seul et quand je travaille. Mes idées s'arrangent dans ma tête avec la plus incroyable difficulté : elles y circulent sourdement, elles y fermentent jusqu'à m'émouvoir, m'échauffer, me donner des palpitations ; et, au milieu de toute cette émotion, je ne vois rien nettement, je ne saurais écrire un seul mot, il faut que j'attende. Insensiblement ce grand mouvement s'apaise, ce chaos se débrouille, chaque chose vient se mettre à sa place, mais lentement, et après une longue et confuse agitation. N'avez-vous point vu quelquefois l'opéra en Italie ? Dans les changements de scènes il règne sur ces grands théâtres un désordre désagréable et qui dure assez longtemps ; toutes les décorations[3] sont entremêlées ; on voit de toutes parts un tiraillement qui fait peine, on croit que tout va renverser : cependant, peu à peu tout s'arrange, rien ne manque, et l'on est tout surpris de voir succéder à ce long tumulte un spectacle ravissant. Cette manœuvre est à peu près celle qui se fait dans mon cerveau quand je veux écrire. Si j'avais su premièrement attendre, et puis rendre dans leur beauté les choses qui s'y sont ainsi peintes, peu d'auteurs m'auraient surpassé.

JEAN-JACQUES ROUSSEAU, *Confessions,* III.

Questions

1. Dressez, sur deux colonnes, les principaux traits du caractère de Rousseau. Qu'en concluez-vous ? Par quels procédés rhétoriques Rousseau les met-il en valeur ?

2. Analysez la façon dont l'auteur évoque la puissance du sentiment en lui (vocabulaire, images utilisées, forme des phrases).

3. En quoi l'exemple de l'opéra sert-il le propos de Rousseau ?

Le lac de Genève, gravure d'après Hubert.
Paris, musée Marmottan-Claude Monet. Photo © Giraudon.

Extrait 4

Rousseau nous propose ici une peinture du bonheur qu'il connut aux Charmettes, un bonheur qui « se sent » plus qu'il ne « se décrit », et dont il assure « qu'il ne résulte pas d'un recueil de faits, mais qu'il est un état permanent ».

Ici commence le court bonheur de ma vie ; ici viennent les paisibles, mais rapides moments qui m'ont donné le droit de dire que j'ai vécu. Moments précieux et si regrettés ! ah ! recommencez pour moi votre aimable cours, coulez plus lentement dans mon souvenir, s'il est possible, que vous ne fîtes réellement dans
5 votre fugitive succession. Comment ferai-je pour prolonger à mon gré ce récit si touchant et si simple, pour redire toujours les mêmes choses, et n'ennuyer pas plus mes lecteurs en les répétant que je ne m'ennuyais moi-même en les recommençant sans cesse ? Encore si tout cela consistait en faits, en actions, en paroles, je pourrais le décrire et le rendre en quelque façon ; mais comment dire ce qui
10 n'était ni dit, ni fait, ni pensé même, mais goûté, mais senti, sans que je puisse énoncer d'autre objet de mon bonheur que ce sentiment même ? Je me levais avec le soleil, et j'étais heureux ; je me promenais, et j'étais heureux ; je voyais Maman[1], et j'étais heureux ; je la quittais, et j'étais heureux ; je parcourais les bois, les coteaux, j'errais dans les vallons, je lisais, j'étais oisif ; je travaillais au jar-
15 din, je cueillais les fruits, j'aidais au ménage, et le bonheur me suivait partout : il n'était dans aucune chose assignable[2], il était tout en moi-même, il ne pouvait me quitter un seul instant...

JEAN-JACQUES ROUSSEAU, *Confessions*, VI.

1. C'est le nom que Rousseau donnait à Mme de Warens.
2. Précise.

Questions

1. En vous fondant sur la forme des phrases et le système d'énonciation, déterminez la tonalité du texte.

2. Commentez le rythme des lignes 1 à 8.

3. Qu'apporte la répétition de l'expression « et j'étais heureux » ?

• Lithographie de J. Perrin d'après J. Werner. *Les Charmettes*. Château des Charmettes. Photo © Bonnefoy / Top.

Rêveries du promeneur solitaire
[1776-1778]

Les Rêveries *sont constituées d'un ensemble de dix « Promenades » (titres donnés par Rousseau aux chapitres du livre). Le ton de cette introspection est plus résigné et plus détaché que dans les* Confessions, *son écrit autobiographique précédent.*

Extrait 1

Tout est fini pour moi sur la terre. On ne peut plus m'y faire ni bien ni mal. Il ne me reste plus rien à espérer ni à craindre en ce monde, et m'y voilà tranquille au fond de l'abîme, pauvre mortel infortuné, mais impassible comme Dieu même.

5   Tout ce qui m'est extérieur m'est étranger désormais. Je n'ai plus en ce monde ni prochain, ni semblables, ni frères. Je suis sur la terre comme dans une planète étrangère où je serais tombé de celle que j'habitais. Si je reconnais autour de moi quelque chose, ce ne sont que des objets affligeants et déchirants pour mon cœur, et je ne peux jeter les yeux sur ce qui me touche et m'entoure sans y trouver tou-
10 jours quelque sujet de dédain qui m'indigne, ou de douleur qui m'afflige. Écartons donc de mon esprit tous les pénibles objets dont je m'occuperais aussi douloureusement qu'inutilement. Seul pour le reste de ma vie, puisque je ne trouve qu'en moi la consolation, l'espérance et la paix, je ne dois ni ne veux plus m'occuper que de moi. C'est dans cet état que je reprends la suite de l'examen sévère
15 et sincère que j'appelai jadis mes *Confessions.* Je consacre mes derniers jours à m'étudier moi-même et à préparer d'avance le compte que je ne tarderai pas à rendre de moi. Livrons-nous tout entier à la douceur de converser avec mon âme puisqu'elle est la seule que les hommes ne puissent m'ôter. Si à force de réfléchir sur mes dispositions intérieures je parviens à les mettre en meilleur ordre et à
20 corriger le mal qui peut y rester, mes méditations ne seront pas entièrement inutiles, et quoique je ne sois plus bon à rien sur la terre, je n'aurai pas tout à fait perdu mes derniers jours. Les loisirs de mes promenades journalières ont souvent été remplis de contemplations charmantes dont j'ai regret d'avoir perdu le souvenir. Je fixerai par l'écriture celles qui pourront me venir encore ; chaque fois
25 que je les relirai m'en rendra la jouissance. J'oublierai mes malheurs, mes persécuteurs, mes opprobres, en songeant au prix qu'avait mérité mon cœur.

JEAN-JACQUES ROUSSEAU, *Rêveries du promeneur solitaire,*
publié en 1782, première promenade.

Questions

1. Caractérisez le ton du premier paragraphe.
2. Mettez en évidence les raisons pour lesquelles Rousseau entreprend d'écrire ces promenades.
3. Où et comment les éléments du titre se retrouvent-ils à l'intérieur du passage ?
4. Quel rôle est assigné à l'écriture ? Pourquoi ?

Extrait 2

1. À l'époque, un village situé non loin de Paris, sur une colline.

2. Probablement le nom d'un cabaret.

J'étais sur les six heures à la descente de Ménilmontant[1] presque vis-à-vis du Galant Jardinier[2], quand, des personnes qui marchaient devant moi s'étant tout à coup brusquement écartées, je vis fondre sur moi un gros chien danois qui, s'élançant à toutes jambes devant un carrosse, n'eut pas même le temps de rete-
5 nir sa course ou de se détourner quand il m'aperçut. Je jugeai que le seul moyen que j'avais d'éviter d'être jeté par terre était de faire un grand saut si juste que le chien passât sous moi tandis que je serais en l'air. Cette idée plus prompte que l'éclair et que je n'eus le temps ni de raisonner ni d'exécuter fut la dernière avant mon accident. Je ne sentis ni le coup ni la chute, ni rien de ce qui s'ensuivit jus-
10 qu'au moment où je revins à moi.

Il était presque nuit quand je repris connaissance. Je me trouvai entre les bras de trois ou quatre jeunes gens qui me racontèrent ce qui venait de m'arriver. Le chien danois n'ayant pu retenir son élan s'était précipité sur mes deux jambes et, me choquant de sa masse et de sa vitesse, m'avait fait tomber la tête en avant : la
15 mâchoire supérieure portant tout le poids de mon corps avait frappé sur un pavé très raboteux, et la chute avait été d'autant plus violente qu'étant à la descente, ma tête avait donné plus bas que mes pieds.

Le carrosse auquel appartenait le chien suivait immédiatement et m'aurait passé sur le corps si le cocher n'eût à l'instant retenu ses chevaux. Voilà ce que
20 j'appris par le récit de ceux qui m'avaient relevé et qui me soutenaient encore lorsque je revins à moi. L'état auquel je me trouvai dans cet instant est trop singulier pour n'en pas faire ici la description.

La nuit s'avançait. J'aperçus le ciel, quelques étoiles, et un peu de verdure. Cette première sensation fut un moment délicieux. Je ne me sentais encore que
25 par là. Je naissais dans cet instant à la vie, et il me semblait que je remplissais de ma légère existence tous les objets que j'apercevais. Tout entier au moment présent je ne me souvenais de rien ; je n'avais nulle notion distincte de mon individu, pas la moindre idée de ce qui venait de m'arriver ; je ne savais ni qui j'étais ni où j'étais ; je ne sentais ni mal, ni crainte, ni inquiétude. Je voyais couler mon
30 sang comme j'aurais vu couler un ruisseau, sans songer seulement que ce sang m'appartînt en aucune sorte. Je sentais dans tout mon être un calme ravissant auquel, chaque fois que je me le rappelle, je ne trouve rien de comparable dans toute l'activité des plaisirs connus.

JEAN-JACQUES ROUSSEAU, *Rêveries du promeneur solitaire,*
publié en 1782, deuxième promenade.

Questions

1. Déterminez avec précision les deux moments du passage. De quel type de texte s'agit-il ?

2. Comment la première partie s'organise-t-elle (éléments qui en constituent le cadre, épisodes successifs, mise en scène des différents personnages qui y participent) ?

3. Par le repérage de différents procédés de style, montrez la vivacité du récit.

4. Quels sont les motifs d'étonnement et de bonheur dans le dernier paragraphe ? Repérez la force des mouvements et des tournures pour rendre compte d'un tel état.

L'AUTOBIOGRAPHIE

■ Définition

L'autobiographie est un « récit rétrospectif en prose qu'une personne réelle fait de sa propre existence, lorsqu'elle met l'accent sur sa vie individuelle, en particulier sur l'histoire de sa personnalité ». Cette définition (Philippe Lejeune) a pour corollaire la notion de « pacte autobiographique » : l'écrivain, par divers procédés, indique clairement au lecteur qu'il ne fait qu'un avec le narrateur.

L'autobiographie se différencie du journal intime, écrit au jour le jour, et des mémoires, où l'auteur a pour projet d'évoquer l'histoire d'une époque dont il a été le témoin éventuellement actif, plus que l'histoire de sa propre vie ; elle diffère de la biographie, rédigée par une tierce personne. S'il n'y a pas identité déclarée entre narrateur et auteur dans un récit qui semble refléter la vie de l'écrivain, il s'agit d'une fiction qu'on peut appeler « roman autobiographique ».

■ Préfigurations du genre

Certains textes apparaissent déjà comme proches de l'autobiographie sans en avoir toutes les caractéristiques. On songe aux *Confessions* (vers 400) de saint Augustin où, comme le fera Rousseau, l'auteur évoque les goûts, les passions et les fautes de son enfance et de sa jeunesse. Mais sa confession est tout

Jean-Jacques Rousseau en Suisse persécuté et sans asile.
Gravure de CHARON.
Paris, musée Carnavalet. Photo © Dagli Orti.

orientée vers l'invitation à découvrir la Vérité de la doctrine chrétienne, ce qui en fait une « autobiographie mystique ». Les *Essais* (1580-1588) de Montaigne évoquent bien la personnalité de l'auteur lui-même : « Je suis moi-même la matière de mon livre » affirme-t-il dans son avant-propos. Mais il ne suit aucun ordre chronologique et relie les évocations de son existence à des réflexions de valeur générale qui prennent la place essentielle : son livre apparaît plutôt comme un « autoportrait ».

■ Vitalité du genre

C'est Jean-Jacques Rousseau qui, avec *Les Confessions* (1782-1789), inaugure véritablement le genre : il déclare vouloir se montrer dans « toute la vérité de la nature », proclame sa singularité et s'engage à une totale sincérité. Au siècle suivant, Chateaubriand, (*Mémoires d'outre-tombe*, 1848-1850), rédige une autobiographie lorsqu'il raconte son enfance et sa jeunesse ; il est à la fois autobiographe et mémorialiste lorsqu'il évoque sa vie d'adulte tout en décrivant le déroulement de l'Histoire, dont il a été l'un des acteurs. Avec *Histoire de ma vie* (1854-1855), George Sand écrit une véritable autobiographie, tout en se refusant à une confession totale. Le XXᵉ siècle connaît une floraison de récits autobiographiques, parmi lesquels on citera *Si le grain ne meurt* (1924) d'André Gide, *L'Âge d'homme* (1939) de Michel Leiris, ou des récits d'enfance comme *Les Mots* (1964) de Jean-Paul Sartre, *W ou le Souvenir d'enfance* (1975) de Georges Perec, ou encore *Enfance* (1983) de Nathalie Sarraute qui, chacun à leur manière, renouvellent le genre.

■ Autobiographie et sincérité

Le lecteur pourrait attendre que se dégage du récit autobiographique l'expression d'une totale sincérité. Mais, outre le fait que la mise en forme littéraire constitue en elle-même un prisme inévitablement déformant, le jeu de la sincérité est faussé de diverses manières : le récit peut viser à reconstituer la cohérence d'une vie ou à proposer une justification (*Les Confessions*) ; il peut prendre les allures d'une revendication (*Si le grain ne meurt,* récit dans lequel André Gide affirme son homosexualité), voire aboutir à une théâtralisation de l'existence de l'écrivain *(Mémoires d'outre-tombe).* Mais peut-être est-ce dans ces falsifications mêmes que le lecteur rencontre finalement l'auteur dans son authenticité ?

Beaumarchais

(1732-1799)

Portrait d'après Jean-Marc Nattier
(1685-1766).
Paris, musée de la Comédie-Française.
• Photo © Josse.

Pierre-Augustin Caron de Beaumarchais, qui fut, entre autres, horloger, professeur de harpe des filles de Louis XV, secrétaire du roi, agent secret, trafiquant d'armes, homme d'affaires, est l'éditeur des œuvres complètes de Voltaire et le créateur de la première Société des auteurs dramatiques, en 1777. Il compose des parades, jeux divertissants dans le registre de la farce, puis s'intéresse au drame bourgeois théorisé par Diderot dans ses *Entretiens sur le fils naturel* (1757). Trois œuvres forment une trilogie au centre de laquelle figure le valet Figaro : dans **Le Barbier de Séville** (1775), le héros intercède en faveur de son maître le comte Almaviva qui parvient à séduire la jeune Rosine promise à un barbon. La pièce s'inscrit dans la tradition de la *commedia dell'arte* (voir p. 160), reposant sur un comique de situations, dont Beaumarchais joue en détournant à loisir le schéma traditionnel de la comédie de maîtres et de valets. Dans **Le Mariage de Figaro ou la Folle Journée** (1784), sous couvert d'une intrigue banale (déjouer le projet d'Almaviva qui veut séduire Suzanne, fiancée à Figaro), l'auteur dénonce les abus de pouvoir en utilisant l'arme de la gaieté. Les dialogues endiablés s'intercalent entre de longs monologues qui dénoncent la société des années 1780, tirant la pièce du côté de la tribune politique. Louis XVI la condamna mais elle remporta un succès public considérable auprès des duchesses et des laquais. **La Mère coupable** (1792) rejoint le registre du drame bourgeois sans dédaigner le pathétique.

Le Barbier de Séville

[1775]

Bazile, maître à chanter de Rosine, jeune fille promise au vieux Bartholo, vient d'apprendre à celui-ci que le comte Almaviva est à Séville. Il se propose de se débarrasser du gêneur par tous les moyens. La calomnie lui semble le plus adéquat. Figaro, caché, assiste à la scène : par ce procédé, Beaumarchais se rattache à une longue tradition de la comédie (voir Tartuffe *ou* Les Fourberies de Scapin *de Molière).*

Bartholo, Don Bazile, Figaro, *caché dans le cabinet, paraît de temps en temps et les écoute.*

Bazile. – La calomnie, Monsieur ? Vous ne savez guère ce que vous dédaignez ; j'ai vu les plus honnêtes gens près d'en être accablés. Croyez qu'il n'y a pas
5 de plate méchanceté, pas d'horreurs, pas de conte absurde, qu'on ne fasse adopter aux oisifs d'une grande ville, en s'y prenant bien : et nous avons ici des gens d'une adresse !... D'abord un bruit léger, rasant le sol comme hirondelle avant

1. Tout doucement
(terme de musique).
2. Doucement.
3. Plus fort.
4. De plus en plus fort.
5. Chœur.

l'orage, *pianissimo*[1] murmure et file, et sème en courant le trait empoisonné. Telle bouche le recueille, et *piano, piano*[2] vous le glisse en l'oreille adroitement. Le mal est fait, il germe, il rampe, il chemine, et *rinforzando*[3] de bouche en bouche il va 10 le diable ; puis tout à coup, ne sais comment, vous voyez calomnie se dresser, siffler, s'enfler, grandir à vue d'œil ; elle s'élance, étend son vol, tourbillonne, enveloppe, arrache, entraîne, éclate et tonne, et devient, grâce au Ciel, un cri général, un *crescendo*[4] public, un *chorus*[5] universel de haine et de proscription. Qui diable y résisterait ?

BEAUMARCHAIS, *Le Barbier de Séville*, II, 8.

Questions

1. Montrez comment Bazile, par l'emploi d'un vocabulaire et d'une syntaxe ambigus, tente de convaincre Bartholo des « bienfaits » de la calomnie.
2. Commentez l'image de la ligne 7.
3. Identifiez et commentez l'image filée par Bazile à partir de la ligne 11 pour représenter la calomnie.

Le Mariage de Figaro
[1784]

Beaumarchais avait tout fait pour parvenir à convaincre le roi de l'autoriser à jouer cette pièce, suite de la précédente et écrite dès 1778. Ce fut un triomphe. La pièce tint l'affiche plus de deux mois, ce qui pour l'époque était exceptionnel.

Extrait 1

1. Juron anglais.
2. Désigne le vin de Bordeaux.
3. Personne qui portait les charges sur son dos à l'aide d'un crochet.

Le comte est amoureux de Suzanne, camériste de sa femme Rosine qui doit épouser Figaro. Il se doute qu'un piège est tramé contre lui par son épouse et la femme de chambre. Son valet en est-il ? Pour le mettre à l'épreuve, il lui laisse entendre qu'il pourrait bien l'envoyer à Londres, si seulement il savait l'anglais. Figaro, qui a compris le jeu de son maître et entend ruser à son tour, lui fait une splendide démonstration de ses talents dans cette langue.

Questions

1. Quels sont les procédés du comique dans cette tirade ?
2. Comment ce discours pourrait-il contribuer efficacement à détourner les soupçons du comte ?
3. En quoi Figaro est-il proche du traditionnel valet de comédie ? Y a-t-il des éléments par lesquels Beaumarchais se détache au contraire de cette tradition ?

FIGARO. – Diable ! c'est une belle langue que l'anglais ; il en faut peu pour aller loin. Avec *God-dam*[1] en Angleterre, on ne manque de rien nulle part. – Voulez-vous tâter d'un bon poulet gras ? entrez dans une taverne, et faites seulement ce geste au garçon *(Il tourne la broche.)*, *God-dam !* on vous apporte un pied de bœuf salé sans pain. C'est admirable ! Aimez-vous à boire un coup d'excellent 5 bourgogne ou de clairet[2] ? rien que celui-ci *(Il débouche une bouteille.)*, *God-dam !* on vous sert un pot de bière, en bel étain, la mousse aux bords. Quelle satisfaction ! Rencontrez-vous une de ces jolies personnes qui vont trottant menu, les yeux baissés, coudes en arrière, et tortillant un peu des hanches ? mettez mignardement tous les doigts unis sur la bouche. Ah ! *God-dam !* elle vous sangle un souf- 10 flet de crocheteur[3]. Preuve qu'elle entend. Les Anglais, à la vérité, ajoutent parci, par-là quelques autres mots en conversant ; mais il est bien aisé de voir que *God-dam* est le fond de la langue ; et si Monseigneur n'a pas d'autre motif de me laisser en Espagne...

BEAUMARCHAIS, *Le Mariage de Figaro*, III, 5.

Extrait 2

*La comtesse et Suzanne ont imaginé un stratagème pour démasquer l'infidélité du comte :
la femme de chambre, suivie de la comtesse (les deux femmes ont échangé leurs habits),
lui a donné rendez-vous au fond d'un jardin. Figaro croit que sa fiancée est déloyale.
Indigné, il se rend lui-même sur les lieux du rendez-vous pour la surprendre en compagnie
de son maître et exprime sa colère à l'égard de celui-ci dans le monologue suivant.*

FIGARO. – Non, Monsieur le Comte, vous ne l'aurez pas... vous ne l'aurez
pas. Parce que vous êtes un grand seigneur, vous vous croyez un grand génie !...
noblesse, fortune, un rang, des places ; tout cela rend si fier ! Qu'avez-vous fait
pour tant de biens ! vous vous êtes donné la peine de naître, et rien de plus. Du
5 reste homme assez ordinaire ! tandis que moi, morbleu ! perdu dans la foule obscure, il m'a fallu déployer plus de science et de calculs pour subsister seulement,
qu'on n'en a mis depuis cent ans à gouverner toutes les Espagnes ; et vous voulez jouter... On vient... c'est elle... ce n'est personne. – La nuit est noire en
diable, et me voilà faisant le sot métier de mari, quoique je ne le sois qu'à moi-
10 tié ! *(Il s'assied sur un banc.)* Est-il rien de plus bizarre que ma destinée ! fils de je
ne sais pas qui ; volé par des bandits[1], élevé dans leurs mœurs, je m'en dégoûte
et veux courir une carrière honnête ; et partout je suis repoussé ! J'apprends la
chimie, la pharmacie, la chirurgie, et
tout le crédit d'un grand seigneur peut
15 à peine me mettre à la main une lan-
cette vétérinaire ! – Las d'attrister des
bêtes malades, et pour faire un métier
contraire, je me jette à corps perdu
dans le théâtre ; me fussé-je mis une
20 pierre au cou ! Je broche une comédie
dans les mœurs du sérail ; auteur espagnol, je crois pouvoir y fronder
Mahomet sans scrupule : à l'instant un
envoyé... de je ne sais où se plaint que
25 j'offense dans mes vers la Sublime
Porte[2], la Perse, une partie de la pres-
qu'île de l'Inde, toute l'Égypte, les
royaumes de Barca, de Tripoli, de
Tunis, d'Alger et de Maroc : et voilà ma
30 comédie flambée pour plaire aux
princes mahométans, dont pas un, je
crois, ne sait lire, et qui nous meurtris-
sent l'omoplate, en nous disant : *Chiens
de chrétiens !* – Ne pouvant avilir l'es-
35 prit, on se venge en le maltraitant.

BEAUMARCHAIS,
Le Mariage de Figaro, V, 3.

1. La mère de Figaro,
Marceline, l'avait confié à
des bohémiens.

2. L'Empire ottoman (la
Turquie).

Questions

1. Par quels moyens
Beaumarchais nous
laisse-t-il entendre l'indignation de Figaro
(didascalies, construc-
tion de la tirade,
réflexions de Figaro) ?

2. Relevez des passages
où se lit une violente
diatribe contre les puis-
sants et le régime auto-
ritaire, et commentez-
les.

3. Quelle image du
domestique est donnée
par le récit qu'il fait de
sa « carrière » ? À
quelles fins l'auteur fait-
il ainsi discourir son personnage ?

N. LANCRET (1690-1743), *Le Rendez-vous*. Rome, Palais Barberini.
Photo © Artephot / A. Held.

Extrait 3

Figaro a reconnu Suzanne sous son déguisement mais, pour se venger, il feint de n'en rien voir et adresse de tendres compliments à la « comtesse », qui n'est autre que Suzanne.

FIGARO, *avec une chaleur comique, à genoux.* – Ah ! Madame, je vous adore. Examinez le temps, le lieu, les circonstances, et que le dépit supplée en vous aux grâces qui manquent à ma prière.

5 SUZANNE, *à part.* – La main me brûle !

FIGARO, *à part.* – Le cœur me bat.

SUZANNE. – Mais, Monsieur, avez-vous songé…

FIGARO. – Oui, Madame, oui, j'ai songé.

SUZANNE. – … Que pour la colère et l'amour…

10 FIGARO. – … Tout ce qui se diffère est perdu. Votre main, Madame ?

SUZANNE, *de sa voix naturelle et lui donnant un soufflet.* – La voilà.

FIGARO. – Ah ! *demonio* ! quel soufflet !

15 SUZANNE *lui en donne un second.* – Quel soufflet ! Et celui-ci ?

FIGARO. – Et *qu'es-à-quo*, de par le diable ! est-ce ici la journée des tapes ?

SUZANNE *le bat à chaque phrase.* – Ah ! *qu'es-à-quo* ?

20 Suzanne : et voilà pour tes soupçons ; voilà pour tes vengeances et pour tes trahisons, tes expédients, tes injures et tes projets. C'est-il ça de l'amour ? dis donc comme ce matin[1] ?

FIGARO *rit en se relevant.* – *Santa Barbara* ! oui c'est

25 de l'amour. Ô bonheur ! ô délices ! ô cent fois heureux Figaro ! frappe, ma bien-aimée, sans te lasser. Mais quand tu m'auras diapré tout le corps de meurtrissures, regarde avec bonté, Suzon, l'homme le plus fortuné, qui fut jamais

30 battu par une femme.

SUZANNE. – *Le plus fortuné !* bon fripon, vous n'en séduisiez pas moins la Comtesse, avec un si trompeur babil, que m'oubliant moi-même, en vérité, c'était pour elle que je cédais.

35 FIGARO. – Ai-je pu me méprendre, au son de ta jolie voix ?

SUZANNE, *en riant.* – Tu m'as reconnue ? Ah, comme je m'en vengerai !

FIGARO. – Bien rosser et garder rancune, est aussi

40 par trop féminin ! Mais dis-moi donc par quel bonheur je te vois là, quand je te croyais avec lui[2], et comment cet habit, qui m'abusait, te montre enfin innocente…

SUZANNE. – Eh ! c'est toi qui es un innocent, de

45 venir te prendre au piège apprêté pour un autre ! Est-ce notre faute à nous si, voulant museler un renard, nous en attrapons deux ?

FIGARO. – Qui donc prend l'autre ?

SUZANNE. – Sa femme.

50 FIGARO. – Sa femme ?

SUZANNE. – Sa femme.

FIGARO, *follement.* – Ah ! Figaro ! pends-toi ; tu n'as pas deviné celui-là[3] ! – Sa femme ? Ô douze ou quinze mille fois spirituelles femelles ! –

55 Ainsi les baisers de cette salle… ?

SUZANNE. – Ont été donnés à Madame.

FIGARO. – Et celui du page ?

SUZANNE, *riant.* – À Monsieur.

FIGARO. – Et tantôt, derrière le fauteuil[4] ?

60 SUZANNE. – À personne.

FIGARO. – En êtes-vous sûre ?

SUZANNE, *riant.* – Il pleut des soufflets, Figaro.

FIGARO *lui baise la main.* – Ce sont des bijoux que les tiens. Mais celui du Comte était de bonne

65 guerre.

SUZANNE. – Allons, superbe ! humilie-toi.

FIGARO *fait tout ce qu'il annonce.* – Cela est juste ; à genoux, bien courbé, prosterné, ventre à terre.

SUZANNE, *en riant.* – Ah ! ce pauvre Comte !

70 quelle peine il s'est donnée…

FIGARO *se relève sur ses genoux.* – Pour faire la conquête de sa femme !

BEAUMARCHAIS, *Le Mariage de Figaro*, V, 8.

1. Quand Figaro exigeait de Suzanne des preuves d'amour.
2. Le comte.
3. Ce tour-là.
4. Baisers donnés au page Chérubin.

Questions

1. Relevez et classez toutes les formes de comique dans cette scène.
2. En quoi peut-on dire que s'exprime la tendresse dans ce passage ?
3. Montrez que l'auteur donne au personnage de Suzanne une réelle épaisseur.

Buffon
(1707-1788)

École française, XVIIIe siècle.
Versailles, musée national du Château.
• Photo © Josse.

GEORGES-LOUIS LECLERC, né en Bourgogne près du village de Buffon, poursuit des études de droit à Dijon. Son talent lui vaut une élection précoce à l'Académie des sciences en 1734. Intendant du Jardin du roi (l'actuel Jardin des Plantes) à partir de 1739, il reçoit le titre de comte, se lance dans d'ambitieux investissements agricoles et industriels, et siège à l'Académie française dès 1753.

Son œuvre connaît un succès retentissant. *L'Histoire naturelle,* publiée en 36 volumes de 1749 à 1789, se présente comme une étude de la Terre et du monde vivant. Elle anticipe de nombreuses disciplines comme la géologie, la paléontologie, la zoologie, l'anthropologie. Distant des philosophes des Lumières, Buffon exalte pourtant comme eux l'être humain, que son langage et sa conscience destinent à dominer les autres espèces. Loin des présupposés bibliques sur l'origine du monde, il observe et décrit la nature avec une méfiance pour toute classification systématique. Connaître et écrire relèvent du même geste pour celui qui, sans distinction aucune, se veut homme de sciences et de lettres. Dans son *Discours sur le style* (1753), Buffon expose d'ailleurs quelques principes d'écriture marqués par le classicisme.

Histoire naturelle
[1749-1789]

Extrait 1

Les études animalières de Buffon, qui perdirent avec le temps leur fonction scientifique, conservent un intérêt littéraire. Elles constituent des croquis et trahissent un présupposé propre au siècle des Lumières : l'homme domine le monde des vivants.

La plus noble conquête que l'homme ait jamais faite, est celle de ce fier et fougueux animal qui partage avec lui les fatigues de la guerre et la gloire des combats ; aussi intrépide que son maître, le cheval voit le péril et l'affronte, il se fait au bruit des armes, il l'aime, il le cherche et s'anime de la même ardeur : il par-
5 tage aussi ses plaisirs, à la chasse, aux tournois, à la course, il brille, il étincelle ; mais docile autant que courageux, il ne se laisse point emporter à son feu, il sait réprimer ses mouvements, non seulement il fléchit sous la main de celui qui le guide, mais il semble consulter ses désirs, et obéissant toujours aux impressions qu'il en reçoit, il se précipite, se modère ou s'arrête, et n'agit que pour y satis-
10 faire : c'est une créature qui renonce à son être pour n'exister que par la volonté d'un autre, qui sait même la prévenir, qui, par la promptitude et la précision de ses mouvements l'exprime et l'exécute, qui sent autant qu'on le désire, et ne rend qu'autant qu'on veut, qui se livrant sans réserve, ne se refuse à rien, sert de toutes ses forces, s'excède et même meurt pour mieux obéir. BUFFON, *Histoire naturelle.*

Extrait 2

Le chien, indépendamment de la beauté de sa forme, de la vivacité, de la force, de la légèreté, a par excellence toutes les qualités intérieures qui peuvent lui attirer les regards de l'homme. Un naturel ardent, colère, même féroce et sanguinaire, rend le chien sauvage redoutable à tous les animaux, et cède dans le chien domestique aux sentiments les plus doux, au plaisir de s'attacher et au 5 désir de plaire ; il vient en rampant mettre aux pieds de son maître son courage, sa force, ses talents ; il attend ses ordres pour en faire usage, il le consulte, il l'interroge, il le supplie, un coup d'œil suffit, il entend les signes de sa volonté ; sans avoir, comme l'homme, la lumière de la pensée, il a toute la chaleur du sentiment ; il a de plus que lui la fidélité, la constance dans ses affections ; nulle ambi- 10 tion, nul intérêt, nul désir de vengeance, nulle crainte que celle de déplaire ; il est tout zèle, tout ardeur et tout obéissance ; plus sensible au souvenir des bienfaits qu'à celui des outrages, il ne se rebute pas par les mauvais traitements, il les subit, les oublie, ou ne s'en souvient que pour s'attacher davantage ; loin de s'irriter ou de fuir, il s'expose de lui-même à de nouvelles épreuves, il lèche cette main, ins- 15 trument de douleur, qui vient de le frapper, il ne lui oppose que la plainte, et la désarme enfin par la patience et la soumission.

BUFFON, *Histoire naturelle.*

Questions

1. En vous intéressant à la construction des phrases, aux effets de rythme et aux figures de rhétorique, analysez la technique du croquis.
2. Comment l'éloge du cheval et du chien peut-il s'inverser en leur critique ? Justifiez votre réponse par une étude lexicale.
3. Relevez quelques expressions indiquant, selon l'auteur, la prédominance de la raison humaine sur le monde.
4. Qui Buffon peint-il en même temps que chaque animal ?

Extrait 3

De tous les êtres animés, voici le plus élégant pour la forme et le plus brillant pour les couleurs. Les pierres et les métaux polis par notre art ne sont pas comparables à ce bijou de la nature ; elle l'a placé dans l'ordre des oiseaux, au dernier degré de l'échelle de grandeur, *maxime miranda in minimis ;* son chef-5 d'œuvre est le petit oiseau-mouche ; elle l'a comblé de tous les dons qu'elle n'a fait que partager aux autres oiseaux : légèreté, rapidité, prestesse, grâce et riche parure, tout appartient à ce petit favori. L'émeraude, le rubis, la topaze, brillent sur ses habits ; il ne les souille jamais de la poussière de la terre, et dans sa vie tout aérienne on le voit à peine toucher le gazon par instants ; il est toujours en 10 l'air, volant de fleurs en fleurs ; il a leur fraîcheur comme il a leur éclat : il vit de leur nectar et n'habite que les climats où sans cesse elles se renouvellent...

BUFFON, *Histoire naturelle.*

Questions

1. Comment Buffon exprime-t-il son exaltation ? Vous répondrez à cette question en analysant le lexique employé et le rythme des phrases.
2. Étudiez la dimension poétique du portrait de l'oiseau-mouche.

Rétif de La Bretonne
(1734-1806)

Portrait gravé par L. Berthet d'après L. Binet.
Paris, Bibl. nationale de France.
Photo © Hachette Livre.

NICOLAS EDME RÉTIF, né à Sacy en 1734, compagnon-imprimeur à Auxerre puis à Paris entre 1755 et 1759, évolue dans un milieu d'auteurs méconnus, dont les ambitions sont stimulées par le modèle illustre des philosophes des Lumières, le développement des gazettes et l'effervescence culturelle précédant la Révolution. S'il accède à la notoriété avec **Le Paysan perverti** en 1775, s'il salue la fin de la monarchie, il demeure, toute sa vie, en marge d'une véritable reconnaissance sociale. Son œuvre déroute, aujourd'hui comme hier. Graphomane, Rétif noircit des milliers de pages, deux cents volumes au total. L'écriture, incisive et prosaïque, se fixe des objectifs simultanément romanesque, autobiographique et politique. Le romancier se veut l'observateur des milieux modestes, ruraux ou parisiens, alors tenus à l'écart des récits sérieux. Il écrit ainsi **Les Nuits de Paris** (1788-1794). Mais la valeur du témoignage s'altère : Rétif affabule, projette ses fantasmes, essentiellement libertins, sur la réalité, s'invente une personnalité mythique dans **Monsieur Nicolas** (1796-1797). Il imagine également de surprenants projets de réforme, dans le domaine des mœurs – **Le Pornographe** (1769) –, des lois – **Le Thesmographe** (1789) – ou de la langue – **Le Glossographe** (inachevé).

Les Nuits de Paris
[1788-1793]

Extrait 1

Les Nuits de Paris *est un recueil en dix tomes, parus entre 1788 et 1793. Rétif y multiplie les scènes de déambulation nocturnes dans les rues de la capitale. L'envers du décor parisien et les fantasmes du narrateur confèrent à l'ouvrage une fébrilité parfois mêlée d'épouvante.*

Je pris mon retour par la rue Saint-Antoine et la Grève. On avait roué la veille trois assassins : je ne croyais pas avoir cet horrible spectacle, que je n'avais jamais osé contempler. Mais comme je traversais, j'entrevis un malheureux, pâle, demi-mort, souffrant des douleurs de la question donnée vingt heures aupara-
5 vant, qui descendait de l'Hôtel de Ville, soutenu par le bourreau et par le confesseur. Ces deux hommes si différents, m'inspirèrent un sentiment inexprimable ! Je voyais le dernier embrasser un malheureux, dévoré de la fièvre, infect, comme les cachots dont il sortait, couvert de vermine ! Et je me disais : – Ô Religion ! voilà ton triomphe- !... Je regardais l'autre, comme le bras terrible de la loi... Mais
10 je me demandai : – Les hommes ont-ils droit de donner la mort ?... même à l'as-

Questions

1. Où se situe, selon vous, le comble de l'horreur dans cet épisode ?

2. Quelle est la figure de style récurrente au milieu du texte ? Pourquoi ?

3. En quoi ce texte obéit-il à une fonction argumentative ?

sassin, qui a traîtreusement, cruellement ôté la vie- ? Je crois entendre la Nature me répondre un Non ! douloureux !... – Mais le vol ? – Non ! non ! (s'écrie la Nature) ! les riches barbares n'ont pas cru trouver assez de sûretés violentes ; au lieu d'être amis et frères, comme leur religion le prescrit impérativement, ils ont préféré les gibets- ... Voilà ce que me dit la Nature... Je vis un spectacle horrible, quoique le supplice fût mitigé... Le malheureux avait révélé ses complices. Il fut étranglé avant les coups. Un tourniquet placé sous l'échafaud serra une corde passée sur le cou du patient, qui fut suffoqué. Pendant longtemps le confesseur et le bourreau lui tâtèrent le cœur, pour sentir si l'artère battait encore, et on ne donna les horribles coups, qu'après qu'il ne battit plus... Je m'en allai, les cheveux hérissés d'horreur...

RÉTIF DE LA BRETONNE, Les Nuits de Paris
(10e Nuit), 1788-1789.

Extrait 2

Je m'en revins doucement, et sans excursion, vers le minuit. Au milieu de la rue Saint-Antoine, je vis sortir une fille nue en chemise, qui se sauvait. Elle prit par la petite rue Percée. Je n'avais pas la force de courir. Un instant après, il sortit de la même maison, un homme, en bonnet de nuit, ses bas non liés, qui courait de toutes ses forces. Je le laissai courir, ne sachant pas si je devais lui indiquer de quel côté la jeune fille avait pris. Tandis que je réfléchissais immobile, une femme d'un certain âge sortit de la même maison, en courant comme les autres ; enfin une fille domestique. Tous, à l'exception de la fille, avaient descendu la rue Saint-Antoine. La domestique m'aborda, pour m'interroger. – Avant de vous répondre (lui dis-je), il faut me dire ce que signifie ce que je viens de voir. Une jeune personne est sortie nue, en courant. Un instant après, un homme ; puis une femme ; enfin, vous. – Si vous avez vu ma jeune maîtresse, dites-moi de quel côté elle a pris, et venez, je vous parlerai en marchant-. J'y consentis. – Suivez-moi (lui dis-je). Et je marchai le plus vite qu'il me fut possible. – Ma jeune maîtresse (me disait la fille) est bien malheureuse ! Son père et sa mère, que vous venez de voir courir après elle, veulent qu'elle se fasse religieuse, pour mieux marier son frère. Les parents de la fille qu'il doit épouser, dans trois ou quatre jours, prétendent que la sœur ait prononcé ses vœux. Elle ne le voulait pas. On l'a fait venir ce matin à la maison, pour la mieux sermonner. Mais on n'a pu réussir. On l'a maltraitée. Enfin ce soir, à l'instant où on la faisait coucher, la porte s'est trouvée ouverte un moment, comme elle était toute nue, sa mère venant d'emporter ses habits ; elle en a profité, pour descendre, et s'enfuir. Elle va probablement chez sa tante, qui demeure près l'Orme-Saint-Gervais, dans une petite rue, qui passe derrière Saint-Jean-en-Grève-. Tandis que la fille parlait, je regardais de tous côtés. J'aperçus dans un enfoncement, quelque chose de blanc. J'y allai. C'était la jeune personne, en chemise, sans chaussure. – Ne craignez rien (lui dis-je), Mademoiselle. Je vais vous procurer un asile-. Je l'enveloppai de mon manteau ; je dis à la domestique d'aller lui chercher quelques habits, et de lui donner ses souliers, attendu qu'elle avait les pieds blessés par des éclats de bouteille cassée.

RÉTIF DE LA BRETONNE, Les Nuits de Paris
(112e Nuit), 1788-1789.

Questions

1. Étudiez le rythme et la construction des phrases. Que remarquez-vous ? Pourquoi ?

2. De quelle façon l'écrivain entretient-il le suspense ?

3. Passage romanesque ? Reportage ? Scène fantasmatique ? Critique ? Justifiez votre réponse.

Pierre Choderlos de Laclos

(1741-1803)

Portrait par LOUIS LÉOPOLD BOILLY.
Versailles, musée national du Château.
Photo © Josse.

PIERRE CHODERLOS DE LACLOS, officier d'artillerie, auteur de textes pour dames parus dans des almanachs, d'un projet de numérotation des rues de Paris et d'un traité sur l'éducation des femmes, devient célèbre en 1782 avec son roman *Les Liaisons dangereuses* qui fit scandale. Il y met en scène deux complices en libertinage, la marquise de Merteuil et le vicomte de Valmont. Mme de Merteuil charge Valmont de séduire une jeune fille fiancée à un de ses anciens amants dont elle veut se venger. Valmont s'exécute mais forme dans le même temps un autre projet : réaliser l'impossible exploit de réduire à sa merci la dévote Présidente de Tourvel. Il y parvient, mais se prend au jeu, et, après quelques péripéties, se heurte au dépit de Mme de Merteuil : la guerre est déclarée entre les deux complices bientôt punis quand leur correspondance est dévoilée.

Les Liaisons dangereuses est une œuvre où la technique du roman épistolaire a été le plus savamment utilisée. Laclos tire parti du grand nombre des personnages, qu'on ne connaît que par leurs lettres : d'où la multiplicité des points de vue sur l'action et la diversité des facettes que les héros révèlent selon la nature de leurs différents correspondants.

Les Liaisons dangereuses

[1782]

Extrait 1

Mme de Tourvel, qui a été l'objet des assauts de séduction du vicomte de Valmont, est forcée de reconnaître le sentiment troublant qui l'anime. Elle confie à son amie Mme de Rosemonde, chez qui elle séjournait ainsi que Valmont, la raison pour laquelle elle quitte précipitamment les lieux.

Que vous dirai-je enfin ? j'aime, oui, j'aime éperdument. Hélas ! ce mot que j'écris pour la première fois, ce mot si souvent demandé sans être obtenu, je paierais de ma vie la douceur de pouvoir une fois seulement le faire entendre à celui qui l'inspire ; et pourtant il faut le refuser sans cesse ! Il va douter encore
5 de mes sentiments ; il croira avoir à s'en plaindre. Je suis bien malheureuse ! Que ne lui est-il aussi facile de lire dans mon cœur que d'y régner ? Oui, je souffrirais moins, s'il savait tout ce que je souffre ; mais vous-même, à qui je le dis, vous n'en aurez encore qu'une faible idée.

Dans peu de moments, je vais le fuir et l'affliger. Tandis qu'il se croira encore
10 près de moi, je serai déjà loin de lui : à l'heure où j'avais coutume de le voir

chaque jour, je serai dans des lieux où il n'est jamais venu, où je ne dois pas permettre qu'il vienne. Déjà tous mes préparatifs sont faits ; tout est là, sous mes yeux ; je ne puis les reposer sur rien qui ne m'annonce ce cruel départ. Tout est prêt, excepté moi !... et plus mon cœur s'y refuse, plus il me prouve la nécessité de m'y soumettre.   15

Je m'y soumettrai sans doute ; il vaut mieux mourir que de vivre coupable. Déjà, je le sens, je ne le suis que trop ; je n'ai sauvé que ma sagesse, la vertu s'est évanouie. Faut-il vous l'avouer, ce qui me reste encore, je le dois à sa générosité. Enivrée du plaisir de le voir, de l'entendre, de la douceur de le sentir auprès de moi, du bonheur plus grand de pouvoir faire le sien, j'étais sans puissance et sans   20 force ; à peine m'en restait-il pour combattre, je n'en avais plus pour résister ; je frémissais de mon danger, sans pouvoir le fuir. Hé bien ! il a vu ma peine, et il a eu pitié de moi. Comment ne le chérirais-je pas ? je lui dois bien plus que la vie.

Ah ! si en restant auprès de lui je n'avais à trembler que pour elle, ne croyez pas que jamais je consentisse à m'éloigner. Que m'est-elle sans lui, ne serais-je pas   25 trop heureuse de la perdre ? Condamnée à faire éternellement son malheur et le mien ; à n'oser ni me plaindre, ni le consoler ; à me défendre chaque jour contre lui, contre moi-même ; à mettre mes soins à causer sa peine, quand je voudrais les consacrer tous à son bonheur : vivre ainsi, n'est-ce pas mourir mille fois ? voilà pourtant quel va être mon sort. Je le supporterai cependant, j'en aurai le   30 courage. Ô vous, que je choisis pour ma mère, recevez-en le serment.

PIERRE CHODERLOS DE LACLOS, *Les Liaisons dangereuses*, IIIᵉ partie, lettre 102, de la Présidente de Tourvel à Mme de Rosemonde.

Questions

1. Étudiez le temps des verbes tout au long du passage : quels effets sont ainsi produits ?

2. Quels sont ici les procédés de l'écriture tragique ?

3. Faites une analyse détaillée des lignes 24 à 31 (rythme et forme des phrases, rôle dévolu à la destinataire de la lettre).

Extrait 2

Valmont a séduit Mme de Tourvel, et s'empresse d'en faire part à Mme de Mertrueil.

1. Valmont communique à Mme de Merteuil la copie d'une lettre qu'il a envoyée au Père Anselme, dont il s'est servi comme intermédiaire auprès de Mme de Tourvel.

Ce n'est donc pas, comme dans mes autres aventures, une simple capitulation plus ou moins avantageuse, et dont il est plus facile de profiter que de s'enorgueillir ; c'est une victoire complète, achetée par une campagne pénible, et décidée par de savantes manœuvres. Il n'est donc pas surprenant que ce succès, dû à moi seul, m'en devienne plus précieux ; et le surcroît de plaisir que j'ai   5 éprouvé dans mon triomphe, et que je ressens encore, n'est que la douce impression du sentiment de la gloire. Je chéris cette façon de voir, qui me sauve de l'humiliation de penser que je puisse dépendre en quelque manière de l'esclave même que je me serais asservie ; que je n'aie pas en moi seul la plénitude de mon bonheur ; et que la faculté de m'en faire jouir dans toute son énergie soit réser-   10 vée à telle ou telle femme, exclusivement à toute autre.

Ces réflexions sensées régleront ma conduite dans cette importante occasion ; et vous pouvez être sûre que je ne me laisserai pas tellement enchaîner, que je ne puisse toujours briser ces nouveaux liens, en me jouant et à ma volonté. Mais déjà je vous parle de ma rupture ; et vous ignorez encore par quels moyens j'en   15 ai acquis le droit ; lisez donc[1], et voyez à quoi s'expose la sagesse, en essayant de secourir la folie. J'étudiais si attentivement mes discours et les réponses que j'obtenais, que j'espère vous rendre les uns et les autres avec une exactitude dont vous serez contente.

PIERRE CHODERLOS DE LACLOS, *Les Liaisons dangereuses*, IVᵉ partie, lettre 125, du Vicomte de Valmont à la Marquise de Merteuil.

Questions

1. Repérez et analysez la métaphore utilisée par Valmont pour raconter son succès.

2. Quel rôle fait-il jouer à sa correspondante ? Pourquoi ?

3. Quels sentiments vous laisse le séducteur ? Précisez votre réponse en comparant les deux paragraphes.

Sade
(1740-1814)

Portrait par Van Loo.
Coll. particulière.
Photo © Josse.

Donatien-Alphonse-François, marquis de Sade, naît à Paris en 1740, dans une famille apparentée aux Bourbons. Débauches, orgies et actes sacrilèges marquent très vite sa vie ; scandales, arrestations et évasions également. Condamné à mort en 1772, il est finalement incarcéré pendant douze ans, libéré, arrêté, de nouveau condamné à mort, interné définitivement en 1801. Composée en prison, son œuvre constitue une évasion par l'imaginaire. Certains romans, comme **Aline et Valcour ou le Roman philosophique**, ne heurtent pas directement les bienséances car leur libertinage reste décent. D'autres inventent une écriture pornographique délibérément obscène : **Les Cent Vingt Journées de Sodome** (1782) et **La Nouvelle Justine ou les Malheurs de la vertu**, suivie de l'**Histoire de Juliette, sa sœur** (1797). Fantasmes, perversions et sévices se répètent et s'entrecoupent de dissertations qui visent à établir le bon droit du maître sur ses sujets, du bourreau sur ses victimes. Lecteur des philosophes des Lumières, Sade détourne leur logique. L'argumentation raisonnée, la réfutation des interdits religieux ou moraux débouchent, en effet, dans son œuvre, sur l'apologie du plaisir et la justification de la loi du plus fort.

Histoire de Juliette ou les Prospérités du vice
[1797]

Extrait 1

Dans un décor de roman noir, l'héroïne effectue un voyage initiatique particulier...

Nous montâmes dans la barque ; le géant la conduisit seul. Du port au château, il y avait encore trois cents toises[1] ; nous arrivâmes au pied d'une porte de fer, pratiquée dans le mur épais qui environne le château ; là, des fossés de dix pieds de large se présentèrent à nous, nous les traversâmes sur un pont qui s'en-
5 leva dès que nous l'eûmes passé ; un second mur s'offrit, nous passâmes encore une porte de fer, et nous nous trouvâmes dans un massif de bois si serré que nous crûmes impossible d'aller plus loin. Nous ne le pouvions effectivement plus, ce massif, formé d'une haie vive, ne présentant que des pointes et n'offrant aucun passage. Dans son sein était la dernière enceinte du château ; elle avait dix pieds
10 d'épaisseur. Le géant lève une pierre de taille énorme et que lui seul pouvait manier ; un escalier tortueux se présente ; la pierre se referme, et c'est par les

Questions

1. Identifiez les deux étapes du périple. Quelle est leur différence ? En quoi se complètent-elles ?

2. Repérez le jeu des temps grammaticaux et commentez sa fonction dans le récit.

3. Par quels effets l'auteur entretient-il une tension progressive ?

4. Quels éléments caractéristiques du voyage initiatique ce texte inclut-il ?

1. Ancienne mesure française de longueur, valant 1,949 mètre.

entrailles de la terre que nous arrivons (toujours dans les ténèbres) au centre des caves de cette maison, desquelles nous remontons au moyen d'une ouverture, défendue par une pierre semblable à celle dont nous venons de parler. Nous voilà enfin dans une salle basse toute tapissée de squelettes ; les sièges de ce local 15 n'étaient formés que d'os de morts, et c'était sur des crânes que l'on s'asseyait malgré soi ; des cris affreux nous parurent sortir de dessous terre, et nous apprîmes bientôt que c'était dans les voûtes de cette salle qu'étaient situés les cachots où gémissaient les victimes de ce monstre.

SADE, *Histoire de Juliette ou les Prospérités du vice.*

Extrait 2

Par une apologie du crime, le roman justifie son titre.

1. Sade joue avec les noms qu'il donne à ses personnages.
2. Sentiment d'horreur extrême.

— Oh ! Clairwil ! tu n'imaginerais jamais jusqu'où j'ai porté l'horreur en ce genre... les voluptés que m'ont fait éprouver ces écarts ! Une boîte de dragées empoisonnées dans mes poches, je parcourais à pied, déguisée, les promenades publiques, les rues, les bordels ; je distribuais indifféremment ces funestes bonbons ; je poussais la noirceur au point d'en donner de préférence aux enfants. Je 5 vérifiais ensuite mes forfaits ; trouvais-je une bière à la porte de l'individu auquel j'avais administré, le jour d'avant, mes cruelles attrapes, un feu divin circulait dans mes veines... je n'étais plus à moi... il fallait que je m'arrêtasse et la nature qui, pour mes besoins sans doute, m'organisa différemment que les autres couronnait d'une extase indicible ce que les sots auraient cru devoir l'outrager d'autant. 10

— Rien de plus facile à concevoir, me répondit Clairwil, et les principes dont Saint-Fond, Noirceuil[1] et moi, t'avons nourrie depuis longtemps, doivent dévoiler à tes yeux, sur tout cela, les grands secrets de la nature. Il n'est pas plus extraordinaire d'en venir là, que d'aimer à donner le fouet ; c'est le même plaisir raffiné, et dès qu'il est prouvé que, de la commotion de la douleur éprouvée par les 15 autres, il résulte une vibration sur la masse de nos nerfs qui doit nécessairement disposer à la lubricité, tous les moyens possibles de faire ressentir de la douleur en deviendront pour nous de goûter des plaisirs, et, débutant par les choses légères, nous arriverons bientôt aux exécrations[2]. Les causes sont les mêmes, il n'y a que les effets qui diffèrent. Par un accroissement insensible, suite nécessaire 20 des lois de la nature, et, plus que tout, de la satiété, on commence par une piqûre, on finit par un coup de poignard. Il y a, d'ailleurs, une sorte de perfidie dans l'emploi du poison qui en accroît singulièrement les délices. Te voilà supérieure à tes maîtres, Juliette : j'en avais peut-être conçu davantage, mais je n'en avais pas tant exécuté... 25

— Conçu davantage ! dis-je à mon amie, et que diable, je te prie, pouvais-tu concevoir de plus ?

— Je voudrais ! dit Clairwil, trouver un crime dont l'effet perpétuel agît, même quand je n'agirais plus, en sorte qu'il n'y eût pas un seul instant de ma vie, ou même en dormant, où je ne fusse cause d'un désordre quelconque, et que ce 30 désordre pût s'étendre au point qu'il entraînât une corruption générale, ou un dérangement si formel, qu'au-delà même de ma vie l'effet s'en prolongeât encore.

SADE, *Histoire de Juliette ou les Prospérités du vice.*

1. Ce texte vous indigne-t-il, vous amuse-t-il ou vous laisse-t-il indifférent ?

2. Quels champs lexicaux prédominent ? Pourquoi ?

3. Précisez les motivations de la narratrice et les intentions de Clairwil.

4. De quelle façon Sade prend-il l'exact contrepied des valeurs des Lumières ?

Olympe de Gouges
(1748-1794)

Anonyme XVIIIe siècle.
Paris, musée du Louvre.
Photo © Josse.

MARIE-OLYMPE GOUZE, épouse Aubry, née à Montauban en 1748, se satisfait mal d'une naissance roturière et d'une union médiocre. Elle se dote d'un nom de plume plus conforme à ses ambitions. Installée à Paris, Olympe de Gouges ne dissocie pas, dans son métier de femme de lettres, la création littéraire de l'engagement civique. Son œuvre comporte plusieurs drames : **Le Mariage inattendu de Chérubin** (1786) reprend l'intrigue du **Mariage de Figaro** de Beaumarchais ; **L'Esclavage des nègres ou l'Heureux naufrage** est monté à la Comédie-Française en 1789. Ses pamphlets se caractérisent par leur urgence historique. L'écrivain s'y insurge contre l'exploitation raciale – elle prend fait et cause pour les Noirs – et sociale – elle pourfend la misère, celle des veuves ou des vieillards démunis. Mais son terrain d'action privilégié demeure le féminisme : auteur de **La Déclaration des droits de la femme et de la citoyenne** en 1791, elle dénonce l'état de soumission dans lequel la société française confine « le sexe faible ». Robespierre ne s'y trompa pas : elle le prenait pour cible, il la fit guillotiner.

Déclaration des droits de la femme et de la citoyenne
[1791]

En 1791, dans une reprise à la fois fidèle et iconoclaste de la Déclaration des droits de l'homme et du citoyen, *Olympe de Gouges propose sa* Déclaration des droits de la femme et de la citoyenne.

Homme, es-tu capable d'être juste ? C'est une femme qui t'en fait la question ; tu ne lui ôteras pas du moins ce droit. Dis-moi ? qui t'a donné le souverain empire d'opprimer mon
5 sexe ? ta force ? tes talents ? Observe le créateur dans sa sagesse ; parcours la nature dans toute sa grandeur, dont tu sembles vouloir te rapprocher, et donne-moi, si tu l'oses, l'exemple de cet empire tyrannique.
10 Remonte aux animaux, consulte les éléments, étudie les végétaux, jette enfin un coup d'œil sur toutes les modifications de la matière organisée ; et rends-toi à l'évidence quand je t'en offre les moyens ; cherche, fouille et distingue, si tu le
15 peux, les sexes dans l'administration de la nature. Partout tu les trouveras confondus, partout ils coopèrent avec un ensemble harmonieux à ce chef-d'œuvre immortel.

L'homme seul s'est fagoté un principe de
20 cette exception. Bizarre, aveugle, boursouflé de sciences et dégénéré, dans ce siècle de lumières et de sagacité, dans l'ignorance la plus crasse, il veut commander en despote sur un sexe qui a reçu toutes les facultés intellectuelles ; il prétend
25 jouir de la révolution, et réclamer ses droits à l'égalité, pour ne rien dire de plus.

Préambule

Les mères, les filles, les sœurs, représentantes de la nation, demandent d'être constituées en assemblée nationale. Considérant que l'igno-
30 rance, l'oubli ou le mépris des droits de la femme, sont les seules causes des malheurs publics et de la corruption des gouvernements, ont résolu d'exposer dans une déclaration solennelle, les droits naturels, inaliénables et sacrés de
35 la femme, afin que cette déclaration, constamment présente à tous les membres du corps social, leur rappelle sans cesse leurs droits et leurs devoirs, afin que les actes du pouvoir des femmes, et ceux du pouvoir des hommes pou-
40 vant être à chaque instant comparés avec le but de toute institution politique, en soient plus respectés, afin que les réclamations des citoyennes, fondées désormais sur des principes simples et incontestables, tournent toujours au maintien
45 de la constitution, des bonnes mœurs, et au bonheur de tous.

En conséquence, le sexe supérieur en beauté comme en courage, dans les souffrances maternelles, reconnaît et déclare, en présence et sous
50 les auspices de l'Être suprême, les Droits suivants de la Femme et de la Citoyenne.

Article premier

La femme naît libre et demeure égale à l'homme en droits. Les distinctions sociales ne peuvent être fondées que sur l'utilité commune.
55 **II** – Le but de toute association politique est la conservation des droits naturels et imprescriptibles de la Femme et de l'Homme ; ces droits sont la liberté, la propriété, la sûreté, et surtout la résistance à l'oppression.
60 **III** – Le principe de toute souveraineté réside essentiellement dans la Nation, qui n'est que la réunion de la Femme et de l'Homme : nul corps, nul individu, ne peut exercer d'autorité qui n'en émane expressément.
65 **IV** – La liberté et la justice consistent à rendre tout ce qui appartient à autrui ; ainsi l'exercice des droits naturels de la femme n'a de bornes que la tyrannie perpétuelle que l'homme lui oppose : ces bornes doivent être réformées par
70 les lois de la nature et de la raison. [...]

VI – La loi doit être l'expression de la volonté générale ; toutes les Citoyennes et Citoyens doivent concourir personnellement, ou par leurs représentants, à sa formation ; elle doit être la
75 même pour tous ; toutes les citoyennes et tous les citoyens, étant égaux à ses yeux, doivent être également admissibles à toutes dignités, places et emplois publics, selon leurs capacités, et sans autres distinctions que celles de leurs vertus et
80 de leurs talents.

VII – Nulle femme n'est exceptée ; elle est accusée, arrêtée, et détenue dans les cas déterminés par la Loi. Les femmes obéissent comme les hommes à cette Loi rigoureuse.
85 **VIII** – La loi ne doit établir que des peines strictement et évidemment nécessaires, et nul ne peut être puni qu'en vertu d'une Loi établie et promulguée antérieurement au délit et légalement appliquée aux femmes.
90 **IX** – Toute femme étant déclarée coupable, toute rigueur est exercée par la Loi.

X – Nul ne doit être inquiété pour ses opinions mêmes fondamentales ; la femme a le droit de monter sur l'échafaud ; elle doit avoir
95 également celui de monter à la Tribune ; pourvu que ses manifestations ne troublent pas l'ordre public établi par la Loi.

XI – La libre communication des pensées et des opinions est un des droits les plus précieux
100 de la femme, puisque cette liberté assure la légitimité des pères envers les enfants. Toute citoyenne peut donc dire librement, je suis mère d'un enfant qui vous appartient, sans qu'un préjugé barbare la force à dissimuler la vérité ; sauf
105 à répondre de l'abus de cette liberté dans les cas déterminés par la Loi.

OLYMPE DE GOUGES, *Déclaration des droits de la femme et de la citoyenne.*

Questions

1. Quelles sont les deux étapes qui composent ce texte ? Précisez leur fonction respective.

2. Quels procédés oratoires confèrent au texte sa puissance ?

3. Par quels arguments l'auteur défend-il la cause des femmes ? Comment inverse-t-il la relation de force entre hommes et femmes ?

4. La portée révolutionnaire de ce manifeste s'est-elle estompée ?

Maximilien de Robespierre

(1758-1794)

Portrait par PIERRE VIGNERON.
Versailles, musée national du Château.
Photo © Josse.

MAXIMILIEN DE ROBESPIERRE, personnalité controversée et fascinante, élève, comme Danton et Camille Desmoulins, du collège Louis-le-Grand, est avocat à Arras. Il entre en politique à l'occasion des États généraux de 1789. Membre de l'Assemblée constituante, alors que l'éloquence politique n'est encore qu'un phénomène récent, il occupe peu à peu une place grandissante et devient l'une des voix les plus écoutées de la tribune révolutionnaire. Membre dès 1791 du Club des Jacobins où il devient particulièrement influent, il siège à la Convention et participe au Comité de salut public avec Saint-Just. Il parvient à faire éliminer des Girondins – modérés – puis même des Montagnards, comme Danton. Robespierre est partisan du régime de la Terreur, dont il devient un moment le chef. Il veut faire régner « la vertu, sans laquelle la Terreur est funeste, la terreur, sans laquelle la vertu est impuissante ». Rejetant l'athéisme, il instaure le culte de l'Être suprême et le principe des fêtes nationales. Il enflamme l'Assemblée par ses discours imprégnés de rhétorique antique, où les longues périodes préparent une chute redoutée. La Révolution basculant dans la Terreur sanglante, les modérés se liguent contre lui et le font guillotiner le 28 juillet 1794.

L'éloquence révolutionnaire

La période révolutionnaire, pendant laquelle les assemblées élues jouent un grand rôle, est propice aux débats, aux discours et aux harangues. La parole publique est alors un moyen privilégié d'action : il s'agit, par le verbe, d'entraîner les autres à prendre des décisions. Tous les grands moments de la Révolution sont ainsi ponctués de discours véritables armes, et sont marqués par l'intervention d'hommes politiques qui sont de grands orateurs, comme Mirabeau, Barnave ou Robespierre. À la fin de La Terreur, se développe un genre voisin de celui du discours, celui du « rapport » effectué par un dirigeant qui, au nom d'un comité, fait part, de façon orale, des principes de la politique qui doit être suivie. Avec la fin de la Convention (1793) s'achève la grande époque des orateurs.

Les grands représentants de l'éloquence révolutionnaire, souvent anciens élèves de collèges religieux, ont été nourris de culture latine et usent, comme les orateurs chrétiens, des moyens de la rhétorique classique (construction-type du discours, périodes oratoires, usages de figures comme la métaphore, la répétition, l'anaphore). C'est qu'il s'agit de convaincre mais aussi de séduire. On assiste là à la véritable naissance du discours politique, qui évoluera avec les époques mais qui changera radicalement de nature, dans la deuxième moitié du XXe siècle.

Discours à la Convention

[1794]

Le 18 pluviôse an II (5 février 1794), Robespierre présente au nom du Comité de salut public un rapport intitulé Sur les principes de morale politique qui doivent guider la Convention nationale dans l'administration intérieure de la République.

Nous voulons, en un mot, remplir les vœux de la nature, accomplir les destins de l'humanité, tenir les promesses de la philosophie, absoudre la providence du long règne du crime et de la tyrannie. Que la France, jadis illustre parmi les pays esclaves, éclipsant la gloire de tous les peuples libres qui ont existé, devienne le modèle des nations, l'effroi des oppresseurs, la consolation des 5 opprimés, l'ornement de l'univers, et qu'en scellant notre ouvrage de notre sang, nous puissions voir au moins briller l'aurore de la félicité universelle... Voilà notre ambition, voilà notre but.

Quelle nature de gouvernement peut réaliser ces prodiges ? Le seul gouvernement démocratique ou républicain : ces deux mots sont synonymes, malgré les 10 abus du langage vulgaire ; car l'aristocratie n'est pas plus la République que la monarchie. La démocratie n'est pas un état où le peuple, continuellement assemblé, règle par lui-même toutes les affaires publiques, encore moins celui où cent mille fractions du peuple, par des mesures isolées, précipitées et contradictoires, décideraient du sort de la société entière : un tel gouvernement n'a jamais existé, 15 et il ne pourrait exister que pour ramener le peuple au despotisme.

La démocratie est un état où le peuple souverain, guidé par des lois qui sont son ouvrage, fait par lui-même tout ce qu'il peut bien faire, et par des délégués tout ce qu'il ne peut faire lui-même.

C'est donc dans les principes du gouvernement démocratique que vous devez 20 chercher les règles de votre conduite politique.

Mais, pour fonder et pour consolider parmi nous la démocratie, pour arriver au règne paisible des lois constitutionnelles, il faut terminer la guerre de la liberté contre la tyrannie, et traverser heureusement les orages de la Révolution : tel est le but du système révolutionnaire que vous avez régularisé. Vous 25 devez donc encore régler votre conduite sur les circonstances orageuses où se trouve la République ; et le plan de votre administration doit être le résultat de l'esprit du gouvernement révolutionnaire, combiné avec les principes généraux de la démocratie.

Or, quel est le principe fondamental du gouvernement démocratique ou 30 populaire, c'est-à-dire, le ressort essentiel qui le soutient et qui le fait mouvoir ? C'est la vertu ; je parle de la vertu publique qui opéra tant de prodiges dans la Grèce et dans Rome, et qui doit en produire de bien plus étonnants dans la France républicaine ; de cette vertu qui n'est autre chose que l'amour de la patrie et de ses lois.

MAXIMILIEN DE ROBESPIERRE, *Sur les principes de morale politique qui doivent guider la Convention nationale dans l'administration intérieure de la République.*

Questions

1. En vous appuyant notamment sur les connecteurs logiques, déterminez l'organisation du discours et le schéma argumentatif.

2. Pourquoi, pour Robespierre, la violence, du fait des circonstances, est-elle nécessaire ?

3. Quels sont les fondements moraux du système politique préconisé par l'orateur ? À quel texte philosophique se réfère-t-il implicitement ?

4. En quoi peut-on dire que certains passages de ce discours (1er paragraphe, par exemple) sont lyriques ?

Condorcet
(1743-1794)

Portrait par Jean-Baptiste Greuze
(1725-1805). Versailles,
musée national du Château.
Photo © Josse.

Marie-Jean de Caritat, marquis de Condorcet est un mathématicien précoce. À vingt-deux ans, il publie son *Essai sur le calcul intégral* ; à vingt-six, il siège à l'Académie des sciences et, à trente-neuf, à l'Académie française. Soutenu par d'Alembert, Voltaire et Turgot, Condorcet devient un des principaux diffuseurs d'idées de la France prérévolutionnaire, et collabore à *L'Encyclopédie*. Prônant une application sociale des mathématiques, qui permettrait des réformes rationnelles, il aborde l'économie – ***Réflexions sur les corvées, sur le commerce des blés, sur l'esclavage des nègres*** – et la juridiction politique – ***Essai sur la forme des élections***. Son ***Rapport et Projet de décret sur l'organisation de l'instruction publique***, écrit en 1792, inspirera Jules Ferry un siècle plus tard. Avec Sophie de Grouchy qu'il épouse en 1786, il reçoit les plus illustres penseurs : Beaumarchais, Mirabeau, Adam Smith, Jefferson. Député à l'Assemblée législative en 1791, élu à la Convention en 1792, Condorcet approuve la République sans voter la mort du Roi. Proche des Girondins, décrété hors la loi par les Jacobins en 1793, il se cache pendant huit mois mais est arrêté en 1794. Le surlendemain, selon toute vraisemblance, il se suicide. ***L'Esquisse d'un tableau historique des progrès de l'esprit humain***, manifeste progressiste rédigé dans la clandestinité quelques mois plus tôt, paraît à titre posthume en 1795. Condorcet y retrace l'évolution des sciences et affirme, par-delà les vicissitudes de l'Histoire qui allaient le détruire, sa croyance en un accomplissement technique et un épanouissement moral de l'humanité.

Réflexions sur l'esclavage des nègres
[1781]

La dénonciation de l'esclavage mobilise celui qui, dans la lignée des philosophes des Lumières, conçoit et défend la valeur de droit de l'homme.

On dit, pour excuser l'esclavage des Nègres achetés en Afrique, que ces malheureux sont ou des criminels condamnés au dernier supplice, ou des prisonniers de guerre, qui seraient mis à mort s'ils n'étaient pas achetés par les Européens.

D'après ce raisonnement, quelques écrivains nous présentent la traite des 5
Nègres comme étant presque un acte d'humanité. Mais nous observerons :

1. Que ce fait n'est pas prouvé, et n'est pas même vraisemblable. Quoi ! avant
que les Européens achetassent des Nègres, les Africains égorgeaient tous leurs
prisonniers ! Ils tuaient non-seulement les femmes mariées, comme c'était, dit-
on, autrefois l'usage chez une horde de voleurs orientaux, mais même les filles 10
non-mariées ; ce qui n'a jamais été rapporté d'aucun peuple. Quoi ! Si nous n'allions pas chercher des Nègres en Afrique, les Africains tueraient les esclaves qu'ils
destinent maintenant à être vendus ! chacun des deux partis aimerait mieux
assommer ses prisonniers que de les échanger ! Pour croire des faits invraisem-
blables, il faut des témoignages imposants, et nous n'avons ici que ceux des gens 15
employés au commerce des Nègres – Je n'ai jamais eu l'occasion de les fréquenter ; mais il y avait chez les Romains des hommes livrés au même commerce, et
leur nom est encore une injure.

2. En supposant qu'on sauve la vie des Nègres qu'on achète, on ne commet
pas moins un crime en l'achetant, si c'est pour le revendre ou le réduire en escla- 20
vage. C'est précisément l'action d'un homme qui, après avoir sauvé un malheureux poursuivi par des assassins, le volerait. Ou bien, si on suppose que les
Européens ont déterminé les Africains à ne plus tuer leurs prisonniers, ce serait
l'action d'un homme qui serait parvenu à dégoûter les brigands d'assassiner des
passants, et les aurait engagés à se contenter de les voler avec lui. Dirait-on dans 25
l'une ou dans l'autre de ces suppositions, que cet homme n'est pas un voleur ?
Un homme qui, pour en sauver un autre de la mort, donnerait de son nécessaire,
serait sans doute en droit d'exiger un dédommagement ; il pourrait acquérir un
droit sur le bien et même sur le travail de celui qu'il a sauvé, en prélevant cependant ce qui est nécessaire à la subsistance de l'obligé : mais il ne pourrait sans 30
injustice le réduire à l'esclavage. On peut acquérir des droits sur la propriété
future d'un autre homme, mais jamais sur sa personne. Un homme peut avoir le
droit d'en forcer un autre à travailler pour lui, mais non pas de le forcer à lui
obéir.

3. L'excuse alléguée est d'autant moins légitime, que c'est au contraire l'in- 35
fâme commerce des brigands d'Europe, qui fait naître entre les Africains des
guerres presque continuelles, dont l'unique motif est le désir de faire des prisonniers pour les vendre.

CONDORCET, *Réflexions sur l'esclavage des nègres.*

Questions

1. Reconstituez avec exactitude l'argumentation de Condorcet : idées directrices,
   arguments, exemples.
2. Par un repérage lexical et rhétorique précis, étudiez la stratégie de la persua-
   sion dans l'écriture de cet extrait.
3. Repérez et expliquez les différents emplois du pronom « on ».
4. Quelle est, selon vous, la phrase la plus importante du texte ? Justifiez votre
   réponse.

Pour Paraître le 14 Juillet dans

LE CRI DU PEUPLE

GERMINAL

par ÉMILE ZOLA

XIXe siècle

5 C.

LE NUMÉRO

IMP. EMILE LEVY, R. RAMEAU, 4, PARIS

Le XIXe siècle
Repères historiques

HENRI FÉLIX PHILIPPOTEAUX (1815-1884), *Lamartine rejetant le drapeau rouge en 1848 à l'Hôtel de Ville.*
Paris, musée du Petit Palais. Photo © Josse. •

1815-1830

La Restauration : Louis XVIII puis Charles X installent une monarchie constitutionnelle. Mais les « ultras » souhaitent le retour de l'Ancien Régime, ce qui déclenche la révolution de juillet 1830 qui place sur le trône Louis-Philippe d'Orléans.

1830-1848

La monarchie de Juillet : Louis-Philippe accorde d'abord plus de libertés et élargit le droit de vote. Mais il devient ensuite de plus en plus autoritaire, et sa politique économique profite exclusivement à la bourgeoisie. Le mécontentement aboutit à la révolution de 1848.

1848-1851

La IIe République commence par des réformes généreuses (droit au travail, abolition de l'esclavage, rétablissement du suffrage universel pour les hommes...), mais se termine par le coup d'État de Louis-Napoléon Bonaparte (2 décembre 1851), qui devient empereur un an plus tard.

1852-1870

Le second Empire : dans une première période, l'empereur pratique une politique autoritaire, assez bien acceptée, car la prospérité est grande : c'est l'époque des grands travaux d'Haussmann, de la création des grandes banques modernes et des grands magasins.

À partir de 1860, des difficultés économiques apparaissent, et l'empereur, malgré des concessions, ne convainc par ses opposants. La défaite de 1870, face à la Prusse, débouche sur la proclamation de la IIIe République.

1870-1879

Le gouvernement de la Défense nationale ne peut empêcher la capitulation de Paris, et signe l'armistice le 28 janvier 1871. Une nouvelle assemblée, élue au suffrage universel, à majorité monarchiste, se réunit à Versailles, tandis qu'à Paris se forme « la Commune », républicaine, sociale, et hostile à la paix. Elle est écrasée par les « Versaillais » lors de la « Semaine sanglante » (21-28 mai 1871).

L'Assemblée vote, en 1875, une Constitution susceptible de s'adapter aussi bien à une monarchie constitutionnelle qu'à une République. Mais, en 1879, l'évolution de l'opinion place toutes les institutions dans les mains des républicains.

1879-1898

La IIIe République proclame alors les libertés de presse, de réunion, d'association, et crée un enseignement primaire gratuit, obligatoire, et laïc. Mais elle est ébranlée par des scandales, qui favorisent des mouvements hostiles au régime. En 1898, l'affaire Dreyfus divise profondément les Français (voir p. 444).

Le XIXe siècle
Contextes

L'essor de la presse

À PARTIR DE 1830 L'UTILISATION DE NOUVELLES ROTATIVES, l'industrialisation de la fabrication du papier, l'apparition de la publicité et l'abondance des illustrations dans les journaux conduisent à une multiplication des titres, ininterrompue jusqu'à la fin du siècle. Nombreux sont les écrivains à collaborer à cette évolution : les numéros proposent, outre les informations et les commentaires de l'actualité politique, des romans sous forme de feuilletons. George Sand, Eugène Sue, Alexandre Dumas, Balzac, puis Guy de Maupassant et Émile Zola en seront les auteurs les plus fameux. Les critiques d'art, comme Théophile Gautier ou Charles Baudelaire, participent aux débats esthétiques du temps et côtoient, dans les journaux, des caricaturistes comme Daumier.

Un lectorat plus large

PARALLÈLEMENT SE DÉVELOPPE L'ENSEIGNEMENT PUBLIC, depuis le décret de 1815 qui impose l'ouverture d'une école dans chaque commune, jusqu'aux lois de Jules Ferry en 1880-1882, en passant par celles de Victor Duruy qui rendent l'enseignement secondaire accessible aux jeunes filles. Un réseau de bibliothèques publiques et de diffusion du livre ou du périodique, par un système de colportage, est mis en place. On voit apparaître, sous l'impulsion d'éditeurs comme Jules Hetzel, des éditions de petit format et, avec Pierre Larousse, le premier *Grand Dictionnaire universel du XIXe siècle*. Cet effort pour vendre des livres à meilleur marché occasionne un accroissement du nombre des lecteurs ; il permet de vulgariser les idées scientifiques et de favoriser le succès de la littérature romanesque (Balzac), de la littérature destinée à la jeunesse (Jules Verne) ou de la littérature étrangère (Walter Scott, Fenimore Cooper, Charles Dickens ou E.T. A. Hoffmann).

Affichette pour une collection en souscription des œuvres de Chateaubriand, 1847. Paris, Bibl. des Arts décoratifs. Photo © J.-L. Charmet.

Vers de nouvelles formes littéraires

LE GENRE ROMANESQUE EXPLOSE ET SE DIVERSIFIE en roman d'aventures, roman populaire, roman historique. La poésie ouvre des voies nouvelles qui la conduiront jusqu'au poème en prose (Aloysius Bertrand, Baudelaire, Lautréamont). Le début du siècle résonne du tumulte du drame romantique censé détrôner la tragédie.

Écrivains engagés et poètes maudits

BEAUCOUP D'ÉCRIVAINS METTENT LEUR ÉNERGIE AU SERVICE D'UN ENGAGEMENT POLITIQUE qui prend les formes les plus variées : Victor Hugo défend les Grecs lors de la guerre d'indépendance contre les Turcs, ou s'insurge contre le travail des enfants, conséquence de l'industrialisation fulgurante ; Lamartine se présente aux élections présidentielles de 1848 ; quelque cinquante ans plus tard, Émile Zola prend parti pour le capitaine Dreyfus. L'écrivain adopte parfois une position radicale, quitte à ne plus se faire entendre du public : le XIXe siècle, à partir des années 1850, est l'époque où se confirme la figure du poète maudit (Verlaine, Rimbaud) qu'on pouvait déjà percevoir, en germe, chez les romantiques.

Mort du romantisme, naissance du réalisme

APRÈS LA FIN DES ESPOIRS SUSCITÉS PAR LE ROMANTISME, la littérature réaliste, à partir du milieu du siècle, témoigne des préoccupations matérielles. Le théâtre de boulevard, qui a détrôné le drame romantique, entérine le succès de valeurs bourgeoises. Mais avec Baudelaire ou Mallarmé, la poésie entend fournir des clés de déchiffrage d'un monde dont elle tente de percer le mystère. Le naturalisme, quant à lui, s'appuie sur les acquis de la science, pour proposer une lecture du monde moderne non dépourvue d'une dimension mythique, chez Émile Zola par exemple. La fin du siècle voit l'éclosion de la littérature dite décadente (Barbey, Huysmans), qui conjugue une approche naturaliste mêlée à un symbolisme mystique, traduction des nouvelles interrogations et angoisses collectives.

Le développement des sciences

LE XIXe SIÈCLE VOIT L'ESSOR DES SCIENCES PHYSIQUES ET SOCIALES : Pasteur met au point le procédé de la pasteurisation, Durkheim fonde la sociologie, Darwin propose sa théorie de l'évolution, Comte affirme dans son *Cours de philosophie positive* que l'être humain saura bientôt maîtriser tous les phénomènes observables. Sigmund Freud suit les leçons du médecin Charcot et élabore les fondements de la théorie psychanalytique, exploration thérapeutique de l'inconscient, qui connaîtra au siècle suivant, un succès croissant, tout particulièrement chez les écrivains. Le siècle se clôt sur la présentation du premier film de cinéma par les frères Lumière en 1895.

L'âge des utopies

L'ÉMERGENCE D'UNE CLASSE OUVRIÈRE maintenue dans la misère, conséquence du capitalisme naissant, aboutit à de nouvelles réflexions dans le domaine de la philosophie politique. Dès les années 1820, Saint-Simon rêve d'une harmonie spontanée entre les industriels et les ouvriers, et Fourier élabore un projet utopique de vie communautaire : le phalanstère. L'Allemand Karl Marx propose, dans le *Manifeste du Parti communiste* (1848), une lecture de la société industrielle sous la forme d'une lutte de classes sociales qui déboucherait sur une révolution aboutissant à la « dictature du prolétariat ». Ses idées se font bientôt connaître en France. Un courant socialiste européen influence des penseurs comme Proudhon ou Jules Guesde et accompagne, dans la seconde partie du siècle, l'organisation du monde ouvrier en mouvements et associations.

Une lecture chez la portière (vers 1840). Dessin par H. DE MONTANT. Paris, Bibl. des Arts décoratifs. Photo © J.-L. Charmet.

François-René de Chateaubriand

(1768-1848)

Portrait par A.L. GIRODET-TRIOSON.
● Photo © Giraudon.

FRANÇOIS-RENÉ DE CHATEAUBRIAND, né en 1768 à Saint-Malo, est le dernier enfant d'une famille noble. Après une enfance livrée à elle-même et des études incertaines, il revient auprès des siens, installés depuis 1777 au château de Combourg. L'étrangeté de l'atmosphère familiale et la beauté de la nature environnante lui révèlent ses aspirations littéraires. En 1786, il quitte Combourg et prend un brevet de sous-lieutenant. En 1791, malgré la relative sympathie qu'il éprouve pour les débuts de la Révolution, il s'embarque pour l'Amérique. Mais, lorsqu'il apprend la fuite à Varennes et l'arrestation de Louis XVI, il revient en France et, après un mariage de convenance, rejoint l'armée des émigrés ; blessé au siège de Thionville, il s'exile à Londres (1792-1800). L'*Essai sur les révolutions* (1797) témoigne de son écartèlement entre la tradition monarchique et une philosophie sceptique et progressiste issue des Lumières. En 1801, paraît *Atala* ; ce roman sera ensuite annexé, avec *René* qui en constitue la suite, au *Génie du christianisme* (1802), essai qui marque une rupture par rapport à la philosophie du XVIIIᵉ siècle : revenu à la foi après le décès de plusieurs de ses proches, Chateaubriand fait une apologie du christianisme fondée essentiellement sur la philosophie et l'esthétique de celui-ci. Publié l'année du Concordat, l'ouvrage suscite l'intérêt de Bonaparte qui nomme Chateaubriand ambassadeur à Rome. Mais, en 1804, heurté dans ses convictions légitimistes par l'exécution du duc d'Enghien, il démissionne et devient désormais un opposant à l'Empire. Au retour d'un voyage en Orient (1806-1807), il commence la composition des *Mémoires d'outre-tombe*. En 1811, son discours de réception à l'Académie française, fort critique envers Napoléon, est censuré. La Restauration fait de Chateaubriand un pair de France, un ambassadeur et un ministre. Mais, en particulier lorsqu'il n'a pas de fonction officielle, il n'hésite jamais à marquer ses désaccords et à manifester son opposition, en préservant toujours son indépendance d'esprit. En 1830 il refuse de se rallier à la monarchie orléaniste. Les *Mémoires d'outre-tombe* sont achevés en 1841. En 1844, sur l'injonction de son confesseur, Chateaubriand rédige une *Vie de Rancé*, réformateur de la Trappe. Il meurt à Paris en 1848.

Bien qu'il en ait critiqué les excès, Chateaubriand fut un précurseur du romantisme. Ainsi *René* exprime, même si son auteur les juge sévèrement, les tourments d'une âme éprise d'absolu ; *Le Génie du christianisme* exalte la spiritualité chrétienne à travers l'harmonie de la nature et la perfection de l'art gothique ; la destinée individuelle de l'auteur prend, non sans quelque ostentation, une dimension historique dans les *Mémoires d'outre-tombe*. Qu'elle adopte le registre de la polémique politique, de la confidence autobiographique ou de la réflexion philosophique, qu'elle fasse le portrait d'un personnage réel ou fictif, qu'elle décrive un paysage ou qu'elle l'imagine, l'écriture de Chateaubriand est une prose qui certes n'évite pas toujours l'apparat mais dont la splendeur est d'un authentique poète.

René
■■■ *[1802]*

Un jeune Français, nommé René, est venu vivre dans la tribu indienne des Natchez. Il raconte son histoire au vieux Chactas, qui aima jadis Atala, et à un missionnaire, le père Souël. Chateaubriand condamne René par la voix du missionnaire : « Un jeune homme entêté de chimères à qui tout déplaît et qui s'est soustrait aux charges de la société pour se livrer à d'inutiles rêveries ». Le public passa pourtant outre à la leçon édifiante et s'identifia au héros.

Comment exprimer cette foule de sensations fugitives, que j'éprouvais dans mes promenades ? Les sons que rendent les passions dans le vide d'un cœur solitaire ressemblent au murmure que les vents et les eaux font entendre dans le silence d'un désert : on en jouit, mais on ne peut les peindre.

L'automne me surprit au mileu de ces incertitudes : j'entrai avec ravissement 5 dans les mois des tempêtes. Tantôt j'aurais voulu être un de ces guerriers errant au milieu des vents, des nuages et des fantômes ; tantôt j'enviais jusqu'au sort du pâtre que je voyais réchauffer ses mains à l'humble feu de broussailles qu'il avait allumé au coin d'un bois. J'écoutais ses chants mélancoliques, qui me rappelaient que dans tout pays, le chant naturel de l'homme est triste, lors même qu'il 10 exprime le bonheur. Notre cœur est un instrument incomplet, une lyre où il manque des cordes, et où nous sommes forcés de rendre les accents de la joie sur le ton consacré aux soupirs.

Le jour je m'égarais sur de grandes bruyères terminées par des forêts. Qu'il fallait peu de chose à ma rêverie : une feuille séchée que le vent chassait devant 15 moi, une cabane dont la fumée s'élevait dans la cime dépouillée des arbres, la mousse qui tremblait au souffle du nord sur le tronc d'un chêne, une roche écartée, un étang désert où le jonc flétri murmurait ! Le clocher du hameau, s'élevant au loin dans la vallée, a souvent attiré mes regards ; souvent j'ai suivi des yeux les oiseaux de passage qui volaient au-dessus de ma tête. Je me figurais les bords 20 ignorés, les climats lointains où ils se rendent ; j'aurais voulu être sur leurs ailes. Un secret instinct me tourmentait ; je sentais que je n'étais moi-même qu'un voyageur ; mais une voix du ciel semblait me dire : « Homme, la saison de ta migration n'est pas encore venue ; attends que le vent de la mort se lève, alors tu déploieras ton vol vers ces régions inconnues que ton cœur demande. » 25

Levez-vous vite, orages désirés, qui devez emporter René dans les espaces d'une autre vie ! Ainsi disant, je marchais à grands pas, le visage enflammé, le vent sifflant dans ma chevelure, ne sentant ni pluie ni frimas, enchanté, tourmenté, et comme possédé par le démon de mon cœur.

CHATEAUBRIAND, *René.*

Questions

1. Étudiez les différentes fonctions que le narrateur attribue à la nature et aux saisons ?
2. Repérez les éléments de l'opposition entre l'infini et le néant.
3. Sous quelles formes s'exprime le mal de vivre de René ?
4. En quoi ce texte est-il lyrique et poétique ?

Mémoires d'outre-tombe
[1848-1850]

1. Gabrielle d'Estrée, maîtresse d'Henri IV.

Extrait 1

Dans les Mémoires d'outre-tombe, *Chateaubriand distingue sa vie de soldat et de voyageur, sa vie littéraire et sa vie politique. Ici, il évoque son activité d'écrivain : en 1817, lors d'une promenade dans le parc du château de Montboissier, il entend le chant d'une grive qui fait émerger en lui le souvenir d'une adolescence que seule l'écriture peut recréer. Chateaubriand a quarante-neuf ans lorsqu'il écrit cette page.*

Montboissier, juillet 1817.

Hier au soir je me promenais seul ; le ciel ressemblait à un ciel d'automne ; un vent froid soufflait par intervalles. À la percée d'un fourré, je m'arrêtai pour regarder le soleil : il s'enfonçait dans des nuages au-dessus de la tour d'Alluye, d'où Gabrielle[1], habitante de cette tour, avait vu comme moi le soleil
5   se coucher il y a deux cents ans. Que sont devenus Henri et Gabrielle ? Ce que je serai devenu quand ces *Mémoires* seront publiés.

Je fus tiré de mes réflexions par le gazouillement d'une grive perchée sur la plus haute branche d'un bouleau. À l'instant, ce son magique fit reparaître à mes yeux le domaine paternel ; j'oubliai les catastrophes dont je venais d'être le
10   témoin, et, transporté subitement dans le passé, je revis ces campagnes où j'entendis si souvent siffler la grive. Quand je l'écoutais alors, j'étais triste de même qu'aujourd'hui ; mais cette première tristesse était celle qui naît d'un désir vague de bonheur, lorsqu'on est sans expérience ; la tristesse que j'éprouve actuellement vient de la connaissance des choses appréciées et jugées. Le chant de l'oi-
15   seau dans les bois de Combourg m'entretenait d'une fidélité que je croyais atteindre ; le même chant dans le parc de Montboissier me rappelait des jours perdus à la poursuite de cette félicité insaisissable. Je n'ai plus rien à apprendre, j'ai marché plus vite qu'un autre, et j'ai fait le tour de la vie. Les heures fuient et m'entraînent ; je n'ai pas même la certitude de pouvoir achever ces *Mémoires*.
20   Dans combien de lieux ai-je déjà commencé à les écrire, et dans quel lieu les finirai-je ? Combien de temps me promènerai-je au bord des bois ? Mettons à profit le peu d'instants qui me restent ; hâtons-nous de peindre ma jeunesse, tandis que j'y touche encore : le navigateur, abandonnant pour jamais un rivage enchanté, écrit son journal à la vue de la terre qui s'éloigne et qui va bientôt disparaître.

CHATEAUBRIAND, *Mémoires d'outre-tombe*, I, 3.

Questions

1. Dans le premier paragraphe, à quelle expérience du temps est confronté René ?

2. Proust admirait ce passage. Précisez le mécanisme de la mémoire. En quoi y a-t-il ici une annonce de la réminiscence proustienne (voir p. 497).

3. Définissez la fonction de l'écriture par rapport au souvenir et à la tristesse du narrateur.

Extrait 2

Entre seize et dix-huit ans, Chateaubriand, après ses années de collège, revient vivre à Combourg « deux années de délire » auprès de son père, de sa mère et de sa sœur Lucile. Il y éprouvera la double tentation du suicide et de l'écriture.

Les soirées d'automne et d'hiver étaient d'une autre nature. Le souper fini et les quatre convives revenus de la table à la cheminée, ma mère se jetait, en soupirant, sur un vieux lit de jour de siamoise[1] flambée[2] ; on mettait devant elle un guéridon avec une bougie. Je m'asseyais auprès du feu avec Lucile ; les domes-
5   tiques enlevaient le couvert et se retiraient. Mon père commençait alors une pro-

● Château de Combourg. Paris, Bibl. des Arts décoratifs. Photo J.-L. Charmet.

1. Ancienne étoffe de
soie et de coton, imitée
des tissus du Siam.
2. Qui offre des dessins
en forme de flammes.
3. Tissu de laine épais.

menade, qui ne cessait qu'à l'heure de son coucher. Il était vêtu d'une robe de
ratine[3] blanche, ou plutôt d'une espèce de manteau que je n'ai vu qu'à lui. Sa
tête, demi-chauve, était couverte d'un grand bonnet blanc qui se tenait tout droit.
Lorsqu'en se promenant, il s'éloignait du foyer, la vaste salle était si peu éclairée
par une seule bougie qu'on ne le voyait plus ; on l'entendait seulement encore   10
marcher dans les ténèbres : puis il revenait lentement vers la lumière et émer-
geait peu à peu de l'obscurité, comme un spectre, avec sa robe blanche, son bonnet blanc, sa figure longue et pâle. Lucile et moi, nous échangions quelques mots
à voix basse, quand il était à l'autre bout de la salle ; nous nous taisions quand il
se rapprochait de nous. Il nous disait, en passant : « De quoi parliez-vous ? »   15
Saisis de terreur, nous ne répondions rien ; il continuait sa marche. Le reste de la
soirée, l'oreille n'était plus frappée que du bruit mesuré de ses pas, des soupirs
de ma mère et du murmure du vent.

Dix heures sonnaient à l'horloge du château : mon père s'arrêtait ; le même
ressort, qui avait soulevé le marteau de l'horloge, semblait avoir suspendu ses   20
pas. Il tirait sa montre, la montait, prenait un grand flambeau d'argent surmonté
d'une grande bougie, entrait un moment dans la petite tour de l'ouest, puis revenait, son flambeau à la main, et s'avançait vers sa chambre à coucher, dépendante
de la petite tour de l'est. Lucile et moi, nous nous tenions sur son passage ; nous
l'embrassions, en lui souhaitant une bonne nuit. Il penchait vers nous sa joue   25
sèche et creuse sans nous répondre, continuait sa route et se retirait au fond de
la tour, dont nous entendions les portes se refermer sur lui.

CHATEAUBRIAND, *Mémoires d'outre-tombe*, I, III, 3.

Questions

1. Étudiez la figure du
père à travers le texte.

2. Analysez l'art de la
prose dans le second
paragraphe.

3. Mettez en évidence
le paradoxe de ce texte :
à la fois réaliste et
presque fantastique.

Alphonse de Lamartine
(1790-1869)

Portrait par GÉRARD FRANÇOIS, (1770-1837).
Versailles, musée du Château.
Photo © Josse.

ALPHONSE DE LAMARTINE naît à Mâcon en 1790. En 1820, son premier recueil, **Les Méditations poétiques**, est perçu comme un manifeste du romantisme. D'abord légitimiste, il se rallie en 1830 – année de la publication des **Harmonies poétiques et religieuses** –, à la monarchie de Juillet, puis évolue vers un républicanisme modéré qui imprègne son **Histoire des Girondins** (1847). Chef du gouvernement provisoire après la Révolution de 1848, il échoue dans sa candidature à la présidence de la République. Il compose alors une autobiographie romancée, **Les Confidences** (1849), qui contient la nouvelle **Graziella**. À la suite du coup d'État de 1851, il se retire de la vie politique. Sa dernière œuvre marquante est le poème **La Vigne et la Maison** (1857). Il meurt en 1869.

Lamartine, sensible à la question sociale et démocrate, demeura néanmoins attaché à la propriété privée et à la religion. Il tenta de conjuguer l'action politique et une tendance irrépressible au repli sur soi, incarnant ainsi une contradiction emblématique du romantisme. Quand elle se veut polémique ou épique, son écriture manque de force et de souffle. Lamartine a, en revanche, trouvé sa véritable expression dans l'élégie et dans le lyrisme.

Méditations poétiques
[1820]

Le Lac

Julie Charles – nommée Elvire dans le recueil – est l'épouse d'un physicien célèbre. Lamartine l'avait rencontrée en 1816 à Aix-les-Bains. Alors qu'elle est retenue près de Paris par la maladie, le poète, seul au bord du lac du Bourget, se souvient d'une promenade en barque en sa compagnie. Elle mourra en 1817, peu après l'achèvement de ce poème, où la trace de La Nouvelle Héloïse de Jean-Jacques Rousseau est évidente.

Ainsi, toujours poussés vers de nouveaux rivages,
Dans la nuit éternelle emportés sans retour,
Ne pourrons-nous jamais sur l'océan des âges
    Jeter l'ancre un seul jour ?

5 Ô lac ! l'année à peine a fini sa carrière,
Et près des flots chéris qu'elle devait revoir,
Regarde ! Je viens seul m'asseoir sur cette pierre
    Où tu la vis s'asseoir !

Tu mugissais ainsi sous ces roches profondes ;
10 Ainsi tu te brisais sur leurs flancs déchirés ;
Ainsi le vent jetait l'écume de tes ondes
    Sur ses pieds adorés.

Un soir, t'en souvient-il ? nous voguions en
                [silence ;
On n'entendait au loin, sur l'onde et sous les cieux,
15 Que le bruit des rameurs qui frappaient en
                [cadence
    Tes flots harmonieux.

Tout à coup des accents inconnus à la terre
Du rivage charmé[1] frappèrent les échos ;
Le flot fut attentif, et la voix qui m'est chère
20   Laissa tomber ces mots :

« Ô temps, suspends ton vol ! et vous, heures
                [propices,
    Suspendez votre cours !
Laissez-nous savourer les rapides délices
    Des plus beaux de nos jours !

25 « Assez de malheureux ici-bas vous implorent :
    Coulez, coulez pour eux ;
Prenez avec leurs jours les soins[2] qui les dévorent ;
    Oubliez les heureux.

« Mais je demande en vain quelques moments
                [encore,
30   Le temps m'échappe et fuit ;
Je dis à cette nuit : " Sois plus lente " ; et l'aurore
    Va dissiper la nuit.

« Aimons donc, aimons donc ! de l'heure fugitive,
    Hâtons-nous, jouissons !
35 L'homme n'a point de port, le temps n'a point de
                [rive ;
    Il coule, et nous passons ! »

Temps jaloux, se peut-il que ces moments d'ivresse,
Où l'amour à longs flots nous verse le bonheur,
S'envolent loin de nous de la même vitesse
40   Que les jours de malheur ?

Hé quoi ! n'en pourrons-nous fixer au moins la
                [trace ?
Quoi ! passés pour jamais ? quoi ! tout entiers
                [perdus ?
Ce temps qui les donna, ce temps qui les efface,
    Ne nous les rendra plus ?

45 Éternité, néant, passé, sombres abîmes,
Que faites-vous des jours que vous engloutissez ?
Parlez : nous rendrez-vous ces extases sublimes
    Que vous nous ravissez ?

Ô lac ! rochers muets ! grottes ! forêt obscure !
50 Vous que le temps épargne ou qu'il peut rajeunir,
Gardez de cette nuit, gardez, belle nature,
    Au moins le souvenir !

Qu'il soit dans ton repos, qu'il soit dans tes
                [orages,
Beau lac, et dans l'aspect de tes riants coteaux,
55 Et dans ces noirs sapins, et dans ces rocs sauvages
    Qui pendent sur tes eaux !

Qu'il soit dans le zéphyr[3] qui frémit et qui passe,
Dans les bruits de tes bords par tes bords répétés,
Dans l'astre au front d'argent qui blanchit ta
                [surface
60   De ses molles clartés !

Que le vent qui gémit, le roseau qui soupire,
Que les parfums légers de ton air embaumé,
Que tout ce qu'on entend, l'on voit ou l'on respire,
    Tout dise : « Ils ont aimé ! »

LAMARTINE, *Méditations poétiques.*

---

1. Soumis à un enchante-
ment.
2. Soucis.
3. Brise légère.

Questions

1. Identifiez les voix qui s'expriment dans le poème. À qui s'adresse chacune d'elles ?
2. Étudiez le thème de la fuite du temps : dans quelles parties du poème est-il développé ? par quelles images ? Comment se joignent ici la vision épicurienne et la
vision chrétienne ?
3. Quel rapport le poète entretient-il avec la nature ?
4. Repérez les procédés du lyrisme et de l'élégie dans ce poème.

LE ROMANTISME

Le romantisme, mouvement intellectuel et artistique européen, se développe en France sous la Restauration et la monarchie de Juillet, du succès des **Méditations poétiques** *(1820) de Lamartine à l'échec du drame* **Les Burgraves** *(1843) de Hugo.*

■ Origines du romantisme

Au XVIIIe siècle, Rousseau, notamment dans *La Nouvelle Héloïse* (1761), *Les Confessions* (1781-1788) et les *Rêveries du promeneur solitaire* (1782), proclamait les droits de la sensibilité contre le rationalisme des philosophes. Au début du XIXe siècle, *Le Génie du christianisme* (1802) et *René* (1802) de Chateaubriand annoncent à certains égards le romantisme. Madame de Staël[1], dans *De la littérature considérée dans ses rapports avec les institutions sociales* (1800), estime que la société nouvelle instaurée par la Révolution française appelle une littérature nouvelle : il faut, selon elle, se détourner des « littératures du Midi », c'est-à-dire du modèle gréco-latin, pour s'intéresser aux « littératures du Nord ». De fait, le romantisme réhabilitera la littérature française du Moyen Âge et de la Renaissance, et s'inspirera des littératures européennes, notamment anglaise et allemande. Deux romans de Goethe[2] ont ainsi une influence décisive sur la formation de l'esprit romantique : *Les Souffrances du jeune Werther* (1774) et *Les Affinités électives* (1808-1809).

■ Clivages politiques

À partir de 1820, les conservateurs, parmi lesquels Hugo, Vigny et Nodier, se regroupent autour des revues *Le Conservateur littéraire* puis *La Muse française,* alors que *Le Globe* sera l'organe des libéraux comme Stendhal et Mérimée. En 1827, Hugo, glissant vers le libéralisme, fonde le « Cénacle » qui réunit, par-delà leurs divergences idéologiques, presque tous les écrivains les plus brillants de sa génération : Lamartine, Vigny, Musset, Gautier, Mérimée, Nerval, Dumas, Balzac, ainsi que des peintres

et sculpteurs comme Delacroix et David d'Angers. Lorsqu'en 1830 le drame *Hernani* est joué à la Comédie-Française, les membres du « Cénacle », à quelques exceptions près, soutiennent Hugo. En fait, le romantisme se caractérise par une extrême diversité et des contradictions qui lui confèrent son dynamisme.

Les Romantiques. Caricature inspirée par Chateaubriand. Lithographie, 1825. Paris, musée Carnavalet.
● Photo © J.-L. Charmet.

■ Théories romantiques

Les romantiques font le constat que le modèle classique, qui date du XVIIe siècle et se fonde sur l'imitation des Anciens, est épuisé. Ainsi la séparation et la hiérarchie des genres littéraires, fondement du classicisme, sont-elles appelées à disparaître. Le romantisme s'épanouit dans toutes les formes d'expressions, et nombre de ses représentants sont à la fois poètes, dramaturges et romanciers.

La valeur suprême est constituée par l'*individu* et ses sentiments, particulièrement l'*amour*. La *société* bourgeoise est perçue comme hostile à la réalisation des désirs et des ambitions, antagonisme douloureux qui constitue le fameux « mal du siècle ». La consolation et l'apaisement sont à rechercher dans la *nature,*

---

1. Romancière et essayiste française (1766-1817).
2. Écrivain allemand, poète, romancier et dramaturge (1749-1832).

qu'elle soit proche ou *exotique*, et nécessite alors un *voyage*. Enfin, le *rêve* et l'*imagination* sont l'expression de la vérité la plus intime de l'individu.

Par souci du *vrai*, l'écrivain trouvera son inspiration dans l'*histoire*, et plus particulièrement dans la *couleur locale*[3]. Mais le malheur présent pourra aussi l'amener à *se révolter* contre la société et à lui lancer des défis. Certains romantiques verront dans l'*engagement politique ou humanitaire* un aboutissement nécessaire, surtout après l'échec de la révolution de 1830.

Sous ses multiples faces, le romantisme exprime une revendication continue de *liberté* en littérature.

■ La poésie romantique

Les romantiques reprochent à la poésie classique son caractère artificiel. C'est par la force des sentiments, des images et des idées que les poètes romantiques renouvellent des formes abandonnées telles que le sonnet, l'élégie, l'ode, la ballade, la satire, l'épopée, le poème philosophique, ou en inventent d'inédites comme le poème en prose. Le poème est tantôt un chant qui se coule dans la régularité du vers classique, tantôt un cri qui le disloque.

Heureux, souffrant, révolté, consentant, confiant, angoissé, qu'il se confronte à la réalité ou qu'il se livre aux puissances du rêve et de l'imagination, qu'il s'engage ou se replie sur lui-même, le *moi, éclaté* et cherchant son *unité*, est au cœur de la poésie romantique, qui est donc une poésie *lyrique*.

■ Le drame romantique

En 1823, Stendhal, dans un pamphlet, *Racine et Shakespeare*, affirme la supériorité du théâtre shakespearien sur la tragédie racinienne. En 1827, dans la préface de *Cromwell*, Hugo élabore la théorie du *drame* romantique. Le drame romantique refusera la distinction, héritée d'Aristote, entre le *tragique* et le *comique*, ainsi qu'entre le *sublime* et le *grotesque*, qui cohabitent dans la vie réelle. Il récusera les règles classiques, notamment celles des trois unités et de la bienséance. Il n'hésitera pas à recourir à l'*histoire*, au *pittoresque* et à la *couleur locale*. Ce théâtre est centré sur le *héros romantique*, individu marginal qui, tel le poète, entre en conflit avec la société. C'est souvent l'*échec* de son *action* qui le rend fascinant.

● Dessin de Victor Hugo. Photo © Flammarion-Giraudon.

■ Roman et romantisme

L'épanouissement du roman au XIXᵉ siècle est en partie dû au romantisme. En effet, le romantisme, en privilégiant le moi et les émotions, a favorisé le développement du *roman personnel et psychologique* et renouvelé le *roman d'amour*. Par son goût du vrai et de l'histoire, il a contribué à l'essor du *roman réaliste* et du *roman historique*. Ce dernier type a bénéficié de la mode des romans de Walter Scott[4]. L'engagement des écrivains romantiques donne souvent au roman une *dimension sociale et politique*. Les personnages romanesques de cette époque sont fréquemment des *héros romantiques*.

■ L'histoire romantique

L'histoire, présente dans les *mémoires*, dans la *poésie*, dans le *drame* et dans le *roman*, tend à se constituer en *discipline autonome*. La Révolution française marque l'achèvement d'un monde et l'entrée de celui-ci dans l'histoire. De plus, la notion de citoyenneté et la réflexion sur la nation modifient le rapport au passé. Trois exigences guident l'historien romantique : atteindre l'*impartialité scientifique*, délivrer un *message politique*, être un authentique *écrivain*.

---

3. Ensemble des traits extérieurs caractérisant des êtres et des choses dans un lieu ou une époque donnés.

4. Poète et romancier écossais (1771-1832), auteur de romans historiques, dont le plus célèbre est peut-être *Ivanhoé* (1819).

Victor Hugo

(1802-1885)

Portrait par LOUIS BOULANGER.
Paris, Maison de Victor-Hugo.
Photo © Lauros-Giraudon.

VICTOR HUGO, adolescent, veut devenir « Chateaubriand ou rien ». Il sera plus : Victor Hugo, la conscience d'un siècle, un absolu artistique. À la longévité de sa vie répond la profusion de son œuvre.

Né à Besançon, Victor Hugo fonde à dix-sept ans une revue, *Le Conservateur littéraire*, reçoit la Légion d'honneur à vingt-trois et assure sa célébrité en élaborant la théorie des règles du drame romantique. Un manifeste (la préface de **Cromwell** en 1827), un scandale (la première d'**Hernani** en 1830), un succès (**Ruy Blas** en 1838), un échec (**Les Burgraves** en 1843) jalonnent son itinéraire théâtral. Hugo publie également plusieurs recueils de poésies. **Odes et Ballades** (1828), **Les Feuilles d'automne** (1831), **Les Rayons et les Ombres** (1840) composent un univers romantique, assouplissent l'alexandrin et approfondissent certains thèmes, dont la représentation du poète comme intercesseur entre Dieu et les hommes. Quelques romans, fantastiques comme **Han d'Islande** (1823) ou médiévaux comme **Notre-Dame de Paris** (1831), participent du goût de l'époque pour l'exotisme. Monarchiste, Hugo est nommé pair de France en 1845 et élu député après la révolution de 1848. Sa vie sentimentale, outre quelques dissipations galantes, s'équilibre entre son amour pour Adèle Foucher, épousée en 1821, et celui éprouvé pour Juliette Drouet, une comédienne rencontrée en 1833. Mais les douleurs rythment les succès : divorce des parents en 1814 – le père est général d'Empire, la mère royaliste –, internement d'un frère en 1822, mort du premier enfant en 1823, noyade de Léopoldine, le second de ses cinq enfants, en 1843. Plus tard, Victor Hugo vieillissant assiste à la folie progressive de sa fille Adèle et à la mort de plusieurs intimes.

Les années 1850 marquent une rupture dans son existence. Il évolue vers la gauche républicaine, dénonce, après enquêtes sur le terrain, l'exploitation de la classe ouvrière, lutte à la Chambre pour l'abolition de la peine de mort. En 1851, après le coup d'État de Louis-Napoléon Bonaparte, Victor Hugo, poursuivi par la police, fuit en Belgique, s'installe à Jersey, se fixe à Guernesey. Refusant toute amnistie, il incarne pendant vingt années la résistance au Second Empire, dont il fustige la dictature dans **Napoléon le Petit** (pamphlet, 1852) et **Les Châtiments** (poésies, 1853). Entre deux séances de spiritisme, il achève de rédiger les poèmes des **Contemplations** (1856) et commence ceux de **La Légende des siècles** (1859-1883). Hugo écrit aussi des romans, dont **Les Misérables** (1862) et **L'Homme qui rit** (1869). Ces romans entremêlent une dimension historique, une composition poétique – leurs thèmes et leurs motifs se disposent et se répètent à la manière de vers –, et une tension métaphysique. Leurs personnages constituent des allégories morales, opposant les forces du Bien à celles du Mal. Ils figurent aussi les différents états du psychisme humain que l'écrivain, fasciné par l'irrationnel, se plaît à animer.

En 1870, à la chute de l'Empire, Victor Hugo revient en France. Monstre sacré de la république naissante, il écrit encore un roman, **Quatre-Vingt-Treize** (1874), et des poésies, **L'Art d'être grand-père** (1877). À sa mort, deux millions de personnes l'accompagnent au Panthéon.

1. Régions d'Espagne.

Hernani
▬▬ *[1830]*

À Saragosse, Doña Sol et Hernani s'aiment mais Don Ruy Gomez, l'oncle de la jeune fille, veut l'épouser. Hernani, que traquent par ailleurs les troupes du roi, trouve refuge dans le château de Ruy Gomez. Il interrompt le projet de noces de ce dernier. Doña Sol lui réitère en effet son amour. Hernani alors s'adresse à elle.

Monts d'Aragon ! Galice ! Estramadoure !¹
– Oh ! je porte malheur à tout ce qui m'entoure ! –
J'ai pris vos meilleurs fils ; pour mes droits, sans remords
Je les ai fait combattre, et voilà qu'ils sont morts !
5   C'étaient les plus vaillants de la vaillante Espagne.
Ils sont morts ? ils sont tous tombés dans la montagne,
Tous sur le dos couchés, en braves, devant Dieu,
Et, si leurs yeux s'ouvraient, ils verraient le ciel bleu !
Voilà ce que je fais de tout ce qui m'épouse !
10   Est-ce une destinée à te rendre jalouse ?
Doña Sol, prends le duc, prends l'enfer, prends le roi !
C'est bien. Tout ce qui n'est pas moi vaut mieux que moi !
Je n'ai plus un ami qui de moi se souvienne,
Tout me quitte, il est temps qu'à la fin ton tour vienne,
15   Car je dois être seul. Fuis ma contagion.
Ne te fais pas d'aimer une religion !
Oh ! par pitié pour toi, fuis ! – Tu me crois peut-être
Un homme comme sont tous les autres, un être
Intelligent, qui court droit au but qu'il rêva.
20   Détrompe-toi. Je suis une force qui va !
Agent aveugle et sourd de mystères funèbres !
Une âme de malheur faite avec des ténèbres !
Où vais-je ? je ne sais. Mais je me sens poussé
D'un souffle impétueux, d'un destin insensé.
25   Je descends, je descends, et jamais ne m'arrête.
Si parfois, haletant, j'ose tourner la tête,
Une voix me dit : Marche ! et l'abîme est profond,
Et de flamme ou de sang je le vois rouge au fond !
Cependant, à l'entour de ma course farouche,
30   Tout se brise, tout meurt. Malheur à qui me touche !
Oh ! fuis ! détourne-toi de mon chemin fatal,
Hélas ! sans le vouloir, je te ferais du mal !

VICTOR HUGO,
Hernani, III, 4.

Questions

1. Cette tirade vous semble-t-elle théâtrale ? Justifiez votre réponse.

2. Quels arguments Hernani emploie-t-il pour détourner Doña Sol de lui ? En quoi peuvent-ils avoir l'effet contraire ?

3. Analysez le rythme et la structure des alexandrins. Que remarquez-vous ? Pourquoi ?

4. Étudiez l'expression de la malédiction. En quoi le personnage d'Hernani est-il tragique ?

Ruy Blas
[1836]

Dans l'Espagne du XVIIe siècle, Ruy Blas, génie méconnu réduit au métier de valet, retrouve un ancien compagnon, noble bohème et fantasque, Don César de Bazan. Hugo lance l'action. Ruy Blas, manipulé par un ministre sans scrupule qui entend se venger de la reine, se fera passer pour Don César, opportunément enlevé dès la fin de l'acte, et séduira la reine. Mais la confrontation des deux personnages revêt aussi une valeur esthétique : l'un représente la tragédie, l'autre la comédie, leur synthèse définissant l'esprit même du drame romantique.

DON CÉSAR, *lui serrant la main.*

Espère !

RUY BLAS

Espérer ! Mais tu ne sais rien encore.
Vivre sous cet habit qui souille et déshonore,
Avoir perdu la joie et l'orgueil, ce n'est rien.
Être esclave, être vil, qu'importe ! – Écoute bien.
5 Frère ! je ne sens pas cette livrée infâme,
Car j'ai dans ma poitrine une hydre aux dents de
[flamme
Qui me serre le cœur dans ses replis ardents.
Le dehors te fait peur ? si tu voyais dedans !

DON CÉSAR

Que veux-tu dire ?

RUY BLAS

Invente, imagine, suppose.
10 Fouille dans ton esprit. Cherches-y quelque chose
D'étrange, d'insensé, d'horrible et d'inouï.
Une fatalité dont on soit ébloui !
Oui, compose un poison affreux, creuse un abîme
Plus sourd que la folie et plus noir que le crime,
15 Tu n'approcheras pas encor de mon secret.
– Tu ne devines pas ? – Hé ! qui devinerait ? –
Zafari ! dans le gouffre où mon destin m'entraîne
Plonge les yeux ! – je suis amoureux de la reine !

DON CÉSAR

Ciel !

RUY BLAS

Sous un dais[1] orné du globe impérial,
20 Il est, dans Aranjuez ou dans l'Escurial,
– Dans ce palais, parfois, – mon frère, il est un
[homme
Qu'à peine on voit d'en bas, qu'avec terreur on
[nomme ;
Pour qui, comme pour Dieu, nous sommes égaux
[tous ;
Qu'on regarde en tremblant et qu'on sert à
[genoux ;
25 Devant qui se couvrir est un honneur insigne ;
Qui peut faire tomber nos deux têtes d'un signe ;
Dont chaque fantaisie est un événement ;
Qui vit, seul et superbe, enfermé gravement
Dans une majesté redoutable et profonde,
30 Et dont on sent le poids dans la moitié du
monde.
Eh bien ! – moi, le laquais, – tu m'entends, eh
[bien ! oui,
Cet homme-là ! le roi ! je suis jaloux de lui !

VICTOR HUGO, *Ruy Blas*, I, 3.

Questions

1. Quels éléments font de ce dialogue une scène d'exposition ?
2. Comment se compose-t-il de façon symétrique ?
3. Quelles figures de style intensifient l'aveu de Ruy Blas ? Commentez les plus marquantes.
4. Quelles caractéristiques rapprochent Ruy Blas d'un héros de tragédie ? Laquelle l'en sépare ?

1. Ouvrage soutenu par des montants au-dessus d'un trône ou d'un autel.

Les Châtiments
[1853]

Les Châtiments se présentent comme une œuvre militante. Exilé, Hugo attaque l'imposteur, Napoléon III, et son empire, un régime autoritaire. La diversité des tonalités poétiques n'a d'égale que la virulence politique du propos. Le poète se fait prophète dans Stella, *pathétique dans* Souvenir de la nuit du quatre, *où il évoque la nuit du coup d'état – 4 décembre 1851 –, épique dans* Ô soldats de l'an deux !, *qui magnifie l'armée nationale de la Révolution pour mieux stigmatiser l'armée de métier asservie à Napoléon III.*

1. L'étoile.
2. Vent du nord (poétique).
3. Mont Sinaï.
4. Montagne du Péloponnèse.
5. Poète italien (1265-1321) : son œuvre exerça une influence considérable sur la littérature européenne.

Stella[1]

Je m'étais endormi la nuit près de la grève.
Un vent frais m'éveilla, je sortis de mon rêve,
J'ouvris les yeux, le vis l'étoile du matin.
Elle resplendissait au fond du ciel lointain
5 Dans une blancheur molle, infinie et charmante.
Aquilon[2] s'enfuyait emportant la tourmente.
L'astre éclatant changeait la nuée en duvet.
C'était une clarté qui pensait, qui vivait ;
Elle apaisait l'écueil où la vague déferle ;
10 On croyait voir une âme à travers une perle.
Il faisait nuit encor, l'ombre régnait en vain.
Le ciel s'illuminait d'un sourire divin.
La lueur argentait le haut du mât qui penche ;
Le navire était noir, mais la voile était blanche ;
15 Des goélands debout sur un escarpement,
Attentifs, contemplaient l'étoile gravement
Comme un oiseau céleste et fait d'une étincelle.
L'océan, qui ressemble au peuple, allait vers elle,
Et, rugissant tout bas, la regardait briller,
20 Et semblait avoir peur de la faire envoler.
Un ineffable amour emplissait l'étendue.
L'herbe verte à mes pieds frissonnait éperdue,
Les oiseaux se parlaient dans les nids ; une fleur
Qui s'éveillait me dit : C'est l'étoile ma sœur.
25 Et pendant qu'à longs plis l'ombre levait son voile,
J'entendis une voix qui venait de l'étoile
Et qui disait : – Je suis l'astre qui vient d'abord.
Je suis celle qu'on croit dans la tombe et qui sort.
J'ai lui sur le Sina[3], j'ai lui sur le Taygète[4] ;
30 Je suis le caillou d'or et de feu que Dieu jette,
Comme avec une fronde, au front noir de la nuit.
Je suis ce qui renaît quand un monde est détruit.
Ô nations ! je suis la Poésie ardente.
J'ai brillé sur Moïse et j'ai brillé sur Dante[5].
35 Le lion océan est amoureux de moi.
J'arrive. Levez-vous, vertu, courage, foi !

VICTOR HUGO, *Les Châtiments.* « Stella », extrait.

PAUL CÉZANNE (1839-1906), *Le Rêve du poète.*
Aix-en-Provence, musée Granet.
Photo © RMN-Arnaudet.

Questions

1. Qui parle ? À qui ?
2. Quels procédés rhétoriques et sonores dominent jusqu'au vers 28 ? À quelle fin ?
3. Étudiez les correspondances établies entre l'homme, la nature et le monde animal. Quel est leur sens ?
4. Quelle fonction prend le discours tenu à partir du vers 27 ? Quelle tonalité s'en dégage ? Justifiez votre réponse par une étude lexicale et rhétorique.

Souvenir de la nuit du quatre

L'enfant avait reçu deux balles dans la tête.
Le logis était propre, humble, paisible, honnête.
On voyait un rameau béni sur un portrait.
Une vieille grand'mère était là qui pleurait.
5 Nous le déshabillions en silence. Sa bouche,
Pâle, s'ouvrait ; la mort noyait son œil farouche ;
Ses bras pendants semblaient demander des appuis.
Il avait dans sa poche une toupie en buis.
On pouvait mettre un doigt dans les trous de ses plaies.
10 Avez-vous vu saigner la mûre dans les haies ?
Son crâne était ouvert comme un bois qui se fend.
L'aïeule regarda déshabiller l'enfant,
Disant : – Comme il est blanc ! approchez donc la lampe,
Dieu ! ses pauvres cheveux sont collés sur sa tempe ! –
15 Et quand ce fut fini, le prit sur ses genoux.
La nuit était lugubre ; on entendait des coups
De fusil dans la rue où l'on en tuait d'autres.
– Il faut ensevelir l'enfant, dirent les nôtres. –
Et l'on prit un drap blanc dans l'armoire en noyer.
20 L'aïeule cependant l'approchait du foyer,
Comme pour réchauffer ses membres déjà roides.
Hélas ! ce que la mort touche de ses mains froides
Ne se réchauffe plus aux foyers d'ici-bas !
Elle pencha la tête et lui tira ses bas,
25 Et dans ses vieilles mains prit les pieds du cadavre.
– Est-ce que ce n'est pas une chose qui navre !
Cria-t-elle ; monsieur, il n'avait pas huit ans !
Ses maîtres, il allait en classe, étaient contents.
Monsieur, quand il fallait que je fisse une lettre,
30 C'est lui qui l'écrivait. Est-ce qu'on va se mettre
À tuer les enfants maintenant ? Ah ! mon Dieu !
On est donc des brigands ! Je vous demande un peu,
Il jouait ce matin, là, devant la fenêtre !
Dire qu'ils m'ont tué ce pauvre petit être !
35 Il passait dans la rue, ils ont tiré dessus.
Monsieur, il était bon et doux comme un Jésus.
Moi je suis vieille, il est tout simple que je parte ;
Cela n'aurait rien fait à monsieur Bonaparte
De me tuer au lieu de tuer mon enfant ! –
40 Elle s'interrompit, les sanglots l'étouffant.
Puis elle dit, et tous pleuraient près de l'aïeule :
– Que vais-je devenir à présent, toute seule ?
Expliquez-moi cela, vous autres, aujourd'hui.
Hélas ! je n'avais plus de sa mère que lui.
45 Pourquoi l'a-t-on tué ? je veux qu'on me l'explique.
L'enfant n'a pas crié vive la République.

VICTOR HUGO, *Les Châtiments*.
« Souvenir de la nuit du quatre », extrait.

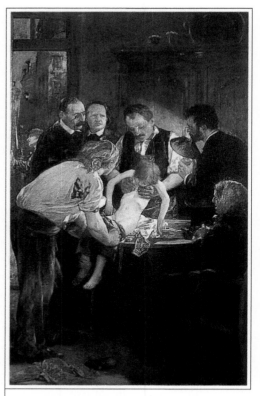

HERVÉ GERVEX, « Souvenir de la nuit du Quatre »
(*Les Châtiments*). Salon de 1880.
Saint-Étienne, musée d'Art et d'Industrie.
Photo © Roger-Viollet.

Questions

1. Relevez les différentes étapes du poème. Quelle en est la progression ?

2. Pourquoi Hugo donne-t-il la parole à la grand-mère ? Quels sentiments le poète cherche-t-il à susciter auprès du lecteur ?

3. Par un relevé de citations précis, étudiez le mélange de réalisme et de pathétique.

4. Quelle dimension symbolique ce poème présente-t-il ?

Ô soldats de l'an deux ! ô guerres ! épopées !

Ô soldats de l'an deux ! ô guerres ! épopées !
Contre les rois tirant ensemble leurs épées,
       Prussiens, Autrichiens,
Contre toutes les Tyrs et toutes les Sodomes[1],
5 Contre le czar[2] du nord, contre ce chasseur d'hommes
       Suivi de tous ses chiens,

Contre toute l'Europe avec ses capitaines,
Avec ses fantassins couvrant au loin les plaines,
       Avec ses cavaliers,
10 Tout entière debout comme une hydre vivante,
Ils chantaient, ils allaient, l'âme sans épouvante
       Et les pieds sans souliers !

Au levant, au couchant, partout, au sud, au pôle,
Avec de vieux fusils sonnant sur leur épaule,
15   Passant torrents et monts,
Sans repos, sans sommeil, coudes percés, sans vivres,
Ils allaient, fiers, joyeux, et soufflant dans des cuivres
       Ainsi que des démons !

La Liberté sublime emplissait leurs pensées.
20 Flottes prises d'assaut, frontières effacées
       Sous leur pas souverain,
Ô France, tous les jours, c'était quelque prodige,
Chocs, rencontres, combats ; et Joubert sur l'Adige,
       Et Marceau sur le Rhin !

25 On battait l'avant-garde, on culbutait le centre ;
Dans la pluie et la neige et de l'eau jusqu'au ventre,
       On allait ! en avant !
Et l'un offrait la paix, et l'autre ouvrait ses portes,
Et les trônes, roulant comme des feuilles mortes,
30   Se dispersaient au vent !

Oh ! que vous étiez grands au milieu des mêlées,
Soldats ! L'œil plein d'éclairs, faces échevelées,
       Dans le noir tourbillon,
Ils rayonnaient, debout, ardents, dressant la tête ;
35 Et comme les lions aspirent la tempête
       Quand souffle l'aquilon,

Eux, dans l'emportement de leurs luttes épiques,
Ivres, ils savouraient tous les bruits héroïques,
       Le fer heurtant le fer,
40 La Marseillaise ailée et volant dans les balles,
Les tambours, les obus, les bombes, les cymbales,
       Et ton rire, ô Kléber !

              VICTOR HUGO, *Les Châtiments.*
         « Ô soldats de l'an deux », extrait.

Questions

1. Précisez les références historiques incluses dans le poème.

2. Étudiez la prosodie – versification, rimes, rythmes –, ses caractéristiques essentielles, ses effets.

3. Quel type de phrase revient sans cesse ? Quel sentiment souligne-t-elle ? Pourquoi ?

4. Comment Hugo transforme-t-il l'Histoire en épopée ?

Les Contemplations
[1856]

« Mémoires d'une âme » selon la préface, Les Contemplations, *publiées au printemps 1856, se divisent en deux parties, « Autrefois » et « Aujourd'hui », qui présentent un bilan spirituel étendu sur un quart de siècle (1830 à 1855). La mort de Léopoldine en 1843, le deuil qui en résulte, ainsi que le suggère* Demain, dès l'aube..., *offrent une référence centrale à des poèmes composés avant, pendant et après cet événement. Le sentiment de la nature et le pressentiment du surnaturel, l'humilité de la scène de genre et l'ambition du verbe poétique alternent par ailleurs dans le recueil.*

« Elle était déchaussée, elle était décoiffée »

Elle était déchaussée, elle était décoiffée,
Assise, les pieds nus, parmi les joncs penchants ;
Moi qui passais par là, je crus voir une fée,
Et je lui dis : Veux-tu t'en venir dans les champs ?

5 Elle me regarda de ce regard suprême
Qui reste à la beauté quand nous en triomphons,
Et je lui dis : Veux-tu, c'est le mois où l'on aime,
Veux-tu nous en aller sous les arbres profonds ?

Elle essuya ses pieds à l'herbe de la rive ;
10 Elle me regarda pour la seconde fois,
Et la belle folâtre alors devint pensive...
Oh ! comme les oiseaux chantaient au fond des bois !

Comme l'eau caressait doucement le rivage !
Je vis venir à moi, dans les grands roseaux verts,
15 La belle fille heureuse, effarée et sauvage,
Ses cheveux dans ses yeux, et riant au travers.

VICTOR HUGO, Les Contemplations.

RICHTER, *Nymphe des bois.*
Londres, Christie's.
Photo © Bridgeman-Giraudon.

Questions

1. Quel est le ton de ce poème ?

2. Quels mots, quelles images, quelles références, quelle rime suggèrent sans la nommer la scène amoureuse ?

3. Quelle remarque pouvez-vous faire sur la construction de l'alexandrin aux vers 1 et 3 de la strophe 1, et dans les trois derniers vers ?

4. De quelle façon Hugo suscite-t-il une impression d'harmonie entre les personnages d'une part, entre les personnages et la nature d'autre part ?

« *Demain, dès l'aube...* »

Demain, dès l'aube, à l'heure où blanchit la campagne,
Je partirai. Vois-tu, je sais que tu m'attends.
J'irai par la forêt, j'irai par la montagne.
Je ne puis demeurer loin de toi plus longtemps.

5 Je marcherai les yeux fixés sur mes pensées,
Sans rien voir au dehors, sans entendre aucun bruit,
Seul, inconnu, le dos courbé, les mains croisées,
Triste, et le jour pour moi sera comme la nuit.

Je ne regarderai ni l'or du soir qui tombe,
10 Ni les voiles au loin descendant vers Harfleur,
Et quand j'arriverai, je mettrai sur ta tombe
Un bouquet de houx vert et de bruyère en fleur.

VICTOR HUGO, *Les Contemplations*.

Questions

1. Sur quel principe repose la progression du poème ?

2. Étudiez le jeu des pronoms personnels et l'emploi des temps verbaux. Que remarquez-vous, surtout dans le vers 2 ?

3. Quel effet de construction se répète aux vers 2 et 8 ? Pourquoi ?

4. À quoi tient la puissance tragique de ce poème ?

« *Un pauvre homme passait...* »

Un pauvre homme passait dans le givre et le vent.
Je cognai sur ma vitre ; il s'arrêta devant
Ma porte, que j'ouvris d'une façon civile.
5 Les ânes revenaient du marché de la ville,
Portant les paysans accroupis sur leurs bâts.
C'était le vieux qui vit dans une niche au bas
De la montée, et rêve, attendant, solitaire,
Un rayon du ciel triste, un liard de la terre,
Tendant les mains pour l'homme et les joignant pour Dieu.
10 Je lui criai : « Venez vous réchauffer un peu.
Comment vous nommez-vous ? » Il me dit : « Je me nomme
Le pauvre. » Je lui pris la main : « Entrez, brave homme. »
Et je lui fis donner une jatte de lait.
Le vieillard grelottait de froid ; il me parlait,
15 Et je lui répondais, pensif et sans l'entendre.
« Vos habits sont mouillés, dis-je, il faut les étendre
Devant la cheminée. » Il s'approcha du feu.
Son manteau, tout mangé des vers, et jadis bleu,
Étalé largement sur la chaude fournaise,
20 Piqué de mille trous par la lueur de braise,
Couvrait l'âtre, et semblait un ciel noir étoilé.
Et, pendant qu'il séchait ce haillon désolé
D'où ruisselait la pluie et l'eau des fondrières[1],
Je songeais que cet homme était plein de prières,
25 Et je regardais, sourd à ce que nous disions,
Sa bure[2] où je voyais des constellations.

VICTOR HUGO, *Les Contemplations*.

Questions

1. Comment se compose le poème ? Repérez ses trois étapes successives.

2. Quels indices préparent, dans les neufs premiers vers, la métamorphose finale ?

3. Étudiez avec précision la progression métaphorique et rythmique des neuf derniers vers.

4. Quelle représentation du poète Victor Hugo suggère-t-il ici ?

1. Crevasses dans le sol.

2. Vêtement fait d'une grosse étoffe de laine brune, fréquemment porté par les moines.

À *quoi songeaient les deux cavaliers dans la forêt*

La nuit était fort noire, et la forêt très sombre.
Hermann à mes côtés me paraissait une ombre.
Nos chevaux galopaient. À la garde de Dieu !
Les nuages du ciel ressemblaient à des marbres.
5 Les étoiles volaient dans les branches des arbres
        Comme un essaim d'oiseaux de feu.

Je suis plein de regrets. Brisé par la souffrance,
L'esprit profond d'Hermann est vide d'espérance.
Je suis plein de regrets. Ô mes amours, dormez !
10 Or, tout en traversant ces solitudes vertes,
Hermann me dit : Je songe aux tombes entr'ouvertes !
Et je lui dis : Je pense aux tombeaux refermés !

Lui regarde en avant ; je regarde en arrière.
Nos chevaux galopaient à travers la clairière ;
15 Le vent nous apportait de lointains angélus ;
Il dit : – Je songe à ceux que l'existence afflige,
À ceux qui sont, à ceux qui vivent. – Moi, lui dis-je,
        Je pense à ceux qui ne sont plus !

Les fontaines chantaient. Que disaient les fontaines ?
20 Les chênes murmuraient. Que murmuraient les chênes ?
Les buissons chuchotaient comme d'anciens amis.
Hermann me dit : Jamais les vivants ne sommeillent.
En ce moment, des yeux pleurent, d'autres yeux veillent.
Et je lui dis : Hélas ! d'autres sont endormis !

25 Hermann reprit alors : Le malheur, c'est la vie.
Les morts ne souffrent plus. Ils sont heureux ! J'envie
Leur fosse où l'herbe pousse, où s'effeuillent les bois.
Car la nuit les caresse avec ses douces flammes ;
Car le ciel rayonnant calme toutes les âmes
30   Dans tous les tombeaux à la fois !

Et je lui dis : Tais-toi ! respect au noir mystère !
Les morts gisent couchés sous nos pieds dans la terre.
Les morts, ce sont les cœurs qui t'aimaient autrefois !
C'est ton ange expiré ! c'est ton père et ta mère !
35 Ne les attristons point par l'ironie amère.
Comme à travers un rêve, ils entendent nos voix.

VICTOR HUGO, *Les Contemplations.*

GUSTAVE MOREAU, *Cavalier.*
Paris, musée Gustave Moreau.
Photo © Lauros-Giraudon.

Questions

1. Répondez au titre hugolien en précisant les arguments de chaque cavalier.
2. Quels éléments confèrent son étrangeté au poème ?
3. Repérez une comparaison, une antithèse, un chiasme, un enjambement et commentez leur effet.
4. La réalité se limite-t-elle pour Hugo à ce que l'on en perçoit ? Justifiez votre réponse.

La Légende des siècles
[1859-1883]

Avec La Légende des siècles, *Hugo entend écrire l'épopée de l'humanité. Il en privilégie les grands enjeux, comme la religion ou la philosophie, et les grandes références culturelles, bibliques ou médiévales. Il multiplie aussi des épisodes plus singuliers, qui saisissent en situation quelque élément d'une histoire « écoutée aux portes de la légende ».*

Questions

1. Montrez comment ce poème se rapproche d'un épisode de roman.
2. En vous appuyant par exemple sur les vers 1, 4, 5 et 6, 9, 15, décrivez la diversité des rythmes et étudiez les effets qui en résultent.
3. Quel procédé épique le texte développe-t-il ?
4. Comment appréciez-vous l'avant-dernier vers ?

Après la bataille

Mon père, ce héros au sourire si doux,
Suivi d'un seul housard[1] qu'il aimait entre tous
Pour sa grande bravoure et pour sa haute taille,
Parcourait à cheval, le soir d'une bataille,
5 Le champ couvert de morts sur qui tombait la nuit.
Il lui sembla dans l'ombre entendre un faible bruit.
C'était un Espagnol de l'armée en déroute,
Qui se traînait sanglant sur le bord de la route,
Râlant, brisé, livide, et mort plus qu'à moitié,
10 Et qui disait : « À boire, à boire par pitié ! »
Mon père, ému, tendit à son housard fidèle
Une gourde de rhum qui pendait à sa selle,
Et dit : « Tiens, donne à boire à ce pauvre blessé. »
Tout à coup, au moment où le housard baissé
15 Se penchait vers lui, l'homme, une espèce de maure,
Saisit un pistolet qu'il étreignait encore,
Et vise au front mon père en criant : Caramba !
Le coup passa si près que le chapeau tomba
Et que le cheval fit un écart en arrière.
20 « Donne-lui tout de même à boire, dit mon père. »

VICTOR HUGO, *La Légende des siècles.*

1. Hussard (emploi vieilli).

Booz endormi

La respiration de Booz qui dormait
Se mêlait au bruit sourd des ruisseaux sur la mousse.
On était dans le mois où la nature est douce,
Les collines ayant des lis sur leur sommet.

5 Ruth songeait et Booz dormait[1] ; l'herbe était noire,
Les grelots des troupeaux palpitaient vaguement ;
Une immense bonté tombait du firmament ;
C'était l'heure tranquille où les lions vont boire.

Tout reposait dans Ur[2] et dans Jérimadeth[3] ;
10 Les astres émaillaient le ciel profond et sombre ;
Le croissant fin et clair parmi ces fleurs de l'ombre
Brillait à l'occident, et Ruth se demandait,

Immobile, ouvrant l'œil à moitié sous ses voiles,
Quel dieu, quel moissonneur de l'éternel été
15 Avait, en s'en allant, négligemment jeté
Cette faucille d'or dans le champ des étoiles.

VICTOR HUGO, *La Légende des siècles.*
« Booz endormi », extrait.

1. Personnages bibliques, ancêtres de Jésus.
2. Cité antique de la Basse-Mésopotamie, et, selon la Bible, patrie d'Abraham.
3. Ville imaginaire.

Questions

1. Quelle atmosphère le poète tente-t-il de représenter ? Par quels procédés ?
2. Montrez comment s'établit peu à peu une correspondance entre les différents éléments de l'univers.
3. Étudiez le rythme des trois premières strophes : quelle en est la caractéristique principale ? Comment, et pourquoi, la dernière strophe se démarque-t-elle ?
4. Expliquez avec précision la métaphore filée par laquelle s'achève le poème.

Les Reitres[1]   CHANSON BARBARE

Sonnez, clairons,
   Sonnez, cymbales !
On entendra siffler les balles ;
L'ennemi vient, nous le battrons ;
5 Les déroutes sont des cavales
Qui s'envolent quand nous soufflons ;
Nous jouerons aux dés sur les dalles ;
   Sonnez, rixdales[2],
   Sonnez, doublons[3] !

10   Sonnez, cymbales,
   Sonnez, clairons !
On entendra siffler les balles ;
Nous sommes les durs forgerons
Des victoires impériales ;
15 Personne n'a vu nos talons ;
Nous jouerons aux dés sur les dalles ;
   Sonnez, doublons,
   Sonnez, rixdales !

   Sonnez, clairons,
20   Sonnez, cymbales !
On entendra siffler les balles ;
Sitôt qu'en guerre nous entrons
Les rois ennemis font leurs malles,
Et commandent leurs postillons ;
25 Nous jouerons aux dés sur les dalles ;
   Sonnez, rixdales,
   Sonnez, doublons !

   Sonnez, cymbales,
   Sonnez, clairons !
30 On entendra siffler les balles ;
Sur les villes nous tomberons ;
Toutes femmes nous sont égales ;
Que leurs cheveux soient bruns ou blonds ;
Nous jouerons aux dés sur les dalles ;
35   Sonnez, doublons,
   Sonnez, rixdales !

   Sonnez, clairons,
   Sonnez, cymbales !
On entendra siffler les balles ;
40 Du vin ! du faro[4] ! nous boirons !
Dieu, pour vos bandes triomphales,
Fit les vignes et les houblons ;
Nous jouerons aux dés sur les dalles ;
   Sonnez, rixdales,
45   Sonnez, doublons !

   Sonnez, cymbales,
   Sonnez, clairons !
On entendra siffler les balles ;
Quelquefois, ivres, nous irons
50 À travers foudres et rafales,
En zigzag, point à reculons,
Nous jouerons aux dés sur les dalles ;
   Sonnez, doublons,
   Sonnez rixdales !

55   Sonnez, clairons,
   Sonnez, cymbales !
On entendra siffler les balles ;
Nous pillons, mais nous conquérons ;
La guerre a parfois les mains sales,
60 Mais la victoire a les bras longs ;
Nous jouerons aux dés sur les dalles ;
   Sonnez, rixdales,
   Sonnez, doublons !

   Sonnez, rixdales,
65   Sonnez, doublons !
Nous jouerons aux dés sur les dalles ;
Rois, nous sommes les aquilons[5] ;
Vos couronnes sont nos vassales ;
Et nous rirons quand nous mourrons.
70 On entendra siffler les balles ;
   Sonnez, clairons,
   Sonnez, cymbales !

VICTOR HUGO, *La Légende des siècles*, Nouvelle série, 1877.

---

1. Mercenaires, soudards.
2. Ancienne monnaie d'argent des Pays-Bas et de divers pays du nord et du centre de l'Europe.
3. Ancienne monnaie d'or d'Espagne.
4. Bière légère.
5. Les vents du nord.

Questions

1. Comment le sous-titre se justifie-t-il ?
2. Étudiez l'organisation des mètres, des rimes et la structure cyclique du poème. Quels en sont les effets ?
3. Montrez comment, tout au long du poème, se mélangent exotisme, légende et humour.

THÉODORE GÉRICAULT,
(1791-1824),
Combat singulier de cavaliers.
Paris, musée du Louvre.
© Photo R.M.N.-J.G. Berizzi.

Les Misérables

[1862]

Dès 1845, Victor Hugo songe à un ample roman qui s'intitulerait Les Misères. *Les principaux personnages des* Misérables, *œuvre rédigée et publiée pendant l'exil, sont Jean Valjean, bagnard repenti, Javert, policier impitoyable, Gavroche, l'enfant frondeur, Cosette, la petite fille mal-aimée, et quelques autres figures types du petit peuple français de la première moitié du XIXe siècle. Toutefois, Hugo s'attarde volontiers sur quelques situations et personnages périphériques. Comme avant lui Stendhal ou Balzac, il visite à sa façon la bataille de Waterloo. Amateur de mots, il revient, dans le deuxième extrait, sur un épisode célèbre de cette bataille.*

1. Amas de ferrailles dont on chargeait les canons.

Questions

1. Quels procédés confèrent à l'extrait une dimension épique ? Étudiez notamment les effets lexicaux et rythmiques.

2. Étudiez le jeu des temps et l'effet que suscite leur variété.

3. Comment Hugo intervient-il dans le texte ? Relevez des indices de son admiration.

Extrait 1

Alors on vit un spectacle formidable.

Toute cette cavalerie, sabres levés, étendards et trompettes au vent, formée en colonnes par division, descendit, d'un même mouvement et comme un seul homme, avec la précision d'un bélier de bronze qui ouvre une brèche, la colline de la Belle-Alliance, s'enfonça dans le fond redoutable où tant d'hommes déjà étaient tombés, y disparut dans la fumée, puis, sortant de cette ombre, reparut de l'autre côté du vallon, toujours compacte et serrée, montant au grand trot, à travers un nuage de mitraille[1] crevant sur elle, l'épouvantable pente de boue du plateau de Mont-Saint-Jean. Ils montaient, graves, menaçants, imperturbables dans les intervalles de la mousqueterie et de l'artillerie, on entendait ce piétinement colossal. Étant deux divisions, ils étaient deux colonnes ; la division Wathier avait la droite, la division Delors avait la gauche. On croyait voir de loin s'allonger vers la crête du plateau deux immenses couleuvres d'acier. Cela traversa la bataille comme un prodige.

VICTOR HUGO, *Les Misérables*, II, 1.

Extrait 2

1. Supports de canon d'une bouche à feu.

2. Bâtons munis d'une mèche pour enflammer la charge d'une bouche à feu.

Quand cette légion ne fut plus qu'une poignée, quand leur drapeau ne fut plus qu'une loque, quand leurs fusils épuisés de balles ne furent plus que des bâtons, quand le tas de cadavres fut plus grand que le groupe vivant, il y eut parmi les vainqueurs une sorte de terreur sacrée autour de ces mourants
5 sublimes, et l'artillerie anglaise, reprenant haleine, fit silence. Ce fut une espèce de répit. Ces combattants avaient autour d'eux comme un fourmillement de spectres, des silhouettes d'hommes à cheval, le profil noir des canons, le ciel blanc aperçu à travers les roues et les affûts[1] ; la colossale tête de mort que les héros entrevoient toujours dans la fumée au fond de la bataille, s'avançait sur eux
10 et les regardait. Ils purent entendre dans l'ombre crépusculaire qu'on chargeait les pièces, les mèches allumées pareilles à des yeux de tigre dans la nuit firent un cercle autour de leurs têtes, tous les boute-feu[2] des batteries anglaises s'approchèrent des canons, et alors, ému, tenant la minute suprême suspendue au-dessus de ces hommes, un général anglais, Colville selon les uns, Maitland selon les
15 autres, leur cria : Braves Français, rendez-vous ! Cambronne répondit : Merde !

VICTOR HUGO, *Les Misérables*, II, 1.

Questions

1. Quelles situations militaires s'enchaînent dans cet épisode ? Comment comprenez-vous la chute ?

2. Par quelles figures de style Victor Hugo crée-t-il une écriture emphatique ?

3. Comment l'écrivain mélange-t-il fidélité à la réalité et dépassement visionnaire ?

Extrait 3

Dans Les Misérables, *Victor Hugo dénonce les indignités de la condition pénitentiaire, reprenant un combat entamé dès 1829 dans* Le Dernier Jour d'un condamné. *L'extrait présente un convoi de forçats qui traverse les rues de Paris.*

1. Charrettes étroites.

2. Courte blouse de toile.

3. Petites taches maladives.

Les hommes entassés sur les haquets[1] se laissaient cahoter en silence. Ils étaient livides du frisson du matin. Ils avaient tous des pantalons de toile et les pieds nus dans des sabots. Le reste du costume était à la fantaisie de la misère. Leurs accoutrements étaient hideusement disparates ; rien n'est plus funèbre que
5 l'arlequin des guenilles. Feutres défoncés, casquettes goudronnées, d'affreux bonnets de laine, et, près du bourgeron[2], l'habit noir crevé aux coudes ; plusieurs avaient des chapeaux de femme ; d'autres étaient coiffés d'un panier ; on voyait des poitrines velues, et à travers les déchirures des vêtements on distinguait des tatouages ; des temples de l'amour, des cœurs enflammés, des Cupidons. On
10 apercevait aussi des dartres[3] et des rougeurs malsaines. Deux ou trois avaient une corde de paille fixée aux traverses du haquet, et suspendue au-dessous d'eux comme un étrier, qui leur soutenait les pieds. L'un d'eux tenait à la main et portait à sa bouche quelque chose qui avait l'air d'une pierre noire et qu'il semblait mordre ; c'était du pain qu'il mangeait. Il n'y avait là que des yeux secs ; éteints,
15 ou lumineux d'une mauvaise lumière. La troupe d'escorte maugréait, les enchaînés ne soufflaient pas ; de temps en temps on entendait le bruit d'un coup de bâton sur les omoplates ou sur les têtes ; quelques-uns de ces hommes bâillaient ; les haillons étaient terribles ; les pieds pendaient, les épaules oscillaient, les têtes s'entre-heurtaient, les fers tintaient, les prunelles flambaient férocement, les
20 poings se crispaient ou s'ouvraient inertes comme des mains de morts ; derrière le convoi, une troupe d'enfants éclatait de rire.

VICTOR HUGO, *Les Misérables*, IV, 3.

Questions

1. Quels effets successifs Victor Hugo cherche-t-il à susciter auprès du lecteur ?

2. Relevez des éléments de description réalistes.

3. Observez le rythme des phrases. Que remarquez-vous ? Pourquoi ? Trouvez des allitérations. Quelle est leur fonction ?

4. Expliquez le sens des expressions suivantes : « livides du frisson du matin », « à la fantaisie de la misère », « l'arlequin des guenilles ».

5. Quelle est la valeur du rire final ?

6. Comment cet extrait justifie-t-il le titre, aux significations multiples, de l'œuvre ?

L'Homme qui rit
[1868]

L'Homme qui rit se déroule dans l'Angleterre du XVIIe siècle, sous le règne de la reine Anne, que Victor Hugo portraiture avec férocité.

Extrait 1

La première femme venue, c'était la reine Anne. Elle était gaie, bienveillante, auguste, à peu près. Aucune de ses qualités n'atteignait à la vertu, aucune de ses imperfections n'atteignait
5 au mal. Son embonpoint était bouffi, sa malice était épaisse, sa bonté était bête. Elle était tenace et molle. Épouse, elle était infidèle et fidèle, ayant des favoris auxquels elle livrait son cœur, et un consort¹ auquel elle gardait son lit.
10 Chrétienne, elle était hérétique et bigote². Elle avait une beauté, le cou robuste d'une Niobé³. Le reste de sa personne était mal réussi. Elle était gauchement coquette, et honnêtement. Sa peau était blanche et fine, elle la montrait beaucoup.
15 C'est d'elle que venait la mode du collier de grosses perles serré au cou. Elle avait le front étroit, les lèvres sensuelles, les joues charnues, l'œil gros, la vue basse. Sa myopie s'étendait à son esprit. À part çà et là un éclat de jovialité,
20 presque aussi pesante que sa colère, elle vivait dans une sorte de gronderie taciturne et de silence grognon. Il lui échappait des mots qu'il fallait deviner. C'était un mélange de la bonne femme et de la méchante diablesse. Elle aimait
25 l'inattendu, ce qui est profondément féminin. Anne était un échantillon à peine dégrossi de l'Ève universelle. À cette ébauche était échu ce hasard, le trône. Elle buvait. Son mari était un Danois, de race.
30   Tory⁴, elle gouvernait par les whighs⁵. En femme, en folle. Elle avait des rages. Elle était casseuse. Pas de personne plus maladroite pour manier les choses de l'État. Elle laissait tomber à terre les événements. Toute sa politique était
35 fêlée. Elle excellait à faire de grosses catastrophes avec de petites causes. Quand une fantaisie d'autorité lui prenait, elle appelait cela : *donner le coup de poker.*

VICTOR HUGO, *L'Homme qui rit*, II, I, 5.

L'Homme qui rit, caricature de 1869.
Paris, bibl. des Arts décoratifs.
Photo © J.-L. Charmet.

----

1. Mari de la reine.
2. Qui s'adonne de façon étroite et bornée à des pratiques religieuses.
3. Reine légendaire de Thèbes, mère de quatorze enfants et transformée en rocher.
4. Membre du Parti conservateur.
5. Membres du Parti libéral.

Questions

1. Par différents repérages, déterminez le procédé stylistique principal sur lequel la description se fonde.
2. Relevez les dissonances stylistiques. Quelle est leur fonction ?
3. Quelle métaphore biblique parcourt le texte ? Pourquoi ?
4. Quel sens historique prend ce passage ? De quel sens philosophique peut-il se charger ? Justifiez votre propos.

Extrait 2

Un vieux vagabond-philosophe, vivant seul avec son loup, recueille Gwynplaine un jeune enfant abandonné par des bandits qui l'ont défiguré pour en faire une attraction foraine. Le vieil homme et Gwynnplaine découvrent un bébé abandonné et aveugle, Dea : ils l'adoptent. Les deux enfants grandissent.

Si la misère humaine pouvait être résumée, elle l'eût été par Gwynplaine et Dea. Ils semblaient être nés chacun dans un compartiment du sépulcre ; Gwynplaine dans l'horrible, Dea dans le noir. Leurs existences étaient faites avec des ténèbres d'espèce différente, prises dans les deux côtés formidables de la nuit.

5 Ces ténèbres, Dea les avait en elle et Gwynplaine les avait sur lui. Il y avait du fantôme dans Dea et du spectre dans Gwynplaine. Dea était dans le lugubre, et Gwynplaine dans le pire. Il y avait pour Gwynplaine voyant une possibilité poignante qui n'existait pas pour Dea aveugle : se comparer aux autres hommes. Or, dans une situation comme celle de Gwynplaine, en admettant qu'il cherchât à

10 s'en rendre compte, se comparer, c'était ne plus se comprendre. Avoir, comme Dea, un regard vide d'où le monde est absent, c'est une suprême détresse, moindre pourtant que celle-ci : être sa propre énigme ; sentir aussi quelque chose d'absent qui est soi-même ; voir l'univers et ne pas se voir. Dea avait un voile, la nuit, et Gwynplaine avait un masque, sa face. Chose inexprimable, c'était avec sa

15 propre chair que Gwynplaine était masqué. Quel était son visage, il l'ignorait. Sa figure était dans l'évanouissement. On avait mis sur lui un faux lui-même. Il avait pour face une disparition. Sa tête vivait et son visage était mort. Il ne se souvenait pas de l'avoir vu. Le genre humain, pour Dea comme pour Gwynplaine, était un fait extérieur ; ils en étaient loin ; elle était seule, il était seul ; l'isolement de

20 Dea était funèbre, elle ne voyait rien ; l'isolement de Gwynplaine était sinistre, il voyait tout. Pour Dea, la création ne dépassait point l'ouïe et le toucher ; le réel était borné, limité, court, tout de suite perdu ; elle n'avait pas d'autre infini que l'ombre. Pour Gwynplaine, vivre, c'était avoir à jamais la foule devant soi et hors de soi. Dea était la proscrite de la lumière ; Gwynplaine était le banni de la vie.

25 Certes, c'étaient là deux désespérés. Le fond de la calamité possible était touché. Ils y étaient, lui comme elle. Un observateur qui les eût vus eût senti sa rêverie s'achever en une incommensurable pitié. Que ne devaient-ils pas souffrir ? Un décret de malheur pesait visiblement sur ces deux créatures humaines, et jamais la fatalité, autour de deux êtres qui n'avaient rien fait, n'avait mieux arrangé la

30 destinée en torture et la vie en enfer.

Ils étaient dans un paradis.

Ils s'aimaient.

Gwynplaine adorait Dea. Dea idolâtrait Gwynplaine.

– Tu es si beau ! lui disait-elle.

VICTOR HUGO, *L'Homme qui rit*, II, II, 2.

Questions

1. Quels champs lexicaux traversent le texte ? Quelles figures de style se répètent ? Pourquoi ? Quelle tonalité dominante donnent-ils aux portraits des héros ?

2. Relevez les marques de l'émotion du narrateur.

3. Expliquez les expressions suivantes : « se comparer, c'était ne plus se comprendre (l. 10) », « Sa figure était dans l'évanouissement » (l. 16).

4. Comment Victor Hugo transforme-t-il ses personnages en figures allégoriques ?

ROMAN ET HISTOIRE

Tout roman emprunte à l'Histoire : La Chanson de Roland évoque, en plein Moyen Âge, l'origine de la société carolingienne et Le Roi des aulnes de Michel Tournier, en 1966, la montée du nazisme. Inversement, tout récit historique emprunte au roman une technique, narrative et descriptive : choix de scènes, agencement d'épisodes, portraits et discours... L'un se spécialise dans l'art de la fiction, l'autre dans celui de la vérité. Le XIXᵉ siècle revient sur ces répartitions.

■ Le roman historique

Dans un pays marqué par les crises révolutionnaires, la question historique se pose avec urgence. Les historiens étudient les mouvements sous-jacents des civilisations (Tocqueville), exaltent avec lyrisme l'idée de nation (Michelet), tentent de dégager, selon un modèle scientifique, les lois morales du comportement humain (Renan). Les écrivains s'attaquent à leur tour à l'Histoire. En plein romantisme, ils y projettent leur désir d'exotisme. Inspirés de Walter Scott, l'auteur d'*Ivanhoé,* des romans historiques se multiplient et sollicitent le Moyen Âge – Victor Hugo, *Notre-Dame de Paris* – ou d'autres périodes comme la Renaissance, voire le XVIIᵉ siècle – Alfred de Vigny, *Cinq-Mars.* Balzac apprécie dans le roman historique sa totale liberté, qui permet de combiner l'action et la poésie, l'étude des faits et la dérive légendaire.

■ Le roman réaliste

Si Alexandre Dumas entretient longtemps le succès du roman historique, les écrivains abordent toutefois l'Histoire hors de son seul cadre. Dans la continuité des romans de mœurs du XVIIIᵉ siècle, ils fondent un roman d'actualité qui se veut l'observateur, l'analyste et le critique de son siècle. La littérature dite réaliste y trouve, avec Flaubert et Maupassant, sa vocation. Le roman affirme une dimension collective et dynamique : il montre l'émergence des antagonismes sociaux, les conflits de classes qui forment le cours de l'Histoire. Celle-ci devient un personnage romanesque, occasionnellement incarnée sous les traits de Napoléon ou du Peuple. Elle tend alors vers la légende. Plus qu'il ne l'explique, l'écrivain l'interprète : près d'un siècle plus tard, Malraux s'en souviendra. Par ailleurs, la référence historique permet la compréhension du présent et le dégagement d'une problématique atemporelle. La crise de

EUGÈNE DELACROIX (1798-1863), *Rebecca enlevée par le Templier pendant le sac du Château de Frondebœuf* (Walter Scott, *Ivanhoé*).
● Paris, musée du Louvre. Photo © RMN-Arnaudet ; J. Schormans.

l'aristocratie anglaise du XVIIᵉ siècle permet ainsi à Hugo, dans *L'Homme qui rit,* de stigmatiser la décadence de la classe dirigeante du Second Empire. Elle lui offre aussi un support métaphysique pour mettre en scène l'affrontement des forces du Bien et du Mal auquel il se montre sensible.

■ Le roman contemporain et l'Histoire actuelle

Le XXᵉ siècle entretient ces tendances. Les écrivains affrontent les traumatismes successifs de l'Histoire : la Première Guerre mondiale et la Seconde avec Céline ou Claude Simon, l'Occupation avec Patrick Modiano, la crise économique avec François Bon. Le roman policier, en plein renouveau depuis 1968, dépeint la confusion idéologique et les tensions extrémistes du temps présent. L'utilité méditative de l'Histoire se perpétue, entre autres dans l'œuvre de Marguerite Yourcenar. Enfin le roman historique connaît, à défaut de réussite littéraire, un succès populaire que confirment certaines fictions de Henri Troyat ou Françoise Chandernagor.

Alfred de Vigny
(1797-1863)

École française.
Paris, musée Carnavalet.
• Photo © Josse.

ALFRED DE VIGNY, né à Loches, en Touraine, en 1797, entre dans la Garde royale lors de la Restauration, mais il est vite déçu par la vie militaire. En 1826, paraissent les **Poèmes antiques et modernes** et un roman historique, **Cinq-Mars**. Après 1830, Vigny évolue du légitimisme vers des idées humanitaires et républicaines. Il s'interroge alors sur la condition du poète dans le roman **Stello** (1832), dont il tirera le drame **Chatterton** (1835), et sur celle du soldat dans les récits de **Servitude et Grandeur militaires** (1835). En 1848, sa candidature à la députation en Charente se solde par un échec. Malade et solitaire, il s'éteint en 1863. **Les Destinées**, recueil de poèmes composés entre 1838 et 1863, seront publiées en 1864 ; son journal le sera en 1867 (**Journal d'un poète**).

Vigny apprit à fonder la vraie noblesse non plus sur la naissance mais sur la pensée. Le poète doit, selon lui, se tenir à l'écart des luttes politiques et revendiquer sa solitude. Son œuvre exprime à la fois un pessimisme stoïque et la volonté de croire à un possible progrès de l'humanité. Si elle s'égare parfois dans l'abstraction philosophique, elle dégage aussi, par sa pudeur et sa retenue mêmes, une intense émotion.

Les Destinées
[1864]

La Mort du loup

C'est à la suite de la mort de sa mère et de sa rupture avec l'actrice Marie Dorval que Vigny, dont la femme connaît désormais des difficultés de santé, écrit ce poème en 1838.

I

Les nuages couraient sur la lune enflammée
Comme sur l'incendie on voit fuir la fumée,
Et les bois étaient noirs jusques à l'horizon.
Nous marchions, sans parler, dans l'humide gazon,
5 Dans la bruyère épaisse, et dans les hautes
[brandes[1],
Lorsque, sous des sapins pareils à ceux des Landes,
Nous avons aperçu les grands ongles marqués
Par les loups voyageurs que nous avions traqués.
Nous avons écouté, retenant notre haleine
10 Et le pas suspendu. – Ni le bois ni la plaine
Ne poussait un soupir dans les airs ; seulement
La girouette en deuil criait au firmament ;
Car le vent, élevé bien au-dessus des terres,
15 N'effleurait de ses pieds que les tours solitaires,
Et les chênes d'en bas, contre les rocs penchés,
Sur leurs coudes semblaient endormis et couchés.
Rien ne bruissait donc, lorsque, baissant la tête,
Le plus vieux des chasseurs qui s'étaient mis en
[quête
20 A regardé le sable en s'y couchant ; bientôt,
Lui que jamais ici l'on ne vit en défaut,
A déclaré tout bas que ces marques récentes
Annonçaient la démarche et les griffes puissantes
De deux grands loups-cerviers[2] et de deux
[louveteaux.
25 Nous avons tous alors préparé nos couteaux,
Et, cachant nos fusils et leurs lueurs trop blanches,

Nous allions pas à pas en écartant les branches.
Trois s'arrêtent, et moi, cherchant ce qu'ils voyaient,
J'aperçois tout à coup deux yeux qui flamboyaient,
Et je vois au delà quatre formes légères
30 Qui dansaient sous la lune au milieu des bruyères,
Comme font chaque jour, à grand bruit sous nos
[yeux,
Quand le maître revient, les lévriers joyeux.
Leur forme était semblable et semblable la danse ;
Mais les enfants du Loup se jouaient³ en silence,
35 Sachant bien qu'à deux pas, ne dormant qu'à
[demi,
Se couche dans ses murs l'homme, leur ennemi.
Le père était debout, et plus loin, contre un arbre,
Sa louve reposait, comme celle de marbre
Qu'adoraient les Romains, et dont les flancs velus
40 Couvaient les demi-dieux Rémus et Romulus⁴.
Le Loup vient et s'assied, les deux jambes dressées,
Par leurs ongles crochus dans le sable enfoncées.
Il s'est jugé perdu, puisqu'il était surpris,
Sa retraite coupée et tous ses chemins pris,
45 Alors il a saisi, dans sa gueule brûlante,
Du chien le plus hardi la gorge pantelante,
Et n'a pas desserré ses mâchoires de fer,
Malgré nos coups de feu, qui traversaient sa chair,
Et nos couteaux aigus qui, comme des tenailles,
50 Se croisaient en plongeant dans ses larges
[entrailles,
Jusqu'au dernier moment où le chien étranglé,
Mort longtemps avant lui, sous ses pieds a roulé.
Le Loup le quitte alors et puis il nous regarde.
Les couteaux lui restaient au flanc jusqu'à la garde,
55 Le clouaient au gazon tout baigné dans son sang ;
Nos fusils l'entouraient en sinistre croissant.
Il nous regarde encore, ensuite il se recouche.
Tout en léchant le sang répandu sur sa bouche,
Et, sans daigner savoir comment il a péri,
60 Refermant ses grands yeux, meurt sans jeter un cri.

II

J'ai reposé mon front sur mon fusil sans poudre,
Me prenant à penser, et n'ai pu me résoudre
À poursuivre sa Louve et ses fils, qui, tous trois
Avaient voulu l'attendre, et, comme je le crois,
65 Sans ses deux louveteaux, la belle et sombre veuve
Ne l'eût pas laissé seul subir la grande épreuve ;
Mais son devoir était de les sauver, afin
De pouvoir leur apprendre à bien souffrir la faim,
À ne jamais entrer dans le pacte des villes
70 Que l'homme a fait avec les animaux serviles
Qui chassent devant lui, pour avoir le coucher,
Les premiers possesseurs du bois et du rocher.

III

Hélas ! ai-je pensé, malgré ce grand nom
[d'Hommes,
Que j'ai honte de nous, débiles⁵ que nous
[sommes !
75 Comment on doit quitter la vie et tous ses maux,
C'est vous qui le savez, sublimes animaux.
À voir ce que l'on fut sur terre et ce qu'on laisse,
Seul le silence est grand ; tout le reste est faiblesse.
– Ah ! je t'ai bien compris, sauvage voyageur,
80 Et ton dernier regard m'est allé jusqu'au cœur.
Il disait : « Si tu peux, fais que ton âme arrive,
À force de rester studieuse et pensive,
Jusqu'à ce haut degré de stoïque fierté
Où, naissant dans les bois, j'ai tout d'abord monté.
85 Gémir, pleurer, prier, est également lâche.
Fais énergiquement ta longue et lourde tâche
Dans la voie où le sort a voulu t'appeler,
Puis, après, comme moi, souffre et meurs sans
[parler. »

ALFRED DE VIGNY, *Les Destinées.*

----

1. Plantes de sous-bois (bruyères, ajoncs, genêts, fougères).
2. Lynx : loups qui attaquent les cerfs.
3. Jouaient.
4. Allusion à la statue de bronze représentant une louve allaitant Romulus et Rémus.
5. Faibles physiquement ou moralement.

Questions

1. Faites le schéma du récit.
2. Repérez et analysez la série de symboles qui font de ce poème une allégorie.
3. Montrez que l'allégorie illustre la philosophie stoïcienne.
4. Relevez et commentez les éléments épiques du texte.
5. D'où vient, selon vous, le pouvoir émotionnel du poème ?

Alfred de Musset
(1810-1857)

Portrait par CHARLES LANDELLE
(1821-1908).
Versailles, musée du Château.
• Photo © Josse.

ALFRED DE MUSSET naît en 1810 dans une famille de nobles lettrés, versés dans l'étude des écrivains du siècle précédent : on doit au père de Musset une *Histoire de la vie et des œuvres de Jean-Jacques Rousseau*. Après des études secondaires brillantes, le jeune homme entreprend l'étude du droit, puis de la médecine. Il mène une vie mondaine de dandy, fréquentant les salons, les cafés et le milieu littéraire parisien. Il est à peine âgé de dix-huit ans quand il publie sa première pièce, **Les Marrons du feu**, en 1829.

À partir de 1832, suite à la mort de son père qui le plonge dans un profond désarroi, Musset décide de ne se consacrer qu'à la littérature : il écrit une vingtaine de pièces de théâtre, pour la plupart publiées dans des revues, sans toujours prévoir de les porter à la scène. Parmi elles, figurent **Les Caprices de Marianne** (1833), **Fantasio** (1834), **On ne badine pas avec l'amour** (1834). En 1834, il publie **Lorenzaccio**, sur un canevas imaginé par la romancière George Sand, liée à Musset par une passion fougueuse de 1833 à 1835. La pièce ne sera créée qu'en 1896. Elle reste sans doute le chef-d'œuvre du drame romantique et l'œuvre théâtrale la plus originale de l'époque. Musset est très tôt reconnu par ses pairs du mouvement romantique comme un jeune homme exceptionnel et précoce. Ne négligeant jamais l'impertinence, il est empli du sentiment de la « désespérance » qu'il a mis au goût du jour dès ses premières œuvres. Si **Lorenzaccio** prône le régime républicain, son auteur délaisse rapidement les préoccupations sociales de ses amis Hugo ou Vigny. La prose que Musset nous fait lire dans ce drame, largement métaphorique, est plus proche de la poésie d'un *Hamlet* que du militantisme d'un *Ruy Blas*. Le mélange des genres, image de la singularité d'un personnage qui n'entend pas se laisser réduire à une idéologie quelconque, est fréquent dans le théâtre de Musset, et a pu déconcerter ses contemporains. Cette période intensément créatrice de la vie de Musset culmine avec son roman **La Confession d'un enfant du siècle**, témoignage d'une génération tout entière, qui rend compte du mal-être de l'écrivain.

De 1835 à 1837, Musset compose **Les Nuits**, quatre longs poèmes où le poète dialogue avec sa muse. Durant les quinze dernières années de sa vie, l'écrivain voit ses amis s'éloigner progressivement ; sa santé s'altère. Même si certaines de ses pièces sont jouées avec succès dix ans après leur publication en revue, telle **Un caprice**, même si l'on publie une édition de ses œuvres poétiques complètes, même s'il est élu à l'Académie française en 1852, l'écrivain se languit dans une mélancolie maladive : « Le seul bien qui me reste, écrit-il, est d'avoir quelquefois pleuré. » Il meurt en 1857.

Premières Poésies
[1829]

Ballade à la lune

C'était, dans la nuit brune,
Sur le clocher jauni,
   La lune,
Comme un point sur un i.

5 Lune, quel esprit sombre
Promène au bout d'un fil,
   Dans l'ombre,
Ta face et ton profil ?

Es-tu l'œil du ciel borgne ?
10 Quel chérubin cafard[1]
   Nous lorgne
Sous ton masque blafard ?

N'es-tu rien qu'une boule ?
Qu'un grand faucheux[2] bien gras
15   Qui roule
Sans pattes et sans bras ?

Es-tu, je t'en soupçonne,
Le vieux cadran de fer
   Qui sonne
20 L'heure aux damnés d'enfer ?

Sur ton front qui voyage
Ce soir ont-ils compté
   Quel âge
A leur éternité ?

25 Est-ce un ver qui te ronge
Quand ton disque noirci
   S'allonge,
En croissant rétréci ?

Qui t'avait éborgnée
30 L'autre nuit ? T'étais-tu
   Cognée
À quelque arbre pointu ?

Car tu vins, pâle et morne,
Coller sur mes carreaux
35   Ta corne,
À travers les barreaux.

Va, lune moribonde,
Le beau corps de Phœbé[3]
   La blonde
40 Dans la mer est tombé.

Tu n'en es que la face,
Et déjà, tout ridé,
   S'efface
Ton front dépossédé.

ALFRED DE MUSSET, *Premières Poésies*,
« Ballade à la lune ».

1. Qui est sournois et dénonce les autres.
2. Araignée à longues pattes.
3. Diane, déesse de la Lune et de la Chasse dans l'Antiquité.

Questions

1. Pourquoi, selon vous, le poète a-t-il choisi ce thème de la lune ?
2. Commentez les différentes représentations que Musset donne de cet astre (strophes 3 à 7).
3. N'y a-t-il pas une intention parodique dans ce poème ? En quels endroits ? À quoi la décèle-t-on ?
4. Identifiez les mètres choisis par le poète et étudiez les effets produits.

Les Nuits

[1835-1837]

Les Nuits ne constituent pas un recueil ; ce sont quatre poèmes, publiés successivement de 1835 à 1837 (et intégrés plus tard à un ensemble plus vaste) : « Nuit de mai », « Nuit de décembre », « Nuit d'août », « Nuit d'octobre ». Dans trois de ces textes le poète converse avec sa muse. Dans « Nuit de décembre », il parle à son double.

Aquarelle d'E. LAMY pour illustrer « La Nuit de décembre ».
Musée de La Malmaison. Photo © J.-L. Charmet.

Nuit de décembre

Le poète

Du temps que j'étais écolier,
Je restais un soir à veiller
Dans notre salle solitaire.
Devant ma table vint s'asseoir
5 Un pauvre enfant vêtu de noir,
Qui me ressemblait comme un frère.

Son visage était triste et beau :
À la lueur de mon flambeau,
Dans mon livre ouvert il vint lire.
10 Il pencha son front sur sa main,
Et resta jusqu'au lendemain,
Pensif, avec un doux sourire.

Comme j'allais avoir quinze ans
Je marchais un jour, à pas lents,
15 Dans un bois, sur une bruyère.
Au pied d'un arbre vint s'asseoir
Un jeune homme vêtu de noir,
Qui me ressemblait comme un frère.

Je lui demandai mon chemin ;
20 Il tenait un luth[1] d'une main,
De l'autre un bouquet d'églantine.
Il me fit un salut d'ami,
Et, se détournant à demi,
Me montra du doigt la colline.

25 À l'âge où l'on croit à l'amour,
J'étais seul dans ma chambre un jour,
Pleurant ma première misère[2].
Au coin de mon feu vint s'asseoir
Un étranger vêtu de noir,
30 Qui me ressemblait comme un frère.

Il était morne et soucieux ;
D'une main il montrait les cieux,
Et de l'autre il tenait un glaive.
De ma peine il semblait souffrir,
35 Mais il ne poussa qu'un soupir,
Et s'évanouit comme un rêve.

À l'âge où l'on est libertin,
Pour boire un toast en un festin,
Un jour je soulevais mon verre.
En face de moi vint s'asseoir
40 Un convive vêtu de noir,
Qui me ressemblait comme un frère.

Il secouait sous son manteau
Un haillon de pourpre en lambeau,
Sur sa tête un myrte stérile[3].
45 Son bras maigre cherchait le mien,
Et mon verre, en touchant le sien,
Se brisa dans ma main débile[4].

1. Instrument qui symbolise la poésie.

2. La première déception sentimentale de Musset, qui l'a profondément affecté.

3. Le myrte, fleur fort appréciée dans l'Antiquité, était, dans certaines cérémonies, consacré à Vénus, déesse de l'Amour.

4. Faible.

Questions

1. Montrez quelle composition Musset a choisie pour l'ensemble du poème et pour chaque strophe en particulier. Quel est l'effet produit ?

2. Pourrait-on parler d'apparitions, d'hallucinations, de rencontres ? Précisez votre réponse.

3. Relevez les différentes manières dont le « double » apparaît de strophe en strophe.

4. Que symbolisent les différents objets que portent ces « doubles » ?

Un an après, il était nuit ;
50 J'étais à genoux près du lit
Où venait de mourir mon père.
Au chevet du lit vint s'asseoir
Un orphelin vêtu de noir,
Qui me ressemblait comme un frère.

55 Ses yeux étaient noyés de pleurs ;
Comme les anges de douleurs,
Il était couronné d'épine ;
Son luth à terre était gisant,
Sa pourpre de couleur de sang,
60 Et son glaive dans sa poitrine.

ALFRED DE MUSSET, « Nuit de décembre ».

Les Caprices de Marianne
[1833]

Nous sommes à Naples au XVIe siècle. Cœlio aime Marianne, épouse du vieux Claudio. Octave, cousin de la jeune femme et ami de Cœlio, propose ses services à celui-ci, qui accepte. Marianne fait entendre à Octave qu'elle se laisserait volontiers séduire par lui, quand un quiproquo cause la mort de Cœlio. Cette scène est la dernière du drame.

OCTAVE ET MARIANNE
auprès d'un tombeau.

1. Le pronom désigne Cœlio.

2. Comédien.

OCTAVE. – [...] Elle eût été heureuse, la femme qui l'eût[1] aimé.

MARIANNE. – Ne serait-elle point heureuse, Octave, la femme qui t'aimerait ?

OCTAVE. – Je ne sais point aimer ; Cœlio seul le savait. La cendre que renferme cette tombe est tout ce que j'ai aimé sur la terre, tout ce que j'aimerai. Lui seul savait verser dans une autre âme toutes les sources de bonheur qui reposaient 5 dans la sienne. Lui seul était capable d'un dévouement sans bornes ; lui seul eût consacré sa vie entière à la femme qu'il aimait, aussi facilement qu'il aurait bravé la mort pour elle. Je ne suis qu'un débauché sans cœur ; je n'estime point les femmes ; l'amour que j'inspire est comme celui que je ressens, l'ivresse passagère d'un songe. Je ne sais pas les secrets qu'il savait. Ma gaieté est comme le masque 10 d'un histrion[2] ; mon cœur est plus vieux qu'elle, mes sens blasés n'en veulent plus. Je ne suis qu'un lâche ; sa mort n'est point vengée.

MARIANNE. – Comment aurait-elle pu l'être, à moins de risquer votre vie ? Claudio est trop vieux pour accepter un duel, et trop puissant dans cette ville pour rien craindre de vous. 15

OCTAVE. – Cœlio m'aurait vengé si j'étais mort pour lui, comme il est mort pour moi. Ce tombeau m'appartient : c'est moi qu'ils ont étendu sous cette froide pierre ; c'est pour moi qu'ils avaient aiguisé leurs épées ; c'est moi qu'ils ont tué. Adieu la gaieté de ma jeunesse, l'insouciante folie, la vie libre et joyeuse au pied du Vésuve ! adieu les bruyants repas, les causeries du soir, les sérénades sous les 20 balcons dorés ! adieu Naples et ses femmes, les mascarades à la lueur des torches, les longs soupers à l'ombre des forêts ! adieu l'amour et l'amitié ! ma place est vide sur la terre.

MARIANNE. – Mais non pas dans mon cœur, Octave. Pourquoi dis-tu : Adieu l'amour ? 25

OCTAVE. – Je ne vous aime pas, Marianne ; c'était Cœlio qui vous aimait.

ALFRED DE MUSSET, *Les Caprices de Marianne*, II, 6.

Questions

1. Quel portrait Octave brosse-t-il de son ami ?

2. À quoi perçoit-on l'émotion du jeune homme ?

3. Comment comprenez-vous la remarque d'Octave aux lignes 16 à 18 ?

4. À quel jeu se livre Marianne ici ?

5. Observez la composition du dialogue. Que remarquez-vous ? Peut-on réellement parler de « dialogue » ?

Fantasio

[1834]

Fantasio, pour échapper à ses créanciers, s'est fait engagé comme bouffon à la cour de Bavière où se prépare le mariage d'Elsbeth, la fille du roi, avec le prince de Mantoue, qu'elle n'aime pas. Au début de l'acte II, le jeune homme qui « cueille modestement des bleuets en attendant qu'il [lui] vienne de l'esprit », rencontre la princesse, alors qu'elle médite, seule, quelques instants avant ses noces.

E. LAMI, Croquis pour le costume de
Fantasio en bouffon.
Paris, Bibl. de l'Arsenal.
Photo © Flammarion/Giraudon.

ELSBETH. – Cela me paraît douteux, que vous cueilliez jamais cette fleur-là.

FANTASIO. – Pourquoi ? l'esprit peut venir à un
5   homme vieux, tout comme à une jeune fille. Cela est si difficile quelquefois de distinguer un trait spirituel d'une grosse sottise ! Beaucoup parler, voilà l'important ; le plus mauvais tireur de pistolet peut attraper la mouche[1], s'il tire sept
10   cent quatre-vingts coups à la minute, tout aussi bien que le plus habile homme qui n'en tire qu'un ou deux bien ajustés. Je ne demande qu'à être nourri convenablement pour la grosseur de mon ventre, et je regarderai mon ombre au
15   soleil pour voir si ma perruque pousse.

ELSBETH. – En sorte que vous voilà revêtu des dépouilles de Saint-Jean[2] ? Vous avez raison de parler de votre ombre ; tant que vous aurez ce costume, elle lui ressemblera toujours, je crois, plus que vous.

FANTASIO. – Je fais en ce moment une élégie qui décidera de mon sort.

20   ELSBETH. – En quelle façon ?

FANTASIO. – Elle prouvera clairement que je suis le premier homme du monde, ou bien elle ne vaudra rien du tout. Je suis en train de bouleverser l'univers pour le mettre en acrostiche[3] ; la lune, le soleil et les étoiles se battent pour entrer dans mes rimes, comme des écoliers à la porte d'un théâtre de mélodrames.

25   ELSBETH. – Pauvre homme ! quel métier tu entreprends ! faire de l'esprit à tant par heure ! N'as-tu ni bras ni jambes, et ne ferais-tu pas mieux de labourer la terre que ta propre cervelle ?

FANTASIO. – Pauvre petite ! quel métier vous entreprenez ! épouser un sot que vous n'avez jamais vu ! – N'avez-vous ni cœur ni tête, et ne feriez-vous pas mieux
30   de vendre vos robes que votre corps ?

ELSBETH. – Voilà qui est hardi, monsieur le nouveau venu !

FANTASIO. – Comment appelez-vous cette fleur-là, s'il vous plaît ?

ELSBETH. – Une tulipe. Que veux-tu prouver ?

1. Le centre de la cible.

2. Le précédent bouffon de la Cour, qui vient de mourir.

3. Petit poème qui révèle une grande virtuosité. Les lettres initiales de chaque vers, lues verticalement, bout à bout, forment un mot ou une phrase.

4. Soit le jardin de Canaan où Dieu interdit au chef du peuple hébreu d'entrer, soit le berceau dans lequel Moïse, bébé, fut trouvé.

FANTASIO. – Une tulipe rouge, ou une tulipe bleue ?

ELSBETH. – Bleue, à ce qu'il me semble.   35

FANTASIO. – Point du tout, c'est une tulipe rouge.

ELSBETH. – Veux-tu mettre un habit neuf à une vieille sentence ? tu n'en as pas besoin pour dire que des goûts et des couleurs il n'en faut pas disputer.

FANTASIO. – Je ne dispute pas ; je vous dis que cette tulipe est une tulipe rouge, et cependant je conviens qu'elle est bleue.   40

ELSBETH. ―― Comment arranges-tu cela ?

FANTASIO. – Comme votre contrat de mariage. Qui peut savoir sous le soleil s'il est né bleu ou rouge ? Les tulipes elles-mêmes n'en savent rien. Les jardiniers et les notaires font des greffes si extraordinaires, que les pommes deviennent des citrouilles, et que les chardons sortent de la mâchoire de l'âne pour s'inonder de   45
sauce dans le plat d'argent d'un évêque. Cette tulipe que voilà s'attendait bien à être rouge ; mais on l'a mariée, elle est tout étonnée d'être bleue ; c'est ainsi que le monde entier se métamorphose sous les mains de l'homme ; et la pauvre dame nature doit se rire parfois au nez de bon cœur, quand elle mire dans ses lacs et dans ses mers son éternelle mascarade. Croyez-vous que ça sentît la rose dans le   50
paradis de Moïse[4] ? ça ne sentait que le foin vert. La rose est fille de la civilisation ; c'est une marquise comme vous et moi.

ELSBETH. – La pâle fleur de l'aubépine peut devenir une rose, et un chardon peut devenir un artichaut ; mais une fleur ne peut en devenir une autre : ainsi qu'importe à la nature ? on ne la change pas, on l'embellit ou on la tue. La plus chétive   55
violette mourrait plutôt que de céder si l'on voulait, par des moyens artificiels, altérer sa forme d'une étamine.

FANTASIO. – C'est pourquoi je fais plus de cas d'une violette que d'une fille de roi.

ELSBETH. – Il y a de certaines choses que les bouffons eux-mêmes n'ont pas le droit de railler ; fais-y attention. Si tu as écouté ma conversation avec ma gou-   60
vernante, prends garde à tes oreilles.

FANTASIO. – Non pas à mes oreilles, mais à ma langue. Vous vous trompez de sens ; il y a une erreur de sens dans vos paroles.

ELSBETH. – Ne me fais pas de calembour, si tu veux gagner ton argent, et ne me compare pas à des tulipes, si tu ne veux gagner autre chose.   65

FANTASIO. – Qui sait ? Un calembour console de bien des chagrins ; et jouer avec les mots est un moyen comme un autre de jouer avec les pensées, les actions et les êtres. Tout est calembour ici-bas, et il est aussi difficile de comprendre le regard d'un enfant de quatre ans, que le galimatias de trois drames modernes.

ELSBETH. – Tu me fais l'effet de regarder le monde à travers un prisme tant soit   70
peu changeant.

FANTASIO. – Chacun a ses lunettes ; mais personne ne sait au juste de quelle couleur en sont les verres. Qui est-ce qui pourra me dire au juste si je suis heureux ou malheureux, bon ou mauvais, triste ou gai, bête ou spirituel ?

ELSBETH. – Tu es laid, du moins ; c'est certain.   75

FANTASIO. – Pas plus certain que votre beauté. Voilà votre père qui vient avec votre futur mari. Qui est-ce qui peut savoir si vous l'épouserez ? *(Il sort.)*

ALFRED DE MUSSET, *Fantasio*, II, 1.

Questions

1. Dégagez le mouvement du texte.

2. Comment interprétez-vous la remarque de Fantasio aux lignes 2 et suiv. ?

3. Par des relevés précis, déterminez comment Elsbeth s'y prend, de différentes manières et à différentes reprises, pour se défendre de la gêne que lui cause Fantasio.

4. Commentez la tirade de Fantasio aux lignes 43 à 53 (images, ton du personnage, effets sur Elsbeth et sur le spectateur).

Lorenzaccio

■■■■ *[1834]*

Alexandre de Médicis tyrannise Florence. Les républicains, et parmi eux Philippe Strozzi, patriarche d'une vieille famille florentine, songent à établir un nouveau régime politique. Lorenzaccio, cousin du duc, et compromis à leurs yeux parce qu'il est le compagnon de débauche d'Alexandre, tente, dans cette scène centrale du drame, de convaincre Philippe de son projet : il déclare s'apprêter à tuer le duc dans les heures qui viennent.

LORENZO : Tu me demandes pourquoi je tue Alexandre ? Veux-tu donc que je m'empoisonne, ou que je saute dans l'Arno ? veux-tu donc que je sois un spectre, et qu'en frappant sur ce squelette... *(Il frappe sa poitrine.)* il n'en sorte aucun son ? Si je suis l'ombre de moi-même, veux-tu donc que je rompe le seul
5 fil qui rattache aujourd'hui mon cœur à quelques fibres de mon cœur d'autrefois ! Songes-tu que ce meurtre, c'est tout ce qui me reste de ma vertu ? Songes-tu que je glisse depuis deux ans sur un rocher taillé à pic, et que ce meurtre est le seul brin d'herbe où j'aie pu cramponner mes ongles ? Crois-tu donc que je n'aie plus d'orgueil, parce que je n'ai plus de honte, et veux-tu que je laisse mou-
10 rir en silence l'énigme de ma vie ? Oui, cela est certain, si je pouvais revenir à la vertu, si mon apprentissage du vice pouvait s'évanouir, j'épargnerais peut-être ce conducteur de bœufs – mais j'aime le vin, le jeu et les filles, comprends-tu cela ? Si tu honores en moi quelque chose, toi qui me parles, c'est mon meurtre que tu honores, peut-être justement parce que tu ne le ferais pas. Voilà assez longtemps,
15 vois-tu, que les républicains me couvrent de boue et d'infamie ; voilà assez longtemps que les oreilles me tintent, et que l'exécration des hommes empoisonne le pain que je mâche. J'en ai assez de me voir conspué par des lâches sans nom, qui m'accablent d'injures pour se dispenser de m'assommer, comme ils le devraient. J'en ai assez d'entendre brailler en plein vent le bavardage humain ; il faut que le
20 monde sache un peu qui je suis, et qui il est ! Dieu merci, c'est peut-être demain que je tue Alexandre ; dans deux jours j'aurai fini. Ceux qui tournent autour de moi avec des yeux louches, comme autour d'une curiosité monstrueuse apportée d'Amérique, pourront satisfaire leur gosier, et vider leur sac à paroles. Que les hommes me comprennent ou non, qu'ils agissent ou n'agissent pas, j'aurai dit
25 tout ce que j'ai à dire ; je leur ferai tailler leurs plumes, si je ne leur fais pas nettoyer leurs piques, et l'Humanité gardera sur sa joue le soufflet de mon épée marqué en traits de sang. Qu'ils m'appellent comme ils voudront, Brutus[1] ou Érostrate[1], il ne me plaît pas qu'ils m'oublient. Ma vie entière est au bout de ma dague, et que la Providence retourne ou non la tête en m'entendant frapper, je
30 jette la nature humaine à pile ou face sur la tombe d'Alexandre – dans deux jours, les hommes comparaîtront devant le tribunal de ma volonté.

ALFRED DE MUSSET,
Lorenzaccio, III, 3.

1. Brutus : assassin de César, à qui Lorenzo se compare souvent dans la pièce ; Érostrate : il incendia le temple d'Artémis à Éphèse, pour le seul plaisir de faire parler de lui.

Questions

1. Quelles justifications de son crime Lorenzo fournit-il (l. 14 et suiv.) ?

2. À plusieurs reprises, Musset utilise la figure de l'anaphore. Repérez-la et analysez l'effet produit.

3. Quel intérêt présente la comparaison avec Brutus et Érostrate ?

4. Commentez la dernière phrase.

SIGNORINI, *La Place Santa Maria Novella pendant la course de chars*. Florence, Galerie d'Art moderne. Photo © Alinari / Giraudon.

Poésies nouvelles

[1852]

Ce recueil rassemble des poésies publiées entre 1836 et 1852. « Tristesse » a été publié en 1840.

Tristesse

J'ai perdu ma force et ma vie,
Et mes amis et ma gaîté ;
J'ai perdu jusqu'à la fierté
Qui faisait croire à mon génie.

5 Quand j'ai connu la Vérité,
J'ai cru que c'était une amie ;
Quand je l'ai comprise et sentie,
J'en étais déjà dégoûté.

Et pourtant elle est éternelle,
10 Et ceux qui se sont passés d'elle
Ici-bas ont tout ignoré.

Dieu parle, il faut qu'on lui réponde.
Le seul bien qui me reste au monde
Est d'avoir quelquefois pleuré.

ALFRED DE MUSSET, *Poésies nouvelles*,
« Tristesse ».

Questions

1. Vérifiez les sens du mot « désenchantement » dans un dictionnaire. En quoi peut-on dire que ce thème est au centre du poème ?

2. Dégagez les principaux traits du personnage désigné par le pronom « je ».

3. Commentez en détail la dernière strophe du sonnet.

La Confession d'un enfant du siècle

[1836]

*Ce roman s'inspire de l'histoire de la passion que Musset éprouva pour George Sand.
Mais il est surtout un témoignage sur la génération romantique élevée au temps des
glorieuses conquêtes napoléoniennes.*

Pendant les guerres de l'Empire, tandis que les maris et les frères étaient en
Allemagne, les mères inquiètes avaient mis au monde une génération ardente,
pâle, nerveuse. Conçus entre deux batailles, élevés dans les collèges au roulement
des tambours, des milliers d'enfants se regardaient entre eux d'un œil sombre,
5 en essayant leurs muscles chétifs. De temps en temps leurs pères ensanglantés
apparaissaient, les soulevaient sur leurs poitrines chamarrées d'or, puis les
posaient à terre et remontaient à cheval.

Un seul homme était en vie alors en Europe ; le reste des êtres tâchait de se
remplir les poumons de l'air qu'il avait respiré. Chaque année, la France faisait
10 présent à cet homme de trois cent mille jeunes gens ; c'était l'impôt payé à César,
et, s'il n'avait ce troupeau derrière lui, il ne pouvait suivre sa fortune. C'était l'escorte qu'il lui fallait pour qu'il pût traverser le monde, et s'en aller tomber dans
une petite vallée d'une île déserte, sous un saule pleureur.

Jamais il n'y eut tant de nuits sans sommeil que du temps de cet homme ;
15 jamais on ne vit se pencher sur les remparts des villes un tel peuple de mères
désolées ; jamais il n'y eut un tel silence autour de ceux qui parlaient de mort. Et
pourtant jamais il n'y eut tant de joie, tant de vie, tant de fanfares guerrières,
dans tous les cœurs. Jamais il n'y eut de soleils si purs que ceux qui séchèrent tout
ce sang. On disait que Dieu les faisait pour cet homme, et on les appelait ses
20 soleils d'Austerlitz. Mais il les faisait bien lui-même avec ses canons toujours ton-
nants, et qui ne laissaient des nuages qu'aux lendemains de ses batailles.

C'était l'air de ce ciel sans tache, où brillait tant de gloire, où resplendissait
tant d'acier, que les enfants respiraient alors. Ils savaient bien qu'ils étaient destinés aux hécatombes ; mais ils croyaient Murat[1] invulnérable, et on avait vu pas-
25 ser l'empereur sur un pont où sifflaient tant de balles, qu'on ne savait s'il pouvait mourir. Et quand même on aurait dû mourir, qu'était-ce que cela ? La mort
elle-même était si belle alors, si grande, si magnifique dans sa pourpre fumante !
elle ressemblait si bien à l'espérance, elle fauchait de si verts épis, qu'elle en était
comme devenue jeune, et qu'on ne croyait plus à la vieillesse. Tous les berceaux
30 de France étaient des boucliers, tous les cercueils en étaient aussi ; il n'y avait
vraiment plus de vieillards, il n'y avait que des cadavres ou des demi-dieux.

ALFRED DE MUSSET, *La Confession d'un enfant du siècle*, chap. II.

1. Général de Napoléon.

Questions

1. Dégagez le portrait de Napoléon qui est esquissé dans cette page.

2. Étudiez le style du paragraphe 3 en mettant en évidence les figures qui y sont à l'œuvre et leur fonction.

3. Comment expliquez-vous la présentation fascinée que fait Musset de la mort (l. 26 et suiv.) ?

4. L'émotion qui surgit dans la voix du narrateur vous paraît-elle proche de vous ou au contraire datée ?

LA REPRÉSENTATION THÉÂTRALE EN FRANCE AU XIXᵉ SIÈCLE

■ Politique et théâtre

À l'époque révolutionnaire, le pouvoir encourage le théâtre, perçu comme un outil d'éducation du peuple, et un décret de 1794 exige que dans toutes les villes de 4 000 habitants il y ait une salle de spectacle. Mais sous l'Empire, Napoléon établit une censure et en 1807 impose au théâtre un contrôle rigoureux et directif, limitant le nombre de scènes parisiennes à huit et fixant leur répertoire. Quatre grands théâtres, dont la Comédie-Française, sont subventionnés et ainsi soumis au contrôle politique. Si la Restauration et la monarchie de Juillet sont un peu plus libérales en matière d'ouverture de salles, elles continuent à exercer une censure pesante : les institutions proscrivent les situations jugées moralement inconvenantes et les allusions à l'Histoire contemporaine. Le Second Empire surveille tout autant l'activité théâtrale et exerce sa méfiance à l'égard du peuple qui se rend en foule au spectacle, boulevard du Temple : en 1862, le baron Haussmann rase en partie cette artère consacrée au théâtre.

■ La révolution du drame romantique

En Italie et en Allemagne, s'élabore, au XIXᵉ siècle, une nouvelle dramaturgie qui rencontre en France un succès éclatant, préparé par des écrits théoriques comme *Racine et Shakespeare* (1823) de Stendhal (voir p. 323). Les drames romantiques, qui s'efforcent de représenter la vie dans sa totalité, qui proposent des spectacles grandioses et animés, aux personnages nombreux et aux changements de décors multiples et qui bouleversent l'esthétique traditionnelle (voir p. 323), sont représentés au théâtre de la Porte-Saint-Martin mais aussi à la Comédie-Française, citadelle des « classiques ». La représentation d'*Hernani* oppose classiques et romantiques : c'est « la bataille d'Hernani » (1830) ; la pièce fait un triomphe . Le succès du drame romantique dure jusqu'à l'échec de la pièce de Hugo, *Les Bur-*

graves, qui marque, en 1843, la fin du romantisme au théâtre. La seconde partie du siècle voit la victoire d'un théâtre bourgeois qui préfère placer ses intrigues (situations de vaudeville ou comédies de mœurs) dans les décors de la vie domestique plutôt que sur les champs de bataille. Le peuple fréquente, du moins jusqu'en 1862, les salles du boulevard du Temple, appelé boulevard du Crime, en raison de la nature des spectacles (en particulier des mélodrames) qui y sont donnés.

■ Le lieu théâtral

L'architecture du théâtre à l'italienne, caractérisée par la mise en place d'une scène fermée, propre à créer l'illusion réaliste, continue à s'imposer jusqu'en 1880. La scène, au milieu du XVIIIᵉ siècle, a été libérée des spectateurs qui l'occupaient encore (voir p. 161) et qui ont été placés juste en bas, dans ce qu'on appelle désormais les fauteuils d'orchestre. Le parterre est garni de bancs ou de sièges. Vers 1830, le gaz d'éclairage remplace les quinquets, qui fumaient, éclairaient mal, et pouvaient provoquer des incendies (la Comédie-Française brûle en 1799). Le lustre central reste constamment allumé dans la salle, ce qui permet aux femmes de montrer leurs toilettes. L'électricité fait son apparition sur la scène vers 1880.

■ Naissance progressive de la mise en scène

Ce sont les auteurs ou les directeurs de théâtre qui montent les pièces, conçoivent décors et accessoires, font répéter les acteurs, de façon insuffisante d'ailleurs, si bien que la présence d'un souffleur est indispensable. Les tâches techniques sur le plateau se diversifient et le métier de régisseur prend une importance de plus en plus grande. André Antoine, dans les dernières années du siècle, est l'incarnation d'un nouveau métier, celui de metteur en scène : à la fin du XIXᵉ siècle, le théâtre prend sa forme moderne.

Estampe XIXᵉ siècle.
Les petits théâtres.
Boulevard du Temple.
Paris, musée Carnavalet.
Photo © Bulloz.

Aloysius Bertrand
(1807-1841)

Autoportrait. Coll. particulière.
Photo © Lalance/Archives Hatier.

ALOYSIUS BERTRAND, né en Italie, s'installe avec ses parents à Dijon et y vit jusqu'à sa mort. La ville bourguignonne et ses clochers gothiques figurent en bonne place dans le recueil de poèmes en prose que le poète a composé, *Gaspard de la nuit*. Publié de manière posthume par ses amis Sainte-Beuve et David d'Angers (1842), cette œuvre reste longtemps méconnue malgré leurs efforts. C'est Baudelaire qui tire enfin le poète de l'oubli en le citant dans sa préface au *Spleen de Paris* comme le précurseur d'un genre nouveau, le poème en prose.

Le sous-titre, *« Fantaisies à la manière de Rembrandt et de Callot »*, révèle les intentions du poète qui « donne à voir » un univers baigné de l'imaginaire médiéval, à la mode depuis les romans de Walter Scott. Bertrand dédie son œuvre à Victor Hugo, qui s'est lui-même laissé séduire par le Moyen Âge. Les « fantaisies » sont de courtes pièces présentées sous forme de strophes (le poète avait laissé des indications pour le « metteur en page ») écrites en une prose très rythmée. Chaque texte propose une scène souvent colorée de fantastique, parcourue par des personnages venus des contes populaires (nains, enchanteurs, génies, diable) ; leurs voix lourdes d'échos parsèment les rêveries du narrateur-poète.

Gaspard de la nuit
[1842]

Extrait 1

Il était nuit. Ce furent d'abord, – ainsi j'ai vu, ainsi je raconte, – une abbaye aux murailles lézardées par la lune, – une forêt percée de sentiers tortueux, – et le Morimont[1] grouillant de capes et de chapeaux.

Ce furent ensuite, – ainsi j'ai entendu, ainsi je raconte, – le glas funèbre d'une
5 cloche auquel répondaient les sanglots funèbres d'une cellule, – des cris plaintifs et des rires féroces dont frissonnait chaque feuille le long d'une ramée, et les prières bourdonnantes des pénitents noirs qui accompagnaient un criminel au supplice.

Ce furent enfin, – ainsi s'acheva le rêve, ainsi je raconte, – un moine qui expi-
10 rait, couché dans la cendre des agonisants, – une jeune fille qui se débattait pendue aux branches d'un chêne, – et moi que le bourreau liait échevelé sur les rayons de la roue.

Questions

1. Relevez les effets de parallélisme dans la composition des trois premières strophes. Quelle impression produit cette unité ?

2. Comment caractériseriez-vous l'atmosphère de cette scène ? Justifiez votre point de vue en vous attachant au développement du thème du rêve.

3. Montrez comment se « résout » le poème.

1. La place des exécutions
à Dijon.
2. Religieux franciscain.

Dom Augustin, le prieur défunt, aura, en habit de cordelier[2], les honneurs de la chapelle ardente ; et Marguerite, que son amant a tuée, sera ensevelie dans sa blanche robe d'innocence, entre quatre cierges de cire.   15

Mais moi, la barre du bourreau s'était, au premier coup, brisée comme un verre, les torches des pénitents noirs s'étaient éteintes sous les torrents de pluie, la foule s'était écoulée avec les ruisseaux débordés et rapides, – et je poursuivais d'autres songes vers le réveil.

ALOYSIUS BERTRAND,
Gaspard de la nuit, « Il était nuit ».

Extrait 2

...Je croyais entendre
Une vague harmonie enchanter mon sommeil,
Et près de moi s'épandre un murmure pareil
Aux chants entrecoupés d'une voix triste et tendre.

Ch. BRUGNOT[1], *Les Deux Génies*.

1. Poète contemporain
d'Aloysius Bertrand.

« Écoute ! – Écoute ! – C'est moi, c'est Ondine qui frôle de ces gouttes d'eau les losanges sonores de ta fenêtre illuminée par les mornes rayons de la lune ; et voici, en robe de moire, la dame châtelaine qui contemple à son balcon la belle nuit étoilée et le beau lac endormi.

Chaque flot est un ondin qui nage dans le courant, chaque courant est un sen-   5
tier qui serpente vers mon palais, et mon palais est bâti fluide, au fond du lac, dans le triangle du feu, de la terre et de l'air.

Écoute ! – Écoute ! – Mon père bat l'eau coassante d'une branche d'aulne verte, et mes sœurs caressent de leurs bras d'écume les fraîches îles d'herbes, de nénuphars et de glaïeuls, ou se moquent du saule caduc et barbu qui pêche à la   10
ligne ! »

Sa chanson murmurée, elle me supplia de recevoir son anneau à mon doigt pour être l'époux d'une Ondine, et de visiter avec elle son palais pour être le roi des lacs.

Et comme je lui répondais que j'aimais une mortelle, boudeuse et dépitée,   15
elle pleura quelques larmes, poussa un éclat de rire, et s'évanouit en giboulées qui ruisselèrent blanches le long de mes vitraux bleus.

ALOYSIUS BERTRAND,
Gaspard de la nuit, « Ondine ».

> **Q u e s t i o n s**
>
> **1.** Dégagez les traits du personnage d'Ondine.
> **2.** Montrez comment le thème de l'eau est exploité sous plusieurs formes dans tout le poème.
> **3.** En quoi peut-on parler de « prose poétique » ?

Charles Nodier

(1780-1844)

École française du XIXᵉ siècle.
Paris, musée Carnavalet.
Photo © J.-L. Charmet.

CHARLES NODIER, né à Besançon en 1780, assiste, enfant, à plusieurs exécutions capitales : son père préside le Tribunal criminel sous la Terreur. En 1824, directeur de la bibliothèque de l'Arsenal, Nodier reçoit la jeune génération romantique rassemblée en Cénacle. Hugo, Lamartine, Musset, Delacroix, mais aussi Balzac ou Gautier, trouvent en lui un maître à penser et à créer. S'il écrit des romans – **Jean Sbogar** (1818) – et des essais – **Du fantastique en littérature** (1830) –, il privilégie surtout l'écriture des contes. **Smarra ou les Démons de la nuit** (1821), **Trilby ou le Lutin d'Argail** (1822), **La Fée aux miettes** (1832) satisfont une époque éprise de fantastique. L'écrivain enrichit la dimension du genre, féerique lorsqu'il le destine à un public d'enfants, mystique quand il y décrit une quête d'idéal. Si le conte représente une échappatoire face à une réalité moderne jugée décevante, il livre aussi un aperçu saisissant sur l'imaginaire et le monde des rêves. Nodier semble annoncer l'onirisme poétique de Nerval, voire l'écriture en prise sur l'inconscient, pratiquée, un siècle plus tard, par les surréalistes.

Smarra

[1821]

Endormi, le jeune héros sombre dans l'univers des cauchemars où le monstre Smarra se déchaîne.

« Venez, venez, criait Méroé[1], il faut que les démons de la nuit s'apaisent, et que les morts se réjouissent. Apportez-moi de la verveine en fleur, de la sauge cueillie à minuit, et du trèfle à quatre feuilles ; donnez des moissons de jolis bouquets à Saga et aux démons de la nuit. »

5   Puis tournant un œil étonné[2] sur l'aspic[3] d'or dont les replis s'arrondissaient autour de son bras nu ; sur le bracelet précieux, ouvrage du plus habile artiste de la Thessalie[4] qui n'y avait épargné ni le choix des métaux, ni la perfection du travail, – l'argent y était incrusté en écailles délicates, et il n'y en avait pas une dont la blancheur ne fût relevée par l'éclat d'un rubis ou par la transparence si douce

1. Jeune veuve grecque
très belle.
2. Stupéfait, comme
frappé par le tonnerre.
3. Vipère.
4. Région de Grèce dans
laquelle le cauchemar se
déroule.

au regard d'un saphir plus bleu que le ciel. – Elle le détache, elle médite, elle 10
rêve, elle appelle le serpent en murmurant des paroles secrètes ; et le serpent
animé se déroule et fuit avec un sifflement de joie comme un esclave délivré. Et
le *rhombus* roule encore ; il roule toujours en grondant, il roule comme la foudre
éloignée qui se plaint dans des nuages emportés par le vent, et qui s'éteint en
gémissant dans un orage fini. Cependant, toutes les voûtes s'ouvrent, tous les 15
espaces du ciel se déploient, tous les astres descendent, tous les nuages s'aplanis-
sent et baignent le seuil comme des parvis de ténèbres. La lune, tachée de sang,
ressemble au bouclier de fer sur lequel on vient de rapporter le corps d'un jeune
Spartiate égorgé par l'ennemi. Elle roule et appesantit sur moi son disque livide,
qu'obscurcit encore la fumée des trépieds éteints. Méroé continue à courir en 20
frappant de ses doigts, d'où jaillissent de longs éclairs, les innombrables colonnes
du palais, et chaque colonne qui se divise sous les doigts de Méroé découvre une
colonnade immense qui est peuplée de fantômes, et chacun des fantômes frappe
comme elle une colonne qui ouvre des colonnades nouvelles ; et il n'y a pas une
colonne qui ne soit témoin du sacrifice d'un enfant nouveau-né arraché aux 25
caresses de sa mère.

CHARLES NODIER, *Smarra*.

┌─ **Q u e s t i o n s**

1. Étudiez l'expression de la démesure. Quel effet concourt-elle à susciter ?
2. Par une étude des rythmes et des jeux de sonorités, dégagez la dimension
   poétique du texte.
3. Quels éléments inscrivent ce passage dans la tradition fantastique ? Quel
   rôle jouent les comparaisons de ce point de vue ?

Le fantastique

La littérature fantastique se développe en Europe dès la fin du
XVIIIᵉ siècle avec la vogue des romans appelés gothiques, comme *Le Moine*
de Lewis (1796) et *Frankenstein* de Mary Shelley (1818). En France, cette
littérature s'affirme avec Nodier puis Barbey d'Aurevilly, Maupassant et
Villiers de l'Isle-Adam. Peu à peu, elle se démarque du merveilleux et de
l'univers des contes, **en suscitant un effet d'hésitation :** alors que le merveilleux se situe délibérément dans l'irréel, le récit fantastique présente des
histoires surnaturelles qu'il rend vraisemblables par leur présentation
logique. Il déstabilise ainsi les repères communs du lecteur. Par ailleurs, le
fantastique s'exprime essentiellement dans des nouvelles, à une époque où
le roman, en tant que genre, accentue ses objectifs réalistes.

Stendhal

(1783-1842)

Portrait par JOHAN OLAF SODERMARK (1790-1848).
Versailles, musée du Château.
• Photo © Hubert Josse.

HENRI BEYLE dit STENDHAL, naît à Grenoble en 1783. Sa mère meurt lorsqu'il est âgé de sept ans ; il déteste son père et le milieu clérical et bourgeois de son enfance. Renonçant à se présenter au concours de l'École polytechnique, il mène une carrière tour à tour militaire, administrative et diplomatique. Partisan de Bonaparte, il fait la campagne d'Italie, un pays qui devient spontanément sa patrie de cœur. Fidèle de Napoléon, il est nommé au Conseil d'État en 1810, rêve vainement de devenir préfet, vit la déroute de Russie, et se réfugie à Milan en 1814. Sept ans plus tard, à son retour en France, il accumule problèmes financiers, incertitudes professionnelles et déceptions sentimentales. Sous la monarchie de Juillet, ce libéral convaincu est nommé consul en Italie. Il meurt à Paris, frappé d'une crise d'apoplexie en mars 1842.

Si la postérité le considère comme un écrivain d'exception, son époque le méconnaît. *De l'amour*, publié en 1822, se vend à une vingtaine d'exemplaires. En 1830, *Le Rouge et le Noir* ne reçoit guère d'écho. Ses nouvelles sont publiées à titre posthume, sous le nom de *Chroniques italiennes*. Stendhal multiplie en outre les projets inaboutis. Partout il écrit et prend des notes, en marge de ses manuscrits et de ses livres, sur ses pantoufles ou ses bretelles, mais laisse plusieurs textes inachevés dont un roman, *Lucien Leuwen* (1834), et une autobiographie, la *Vie de Henri Brûlard* (1835). Il écrit par passion plus que par application, rédigeant en cinquante-deux jours *La Chartreuse de Parme* (1839).

Cette énergie désinvolte marque son univers romanesque. Les héros stendhaliens se démarquent des personnages médiocres qui les entourent et que satisfont les seuls biens matériels, les seules vanités mondaines. Ils doivent s'affirmer par des épreuves et apprendre à distinguer la valeur, de la gloire, l'authentique passion, du jeu amoureux. Tout roman devient ainsi recherche du bonheur. Celui-ci se caractérise par une élévation de l'âme, une tension au sublime que facilitent la fusion avec certains paysages, la communion amoureuse, l'éloignement de la société. « L'égotisme stendhalien » définit un état d'accomplissement extrême de soi, que partagent le héros de fiction et l'écrivain. Les lecteurs aussi : par connivence, certains donnent à cette quête le nom de « beylisme », hommage d'autant plus paradoxal que Stendhal fuit constamment son patronyme sous d'innombrables pseudonymes... Dès 1817, il emprunte d'ailleurs son nom d'auteur à une ville du Mecklembourg : Stendal.

L'influence du romantisme apparaît dans la thématique stendhalienne. Mais l'écrivain refuse tout épanchement et rédige par ellipses. Il se veut réaliste dans son attention à l'Histoire, aux menus événements du quotidien, mais à la différence de Balzac ou Zola, il restreint la réalité à ce qu'en perçoivent les personnages, quitte à pointer ironiquement la limite de leurs perceptions.

....
1. Dans l'Antiquité,
bains publics.

Promenades dans Rome
▬▬▬▬▬▬▬▬ *[1829]*

S'il s'affirme Milanais de cœur, Stendhal connaît parfaitement Rome où il séjourne pour la première fois en 1811. Depuis 1821, l'écrivain vit chichement à Paris. En mars 1829, il signe un contrat d'édition pour un guide intitulé Promenades dans Rome, *mais se soustrait à la règle de neutralité propre à ce type d'ouvrage.*

27 janvier 1828 – On nous raconte l'anecdote touchante du colonel Romanelli, qui s'est tué à Naples, parce que la duchesse C. l'avait quitté. « Je tuerais bien mon rival, disait-il à son domestique, mais cela ferait trop de peine à la duchesse. » – Le Forum étant fini, nous avons voulu voir ce matin les ruines des thermes[1] de Caracalla, qui sont dans la ville, c'est-à-dire dans l'enceinte des murs. 5 Nous avons fait trois quarts de lieue ; et pendant la dernière demi-heure nous avons marché au milieu des vignes et des collines, loin de toute habitation. Après nous être avancés au-delà du mont Capitolin et du Colisée, nous avons suivi les ruines des murs de Romulus ; reconnu celles du grand cirque, remonté le ruisseau nommé *Aqua Crabra*, et sommes enfin arrivés à ces immenses murs de 10 brique, but de notre voyage.

Ces restes incultes, remarquables seulement par la *grandeur* des pans de murs qui restent debout, furent autrefois un des lieux de Rome les plus ornés. Il y avait dans ces thermes seize cents sièges de marbre, apparemment comme ce siège de porphyre que l'on a gardé au musée du Louvre, et qui rappelle une anecdote sur 15 l'élection des papes. Ici, deux mille trois cents personnes pouvaient se baigner à la fois sans se voir ; les petites chambres étaient revêtues de marbres précieux et ornées de bronze doré. À notre arrivée, un malheureux paysan, miné par la fièvre, a placé un bout de torche à l'extrémité d'un morceau de canne de dix à douze pieds ; nous sommes descendus dans un lieu obscur, où il nous a fait voir 20 les restes de la première enceinte de ces thermes.

Ces choses-là sont bonnes à voir pour servir de *signe* à un souvenir ; autrement rien de moins curieux.

STENDHAL, *Promenades dans Rome.*

▌ Q u e s t i o n s ▐

1. Où se situe la spontanéité de cette page ?
2. Identifiez les différents types d'informations apportées par Stendhal.
3. Comment l'auteur intervient-il dans ce reportage ?
4. Stendhal cède-t-il à la tentation du pittoresque, alors très en vogue chez les romantiques ? Commentez de ce point de vue la dernière phrase.

Le Rouge et le Noir
[1830]

Extrait 1

Fils d'un bûcheron dauphinois, Julien Sorel, héros du roman, admire Napoléon et lit, au début du roman, le Mémorial de Sainte-Hélène *de Las Cases, un historien qui accompagna l'Empereur en exil.*

En approchant de son usine, le père Sorel appela Julien de sa voix de stentor[1] ; personne ne répondit. Il ne vit que ses fils aînés, espèces de géants qui, armés de lourdes haches, équarrissaient les troncs de sapin, qu'ils allaient porter à la scie. Tout occupés à suivre exactement la marque noire tracée sur la pièce de
5 bois, chaque coup de leur hache en séparait des copeaux énormes. Ils n'entendirent pas la voix de leur père. Celui-ci se dirigea vers le hangar ; en y entrant, il chercha vainement Julien à la place qu'il aurait dû occuper, à côté de la scie. Il l'aperçut à cinq ou six pieds plus haut, à cheval sur l'une des pièces de la toiture. Au lieu de surveiller attentivement l'action de tout le mécanisme, Julien lisait.
10 Rien n'était plus antipathique au vieux Sorel ; il eût peut-être pardonné à Julien sa taille mince, peu propre aux travaux de force, et si différente de celle de ses aînés ; mais cette manie de lecture lui était odieuse, il ne savait pas lire lui-même.

Ce fut en vain qu'il appela Julien deux ou trois fois. L'attention que le jeune homme donnait à son livre, bien plus que le bruit de la scie, l'empêcha d'en-
15 tendre la terrible voix de son père. Enfin, malgré son âge, celui-ci sauta lestement sur l'arbre soumis à l'action de la scie, et de là sur la poutre transversale qui soutenait le toit. Un coup violent fit voler dans le ruisseau le livre que tenait Julien ; un second coup aussi violent, donné sur la tête, en forme de calotte, lui fit perdre l'équilibre. Il allait tomber à douze ou quinze pieds plus bas, au milieu des
20 leviers de la machine en action, qui l'eussent brisé, mais son père le retint de la main gauche, comme il tombait.

— Eh bien, paresseux ! tu liras donc toujours tes maudits livres, pendant que tu es de garde à la scie ? Lis-les le soir, quand tu vas perdre ton temps chez le curé, à la bonne heure.
25 Julien, quoiqu'étourdi par la force du coup, et tout sanglant, se rapprocha de son poste officiel, à côté de la scie. Il avait les larmes aux yeux, moins à cause de la douleur physique, que pour la perte de son livre qu'il adorait.

— Descends, animal, que je te parle.

Le bruit de la machine empêcha encore Julien d'entendre cet ordre. Son père
30 qui était descendu, ne voulant pas se donner la peine de remonter sur le mécanisme, alla chercher une longue perche pour abattre des noix, et l'en frappa sur l'épaule. À peine Julien fut-il à terre, que le vieux Sorel, le chassant rudement devant lui, le poussa vers la maison. Dieu sait ce qu'il va me faire ! se disait le jeune homme. En passant, il regarda tristement le ruisseau où était tombé son
35 livre ; c'était celui de tous qu'il affectionnait le plus, le *Mémorial de Sainte-Hélène.*

STENDHAL,
Le Rouge et le Noir, I, 4.

1. Voix extrêmement puissante.

Questions

1. Repérez et commentez le champ lexical de la force.

2. Quelles oppositions ce passage révèle-t-il ?

3. Quels points de vue successifs l'écrivain adopte-t-il ? Pourquoi ?

4. Quelle dimension symbolique revêt cette scène d'ouverture ?

Extrait 2

Son intelligence vaut à Julien un poste de précepteur chez M. de Rênal, le maire de Verrières (Doubs). Il se présente et est accueilli par madame de Rênal.

Avec la vivacité et la grâce qui lui étaient naturelles quand elle était loin des regards des hommes, madame de Rênal sortait par la porte-fenêtre du salon qui donnait sur le jardin, quand elle aperçut près de la porte d'entrée la figure d'un jeune paysan presque encore enfant, extrêmement pâle et qui venait de
5 pleurer. Il était en chemise bien blanche, et avait sous le bras une veste fort propre en ratine[1] violette.

Le teint de ce petit paysan était si blanc, ses yeux si doux, que l'esprit un peu romanesque de madame de Rênal eut d'abord l'idée que ce pouvait être une jeune fille déguisée, qui venait demander quelque grâce à M. le maire. Elle eut
10 pitié de cette pauvre créature, arrêtée à la porte d'entrée, et qui, évidemment, n'osait pas lever la main jusqu'à la sonnette. Madame de Rênal s'approcha, distraite un instant de l'amer chagrin que lui donnait l'arrivée du précepteur. Julien, tourné vers la porte, ne la voyait pas s'avancer. Il tressaillit quand une voix douce dit tout près de son oreille :
15 — Que voulez-vous ici, mon enfant ?

Julien se tourna vivement, et, frappé du regard si rempli de grâce de madame de Rênal, il oublia une partie de sa timidité. Bientôt, étonné de sa beauté, il oublia tout, même ce qu'il venait faire. Madame de Rênal avait répété sa question.

— Je viens pour être précepteur, madame, lui dit-il, tout honteux de ses larmes
20 qu'il essuyait de son mieux.

Madame de Rênal resta interdite, ils étaient fort près l'un de l'autre à se regarder. Julien n'avait jamais vu un être aussi bien vêtu et surtout une femme avec un teint si éblouissant, lui
25 parler d'un air doux. Madame de Rênal regardait les grosses larmes qui s'étaient arrêtées sur les joues si pâles d'abord et maintenant si roses de ce jeune paysan. Bientôt elle se mit à rire, avec toute la gaieté folle d'une jeune fille, elle se
30 moquait d'elle-même, et ne pouvait se figurer tout son bonheur. Quoi, c'était là ce précepteur qu'elle s'était figuré comme un prêtre sale et mal vêtu, qui viendrait gronder et fouetter ses enfants !

STENDHAL, *Le Rouge et le Noir*, I, 6.

1. Étoffe de laine croisée dont le poil est tiré en dehors et frisé.

Questions

1. Étudiez les différents points de vue. Qu'apporte leur mélange à la scène ?

2. Comment et où l'auteur intervient-il dans sa narration ?

3. Quelles caractéristiques présente le portrait de Julien et de madame de Rênal ? Quelle figure de style est récurrente ? Pourquoi ?

4. En quoi cette scène est-elle romanesque ? Vous vous appuierez notamment sur les repérages spatiaux.

Illustration pour *Le Rouge et le Noir*.
Gravure de DUBOUCHET. Photo © Roger Viollet.

Extrait 3

Par la suite, Julien apprend à connaître la petite société provinciale et ses notables, dont l'évêque, à l'occasion d'un voyage du roi.

1. Les laquais de l'évêché viennent de se moquer de l'abbé Chélan que Julien a accompagné jusqu'à l'appartement de l'évêque.
2. Coiffure liturgique du prêtre officiant.
3. Assemblée tenue par des religieux.

À l'autre extrémité de la salle, près de l'unique fenêtre par laquelle le jour pénétrait, il vit un miroir mobile en acajou. Un jeune homme, en robe violette et en surplis de dentelle, mais la tête nue, était arrêté à trois pas de la glace. Ce meuble semblait étrange en un tel lieu, et, sans doute, y avait été apporté de la
5 ville. Julien trouva que le jeune homme avait l'air irrité ; de la main droite, il donnait gravement des bénédictions du côté du miroir.

Que peut signifier ceci, pensa-t-il ? est-ce une cérémonie préparatoire qu'accomplit ce jeune prêtre ? C'est peut-être le secrétaire de l'évêque... il sera insolent comme les laquais[1]... ma foi, n'importe, essayons.

10 Il avança et parcourut assez lentement la longeur de la salle, toujours la vue fixée vers l'unique fenêtre, et regardant ce jeune homme qui continuait à donner des bénédictions exécutées lentement mais en nombre infini, et sans se reposer un instant.

À mesure qu'il approchait, il distinguait mieux son air fâché. La richesse du
15 surplis garni de dentelles arrêta involontairement Julien à quelques pas du magnifique miroir.

Il est de mon devoir de parler, se dit-il enfin ; mais la beauté de la salle l'avait ému, et il était froissé d'avance des mots durs qu'on allait lui adresser.

Le jeune homme le vit dans la psyché, se retourna, et quittant subitement l'air
20 fâché, lui dit du ton le plus doux :

– Hé bien, Monsieur, est-elle enfin arrangée ?

Julien resta stupéfait. Comme ce jeune homme se tournait vers lui, Julien vit la croix pectorale sur sa poitrine : c'était l'évêque d'Agde. Si jeune, pensa Julien ; tout au plus six ou huit ans de plus que moi !...

25 Et il eut honte des éperons.

– Monseigneur, répondit-il timidement, je suis envoyé par le doyen du chapitre, M. Chélan.

– Ah ! il m'est fort recommandé, dit l'évêque d'un ton poli qui redoubla l'enchantement de Julien. Mais je vous demande pardon, Monsieur, je vous prenais
30 pour la personne qui doit me rapporter ma mitre[2]. On l'a mal emballée à Paris ; la toile d'argent est horriblement gâtée vers le haut. Cela fera le plus vilain effet, ajouta le jeune évêque d'un air triste, et encore on me fait attendre !

– Monseigneur, je vais chercher la mitre, si Votre Grandeur le permet.

Les beaux yeux de Julien firent leur effet.

35 – Allez, Monsieur, répondit l'évêque avec une politesse charmante ; il me la faut sur-le-champ. Je suis désolé de faire attendre messieurs du chapitre[3].

Quand Julien fut arrivé au milieu de la salle, il se retourna vers l'évêque et le vit qui s'était remis à donner des bénédictions. Qu'est-ce que cela peut être ? se demanda Julien.

STENDHAL,
Le Rouge et le Noir, I, 18.

Q u e s t i o n s

1. Pourquoi l'évêque répète-t-il le même geste ?

2. Par quel effet d'alternance Stendhal rend-il vivante cette scène ?

3. Par un repérage des notations spatiales, matérielles et gestuelles, étudiez la technique de la description réaliste.

4. Par des repérages lexicaux progressifs, déterminez l'état d'esprit de Julien.

5. Dégagez la dimension satirique de cet épisode.

Extrait 4

*Charmé par madame de Rênal qui tombe amoureuse
de lui, Julien doit cependant quitter Verrières. Après
un séjour au séminaire, il satisfait son ambition
sociale en devenant secrétaire du marquis de La
Mole, puis lieutenant de hussards. Anobli, il
demande en mariage la fille du Marquis, Mathilde,
mais madame de Rênal expédie une lettre dénonçant
son arrivisme. Julien alors retourne à Verrières.*

Julien entra dans l'église neuve de
Verrières. Toutes les fenêtres hautes de l'édifice
étaient voilées avec des rideaux cramoisis. Julien
se trouva à quelques pas derrière le banc de
5 madame de Rênal. Il lui sembla qu'elle priait
avec ferveur. La vue de cette femme qui l'avait
tant aimé fit trembler le bras de Julien d'une
telle façon, qu'il ne put d'abord exécuter son
dessein. Je ne le puis, se disait-il à lui-même ;
10 physiquement, je ne le puis.

En ce moment le jeune clerc qui servait la
messe sonna pour l'*élévation*[1]. Madame de Rênal
baissa la tête qui un instant se trouva presque
entièrement cachée par les plis de son châle.
15 Julien ne la reconnaissait plus aussi bien ; il tira
sur elle un coup de pistolet et la manqua ; il tira
un second coup, elle tomba.

Lithographie d'Achille Deveria : « Huit heures du
matin ». Photo Toumazet.
© Photothèque des Musées de la Ville de Paris.

36

Julien resta immobile, il ne voyait plus. Quand il revint un peu à lui, il aperçut tous les fidèles qui s'enfuyaient de l'église ; le prêtre avait quitté l'autel. Julien
20 se mit à suivre d'un pas assez lent quelques femmes qui s'en allaient en criant.
Une femme qui voulait fuir plus vite que les autres le poussa rudement, il tomba.
Ses pieds s'étaient embarrassés dans une chaise renversée par la foule ; en se relevant, il se sentit le cou serré ; c'était un gendarme en grande tenue qui l'arrêtait.
Machinalement Julien voulut avoir recours à ses petits pistolets ; mais un second
25 gendarme s'emparait de ses bras.

Il fut conduit à la prison. On entra dans une chambre, on lui mit les fers aux
mains, on le laissa seul ; la porte se ferma sur lui à double tour ; tout cela fut exécuté très vite, et il y fut insensible.

— Ma foi, tout est fini, dit-il tout haut en revenant à lui... Oui, dans quinze
30 jours la guillotine... ou se tuer d'ici là.

Son raisonnement n'allait pas plus loin ; il se sentait la tête comme si elle eût
été serrée avec violence. Il regarda pour voir si quelqu'un le tenait. Après
quelques instants, il s'endormit profondément.

STENDHAL, *Le Rouge et le Noir*, II, chap. 35 et 36.

1. Moment de la messe
pendant lequel le
prêtre élève l'hostie et
le calice.

Questions

1. Relevez les différents
éléments qui font de
ce passage une scène
d'action. Intéressez-vous
notamment à la fonction
du regard.

2. Quelles remarques
vous inspirent la cons-
truction du texte et le
rythme des phrases ?

3. Quelles attitudes
contribuent à faire de
Julien un héros para-
doxal ?

Lucien Leuwen

[1834]

Extrait 1

1. Malhonnêtes, mauvais sujets.
2. Mauvais cheval (expression vieillie et familière).

Fils d'un banquier parisien introduit dans le milieu affairiste de la monarchie de Juillet, Lucien Leuwen est nommé sous-lieutenant de lanciers à Nancy. Il arrive dans cette ville.

Lucien leva les yeux et vit une grande maison, moins mesquine que celles devant lesquelles le régiment avait passé jusque-là ; au milieu d'un grand mur blanc, il y avait une persienne peinte en vert perroquet. « Quel choix de couleurs voyantes ont ces marauds[1] de provinciaux ! »

5 Lucien se complaisait dans cette idée peu polie, lorsqu'il vit la persienne vert perroquet s'entr'ouvrir un peu ; c'était une jeune femme blonde qui avait des cheveux magnifiques et l'air dédaigneux : elle venait voir défiler le régiment. Toutes les idées tristes de Lucien s'envolèrent à l'aspect de cette jolie figure ; son âme en fut ranimée. Les murs écorchés et sales des maisons de Nancy, la boue
10 noire, l'esprit envieux et jaloux de ses camarades, les duels nécessaires, le méchant pavé sur lequel glissait la rosse[2] qu'on lui avait donnée, peut-être exprès, tout disparut. Un embarras sous une voûte, au bout de la rue, avait forcé le régiment à s'arrêter. La jeune femme ferma sa croisée et regarda, à demi cachée par le rideau de mousseline brodée de sa fenêtre. Elle pouvait avoir vingt-quatre
15 ou vingt-cinq ans. Lucien trouva dans ses yeux une expression singulière ; était-ce de l'ironie, de la haine, ou tout simplement de la jeunesse et une certaine disposition à s'amuser de tout ?

Le second escadron, dont Lucien faisait partie, se remit en mouvement tout à coup ; Lucien,
20 les yeux fixés sur la fenêtre vert perroquet, donna un coup d'éperon à son cheval, qui glissa, tomba et le jeta par terre.

Se relever, appliquer un grand coup de fourreau de son sabre à la rosse, sauter en selle fut, à
25 la vérité, l'affaire d'un instant ; mais l'éclat de rire fut général et bruyant.

STENDHAL, *Lucien Leuwen*, I, 4.

Questions

1. Quelle situation type de la littérature romanesque cet extrait présente-t-il ?

2. Par quels procédés Stendhal met-il en valeur l'apparition de la jeune femme ?

3. Relevez et commentez le jeu des couleurs.

4. Quelles cibles l'ironie de l'auteur vise-t-elle ? Justifiez votre réponse.

DAVID CASPAR FRIEDRICH (1774-1840), *Femme à la fenêtre*. Berlin, SMPK, Nationalgalerie. Photo © AKG Paris.

Extrait 2

Lucien tombe amoureux d'une jeune veuve, madame de Chasteller, qui ne reste pas insensible à ses charmes. Cette scène prélude à leurs liens. Par la suite, dans le climat malsain de la petite société légitimiste de Nancy, ils se séparent. Lucien quitte cette ville pour découvrir l'univers politique corrompu du règne de Louis-Philippe. Le roman, inachevé, devait se terminer par les retrouvailles du couple.

Au travers des murs de charmille on apercevait çà et là, par les trouées du feuillage, une belle lune éclairant un paysage étendu et tranquille. Cette nature ravissante était d'accord avec les nouveaux sentiments qui cherchaient à s'emparer du cœur de Mme de Chasteller, et contribuait puissamment à l'éloigner et à affaiblir les objections de la raison. Lucien avait pris son poste, non pas précisé- 5 ment à côté de Mme de Chasteller (il fallait avoir des ménagements pour les anciens amis de sa nouvelle connaissance, un regard plus amical qu'il n'eût osé l'espérer lui avait appris cette nécessité), mais il se plaça de façon à pouvoir fort bien la voir et l'entendre.

Il eut l'idée d'exprimer ses sentiments réels par des mots qu'il adresserait, en 10 apparence, aux dames assises auprès de lui. Pour cela il fallait beaucoup parler : il y réussit sans dire trop d'extravagances. Il domina bientôt la conversation. Bientôt, tout en amusant fort les dames assises auprès de Mme de Chasteller, il osa faire entendre de loin des choses qui pouvaient avoir une application fort tendre, ce qu'il n'aurait jamais pensé pouvoir tenter de sitôt. Il est vrai que 15 Mme de Chasteller pouvait fort bien feindre de ne pas comprendre ces mots indirects. Lucien parvint à amuser même les hommes placés près de ces dames, et qui ne regardaient pas encore ses succès avec le sérieux de l'envie.

Tout le monde parlait, et on riait fort souvent du côté de la table où Mme de Chasteller était assise. Les personnes placées aux autres parties de la 20 table firent silence, pour tâcher de prendre part à ce qui amusait si fort les voisines de Mme de Chasteller. Celle-ci était très occupée, et de ce qu'elle entendait, qui la faisait rire quelquefois, et de ses réflexions fort sérieuses, qui formaient un étrange contraste avec le ton gai de cette soirée. « C'est donc là cet homme timide et que je croyais sans idées ? Quel être effrayant ! »   25

C'était pour la première fois, peut-être, de sa vie, que Lucien avait de l'esprit, et du plus brillant.

STENDHAL, *Lucien Leuwen*, I, 17.

┌─ Q u e s t i o n s

1. Étudiez la portée métaphorique du paysage nocturne initial.
2. Étudiez les effets de contraste romanesque dans cette scène.
3. Comment Stendhal mélange-t-il mondanité et intimité ?
4. Comment comprenez-vous la dernière phrase ?

La Chartreuse de Parme
[1839]

Extrait 1

Fabrice del Dongo, fils d'une famille de l'aristocratie italienne, décide, à l'âge de 17 ans, de rejoindre l'armée napoléonienne. C'est l'occasion, pour Stendhal, d'évoquer la bataille de Waterloo, du seul point de vue d'un jeune homme novice. Ce long récit de la bataille de Waterloo – dont voici un extrait – est resté célèbre en particulier à cause de la technique narrative mise en œuvre : Tolstoï, par exemple, s'en inspirera pour décrire d'autres batailles, dans Guerre et Paix.
Fabrice, qui veut se battre, cherche à rejoindre le lieu du combat. Le bruit du canon se fait entendre, un général vient de lui poser une question : deux raisons pour le héros d'éprouver quelque crainte.

— Que dis-tu ? lui cria le général.

Mais le tapage devint tellement fort en ce moment, que Fabrice ne put lui répondre. Nous avouerons que notre héros était fort peu héros en ce moment. Toutefois la peur ne venait chez lui qu'en seconde ligne ; il était surtout scanda-
5   lisé de ce bruit qui lui faisait mal aux oreilles. L'escorte prit le galop ; on traver-
sait une grande pièce de terre labourée, située au-delà du canal, et ce champ était jonché de cadavres.

— Les habits rouges[1] ! les habits rouges ! criaient avec joie les hussards de l'escorte, et d'abord Fabrice ne comprenait pas ; enfin il remarqua qu'en effet
10   presque tous les cadavres étaient vêtus de rouge. Une circonstance lui donna un

1. Uniforme des Anglais, ennemis des Français.

AUGUSTE CLÉMENT ANDRIEUX (1829-1880), *Bataille de Waterloo*. Versailles, musée du Château. Photo © Hubert Josse.

frisson d'horreur ; il remarqua que beaucoup de ces malheureux habits rouges
vivaient encore ; ils criaient évidemment pour demander du secours, et personne
ne s'arrêtait pour leur en donner. Notre héros, fort humain, se donnait toutes les
peines du monde pour que son cheval ne mît les pieds sur aucun habit rouge.
L'escorte s'arrêta ; Fabrice, qui ne faisait pas assez d'attention à son devoir de sol- 15
dat, galopait toujours en regardant un malheureux blessé.

— Veux-tu bien t'arrêter, blanc-bec ! lui cria le maréchal des logis. Fabrice
s'aperçut qu'il était à vingt pas sur la droite en avant des généraux, et précisément du côté où ils regardaient avec leurs lorgnettes. En revenant se ranger à la
queue des autres hussards restés à quelques pas en arrière, il vit le plus gros de 20
ces généraux qui parlait à son voisin, général aussi, d'un air d'autorité et presque
de réprimande ; il jurait. Fabrice ne put retenir sa curiosité ; et, malgré le conseil
de ne point parler, à lui donné par son amie la geôlière, il arrangea une petite
phrase bien française, bien correcte, et dit à son voisin :

— Quel est-il ce général qui *gourmande* son voisin ?   25

— Pardi, c'est le maréchal !

— Quel maréchal ?

— Le maréchal Ney, bêta ! Ah çà ! où as-tu servi jusqu'ici ?

Fabrice, quoique fort susceptible, ne songea point à se fâcher de l'injure ; il
contemplait, perdu dans une admiration enfantine, ce fameux prince de la 30
Moskova, le brave des braves.

Tout à coup on partit au grand galop. Quelques instants après, Fabrice vit, à
vingt pas en avant, une terre labourée qui était remuée d'une façon singulière. Le
fond des sillons était plein d'eau, et la terre fort humide, qui formait la crête de
ces sillons, volait en petits fragments noirs lancés à trois ou quatre pieds de haut. 35
Fabrice remarqua en passant cet effet singulier ; puis sa pensée se remit à songer
à la gloire du maréchal. Il entendit un cri sec auprès de lui : c'étaient deux hussards qui tombaient atteints par des boulets ; et, lorsqu'il les regarda, ils étaient
déjà à vingt pas de l'escorte. Ce qui lui sembla horrible, ce fut un cheval tout sanglant qui se débattait sur la terre labourée, en engageant ses pieds dans ses 40
propres entrailles ; il voulait suivre les autres : le sang coulait dans la boue.

Ah ! m'y voilà donc enfin au feu ! se dit-il. J'ai vu le feu ! se répétait-il avec
satisfaction. Me voici un vrai militaire. À ce moment, l'escorte allait ventre à
terre, et notre héros comprit que c'étaient des boulets qui faisaient voler la terre
de toutes parts. Il avait beau regarder du côté d'où venaient les boulets, il voyait 45
la fumée blanche de la batterie à une distance énorme, et, au milieu du ronflement égal et continu produit par les coups de canon, il lui semblait entendre des
décharges beaucoup plus voisines ; il n'y comprenait rien du tout.

STENDHAL, *La Chartreuse de Parme*, I, 3.

Questions

1. Repérez le système énonciatif du texte. Qu'observez-vous ?
2. Où se situe le réalisme de cette scène ?
3. Repérez et commentez l'ironie du narrateur.
4. Quels traits du caractère de Fabrice la situation révèle-t-elle ?

Extrait 2

Favorite du prince de Parme, la duchesse Sanseverina, tante de Fabrice, annonce son départ de la Cour pour protester contre l'emprisonnement de son neveu.

1. Élégante.

2. Caractère de ce qui est déplacé et choquant.

3. Vivacité, ardeur.

4. Distance entre des relais de chevaux établis le long d'un trajet. Au sens figuré : partir à vive allure.

— La duchesse Sanseverina peut entrer, cria le prince d'un air théâtral.

« Les larmes vont commencer », se dit-il, et, comme pour se préparer à un tel spectacle, il tira son mouchoir.

Jamais la duchesse n'avait été aussi leste[1] et aussi jolie ; elle n'avait pas vingt-
5 cinq ans. En voyant son petit pas léger et rapide effleurer à peine les tapis, le pauvre aide de camp fut sur le point de perdre tout à fait la raison.

— J'ai bien des pardons à demander à Votre Altesse Sérénissime, dit la duchesse de sa petite voix légère et gaie, j'ai pris la liberté de me présenter devant elle avec un habit qui n'est pas précisément convenable, mais Votre Altesse m'a
10 tellement accoutumée à ses bontés que j'ai osé espérer qu'elle voudrait bien m'accorder encore cette grâce.

La duchesse parlait assez lentement, afin de se donner le temps de jouir de la figure du prince ; elle était délicieuse à cause de l'étonnement profond et du reste de grands airs que la position de la tête et des bras accusait encore. Le prince était
15 resté comme frappé par la foudre ; de sa petite voix aigre et troublée il s'écriait de temps à autre en articulant à peine :

— *Comment ! comment !*

La duchesse, comme par respect, après avoir fini son compliment, lui laissa tout le temps de répondre ; puis elle ajouta :
20 — J'ose espérer que Votre Altesse Sérénissime daigne me pardonner l'incongruité[2] de mon costume.

Mais, en parlant ainsi, ses yeux moqueurs brillaient d'un si vif éclat que le prince ne put le supporter ; il regarda au plafond, ce qui chez lui était le dernier signe du plus extrême embarras.
25 — *Comment ! comment !* dit-il encore.

Puis il eut le bonheur de trouver une phrase :

— Madame la duchesse, asseyez-vous donc.

Il avança lui-même un fauteuil et avec assez de grâce. La duchesse ne fut point insensible à cette politesse, elle modéra la pétulance[3] de son regard.
30 — *Comment ! comment !* répéta encore le prince en s'agitant dans son fauteuil, sur lequel on eût dit qu'il ne pouvait trouver de position solide.

— Je vais profiter de la fraîcheur de la nuit pour courir la poste[4], reprit la duchesse, et, comme mon absence peut être de quelque durée, je n'ai point voulu sortir des États de Son Altesse Sérénissime sans la remercier de toutes les bontés
35 que depuis cinq années elle a daigné avoir pour moi.

À ces mots le prince comprit enfin ; il devint pâle : c'était l'homme du monde qui souffrait le plus de se voir trompé dans ses prévisions ; puis il prit un air de grandeur tout à fait digne du portrait de Louis XIV qui était sous ses yeux. « À la bonne heure, se dit la duchesse, voilà un homme. »

STENDHAL,
La Chartreuse de Parme, II, 14.

1. Scène de roman ou de théâtre ? Justifiez votre choix.

2. Sur quels procédés comiques cette scène repose-t-elle ?

3. Étudiez le portrait des deux personnages. Comment se compose-t-il par antithèse ? Pourquoi ?

4. Quelle dimension satirique cette scène inclut-elle ?

Extrait 3

Emprisonné à la tour Farnèse, Fabrice tombe amoureux de Clélia, fille du directeur de la prison.

Questions

1. Par un repérage des focalisations, étudiez les effets de proximité et de distance entre le héros et l'écrivain.

2. Quels états contradictoires luttent en Clélia ? Quels mots de liaison les indiquent ?

3. Quels éléments narratifs et syntaxiques créent l'originalité et l'intensité de cette scène ?

4. Quelle fonction jouent, selon vous, les oiseaux ?

Mais enfin, à son inexprimable joie, après une si longue attente et tant de regards, vers midi Clélia vint soigner ses oiseaux. Fabrice resta immobile et sans respiration, il était debout contre les énormes barreaux de sa fenêtre et fort près. Il remarqua qu'elle ne levait pas les yeux sur lui, mais ses mouvements avaient l'air gêné, comme ceux de quelqu'un qui se sent regardé. Quand elle l'aurait 5
voulu, la pauvre fille n'aurait pas pu oublier le sourire si fin qu'elle avait vu errer sur les lèvres du prisonnier, la veille, au moment où les gendarmes l'emmenaient du corps de garde.

Quoique, suivant toute apparence, elle veillât sur ses actions avec le plus grand soin, au moment où elle s'approcha de la fenêtre de la volière, elle rougit 10
fort sensiblement. La première pensée de Fabrice, collé contre les barreaux de fer de sa fenêtre, fut de se livrer à l'enfantillage de frapper un peu avec la main sur ces barreaux, ce qui produirait un petit bruit ; puis la seule idée de ce manque de délicatesse lui fit horreur. « Je mériterais que pendant huit jours elle envoyât soigner ses oiseaux par sa femme de chambre. » Cette idée délicate ne lui fût 15
point venue à Naples ou à Novare.

Il la suivait ardemment des yeux : « Certainement, se disait-il, elle va s'en aller sans daigner jeter un regard sur cette pauvre fenêtre, et pourtant elle est bien en face. » Mais en reve- 20
nant du fond de la chambre que Fabrice, grâce à sa position plus élevée, apercevait fort bien, Clélia ne put s'empêcher de le regarder du haut de l'œil, tout en marchant et c'en fut assez pour que Fabrice se crût autorisé à la saluer. « Ne 25
sommes-nous pas seuls au monde ici ? » se dit-il pour s'en donner le courage. Sur ce salut, la jeune fille resta immobile et baissa les yeux ; puis Fabrice les lui vit relever fort lentement ; et évidemment, en faisant effort sur elle-même, elle 30
salua le prisonnier avec le mouvement le plus grave et le plus distant, mais elle ne put imposer silence à ses yeux ; sans qu'elle le sût probablement, ils exprimèrent un instant la pitié la plus vive. 35

STENDHAL, *La Chartreuse de Parme*, II, 18.

Illustration pour
La Chartreuse de Parme.
Gravure de Foulquier.
Photo © Roger-Viollet.

Honoré de Balzac
(1799-1850)

Portrait par Louis Boulanger
(1806-1867).
Tours, musée des Beaux Arts.
Photo © Hubert Josse.

Honoré de Balzac, qui, à l'exemple de son père, ajoutera une particule à son nom, est né à Tours en 1799. Il est envoyé à Paris, où sa famille le rejoindra, dès 1813, y termine ses études secondaires, s'inscrit à la faculté de droit tout en travaillant comme clerc de notaire. Des liaisons avec des femmes de l'aristocratie, parmi lesquelles Mme de Berny, de 22 ans plus âgée que lui, lui permettent d'entrer dans « le monde ». Très tôt, il doit subvenir à ses besoins, publie, sous un pseudonyme, des romans d'aventures et des romans noirs, se lance dans des affaires (édition, imprimerie) qui échouent et l'endettent durablement. Tous ces épisodes nourriront ses œuvres futures (en particulier, **Illusions perdues**). De 1829 à 1835, il publie, cette fois sous son nom, une dizaine de romans avant que naisse chez lui l'idée, mise en œuvre, à partir du **Père Goriot** (1835), de faire réapparaître certains de ses personnages au fil de romans successifs. Cette pratique du « retour des personnages » sera complétée par une organisation méthodique de l'ensemble de l'œuvre qu'il met au point progressivement, en regroupant romans écrits ou à écrire en « scènes de la vie privée », « scènes de la vie de province », « scènes de la vie parisienne », « scènes de la vie militaire », etc. et en donnant à ces divers ensembles le titre général de **La Comédie humaine**. Il précise son ambition dans un « avant-propos » à **La Comédie humaine**, texte essentiel, écrit en 1842. En 1850, il épouse Mme Hanska, une admiratrice russe d'origine polonaise, avec qui il avait échangé une abondante correspondance, avant de la rencontrer dans des circonstances toujours romanesques. Mais il meurt trois mois plus tard, à cinquante ans.

L'œuvre de Balzac se nourrit d'apports très divers : expériences personnelles, sensibilité romantique, convictions monarchistes et catholiques, observation de l'environnement social, lectures scientifiques ou philosophiques. Il a l'ambition de rendre compte de la réalité sous tous ses aspects : ce souci de réalisme le conduit à proposer des portraits détaillés de personnages sur le plan physique, vestimentaire et social, ainsi que des descriptions fouillées de sites, de demeures, de décors qui sont comme autant de signes révélateurs de l'individu. Il souhaite « faire concurrence à l'état civil » et crée un monde de plus de 2 000 personnages. Il se veut historien des mœurs en évoquant les rouages de la société de la Restauration et de la monarchie de Juillet.

Mais ce réalisme n'exclut pas la stylisation : les traits psychologiques d'un personnage sont ainsi regroupés autour d'une passion unique et éventuellement dévorante, une « monomanie » (comme l'avarice chez Grandet, ou l'amour paternel chez Goriot) qui en fait un « type ». La société est évoquée de façon métaphorique comme une jungle où les êtres s'entre-dévorent ou comme une mécanique par laquelle sont broyés les plus faibles. Enfin certains textes ou certaines pages prennent, ici, une dimension épique, là une couleur fantastique : le Balzac réaliste se double d'un Balzac visionnaire et poète.

La Femme de trente ans
[1831-1834]

L'un des tout premiers romans de Balzac introduit les motifs qui seront exploités à de nombreuses reprises par la suite : outre le romanesque le plus pur, parfois exacerbé par la technique du feuilleton, on y trouve l'interrogation sur l'époque, la représentation de tableaux à la manière de fresques, l'utilisation de la littérature au service de l'histoire. Comme ses contemporains, Balzac n'a pas résisté à l'attrait de la figure épique de Napoléon : il décrit ici une cérémonie officielle avant le départ de l'Empereur pour Waterloo.

Le soleil du printemps, qui jetait profondément sa lumière sur les murs blancs bâtis de la veille et sur les murs séculaires, éclairait pleinement ces innombrables figures basanées, qui toutes racontaient des périls passés et attendaient gravement les périls à venir. Les colonels de chaque régiment allaient et venaient seuls devant les fronts que formaient ces hommes héroïques. Puis, derrière les 5 masses de ces troupes bariolées d'argent, d'azur, de pourpre et d'or, les curieux pouvaient apercevoir les banderoles tricolores attachées aux lances de six infatigables cavaliers polonais qui, semblables aux chiens conduisant un troupeau le long d'un champ, voltigeaient sans cesse entre les troupes et les curieux, pour empêcher ces derniers de dépasser le petit espace de terrain qui leur était 10 concédé auprès de la grille impériale. À ces mouvements près, on aurait pu se croire dans le palais de la Belle au bois dormant. La brise du printemps qui passait sur les bonnets à long poil des grenadiers attestait l'immobilité des soldats, de même que le sourd murmure de la foule accusait leur silence. Parfois seulement, le retentissement d'un chapeau chinois, ou quelque léger coup frappé par 15 inadvertance sur une grosse caisse et répété par les échos du palais impérial, ressemblait à ces coups de tonnerre lointains qui annoncent un orage. Un enthousiasme indescriptible éclatait dans l'attente de la multitude. La France allait faire ses adieux à Napoléon, à la veille d'une campagne dont les dangers étaient prévus par le moindre citoyen. Il s'agissait cette fois, pour l'Empire français, d'être 20 ou de ne pas être. Cette pensée semblait animer la population citadine et la population armée qui se pressaient, également silencieuses, dans l'enceinte où planaient l'aigle et le génie de Napoléon. Ces soldats, espoir de la France, ces soldats, sa dernière goutte de sang, entraient aussi pour beaucoup dans l'inquiète curiosité des spectateurs. Entre la plupart des assistants et des militaires, il se 25 disait des adieux peut-être éternels ; mais tous les cœurs, même les plus hostiles à l'Empereur, adressaient au ciel des vœux ardents pour la gloire de la patrie. Les hommes les plus fatigués de la lutte commencée entre l'Europe et la France avaient tous déposé leur haine en passant sous l'Arc de Triomphe, comprenant qu'au jour du danger Napoléon était toute la France. 30

HONORÉ DE BALZAC,
La Femme de trente ans.

1. Dégagez avec précision ce qui relève de la description des armées et du commentaire de Balzac.

2. Montrez que l'atmosphère de la cérémonie est ambiguë.

3. Isolez les indices qui annoncent que la gloire de l'Empereur risque d'être bientôt ternie.

4. Montrez comment émerge la figure de Napoléon : donnez-en les caractéristiques en vous appuyant sur le texte.

Le Colonel Chabert

[1832]

1. Nauséabond.

Un vieillard se rend un jour chez l'avoué Derville pour revendiquer ses droits : on l'avait cru mort à la bataille d'Eylau (1807) ; sa femme s'est remariée avec un comte de la Restauration et n'a pas l'intention de renoncer à sa nouvelle situation. Derville, ému par le vieux colonel d'Empire, tentera d'intercéder auprès de son épouse, en vain. L'émotion que suscite le vieil homme plein de loyauté est grande, et quand il raconte à l'avoué comment il s'est extirpé de la masse des cadavres sur le champ de bataille d'Eylau, le récit prend une coloration fantastique.

Lorsque je revins à moi, monsieur, j'étais dans une position et dans une atmosphère dont je ne vous donnerais pas une idée en vous en entretenant jusqu'à demain. Le peu d'air que je respirais était méphitique[1]. Je voulus me mouvoir, et ne trouvai point d'espace. En ouvrant les yeux, je ne vis rien. La rareté de
5 l'air fut l'accident le plus menaçant, et qui m'éclaira le plus vivement sur ma position. Je compris que là où j'étais, l'air ne se renouvelait point, et que j'allais mourir. Cette pensée m'ôta le sentiment de la douleur inexprimable par laquelle j'avais été réveillé. Mes oreilles tintèrent violemment. J'entendis, ou crus entendre, je ne veux rien affirmer, des gémissements poussés par le monde de
10 cadavres au milieu duquel je gisais. Quoique la mémoire de ces moments soit bien ténébreuse, quoique mes souvenirs soient bien confus, malgré les impressions de souffrances encore plus profondes que je devais éprouver et qui ont brouillé mes idées, il y a des nuits où je crois encore entendre ces soupirs étouffés ! Mais il y a eu quelque chose de plus horrible que les cris, un silence que je
15 n'ai jamais retrouvé nulle part, le vrai silence du tombeau. Enfin, en levant les mains, en tâtant les morts, je reconnus un vide entre ma tête et le fumier humain supérieur. Je pus donc mesurer l'espace qui m'avait été laissé par un hasard dont la cause m'était inconnue. Il paraît, grâce à l'insouciance ou à la précipitation avec laquelle on nous avait jetés pêle-mêle, que deux morts s'étaient croisés au-dessus
20 de moi de manière à décrire un angle semblable à celui de deux cartes mises l'une contre l'autre par un enfant qui pose les fondements d'un château. En furetant avec promptitude, car il ne fallait pas flâner, je rencontrai fort heureusement un bras qui ne tenait à rien, le bras d'un Hercule ! un bon os auquel je dus mon salut. Sans ce secours inespéré, je périssais ! Mais, avec une rage que vous devez
25 concevoir, je me mis à travailler les cadavres qui me séparaient de la couche de terre sans doute jetée sur nous, je dis nous, comme s'il y eût eu des vivants ! J'y allais ferme, monsieur, car me voici ! Mais je ne sais pas aujourd'hui comment j'ai pu parvenir à percer la couverture de chair qui mettait une barrière entre la vie et moi. Vous me direz que j'avais trois bras ! Ce levier, dont je me servais avec
30 habileté, me procurait toujours un peu de l'air qui se trouvait entre les cadavres que je déplaçais, et je ménageais mes aspirations. Enfin je vis le jour, mais à travers la neige, monsieur ! En ce moment, je m'aperçus que j'avais la tête ouverte. Par bonheur, mon sang, celui de mes camarades ou la peau meurtrie de mon cheval peut-être, que sais-je ! m'avait, en se coagulant, comme enduit d'un emplâtre
35 naturel. Malgré cette croûte, je m'évanouis quand mon crâne fut en contact avec la neige.

HONORÉ DE BALZAC, *Le Colonel Chabert.*

1. Relevez les indications de perceptions visuelles, tactiles et en particulier sonores : classez-les suivant leur degré de précision.

2. Repérez avec précision toutes les marques qui caractérisent ce texte comme un discours. Étudiez comment le récit et le discours se mêlent harmonieusement.

3. Dans la deuxième partie du texte (l. 15 et suiv.), comment le personnage du colonel Chabert est-il présenté ?

4. Montrez, en relevant les mots qui appartiennent au champ lexical de la mort et de la matière organique (humaine ou non), que Balzac décrit une expérience à peine pensable. En quoi peut-on parler de réalisme ? de fantastique ?

La Recherche de l'absolu

[1834]

Questions

1. Quels sont les éléments du portrait sur lesquels insiste Balzac ? Quelles sont les raisons de ce choix ?

2. Par quels éléments Balzac fait-il de ce personnage un être hors du commun ?

3. Relevez les indices qui montrent que ce personnage, dévoré par sa passion, a évolué physiquement.

Voici le portrait de Balthazar Claës, héros dévoré par la passion de la science, pour lequel Balzac s'est quelque peu inspiré du chimiste Lavoisier.

Il paraissait âgé de plus de soixante ans, quoiqu'il en eût environ cinquante, et sa vieillesse prématurée avait détruit cette noble ressemblance. Sa haute taille se voûtait légèrement, soit que ses travaux l'obligeassent à se courber soit que l'épine dorsale se fût bombée sous le poids de sa tête. Il avait une large poitrine,

5 un buste carré ; mais les parties inférieures de son corps étaient grêles, quoique nerveuses ; et ce désaccord dans une organisation évidemment parfaite autrefois, intriguait l'esprit qui cherchait à expliquer par quelque singularité d'existence les raisons de cette forme fantastique. Son abondante chevelure blonde, peu soignée, lui tombait sur ses épaules à la manière allemande, mais dans un désordre

10 qui s'harmoniait à la bizarrerie générale de sa personne. Son large front offrait d'ailleurs les protubérances dans lesquelles Gall[1] a placé les mondes poétiques. Ses yeux d'un bleu clair et riche avaient la vivacité brusque que l'on a remarquée chez les grands chercheurs de causes occultes. Son nez, sans doute parfait autrefois, s'était allongé, et les narines sem-

15 blaient s'ouvrir graduellement de plus en plus, par une involontaire tension des muscles olfactifs. Les pommettes velues saillaient beaucoup, ses joues déjà flétries en paraissaient d'autant

20 plus creuses ; sa bouche pleine de grâce était resserrée entre le nez et un menton court, brusquement relevé. La forme de sa figure était cependant plus longue qu'ovale ; aussi le système scientifique

25 qui attribue à chaque visage humain une ressemblance avec la face d'un animal eût-il trouvé une preuve de plus dans celui de Balthazar Claës, que l'on aurait pu comparer à une tête de cheval.

30 Sa peau se collait sur ses os, comme si quelque feu secret l'eût incessamment desséchée ; puis, par moments, quand il regardait dans l'espace comme pour y trouver la réalisation de ses espérances,

35 on eût dit qu'il jetait par ses narines la flamme qui dévorait son âme.

HONORÉ DE BALZAC,
La Recherche de l'absolu.

LOUIS DAVID (1748-1825), *Antoine de Lavoisier et sa femme.*
New York, Metropolitan Museum. Photo © Hubert Josse.

1. Gall : physiologiste allemand de la fin du XVIIIᵉ siècle.

La Fille
aux yeux d'or
[1834-1835]

Voici le début du roman.

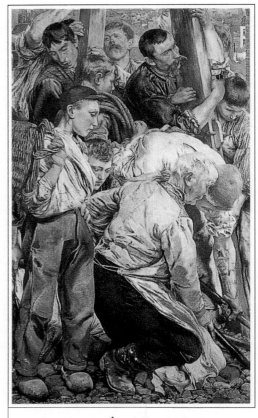

FRÉDÉRIC LÉON, *Les Âges de l'ouvrier, Les Hommes.*
Paris, musée d'Orsay.
• Photo © Lauros-Giraudon.

Un des spectacles où se rencontre le plus d'épouvantement est certes l'aspect général de la population parisienne, peuple horrible à voir, hâve, jaune, tanné. Paris n'est-il pas un vaste
5 champ incessamment remué par une tempête d'intérêts sous laquelle tourbillonne une moisson d'hommes que la mort fauche plus souvent qu'ailleurs et qui renaissent toujours aussi serrés, dont les visages contournés, tordus, rendent
10 par tous les pores l'esprit, les désirs, les poisons dont sont engrossés leurs cerveaux ; non pas des visages, mais bien des masques : masques de faiblesse, masques de force, masques de misère, masques de joie, masques d'hypocrisie ; tous
15 exténués, tous empreints des signes ineffaçables d'une haletante avidité ? Que veulent-ils ? De l'or, ou du plaisir ?

Quelques observations sur l'âme de Paris peuvent expliquer les causes de sa physionomie
20 cadavéreuse qui n'a que deux âges, ou la jeunesse ou la caducité ; jeunesse blafarde et sans couleur, caducité fardée qui veut paraître jeune. En voyant ce peuple exhumé[1], les étrangers, qui ne sont pas tenus de réfléchir, éprouvent tout d'abord un mouvement de dégoût pour cette capitale, vaste atelier de jouissances, d'où bientôt eux-mêmes ils ne peuvent sortir, et
25 restent à s'y déformer volontiers.

Peu de mots suffiront pour justifier physiologiquement la teinte infernale des figures parisiennes, car ce n'est pas seulement par plaisanterie que Paris a été nommé un enfer. Tenez ce mot pour vrai. Là, tout fume, tout brûle, tout brille, tout bouillonne, tout flambe, s'évapore, s'éteint, se rallume, étincelle, pétille et
30 se consume. Jamais vie en aucun pays ne fut plus ardente, ni plus cuisante. Cette nature sociale toujours en fusion semble se dire après chaque œuvre finie : « À une autre ! » comme se le dit la nature elle-même. Comme la nature, cette nature sociale s'occupe d'insectes, de fleurs d'un jour, de bagatelles, d'éphémères, et jette aussi feu et flamme par son éternel cratère.

HONORÉ DE BALZAC, *La Fille aux yeux d'or.*

Questions

1. Par un relevé précis du vocabulaire, montrez le caractère visuel de cette évocation de Paris.

2. Étudiez les sources d'horreur dans cette ville : présence d'éléments morbides, sentiment étrange que ce qui avait disparu renaît soudain.

3. Montrez que Balzac accorde une importance toute particulière au masque. Pourquoi ?

4. En quoi peut-on qualifier ce texte d'épique ? Appuyez-vous sur des exemples précis.

1. Au sens étymologique : sorti de terre.

1. Hôpitaux où l'on
accueillait les incurables et
les invalides.

2. Pendule.

3. Lampe, inventée par le
physicien Argand.

4. Pensionnaire non logé.

5. Se dit de vêtements
qui font de mauvais plis.

Le Père Goriot

[1835]

Extrait 1

C'est avec Le Père Goriot, *l'un des romans des* Scènes de la vie privée, *que Balzac a l'idée de faire réapparaître ses personnages au gré d'une construction qui va se révéler immense. Au début du roman, Balzac met en scène Eugène de Rastignac, jeune homme pauvre venu à Paris étudier le droit, qui loge à la misérable pension Vauquer. Il y rencontrera le père Goriot, un ancien vermicellier abandonné par ses filles, l'étudiant Bianchon et surtout le forçat Vautrin, fascinant personnage pour lequel Balzac s'est inspiré de Vidocq, ancien forçat devenu policier sous la Restauration. Voici la description de la salle à manger de la pension.*

Cette salle, entièrement boisée, fut jadis peinte en une couleur indistincte aujourd'hui, qui forme un fond sur lequel la crasse a imprimé ses couches de manière à y dessiner des figures bizarres. Elle est plaquée de buffets gluants sur lesquels sont des carafes échancrées, ternies, des ronds de moiré métallique, des piles d'assiettes en porcelaine épaisse, à bords bleus, fabriquées à Tournai. Dans 5 un angle est placée une boîte à cases numérotées qui sert à garder les serviettes, ou tachées ou vineuses, de chaque pensionnaire. Il s'y rencontre de ces meubles indestructibles, proscrits partout, mais placés là comme le sont les débris de la civilisation aux Incurables[1]. Vous y verriez un baromètre à capucin qui sort quand il pleut, des gravures exécrables qui ôtent l'appétit, toutes encadrées en 10 bois verni à filets dorés : un cartel[2] en écaille incrustée de cuivre ; un poêle vert, des quinquets d'Argand[3] où la poussière se combine avec l'huile, une longue table couverte en toile cirée assez grasse pour qu'un facétieux externe[4] y écrive son nom en se servant de son doigt comme de style, des chaises estropiées, de petits paillassons piteux en sparterie qui se déroule toujours sans se perdre 15 jamais, puis des chaufferettes misérables à trous cassés, à charnières défaites, dont le bois se carbonise. Pour expliquer combien ce mobilier est vieux, crevassé, pourri, tremblant, rongé, manchot, borgne, invalide, expirant, il faudrait en faire une description qui retarderait trop l'intérêt de cette histoire, et que les gens pressés ne pardonneraient pas. Le carreau rouge est plein de vallées produites par 20 le frottement ou par les mises en couleur. Enfin, là règne la misère sans poésie ; une misère économe, concentrée, râpée. Si elle n'a pas de fange encore, elle a des taches : si elle n'a ni trous ni haillons, elle va tomber en pourriture.

Cette pièce est dans tout son lustre au moment où, vers sept heures du matin, le chat de madame Vauquer précède sa maîtresse, saute sur les buffets, y flaire le 25 lait que contiennent plusieurs jattes couvertes d'assiettes, et fait entendre son *rou-rou* matinal. Bientôt la veuve se montre, attifée de son bonnet de tulle sous lequel pend un tour de faux cheveux mal mis ; elle marche en traînassant ses pantoufles grimacées[5]. Sa face vieillotte, grassouillette, du milieu de laquelle sort un nez à bec de perroquet, ses petites mains potelées, sa personne dodue comme un rat 30 d'église, son corsage trop plein et qui flotte, sont en harmonie avec cette salle où suinte le malheur, où s'est blottie la spéculation et dont madame Vauquer respire l'air chaudement fétide sans en être écœurée.

HONORÉ DE BALZAC, *Le Père Goriot.*

Questions

1. Relevez tous les adjectifs de la première partie du texte et commentez-les.

2. Étudiez les motifs du « gras » et de la « décomposition » dans la première partie du texte.

3. Relevez tous les mots de la deuxième partie qui font écho à des mots de la première partie ; puis analysez l'analogie entre madame Vauquer et le lieu sur lequel elle règne.

4. Quelles conclusions pouvez-vous tirer sur la technique de la description et celle du portrait dans ce texte ?

Extrait 2

Un bal est donné chez madame de Beauséant, dont le Tout-Paris a appris le matin même que son amant l'avait quittée.

Les lanternes de cinq cents voitures éclairaient les abords de l'hôtel de Beauséant. De chaque côté de la porte illuminée piaffait un gendarme. Le grand monde affluait si abondamment, et chacun mettait tant d'empressement à voir cette grande femme au moment de sa chute, que les appartements, situés au rez-
5 de-chaussée de l'hôtel, étaient déjà pleins quand madame de Nucingen[1] et Rastignac s'y présentèrent. Depuis le moment où toute la Cour se rua chez la grande Mademoiselle[2] à qui Louis XIV arrachait son amant, nul désastre de cœur ne fut plus éclatant que ne l'était celui de madame de Beauséant. En cette circonstance, la dernière fille de la quasi royale maison de Bourgogne se montra
10 supérieure à son mal, et domina jusqu'à son dernier moment le monde dont elle n'avait accepté les vanités que pour les faire servir au triomphe de sa passion. Les plus belles femmes de Paris animaient les salons de leurs toilettes et de leurs sourires. Les hommes les plus distingués de la Cour, les ambassadeurs, les ministres, les gens illustrés en tout genre, chamarrés de croix, de plaques, de cordons mul-
15 ticolores, se pressaient autour de la vicomtesse. L'orchestre faisait résonner les motifs de sa musique sous les lambris dorés de ce palais, désert pour sa reine. Madame de Beauséant se tenait debout devant son premier salon pour recevoir ses prétendus amis. Vêtue de blanc, sans aucun ornement dans ses cheveux simplement nattés, elle semblait calme, et n'affichait ni douleur, ni fierté, ni fausse
20 joie. Personne ne pouvait lire dans son âme. Vous eussiez dit d'une Niobé[3] de marbre. Son sourire à ses intimes amis fut parfois railleur ; mais elle parut à tous semblable à elle-même, et se montra si bien ce qu'elle était quand le bonheur la parait de ses rayons, que les plus insensibles l'admirèrent, comme les jeunes Romaines applaudissaient le gladiateur qui savait sourire en expirant. Le monde
25 semblait s'être paré pour faire ses adieux à l'une de ses souveraines.

HONORÉ DE BALZAC, *Le Père Goriot.*

1. Maîtresse de Rastignac.

2. La grande Mademoiselle : la duchesse de Montpensier, l'une des plus riches héritières d'Europe au temps de Louis XIV.

3. Niobé : figure de la mythologie grecque. Elle se vantait d'avoir sept filles et sept fils, devant Létô, mère d'Apollon et d'Artémis ; ces derniers vengèrent leur mère en tuant les enfants de Niobé. De douleur celle-ci fut transformée en rocher.

Questions

1. Montrez, par des repérages précis, ce qui apparente ce bal à un spectacle (champ lexical de la lumière et de la couleur, mise en scène des invités autour d'une scène, notamment).

2. Commentez la comparaison avec les gladiateurs romains (l. 24) : qu'a-t-elle de cruel ?

3. Quel tableau est brossé du personnage de madame de Beauséant ?

4. Quel est, à votre avis, le but poursuivi par Balzac dans ce texte ?

E. LAMI, *Une réception sous le règne de Louis-Philippe.* Paris, musée du Louvre. Photo © Lauros-Giraudon.

Extrait 3

Vautrin entreprend, dans un long discours adressé à Rastignac, de faire l'éducation sociale du jeune homme.

« Le baron de Rastignac veut-il être avocat ? Oh ! joli. Il faut pâtir pendant dix ans, dépenser mille francs par mois, avoir une bibliothèque, un cabinet, aller dans le monde, baiser la robe d'un avoué pour avoir des causes, balayer le palais avec sa langue. Si ce métier vous menait à bien, je ne dirais pas non ; mais trouvez-moi dans Paris cinq avocats qui, à cinquante ans, gagnent plus de cinquante 5
mille francs par an ? Bah ! plutôt que de m'amoindrir ainsi l'âme, j'aimerais mieux me faire corsaire. D'ailleurs, où prendre des écus ? Tout ça n'est pas gai. Nous avons une ressource dans la dot d'une femme. Voulez-vous vous marier ? ce sera vous mettre une pierre au cou ; puis, si vous vous mariez pour de l'argent, que deviennent nos sentiments d'honneur, notre noblesse ! Autant commencer 10
aujourd'hui votre révolte contre les conventions humaines. Ce ne serait rien que se coucher comme un serpent devant une femme, lécher les pieds de la mère, faire des bassesses à dégoûter une truie, pouah ! si vous trouviez au moins le bonheur. Mais vous serez malheureux comme les pierres d'égout avec une femme que vous aurez épousée ainsi. Vaut encore mieux guerroyer avec les hommes que 15
de lutter avec sa femme. Voilà le carrefour de la vie, jeune homme, choisissez. Vous avez déjà choisi : vous êtes allé chez notre cousin de Beauséant, et vous y avez flairé le luxe. Vous êtes allé chez madame de Restaud, la fille du père Goriot, et vous y avez flairé la Parisienne. Ce jour-là vous êtes revenu avec un mot sur votre front, et que j'ai bien su lire : *Parvenir !* parvenir à tout prix. Bravo ! ai-je dit, 20
voilà un gaillard qui me va. Il vous a fallu de l'argent. Où en prendre ? Vous avez saigné vos sœurs. Tous les frères *flouent* plus ou moins leurs sœurs. Vos quinze cents francs arrachés, Dieu sait comme ! dans un pays où l'on trouve plus de châtaignes que de pièces de cent sous, vont filer comme des soldats à la maraude[1]. Après, que ferez-vous ? vous travaillerez ? Le travail, compris comme vous le com- 25
prenez en ce moment, donne dans les vieux jours un appartement chez maman Vauquer à des gars de la force de Poiret. Une rapide fortune est le problème que se proposent de résoudre en ce moment cinquante mille jeunes gens qui se trouvent tous dans votre position. Vous êtes une unité de ce nombre-là. Jugez des efforts que vous avez à faire et de l'acharnement du combat. Il faut vous manger 30
les uns les autres comme des araignées dans un pot, attendu qu'il n'y a pas cinquante mille bonnes places. Savez-vous comment on fait son chemin ici ? par l'éclat du génie ou par l'adresse de la corruption. Il faut entrer dans cette masse d'hommes comme un boulet de canon, ou s'y glisser comme une peste. L'honnêteté ne sert à rien. L'on plie sous le pouvoir du génie, on le hait, on tâche 35
de le calomnier, parce qu'il prend sans partager ; mais on plie s'il persiste ; en un mot, on l'adore à genoux quand on n'a pas pu l'enterrer sous la boue. La corruption est en force, le talent est rare. »

HONORÉ DE BALZAC,
Le Père Goriot.

1. Quelle alternative se présente à Rastignac du point de vue de Vautrin ? Sur lequel des termes de cette alternative le forçat met-il l'accent ? Quelle image de la société contemporaine est ainsi donnée par l'auteur ?

2. Commentez l'image « des araignées dans un pot » (l. 31).

3. Dégagez quelques traits de la personnalité de Vautrin.

4. En quoi peut-on dire qu'il adresse ici une *leçon* au jeune homme qui veut « parvenir » ?

5. En quoi peut-on dire qu'il s'agit ici d'une scène d'initiation ?

Le Lys dans la vallée

[1836]

1. Espèce d'anémone.
2. Clôture.

Dans ce roman, le héros, Félix de Vandenesse, raconte l'amour malheureux qu'il a voué à Henriette de Mortsauf, qu'il appelait son « lys dans la vallée ». Il évoque ici ses promenades à la découverte de la nature.

Il est dans la nature des effets dont les signifiances sont sans bornes, et qui s'élèvent à la hauteur des plus grandes conceptions morales. Soit une bruyère fleurie, couverte des diamants de la rosée qui la trempe, et dans laquelle se joue le soleil, immensité parée pour un seul regard qui s'y jette à propos. Soit un coin
5 de forêt environné de roches ruineuses, coupé de sables, vêtu de mousses, garni de genévriers, qui vous saisit par je ne sais quoi de sauvage, de heurté, d'effrayant, et d'où sort le cri de l'orfraie. Soit une lande chaude, sans végétation, pierreuse, à pans raides, dont les horizons tiennent de ceux du désert, et où je rencontrais une fleur sublime et solitaire, une pulsatille[1] au pavillon de soie vio-
10 lette étalé pour ses étamines d'or ; image attendrissante de ma blanche idole, seule dans sa vallée ! Soit de grandes mares d'eau sur lesquelles la nature jette aussitôt des taches vertes, espèce de transition entre la plante et l'animal, où la vie arrive en quelques jours, des plantes et des insectes flottant là, comme un monde dans l'éther ! Soit
15 encore une chaumière avec son jardin plein de choux, sa vigne, ses palis[2], suspendue au-dessus d'une fondrière, encadrée par quelques maigres champs
20 de seigle, figure de tant d'humbles existences ! Soit une longue allée de forêt semblable à quelque nef de cathédrale, où les arbres sont des piliers, où leurs branches forment les arceaux de la
25 voûte, au bout de laquelle une clairière lointaine aux jours mélangés d'ombres ou nuancés par les teintes rouges du couchant point à travers les feuilles et montre comme les vitraux coloriés
30 d'un chœur plein d'oiseaux qui chantent.

HONORÉ DE BALZAC,
Le Lys dans la vallée.

GUSTAVE STAAL, lithographie pour *Le Lys dans la vallée* :
Félix Vandenesse et madame de Mortsauf.
Paris, Bibliothèque nationale de France.
● Photo © Lauros-Giraudon.

Questions

1. Montrez le rapport très étroit qui lie Félix à la nature environnante.
2. Quelle image du personnage nous est ici présentée ?
3. Comment se marque dans son récit l'émotion qu'il ressent ?
4. Relevez et commentez deux ou trois des images que le texte comporte.

1. S'harmonisaient.
2. Oiseaux insectivores.

César Birotteau
[1837]

Extrait 1

Ce roman, dont le titre intégral est Histoire de la grandeur et de la décadence de
César Birotteau, *prend appui sur la montée de la petite bourgeoisie marchande dans
les années 1830. Le parfumeur César Birotteau, devenu un riche notable de la capitale,
insatiable de grandeur, mais d'une grande bonté et d'une parfaite honnêteté, sera
victime d'une escroquerie qui entraînera sa faillite. Balzac en dresse ici le portrait.*

César avait alors quarante ans. Les travaux auxquels il se livrait dans sa
fabrique lui avaient donné quelques rides prématurées, et avaient légèrement
argenté la longue chevelure touffue que la pression de son chapeau lustrait cir-
culairement. Son front, où, par la manière dont ils étaient plantés, ses cheveux
dessinaient cinq pointes, annonçait la simplicité de sa vie. Ses gros sourcils n'ef- 5
frayaient point, car ses yeux bleus s'harmoniaient[1] par leur limpide regard toujours franc à son front d'honnête homme. Son nez cassé à la naissance et gros du
bout lui donnait l'air étonné des gobe-mouches[2] de Paris. Ses lèvres étaient très
lippues, et son grand menton tombait droit. Sa figure, fortement colorée, à
contours carrés, offrait, par la disposition des rides, par l'ensemble de la physio- 10
nomie, le caractère ingénument rusé du paysan. La force générale du corps, la
grosseur des membres, la carrure du dos, la largeur des pieds, tout dénotait
d'ailleurs le villageois transplanté dans Paris. Ses mains larges et poilues, les
grasses phalanges de ses doigts ridés, ses grands ongles carrés eussent attesté son
origine, s'il n'en était pas resté des vestiges dans toute sa personne. Il avait sur les 15
lèvres le sourire de bienveillance que prennent les marchands quand vous entrez
chez eux ; mais ce sourire commercial était l'image de son contentement intérieur
et peignait l'état de son âme douce. Sa défiance ne dépassait jamais les affaires,
sa ruse le quittait sur le seuil de la Bourse ou quand il fermait son grand livre. Le
soupçon était pour lui ce qu'étaient ses factures imprimées, une nécessité de la 20
vente elle-même. Sa figure offrait une sorte d'assurance comique, de fatuité
mêlée de bonhomie qui le rendait original à voir en lui évitant une ressemblance
trop complète avec la plate figure du bourgeois parisien. Sans cet air de naïve
admiration et de foi en sa personne, il eût imprimé trop de respect ; il se rapprochait ainsi des hommes en payant sa quote-part de ridicule. Habituellement, 25
en parlant, il se croisait les mains derrière le dos. Quand il croyait avoir dit
quelque chose de galant ou de saillant, il se levait imperceptiblement sur la
pointe des pieds, à deux reprises, et retombait sur ses talons lourdement, comme
pour appuyer sur sa phrase.

HONORÉ DE BALZAC,
*Histoire de la grandeur
et de la décadence de César Birotteau.*

Questions

1. Quels traits de carac-
tère dominent chez
César ? Par quels procé-
dés stylistiques Balzac
les met-il en relief ?

2. Trouvez des élé-
ments qui signalent la
singularité de César
Birotteau à Paris. Qu'est-
ce que cela peut laisser
présager de la suite ?

3. Quels sentiments
contrastés ce person-
nage semble-t-il inspirer
au narrateur ?

4. Comparez ce portrait
avec d'autres du même
auteur (voir p. 371 et
p. 373) : le point de vue
est-il le même ? Le but
que s'assigne Balzac est-
il le même ?

Extrait 2

César Birotteau est amené à fréquenter un milieu qu'il ne connaît pas, la haute finance.
Il vient demander au banquier Keller qu'on lui accorde un crédit. C'est l'occasion pour
Balzac de dévoiler les mécanismes d'une société implacable.

Introduit dans le salon qui précédait le cabinet de l'homme célèbre à tant de
titres, Birotteau s'y vit au milieu d'une société nombreuse composée de députés,
écrivains, journalistes, agents de change, hauts commerçants, gens d'affaires,
ingénieurs, surtout de familiers qui traversaient les groupes et frappaient d'une
5 façon particulière à la porte du cabinet où ils entraient par privilège.

– Que suis-je au milieu de cette machine ? se dit Birotteau, tout étourdi par le
mouvement de cette forge intellectuelle où se manutentionnait le pain quotidien
de l'Opposition, où se répétaient les rôles de la grande tragi-comédie jouée par
la Gauche. Il entendait discuter à sa droite la question de l'emprunt pour l'achè-
10 vement des principales lignes de canaux proposé par la Direction des Ponts-et-
Chaussées, et il s'agissait de millions ! À sa gauche, des journalistes à la curée[1] de
l'amour-propre du banquier s'entretenaient de la séance d'hier et de l'improvisation du patron. Durant deux heures d'attente, Birotteau aperçut trois fois le
banquier politique, reconduisant à trois pas au-delà de son cabinet des hommes
15 considérables. François Keller alla jusqu'à l'antichambre pour le dernier, le général Foy[2].

– Je suis perdu ! se dit Birotteau dont le cœur se serra.

Quand le banquier revenait à son cabinet, la troupe des courtisans, des amis,
des intéressés l'assaillait comme des chiens qui poursuivent une jolie chienne.
20 Quelques hardis roquets se glissaient malgré lui dans le sanctuaire. Les conférences duraient cinq minutes, dix minutes, un quart d'heure. Les uns s'en allaient
contrits, les autres affichaient un air satisfait ou prenaient des airs importants. Le
temps s'écoulait, Birotteau regardait avec anxiété la pendule. Personne ne faisait
la moindre attention à cette douleur cachée qui gémissait sur un fauteuil doré au
25 coin de la cheminée, à la porte de ce cabinet où résidait la panacée universelle, le
crédit ! César pensait douloureusement qu'il avait été un moment chez lui roi,
comme cet homme était roi tous les matins, et il mesurait la profondeur de
l'abîme où il était tombé. Amère pensée ! Combien de larmes rentrées durant
cette heure passée là ?… Combien de fois Birotteau ne supplia-t-il pas Dieu de
30 lui rendre cet homme favorable, car il lui trouvait, sous une grosse enveloppe de
bonhomie populaire, une insolence, une tyrannie colérique, une brutale envie de
dominer qui épouvantait son âme douce. Enfin, quand il n'y eut plus que dix ou
douze personnes, Birotteau se résolut, quand la porte extérieure du cabinet gro-
gnerait, de se dresser, de se mettre au niveau du grand orateur en lui disant : « Je
35 suis Birotteau ! » Le grenadier qui s'élança le premier dans la redoute[3] de la
Moskowa[4] ne déploya pas plus de courage que le parfumeur n'en rassembla pour
se livrer à cette manœuvre.

HONORÉ DE BALZAC,
Histoire de la grandeur
et de la décadence de César Birotteau.

1. Terme de chasse qui désigne ce qu'on laisse de la bête aux chiens après le partage des viandes.

2. Le général Foy : géné-ral d'Empire appartenant à l'opposition libérale. Birotteau, quant à lui, est un partisan du soutien au roi.

3. Ouvrage de fortifica-tion.

4. Bataille remportée par Napoléon en Russie en 1812.

Questions

1. Quelles impressions Balzac cherche-t-il à faire naître chez le lecteur en peignant le personnage de Birotteau ?

2. Relevez certains termes caractéristiques employés pour décrire les hommes qui attendent d'être reçus par le banquier.

3. Relevez les métaphores que comporte cette page et commentez-les.

4. Quel intérêt présente la métaphore guerrière de la ligne 35 ?

RÉALISME ET NATURALISME

GUSTAVE COURBET, *Un après-dîner à Ornans* (1848).
• Lille, musée des Beaux-Arts. Photo © Lauros-Giraudon.

La tendance au réalisme dans le roman européen s'est fait jour au moins depuis le début du XVIIIe siècle (voir p. 240) et s'accentue au XIXe siècle, alimentée par les ambitions de romanciers qui désirent donner à leur œuvre les dimensions d'une représentation totale de la réalité. Des romans qu'on appellera réalistes apparaissent dès l'époque romantique : romantisme et réalisme, en effet, ne s'opposent pas terme à terme.

■ Réalisme et romantisme

Si la notion de « réalisme » n'apparaît que dans les années 1850, des romanciers comme Balzac ou Stendhal incarnent dès la première moitié du XIXe siècle certaines conceptions de l'esthétique réaliste. Un des aspects de leur génie a été de concilier, chacun à sa manière, un imaginaire de type romantique et un authentique souci de réalisme. Balzac, avec *La Comédie humaine,* veut rendre compte de tous les aspects de la société de son temps, réalise un grand travail de documentation et développe nombre de séquences descriptives qui doivent constituer des témoignages de son époque pour les lecteurs à venir. Stendhal entend s'appuyer sur « la vérité, l'âpre vérité », multiplie les « petits faits vrais » pour rendre compte de la psychologie de ses personnages, s'inspire de faits divers pour concevoir ses romans et adopte une technique « de point de vue » pour mieux représenter le réel.

■ Naissance d'une notion : le réalisme

Le réalisme devient l'objet de discussions théoriques après la révolution de février 1848, quand le peintre Courbet expose en 1849 sa toile intitulée *Un Après-dîner à Ornans,* représentant une famille paysanne réunie autour d'une table. Le tableau, qui bouleverse codes et genres, scandalise. L'écrivain et critique Champfleury rédige un manifeste pour défendre le réalisme, prônant un art « qui dédaigne les vains ornements du style » et un roman qui s'intéresse aux petites gens. Flaubert, de son côté, propose, avec *Madame Bovary* ou *L'Éducation sentimentale,* un roman « réaliste » qui refuse les envolées lyriques ou épiques de certains écrivains romantiques, suppose une abondante documentation et prend appui sur la réalité la plus banale.

■ Le naturalisme

Dans la seconde moitié du siècle, l'intérêt porté aux sciences s'accroît et l'on s'enthousiasme pour le positivisme. Les écrivains s'intéressent aux recherches scientifiques. En 1865, sont publiés l'*Introduction à l'étude de la médecine expérimentale* de Claude Bernard. Dans la préface à *Germinie Lacerteux* (1865), les Goncourt énoncent des principes qui seront repris par les écrivains naturalistes : ils affirment la nécessité d'évoquer les milieux populaires, d'étudier des « cas » et de procéder à l'analyse clinique de la réalité. Le mouvement est à son apogée au tournant des années 1870-1880. Autour de Zola se rassemblent des auteurs comme Huysmans, Mirbeau, Maupassant.

Les écrivains naturalistes, romanciers, nouvellistes ou dramaturges privilégient la prose et font de leurs écrits une explication du présent. Zola, chef incontesté du mouvement, affirme des intentions didactiques. Il définit sa méthode dans *Le Roman expérimental* (1880) : l'étude des phénomènes, par le romancier tout comme par le médecin, doit permettre de rendre compte du réel. Le roman doit se fonder sur des documents et comporter une dimension expérimentale. Dès lors le romancier se livre à de vastes enquêtes. Il s'intéresse aux personnages de la petite bourgeoisie de province, aux ouvriers ou aux marginaux (prostituée comme Nana), il étudie les notions fondamentales de « milieu » et d'hérédité (en particulier dans le cas de Zola). Mais l'auteur de *Germinal* a lui-même amplement dépassé les limites de sa théorie et ses romans tirent aussi leur force du souffle épique qui les anime.

Prosper Mérimée

(1803-1870)

Portrait anonyme, XIXᵉ s.
Paris, musée Carnavalet.
● Photo © Dagli-Orti.

PROSPER MÉRIMÉE, né à Paris en 1803, se signale d'abord par des mystifications littéraires : le ***Théâtre de Clara Gazul*** (1825) est prétendument traduit de l'espagnol, ***La Guzla*** (1827) serait un recueil de ballades illyriennes ; en fait, Mérimée est bien l'auteur de ces deux œuvres. Après s'être essayé au drame, avec ***La Jacquerie*** (1828), et au roman, avec ***Chronique du règne de Charles IX*** (1829), il trouve son mode d'expression dans la nouvelle (***L'Enlèvement de la redoute***, 1829, ***Mateo Falcone***, 1829, ***Le Vase étrusque***, 1830). Se consacrant, à partir de 1834, à ses fonctions d'Inspecteur général des Monuments historiques, il poursuit parallèlement son œuvre de nouvelliste : ***La Vénus d'Ille*** paraît en 1837, ***Colomba*** en 1840, ***Carmen*** en 1845. Devenu sous l'Empire un sénateur familier de la Cour, il meurt en 1870.

Refusant les débordements du romantisme, Mérimée trouve dans la nouvelle un exercice de concision, de sobriété et de précision. Paradoxalement, alors qu'il revendique l'impassibilité jusqu'à la froideur, il présente des personnages excessifs et passionnés. De même, l'accumulation de détails apparemment réalistes sert, dans les nouvelles fantastiques, à installer le surnaturel au cœur du quotidien.

Carmen
[1845]

Un jeune officier basque devient, sous le nom de José Navarro, déserteur, contrebandier, voleur et assassin. Ensorcelé par Carmen, la belle Gitane, il s'autodétruit pour elle. Alors qu'elle l'a délaissé pour le picador Lucas, il la supplie de partir avec lui pour l'Amérique. Finalement, il la tue par amour. S'étant constitué prisonnier, il est condamné à mort. En attendant son exécution, il fait le récit de sa vie au narrateur.

Quand la messe fut dite[1], je retournai à la venta[2]. J'espérais que Carmen se serait enfuie ; elle aurait pu prendre mon cheval et se sauver... mais je la retrouvai. Elle ne voulait pas qu'on pût dire que je lui avais fait peur. Pendant mon absence, elle avait défait l'ourlet de sa robe pour en retirer le plomb.
5 Maintenant, elle était devant une table, regardant dans une terrine pleine d'eau le plomb qu'elle avait fait fondre, et qu'elle venait d'y jeter[3]. Elle était si occupée de sa magie qu'elle ne s'aperçut pas d'abord de mon retour. Tantôt elle prenait un morceau de plomb et le tournait de tous les côtés d'un air triste, tantôt elle chantait quelqu'une de ces chansons magiques où elles invoquent Marie Padilla,
10 la maîtresse de don Pédro, qui fut, dit-on, la *Bari Crasilla*, ou la grande reine des bohémiens[4].

– Carmen, lui dis-je, voulez-vous venir avec moi ?

1. José a demandé à un ermite de « dire une messe pour une âme qui va peut-être paraître devant son Créateur ».
2. Auberge.
3. Manière dont les bohémiennes lisent l'avenir.
4. Marie Padilla aurait ensorcelé le roi Don Pédro.

5. Écharpe de soie ou de dentelle, généralement noire, pour couvrir la tête et les épaules.
6. Mari en langue gitane ; romi = femme.
7. « *Calo* ; féminin *calli* ; pluriel *calés : noir* – nom que les bohémiens se donnent dans leur langue » (note de Mérimée).
8. Contrebandier tué par José.

Elle se leva, jeta sa sébile, et mit sa mantille[5] sur sa tête comme prête à partir. On m'amena mon cheval, elle monta en croupe et nous nous éloignâmes.

– Ainsi, lui dis-je, ma Carmen, après un bout de chemin, tu veux bien me suivre, n'est-ce pas ?   15

– Je te suis à la mort, oui, mais je ne vivrai plus avec toi.

Nous étions dans une gorge solitaire ; j'arrêtai mon cheval.

– Est-ce ici ? dit-elle.

Et d'un bond elle fut à terre. Elle ôta sa mantille, la jeta à ses pieds, et se tint immobile un poing sur la hanche, me regardant fixement.   20

– Tu veux me tuer, je le vois bien, dit-elle ; c'est écrit, mais tu ne me feras pas céder.

– Je t'en prie, lui dis-je, sois raisonnable. Écoute-moi ! tout le passé est oublié. Pourtant, tu le sais, c'est toi qui m'as perdu ; c'est pour toi que je suis devenu un   25 voleur et un meurtrier. Carmen ! ma Carmen ! laisse-moi te sauver et me sauver avec toi.

– José, répondit-elle, tu me demandes l'impossible. Je ne t'aime plus ; toi, tu m'aimes encore, et c'est pour cela que tu veux me tuer. Je pourrais bien encore te faire quelque mensonge ; mais je ne veux pas m'en donner la peine. Tout est   30 fini entre nous. Comme mon rom[6], tu as le droit de tuer ta romi[6] mais Carmen sera toujours libre. Calli[7] elle est née, calli elle mourra.

– Tu aimes donc Lucas ? lui demandai-je.

– Oui, je l'ai aimé, comme toi, un instant, moins que toi peut-être. À présent, je n'aime plus rien, et je me hais pour t'avoir aimé.   35

Je me jetai à ses pieds, je lui pris les mains, je les arrosai de mes larmes. Je lui rappelai tous les moments de bonheur que nous avions passés ensemble. Je lui offris de rester brigand pour lui plaire. Tout, monsieur, tout ; je lui offris tout, pourvu qu'elle voulût m'aimer encore !

Elle me dit :   40

– T'aimer encore, c'est impossible. Vivre avec toi, je ne le veux pas.

La fureur me possédait. Je tirai mon couteau. J'aurais voulu qu'elle eût peur et me demandât grâce, mais cette femme était un démon.

– Pour la dernière fois, m'écriai-je, veux-tu rester avec moi !

– Non ! non ! non ! dit-elle en frappant du pied.   45

Et elle tira de son doigt une bague que je lui avais donnée, et la jeta dans les broussailles.

Je la frappai deux fois. C'était le couteau du Borgne[8] que j'avais pris, ayant cassé le mien. Elle tomba au second coup sans crier. Je crois voir encore son grand œil noir me regarder fixement ; puis il devint trouble et se ferma. Je restai   50 anéanti une bonne heure devant ce cadavre. Puis, je me rappelai que Carmen m'avait dit souvent qu'elle aimerait à être enterrée dans un bois. Je lui creusai une fosse avec mon couteau, et je l'y déposai. Je cherchai longtemps sa bague et je la trouvai à la fin. Je la mis dans la fosse auprès d'elle avec une petite croix. Peut-être ai-je eu tort. Ensuite je montai sur mon cheval, je galopai jusqu'à   55 Cordoue, et au premier corps de garde je me fis connaître. J'ai dit que j'avais tué Carmen ; mais je n'ai pas voulu dire où était son corps. L'ermite était un saint homme. Il a prié pour elle. Il a dit une messe pour son âme... Pauvre enfant ! Ce sont les *Calés* qui sont coupables pour l'avoir élevée ainsi.

MÉRIMÉE, *Carmen.*

Questions

1. Déterminez le schéma narratif du texte. Étudiez notamment l'imbrication du récit et du discours.

2. Analysez l'opposition entre les deux personnages, particulièrement en ce qui concerne leur conception de l'amour.

3. En quoi les deux personnages sont-ils tragiques ? Interrogez-vous sur l'idée de passion amoureuse.

George Sand
(1804-1876)

Portrait par
Auguste Charpentier (1813-1880).
Paris, musée Carnavalet.
Photo © Giraudon.

Aurore Dupin de Franceuil, néé à Paris en 1804, issue par son père de l'aristocratie européenne la plus illustre, tient de sa mère des origines beaucoup plus modestes. Cette dualité se retrouve quand elle devient adulte : elle épouse le Baron Dudevant et, en politique, la cause des opprimés, ouvriers ou paysans. Longtemps elle fait scandale, porte des pantalons, fume le cigare, multiplie les conquêtes amoureuses. Elle finit pourtant ses jours en châtelaine respectable : on l'appelle désormais la bonne dame de Nohant, du nom d'un village berrichon où elle séjourne la majeure partie de l'année. De fait, son quotidien hésite entre un confort aisé, autour de ses deux enfants, de ses petits-enfants, de ses intimes, et une intrépidité bohème qui la pousse à voyager un peu partout en Europe. Le milieu intellectuel l'apprécie – Balzac, Flaubert sont ses amis, Musset puis Chopin ses amants – ou la déteste – Baudelaire, Nietzsche, Barbey d'Aurevilly l'injurient. Républicaine engagée, George Sand appartient au courant du socialisme chrétien qui, dans la lignée de Lamennais et du saint-simonien Pierre Leroux, tente de concilier le précepte d'égalité évangélique et l'exigence de justice sociale héritée des Lumières. En 1848, elle participe à la Seconde République, influence Ledru-Rollin et Lamartine, lance trois journaux dont *La Cause du peuple*. Mais lorsque Louis-Napoléon Bonarparte prend le pouvoir, elle cesse toute activité publique.

Son œuvre est importante et écrite avec la plus extrême facilité. Entre 1829 et 1876, plusieurs romans paraissent chaque année. Les premières œuvres sont caractérisées par leur romantisme : états extrêmes du sentiment, culte de la nature enchanteresse, exotisme se retrouvent dans ***Indiana*** (1832) et ***Rose et Blanche***, écrit un an plus tôt avec Jules Sandeau, dont elle ravit, outre le cœur, la moitié du nom. George Sand marque son originalité en présentant une version féminine, sinon féministe, du mal du siècle avec ***Lélia*** (1833). Elle revivifie le roman épistolaire, justifiant le recours à la lettre par le thème de l'errance, dans ***Les Lettres d'un voyageur*** (1837). Par la suite, plusieurs ouvrages comme ***Consuelo*** et ***La Comtesse de Rudolstat*** (1842 à 1844) combinent la tradition des romans d'aventures, d'initiation et d'Histoire, dans une atmosphère qui tient aussi de la littérature noire. Alors que le genre romanesque réfléchit sur son statut et que des normes s'édictent, la pratique de George Sand, comme celle de Stendhal ou Hugo, témoigne de la plus extrême mobilité. Enfin quelques fictions, en raison de leur inspiration berrichonne et de leur intérêt pour un folklore qui s'éteint, constituent un cycle champêtre, célèbre – ***La Mare au diable*** (1846), ***La Petite Fadette*** (1849) – ou méconnu – ***Les Maîtres sonneurs*** (1853). D'un livre à l'autre, George Sand subordonne le style à une volonté démonstrative. Son œuvre exprime un idéal de réconciliation humanitaire, en un siècle de conflits historiques particulièrement marqués. L'écrivain y formule des revendications sociales et ses convictions sur la perfectibilité morale de l'être.

1. Embarcadères
de gondoles.

Lettres d'un voyageur

[1835]

Les Lettres d'un voyageur *rassemblent différentes lettres expédiées par l'auteur à des amis et publiées initialement dans quelques revues. À l'origine du projet, se trouve une lettre écrite à Alfred de Musset depuis Venise en 1834.*

Tu ne te doutes pas, mon ami, de ce que c'est que Venise. Elle n'avait pas quitté le deuil qu'elle endosse avec l'hiver, quand tu as vu ses vieux piliers de marbre grec, dont tu comparais la couleur et la forme à celles des ossements desséchés. À présent le printemps a soufflé sur tout cela comme une poussière d'émeraude. Le pied de ces palais, où les huîtres se collaient dans la mousse crou- 5
pie, se couvre d'une mousse vert tendre, et les gondoles coulent entre deux tapis de cette belle verdure veloutée, où le bruit de l'eau vient s'amortir languissamment avec l'écume du sillage. Tous les balcons se couvrent de vases de fleurs, et les fleurs de Venise, nées dans une glaise tiède, écloses dans un air humide, ont une fraîcheur, une richesse de tissu et une langueur d'attitudes qui les font res- 10
sembler aux femmes de ce climat, dont la beauté est éclatante et éphémère comme la leur. Les ronces doubles grimpent autour de tous les piliers, et suspendent leurs guirlandes de petites rosaces blanches aux noires arabesques des balcons. L'iris, à odeur de vanille, la tulipe de Perse, si purement rayée de rouge et de blanc qu'elle semble faite de l'étoffe qui servait de costume aux anciens 15
Vénitiens, les roses de Grèce, et des pyramides de campanules gigantesques s'entassent dans les vases dont la rampe est couverte ; quelquefois un berceau de chèvrefeuille à fleurs de grenat couronne tout le balcon d'un bout à l'autre, et deux ou trois cages vertes cachées dans le feuillage renferment les rossignols qui chantent jour et nuit comme en pleine campagne. Cette quantité de rossignols appri- 20
voisés est un luxe particulier à Venise. Les femmes ont un talent remarquable pour mener à bien la difficile éducation de ces pauvres chanteurs prisonniers, et savent, par toutes sortes de délicatesses et de recherches, adoucir l'ennui de leur captivité. La nuit, ils s'appellent et se répondent de chaque côté des canaux. Si une sérénade passe, ils se taisent tous pour écouter, et, quand elle est partie, ils 25
recommencent leurs chants, et semblent jaloux de surpasser la mélodie qu'ils viennent d'entendre.

À tous les coins de rue, la madone abrite sa petite lampe mystérieuse sous un dais de jasmin, et les *traghetti*[1], ombragés de grandes treilles, répandent, le long du Grand-Canal, le parfum de la vigne en fleur, le plus suave peut-être parmi les 30
plantes.

GEORGE SAND, Lettres d'un voyageur.

Questions

1. Comment George Sand rend-elle sensible la réalité de Venise ?
2. Étudiez le rythme des phrases. Que remarquez-vous ?
3. En quoi peut-on parler ici de prose poétique ?
4. Par quelles notations George Sand entretient-elle le mystère de cette ville ?

Mauprat
[1837]

Mauprat est un roman d'éducation, qui présente l'itinéraire de Bernard, élevé dans une famille de brigands. Par amour, et à la suite de multiples épreuves, il se civilise. L'extrait suivant se situe au moment où Bernard, qui vient de perdre sa mère et qui pleure, est emmené par son grand-père.

Au bout de quelques instants il m'appliqua de si vigoureux coups de cravache que je cessai de pleurer, et que, me rentrant en moi-même comme une tortue sous son écaille, je fis le voyage sans oser respirer.

C'était un grand vieillard, osseux et louche. Je crois le voir encore tel qu'il
5 était alors. Cette soirée a laissé en moi d'ineffaçables traces. C'était la réalisation soudaine de toutes les terreurs que ma mère m'avait inspirées en me parlant de son exécrable beau-père et de ses brigands de fils. La lune, je m'en souviens, éclairait de temps à autre au travers du branchage serré de la forêt. Le cheval de mon grand-père était sec, vigoureux et méchant comme lui. Il ruait à chaque coup de
10 cravache, et son maître ne les lui épargnait pas. Il franchissait, rapide comme un trait, les ravins et les petits torrents qui coupent la Varenne en tout sens. À chaque secousse je perdais l'équilibre, et je me cramponnais avec frayeur à la croupière du cheval ou à l'habit de mon grand-père. Quant à lui, il s'inquiétait si peu de moi que, si je fusse tombé, je doute qu'il eût pris la peine de me ramas-
15 ser. Parfois, s'apercevant de ma peur, il m'en raillait, et pour l'augmenter faisait caracoler de nouveau son cheval. Vingt fois le découragement me prit, et je faillis me jeter à la renverse, mais l'amour instinctif de la vie m'empêcha de céder à ces instants de désespoir. Enfin, vers minuit, nous nous arrêtâmes brusquement devant une petite porte aiguë, et bientôt le pont-levis se releva derrière nous.
20 Mon grand-père me prit, tout baigné que j'étais d'une sueur froide, et me jeta à un grand garçon estropié, hideux, qui me porta dans la maison. C'était mon oncle Jean, et j'étais à la Roche-Mauprat.

GEORGE SAND, *Mauprat.*

Questions

1. Relevez en les classant par rubrique – espace, temps, personnages – les marques de l'épouvante.

2. Par des repérages précis, déterminez la tonalité dominante du texte.

3. Que remarquez-vous sur l'emploi de la ponctuation dans le paragraphe 2 ? Quel effet crée-t-elle ?

4. À quels indices identifiez-vous le début d'un roman d'apprentissage ?

CARL FRIEDRICH LESSING
(1808-1880),
Paysage romantique, 1828.
Dusseldorf, musée des Arts.
Photo © AKG Paris.

Consuelo
▬▬ [1842]

*La jeune cantatrice Consuelo, fuyant Venise et un amour malheureux, arrive en Bohême,
au manoir des Rudolstadt. Alors que le comte Albert, fils du châtelain, la demande en
mariage, Consuelo s'enfuit puis revient. Dans ce roman de formation, George Sand
entremêle personnages historiques et fictifs, passe de Venise à Vienne et de Prague à
Berlin, assimile histoires d'amour, mystères initiatiques, réflexions esthétiques et sociales.*

Un matin qu'elle descendait bien doucement sur la pointe du pied pour
n'éveiller personne, elle se trompa de direction dans les innombrables escaliers
et dans les interminables corridors du château, qu'elle avait encore de la peine à
comprendre. Égarée dans ce labyrinthe de galeries et de passages, elle traversa
une sorte de vestibule qu'elle ne connaissait pas, et crut trouver par là une sortie   5
sur les jardins. Mais elle n'arriva qu'à l'entrée d'une petite chapelle d'un beau
style ancien, à peine éclairée en haut par une rosace dans la voûte, qui jetait une
lueur blafarde sur le milieu du pavé, et laissait le fond dans un vague mystérieux.
Le soleil était encore sous l'horizon, la matinée grise et brumeuse. Consuelo crut
d'abord qu'elle était dans la chapelle du château, où déjà elle avait entendu la   10
messe un dimanche. Elle savait que cette chapelle donnait sur les jardins ; mais
avant de la traverser pour sortir, elle voulut saluer le sanctuaire de la prière, et
s'agenouilla sur la première dalle. Cependant, comme il arrive souvent aux
artistes de se laisser préoccuper par les objets extérieurs en dépit de leurs tentatives pour remonter dans la sphère des idées abstraites, sa prière ne put l'absor-   15
ber assez pour l'empêcher de jeter un coup d'œil curieux autour d'elle ; et bientôt elle s'aperçut qu'elle n'était pas dans la chapelle, mais dans un lieu où elle
n'avait pas encore pénétré. Ce n'était ni le même vaisseau ni les mêmes ornements. Quoique cette chapelle inconnue fût assez petite, on distinguait encore
mal les objets, et ce qui frappa le plus Consuelo fut une statue blanchâtre, age-   20
nouillée vis-à-vis de l'autel, dans l'attitude froide et sévère qu'on donnait jadis à
toutes celles dont on décorait les tombeaux. Elle pensa qu'elle se trouvait dans
un lieu réservé aux sépultures de quelques aïeux d'élite ; et, devenue un peu
craintive et superstitieuse depuis son séjour en Bohême, elle abrégea sa prière et
se leva pour sortir.   25

Mais au moment où elle jetait un dernier regard timide sur cette figure age-
nouillée à dix pas d'elle, elle vit distinctement la statue disjoindre ses deux mains
de pierre allongées l'une contre l'autre, et faire lentement un grand signe de croix
en poussant un profond soupir.

GEORGE SAND, *Consuelo* (33).

▪ Questions

1. Étudiez la technique de la description réaliste.
2. Quelles notations préparent progressivement la fin ?
3. À quelle tradition littéraire le dernier paragraphe permet-il de rattacher
   l'extrait ?
4. En quoi cette scène prend-elle une valeur initiatique ?

Alexandre Dumas

(1802-1870)

Portrait anonyme, XIXᵉ s.
Naples, musée Saint-Martin.
● Photo © Bulloz.

ALEXANDRE DUMAS, né en 1802 à Villers-Cotterêts, est orphelin de père à quatre ans. En 1829, son drame **Henri III et sa Cour** est, avant *Hernani* de Hugo, la première pièce romantique représentée. Après avoir tenté de jouer un rôle politique aux côtés des insurgés en 1830, il est repris par le théâtre où les succès se multiplient, avec notamment **Antony** (1831), **La Tour de Nesle** (1832) et **Kean ou Désordre et Génie** (1836), que Sartre adaptera en 1953. Admirateur de Walter Scott, il publie des romans en feuilletons dans les journaux : la célèbre trilogie **Les Trois Mousquetaires**, **Vingt Ans après** et **Le Vicomte de Bragelonne** paraît entre 1844 et 1848, **Le Comte de Monte-Cristo** en 1844-1845, **La Reine Margot** en 1845, et **La Dame de Monsoreau** en 1846. Ayant dilapidé la fortune que ses œuvres lui avaient acquise, Dumas meurt ruiné en 1870.

Écrivain anti-intellectuel, exploitant ses « nègres »[1] de manière éhontée, Dumas conduisit sa vie et son œuvre avec un entrain boulimique. Ses romans et ses pièces de théâtre, qui présentent des héros attachants, confèrent, non sans humour, une dimension populaire au romantisme.

1. Personnes qui écrivent des ouvrages signés par un écrivain célèbre.

Les Trois Mousquetaires

[1844]

D'Artagnan, jeune gentilhomme gascon, s'est présenté, à son arrivée à Paris, chez M. de Tréville, capitaine des mousquetaires. Il espère en effet s'engager dans sa compagnie. En sortant de chez M. de Tréville, il s'est querellé successivement avec Athos, Porthos et Aramis. Il doit donc soutenir trois duels le jour même. Athos et d'Artagnan ont été ponctuels au rendez-vous, qu'ils s'étaient fixé à midi, près d'un monastère. Ils ont été rejoints par Porthos et Aramis, qu'Athos a pris comme témoins. L'intervention des gardes du cardinal de Richelieu – qui a interdit le duel – transformera la rencontre en combat général. D'Artagnan fera montre de sa bravoure et l'amitié entre les quatre personnages sera scellée.

« C'est avec monsieur que je me bats, dit Athos en montrant de la main d'Artagnan, et en le saluant du même geste[1].

– C'est avec lui que je me bats aussi, dit Porthos[2].

– Mais à une heure seulement, répondit d'Artagnan.

5 – Et moi aussi, c'est avec monsieur que je me bats, dit Aramis en arrivant à son tour sur le terrain[3].

– Mais à deux heures seulement, fit d'Artagnan avec le même calme.

– Mais à propos de quoi te bats-tu, toi, Athos ? demanda Aramis.

– Ma foi, je ne sais pas trop, il m'a fait mal à l'épaule ; et toi, Porthos ?

1. En sortant de chez M. de Tréville, d'Artagnan a heurté Athos à l'épaule, où celui-ci était blessé.
2. D'Artagnan, en le bousculant, a fait tomber le manteau de Porthos. Il est ainsi apparu que le baudrier de celui-ci, s'il était brodé d'or sur le devant, avait une partie arrière en simple buffle.
3. Aramis a laissé tomber un mouchoir brodé appartenant à une dame. D'Artagnan, en le ramassant, a attiré les moqueries sur le mousquetaire.
4. Aramis étudie la théologie. Saint Augustin est un théologien chrétien, docteur et Père de l'Église (354-430).
5. M. de Jussac commande les gardes de Richelieu.

– Ma foi, je me bats parce que je me bats », répondit Porthos en rougissant. ₁₀
Athos, qui ne perdait rien, vit passer un fin sourire sur les lèvres du Gascon.

« Nous avons eu une discussion sur la toilette, dit le jeune homme.

– Et toi, Aramis ? demanda Athos.

– Moi, je me bats pour cause de théologie⁴ », répondit Aramis tout en faisant signe à d'Artagnan qu'il le priait de tenir secrète la cause de son duel. ₁₅

Athos vit passer un second sourire sur les lèvres de d'Artagnan.

« Vraiment ? dit Athos.

– Oui, un point de saint Augustin sur lequel nous ne sommes pas d'accord, dit le Gascon.

– Décidément, c'est un homme d'esprit, murmura Athos. ₂₀

– Et maintenant que vous êtes rassemblés, messieurs, dit d'Artagnan, permettez-moi de vous faire mes excuses. »

À ce mot d'*excuses*, un nuage passa sur le front d'Athos, un sourire hautain glissa sur les lèvres de Porthos, et un signe négatif fut la réponse d'Aramis.

« Vous ne me comprenez pas, messieurs, dit d'Artagnan en relevant sa tête, ₂₅ sur laquelle jouait en ce moment un rayon de soleil qui en dorait les lignes fines et hardies, je vous demande excuse dans le cas où je ne pourrais vous payer ma dette à tous trois, car M. Athos a le droit de me tuer le premier, ce qui ôte beaucoup de sa valeur à votre créance, monsieur Porthos, et ce qui rend la vôtre à peu près nulle, monsieur Aramis. Et maintenant messieurs, je vous le répète, excusez-₃₀ moi, mais de cela seulement, et en garde ! »

À ces mots, du geste le plus cavalier qui se puisse voir, d'Artagnan tira son épée.

Le sang était monté à la tête de d'Artagnan, et dans ce moment il eût tiré son épée contre tous les mousquetaires du royaume, comme il venait de faire contre Athos, Porthos et Aramis. ₃₅

Il était midi et un quart. Le soleil était à son zénith, et l'emplacement choisi pour être le théâtre du duel se trouvait exposé à son ardeur.

« Il fait très chaud, dit Athos en tirant son épée à son tour, et cependant je ne saurais ôter mon pourpoint ; car, tout à l'heure encore, j'ai senti que ma blessure saignait, et je craindrais de gêner monsieur en lui montrant du sang qu'il ne ₄₀ m'aurait pas tiré lui-même.

– C'est vrai, monsieur, dit d'Artagnan, et, tiré par un autre ou par moi, je vous assure que je verrai toujours avec bien du regret le sang d'un aussi brave gentilhomme ; je me battrai donc en pourpoint comme vous.

– Voyons, voyons, dit Porthos, assez de compliments comme cela, et songez ₄₅ que nous attendons notre tour.

– Parlez pour vous seul, Porthos, quand vous aurez à dire de pareilles incongruités, interrompit Aramis. Quant à moi, je trouve les choses que ces messieurs se disent fort bien dites et tout à fait dignes de deux gentilshommes.

– Quand vous voudrez, monsieur, dit Athos en se mettant en garde. ₅₀

– J'attendais vos ordres, » dit d'Artagnan en croisant le fer.

Mais les deux rapières avaient à peine résonné en se touchant, qu'une escouade des gardes de Son Éminence, commandée par M. de Jussac⁵, se montra à l'angle du couvent.

« Les gardes du cardinal ! s'écrièrent à la fois Porthos et Aramis. L'épée au ₅₅ fourreau, messieurs ! l'épée au fourreau ! »

ALEXANDRE DUMAS, *Les Trois Mousquetaires*, V.

Questions

1. Interprétez les sourires de d'Artagnan. Pourquoi ne dévoile-t-il pas les causes des duels ?

2. Expliquez la réaction des mousquetaires au mot *excuses*.

3. Montrez que des relations de sympathie s'instaurent entre les personnages.

4. Mettez en évidence l'humour de Dumas dans ce roman de cape et d'épée, notamment dans le portrait de d'Artagnan.

Jules Michelet
(1798-1874)

Portrait par THOMAS COUTURE.
Paris, musée de la Vie romantique.
• Photo © Lauros-Giraudon.

JULES MICHELET, né à Paris en 1798, accomplit de brillantes études tout en gagnant sa vie. Il mène ensuite de front sa carrière universitaire et son œuvre d'écrivain, publiant de 1833 à 1844 les six premiers volumes de son ***Histoire de France***. Son engagement anticlérical et démocratique se manifeste dans deux essais : ***Les Jésuites***, en collaboration avec Edgar Quinet (1843), et ***Le Peuple*** (1846). Son cours au Collège de France est suspendu en janvier 1848, puis rétabli sous la Seconde République. Michelet sera destitué de toutes ses fonctions officielles après le coup d'État de 1851. De 1847 à 1853 sont publiés les sept volumes de l'***Histoire de la Révolution française*** ; de 1855 à 1867, les onze derniers tomes de l'***Histoire de France***, ainsi que des essais, parmi lesquels ***La Sorcière*** (1862). Il meurt en 1874.

Par sa carrière et par son œuvre, Michelet est un héritier des Lumières et exprime l'idée républicaine au XIXe siècle. Le peuple, en lutte constante contre le despotisme, est l'acteur principal de l'histoire. Considéré, notamment en raison de sa capacité à dépasser l'événement ponctuel, comme un des fondateurs de l'histoire moderne, Michelet est aussi un poète et un visionnaire.

La Sorcière
[1862]

La sorcière médiévale, dans une double transgression, libère le savoir et la féminité.

L'esprit nouveau est tellement vainqueur, qu'il oublie ses combats, daigne à peine aujourd'hui se souvenir de sa victoire.

Il n'était pas inutile de lui rappeler la misère de ses premiers commencements, les formes humbles et grossières, barbares, cruellement comiques, qu'il
5 eut sous la persécution, quand une femme, l'infortunée Sorcière, lui donna son essor populaire dans la science. Bien plus hardie que l'hérétique, le raisonneur demi-chrétien, le savant qui gardait un pied dans le cercle sacré, elle en échappa vivement, et sur le libre sol, de rudes pierres sauvages, tenta de se faire un autel.

Elle a péri, devait périr. Comment ? Surtout par le progrès des sciences
10 mêmes qu'elle a commencées, par le médecin, par le naturaliste, pour qui elle avait travaillé.

La Sorcière a péri pour toujours, mais non pas la Fée. Elle reparaîtra sous cette forme qui est immortelle.

La femme, aux derniers siècles occupée d'affaires d'hommes, a perdu en
15 revanche son vrai rôle : celui de la *médication*, de la *consolation*, celui de la Fée qui guérit.

MICHELET, *La Sorcière*, épilogue.

Questions

1. Étudiez la tonalité polémique de l'extrait.

2. Analysez le rapport entre la femme et la nature.

3. Comment la figure de la sorcière s'inscrit-elle dans la vision progressiste de Michelet ?

Histoire de la Révolution française

[1847-1853]

Se fondant sur une solide documentation, Michelet confère à la séquence de la prise de la Bastille une dimension épique.

1. Foyer d'agitation sous la Révolution.
2. La duchesse de Polignac. Amie de la reine.
3. Le comte d'Artois, frère de Louis XVI, futur Charles X.
4. Prévôt des marchands de Paris.
5. Parmi les Parisiens, ceux qui votent pour élire les députés aux États généraux.

Paris bouleversé, délaissé de toute autorité légale, dans un désordre apparent, atteignit le 14 juillet, ce qui moralement est l'ordre le plus profond, l'unanimité des esprits.

Le 13 juillet, Paris ne songeait qu'à se défendre. Le 14, il attaqua.

Le 13 au soir, il y avait encore des doutes, et il n'y en eut plus le matin. Le soir 5 était plein de trouble, de fureur désordonnée. Le matin fut lumineux et d'une sérénité terrible.

Une idée se leva sur Paris avec le jour, et tous virent la même lumière. Une lumière dans les esprits et dans chaque cœur une voix : « Va, et tu prendras la Bastille ! » 10

Cela était impossible, insensé, étrange à dire... Et tous le crurent néanmoins. Et cela se fit.

La Bastille, pour être une vieille forteresse, n'en était pas moins imprenable, à moins d'y mettre plusieurs jours, et beaucoup d'artillerie. Le peuple n'avait, en cette crise, ni le temps, ni les moyens de faire un siège régulier. L'eût-il fait, la 15 Bastille n'avait pas à craindre, ayant assez de vivres pour attendre un secours si proche, et d'immenses munitions de guerre. Ses murs de dix pieds d'épaisseur au sommet des tours, de trente ou quarante à la base, pouvaient rire longtemps des boulets, et ses batteries, à elle, dont le feu plongeait sur Paris, auraient pu, en attendant, démolir tout le Marais, tout le faubourg Saint-Antoine. Ses tours per- 20 cées d'étroites croisées et de meurtrières, avec doubles et triples grilles, permettaient à la garnison de faire en toute sûreté un affreux carnage des assaillants.

L'attaque de la Bastille ne fut nullement raisonnable. Ce fut un acte de foi.

Personne ne proposa. Mais tous crurent, et tous agirent. Le long des rues, des quais, des ponts, des boulevards, la foule criait à la foule : « À la Bastille ! à la 25 Bastille !... » Et, dans le tocsin qui sonnait, tous entendaient : « À la Bastille ! »

Personne, je le répète, ne donna l'impulsion. Les parleurs du Palais-Royal[1] passèrent le temps à dresser une liste de proscriptions, à juger à mort la reine, la Polignac[2], Artois[3], le prévôt Flesselles[4], d'autres encore. Les noms des vainqueurs de la Bastille n'offrent pas un seul des faiseurs de motions. Le Palais-Royal ne fut 30 pas le point de départ, et ce n'est pas non plus au Palais-Royal que les vainqueurs ramenèrent les dépouilles et les prisonniers.

Encore moins les électeurs[5] qui siégeaient à l'Hôtel de Ville eurent-ils l'idée de l'attaque. Loin de là, pour l'empêcher, pour prévenir le carnage que la Bastille pouvait faire si aisément, ils allèrent jusqu'à promettre au gouverneur que, s'il 35 retirait ses canons, on ne l'attaquerait pas. Les électeurs ne trahissaient point, comme ils en furent accusés, mais ils n'avaient pas la foi.

Qui l'eut ? Celui qui eut aussi le dévouement, la force, pour accomplir sa foi. Qui ? Le peuple, tout le monde.

MICHELET, *Histoire de la Révolution française*, I, 7.

1. Identifiez la forte présence de l'auteur dans le récit. Quel est l'effet produit ?

2. En quoi ce texte illustre-t-il l'idéologie républicaine de Michelet ?

3. Repérez les procédés qui donnent au récit une dimension épique.

4. Quelle idée de Michelet historien ce texte vous fait-il entrevoir ?

Théophile Gautier

(1811-1872)

Portrait par A. DE CHATILLON.
Paris, musée Renan.
● Photo © Lauros-Giraudon.

THÉOPHILE GAUTHIER, né à Tarbes en 1811, se lance, en 1830, dans la bataille d'*Hernani* (voir p. 351) aux côtés de Hugo et publie des *Poésies* d'inspiration romantique. Pourtant, dès 1833, le recueil de nouvelles *Les Jeunes-France* esquisse une critique du romantisme que confirmera, en 1835, la préface du roman *Mademoiselle de Maupin*, où il affirme sa religion esthétique et son culte de « l'art pour l'art ». À partir de 1836, il devient journaliste et voyage à travers l'Europe. Les poèmes d'*España* sont publiés en 1843 à la suite du récit *Tra los montes (Voyage en Espagne)*. En 1852, le recueil poétique, *Émaux et Camées* est un manifeste antiromantique. Gautier poursuit son activité de romancier en faisant paraître, en 1858, *Le Roman de la momie* et, en 1863, *Le Capitaine Fracasse*, annoncé depuis 1836. Il meurt en 1872.

Gautier, que Baudelaire nomme « le poète impeccable » dans la dédicace des *Fleurs du mal*, élabora sa théorie de « l'art pour l'art » (voir p. 409) en réaction contre le romantisme : l'art doit se libérer de toute préoccupation morale ou politique et se méfier du lyrisme ; c'est grâce à une technique rigoureuse et impersonnelle qu'il atteindra la perfection esthétique.

Émaux et Camées
[1852]

Carmen

Carmen est maigre, – un trait de bistre
Cerne son œil de gitana.
Ses cheveux sont d'un noir sinistre,
Sa peau, le diable la tanna.

5 Les femmes disent qu'elle est laide,
Mais tous les hommes en sont fous :
Et l'archevêque de Tolède[1]
Chante la messe à ses genoux ;

Car sur sa nuque d'ambre fauve
10 Se tord un énorme chignon
Qui, dénoué, fait dans l'alcôve
Une mante[2] à son corps mignon.

Et, parmi sa pâleur, éclate
Une bouche aux rires vainqueurs ;
15 Piment rouge, fleur écarlate,
Qui prend sa pourpre au sang des cœurs.

Ainsi faite, la moricaude[3]
Bat les plus altières beautés,
Et de ses yeux la lueur chaude
20 Rend la flamme aux satiétés.

Elle a, dans sa laideur piquante,
Un grain de sel de cette mer
D'où jaillit, nue et provocante,
L'âcre Vénus du gouffre amer.

THÉOPHILE GAUTIER, *Émaux et Camées*.

1. Ville d'Espagne.
2. Manteau de femme, ample et sans manche.
3. Femme au teint très brun.

Questions

1. Mettez en évidence la sensualité de ce portrait.
2. Quel type de femme Carmen incarne-t-elle ?
3. Montrez que l'érotisme implique ici une part de mysticisme et de crainte de la mort.
4. Comparez la Carmen de Gautier et celle de Mérimée (voir p. 380).

Carnaval

« Carnaval » fait partie d'une série de poèmes intitulée « Variations sur le Carnaval de Venise », publiée initialement en 1849.

1. Bouffon armé d'un sabre. Il porte un habit bariolé.
2. Vieillard faible toujours trompé.
3. Amoureux naïf. Sentimental et rêveur.
4. Note de musique.
5. Docteur originaire de Bologne. Personnage ridicule.
6. Bossu. Paysan balourd.
7. Valet. Bouffon sans scrupules.
8. Jeune servante.
9. Aventurier, tout habillé de noir, portant une épée et une guitare.
10. Costume consistant en une robe à capuchon.
11. Le demi-masque, ou *loup*, se termine à la hauteur de la bouche par une dentelle appelée *barbe*.
12. Les mailles de la dentelle.
13. Petit morceau de taffetas noir placé au coin de la bouche pour faire ressortir la blancheur du teint.

Venise pour le bal s'habille.
De paillettes tout étoilé,
Scintille, fourmille et babille
Le carnaval bariolé.

5 Arlequin[1], nègre par son masque,
Serpent par ses mille couleurs,
Rosse d'une note fantasque
Cassandre[2] son souffre-douleurs.

Battant de l'aile avec sa manche
10 Comme un pingouin sur un écueil,
Le blanc Pierrot[3], par une blanche[4],
Passe la tête et cligne l'œil.

Le Docteur bolonais[5] rabâche
Avec la basse aux sons traînés ;
15 Polichinelle[6], qui se fâche,
Se trouve une croche pour nez.

Heurtant Trivelin[7] qui se mouche
Avec un trille extravagant,
À Colombine[8] Scaramouche[9]
20 Rend son éventail ou son gant.

Sur une cadence se glisse
Un domino[10] ne laissant voir
Qu'un malin regard en coulisse
Aux paupières de satin noir.

25 Ah ! fine barbe de dentelle[11]
Que fait voler un souffle pur,
Cet arpège m'a dit : C'est elle !
Malgré tes réseaux[12], j'en suis sûr,

Et j'ai reconnu, rose et fraîche
30 Sous l'affreux profil de carton,
Sa lèvre au fin duvet de pêche,
Et la mouche[13] de son menton.

THÉOPHILE GAUTIER, *Émaux et Camées.*

Questions

1. Repérez l'importance des sensations visuelles dans la description du Carnaval.
2. Étudiez les éléments de perfection musicale (rythmes, sonorités).
3. Peut-on dire qu'une large place est donnée ici au jeu ?
4. Quelle conception de la vie et de l'amour dissimule cette évocation du carnaval de Venise ?
5. Comparez ce poème avec « Colombine » dans les *Fêtes galantes* de Verlaine (voir p. 427).

Gérard de Nerval

(1808-1855)

Photo NADAR.
● © BNF Paris/Archives Hatier.

GÉRARD DE NERVAL – pseudonyme de Gérard Labrunie –, né à Paris en 1808, ne connaîtra jamais sa mère, qui meurt lorsqu'il n'a que trois ans. Il passe son enfance à Mortefontaine, dans le Valois, chez son grand-oncle, puis est élève au collège Charlemagne, à Paris, où il devient l'ami de Théophile Gautier. Il traduit le *Faust* de Goethe (1828) et est attiré par les *Contes fantastiques* d'Hoffmann. En 1830, il soutient activement Hugo dans la bataille d'*Hernani* (voir p. 351). À cette époque, il écrit des **Odelettes** (1832-1835) à la manière de Ronsard, qui seront ultérieurement annexées aux **Petits Châteaux de Bohême**. En 1835, il fonde une revue destinée à faire l'éloge de l'actrice Jenny Colon dont il est épris – elle figure dans l'œuvre sous le nom d'Aurélie ou d'Aurélia –, mais qui l'abandonne après une brève idylle. Nerval voit en elle la réincarnation d'Adrienne, jeune fille qui lui est apparue – rêve ou réalité – pendant son enfance dans le Valois. En 1839, au cours d'un voyage à Vienne, la pianiste Marie Pleyel lui inspire une passion qui n'aboutira pas. L'année suivante, la mort de Sophie Dawes, baronne de Feuchères, aperçue autrefois dans le parc de Mortefontaine, le bouleverse. La lecture du *Second Faust,* qu'il traduit en 1840, le confirme alors dans sa croyance en l'éternel féminin. En 1841, il doit être soigné pour troubles mentaux dans une maison de santé. En 1842, la disparition de Jenny affecte fortement Nerval qui entreprend, en 1843, un voyage en Orient au cours duquel il étudie diverses mythologies. Se consacrant également à des recherches ésotériques, il poursuit en fait une quête mystique dont témoigne le **Voyage en Orient** (1851). Mais sa santé mentale continue de se détériorer : entre 1851 et 1855, alternent des crises et des périodes de rémission. Il fait deux séjours, entrecoupés d'un voyage en Allemagne, à la clinique du docteur Blanche, à Passy. C'est au cours de cette période douloureuse et misérable qu'il compose ses œuvres majeures : **Petits Châteaux de Bohême** (1853), **Sylvie** (1853), **Les Chimères** (1854), **Les Filles du feu** (1854), **Pandora** (1854), **Aurélia** (1855). Un matin de janvier 1855, on le découvre pendu dans la rue de la Vieille-Lanterne, près du Châtelet, à Paris.

Nerval, en quête de son identité, s'inventa des généalogies fantastiques. Étranger à lui-même, il vécut confronté à un univers de *signes* qu'il voulut désespérément interpréter. Obsédé par un sentiment de culpabilité, il se jeta dans cette angoissante investigation en espérant y trouver le salut. À travers ses rencontres, ses rêves et l'exploration de doctrines occultes, le poète tente de construire un archétype féminin qui compenserait l'absence maternelle originelle. L'écriture est pour lui le moyen de fixer ses expériences et d'esquisser une thérapie. Ainsi sa poésie exprime-t-elle des souffrances atroces entrecoupées de fugitifs bonheurs. Tel est le « soleil noir » nervalien. Ce rapport singulier à la folie et au monde surnaturel amènera les surréalistes à revendiquer Nerval comme un de leurs précurseurs. André Breton, par exemple, se souviendra d'**Aurélia** en écrivant *Nadja* (voir p. 518).

Odelettes

■■■■■ *[1832-35 et 1853]*

Fantaisie

Dans une note de 1853, Nerval indique que l'air dont il est ici question est « le chant d'Adrienne dans Sylvie » (voir p. 396).

Il est un air, pour qui je donnerais
Tout Rossini, tout Mozart et tout Weber[1],
Un air très vieux, languissant et funèbre,
Qui, pour moi seul, a des charmes secrets.

5   Or, chaque fois que je viens à l'entendre,
De deux cents ans mon âme rajeunit :
C'est sous Louis treize... Et je crois voir s'étendre
Un coteau vert que le couchant jaunit,

Puis un château de brique à coins de pierre,
10 Aux vitraux teints de rougeâtres couleurs,
Ceint de grands parcs, avec une rivière
Baignant ses pieds, qui coule entre des fleurs.

Puis une dame, à sa haute fenêtre,
Blonde aux yeux noirs, en ses habits anciens...
15 Que, dans une autre existence peut-être,
J'ai déjà vue ! – et dont je me souviens !

> GÉRARD DE NERVAL, *Petits Châteaux de Bohême*,
> « Odelettes », 1853.

....

1. Prononcer « Wèbre », à l'allemande.

Les Cydalises

Le nom de Cydalise fut porté par plusieurs comédiennes et danseuses. Sous ce nom, Nerval évoque les « amoureuses » qu'il connut dans sa jeunesse.

Où sont nos amoureuses ?
Elles sont au tombeau :
Elles sont plus heureuses,
Dans un séjour plus beau !

5   Elles sont près des anges,
Dans le fond du ciel bleu,
Et chantent les louanges
De la mère de Dieu.

Ô blanche fiancée !
10 Ô jeune vierge en fleur !
Amante délaissée,
Que flétrit la douleur !

L'éternité profonde
Souriait dans vos yeux...
15 Flambeaux éteints du monde,
Rallumez-vous aux cieux !

> GÉRARD DE NERVAL, *Petits Châteaux de Bohême*,
> « Odelettes », 1853.

Questions

1. Étudiez la structure temporelle du texte et dégagez une progression.
2. À quelles sensations renvoie ce poème ? De quelle signification sont-elles porteuses ?
3. Interrogez-vous sur le titre. Comment le justifiez-vous ?
4. En quoi l'image finale de la femme annonce-t-elle l'œuvre future de Nerval ?

Questions

1. Étudiez le système de l'énonciation.
2. Quels types de femmes sont évoqués ici ?
3. Comment s'articulent les thèmes de l'amour et de la mort ?
4. Demandez-vous ce qu'est une ode. En quoi ce poème est-il une odelette ?

Les Chimères
[1854]

El Desdichado

El Desdichado, dans le roman Ivanhoé *de Walter Scott (voir p. 323), est le nom du chevalier errant, déshérité et vêtu de noir. Initialement ce sonnet s'intitulait « Le Destin ».*

Je suis le ténébreux, – le veuf, – l'inconsolé,
Le prince d'Aquitaine à la tour abolie :
Ma seule *étoile* est morte, – et mon luth constellé
Porte le *soleil noir* de la *Mélancolie*.

5 Dans la nuit du tombeau, toi qui m'as consolé,
Rends-moi le Pausilippe[1] et la mer d'Italie,
La fleur qui plaisait tant à mon cœur désolé,
Et la treille où le pampre à la rose s'allie.

Suis-je Amour ou Phébus[2], Lusignan[3] ou Biron[4] ?
10 Mon front est rouge encor du baiser de la reine ;
J'ai rêvé dans la grotte où nage la sirène...

Et j'ai deux fois vainqueur traversé l'Achéron[5],
Modulant tour à tour sur la lyre d'Orphée
Les soupirs de la sainte et les cris de la fée.

GÉRARD DE NERVAL, *Les Chimères.*

1. Promontoire près de Naples.
2. Apollon.
3. Grande famille du temps des Croisades.
4. Chef catholique au temps des guerres de Religion.
5. Fleuve des Enfers dans la mythologie antique.

Questions

1. Étudiez l'opposition entre la lumière et l'obscurité. Interrogez-vous sur sa signification symbolique. Analysez avec précision le vers 4.

2. Montrez, par des repérages lexicaux et syntaxiques, que ce sonnet exprime une crise d'identité.

3. Comment le mythe et la réalité se confondent-ils ici ?

Delfica

En 1843, Nerval séjourna en Italie avec une jeune Anglaise, qu'il initia aux mystères d'Isis et d'Osiris.

La connais-tu, DAFNÉ[1] cette ancienne romance
Au pied du sycomore[2] ou sous les lauriers blancs,
Sous l'olivier, le myrte[3], ou les saules tremblants,
Cette chanson d'amour... qui toujours
[recommence ?...

5 Reconnais-tu le TEMPLE au péristyle immense,
Et les citrons amers où s'imprimaient tes dents,
Et la grotte, fatale aux hôtes imprudents,
Où du dragon vaincu dort l'antique semence[4] ?...

Ils reviendront, ces Dieux que tu pleures toujours !
10 Le temps va ramener l'ordre des anciens jours ;
La terre a tressailli d'un souffle prophétique...

Cependant la sibylle[5] au visage latin
Est endormie encor sous l'arc de Constantin[6].
– Et rien n'a dérangé le sévère portique.

GÉRARD DE NERVAL, *Les Chimères.*

1. Nymphe aimée d'Apollon, dont le nom signifie « laurier ».
2. Érable.
3. Dans l'Antiquité, symbole de l'amour.
4. Cadmus avait tué le dragon, dont les dents donnèrent naissance aux premiers habitants de Thèbes.
5. Prêtresse d'Apollon qui, en état de transe, prédisait l'avenir.
6. L'empereur Constantin III fit du christianisme la religion officielle à Rome.

Questions

1. Étudiez la composition de ce sonnet.
2. Étudiez les thèmes de la mort et de la renaissance.
3. Quelle fonction le poète semble-t-il attribuer à la femme ?

Vers dorés

Les préceptes moraux de Pythagore nous ont été transmis sous le titre Vers dorés. Ainsi, par son titre et par son exergue, ce sonnet se réfère à la doctrine pythagoricienne, selon laquelle tout élément de l'univers est animé d'une parcelle de l'âme divine.

> *Eh quoi ! tout est sensible !*
> (Pythagore)

Homme ! libre penseur – te crois-tu seul pensant
Dans ce monde où la vie éclate en toute chose :
Des forces que tu tiens ta liberté dispose,
Mais de tous tes conseils l'univers est absent.

5 Respecte dans la bête un esprit agissant...
Chaque fleur est une âme à la Nature éclose ;
Un mystère d'amour dans le métal repose :
« Tout est sensible ! » – Et tout sur ton être est puissant !

Crains dans le mur aveugle un regard qui t'épie :
10 À la matière même un verbe[1] est attaché...
Ne la fais pas servir à quelque usage impie !

Souvent dans l'être obscur habite un Dieu caché ;
Et comme un œil naissant couvert par ses paupières,
Un pur esprit s'accroît sous l'écorce des pierres !

GÉRARD DE NERVAL, *Les Chimères.*

WILLIAM TURNER (1775-1851),
Paysage avec fond de ville,
Bayonne, musée Bonnat.
Photo © RMN-R.G. Ojeda.

Sylvie
■ *[1853]*

La nouvelle autobiographique Sylvie, *publiée en 1853, fut ensuite intégrée aux* Filles du feu *(1854).*
Le narrateur nervalien est amoureux d'une actrice, Aurélie, et tente de comprendre l'origine de la fascination qu'elle exerce sur lui. Une nuit, la lecture d'un entrefilet de journal annonçant la « Fête du bouquet provincial » à Senlis fait surgir en lui un souvenir d'enfance. Au début du chapitre suivant, il écrit : « Tout m'était expliqué par ce souvenir à demi rêvé. »

J'étais le seul garçon dans cette ronde, où j'avais amené ma compagne toute jeune encore, Sylvie, une petite fille du hameau voisin, si vive et si fraîche, avec ses yeux noirs, son profil régulier et sa peau légèrement hâlée !... Je n'aimais qu'elle, je ne voyais qu'elle, – jusque-là ! À peine avais-je remarqué, dans la ronde
5 où nous dansions, une blonde, grande et belle, qu'on appelait Adrienne. Tout à coup, suivant les règles de la danse, Adrienne se trouva placée seule avec moi au milieu du cercle. Nos tailles étaient pareilles. On nous dit de nous embrasser, et la danse et le chœur tournaient plus vivement que jamais. En lui donnant ce baiser, je ne pus m'empêcher de lui presser la main. Les longs anneaux roulés de ses
10 cheveux d'or effleuraient mes joues. De ce moment, un trouble inconnu s'empara de moi. La belle devait chanter pour avoir le droit de rentrer dans la danse. On s'assit autour d'elle, et aussitôt, d'une voix fraîche et pénétrante, légèrement voilée, comme celle des filles de ce pays brumeux, elle chanta une de ces anciennes romances pleines de mélancolie et d'amour, qui racontent toujours les
15 malheurs d'une princesse enfermée dans sa tour par la volonté d'un père qui la punit d'avoir aimé. La mélodie se terminait à chaque stance par ces trilles[1] chevrotantes que font valoir si bien les voix jeunes, quand elles imitent par un frisson modulé la voix tremblante des aïeules.

À mesure qu'elle chantait, l'ombre descendait des grands arbres, et le clair de
20 lune naissant tombait sur elle seule, isolée de notre cercle attentif. – Elle se tut, et personne n'osa rompre le silence. La pelouse était couverte de faibles vapeurs condensées, qui déroulaient leurs blancs flocons sur les pointes des herbes. Nous pensions être en paradis. – Je me levai enfin, courant au parterre du château, où se trouvaient des lauriers, plantés dans de grands vases de faïence peints en
25 camaïeu[2]. Je rapportai deux branches, qui furent tressées en couronne et nouées d'un ruban. Je posai sur la tête d'Adrienne cet ornement, dont les feuilles lustrées éclataient sur ses cheveux blonds aux rayons pâles de la lune. Elle ressemblait à la Béatrice de Dante[3] qui sourit au poète errant sur la lisière des saintes demeures.

Adrienne se leva. Développant sa taille élancée, elle nous fit un salut gracieux,
30 et rentra en courant dans le château. C'était, nous dit-on, la petite-fille de l'un des descendants d'un famille alliée aux anciens rois de France ; le sang des Valois coulait dans ses veines. Pour ce jour de fête, on lui avait permis de se mêler à nos jeux ; nous ne devions plus la revoir, car le lendemain elle repartit pour un couvent où elle était pensionnaire.

35 Quand je revins près de Sylvie, je m'aperçus qu'elle pleurait.

GÉRARD DE NERVAL, *Sylvie.*

1. Battements rapides sur deux notes voisines.
2. Peinture où l'on n'emploie qu'une seule couleur, avec des tons différents.
3. Pour le poète italien Dante Alighieri (1265-1321), Béatrice est la femme idéale.

Q u e s t i o n s

1. Distinguez la progression de ce récit d'enfance.

2. Étudiez l'opposition entre Adrienne et Sylvie.

3. En prenant le mot dans sa double acception, vous vous demanderez à quoi tient le *charme* des lieux ?

4. Analysez la portée symbolique du récit. Montrez qu'il s'agit en fait d'une initiation.

Aurélia
■■■■■ *[1855]*

1. Patrouille de soldats ou de policiers.

« Le rêve est une seconde vie » : tel est l'incipit d'Aurélia.
Depuis qu'Aurélia est perdue pour lui, le narrateur nervalien recherche partout son image. Tout devient signe et il ne distingue plus le rêve de la réalité. Un soir, à Paris, alors qu'un ami le raccompagne, il suit une étoile, « marchant pour ainsi dire au-devant de [son] destin ». Arrivé à un carrefour, il ne veut pas aller plus loin.

Ici a commencé pour moi ce que j'appellerai l'épanchement du songe dans la vie réelle. À dater de ce moment tout prenait parfois un aspect double, et cela sans que le raisonnement manquât jamais de logique, sans que la mémoire perdît les plus légers détails de ce qui m'arrivait. Seulement, mes actions, insensées

5 en apparence, étaient soumises à ce que l'on appelle illusion, selon la raison humaine...

Cette idée m'est revenue bien des fois, que, dans certains moments graves de la vie, tel Esprit du monde extérieur s'incarnait tout à coup en la forme d'une personne ordinaire, et agissait ou tentait d'agir sur nous, sans que cette personne en

10 eût la connaissance ou en gardât le souvenir.

Mon ami m'avait quitté, voyant ses efforts inutiles, et me croyant sans doute en proie à quelque idée fixe que la marche calmerait. Me trouvant seul, je me levai avec effort et me remis

15 en route dans la direction de l'étoile sur laquelle je ne cessais de fixer les yeux. Je chantais en marchant un hymne mystérieux dont je croyais me souvenir comme l'ayant entendu dans quelque autre existence, et qui me remplissait d'une joie

20 ineffable. En même temps, je quittais mes habits terrestres et je les dispersais autour de moi. La route semblait s'élever toujours et l'étoile s'agrandir. Puis, je restai les bras étendus, attendant le moment où l'âme allait se séparer du

25 corps, attirée magnétiquement dans le rayon de l'étoile. Alors je sentis un frisson ; le regret de la terre et de ceux que j'y aimais me saisit au cœur, et je suppliai si ardemment en moi-même l'Esprit qui m'attirait à lui, qu'il me sembla que

30 je redescendais parmi les hommes. Une ronde de nuit[1] m'entourait ; – j'avais alors l'idée que j'étais devenu très grand, – et que, tout inondé de forces électriques, j'allais renverser tout ce qui m'approchait. Il y avait quelque chose de

35 comique dans le soin que je prenais de ménager les forces et la vie des soldats qui m'avaient recueilli.

GÉRARD DE NERVAL, *Aurélia.*

ODILON REDON, *Femme voilée.*
Paris, musée d'Orsay.
• Photo © Giraudon.

Jules Barbey d'Aurevilly
(1808-1889)

Portrait par E. LEVY.
Versailles, musée du Château.
• Photo © Lauros-Giraudon.

JULES BARBEY D'AUREVILLY naît en 1808 à Saint-Sauveur-le-Vicomte. Il se veut dans un premier temps républicain. Puis il renoue avec les idées politiques et religieuses de sa famille. Devenu désormais monarchiste et catholique intransigeant, il préconise un retour à l'Ancien Régime et à l'Inquisition. Ses œuvres romanesques obtiennent des succès inégaux mais font souvent scandale : **Une vieille maîtresse** paraît en 1851, **Le Chevalier des Touches** en 1864, **Un prêtre marié** en 1865 et le recueil de nouvelles **Les Diaboliques** en 1874. Son talent de polémiste vaut à Barbey d'Aurevilly l'admiration de fidèles inconditionnels, notamment de Huysmans. Il meurt en 1889.

Réactionnaire, Barbey d'Aurevilly le fut au sens exact du terme et jusqu'à l'outrance. Son pessimisme le porte à croire que les êtres humains – et particulièrement les femmes – sont possédés par le Malin et que la vie sociale ne fait que se dégrader. Le fantastique prend ainsi dans cette œuvre une dimension satanique. Toutefois la surenchère dans la turpitude, qui est une des caractéristiques du roman noir, comporte aussi une part de provocation et d'humour.

Les Diaboliques
[1874]

Les Diaboliques sont un recueil de six nouvelles : « Le Rideau cramoisi », « Le plus bel amour de Dom Juan », « Le Bonheur dans le crime », « Le Dessous de cartes d'une partie de whist », « À un dîner d'athées », « La Vengeance d'une femme ». À propos des héroïnes de ces nouvelles, Barbey d'Aurevilly écrit dans la préface : « Quant aux femmes de ces histoires, pourquoi ne seraient-elles pas les Diaboliques ? N'ont-elles pas assez de diabolisme en leur personne pour mériter ce doux nom ? Diaboliques ! Il n'y en a pas une seule qui ne le soit à quelque degré. Il n'y en a pas une seule à qui on puisse dire sérieusement le mot de " Mon ange ! " sans exagérer. »

Le Bonheur dans le crime

Le comte de Savigny et sa maîtresse Hauteclaire forment un couple infernal. Hauteclaire est embauchée comme servante au château sous le nom d'Eulalie. Les deux amants empoisonneront la comtesse et vivront un parfait amour. Le docteur Torty, qui, en tant que médecin de la famille, connaît toute l'histoire, la raconte au narrateur.

Ce que je voyais ne me renseignait pas beaucoup sur Savigny et Hauteclaire .. Complices – ils l'étaient bien, parbleu ! – dans un adultère quelconque ; mais les sentiments qu'il y avait au fond de cet adultère, quels étaient-ils ?... Quelle était la situation respective de ces deux êtres l'un vis-à-vis de

1. Le Code : les lois.
M. Prudhomme est le per-
sonnage éponyme de
*Grandeur et Décadence de
M. Joseph Prudhomme*
(1853), comédie de Henri
Monnier (1799-1877). Il
est le type du bourgeois
niais, conformiste et sen-
tencieux.

l'autre ?... Cette inconnue de mon algèbre, je tenais à la dégager. Savigny était 5
irréprochable pour sa femme ; mais lorsque Hauteclaire-Eulalie était là, il avait,
pour moi qui l'ajustais du coin de l'œil, des précautions qui attestaient un esprit
bien peu tranquille. Quand, dans le tous-les-jours de la vie, il demandait un livre,
un journal, un objet quelconque à la femme de chambre de sa femme, il avait des
manières de prendre cet objet qui eussent tout révélé à une autre femme que 10
cette petite pensionnaire, élevée aux Bénédictines, et qu'il avait épousée... On
voyait que sa main avait peur de rencontrer celle de Hauteclaire, comme si, la
touchant par hasard, il lui eût été impossible de ne pas la prendre. Hauteclaire
n'avait point de ces embarras, de ces précautions épouvantées... Tentatrice
comme elles le sont toutes, qui tenteraient Dieu dans son ciel, s'il y en avait un, 15
et le Diable dans son enfer, elle semblait vouloir agacer, tout ensemble, et le désir
et le danger. Je la vis une ou deux fois, – le jour où ma visite tombait pendant le
dîner, que Savigny faisait pieusement auprès du lit de sa femme. C'était elle qui
servait, les autres domestiques n'entrant point dans l'appartement de la comtesse. Pour mettre les plats sur la table, il fallait se pencher un peu par-dessus 20
l'épaule de Savigny, et je la surpris qui, en les y mettant, frottait des pointes de
son corsage la nuque et les oreilles du comte, qui devenait tout pâle... et qui
regardait si sa femme ne le regardait pas. Ma foi ! j'étais jeune encore dans ce
temps, et le tapage des molécules dans l'organisation, qu'on appelle la violence
des sensations, me semblait la seule chose qui valût la peine de vivre. Aussi 25
m'imaginais-je qu'il devait y avoir de fameuses jouissances dans ce concubinage
caché avec une fausse servante, sous les yeux affrontés d'une femme qui pouvait
tout deviner. Oui, le concubinage dans la maison conjugale, comme dit ce vieux
Prudhomme de Code[1], c'est à ce moment-là que je le compris !

« Mais excepté les pâleurs et les transes réprimées de Savigny, je ne voyais 30
rien du roman qu'ils faisaient entre eux, en attendant le drame et la catastrophe...
selon moi inévitables. Où en étaient-ils tous les deux ? C'était là le secret de leur
roman, que je voulais arracher. Cela me prenait la pensée comme la griffe de
sphinx d'un problème, et cela devint si fort que, de l'observation, je tombai dans
l'espionnage, qui n'est que de l'observation à tout prix. Hé hé ! un goût vif, bien- 35
tôt nous déprave... Pour savoir ce que j'ignorais, je me permis bien de petites bassesses, très indignes de moi, et que je jugeais telles, et que je me permis néanmoins. Ah ! l'habitude de la sonde, mon cher ! Je la jetais partout. Lorsque, dans
mes visites au château, je mettais mon cheval à l'écurie, je faisais jaser les domestiques sur les maîtres, sans avoir l'air d'y toucher. Je mouchardais (oh ! je ne 40
m'épargne pas le mot) pour le compte de ma propre curiosité. Mais les domestiques étaient tout aussi trompés que la comtesse.

BARBEY D'AUREVILLY, Les Diaboliques.

Questions

1. Par des repérages lexicaux et syntaxiques, déterminez la double position du
   docteur Torty et l'ambiguïté de sa démarche.
2. Analysez la fonction du secret dans les relations entre les personnages.
3. Quelle vision de la femme prévaut ici ? Peut-on parler d'un érotisme satanique ?
4. Montrez que le docteur Torty a un talent de conteur.

Gustave Flaubert
(1821-1880)

Portrait par Eugène Giraud
(1806-1881).
Versailles, musée du Château.
• Photo © Josse.

GUSTAVE FLAUBERT est le fils d'un chirurgien de Rouen, ville où il fait ses études secondaires. À quinze ans, il rencontre Élisa Schlesinger, la femme d'un éditeur de musique, pour laquelle il éprouve une passion intense, muette et vaine, dont on trouvera l'écho dans *L'Éducation sentimentale*. En 1842, il s'installe à Paris où il fréquente les milieux littéraires et artistiques. Mais une maladie nerveuse, contractée en 1844, l'incite à se retirer en Normandie, dans la demeure familiale de Croisset. Il y mène une vie laborieuse consacrée à l'écriture : paraissent successivement *Madame Bovary* (1857), *Salammbô* (1862), *L'Éducation sentimentale* (1869), *Trois Contes* (1877). Son dernier roman, *Bouvard et Pécuchet*, reste inachevé et sera publié après sa mort en 1881. Il entretient une volumineuse correspondance avec sa maîtresse et confidente, Louise Colet, ainsi qu'avec Gautier, les frères Goncourt, Maupassant, George Sand. Il meurt d'une hémoragie cérébrale en 1880.

SON ŒUVRE entretient des rapports ambigus avec le romantisme qui a marqué son adolescence : elle révèle parfois, comme dans la fresque historique de *Salammbô*, un goût romantique pour l'envolée lyrique, la violence, le grandiose, l'exotisme. Elle témoigne aussi, comme dans *Madame Bovary*, d'une volonté de dérision à l'égard des rêves et des élans romantiques. Flaubert apparaît surtout comme un romancier « réaliste ». Plus encore que Balzac qu'il admire, il a le souci de l'exactitude documentaire. Mais son réalisme est d'une autre nature que celui de son prédécesseur : au récit de drames intenses, tels que les vivent les héros balzaciens, il substitue l'évocation de la vie quotidienne dans sa banalité et son lent écoulement. Il met en scène des antihéros, comme Frédéric dans *L'Éducation sentimentale*, dont il narre les désillusions et les échecs. Affirmant la nécessité de l'impersonnalité en art, il proscrit toute expression directe d'une émotion et met à distance son récit et ses personnages par les moyens de l'ironie et de la dérision. Dans la même perspective, il s'abstient d'intervenir directement dans la narration, en jouant à l'extrême des variations de point de vue et en usant abondamment des ressources du style indirect libre, qui rend indécise la frontière entre discours du personnage et discours du narrateur. Enfin, le roman doit constituer pour lui une œuvre d'art finement ciselée : il estime qu'une phrase de prose doit être aussi rythmée, aussi musicale, aussi définitive qu'un vers ; il fait ainsi régulièrement l'expérience concrète, sonore, des mots dans son « gueuloir » où il procède à la lecture à voix haute de ses textes, qu'il remanie jusqu'à ce qu'il parvienne au sentiment du beau et du vrai.

Madame Bovary
[1857]

Extrait 1

Emma vient d'épouser le médecin Charles Bovary. Le narrateur évoque sa jeunesse au couvent et l'influence qu'exercèrent les livres sur cette jeune fille.

Elle eut dans ce temps-là le culte de Marie Stuart et des vénérations enthousiastes à l'endroit des femmes illustres ou infortunées. Jeanne d'Arc, Héloïse, Agnès Sorel, la belle Ferronnière et Clémence Isaure, pour elle, se détachaient comme des comètes sur l'immensité ténébreuse de l'histoire, où saillissaient encore ça et là, mais plus perdus dans l'ombre et sans aucun rapport entre eux, 5 saint Louis avec son chêne, Bayard mourant, quelques férocités de Louis XI, un peu de Saint-Barthélemy, le panache du Béarnais, et toujours le souvenir des assiettes peintes où Louis XIV était vanté.

À la classe de musique, dans les romances qu'elle chantait, il n'était question que de petits anges aux ailes d'or, de madones, de lagunes, de gondoliers, paci- 10 fiques compositions qui lui laissaient entrevoir, à travers la niaiserie du style et les imprudences de la note, l'attirante fantasmagorie des réalités sentimentales.

Quelques-unes de ses camarades apportaient au couvent les keepsakes[1] qu'elles avaient reçus en étrennes. Il les fallait cacher, c'était une affaire ; on les lisait au dortoir. Maniant délicatement leurs belles reliures de satin, Emma fixait 15 ses regards éblouis sur le nom des auteurs inconnus qui avaient signé, le plus souvent, comtes ou vicomtes, au bas de leurs pièces.

Elle frémissait, en soulevant de son haleine le papier de soie des gravures, qui se levait à demi plié et retombait doucement contre la page. C'était, derrière la balustrade d'un balcon, un jeune homme en court manteau qui serrait dans ses 20 bras une jeune fille en robe blanche, portant une aumônière à sa ceinture ; ou bien les portraits anonymes des ladies anglaises à boucles blondes qui, sous leur chapeau de paille rond, vous regardent avec leurs grands yeux clairs. On en voyait d'étalées dans des voitures, glissant au milieu des parcs, où un lévrier sautait devant l'attelage que conduisaient au trot deux petits postillons en culotte 25 blanche. D'autres, rêvant sur des sofas près d'un billet décacheté, contemplaient la lune, par la fenêtre entr'ouverte, à demi drapée d'un rideau noir. Les naïves, une larme sur la joue, becquetaient une tourterelle à travers les barreaux d'une cage gothique, ou, souriant, la tête sur l'épaule, effeuillaient une marguerite de leurs doigts pointus, retroussés comme des souliers à la poulaine[2]. Et vous y étiez 30 aussi, sultans à longues pipes, pâmés sous des tonnelles aux bras des bayadères[3], djiaours[4], sabres turcs, bonnets grecs, et vous surtout, paysages blafards des contrées dithyrambiques, qui souvent nous montrez à la fois des palmiers, des sapins, des tigres à droite, un lion à gauche, des minarets tartares à l'horizon, au premier plan des ruines romaines, puis des chameaux accroupis ; – le tout enca- 35 dré d'une forêt vierge bien nettoyée, et avec un grand rayon de soleil perpendiculaire tremblotant dans l'eau, où se détachent en écorchures blanches, sur un font d'acier gris, de loin en loin, des cygnes qui nagent.

GUSTAVE FLAUBERT, *Madame Bovary*, Première partie, chap. 6.

---

1. Livres-albums illustrés et reliés, qui contenaient des pièces en prose et en vers, et qu'on offrait souvent en étrennes à l'époque du Second Empire.
2. Souliers du Moyen Âge dont le bout est pointu et rehaussé.
3. Danseuses sacrées de l'Inde.
4. Nom que les Turcs donnaient aux infidèles.

Questions

1. Quelle impression générale vous laissent les scènes illustrées sur les gravures que contemple Emma ?
2. Trouvez un ou plusieurs points communs entre les différents tableaux.
3. À travers quel regard les gravures sont-elles décrites ?
4. Commentez l'emploi du pronom personnel de la 2ᵉ personne aux lignes 23 et 30.
5. Quelles sont les intentions possibles de Flaubert quand il précise ainsi les lectures d'Emma, dont on sait qu'elle vient de se marier ?

Extrait 2

*Emma, accompagnée de Rodolphe qui veut la séduire, assiste aux « comices agricoles »
au cours desquels les « officiels » font des discours et remettent des prix.*

M. Lieuvain se rassit alors ; M. Derozerays se leva, commençant un autre
discours. Le sien, peut-être, ne fut point aussi fleuri que celui du Conseiller ; mais
il se recommandait par un caractère de style plus positif, c'est-à-dire par des
connaissances plus spéciales et des considérations plus relevées. Ainsi, l'éloge du
5 gouvernement y tenait moins de place ; la religion et l'agriculture en occupaient
davantage. On y voyait le rapport de l'une et de l'autre, et comment elles avaient
concouru toujours à la civilisation. Rodolphe, avec Mme Bovary, causait rêves,
pressentiments, magnétisme. Remontant au berceau des sociétés, l'orateur vous
dépeignait ces temps farouches où les hommes vivaient de glands, au fond des
10 bois. Puis ils avaient quitté la dépouille des bêtes, endossé le drap, creusé des
sillons, planté la vigne. Était-ce un bien, et n'y avait-il pas dans cette découverte
plus d'inconvénients que d'avantages ? M. Derozerays se posait ce problème. Du
magnétisme, peu à peu, Rodolphe en était venu aux affinités, et tandis que M. le
président citait Cincinnatus à sa charrue[1], Dioclétien[2] plantant ses choux, et les
15 empereurs de la Chine inaugurant l'année par des semailles, le jeune homme
expliquait à la jeune femme que ces attractions irrésistibles tiraient leur cause de
quelque existence antérieure.

– Ainsi, nous, disait-il, pourquoi nous sommes-nous connus ? quel hasard l'a
voulu ? C'est qu'à travers l'éloignement, sans doute, comme deux fleuves qui
20 coulent pour se rejoindre, nos pentes particulières nous avaient poussés l'un vers
l'autre.

Et il saisit sa main ; elle ne la retira pas.

« Ensemble de bonnes cultures ! » cria le président.

– Tantôt, par exemple, quand je suis venu chez vous…

25 « À M. Bizet, de Quincampoix. »

– Savais-je que je vous accompagnerais ?

« Soixante et dix francs ! »

– Cent fois même j'ai voulu partir, et je vous ai suivie, je suis resté.

« Fumiers. »

30 – Comme je resterais ce soir, demain, les autres jours, toute ma vie !

« À M. Caron, d'Argueil, une médaille d'or ! »

– Car jamais je n'ai trouvé dans la société de personne un charme aussi complet.

« À M. Bain, de Givry-Saint-Martin ! »

35 – Aussi, moi, j'emporterai votre souvenir.

« Pour un bélier mérinos… »

– Mais vous m'oublierez, j'aurai passé comme une ombre.

« À M. Belot, de Notre-Dame… »

– Oh ! non, n'est-ce pas, je serai quelque chose dans votre pensée, dans votre
40 vie ?

« Race porcine, prix *ex æquo* : à MM. Lehérissé et Cullembourg ; soixante
francs ! »

GUSTAVE FLAUBERT, *Madame Bovary*, Deuxième partie, chap. 8.

1. Cincinnatus : patricien
romain du Ve siècle av.
J.-C., symbole de la vertu
et de la simplicité : alors
qu'on lui apportait les
insignes de sa charge, on
le trouva en train de
labourer lui-même son
champ.
2. Dioclétien : empereur
romain de 284 à 305 qui
préféra, dit-on, cultiver ses
laitues (devenues des
choux sous la plume de
Flaubert), plutôt que de
remonter sur le trône.

Questions

1. Commentez les
noms choisis par
Flaubert pour ses per-
sonnages.

2. Identifiez avec pré-
cision les deux dis-
cours : le discours offi-
ciel de M. Derozerays,
et celui de Rodolphe.
Que constatez-vous ?

3. Comparez le conte-
nu des deux discours et
commentez-le.

4. Montrez la façon
dont la scène est com-
posée. À votre avis,
pourquoi Flaubert l'a-
t-il organisée ainsi ?

Extrait 3

*Emma, devenue la maîtresse du gentilhomme Rodolphe, s'ennuie plus que jamais dans
la petite ville où son époux est médecin.*

Emma ne dormait pas, elle faisait semblant d'être endormie ; et, tandis qu'il
s'assoupissait à ses côtés, elle se réveillait en d'autres rêves[1].

Au galop de quatre chevaux, elle était emportée depuis huit jours vers un pays
nouveau, d'où ils ne reviendraient plus. Ils allaient, ils allaient, les bras enlacés,
5 sans parler. Souvent, du haut d'une montagne, ils apercevaient tout à coup
quelque cité splendide avec des dômes, des ponts, des navires, des forêts de
citronniers et des cathédrales de marbre blanc, dont les clochers aigus portaient
des nids de cigognes. On marchait au pas à cause des grandes dalles, et il y avait
par terre des bouquets de fleurs que vous offraient des femmes habillées en cor-
10 set rouge. On entendait sonner des cloches, hennir des mulets, avec le murmure
des guitares et le bruit des fontaines, dont la vapeur s'envolant rafraîchissait des
tas de fruits, disposés en pyramides au pied des statues pâles, qui souriaient sous
les jets d'eau. Et puis ils arrivaient, un soir, dans un village de pêcheurs, où des
filets bruns séchaient au vent, le long de la falaise et des cabanes. C'est là qu'ils
15 s'arrêtaient pour vivre : ils habiteraient une maison basse à toit plat, ombragée
d'un palmier, au fond d'un golfe, au bord de la mer. Ils se promèneraient en gon-
dole, ils se balanceraient en hamac ; et
leur existence serait facile et large
comme leurs vêtements de soie, toute
20 chaude et étoilée comme les nuits
douces qu'ils contempleraient. Cependant, sur l'immensité de cet avenir
qu'elle se faisait apparaître, rien de particulier ne surgissait : les jours, tous
25 magnifiques, se ressemblaient comme
des flots ; et cela se balançait à l'horizon
infini, harmonieux, bleuâtre et couvert
de soleil. Mais l'enfant[2] se mettait à
tousser dans son berceau, ou bien
30 Bovary ronflait plus fort, et Emma ne
s'endormait que le matin, quand l'aube
blanchissait les carreaux et que déjà le
petit Justin[3], sur la place, ouvrait les
auvents de la pharmacie.

GUSTAVE FLAUBERT, *Madame Bovary,*
Deuxième partie, chap. 12.

GUSTAVE COURBET (1819-1877).
Les Amants heureux, 1844.
Lyon, musée des Beaux-Arts.
Photo © Josse.

1. Bovary vient de
« rêver » à la vie bour-
geoise et confortable
qui l'attend.
2. Sa fille, Berthe.
3. L'employé du pharma-
cien du village.

Questions

1. Caractérisez les rêve-
ries de l'héroïne : à
quels univers sont-elles
empruntées ?
2. Que pensez-vous de
ces images qui surgis-
sent ? Vous paraissent-
elles originales ? conve-
nues ? séduisantes ?
Pourquoi ?
3. Quels indices signa-
lent que les rêveries sont
décrites à travers la pensée d'Emma ?
4. Montrez la brusque-
rie du retour à la réalité.

TURNER, *Didon faisant construire Carthage.* Londres, National Gallery. Photo © Bridgeman-Giraudon.

Salammbô

[1862]

Le récit, dont voici les premières lignes, se déroule à Carthage, au IIIᵉ siècle av. J.-C.

C'était à Mégara, faubourg de Carthage, dans les jardins d'Hamilcar[1].

Les soldats qu'il avait commandés en Sicile se donnaient un grand festin pour célébrer le jour anniversaire de la bataille d'Eryx[2], et comme le maître était absent et qu'ils se trouvaient nombreux, ils mangeaient et ils buvaient en pleine
5 liberté.

Les capitaines, portant des cothurnes de bronze, s'étaient placés dans le chemin du milieu, sous un voile de pourpre à franges d'or, qui s'étendait depuis le mur des écuries jusqu'à la première terrasse du palais ; le commun des soldats était répandu sous les arbres, où l'on distinguait quantité de bâtiments à toit plat,
10 pressoirs, celliers, magasins, boulangeries et arsenaux, avec une cour pour les éléphants, des fosses pour les bêtes féroces, une prison pour les esclaves.

Des figuiers entouraient les cuisines ; un bois de sycomores se prolongeait jusqu'à des masses de verdure, où des grenades resplendissaient parmi les touffes blanches des cotonniers : des vignes, chargées de grappes, montaient dans le
15 branchage des pins : un champ de roses s'épanouissait sous des platanes ; de place en place sur des gazons, se balançaient des lis ; un sable noir, mêlé à de la poudre de corail, parsemait les sentiers, et, au milieu, l'avenue des cyprès faisait d'un bout à l'autre comme une double colonnade d'obélisques verts.

Le palais, bâti en marbre numidique[3] tacheté de jaune, superposait tout au
20 fond, sur de larges assises, ses quatre étages en terrasses. Avec son grand escalier droit en bois d'ébène, portant aux angles de chaque marche la proue d'une galère vaincue, avec ses portes rouges écartelées d'une croix noire, ses grillages d'airain qui le défendaient en bas des scorpions, et ses treillis de baguettes dorées qui bouchaient en haut ses ouvertures, il semblait aux soldats, dans son opulence
25 farouche, aussi solennel et impénétrable que le visage d'Hamilcar.

GUSTAVE FLAUBERT, *Salammbô*, chap. I.

1. Hamilcar : chef carthaginois.
2. Eryx : ville de Sicile prise par les Carthaginois en 260 av. J.-C.
3. De Numidie (Afrique du Nord).

Questions

1. Montrez que le tableau d'ensemble est organisé de manière rigoureuse. Paragraphe par paragraphe, déterminez les caractéristiques de la description (lexique, syntaxe, sensations, etc.).

2. Quels éléments contribuent à rendre cette scène exotique ?

3. Cette description suscite-t-elle chez le lecteur des interrogations ? des attentes ?

L'Éducation sentimentale
[1869]

Extrait 1

Le héros du roman, Frédéric, rencontre sur un bateau Madame Arnoux, qu'il aimera, en vain, tout au long du roman.

Ce fut comme une apparition :

Elle était assise, au milieu du banc, toute seule ; ou du moins il ne distingua personne dans l'éblouissement que lui envoyèrent ses yeux. En même temps qu'il passait, elle leva la tête ; il fléchit involontairement les épaules ; et, quand il se fut mis plus loin, du même côté, il la regarda. 5

Elle avait un large chapeau de paille, avec des rubans roses qui palpitaient au vent, derrière elle. Ses bandeaux noirs, contournant la pointe de ses grands sourcils, descendaient très bas et semblaient presser amoureusement l'ovale de sa figure. Sa robe de mousseline claire, tachetée de petits pois, se répandait à plis nombreux. Elle était en train de broder quelque chose ; et son nez droit, son men- 10 ton, toute sa personne se découpait sur le fond de l'air bleu.

Comme elle gardait la même attitude, il fit plusieurs tours de droite et de gauche pour dissimuler sa manœuvre ; puis il se planta tout près de son ombrelle, posée contre le banc, et il affectait d'observer une chaloupe sur la rivière. 15

Jamais il n'avait vu cette splendeur de sa peau brune, la séduction de sa taille, ni cette finesse des doigts que la lumière traversait. Il considérait son panier à ouvrage avec ébahissement, comme une chose extraordinaire. Quels étaient son nom, sa demeure, sa vie, son passé ? Il souhaitait connaître les meubles de sa chambre, toutes les robes qu'elle avait portées, les gens qu'elle fréquentait ; et le 20 désir de la possession physique même disparaissait sous une envie plus profonde, dans une curiosité douloureuse qui n'avait pas de limites.

Une négresse, coiffée d'un foulard, se présenta, en tenant par la main une petite fille, déjà grande. L'enfant, dont les yeux roulaient des larmes, venait de s'éveiller. Elle la prit sur ses genoux : « Mademoiselle n'était pas sage, quoiqu'elle 25 eût sept ans bientôt ; sa mère ne l'aimerait plus ; on lui pardonnait trop ses caprices. » Et Frédéric se réjouissait d'entendre ces choses, comme s'il eût fait une découverte, une acquisition.

Il la supposait d'origine andalouse, créole peut-être ; elle avait ramené des îles cette négresse avec elle ? 30

Un long châle à bandes violettes était placé derrière son dos, sur le bordage de cuivre. Elle avait dû, bien des fois, au milieu de la mer, durant les soirs humides, en envelopper sa taille, s'en couvrir les pieds, dormir dedans ! Mais, entraîné par les franges, il glissait peu à peu, il allait tomber dans l'eau. Frédéric fit un bond et le rattrapa. Elle lui dit : 35

– « Je vous remercie, monsieur. »

Leurs yeux se rencontrèrent.

– « Ma femme, es-tu prête ? » cria le sieur Arnoux, apparaissant dans le capot de l'escalier.

GUSTAVE FLAUBERT, *L'Éducation sentimentale*, I, 1.

Questions

1. Dégagez avec précision les éléments qui appartiennent à la description. De quel point de vue est-elle organisée ? Pourquoi ?

2. En quoi cette rencontre pourrait-elle, d'après vous, être qualifiée de romanesque ?

3. Par des repérages lexicaux et rhétoriques, caractérisez le comportement de Frédéric dans ce passage.

4. Comparez le début et la fin du texte : montrez l'ironie de l'auteur. Quel sens peut-on lui donner ?

Extrait 2

En février 1848, Frédéric se trouve pris presque par hasard au milieu des barricades révolutionnaires qui opposent à Paris insurgés républicains et forces de l'ordre.

Les tambours battaient la charge. Des cris aigus, des hourras de triomphe s'élevaient. Un remous continuel faisait osciller la multitude. Frédéric, pris entre deux masses profondes, ne bougeait pas, fasciné d'ailleurs et s'amusant extrêmement. Les blessés qui tombaient, les morts étendus n'avaient pas l'air de vrais
5 blessés, de vrais morts. Il lui semblait assister à un spectacle.

Au milieu de la houle, par-dessus des têtes, on aperçut un vieillard en habit noir sur un cheval blanc, à selle de velours. D'une main, il tenait un rameau vert, de l'autre un papier, et les secouait avec obstination. Enfin, désespérant de se faire entendre, il se retira.

10 La troupe de ligne avait disparu et les municipaux restaient seuls à défendre le poste. Un flot d'intrépides se rua sur le perron ; ils s'abattirent, d'autres survinrent ; et la porte, ébranlée sous des coups de barres de fer, retentissait ; les municipaux ne cédaient pas. Mais une calèche bourrée de foin, et qui brûlait comme une torche géante, fut traînée contre les murs. On apporta vite des fagots,
15 de la paille, un baril d'esprit-de-vin[1]. Le feu monta le long des pierres ; l'édifice se mit à fumer partout comme une solfatare[2], et de larges flammes, au sommet, entre les balustres de la terrasse, s'échappaient avec un bruit strident. Le premier étage du Palais-Royal s'était peuplé de gardes nationaux. De toutes les fenêtres de la place, on tirait ; les balles sifflaient ; l'eau de la fontaine crevée se mêlait avec
20 le sang, faisait des flaques par terre ; on glissait dans la boue sur des vêtements, des shakos[3], des armes ; Frédéric sentit sous son pied quelque chose de mou ; c'était la main d'un sergent en capote grise, couché la face dans le ruisseau. Des bandes nouvelles de peuple arrivaient toujours, poussant les combattants sur le poste. La fusillade devenait plus pressée. Les marchands de vin étaient ouverts ;
25 on allait de temps à autre y fumer une pipe, boire une chope, puis on retournait se battre. Un chien perdu hurlait. Cela faisait rire.

GUSTAVE FLAUBERT, *L'Éducation sentimentale*, III, 1.

1. Alcool.

2. Terrain volcanique d'où se dégagent des vapeurs sulfureuses.

3. Sortes de coiffes que portaient les soldats.

Questions

1. Commentez brièvement la façon dont Frédéric, dans le premier paragraphe, réagit à la scène d'émeute.

2. Comment interprétez-vous l'apparition du vieillard à cheval (l. 6 et suiv.) ?

3. Cette scène vous semble-t-elle pouvoir être qualifiée d'épique ? En quoi précisément ?

4. Quel jugement de Flaubert paraît se dessiner sur cette scène historique ? Commentez, de ce point de vue, la dernière phrase.

E. HAGNAUER, *Incendie du château d'eau du Palais-Royal à Paris le 24 février 1848.* Paris, musée Carnavalet. Photo © Dagli Orti.

Trois Contes

▬ *[1877]*

Au centre de cette nouvelle, figure le personnage de Félicité, servante de Mme Aubain, très attachée aux enfants de la famille. À la fin du récit, tous ceux qu'elle aime sont morts : son neveu, Virginie, fille de Mme Aubain, et le perroquet qu'on lui a offert, mince consolation d'une solitude toujours plus profonde. L'extrait suivant constitue les dernières lignes de l'histoire de ce « cœur simple ».

Son agonie commença. Un râle, de plus en plus précipité, lui soulevait les côtes. Des bouillons d'écume venaient aux coins de sa bouche, et tout son corps tremblait.

Bientôt, on distingua le ronflement des ophicléides[1], les voix claires des enfants, la voix profonde des hommes. Tout se taisait par intervalles, et le battement des pas, que des fleurs amortissaient, faisait le bruit d'un troupeau sur du gazon. 5

Le clergé parut dans la cour. La Simonne grimpa sur une chaise pour atteindre à l'œil-de-bœuf[2], et de cette manière dominait le reposoir.

Des guirlandes vertes pendaient sur l'autel, orné d'un falbala[3] en point d'Angleterre. Il y avait au milieu un petit cadre enfermant des reliques, deux orangers dans les angles, et, tout le long des flambeaux d'argent et des vases en porcelaine, d'où s'élançaient des tournesols, des lis, des pivoines, des digitales, des touffes d'hortensias. Ce monceau de couleurs éclatantes descendait obliquement, du premier étage jusqu'au tapis se prolongeant sur les pavés ; et des choses 15 rares tiraient les yeux. Un sucrier de vermeil avait une couronne de violettes, des pendeloques en pierres d'Alençon brillaient sur de la mousse, deux écrans chinois montraient leurs paysages. Loulou[4], caché sous des roses, ne laissait voir que son front bleu, pareil à une plaque de lapis[5]. 10

Les fabriciens[6], les chantres, les enfants se rangèrent sur les trois côtés de la 20 cour. Le prêtre gravit lentement les marches, et posa sur la dentelle son grand soleil d'or qui rayonnait. Tous s'agenouillèrent. Il se fit un grand silence. Et les encensoirs, allant à pleine volée, glissaient sur leurs chaînettes.

Une vapeur d'azur monta dans la chambre de Félicité. Elle avança les narines, en la humant avec une sensualité mystique ; puis ferma les paupières. Ses lèvres 25 souriaient. Les mouvements de son cœur se ralentirent un à un, plus vagues chaque fois, plus doux, comme une fontaine s'épuise, comme un écho disparaît ; et, quand elle exhala son dernier souffle, elle crut voir, dans les cieux entrouverts, un perroquet gigantesque, planant au-dessus de sa tête.

GUSTAVE FLAUBERT, *Trois Contes*,
« Un cœur simple ».

Notes (marge gauche) :

1. Instruments de musique en cuivre.

2. Petite fenêtre de forme circulaire.

3. Bande d'étoffe plissée.

4. Le perroquet de Félicité.

5. Pierre bleue.

6. Membres du conseil de fabrique d'une paroisse ; ils décidaient de la répartition des fonds pour la construction de l'église.

Questions

1. Relevez les différentes mentions de sons et de couleurs dans ce passage. Pourquoi sont-elles si nombreuses ?

2. Recensez les objets évoqués ici par Flaubert et commentez le choix auquel il a procédé.

3. À quelle image biblique le « perroquet gigantesque » renvoie-t-il ? Commentez de ce point de vue la dernière phrase.

4. Comment jugez-vous le personnage de Félicité à la fin de la nouvelle ?

Leconte de Lisle

(1818-1894)

Portrait par JACQUES-LÉONARD BLANQUER.
Versailles, musée du Château.
• Photo © R.M.N.-G. Blot.

LECONTE DE LISLE est né à l'île de la Réunion en 1818. Lors de la révolution de 1848, il milite pour l'abolition de l'esclavage mais l'action politique le déçoit. Se consacrant alors uniquement à la poésie, il publie en 1852 les ***Poèmes antiques*** qui puisent leur inspiration dans l'Antiquité hindoue et dans l'Antiquité grecque, puis en 1862 les ***Poèmes barbares*** qui évoquent les civilisations que les Grecs nommaient barbares. Il meurt en 1894.

Leconte de Lisle est le chef de file des poètes « parnassiens » (voir p. 409). À ce titre, il se situe dans la lignée de Théophile Gautier dont il reprend et développe la théorie de « l'art pour l'art ». Le refus de l'engagement, l'impassibilité revendiquée et un relatif formalisme, donnent parfois à son écriture un aspect conventionnel et répétitif. Mais on perçoit aussi un frémissement de violence et de sensualité dans cette poésie qui exprime une émotion authentique devant la nature et devant la vie.

Poèmes antiques

[1852]

Midi

M idi, Roi des étés, épandu sur la plaine,
Tombe en nappes d'argent des hauteurs du ciel bleu.
Tout se tait. L'air flamboie et brûle sans haleine ;
La Terre est assoupie en sa robe de feu.

5 L'étendue est immense, et les champs n'ont point
[d'ombre,
Et la source est tarie où buvaient les troupeaux ;
La lointaine forêt, dont la lisière est sombre,
Dort là-bas, immobile, en un pesant repos.

Seuls, les grands blés mûris, tels qu'une mer dorée,
10 Se déroulent au loin, dédaigneux du sommeil ;
Pacifiques enfants de la Terre sacrée,
Ils épuisent sans peur la coupe du Soleil.

Parfois, comme un soupir de leur âme brûlante,
Du sein des épis lourds qui murmurent entre eux,
15 Une ondulation majestueuse et lente
S'éveille, et va mourir à l'horizon poudreux.

Non loin, quelques bœufs blancs, couchés parmi
[les herbes,
Bavent avec lenteur sur leurs fanons[1] épais,
Et suivent de leurs yeux languissants et superbes
20 Le songe intérieur qu'ils n'achèvent jamais.

Homme, si, le cœur plein de joie ou d'amertume,
Tu passais vers midi dans les champs radieux,
Fuis ! la Nature est vide et le Soleil consume :
Rien n'est vivant ici, rien n'est triste ou joyeux.

25 Mais si, désabusé des larmes et du rire,
Altéré de l'oubli de ce monde agité,
Tu veux, ne sachant plus pardonner ou maudire,
Goûter une suprême et morne volupté,

Viens ! Le Soleil te parle en paroles sublimes ;
30 Dans sa flamme implacable absorbe-toi sans fin ;
Et retourne à pas lents vers les cités infimes,
Le cœur trempé sept fois dans le Néant divin.

LECONTE DE LISLE, *Poèmes antiques.*

Questions

1. Étudiez la représentation de la nature.
2. Comment comprenez-vous l'appel final au « Néant divin » ?
3. Montrez que l'impassibilité du poète est toute relative.

....

1. Replis de la peau qui pendent sous le cou des bœufs.

1. Auxquels il donne la
forme de bosses.

Poèmes barbares
[1862]

Le Rêve du jaguar

Sous les noirs acajous, les lianes en fleur,
Dans l'air lourd, immobile et saturé de mouches,
Pendent, et, s'enroulant en bas parmi les souches,
Bercent le perroquet splendide et querelleur,
5   L'araignée au dos jaune et les singes farouches.
C'est là que le tueur de bœufs et de chevaux,
Le long des vieux troncs morts à l'écorce moussue,
Sinistre et fatigué, revient à pas égaux.
Il va, frottant ses reins musculeux qu'il bossue[1] ;
10 Et, du mufle béant par la soif alourdi,
Un souffle rauque et bref, d'une brusque secousse,
Trouble les grands lézards, chauds des feux de midi,
Dont la fuite étincelle à travers l'herbe rousse.
En un creux du bois sombre interdit au soleil
Il s'affaisse, allongé sur quelque roche plate ;
15 D'un large coup de langue il se lustre la patte ;
Il cligne ses yeux d'or hébétés de sommeil ;
Et, dans l'illusion de ses forces inertes,
Faisant mouvoir sa queue et frissonner ses flancs,
Il rêve qu'au milieu des plantations vertes,
20 Il enfonce d'un bond ses ongles ruisselants
Dans la chair des taureaux effarés et beuglants.

LECONTE DE LISLE, *Poèmes barbares*.

Questions

1. La nature et l'animal : étudiez la technique de la description.

2. Par-delà son aspect descriptif, quelles idées ce poème symbolise-t-il ?

3. Analysez les rythmes et les sonorités. Mettez en évidence une progression.

Le Parnasse contemporain

En réaction contre les complaisances personnelles des romantiques et contre l'engagement politique et humanitaire de certains d'entre eux, Théophile Gautier propose la théorie de « l'art pour l'art ». Vers 1860, des poètes sensibles à cette théorie forment le groupe du « Parnasse ». Selon ces « Parnassiens » le poète doit rechercher la perfection formelle et la performance technique, sans laisser paraître ni ses sentiments ni ses opinions. Ils animent la revue *Le Parnasse contemporain* qui connaîtra trois livraisons (1866, 1871, 1876). Dans son premier volume *Le Parnasse contemporain* accueille, outre Gautier et Leconte de Lisle, Baudelaire, Mallarmé et Verlaine qui n'appartiennent pas à ce groupe.

Charles Baudelaire

(1821-1867)

Autoportrait.
Paris, musée du Louvre
Photo © RMN-Michèle Bellot.

CHARLES BAUDELAIRE, né à Paris en 1821, est orphelin de père à six ans. Il n'acceptera jamais le remariage de sa mère avec le commandant Aupick, futur général, ambassadeur et sénateur sous l'Empire. Au Collège royal de Lyon, puis au lycée Louis-le-Grand à Paris, il supporte difficilement la vie d'internat. Après l'obtention du baccalauréat en 1839, envisageant des études de droit, il fréquente la bohème du Quartier latin et devient un dandy. Sa famille, pour l'éloigner de la capitale, le contraint à s'embarquer pour les Indes en 1841, mais, à l'issue d'un séjour à l'île Bourbon, il est rapatrié à Paris. Commence alors une longue liaison, qui sera ponctuée d'infidélités et de scènes orageuses, avec la mulâtresse Jeanne Duval. Ayant reçu à sa majorité une partie de l'héritage paternel, Baudelaire mène une existence fastueuse, mais sa famille, estimant qu'il dilapide cette fortune, lui inflige un conseil judiciaire en 1844. Percevant une rente mensuelle de deux cents francs, il se fait critique d'art (**Salons** de 1845, 1846, 1859) et publie des poèmes dans des revues. En 1847, il éprouve une brève passion pour la comédienne Marie Daubrun, qui représente pour lui une image à la fois enfantine et maternelle. La révolution de 1848 suscite sa sympathie, mais son engagement sera sans lendemain : en fait, Baudelaire méprise la démocratie et ne croit guère au progrès social. En 1852, il rencontre Apollonie Sabatier, la « Présidente », femme brillante, qui tenait un salon littéraire et qu'il idéalisera jusqu'au mysticisme dans ses poèmes. En 1856 et 1857, il traduit et fait découvrir au public français les œuvres de l'Américain Edgar Allan Poe. En 1857, paraît la première édition – cent poèmes – des **Fleurs du mal**, qui lui vaut un procès en correctionnelle : six pièces sont censurées. Elles disparaîtront de la deuxième édition (1861), enrichie par ailleurs de trente-deux nouveaux poèmes. Baudelaire songe maintenant à un recueil de poèmes en prose, mais l'usage de l'opium et les difficultés matérielles détériorent sa santé. En 1864, il est frappé de paralysie et d'aphasie au cours d'une tournée de conférences en Belgique. Il est ramené à Paris, où il meurt en 1867. Après sa mort seront publiés les **Petits Poèmes en prose (Le Spleen de Paris)**, et les **Paradis artificiels**, ainsi que ses journaux intimes (**Fusées, Mon cœur mis à nu**) et ses articles critiques (**L'Art romantique, Curiosités esthétiques**).

Baudelaire aimait le romantisme. Il admirait aussi Gautier et publia des vers dans la première livraison du *Parnasse contemporain* (voir p. 409). Par le concept de « modernité », il opère la synthèse du romantisme, dont il récuse les complaisances, et du mouvement de l'« art pour l'art » dont le formalisme et le goût excessif pour l'Antiquité ne le satisfont pas. Il veut saisir la beauté éternelle dans l'éphémère de son époque et donner à l'imagination une place majeure dans l'art. Poète, Baudelaire fut aussi un critique lucide et pénétrant qui, notamment, fit connaître les peintres Delacroix et Manet, écrivit des études décisives sur Gautier, Hugo et Flaubert, et comprit dès 1861 la musique de Wagner.

Les Fleurs du mal, « Spleen et Idéal »
[1857]

Correspondances

Baudelaire distingue deux types de correspondances : les unes s'établissent entre des sensations perçues simultanément ; les autres sont des analogies entre le monde réel et le monde surnaturel.

Questions

1. Étudiez la composition de ce poème. Comment Baudelaire utilise-t-il la forme fixe du sonnet pour exposer son « art poétique » ?

2. Analysez les deux types de correspondances.

3. Quelle est la figure de rhétorique dominante ? Comment exprime-t-elle la correspondance ?

4. « ... les transports de l'esprit et des sens » : peut-on dire que cette expression est une synthèse du poème ?

La Nature est un temple où de vivants piliers
Laissent parfois sortir de confuses paroles ;
L'homme y passe à travers des forêts de symboles
Qui l'observent avec des regards familiers.

5 Comme de longs échos qui de loin se confondent
Dans une ténébreuse et profonde unité,
Vaste comme la nuit et comme la clarté,
Les parfums, les couleurs et les sons se répondent.

Il est des parfums frais comme des chairs d'enfants,
10 Doux comme les hautbois, verts comme les prairies,
— Et d'autres, corrompus, riches et triomphants,

Ayant l'expansion des choses infinies,
Comme l'ambre, le musc, le benjoin et l'encens,
Qui chantent les transports de l'esprit et des sens.

BAUDELAIRE, *Les Fleurs du mal*, « Spleen et Idéal », 4.

La Vie antérieure

Par son dernier vers, qui maintient le « secret », ce sonnet s'inscrit dans une tradition hermétique.

J'ai longtemps habité sous de vastes portiques
Que les soleils marins teignaient de mille feux,
Et que leurs grands piliers, droits et majestueux,
Rendaient pareils, le soir, aux grottes basaltiques.

5 Les houles, en roulant les images des cieux,
Mêlaient d'une façon solennelle et mystique
Les tout-puissants accords de leur riche musique
Aux couleurs du couchant reflété par mes yeux.

C'est là que j'ai vécu dans les voluptés calmes,
10 Au milieu de l'azur, des vagues, des splendeurs
Et des esclaves nus, tout imprégnés d'odeurs,

Qui me rafraîchissaient le front avec des palmes,
Et dont l'unique soin était d'approfondir
Le secret douloureux qui me faisait languir.

BAUDELAIRE, *Les Fleurs du mal*, « Spleen et Idéal », 12.

Questions

1. En étudiant l'énonciation, demandez-vous quelle est la place du poète dans ce sonnet.

2. Montrez l'importance du vécu physique, et particulièrement des sensations.

3. En quoi l'univers évoqué est-il « idéal » ?

4. À quelles périodes vécues ou mythiques peut renvoyer ce poème ?

Une charogne

« Tu m'as donné la boue et j'en ai fait de l'or », écrit Baudelaire (Les Fleurs du mal, reliquat et dossier) : le titre Les Fleurs du mal exprime la volonté de dissocier l'art et la morale et d'instaurer une esthétique du Mal. Dans « Une charogne », la performance poétique consiste même à extraire la beauté de la laideur.

Rappelez-vous l'objet que nous vîmes, mon
[âme,
   Ce beau matin d'été si doux :
Au détour d'un sentier une charogne infâme
   Sur un lit semé de cailloux,

5 Les jambes en l'air, comme une femme lubrique,
   Brûlante et suant les poisons,
Ouvrait d'une façon nonchalante et cynique
   Son ventre plein d'exhalaisons.

Le soleil rayonnait sur cette pourriture,
10   Comme afin de la cuire à point,
Et de rendre au centuple à la grande Nature
   Tout ce qu'ensemble elle avait joint ;

Et le ciel regardait la carcasse superbe
   Comme une fleur s'épanouir.
15 La puanteur était si forte, que sur l'herbe
   Vous crûtes vous évanouir.

Les mouches bourdonnaient sur ce ventre putride,
   D'où sortaient de noirs bataillons
De larves, qui coulaient comme un épais liquide
20   Le long de ces vivants haillons.

Tout cela descendait, montait comme une vague,
   Ou s'élançait en pétillant ;
On eût dit que le corps, enflé d'un souffle vague,
   Vivait en se multipliant.

25 Et ce monde rendait une étrange musique,
   Comme l'eau courante et le vent,
Ou le grain qu'un vanneur d'un mouvement
[rythmique
   Agite et tourne dans son van.

Les formes s'effaçaient et n'étaient plus qu'un rêve,
30   Une ébauche lente à venir,
Sur la toile oubliée, et que l'artiste achève
   Seulement par le souvenir.

Derrière les rochers une chienne inquiète
   Nous regardait d'un œil fâché,
35 Épiant le moment de reprendre au squelette
   Le morceau qu'elle avait lâché.

– Et pourtant vous serez semblable à cette ordure,
   À cette horrible infection,
Étoile de mes yeux, soleil de ma nature,
40   Vous, mon ange et ma passion !

Oui ! telle vous serez, ô la reine des grâces,
   Après les derniers sacrements,
Quand vous irez, sous l'herbe et les floraisons
[grasses,
   Moisir parmi les ossements.

45 Alors, ô ma beauté ! dites à la vermine
   Qui vous mangera de baisers,
Que j'ai gardé la forme et l'essence divine
   De mes amours décomposés !

BAUDELAIRE, *Les Fleurs du mal*, « Spleen et Idéal », 29.

Questions

1. À qui s'adresse le poète ? Sur quel ton ? La *leçon* du poème n'est-elle pas, apparemment, traditionnelle ?
2. Montrez comment la charogne devient une œuvre d'art. Comment sont traitées ici la beauté et la laideur ?
3. Étudiez les thèmes du temps, de la vie et de la mort.
4. « ... dites à la vermine / Qui vous mangera de baisers » : quel désir s'exprime ici ?

Le Balcon

À l'été 1856, Baudelaire décide de rompre avec Jeanne Duval. La dégradation des relations amoureuses est perceptible dans ce poème qui, par son décor, annonce les « Tableaux parisiens ».

Mère des souvenirs, maîtresse des maîtresses,
Ô toi, tous mes plaisirs ! ô toi, tous mes devoirs !
Tu te rappelleras la beauté des caresses,
La douceur du foyer et le charme des soirs,
5 Mère des souvenirs, maîtresse des maîtresses !

Les soirs illuminés par l'ardeur du charbon,
Et les soirs au balcon, voilés de vapeurs roses.
Que ton sein m'était doux ! que ton cœur m'était
[bon !
Nous avons dit souvent d'impérissables choses
10 Les soirs illuminés par l'ardeur du charbon.

Que les soleils sont beaux dans les chaudes soirées !
Que l'espace est profond ! que le cœur est
[puissant !
En me penchant vers toi, reine des adorées,
Je croyais respirer le parfum de ton sang.
15 Que les soleils sont beaux dans les chaudes soirées !

La nuit s'épaississait ainsi qu'une cloison,
Et mes yeux dans le noir devinaient tes prunelles,
Et je buvais ton souffle, ô douceur ! ô poison !
Et tes pieds s'endormaient dans mes mains
[fraternelles.
20 La nuit s'épaississait ainsi qu'une cloison.

Je sais l'art d'évoquer les minutes heureuses,
Et revis mon passé blotti dans tes genoux.
Car à quoi bon chercher tes beautés langoureuses
Ailleurs qu'en ton cher corps et qu'en ton cœur
[si doux ?
25 Je sais l'art d'évoquer les minutes heureuses !

Ces serments, ces parfums, ces baisers infinis,
Renaîtront-ils d'un gouffre interdit à nos sondes,
Comme montent au ciel les soleils rajeunis
Après s'être lavés au fond des mers profondes ?
30 – Ô serments ! ô parfums ! ô baisers infinis !

BAUDELAIRE, *Les Fleurs du mal,* « Spleen et Idéal », 36.

BAUDELAIRE, *Portrait de Jeanne Duval.*
Paris, musée du Louvre.
Photo © RMN-Michèle Bellot.

Questions

1. Quelle particularité de construction présente ce poème ? Quel est l'effet produit ?

2. De quelle nature est la réminiscence ? Comment s'exprime l'idée du bonheur ? Comment est suggérée la dégradation des relations amoureuses ?

3. Tentez de cerner le lyrisme du poème. Quels sont les procédés rhétoriques et métriques ? Analysez notamment l'émotion qui se dégage de la quatrième strophe.

Réversibilité

Selon le dogme catholique de la communion des saints,
les mérites sont « réversibles » : l'ensemble des croyants
bénéficient de la vertu des justes qui « retombe » sur eux.

Ange[1] plein de gaieté, connaissez-vous l'angoisse,
La honte, les remords, les sanglots, les ennuis,
Et les vagues terreurs de ces affreuses nuits
Qui compriment le cœur comme un papier qu'on froisse ?
5 Ange plein de gaieté, connaissez-vous l'angoisse ?

Ange plein de bonté, connaissez-vous la haine,
Les poings crispés dans l'ombre et les larmes de fiel,
Quand la Vengeance bat son infernal rappel,
Et de nos facultés se fait le capitaine ?
10 Ange plein de bonté, connaissez-vous la haine ?

Ange plein de santé, connaissez-vous les Fièvres,
Qui, le long des grands murs de l'hospice blafard,
Comme des exilés, s'en vont d'un pied traînard,
Cherchant le soleil rare et remuant les lèvres ?
15 Ange plein de santé, connaissez-vous les Fièvres ?

Ange plein de beauté, connaissez-vous les rides,
Et la peur de vieillir, et ce hideux tourment
De lire la secrète horreur du dévouement
Dans des yeux où longtemps burent nos yeux avides ?
20 Ange plein de beauté, connaissez-vous les rides ?

Ange plein de bonheur, de joie et de lumières,
David mourant aurait demandé la santé[2]
Aux émanations de ton corps enchanté ;
Mais de toi je n'implore, ange, que tes prières,
25 Ange plein de bonheur, de joie et de lumières !

BAUDELAIRE, *Les Fleurs du mal*, « Spleen et Idéal », 44.

CLESINGER, *Buste de Madame Sabatier*.
Paris, musée du Louvre.
● Photo © Lauros-Giraudon.

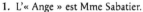

1. L'« Ange » est Mme Sabatier.
2. Amenée au roi David, la jeune Abizaïg devait lui redonner la santé. (Bible, *Rois*, III, 1).

Questions

1. En quoi la composition du poème lui donne-t-elle l'allure d'un chant liturgique ?
2. Comment la femme est-elle représentée ici ?
3. Analysez l'autoportrait que Baudelaire offre à la femme aimée et au lecteur. Peut-on parler ici d'un sado-masochisme du poète ?
4. Recherchez le sens étymologique de l'adjectif *mystique*. Faites apparaître le caractère mystique de ce poème.

L'Invitation au voyage

Ce poème appartient au cycle
de Marie Daubrun.

Mon enfant, ma sœur,
Songe à la douceur
D'aller là-bas vivre ensemble !
Aimer à loisir,
5   Aimer et mourir
Au pays qui te ressemble !
Les soleils mouillés
De ces ciels brouillés
Pour mon esprit ont les charmes
10   Si mystérieux
De tes traîtres yeux,
Brillant à travers leurs larmes.

Là, tout n'est qu'ordre et beauté,
Luxe, calme et volupté.

Questions

1. Identifiez et étudiez les paysages qui composent ce poème. Analysez les correspondances.

2. Quelle image de la femme se dégage du texte ?

3. Quels sont les thèmes abordés à travers le voyage ?

4. Mettez en évidence la musicalité du poème, en particulier du refrain.

15   Des meubles luisants,
      Polis par les ans,
Décoreraient notre chambre ;
    Les plus rares fleurs
    Mêlant leurs odeurs
20 Aux vagues senteurs de l'ambre,
    Les riches plafonds,
    Les miroirs profonds,
La splendeur orientale,
    Tout y parlerait
25   À l'âme en secret
Sa douce langue natale.

Là, tout n'est qu'ordre et beauté,
Luxe, calme et volupté.

    Vois sur ces canaux
30   Dormir ces vaisseaux
Dont l'humeur est vagabonde ;
    C'est pour assouvir
    Ton moindre désir
Qu'ils viennent du bout du monde.
35   – Les soleils couchants
    Revêtent les champs,
Les canaux, la ville entière,
    D'hyacinthe et d'or ;
    Le monde s'endort
40 Dans une chaude lumière.

Là, tout n'est qu'ordre et beauté,
Luxe, calme et volupté.

BAUDELAIRE, Les Fleurs du mal, « Spleen et Idéal », 53.

Spleen

Le « Spleen » baudelairien ne doit pas être conçu comme une vague tristesse, mais comme un état dépressif profond. L'« Idéal » est un état presque exclusivement euphorique.

Quand le ciel bas et lourd pèse comme un couvercle
Sur l'esprit gémissant en proie aux longs ennuis,
Et que de l'horizon embrassant tout ce cercle
Il nous verse un jour noir plus triste que les nuits ;

5 Quand la terre est changée en un cachot humide,
Où l'Espérance, comme une chauve-souris,
S'en va battant les murs de son aile timide
Et se cognant la tête à des plafonds pourris ;

Quand la pluie étalant ses immenses traînées
10 D'une vaste prison imite les barreaux,
Et qu'un peuple muet d'infâmes araignées
Vient tendre ses filets au fond de nos cerveaux,

Des cloches tout à coup sautent avec furie
Et lancent vers le ciel un affreux hurlement,
15 Ainsi que des esprits errants et sans patrie
Qui se mettent à geindre opiniâtrement.

– Et de longs corbillards, sans tambours ni musique,
Défilent lentement dans mon âme ; l'Espoir,
Vaincu, pleure, et l'Angoisse atroce, despotique,
20 Sur mon crâne incliné plante son drapeau noir.

BAUDELAIRE, Les Fleurs du mal, « Spleen et Idéal », 78.

Questions

1. Sur quelle structure grammaticale est composé le poème ?

2. Comment l'espace est-il présenté dans les trois premiers quatrains ?

3. En quoi les deux derniers quatrains sont-ils à la fois liés et opposés ?

4. Tentez de discerner les aspects physique (étude des sensations) et psychologique (étude des sentiments) du Spleen.

5. Peut-on dire que le Spleen est aggravé par la nostalgie de l'Idéal ?

Les Fleurs du mal, « Tableaux parisiens »

[1857]

Dans les « Tableaux parisiens », la réflexion sur la condition humaine se poursuit à travers la ville moderne.

À une passante

La rue assourdissante autour de moi hurlait.
Longue, mince, en grand deuil, douleur majestueuse,
Une femme passa, d'une main fastueuse
Soulevant, balançant le feston et l'ourlet ;

5 Agile et noble, avec sa jambe de statue.
Moi, je buvais, crispé comme un extravagant,
Dans son œil, ciel livide où germe l'ouragan,
La douceur qui fascine et le plaisir qui tue.

Un éclair... puis la nuit ! – Fugitive beauté
10 Dont le regard m'a fait soudainement renaître,
Ne te verrai-je plus que dans l'éternité ?

Ailleurs, bien loin d'ici ! trop tard ! *jamais* peut-être !
Car j'ignore où tu fuis, tu ne sais où je vais,
Ô toi que j'eusse aimée, ô toi qui le savais !

BAUDELAIRE, *Les Fleurs du mal*, « Tableaux parisiens », 93.

PAUL GAVARNI (1804-1866). *La Bourgeoise.*
Paris, musée Carnavalet. © musée de la ville de Paris.
Photo Giraudon.

Questions

1. Analysez le thème de la rencontre et la vision de la femme.
2. En étudiant l'évocation du temps, distinguez ce qui est éphémère et ce qui est durable.
3. Comment retrouve-t-on ici l'opposition entre le Spleen et l'Idéal ? Commentez de ce point de vue le premier hémistiche du vers 9.
4. Peut-on parler d'une modernité du sujet et d'un classicisme de la forme poétique ?

« La servante au grand cœur dont vous étiez jalouse... »

Baudelaire s'adresse ici à sa mère. Il se souvient de la servante Mariette, qui s'occupa de lui jusqu'à l'âge de dix ans.

La servante au grand cœur dont vous étiez jalouse,
Et qui dort son sommeil sous une humble pelouse,
Nous devrions pourtant lui porter quelques fleurs.
Les morts, les pauvres morts, ont de grandes douleurs,

Q u e s t i o n s

1. Quelle image de la servante apparaît dans le poème ?

2. Mettez en évidence les antithèses entre le monde des morts et le monde des vivants dans la première strophe.

3. En quoi les vers 1-14 s'opposent-ils aux vers 15-22 ?

4. Quelles sont les diverses tonalités du poème ?

5. Quelle est la finalité du poème d'après vous : faire l'éloge de la servante ? provoquer la souffrance de la mère ? exprimer un état de Spleen ?

5 Et quand Octobre souffle, émondeur des vieux arbres,
Son vent mélancolique à l'entour de leurs marbres,
Certe, ils doivent trouver les vivants bien ingrats,
À dormir, comme ils font, chaudement dans leurs draps,
Tandis que, dévorés de noires songeries,
10 Sans compagnon de lit, sans bonnes causeries,
Vieux squelettes gelés travaillés par le ver,
Ils sentent s'égoutter les neiges de l'hiver
Et le siècle couler, sans qu'amis ni famille
Remplacent les lambeaux qui pendent à leur grille.

15 Lorsque la bûche siffle et chante, si le soir,
Calme, dans le fauteuil je la voyais s'asseoir,
Si, par une nuit bleue et froide de décembre,
Je la trouvais tapie en un coin de ma chambre,
Grave, et venant du fond de son lit éternel
20 Couver l'enfant grandi de son œil maternel,
Que pourrais-je répondre à cette âme pieuse,
Voyant tomber des pleurs de sa paupière creuse ?

BAUDELAIRE, *Les Fleurs du mal*, « Tableaux parisiens », 100.

Les Fleurs du mal, « La Mort »
[1857]

L'*itinéraire initiatique des* Fleurs du mal *conduit au seuil de la mort, c'est-à-dire de l'*inconnu.

La Mort des amants

Nous aurons des lits pleins d'odeurs légères,
Des divans profonds comme des tombeaux,
Et d'étranges fleurs sur des étagères,
Écloses pour nous sous des cieux plus beaux.

5 Usant à l'envi leurs chaleurs dernières,
Nos deux cœurs seront deux vastes flambeaux,
Qui réfléchiront leurs doubles lumières
Dans nos deux esprits, ces miroirs jumeaux.

Un soir fait de rose et de bleu mystique,
10 Nous échangerons un éclair unique,
Comme un long sanglot, tout chargé d'adieux ;

Et plus tard un Ange, entr'ouvrant les portes,
Viendra ranimer, fidèle et joyeux,
Les miroirs ternis et les flammes mortes.

BAUDELAIRE, *Les Fleurs du mal*, « La Mort », 121.

Q u e s t i o n s

1. Mettez en évidence la structure temporelle du sonnet.
2. Étudiez le décor, notamment les jeux de lumière.
3. Montrez comment le poème joue du double et de l'unité.
4. Précisez le lien entre l'amour et la mort.

Les Fleurs du mal, « Pièces condamnées »

[1857]

Les Bijoux

Ce poème fut vraisemblablement composé pour Jeanne Duval.

La très chère était nue, et, connaissant mon
[cœur,
Elle n'avait gardé que ses bijoux sonores,
Dont le riche attirail lui donnait l'air vainqueur
Qu'ont dans leurs jours heureux les esclaves
[des Mores.

5 Quand il jette en dansant son bruit vif et moqueur,
Ce monde rayonnant de métal et de pierre
Ma ravit en extase, et j'aime à la fureur
Les choses où le son se mêle à la lumière.

Elle était donc couchée et se laissait aimer,
10 Et du haut du divan elle souriait d'aise
À mon amour profond et doux comme la mer,
Qui vers elle montait comme vers sa falaise.

Les yeux fixés sur moi, comme un tigre dompté,
D'un air vague et rêveur elle essayait des poses,
15 Et la candeur unie à la lubricité
Donnait un charme neuf à ses métamorphoses ;

Et son bras et sa jambe, et sa cuisse et ses reins,
Polis comme de l'huile, onduleux comme un
[cygne,
Passaient devant mes yeux clairvoyants et sereins ;
20 Et son ventre et ses seins, ces grappes de ma
[vigne,

S'avançaient, plus câlins que les Anges du mal,
Pour troubler le repos où mon âme était mise,
Et pour la déranger du rocher de cristal
Où, calme et solitaire, elle s'était assise.

25 Je croyais voir unis par un nouveau dessin
Les hanches de l'Antiope[1] au buste d'un imberbe,
Tant sa taille faisait ressortir son bassin.
Sur ce teint fauve et brun le fard était superbe !

– Et la lampe s'étant résignée à mourir,
30 Comme le foyer seul illuminait la chambre,
Chaque fois qu'il poussait un flamboyant soupir,
Il inondait de sang cette peau couleur d'ambre !

BAUDELAIRE, *Les Fleurs du mal*, « Pièces condamnées ».

● EUGÈNE DELACROIX (1798-1863). *Odalisque*. Paris, musée du Louvre. Photo © RMN-Jean.

1. Fille du roi de Thèbes. Célèbre pour sa beauté, elle fut séduite par Zeus métamorphosé en satyre.

Questions

1. Étudiez les assimilations successives auxquelles la femme est soumise.

2. Relevez le champ lexical du mouvement ?

3. Repérez quelques vers qui mettent en évidence l'articulation de la nature et de l'artifice. Interrogez-vous sur le statut de la nudité.

4. Tentez de caractériser l'érotisme du poème.

Petits Poèmes en prose, « Le Spleen de Paris »

[1869]

« *Quel est celui de nous qui n'a pas, dans ses jours d'ambition, rêvé le miracle d'une prose poétique, musicale sans rythme et sans rime, assez souple et assez heurtée pour s'adapter aux mouvements lyriques de l'âme, aux ondulations de la rêverie, aux soubresauts de la conscience ? C'est surtout de la fréquentation des villes énormes, c'est du croisement de leurs innombrables rapports que naît cet idéal obsédant* » (à Arsène Houssaye, Petits Poèmes en prose).
La modernité baudelairienne aboutit à l'exigence d'une poétique de la ville.

Les Foules

Il n'est pas donné à chacun de prendre un bain de multitude : jouir de la foule est un art ; et celui-là seul peut faire, aux dépens du genre humain, une ribote[1] de vitalité, à qui une fée a
5 insufflé dans son berceau le goût du travestissement et du masque, la haine du domicile et la passion du voyage.

Multitude, solitude : termes égaux et convertibles pour le poète actif et fécond. Qui ne sait
10 pas peupler sa solitude, ne sait pas non plus être seul dans une foule affairée.

Le poète jouit de cet incomparable privilège, qu'il peut à sa guise être lui-même et autrui. Comme ces âmes errantes qui cherchent un
15 corps, il entre, quand il veut, dans le personnage de chacun. Pour lui seul, tout est vacant ; et si de certaines places paraissent lui être fermées, c'est qu'à ses yeux elles ne valent pas la peine d'être visitées.

20 Le promeneur solitaire et pensif tire une singulière ivresse de cette universelle communion. Celui-là qui épouse facilement la foule connaît des jouissances fiévreuses, dont seront éternellement privés l'égoïste, fermé comme un coffre, et
25 le paresseux, interné comme un mollusque. Il adopte comme siennes toutes les professions, toutes les joies et toutes les misères que la circonstance lui présente.

Ce que les hommes nomment amour est bien
30 petit, bien restreint et bien faible, comparé à cette ineffable orgie, à cette sainte prostitution de l'âme qui se donne tout entière, poésie et charité, à l'imprévu qui se montre, à l'inconnu qui passe.

35 Il est bon d'apprendre quelquefois aux heureux de ce monde, ne fût-ce que pour humilier un instant leur sot orgueil, qu'il est des bonheurs supérieurs au leur, plus vastes et plus raffinés. Les fondateurs de colonies, les pasteurs de
40 peuples, les prêtres missionnaires exilés au bout du monde, connaissent sans doute quelque chose de ces mystérieuses ivresses ; et, au sein de la vaste famille que leur génie s'est faite, ils doivent rire quelquefois de ceux qui les plaignent
45 pour leur fortune si agitée et pour leur vie si chaste.

BAUDELAIRE, *Petits Poèmes en prose*, « Le Spleen de Paris », XII.

1. Débauche, excès.

Questions

1. « Multitude, solitude » : comment ces deux termes organisent-ils le poème ?
2. En quoi le texte est-il argumentatif ? Que pensez-vous de cette argumentation ?
3. Étudiez les procédés du lyrisme.
4. Comment se posent ici les problèmes de l'identité et du rapport à autrui ?
5. Quelles sont, selon Baudelaire, d'une part la condition de l'homme moderne et d'autre part la condition du poète ?

Le Joujou du pauvre

« *Le joujou est la première initiation de l'enfant à l'art, ou plutôt c'en est pour lui la première réalisation, et, l'âge mûr venu, les réalisations perfectionnées ne donneront pas à son esprit les mêmes chaleurs, ni les mêmes enthousiasmes, ni la même croyance* » (Essais et Nouvelles, « *Morale du joujou* »).
On retrouve ici la conception de l'être humain et l'esthétique qui caractérisent Les Fleurs du mal.

1. Qui rappelle la suie, qui en a la couleur.

Sur une route, derrière la grille d'un vaste jardin, au bout duquel apparaissait la blancheur d'un joli château frappé par le soleil, se tenait un enfant beau et frais, habillé de ces vêtements de campagne si pleins de coquetterie.

Le luxe, l'insouciance et le spectacle habituel de la richesse rendent ces enfants-
5 là si jolis, qu'on les croirait faits d'une autre pâte que les enfants de la médiocrité ou de la pauvreté.

À côté de lui, gisait sur l'herbe un joujou splendide, aussi frais que son maître, verni, doré, vêtu d'une robe pourpre, et couvert de plumets et de verroteries. Mais l'enfant ne s'occupait pas de son joujou préféré, et voici ce qu'il regardait :

10 De l'autre côté de la grille, sur la route, entre les chardons et les orties, il y avait un autre enfant, sale, chétif, fuligineux[1], un de ces marmots-parias dont un œil impartial découvrirait la beauté, si, comme l'œil du connaisseur devine une peinture idéale sous un vernis de carrossier, il le nettoyait de la répugnante patine de la misère.

À travers ces barreaux symboliques séparant deux mondes, la grande route et le
15 château, l'enfant pauvre montrait à l'enfant riche son propre joujou, que celui-ci examinait avidement comme un objet rare et inconnu. Or, ce joujou, que le petit souillon agaçait, agitait et secouait dans une boîte grillée, c'était un rat vivant ! Les parents, par économie sans doute, avaient tiré le joujou de la vie elle-même.

Et les deux enfants se riaient l'un à l'autre fraternellement, avec des dents d'une
20 *égale* blancheur.

BAUDELAIRE, *Petits Poèmes en prose*, « Le Spleen de Paris », XIX, extrait.

Questions

1. Déterminez la structure spatiale de l'extrait.
2. Montrez que les deux enfants s'opposent et se ressemblent.
3. Comparez les présentations respectives des deux « joujoux ». Comment se justifie le titre du poème ?
4. Comment comprenez-vous la dernière phrase du texte ? La représentation des enfants est-elle rassurante ou satanique ?

LE POÈME EN PROSE

Jusqu'au XIXᵉ siècle, la poésie, définie essentiellement par le respect des règles de métrique et des formes fixes, s'oppose à la prose, supposée n'obéir à aucune contrainte autre que syntaxique. Cette distinction s'efface avec les publications du Centaure *(1840) de Maurice de Guérin et de* Gaspard de la nuit *(1842) d'Aloysius Bertrand, où apparaît le poème en prose.*

■ De la prose poétique au poème en prose

Au siècle précédent, *La Nouvelle Héloïse* (1761), *Les Confessions* (1781-1788) ou encore les *Rêveries du promeneur solitaire* (1782) de Rousseau répondent aux critères formels de la prose mais ont manifestement une dimension poétique. Au début du XIXᵉ siècle, la prose de Chateaubriand, dans *René* (1802) ou dans les *Mémoires d'outre-tombe* (1848-1850), présente aussi ce caractère. L'éclosion du poème en prose est donc précédée par l'essor d'une prose poétique.

C'est au siècle du romantisme, mouvement qui refuse les séparations entre les genres littéraires, que naît ce nouveau mode d'écriture qu'est le poème en prose. Il exprime une révolte contre les conventions poétiques antérieures et une revendication de liberté et de spontanéité.

Les thèmes traités, dans leur diversité, renouvellent profondément la poésie. Ainsi pourra-t-on rechercher dans les poèmes en prose de Bertrand, de Baudelaire, de Lautréamont, de Rimbaud et de Mallarmé une poétique de la ville moderne, un nouveau rapport entre le rêve et l'écriture, un regard neuf sur les objets ou encore une mise en cause de l'homme et de Dieu. De même qu'il refuse d'opposer la prose et la poésie, le poème en prose ne hiérarchise pas les sujets. Enfin, tous ces poètes, notamment dans leurs poèmes en prose, sont « modernes » en ce sens qu'ils s'interrogent sur le langage.

■ Comment distinguer la prose poétique et le poème en prose ?

La *prosa oratio,* comme son nom l'indique, va « droit devant elle ». Le modèle de la narration, qui subit certes des variations d'un texte à l'autre, trouve son unité dans un ordre linéaire et logique, qui respecte la continuité syntaxique et sémantique. Le plus souvent, la prose poétique tire son caractère « poétique » seulement de recherches prosodiques.

Ces recherches prosodiques caractérisent aussi le poème en prose. Mais ce dernier s'écarte de la *prosa oratio* selon deux tendances. La première correspond à un renforcement de l'unité du texte par un jeu de récurrences, de symétries ou d'oppositions qui le clôt sur lui-même et rappelle le poème en vers. En effet, le *versus* (= le vers) est ce qui « se répète à l'identique », ce qui « fait retour ». La seconde tendance est l'éclatement anarchique du texte, la fragmentation, la discontinuité. La cohérence du texte est alors moins apparente, plus difficile à déceler.

D'une tendance à l'autre, on note des constantes : outre le travail prosodique précédemment évoqué, la primauté est attribuée aux images, et des procédés réputés prosaïques (ruptures de construction, usage d'un vocabulaire concret) sont alliés à des figures poétiques.

GUSTAVE CAILLEBOTTE (1848-1894), *Le Pont de l'Europe* (esquisse). Coll. particulière. Photo © BL-Giraudon.

Lautréamont
(1846-1870)

Portrait imaginaire par FÉLIX VALLOTON.
● Photo © Roger-Viollet.

ISIDORE DUCASSE (dit comte de Lautréamont) naît à Montevideo, en 1846, de parents français. Sa mère meurt alors qu'il a un an et huit mois. Il fait des études classiques aux lycées de Tarbes et de Pau, puis, probablement sans avoir obtenu le baccalauréat, vient s'installer à Paris. En 1869, il fait éditer à compte d'auteur *Les Chants de Maldoror*, sous le pseudonyme de Comte de Lautréamont. Mais son éditeur, effrayé par le caractère subversif de l'ouvrage, ne le met pas en vente. Lautréamont promet alors – sincérité ou ironie – d'écrire un livre de repentir et de sagesse, dont il n'aura le temps de rédiger que la préface *(Poésies I et II)*. Il meurt pendant le siège de Paris, à vingt-quatre ans.

Le discours de Maldoror, tantôt virulent, tantôt faussement suave, montre l'être humain dans toutes ses perversions. Halluciné de solitude, Maldoror invective Dieu, les hommes et sa propre personne. Mais, par son écriture, c'est à l'idée même de littérature qu'il s'en prend : l'éloquence ostentatoire, l'accumulation de figures de rhétorique et la volonté affirmée de « crétiniser le lecteur » font des *Chants* une attaque parodique contre la littérature tout entière. À partir de 1920, les surréalistes réhabiliteront cette œuvre longtemps ignorée ou méconnue.

Les Chants de Maldoror
[1869]

On ne connaît même pas le visage d'Isidore Ducasse, qui se dissimule sous le pseudonyme de Lautréamont, et dont la biographie demeure hypothétique et lacunaire. Ce célèbre autoportrait de Maldoror n'en est que plus fascinant.

Je suis sale. Les poux me rongent. Les pourceaux, quand ils me regardent, vomissent. Les croûtes et les escarres de la lèpre ont écaillé ma peau, couverte de pus jaunâtre. Je ne connais pas l'eau des fleuves, ni la rosée des nuages. Sur ma nuque, comme sur un fumier, pousse un énorme champignon, aux pédoncules
5 ombellifères. Assis sur un meuble informe, je n'ai pas bougé mes membres depuis quatre siècles. Mes pieds ont pris racine dans le sol et composent, jusqu'à mon ventre, une sorte de végétation vivace, remplie d'ignobles parasites, qui ne dérive pas encore de la plante, et qui n'est plus de la chair. Cependant mon cœur bat. Mais comment battrait-il, si la pourriture et les exhalaisons de mon cadavre
10 (je n'ose pas dire corps) ne le nourrissaient abondamment ? Sous mon aisselle

gauche, une famille de crapauds a pris résidence, et, quand l'un d'eux remue, il me fait des chatouilles. Prenez garde qu'il ne s'en échappe un, et ne vienne gratter, avec sa bouche, le dedans de votre oreille : il serait ensuite capable d'entrer dans votre cerveau. Sous mon aisselle droite, il y a un caméléon qui leur fait une chasse perpétuelle, afin de ne pas mourir de faim : il faut que chacun vive. Mais, quand un parti déjoue complètement les ruses de l'autre, ils ne trouvent rien de mieux que de ne pas se gêner, et sucent la graisse délicate qui couvre mes côtes : j'y suis habitué. Une vipère méchante a dévoré ma verge et a pris sa place : elle m'a rendu eunuque, cette infâme. Oh ! si j'avais pu me défendre avec mes bras paralysés ; mais, je crois plutôt qu'ils se sont changés en bûches. Quoi qu'il en soit, il importe de constater que le sang ne vient plus y promener sa rougeur. Deux petits hérissons, qui ne croissent plus, ont jeté à un chien, qui n'a pas refusé, l'intérieur de mes testicules : l'épiderme, soigneusement lavé, ils ont logé dedans. L'anus a été intercepté par un crabe ; encouragé par mon inertie, il garde l'entrée avec ses pinces, et me fait beaucoup de mal ! Deux méduses ont franchi les mers, immédiatement alléchées par un espoir qui ne fut pas trompé. Elles ont regardé avec attention les deux parties charnues qui forment le derrière humain, et, se cramponnant à leur galbe convexe, elles les ont tellement écrasées par une pression constante, que les deux morceaux de chair ont disparu, tandis qu'il est resté deux monstres, sortis du royaume de la viscosité, égaux par la couleur, la forme et la férocité. Ne parlez pas de ma colonne vertébrale, puisque c'est un glaive. Oui, oui... je n'y faisais pas attention... votre demande est juste. Vous désirez savoir, n'est-ce pas, comment il se trouve implanté verticalement dans mes reins ? Moi-même, je ne me le rappelle pas très clairement ; cependant, si je me décide à prendre pour un souvenir ce qui n'est peut-être qu'un rêve, sachez que l'homme, quand il a su que j'avais fait vœu de vivre avec la maladie et l'immobilité jusqu'à ce que j'eusse vaincu le Créateur, marcha, derrière moi, sur la pointe des pieds, mais, non pas si doucement, que je ne l'entendisse. Je ne perçus plus rien, pendant un instant qui ne fut pas long. Ce poignard aigu s'enfonça, jusqu'au manche, entre les deux épaules du taureau des fêtes[1], et son ossature frissonna, comme un tremblement de terre.

LAUTRÉAMONT, *Les Chants de Maldoror*, IV, 4.

Questions

1. Analysez la composition du bestiaire maléfique de Lautréamont.
2. Comment s'exprime ici la haine de soi et de l'homme ?
3. Quels rapports Maldoror entretient-il avec son lecteur ?
4. En quoi ce texte est-il parodique ?

Paul Verlaine

(1844-1896)

Photo de DORNAC.
● © Archives Larousse-Giraudon.

PAUL VERLAINE, né à Metz en 1844, est l'enfant unique et tardif d'une famille bourgeoise, qui, en 1851, s'installe à Paris. Il obtient le baccalauréat en 1862 et devient expéditionnaire à l'Hôtel de Ville de Paris. En 1866, il publie son premier recueil, les **Poèmes saturniens**. Déjà les disparitions de son père et d'une cousine aimée le conduisent à boire de l'absinthe. En 1869, paraissent les **Fêtes galantes**. En 1870, **La Bonne Chanson** est dédiée à la jeune Mathilde Mauté, qu'il épouse cette même année. Se réjouissant de la proclamation de la République, il s'engage dans la Garde nationale pendant le siège de Paris. En mars 1871, il adhère à la Commune. Au mois de juin, pour échapper à la répression, il s'éloigne de la capitale, mais il perd définitivement son emploi. C'est en septembre qu'après un échange de correspondances, il accueille à Paris Arthur Rimbaud, poète âgé de dix-sept ans. Commence alors une liaison homosexuelle, accompagnée d'errances, de beuveries et de violences. En 1873, à Bruxelles, en état d'ébriété, Verlaine tire deux coups de revolver sur son jeune compagnon. Condamné à deux ans de prison, il est incarcéré à Mons. En 1874, année de parution de **Romances sans paroles**, sa femme obtient la séparation de corps et de biens. Durant sa détention, il revient à la foi de sa jeunesse et entreprend des efforts de redressement qui s'exprimeront notamment dans **Sagesse** (1881). À sa sortie de prison, il devient professeur en Angleterre. Revenu en France en 1877, il enseigne chez les Jésuites de Rethel, dans les Ardennes, où il éprouve un sentiment assez trouble pour un de ses élèves, Lucien Létinois, qui mourra en 1883. En 1884, il réunit sous le titre **Les Poètes maudits** des monographies consacrées notamment à Villiers de L'Isle-Adam, à Mallarmé, ainsi qu'à Rimbaud, et fait paraître **Jadis et Naguère**, où, dans « Art poétique », il édicte sa doctrine. Poète désormais reconnu, il est appelé pour des conférences dans divers pays d'Europe. Mais, en même temps, il sombre dans la déchéance alcoolique et est emprisonné, en 1885, pour avoir fait subir des violences à sa mère. Séjournant tantôt à l'hôpital tantôt dans les hôtels du Quartier Latin, il croit trouver du secours auprès de prostituées, qui, en réalité, le dépouillent cyniquement. Il meurt en 1896.

Verlaine donne aux images, aux sensations et aux sonorités la priorité sur les idées. Sa poésie se caractérise par une sensualité souvent tourmentée et une musicalité qui, par le recours au vers impair et un usage nouveau du rythme ainsi que de la rime, joue de l'harmonie et parfois de la dissonance. Elle témoigne d'un écartèlement permanent entre l'appel d'une volupté destructrice et la nostalgie d'une hypothétique pureté. Verlaine est un poète réputé accessible en raison de l'apparente simplicité de ses vers et de l'hésitation prétendument rassurante qu'ils expriment entre la transgression et un relatif conformisme. En fait, le chant de ce velléitaire, toujours en retrait par rapport à la radicalité rimbaldienne, a une dimension tragique.

Poèmes saturniens

━━━━━━━━ *[1866]*

Certains poèmes de ce recueil, dont Élisa Moncomble, cousine aimée est l'inspiratrice, furent publiés dans le premier volume du Parnasse contemporain (1866). Verlaine était né sous le signe de Saturne, ce qui explique en partie le titre de l'ouvrage.

Nevermore[1]

Souvenir, souvenir, que me veux-tu ? [L'automne
faisait voler la grive à travers l'air atone,
Et le soleil dardait un rayon monotone
Sur le bois jaunissant où la bise détone.

5 Nous étions seul à seule et marchions en rêvant,
Elle et moi, les cheveux et la pensée au vent.
Soudain, tournant vers moi son regard émouvant :
« Quel fut ton plus beau jour ? » fit sa voix d'or
[vivant,

Sa voix douce et sonore, au frais timbre angélique.
10 Un sourire discret lui donna la réplique,
Et je baisai sa main blanche, dévotement.

– Ah ! les premières fleurs, qu'elles sont parfumées !
Et qu'il bruit avec un murmure charmant
Le premier *oui* qui sort de lèvres bien-aimées !

VERLAINE, *Poèmes saturniens.*

----

1. *Nevermore* (anglais) : jamais plus.

Questions

1. Analysez le titre du poème. Vous paraît-il approprié ? Justifiez votre point de vue.
2. Quelle est la fonction du paysage ?
3. Quels effets sonores vous semblent remarquables ? Pourquoi ?
4. Quelle représentation du couple se dégage du sonnet ?

Mon rêve familier

Je fais souvent ce rêve étrange et pénétrant
D'une femme inconnue, et que j'aime, et qui
[m'aime
Et qui n'est, chaque fois, ni tout à fait la même
Ni tout à fait une autre, et m'aime et me
comprend.

5 Car elle me comprend, et mon cœur, transparent
Pour elle seule, hélas ! cesse d'être un problème
Pour elle seule, et les moiteurs de mon front
blême,
Elle seule les sait rafraîchir, en pleurant.

Est-elle brune, blonde ou rousse ? – Je l'ignore.
10 Son nom ? Je me souviens qu'il est doux et sonore
Comme ceux des aimés que la Vie exila.

Son regard est pareil au regard des statues,
Et, pour sa voix, lointaine, et calme, et grave, elle a
L'inflexion des voix chères qui se sont tues.

VERLAINE, *Poèmes saturniens.*

Questions

1. Peut-on dire que, d'un point de vue sémantique et stylistique à la fois, le premier vers caractérise tout le poème ?
2. Repérez les procédés incantatoires.
3. Étudiez les caractéristiques de la femme idéale.
4. Quelle est ici la fonction du rêve ?

Fêtes galantes
[1869]

Théophile Gautier, dans « Carnaval » (Émaux et Camées) (voir p. 391), avait déjà ressuscité les personnages de la commedia dell'arte (voir p. 160). Par ailleurs, les Goncourt, en 1860, consacrèrent une étude, que Verlaine connaissait, à Watteau, dont les paysages mélancoliques et les scènes élégamment libertines sont caractéristiques de l'esthétique du XVIIIᵉ siècle. Ces deux références donnent leur unité aux Fêtes galantes. Toutefois la galanterie de ces fêtes, une fois le jeu des apparences dissipé, laisse poindre le désenchantement verlainien.

Clair de lune

Votre âme est un paysage choisi
Que vont charmant masques et bergamasques[1],
Jouant du luth, et dansant, et quasi
Tristes sous leurs déguisements fantasques.

5 Tout en chantant sur le mode mineur
L'amour vainqueur et la vie opportune,
Ils n'ont pas l'air de croire à leur bonheur
Et leur chanson se mêle au clair de lune,

Au calme clair de lune triste et beau,
10 Qui fait rêver les oiseaux dans les arbres
Et sangloter d'extase les jets d'eau,
Les grands jets d'eau svelte parmi les marbres.

VERLAINE, *Fêtes galantes.*

1. Habitants de Bergame.
Danses de Bergame.

> **Questions**
>
> 1. Étudiez le jeu des apparences et de la réalité.
> 2. Le ton est-il ici uniquement « galant » ?
> 3. Quelle est la place de la musique dans ce poème ?
> 4. En quoi peut-on parler d'échos baudelairiens dans ce poème ?

ADOLPHE-JOSEPH MONTICELLI (1824-1886),
Sérénade dans un parc. Paris, musée du Louvre.
Photo © R.M.N. -Hervé Lewandowski.

Colombine

Léandre[1], le sot,
Pierrot qui d'un saut
De puce
Franchit le buisson,
Cassandre sous son
Capuce[2],

Arlequin aussi,
Cet aigrefin[3] si
Fantasque,

Aux costumes fous,
Ses yeux luisant sous
Son masque,

– Do, mi, sol, mi, fa –
Tout ce monde va,
Rit, chante
Et danse devant
Une belle enfant
Méchante

Dont les yeux pervers
Comme les yeux verts
Des chattes
Gardent ses appas
Et disent : « À bas
Les pattes ! »

– Eux ils vont toujours ! –
Fatidique cours
Des astres,
Oh ! dis-moi vers quels
Mornes ou cruels
Désastres

L'implacable enfant,
Preste et relevant
Ses jupes,
La rose au chapeau,
Conduit son troupeau
De dupes ?

VERLAINE, *Fêtes galantes*.

Questions

1. Analysez les éléments qui font de ce poème une scène de commedia dell'arte.
2. Caractérisez le personnage de Colombine.
3. Comment passe-t-on de la comédie à la tragédie ?

1. Personnage d'amoureux dans la comédie italienne. Pour les autres personnages, voir Théophile Gautier, « Carnaval », *Émaux et Camées*, p. 391.
2. Capuchon taillé en pointe.
3. Homme rusé.

Colloque sentimental

Dans le vieux parc solitaire et glacé,
Deux formes ont tout à l'heure passé.

Leurs yeux sont morts et leurs lèvres sont molles,
Et l'on entend à peine leurs paroles.

Dans le vieux parc solitaire et glacé,
Deux spectres ont évoqué le passé.

– Te souvient-il de notre extase ancienne ?
– Pourquoi voulez-vous donc qu'il m'en souvienne ?

– Ton cœur bat-il toujours à mon seul nom ?
Toujours vois-tu mon âme en rêve ? – Non.

– Ah ! les beaux jours de bonheur indicible
Où nous joignions nos bouches ! – C'est possible.

– Qu'il était bleu, le ciel, et grand, l'espoir !
– L'espoir a fui, vaincu, vers le ciel noir.

Tels ils marchaient dans les avoines folles,
Et la nuit seule entendit leurs paroles.

VERLAINE, *Fêtes galantes*.

Questions

1. Dégagez le thème du poème. En quoi l'atmosphère est-elle à la fois réaliste et fantastique ?
2. Étudiez le décor. Quelle est sa fonction ?
3. Quelles conclusions peut-on tirer de la confrontation du titre et du poème ?
4. Ce poème est le dernier des *Fêtes galantes*. Quelle signification peut avoir cette situation ?

La Bonne Chanson

[1870]

WILLIAM TURNER,
*Le Chemin de fer de Great
western. Pluie, vapeur et
vitesse.*
Londres, National Gallery.
Photo © Bridgeman-
Giraudon.

En 1870, Verlaine rêve d'un bonheur bourgeois
auprès de Mathilde Mauté. Il lui dédie La Bonne
Chanson, *dont les pièces sont d'une simplicité
qui confine parfois à la facilité. Le poète semble
vouloir se mettre à la portée de Mathilde. Peut-être
veut-il ainsi se convaincre lui-même de
l'opportunité d'un mariage dont il sent
confusément qu'il ne correspond pas à sa destinée
de maudit.*

« Le paysage dans le cadre des portières... »

Le paysage dans le cadre des portières
Court furieusement, et des plaines entières
Avec de l'eau, des blés, des arbres et du ciel
Vont s'engouffrant parmi le tourbillon cruel
5 Où tombent les poteaux minces du télégraphe
Dont les fils ont l'allure étrange d'un paraphe.

Une odeur de charbon qui brûle et d'eau qui bout,
Tout le bruit que feraient mille chaînes au bout
Desquelles hurleraient mille géants qu'on fouette ;
10 Et tout à coup des cris prolongés de chouette.
— Que me fait tout cela, puisque j'ai dans les yeux
La blanche vision qui fait mon cœur joyeux,
Puisque la douce voix pour moi murmure encore,
Puisque le Nom si beau, si noble et si sonore
15 Se mêle, pur pivot de tout ce tournoiement,
Au rythme du wagon brutal, suavement.

VERLAINE, *La Bonne Chanson.*

Questions

1. En quoi peut-on parler ici d'une poésie du chemin
   de fer ?
2. Quel est le rôle des rythmes et des sonorités ?
3. Quelle image ce poème donne-t-il de Mathilde ?
4. Interrogez-vous sur l'adverbe qui clôt le texte :
   « suavement ».

Sagesse
═══ *[1881]*

« Le ciel est, par-dessus le toit... »

Ce poème date de 1873 : Verlaine est incarcéré à la prison des Petits-Carmes, à Bruxelles. Il sera ensuite transféré à la prison de Mons.

Questions

1. Comment s'exprime l'isolement dans lequel se trouve le poète ?

2. Quelle signification prend ici le temps ?

3. Peut-on parler d'un ton élégiaque ? À quoi tient l'émotion qui se dégage du poème ?

4. De quelle « sagesse » le poème est-il empreint ?

Le ciel est, par-dessus le toit,
    Si bleu, si calme !
Un arbre, par-dessus le toit,
    Berce sa palme.

5 La cloche, dans le ciel qu'on voit,
    Doucement tinte.
Un oiseau sur l'arbre qu'on voit
    Chante sa plainte.

Mon Dieu, mon Dieu, la vie est là,
    Simple et tranquille.
Cette paisible rumeur-là
10   Vient de la ville.

– Qu'as-tu fait, ô toi que voilà
    Pleurant sans cesse,
Dis, qu'as-tu fait, toi que voilà,
    De ta jeunesse ?

VERLAINE, *Sagesse.*

Jadis et naguère
═══ *[1884]*

Sonnet boiteux

« Sonnet boiteux » évoque le séjour à Londres avec Rimbaud en 1872-1873. Il date de la fin de 1873.

1. Dans la Bible *(Genèse)*, Sodome et Gomorrhe sont deux villes détruites par le souffle et le feu, à cause de leur dépravation.
2. Soho : quartier mal famé de Londres.
3. *indeed* (anglais) : en effet.
4. *all right* (anglais) : très bien.
5. *haô* : interjection.

Questions

1. Peut-on parler ici d'une poétique de la ville ?

2. En quoi le sonnet est-il « boiteux » (sens, mètre et rythme) ?

3. De quelle manière la relation avec Rimbaud semble-t-elle avoir été vécue ?

4. Par quels procédés « l'affreux passé » est-il ici évoqué ?

Ah ! vraiment c'est triste, ah ! vraiment ça finit trop mal.
Il n'est pas permis d'être à ce point infortuné.
Ah ! vraiment c'est trop la mort du naïf animal
Qui voit tout son sang couler sous son regard fané.

5 Londres fume et crie. Ô quelle ville de la Bible[1] !
Le gaz flambe et nage et les enseignes sont vermeilles.
Et les maisons dans leur ratatinement terrible
Épouvantent comme un sénat de petites vieilles.

Tout l'affreux passé saute, piaule, miaule et glapit
10 Dans le brouillard rose et jaune et sale des Soho[2]
Avec des *indeeds*[3] et des *all right*[4] et des *haô*[5].

Non vraiment c'est trop un martyre sans espérance,
Non vraiment cela finit trop mal, vraiment c'est triste :
Ô le feu du ciel sur cette ville de la Bible !

VERLAINE, *Jadis et Naguère.*

Arthur Rimbaud
(1854-1891)

Fantin-Latour, *Coin de table* (1872) (détail).
Paris, musée d'Orsay.
• Photo © Lauros-Giraudon.

Arthur Rimbaud naît en 1854 à Charleville. Élevé par sa mère selon des préceptes rigoristes, brillant élève, il lit et écrit des vers en latin. Entre quinze et dix-neuf ans, il multiplie les poèmes d'inspiration différente. Adulte, il renonce à toute idée de publication et cesse d'écrire. Avec lui culmine un demi-siècle de bouleversements poétiques et s'affirme la poésie moderne.

1870 marque ses débuts. Rimbaud écrit sous influence : Victor Hugo et Théodore de Banville, un poète parnassien, constituent des modèles et ses textes frôlent parfois le pastiche. Très vite il s'émancipe, dans sa vie comme dans son art. Il rejette violemment toute forme d'autorité, familiale – il fugue –, institutionnelle – il hait l'Église et l'armée – ou politique – il admire la Commune. Cette révolte s'exprime dans des poèmes satiriques qui tournent en dérision les convenances morales et les bienséances esthétiques. En 1871, il théorise un ambitieux projet poétique dans les lettres dites du ***Voyant***. La poésie doit « changer la vie » en inventant un univers de substitution halluciné. Rimbaud veut atteindre au « dérèglement systématique et raisonné de tous les sens », état second de l'esprit, du corps et du langage, seul capable de rendre perceptibles et formulables les visions surnaturelles qu'il poursuit. De nombreux poèmes, comme ***Le Bateau ivre***, répondent à cette exigence. À la même époque, il rencontre Verlaine. Leur liaison débute par un scandale – Verlaine quitte sa femme –, continue par une fuite – les deux poètes vivent tantôt en Belgique tantôt en Angleterre –, s'achève par un drame : Verlaine blesse Rimbaud par balles, légèrement mais délibérément, et se retrouve emprisonné en juillet 1873. La poésie rimbaldienne se ressent de l'influence verlainienne, par sa musicalité verbale, son affinement métrique, son sens de la syncope. Mais Rimbaud radicalise son entreprise. Il abandonne la versification et travaille sur deux séries de poèmes en prose, ***Une Saison en enfer*** et les ***Illuminations***. La première se présente comme une récusation de sa vie, poétique et personnelle. Dans la seconde, il se libère de toute contrainte logique. Ses poèmes renoncent à une composition imposée pour inventer chacun leur forme et abdiquent tout sens unilatéral pour jouer des multiples ressources de la polysémie. Rimbaud, qui entend « fixer des vertiges », pousse la poésie et le langage jusqu'à l'état extrême de leur négation, expérimente ainsi les limites de son propre projet.

Son silence s'inscrit dans la continuité de ce parcours. À partir de 1875, Arthur Rimbaud voyage en Europe, séjourne onze ans en Abyssinie, traverse la mer Rouge et le désert somali, se lance dans d'infructueuses tentatives commerciales. À trente-sept ans, amputé de la jambe droite, il meurt à l'hôpital de Marseille. Dix jours plus tard, la première édition de ses poèmes paraît : depuis quelque temps, son nom commence à circuler dans les milieux avertis.

Poésies
■ *[1870]*

Sensation

Par les soirs bleus d'été, j'irai dans les sentiers,
Picoté par les blés, fouler l'herbe menue :
Rêveur, j'en sentirai la fraîcheur à mes pieds.
Je laisserai le vent baigner ma tête nue.

5 Je ne parlerai pas, je ne penserai rien :
Mais l'amour infini me montera dans l'âme,
Et j'irai loin, bien loin, comme un bohémien,
Par la Nature, – heureux comme avec une femme.

ARTHUR RIMBAUD, *Poésies.*

Questions

1. Quelles significations accordez-vous au titre ?

2. Pourquoi cette forme brève ?

3. Comment l'unité entre le poète et la nature est-elle suggérée ?

4. Quelles aspirations se manifestent dans les deux derniers vers ?

Vénus[1] anadyomène[2]

1. Vénus, déesse grecque de l'Amour, rappelle un certain idéal féminin, en vogue dans les poèmes parnassiens de l'époque. Rimbaud en réactualise la figure à sa façon.

2. Étymologie grecque : qui sort des flots.

Comme d'un cercueil vert en fer-blanc, une tête
De femme à cheveux bruns fortement pommadés
D'une vieille baignoire émerge, lente et bête,
Avec des déficits assez mal ravaudés ;

5 Puis le col gras et gris, les larges omoplates
Qui saillent ; le dos court qui rentre et qui ressort ;
Puis les rondeurs des reins semblent prendre l'essor ;
La graisse sous la peau paraît en feuilles plates ;

L'échine est un peu rouge, et le tout sent un goût
10 Horrible étrangement ; on remarque surtout
Des singularités qu'il faut voir à la loupe…

Les reins portent deux mots gravés : CLARA VENUS ;
– Et tout ce corps remue et tend sa large croupe
Belle hideusement d'un ulcère à l'anus.

ARTHUR RIMBAUD, *Poésies.*

Questions

1. Relevez les images et termes désobligeants, indiscrets et obscènes. Que constatez-vous ?

2. Que pensez-vous du rythme de ce sonnet ? Repérez notamment les effets de rejets et de contre-rejets

3. Voyeurisme ou caricature ? Justifiez votre réponse.

4. En quoi Rimbaud est-il provocateur ?

Ophélie

Daté du 15 mai 1870, le poème, d'influence romantique, met en scène Ophélie,
l'héroïne du drame shakespearien Hamlet. S'il s'inscrit dans une poésie de la
continuité, Rimbaud affirme déjà son univers, entre autres dans l'avant-dernière strophe.

I

Sur l'onde calme et noire où dorment les étoiles
La blanche Ophélia flotte comme un grand lys,
Flotte très lentement, couchée en ses longs voiles…
– On entend dans les bois lointains des hallalis.

5   Voici plus de mille ans que la triste Ophélie
Passe, fantôme blanc, sur le long fleuve noir ;
Voici plus de mille ans que sa douce folie
Murmure sa romance à la brise du soir.

Le vent baise ses seins et déploie en corolle
10   Ses grands voiles bercés mollement par les eaux ;
Les saules frissonnants pleurent sur son épaule,
Sur son grand front rêveur s'inclinent les roseaux.

Les nénuphars froissés soupirent autour d'elle ;
Elle éveille parfois, dans un aune qui dort,
15   Quelque nid, d'où s'échappe un petit frisson d'aile :
– Un chant mystérieux tombe des astres d'or.

II

Ô pâle Ophélia ! belle comme la neige !
Oui tu mourus, enfant, par un fleuve emporté !
– C'est que les vents tombant des grands monts de Norvège
20   T'avaient parlé tout bas de l'âpre liberté ;

C'est qu'un souffle, tordant ta grande chevelure,
À ton esprit rêveur portait d'étranges bruits ;
Que ton cœur écoutait le chant de la Nature
Dans les plaintes de l'arbre et les soupirs des nuits ;

25   C'est que la voix des mers folles, immense râle,
Brisait ton sein d'enfant, trop humain et trop doux ;
C'est qu'un matin d'avril, un beau cavalier pâle,
Un pauvre fou, s'assit muet à tes genoux !

Ciel ! Amour ! Liberté ! Quel rêve, ô pauvre Folle !
30   Tu te fondais à lui comme une neige au feu :
Tes grandes visions étranglaient ta parole
– Et l'Infini terrible effara ton œil bleu !

Questions

1. Par l'étude du paysage, dégagez l'inspiration romantique du poème.

2. Étudiez le jeu des assonances et des allitérations dans les deux premiers vers et dans le dernier quatrain. Quel effet crée-t-il ?

3. Quelle différence rythmique observez-vous entre les strophes de la partie I et de la partie II ? Pourquoi ?

4. « Tes grandes visions étranglaient ta parole / – Et l'Infini terrible effara ton œil bleu ! » Expliquez ces vers.

5. Que représente Ophélia pour le poète ? Quelle parenté entretient-il avec elle ?

III

– Et le Poète dit qu'aux rayons des étoiles
Tu viens chercher, la nuit, les fleurs que tu cueillis,
35 Et qu'il a vu sur l'eau, couchée en ses longs voiles,
La blanche Ophélia flotter, comme un grand lys.

ARTHUR RIMBAUD, *Poésies*, 1870.

EUGÈNE DELACROIX
(1798-1863),
La Mort d'Ophélie.
Paris, musée du Louvre.
Photo © R.M.N. - Arnaudet.

Ma bohême

1. Non matériel.
2. Au Moyen Âge, chevalier qui se soumet à un suzerain : vassal.

Je m'en allais, les poings dans mes poches crevées ;
Mon paletot aussi devenait idéal[1],
J'allais sous le ciel, Muse ! et j'étais ton féal[2] ;
Oh ! là ! là ! que d'amours splendides j'ai rêvées !

5 Mon unique culotte avait un large trou.
– Petit Poucet rêveur, j'égrenais dans ma course
Des rimes. Mon auberge était à la Grande-Ourse.
– Mes étoiles au ciel avaient un doux frou-frou.

Et je les écoutais, assis au bord des routes,
10 Ces bons soirs de septembre où je sentais des gouttes
De rosée à mon front, comme un vin de vigueur ;

Où, rimant au milieu des ombres fantastiques,
Comme des lyres, je tirais les élastiques
De mes souliers blessés, un pied près de mon cœur !

ARTHUR RIMBAUD, *Poésies*, 1870.

Questions

1. Repérez les occurrences de la 1ʳᵉ personne : quelle conclusion pouvez-vous tirer de leur fréquence ?

2. Analysez et commentez les métaphores et les comparaisons présentes dans le texte.

3. Analysez le rapport entre le poète et la nature.

Théodore Gudin, *Trait de dévouement du capitaine Desse de Bordeaux, envers le « Columbus », navire hollandais,* 1829.
Bordeaux, musée des Beaux-Arts.
Photo © Lauros-Giraudon.

Le Bateau ivre

À Paris, Rimbaud veut s'imposer avec Le Bateau ivre. *Il y transpose des souvenirs de lecture hétéroclites – Jules Verne, Fenimore Cooper, Hugo… – et peut-être quelques fantasmes.*

Comme je descendais des Fleuves impassibles,
Je ne me sentis plus guidé par les haleurs :
Des Peaux-Rouges criards les avaient pris pour cibles
Les ayant cloués nus aux poteaux de couleurs.

5   J'étais insoucieux de tous les équipages,
Porteur de blés flamands ou de cotons anglais.
Quand avec mes haleurs ont fini ces tapages
Les Fleuves m'ont laissé descendre où je voulais.

Dans les clapotements furieux des marées,
10 Moi, l'autre hiver, plus sourd que les cerveaux d'enfants,
Je courus ! Et les Péninsules démarrées
N'ont pas subi tohu-bohu plus triomphants.

La tempête a béni mes éveils maritimes.
Plus léger qu'un bouchon j'ai dansé sur les flots
15 Qu'on appelle rouleurs éternels de victimes,
Dix nuits, sans regretter l'œil niais des falots[1] !

Plus douce qu'aux enfants la chair des pommes sures[2],
L'eau verte pénétra ma coque de sapin
Et des taches de vins bleus et des vomissures
20 Me lava, dispersant gouvernail et grappin.

---

1. Grande lanterne portative.

2. D'un goût acide et aigre.

3. Qui contient un suc
laiteux.

4. Néologisme : qui rap-
pellent des teintes bleues.

5. D'une couleur rouge
vif.

6. Monstre biblique.

7. Calme plat, en mer.

8. Néologisme : violents
comme des cataractes.

9. Néologisme : qui rap-
pellent la nacre.

10. De « dérader » :
quitter une rade.

Et dès lors, je me suis baigné dans le Poème
De la Mer, infusé d'astres, et lactescent[3],
Dévorant les azurs verts ; où, flottaison blême
Et ravie, un noyé pensif parfois descend ;

25 Où, teignant tout à coup les bleuités[4], délires
Et rythmes lents sous les rutilements[5] du jour,
Plus fortes que l'alcool, plus vastes que nos lyres,
Fermentent les rousseurs amères de l'amour !

Je sais les cieux crevant en éclairs, et les trombes
30 Et les ressacs et les courants : je sais le soir,
L'Aube exaltée ainsi qu'un peuple de colombes,
Et j'ai vu quelquefois ce que l'homme a cru voir !

J'ai vu le soleil bas, taché d'horreurs mystiques,
Illuminant de longs figements violets,
35 Pareils à des acteurs de drames très-antiques
Les flots roulant au loin leurs frissons de volets !

J'ai rêvé la nuit verte aux neiges éblouies,
Baiser montant aux yeux des mers avec lenteurs,
La circulation des sèves inouïes,
40 Et l'éveil jaune et bleu des phosphores chanteurs !

J'ai suivi, des mois pleins, pareille aux vacheries
Hystériques, la houle à l'assaut des récifs,
Sans songer que les pieds lumineux des Maries
Pussent forcer le mufle aux Océans poussifs !

45 J'ai heurté, savez-vous, d'incroyables Florides
Mêlant aux fleurs des yeux de panthères à peaux
D'hommes ! Des arcs-en-ciel tendus comme des brides
Sous l'horizon des mers, à des glauques troupeaux !

J'ai vu fermenter les marais énormes, nasses,
50 Où pourrit dans les joncs tout un Léviathan[6] !
Des écroulements d'eaux au milieu des bonaces[7],
Et les lointains vers les gouffres cataractant[8] !

Glaciers, soleils d'argent, flots nacreux[9], cieux de braises !
Échouages hideux au fond des golfes bruns
55 Où les serpents géants dévorés des punaises
Choient, des arbres tordus, avec de noirs parfums !

J'aurais voulu montrer aux enfants ces dorades
Du flot bleu, ces poissons d'or, ces poissons chantants.
– Des écumes de fleurs ont bercé mes dérades[10]
60 Et d'ineffables vents m'ont ailé par instants.

Parfois, martyr lassé des pôles et des zones,
La mer dont le sanglot faisait mon roulis doux
Montait vers moi ses fleurs d'ombre aux ventouses jaunes
Et je restais, ainsi qu'une femme à genoux...

65 Presque île, ballottant sur mes bords les querelles
Et les fientes d'oiseaux clabaudeurs[11] aux yeux blonds.
Et je voguais, lorsqu'à travers mes liens frêles
Des noyés descendaient dormir, à reculons !

Or moi, bateau perdu sous les cheveux des anses,
70 Jeté par l'ouragan dans l'éther sans oiseau,
Moi dont les Monitors[12] et les voiliers des Hanses[13]
N'auraient pas repêché la carcasse ivre d'eau ;

Libre, fumant, monté de brumes violettes,
Moi qui trouais le ciel rougeoyant comme un mur
75 Qui porte, confiture exquise aux bons poètes,
Des lichens de soleil et des morves d'azur,

Qui courais, taché de lunules[14] électriques,
Planche folle, escorté des hippocampes noirs,
Quand les juillets faisaient crouler à coups de triques
80 Les cieux ultramarins aux ardents entonnoirs ;

Moi qui tremblais, sentant geindre à cinquante lieues
Le rut[15] des Béhémots[16] et les Maelstroms[17] épais,
Fileur éternel des immobilités bleues,
Je regrette l'Europe aux anciens parapets !

85 J'ai vu des archipels sidéraux ! et des îles
Dont les cieux délirants sont ouverts au vogueur :
– Est-ce en ces nuits sans fond que tu dors et t'exiles,
Million d'oiseaux d'or, ô future Vigueur ? –

Mais, vrai, j'ai trop pleuré ! Les Aubes sont navrantes.
90 Toute lune est atroce et tout soleil amer :
L'âcre amour m'a gonflé de torpeurs enivrantes.
Ô que ma quille éclate ! Ô que j'aille à la mer !

Si je désire une eau d'Europe, c'est la flache[18]
Noire et froide où vers le crépuscule embaumé
95 Un enfant accroupi plein de tristesses, lâche
Un bateau frêle comme un papillon de mai.

Je ne puis plus, baigné de vos langueurs, ô lames,
Enlever leur sillage aux porteurs de cotons,
Ni traverser l'orgueil des drapeaux et des flammes,
100 Ni nager sous les yeux horribles des pontons.

ARTHUR RIMBAUD, *Poésies*, 1892.

11. Qui crient pour ameuter (néologisme).
12. Navires de guerre américains.
13. Anciennes compagnies maritimes et commerciales constituées au Moyen Âge entre certains pays d'Europe.
14. Taches blanches en forme de croissants.
15. Étymologiquement : le rugissement. Le mot désigne la période d'activité sexuelle des mammifères mâles.
16. Démons stupides.
17. Gouffres marins.
18. Flaque d'eau.

Questions

1. Qui parle ? Relevez à cet égard des expressions significatives. Quel effet poétique en résulte-t-il ?

2. Présentez les principales séquences de ce poème.

3. Repérez les hardiesses poétiques du texte. Étudiez notamment les différentes visions et le jeu des sensations. Comment justifient-elles la seconde partie du titre ?

4. Quels états de soi le poète met-il en scène par le symbole du « bateau ivre » ?

1. Pas d'aube (latin religieux).

Vers nouveaux

[publiés en 1886]

Les critiques appellent « Vers nouveaux » les poèmes de 1872. Les Fêtes de la patience regroupent quatre textes dont celui-ci, à la musicalité très verlainienne.

L'Éternité

Elle est retrouvée.
Quoi ? – L'Éternité.
C'est la mer allée
Avec le soleil.

5 Âme sentinelle,
Murmurons l'aveu
De la nuit si nulle
Et du jour en feu.

Des humains suffrages,
10 Des communs élans
Là tu te dégages
Et voles selon.

Puisque de vous seules,
Braises de satin,
15 Le Devoir s'exhale
Sans qu'on dise : enfin.

Là pas d'espérance,
Nul orietur[1].
Science avec patience,
20 Le supplice est sûr.

Elle est retrouvée.
Quoi ? – L'Éternité.
C'est la mer allée
Avec le soleil.

Mai 1872.

ARTHUR RIMBAUD, *Vers nouveaux.*

JAMES ABBOTT WHISTLER (1834-1903), *Ciels.* Paris, musée du Louvre. Photo © R.M.N. - Michèle Bellot.

Une saison en enfer
[1892]

Une saison en enfer se présente comme un bilan. Rimbaud y revient sur son entreprise du Voyant. Il mélange des réflexions sur la poésie et des références autobiographiques codées, dans une écriture poétique renouvelée par l'usage de la prose.

Jadis, si je me souviens bien, ma vie était un festin où s'ouvraient tous les cœurs, où tous les vins coulaient.

Un soir, j'ai assis la Beauté sur mes genoux.
5 – Et je l'ai trouvée amère. – Et je l'ai injuriée.

Je me suis armé contre la justice.

Je me suis enfui. Ô sorcières, ô misères, ô haine, c'est à vous que mon trésor a été confié !

Je parvins à faire s'évanouir dans mon esprit
10 toute l'espérance humaine. Sur toute joie pour l'étrangler j'ai fait le bond sourd de la bête féroce.

J'ai appelé les bourreaux pour, en périssant, mordre la crosse de leurs fusils. J'ai appelé les fléaux, pour m'étouffer avec le sable, le sang. Le
15 malheur a été mon dieu. Je me suis allongé dans la boue. Je me suis séché à l'air du crime. Et j'ai joué de bons tours à la folie.

Et le printemps m'a apporté l'affreux rire de l'idiot.

20 Or, tout dernièrement m'étant trouvé sur le point de faire le dernier *couac* ! j'ai songé à rechercher la clef du festin ancien, où je reprendrais peut-être appétit.

La charité est cette clef. – Cette inspiration
25 prouve que j'ai rêvé !

« Tu resteras hyène, etc… », se récrie le démon qui me couronna de si aimables pavots. « Gagne la mort avec tous tes appétits, et ton égoïsme et tous les péchés capitaux. »

30 Ah ! j'en ai trop pris : – Mais, cher Satan, je vous en conjure, une prunelle moins irritée ! et en attendant les quelques petites lâchetés en retard, vous qui aimez dans l'écrivain l'absence des facultés descriptives ou instructives, je vous
35 détache ces quelques hideux feuillets de mon carnet de damné.

ARTHUR RIMBAUD, *Une saison en enfer*, 1873.

GUSTAVE MOREAU (1826-1898),
La Vie de l'Humanité – Cycle d'Orphée – Le Matin :
« L'inspiration ».
Paris, musée Gustave Moreau. Photo © R.M.N.-Arnaudet

Questions

1. Que représente le « festin ancien » ?
2. Quels personnages apparaissent ? Que représentent-ils ?
3. Quels éléments font de ce texte en prose un poème ?
4. Quelle image de lui-même Rimbaud cultive-t-il, notamment dans la dernière strophe ? Sur quel ton ?

1. Cascade, en allemand.

Illuminations

■■■■■ *[publiées en 1886]*

En anglais, le mot « illumination » signifie enluminure. Instantanés mentaux, collages de visions, flashes d'imaginaire, les poèmes en prose de ce recueil tantôt pressentent l'avènement d'un monde nouveau – Aube –, tantôt exaltent par la parole la disparition de l'ordre ancien – Barbare.

Aube

J'ai embrassé l'aube d'été.

Rien ne bougeait encore au front des palais. L'eau était morte. Les camps d'ombres ne quittaient pas la route du bois. J'ai marché, réveillant les haleines vives et tièdes, et les pierreries regardèrent, et les ailes se levèrent sans bruit.

La première entreprise fut, dans le sentier déjà empli de frais et blêmes éclats, une fleur qui me dit son nom.   5

Je ris au wasserfall[1] blond qui s'échevela à travers les sapins : à la cime argentée je reconnus la déesse.

Alors je levai un à un les voiles. Dans l'allée, en agitant les bras. Par la plaine, où je l'ai dénoncée au coq. À la grand'ville elle fuyait parmi les clochers et les   10 dômes, et courant comme un mendiant sur les quais de marbre, je la chassais.

En haut de la route, près d'un bois de lauriers, je l'ai entourée avec ses voiles amassés, et j'ai senti un peu son immense corps. L'aube et l'enfant tombèrent au bas du bois.

Au réveil il était midi.

ARTHUR RIMBAUD, Illuminations, 1875.

Questions

1. À quoi vous fait penser spontanément ce poème ?

2. Relevez et expliquez ses indices surnaturels.

3. Comment et pourquoi l'écriture favorise-t-elle la discontinuité ?

4. Repérez les caractères poétiques de la prose.

5. Quelle dimension symbolique attribuez-vous au poème ?

Barbare

Bien après les jours et les saisons, et les êtres et les pays,

Le pavillon en viande saignante sur la soie des mers et des fleurs arctiques ; (elles n'existent pas.)

Remis des vieilles fanfares d'héroïsme – qui nous attaquent encore le cœur et la tête – loin des anciens assassins –   5

Oh ! Le pavillon en viande saignante sur la soie des mers et des fleurs arctiques ; (elles n'existent pas.)

Douceurs !

Les brasiers, pleuvant aux rafales de givre, – Douceurs ! – les feux à la pluie du vent de diamants jetée par le cœur terrestre éternellement carbonisé pour   10 nous. – Ô monde ! –

(Loin des vieilles retraites et des vieilles flammes, qu'on entend, qu'on sent,)

Les brasiers et les écumes. La musique, virement des gouffres et choc des glaçons aux astres.

Ô Douceurs, ô monde, ô musique ! Et là, les formes, les sueurs, les chevelures   15 et les yeux, flottant. Et les larmes blanches, bouillantes, – ô douceurs ! et la voix féminine arrivée au fond des volcans et des grottes arctiques.

Le pavillon...

ARTHUR RIMBAUD, Illuminations, 1875.

Questions

1. Comment se manifeste le rejet du vieux monde et de la réalité ?

2. Par quelles images et par quels procédés d'écriture Rimbaud rend-il sensible le chaos ?

3. Quel sens attribuez-vous aux deux dernières strophes ?

4. Comment ce poème justifie-t-il son titre et celui du recueil ?

5. Comment ce poème justifie-t-il l'expression d'« alchimie verbale » ?

Stéphane Mallarmé

(1842-1898)

Portrait par ÉDOUARD MANET.
Paris, musée d'Orsay.
Photo © AKG Paris.

STÉPHANE MALLARMÉ, né à Paris en 1842, est âgé de cinq ans lorsque meurt sa mère. À l'issue de ses études au lycée de Sens, il devient professeur d'anglais. En 1864, il commence le drame *Hérodiade* et, en 1865, le poème *L'Après-Midi d'un faune,* qui sera publié en 1876. En 1866, des poésies fortement marquées par l'influence de Baudelaire et d'Edgar Poe paraissent dans le premier recueil du *Parnasse contemporain* (voir p. 409). *Hérodiade,* qui restera inachevé, est l'objet, en 1871, d'une publication partielle dans le deuxième recueil. En 1897, Mallarmé réunit ses articles et conférences dans *Divagations* et fait paraître « Un coup de dés jamais n'abolira le hasard ». Il meurt en 1898. L'édition des *Poésies* est achevée en 1899. En 1925, sera publié le poème *Igitur ou la Folie d'Elbehnon,* écrit en 1869.

La vie de Mallarmé est un itinéraire intellectuel et spirituel. À travers le langage, le poète est à la recherche de l'essence des choses et d'une ouverture sur l'infini. Mais cette quête philosophique et mystique, qui est la plus haute ambition du symbolisme, exige que l'on prenne le risque de se perdre dans l'angoisse, dans la folie ou dans la stérilité poétique. Elle se sait donc constamment menacée de l'échec et s'accompagne de l'obsession du néant et de la mort.

Poésies
[1899]

Mallarmé rend un double hommage à la fiancée de son ami Henri Cazalis et à sa propre fiancée. En Angleterre, le poète avait eu la révélation des peintres dits préraphaélites, notamment de Rossetti (1828-1882) et de Burne-Jones (1833-1898).

Apparition

La lune s'attristait. Des séraphins en pleurs
Rêvant, l'archet aux doigts dans le calme des fleurs
Vaporeuses, tiraient de mourantes violes
De blancs sanglots glissant sur l'azur des corolles
5 – C'était le jour béni de ton premier baiser.
Ma songerie aimant à me martyriser
S'enivrait savamment du parfum de tristesse
Que même sans regret et sans déboire laisse
La cueillaison d'un Rêve au cœur qui l'a cueilli.
10 J'errais donc, l'œil rivé sur le pavé vieilli
Quand avec du soleil aux cheveux, dans la rue
Et dans le soir, tu m'es en riant apparue
Et j'ai cru voir la fée au chapeau de clarté
Qui jadis sur mes beaux sommeils d'enfant gâté
15 Passait, laissant toujours de ses mains mal fermées
Neiger de blancs bouquets d'étoiles parfumées.

STÉPHANE MALLARMÉ, *Poésies.*

Questions

1. En quoi la progression du poème correspond-elle à une apparition ?

2. Mettez en évidence le caractère pictural du poème.

3. Analysez les rapports entre le rêve et la réalité.

4. En vous appuyant notamment sur les rythmes et le jeu des sonorités, étudiez la musicalité du texte. Montrez que la poésie est ici un art de la suggestion.

Renouveau

Le printemps maladif a chassé tristement
L'hiver, saison de l'art serein, l'hiver lucide,
Et dans mon être à qui le sang morne préside
L'impuissance s'étire en un long bâillement.

5 Des crépuscules blancs tiédissent sous mon crâne
Qu'un cercle de fer serre ainsi qu'un vieux tombeau,
Et, triste, j'erre après un rêve vague et beau,
Par les champs où la sève immense se pavane

Puis je tombe énervé de parfums d'arbres, las,
10 Et creusant de ma face une fosse à mon rêve,
Mordant la terre chaude où poussent les lilas,

J'attends, en m'abîmant[1] que mon ennui s'élève...
– Cependant l'Azur rit sur la haie et l'éveil
De tant d'oiseaux en fleur gazouillant au soleil.

STÉPHANE MALLARMÉ, *Poésies.*

1. Me plongeant dans quelque chose comme dans un abîme.

Questions

1. En analysant le thème du printemps dans le sonnet, montrez que le titre est ironique. Commentez également le distique final.

2. Étudiez la représentation de l'espace et du temps.

3. Comment la forme du sonnet est-elle ici utilisée ?

4. Peut-on dire que le poète traverse une crise de dépression ?

Brise marine

La chair est triste, hélas ! et j'ai lu tous les livres.
Fuir ! là-bas, fuir ! Je sens que des oiseaux sont ivres
D'être parmi l'écume inconnue et les cieux !
Rien, ni les vieux jardins reflétés par les yeux
5 Ne retiendra ce cœur qui dans la mer se trempe
Ô nuits ! ni la clarté déserte de ma lampe
Sur le vide papier que la blancheur défend,
Et ni la jeune femme allaitant son enfant.
Je partirai ! Steamer[1] balançant ta mâture
10 Lève l'ancre pour une exotique nature !
Un Ennui, désolé par les cruels espoirs,
Croit encore à l'adieu suprême des mouchoirs !
Et, peut-être, les mâts, invitant les orages
Sont-ils de ceux qu'un vent penche sur les naufrages
15 Perdus, sans mâts, sans mâts, ni fertiles îlots...
Mais, ô mon cœur, entends le chant des matelots !

STÉPHANE MALLARMÉ, *Poésies.*

1. Bateau à vapeur.

Questions

1. Analysez les thèmes baudelairiens du voyage et de l'ennui.

2. Que refuse exactement le poète ? À quoi aspire-t-il ?

3. Peut-on dire que ce poème est lyrique ?

4. En quoi ce poème traite-t-il de la difficulté d'écrire un poème ?

Les Fenêtres

Las du triste hôpital, et de l'encens fétide
Qui monte en la blancheur banale des rideaux
Vers le grand crucifix ennuyé du mur vide,
Le moribond sournois y redresse un vieux dos,

5   Se traîne et va, moins pour chauffer sa pourriture
Que pour voir du soleil sur les pierres, coller
Les poils blancs et les os de la maigre figure
Aux fenêtres qu'un beau rayon clair veut hâler,

Et la bouche, fiévreuse et d'azur bleu vorace,
10 Telle, jeune, elle alla respirer son trésor,
Une peau virginale et de jadis ! encrasse
D'un long baiser amer les tièdes carreaux d'or.

Ivre, il vit, oubliant l'horreur des saintes huiles,
Les tisanes, l'horloge et le lit infligé,
15 La toux ; et quand le soir saigne parmi les tuiles,
Son œil, à l'horizon de lumière gorgé,

Voit des galères d'or, belles comme des cygnes,
Sur un fleuve de pourpre et de parfums dormir
En berçant l'éclair fauve et riche de leurs lignes
20 Dans un grand nonchaloir chargé de souvenir !

Ainsi, pris du dégoût de l'homme à l'âme dure
Vautré dans le bonheur, où ses seuls appétits
Mangent, et qui s'entête à chercher cette ordure
Pour l'offrir à la femme allaitant ses petits,

25 Je fuis et je m'accroche à toutes les croisées
D'où l'on tourne l'épaule à la vie, et, béni,
Dans leur verre, lavé d'éternelles rosées,
Que dore le matin chaste de l'Infini

Je me mire et me vois ange ! et je meurs, et j'aime
30 – Que la vitre soit l'art, soit la mysticité –
À renaître, portant mon rêve en diadème,
Au ciel antérieur où fleurit la Beauté !

Mais, hélas ! Ici-bas est maître : sa hantise
Vient m'écœurer parfois jusqu'en cet abri sûr,
35 Et le vomissement impur de la Bêtise
Me force à me boucher le nez devant l'azur.

Est-il moyen, ô Moi qui connais l'amertume,
D'enfoncer le cristal par le monstre insulté
Et de m'enfuir, avec mes deux ailes sans plume
40 – Au risque de tomber pendant l'éternité ?

STÉPHANE MALLARMÉ, *Poésies.*

GABRIEL ROSSETTI, *Jour de Songerie*, 1880.
Londres, Victoria et Albert Museum.
Photo © Bridgeman-Giraudon.

Questions

1. Dégagez les deux parties du poème. Analysez avec précision l'analogie qui le structure.

2. Que symbolisent les fenêtres et la vitre ?

3. Étudiez le traitement que Mallarmé fait subir à l'alexandrin. Analysez l'effet produit par les rejets et contre-rejets.

4. En portant attention aux thèmes, aux images et à la métrique, demandez-vous en quoi ce poème est baudelairien.

SYMBOLISME ET DÉCADENCE

C'est en 1886 que le poète Jean Moréas invente le mot symbolisme. Les poètes de cette école[1] se réclament de Baudelaire, de Verlaine, de Rimbaud et de Mallarmé. Le symbolisme est une réaction contre le positivisme, qui prétend tout expliquer de manière scientifique et rationnelle, et contre sa traduction littéraire : le naturalisme. Il est contemporain du développement de l'impressionnisme et de la diffusion en France de l'opéra wagnérien, dans lequel la poésie et la musique atteignent une dimension métaphysique.

GUSTAVE MOREAU (1826-1898), *Les Licornes* (détail). Paris, musée Gustave Moreau. © Photo R.M.N.- R.G. Ojeda

■ Qu'est-ce qu'un symbole ?

Le terme désignait, selon les lois de l'hospitalité dans la Grèce antique, un objet coupé en deux, dont chacun des hôtes conservait une moitié qu'il transmettait à ses enfants. Les deux parties rapprochées servaient à faire se reconnaître les porteurs et à prouver les relations contractées antérieurement. Le poète symboliste cherche à établir une relation entre le *signe* (mot, expression, métrique, prosodie) et un *élément absent, transcendant, inconnu*. Alors que le symbole dans son acception courante illustre concrètement une idée abstraite prédéfinie – la paix symbolisée par une colombe – et qui pourrait être formulée autrement, le *symbole* selon l'acception du *symbolisme* renvoie à une *idée* qui ne lui préexiste pas et ne peut se séparer de lui : elle est, à l'extrême, *indicible*.

■ Le symbolisme : l'idéalisme en poésie

Pour Baudelaire, notamment dans le sonnet « Correspondances »[2], le monde est une « forêt de symboles » : le poète établit l'« universelle analogie » entre le réel sensible et un univers spirituel. Verlaine, dans son « Art poétique » (*Jadis et Naguère*, 1884), aspire à un lyrisme pur qui suggérerait les impressions, les nuances du sentiment et de la pensée – insaisissables rationnellement – par la seule musique poétique. Selon Rimbaud, la poésie est une « illumination » qui donne l'intuition de l'absolu. Le poète doit se faire « voyant » pour y accéder. Il est pour lui-même une énigme à déchiffrer (« JE est un autre »). Mallarmé, enfin, applique à la poésie les leçons du philosophe allemand Hegel (1770-1831) : toute forme d'art, comme toute philosophie, est *idéaliste* ; l'art a pour fonction de montrer la beauté de l'Être. Selon Mallarmé, les sensations, dans leur multiplicité, sont les signes d'un nombre restreint d'idées. Le poète, dans une langue et une musique aux vertus in-

cantatoires, élira et regroupera les sensations pour former des *symboles* qui feront entrevoir le monde des essences. La poésie est ainsi un *langage purifié* qui certes donne accès à l'Être mais est, par là même, renvoyé au non-Être. D'où cette obsession de l'échec et de la mort qui pèse sur la parole poétique.

■ L'esprit décadent

Le mot *décadent* fut mis à la mode par Verlaine en 1884 : « Je suis l'Empire à la fin de la décadence » (« Langueur », *Jadis et Naguère*). À l'instar de Jean des Esseintes, le personnage de Huysmans dans *À rebours*[3], les tenants de l'*esprit décadent*, ou *décadentisme*, estiment que la civilisation à laquelle ils appartiennent entre dans son déclin. Ils veulent vivre en s'opposant à l'ordre bourgeois, étroitement positiviste et qui confond l'art et le moralisme. De leur lecture, sans doute réductrice, du philosophe allemand Schopenhauer (1788-1860), ils concluent à l'impossibilité d'atteindre la réalité du monde et de l'homme ainsi qu'au caractère absurde de la vie. Ils tentent de combler le vide de leur existence et de lutter contre l'ennui en recherchant des sensations raffinées et en cultivant l'*esthétisme*, parfois avec humour et jusqu'à l'outrance.

....

1. Gustave Kahn, Stuart Merrill, Francis Vielé-Griffin, René Ghil. – 2. cf. p. 411. – 3. cf. p. 462.

Émile Zola
(1840-1902)

Portrait par ÉDOUARD MANET.
Paris, musée d'Orsay.
Photo © Lauros-Giraudon.

ÉMILE ZOLA, né à Paris en 1840, est orphelin de père à l'âge de sept ans. Au collège d'Aix-en-Provence, il a pour condisciple Cézanne. Élève au lycée Saint-Louis à Paris, il échoue au baccalauréat. Manutentionnaire puis chargé de la publicité à la librairie Hachette, il entre en contact avec des écrivains et des journalistes. Il publie ainsi des articles dans lesquels il défend l'impressionnisme. Ses premiers romans, *Thérèse Raquin* (1867) et *Madeleine Férat* (1868), le rattachent au réalisme. Mais, dès cette époque, il conçoit le plan des *Rougon-Macquart, Histoire naturelle et sociale d'une famille sous le Second Empire*. Cette série de vingt romans paraîtra de 1871 *(La Fortune des Rougon)* à 1893 *(Le Docteur Pascal)*. Le succès, partiellement dû au scandale, ne s'affirmera qu'avec le septième volume, *L'Assommoir* (1877). À partir de 1880, Zola devient le chef de file du naturalisme, qu'il avait mis en œuvre dès le début de cette suite romanesque. *Les Soirées de Médan* (1880), recueil d'œuvres d'écrivains amis, ont en effet la valeur d'un manifeste auquel trois essais donneront un fondement théorique : *Le Roman expérimental* (1880), *Le Naturalisme au théâtre* (1881), *Les Romanciers naturalistes* (1881). *Germinal* (1885) marque un sommet dans les *Rougon-Macquart* et témoigne de l'évolution idéologique qui a mené Zola, républicain, résolument hostile au coup d'État de 1851, au socialisme humaniste. En 1898, dans le journal *L'Aurore,* il publie « J'accuse », lettre ouverte au président de la République, dans laquelle il prend la défense d'Alfred Dreyfus, officier juif, injustement accusé de trahison. Cette prise de position, par laquelle il rejoint d'autres « intellectuels » (le mot date de cette époque) aura un grand retentissement et sera déterminante pour la révision du procès de Dreyfus. Mais Zola, pour sa part, est condamné à la prison et s'exile en Angleterre (1898) ; il n'en revient qu'une fois la grâce de Dreyfus acquise (1899). Il meurt en 1902. Dreyfus ne sera véritablement réhabilité qu'en 1906.

Zola applique au roman la méthode expérimentale du médecin et biologiste Claude Bernard : l'observation permet au romancier de formuler une hypothèse qu'il vérifie par l'expérimentation. Cette dernière consiste à placer les personnages dans une histoire particulière et à mettre en évidence l'enchaînement des causes. Ainsi seront dégagées des lois qui permettront la connaissance scientifique de l'homme dans ses dimensions individuelle et sociale. L'hypothèse que veut vérifier Zola est l'obéissance de l'homme à un double déterminisme : l'hérédité biologique et l'influence du milieu. Ce qui le conduit à montrer le plus souvent l'échec du peuple. Il n'y a pourtant là, selon lui, aucun fatalisme puisque la tâche du romancier est de faire voir les raisons de l'échec aux politiques, à charge pour eux d'y remédier. Le naturalisme est ainsi une forme du réalisme. Mais l'écriture de Zola atteint sa plus grande puissance lorsqu'elle donne à l'évocation de la foule en mouvement une dimension épique ou lorsqu'elle confine au fantastique dans l'exploration des profondeurs obscures de l'individu.

La Fortune des Rougon
[1871]

*La Fortune des Rougon décrit la préparation et les conséquences du coup d'État du
2 décembre 1851 dans la province française.
À Plassans, Félicité Rougon réunit dans son « salon jaune » des conservateurs de
nuances diverses, qui trouveront leur unité dans le bonapartisme. Après le coup d'État,
son mari, Pierre Rougon, obtiendra le poste de receveur particulier des Finances. Félicité
et Pierre ont trois fils : Eugène, proche du futur Empereur, dirige les événements depuis
Paris ; Aristide, républicain, trahira sa propre cause ; Pascal est médecin et ne s'occupe
pas directement de politique. Ces trois personnages réapparaîtront dans d'autres volumes
des* Rougon-Macquart.

L'idée de réussir, de voir toute sa famille arriver à la fortune, était devenue
une monomanie chez Félicité. Pascal, pour ne pas la chagriner, vint donc passer
quelques soirées dans le salon jaune. Il s'y ennuya moins qu'il ne le craignait. La
première fois, il fut stupéfait du degré d'imbécillité auquel un homme bien-por-
tant peut descendre. Les anciens marchands d'huile et d'amandes, le marquis et   5
le commandant eux-mêmes lui parurent des animaux curieux qu'il n'avait pas eu
jusque-là l'occasion d'étudier. Il regarda avec l'intérêt d'un naturaliste leurs
masques figés dans une grimace, où il retrouvait leurs occupations et leurs appétits ; il écouta leurs bavardages vides, comme il aurait cherché à surprendre le
sens du miaulement d'un chat ou de l'aboiement d'un chien. À cette époque, il   10
s'occupait beaucoup d'histoire naturelle comparée, ramenant à la race humaine
les observations qu'il lui était permis de faire sur la façon dont l'hérédité se comporte chez les animaux. Aussi, en se trouvant dans le salon jaune, s'amusa-t-il à
se croire tombé dans une ménagerie. Il établit des ressemblances entre chacun de
ces grotesques et quelque animal de sa connaissance. Le marquis lui rappela exac-   15
tement une grande sauterelle verte, avec sa maigreur, sa tête mince et futée.
Vuillet lui fit l'impression blême et visqueuse d'un crapaud. Il fut plus doux pour
Roudier, un mouton gras, et pour le commandant, un vieux dogue édenté. Mais
son continuel étonnement était le prodigieux Granoux. Il passa toute une soirée
à mesurer son angle facial. Quand il l'écoutait bégayer quelque vague injure   20
contre les républicains, ces buveurs de sang, il s'attendait toujours à l'entendre
geindre comme un veau ; et il ne pouvait le voir se lever sans s'imaginer qu'il
allait se mettre à quatre pattes pour sortir du salon.

« Cause donc, lui disait tout bas sa mère, tâche d'avoir la clientèle de ces messieurs.   25

– Je ne suis pas vétérinaire », répondit-il enfin, poussé à bout.

Félicité le prit, un soir, dans un coin, et essaya de le catéchiser. Elle était heureuse de le voir venir chez elle avec une certaine assiduité. Elle le croyait gagné
au monde, ne pouvant supposer un instant les singuliers amusements qu'il goû-
tait à ridiculiser des gens riches. Elle nourrissait le secret projet de faire de lui, à   30
Plassans, le médecin à la mode. Il suffirait que des hommes comme Granoux et
Roudier consentissent à le lancer. Avant tout, elle voulait lui donner les idées
politiques de la famille, comprenant qu'un médecin avait tout à gagner en se faisant le chaud partisan du régime qui devait succéder à la république.

ÉMILE ZOLA, *La Fortune des Rougon*.

Questions

1. En quoi Zola, journaliste et écrivain, est-il
ici un *caricaturiste* ?

2. Peut-on considérer
Pascal comme le porte-
parole de Zola ?

3. Quels éléments vous
permettent de qualifier
cette page de *natura-
liste* ?

Le Ventre de Paris

[1873]

Florent, un républicain idéaliste proscrit lors du coup d'État du 2 décembre 1851, s'est évadé du bagne de Cayenne. Il exercera ultérieurement aux Halles le métier d'inspecteur.

Florent s'intéressa à une énorme voiture de boueux[1], pleine de choux superbes qu'on avait eu grand'peine à faire reculer jusqu'au trottoir : la charge dépassait un grand diable de bec de gaz planté à côté éclairant en plein l'entassement des larges feuilles, qui se rabattaient comme des pans de velours gros
5 vert, découpé et gaufré. Une petite paysanne de seize ans, en casaquin et en bonnet de toile bleue, montée dans le tombereau, ayant des choux jusqu'aux épaules, les prenait un à un, les lançait à quelqu'un que l'ombre cachait, en bas. La petite, par moments, perdue, noyée, glissait, sous un éboulement ; puis son nez rose reparaissait au milieu des verdures épaisses ; elle riait, et les choux se remettaient
10 à voler, à passer entre le bec de gaz et Florent. Il les comptait machinalement. Quand le tombereau fut vide, cela l'ennuya.

Sur le carreau[2], les tas échangés s'étendaient maintenant jusqu'à la chaussée. Entre chaque tas, les maraîchers ménageaient un étroit sentier pour que le monde pût circuler. Tout le large trottoir, couvert d'un bout à l'autre, s'allongeait
15 avec les bosses sombres des légumes. On ne voyait encore, dans la clarté brusque et tournante des lanternes, que l'épanouissement charnu d'un paquet d'artichauds, les verts délicats des salades, le corail rose des carottes, l'ivoire mat des navets ; et ces éclairs de couleurs intenses filaient le long des tas, avec les lanternes. Le trottoir s'était peuplé ; une foule s'éveillait, allait entre les marchan-
20 dises, s'arrêtant, causant, appelant. Une voix forte au loin criait : « Eh ! la chicorée ! » On venait d'ouvrir les grilles du pavillon aux gros légumes ; les revendeuses[3] de ce pavillon, en bonnets blancs, avec un fichu noué sur leur caraco noir, et les jupes relevées par des épingles pour ne pas se salir, faisaient leur provision du jour, chargeaient de leurs achats les grandes hottes des porteurs posées à terre.
25 Du pavillon à la chaussée, le va-et-vient des hottes s'animait, au milieu des têtes cognées, des mots gras, du tapage des voix s'enrouant à discuter un quart d'heure pour un sou.

ÉMILE ZOLA, *Le Ventre de Paris.*

1. Éboueurs.
2. Endroit où l'on étalait et où l'on vendait les fruits et les légumes.
3. Marchandes de légumes au détail.

Questions

1. Définissez avec précision la portée sociale du passage.
2. Comment Zola représente-t-il la vie ?
3. En quoi peut-on qualifier l'écriture de Zola d'« impressionniste » ?
4. Peut-on évoquer ici l'esthétique des *Petits poèmes en prose* « Le Spleen de Paris » de Baudelaire ?

L'Assommoir
■■■■■ *[1877]*

1. Ivrogne. Ami de
Coupeau.
2. Alcool pur.
3. En argot : indicateur
de police.
4. En argot : *parlait beaucoup, était bavard.*

Gervaise Macquart, blanchisseuse, est abandonnée par son amant Auguste Lantier. Elle rencontre Coupeau, ouvrier zingueur, qui l'invite à prendre « une prune » à l'« Assommoir », cabaret tenu par le père Colombe. Les deux personnages, marqués par l'exemple de leurs parents, expriment leurs réticences à l'égard de l'alcool. Gervaise rêve d'une vie familiale simple et paisible. Pourtant l'alambic annonce leur déchéance future.

E̲t elle se leva. Coupeau, qui approuvait vivement ses souhaits, était déjà debout, s'inquiétant de l'heure. Mais ils ne sortirent pas tout de suite ; elle eut la curiosité d'aller regarder, au fond, derrière la barrière de chêne, le grand alambic de cuivre rouge, qui fonctionnait sous le vitrage clair de la petite cour ; et le zin-
5 gueur, qui l'avait suivie, lui expliqua comment ça marchait, indiquant du doigt les différentes pièces de l'appareil, montrant l'énorme cornue d'où tombait un filet limpide d'alcool. L'alambic, avec ses récipients de forme étrange, ses enrou-lements sans fin de tuyaux, gardait une mine sombre ; pas une fumée ne s'échap-pait ; à peine entendait-on un souffle intérieur, un ronflement souterrain ; c'était
10 comme une besogne de nuit faite en plein jour, par un travailleur morne, puis-sant et muet. Cependant, Mes-Bottes[1], accompagné de ses deux camarades, était venu s'accouder sur la barrière, en attendant qu'un coin du comptoir fût libre. Il avait un rire de poulie mal graissée, hochant la tête, les yeux attendris, fixés sur la machine à soû-
15 ler. Tonnerre de Dieu ! elle était bien gentille ! Il y avait, dans ce gros bedon de cuivre, de quoi se tenir le gosier au frais pen-dant huit jours. Lui, aurait voulu qu'on lui soudât le bout du serpentin entre les dents, pour sentir le vitriol[2] encore chaud l'emplir, lui descendre jusqu'aux talons, toujours, toujours,
20 comme un petit ruisseau. Dame ! il ne se serait plus dérangé, ça aurait joliment remplacé les dés à coudre de ce roussin[3] de père Colombe ! Et les camarades ricanaient, disaient que cet animal de Mes-Bottes avait un fichu grelot[4] tout de même. L'alambic, sourdement, sans une flamme, sans une gaieté
25 dans les reflets éteints de ses cuivres, continuait, laissait cou-ler sa sueur d'alcool, pareil à une source lente et entêtée, qui à la longue devait envahir la salle, se répandre sur les boule-vards extérieurs, inonder le trou immense de Paris. Alors, Gervaise, prise d'un frisson, recula ; et elle tâchait de sourire,
30 en murmurant :

« C'est bête, ça me fait froid, cette machine... la boisson me fait froid... »

ÉMILE ZOLA, *L'Assommoir.*

Q u e s t i o n s

1. Analysez la descrip-tion de l'alambic en montrant l'importance des différents points de vue et en vous interro-geant sur la vision finale qui nous en est donnée.

2. Quelle signification accordez-vous au per-sonnage de Mes-Bottes ?

3. Zola parle-t-il ici la langue du peuple ?

4. Comment le thème de l'alcool est-il traité ?

STEINLEIN, *Affiche pour la pièce L'Assommoir au Théâtre de la Porte Saint-Martin,* 1900. Paris, musée des Arts décoratifs.
● Photo © Lauros-Giraudon.

Germinal

▬▬ *[1885]*

C'est ici l'incipit de Germinal : Étienne Lantier, qui a perdu son emploi aux ateliers de Lille en raison de ses opinions socialistes, s'approche de la fosse du Voreux où il se fera embaucher. Il sera l'organisateur de la grève.

Dans la plaine rase, sous la nuit sans étoiles, d'une obscurité et d'une épaisseur d'encre, un homme suivait seul la grande route de Marchiennes[1] à Montsou[2], dix kilomètres de pavé coupant tout droit, à travers les champs de betteraves. Devant lui, il ne voyait même pas le sol noir, et il n'avait la sensation de
5   l'immense horizon plat que par les souffles du vent de mars, des rafales larges comme sur une mer, glacées d'avoir balayé des lieues de marais et de terres nues. Aucune ombre d'arbre ne tachait le ciel, le pavé se déroulait avec la rectitude d'une jetée, au milieu de l'embrun aveuglant des ténèbres.

L'homme était parti de Marchiennes vers deux heures. Il marchait d'un pas
10 allongé, grelottant sous le coton aminci de sa veste et de son pantalon de velours. Un petit paquet, noué dans un mouchoir à carreaux, le gênait beaucoup ; et il le serrait contre ses flancs, tantôt d'un coude, tantôt de l'autre, pour glisser au fond de ses poches les deux mains à la fois, des mains gourdes que les lanières du vent d'est faisaient saigner. Une seule idée occupait sa tête vide d'ouvrier sans travail
15 et sans gîte, l'espoir que le froid serait moins vif après le lever du jour. Depuis une heure, il avançait ainsi, lorsque sur la gauche, à deux kilomètres de Montsou, il aperçut des feux rouges, trois brasiers brûlant au plein air, et comme suspendus. D'abord, il hésita, pris de crainte ; puis, il ne put résister au besoin douloureux de se chauffer un instant les mains.

20 Un chemin creux s'enfonçait. Tout disparut. L'homme avait à sa droite une palissade, quelque mur de grosses planches fermant une voie ferrée ; tandis qu'un talus d'herbe s'élevait à gauche, surmonté de pignons confus, d'une vision de village aux toitures basses et uniformes. Il fit environ deux cents pas. Brusquement, à un coude du chemin, les feux reparurent près de lui, sans qu'il
25 comprît davantage comment ils brûlaient si haut dans le ciel mort, pareils à des lunes fumeuses. Mais, au ras du sol, un autre spectacle venait de l'arrêter. C'était une masse lourde, un tas écrasé de constructions, d'où se dressait la silhouette d'une cheminée d'usine ; de rares lueurs sortaient des fenêtres encrassées, cinq ou six lanternes tristes étaient pendues dehors, à des charpentes dont les bois
30 noircis alignaient vaguement des profils de tréteaux gigantesques ; et de cette apparition fantastique, noyée de nuit et de fumée, une seule voix montait, la respiration grosse et longue d'un échappement de vapeur, qu'on ne voyait point.

Alors, l'homme reconnut une fosse.

ÉMILE ZOLA, *Germinal.*

1. Localité du Nord de la France.
2. Nom fictif d'un village minier.

Questions

1. Comment le personnage est-il présenté ? Étudiez l'alternance des points de vue.

2. Étudiez le jeu des couleurs dans le texte et tirez-en des conclusions.

3. Cet *incipit* remplit-il sa fonction ?

La Bête humaine
[1890]

Jacques Lantier, mécanicien de la locomotive La Lison, *est porteur d'une « fêlure héréditaire » : la pulsion sexuelle s'accompagne toujours en lui d'une pulsion meurtrière. Ainsi assassinera-t-il sa maîtresse, Séverine.*
À la fin du roman, il devient l'amant de la maîtresse de son chauffeur Pecqueux. Celui-ci l'attaque dans l'habitacle de la locomotive. Les deux hommes tombent sur la voie et sont déchiquetés par le train qui, lancé à grande vitesse, roule du Havre vers Paris, sans conducteur, emmenant, en principe, les soldats à la guerre de 1870...

Mais Pecqueux, d'un dernier élan, précipita Jacques ; et celui-ci sentant le vide, éperdu, se cramponna à son cou, si étroitement, qu'il l'entraîna. Il y eut deux cris terribles, qui se confondirent, qui se perdirent. Les deux hommes, tombés ensemble, entraînés sous les roues par la réaction de la vitesse, furent coupés,
5 hachés, dans leur étreinte, dans cette effroyable embrassade, eux qui avaient si longtemps vécu en frères. On les retrouva sans tête, sans pieds, deux troncs sanglants qui se serraient encore, comme pour s'étouffer.

Et la machine, libre de toute direction, roulait, roulait toujours. Enfin, la rétive, la fantasque, pouvait céder à la fougue de sa jeunesse, ainsi qu'une cavale
10 indomptée encore, échappée des mains du gardien, galopant par la campagne rase. La chaudière était pourvue d'eau, le charbon dont le foyer venait d'être rempli s'embrasait ; et, pendant la première demi-heure, la pression monta follement, la vitesse devint effrayante... On traversa Maromme[1], en coup de foudre. Il n'y avait plus de sifflet, à l'approche des signaux, aux passages des gares. C'était
15 le galop tout droit, la bête qui fonçait la tête basse et muette parmi les obstacles. Elle roulait, roulait sans fin, comme affolée de plus en plus par le bruit strident de son haleine.

À Rouen, on devait prendre de l'eau ; et l'épou-
20 vante glaça la gare, lors-qu'elle vit passer, dans un vertige de fumée et de flamme, ce train fou, cette machine sans mécanicien ni
25 chauffeur.

ÉMILE ZOLA,
La Bête humaine.

Questions

1. En quoi s'agit-il d'un « train fou », ou encore d'un « train fantôme » ?
2. Comment l'impression de vitesse est-elle suggérée ?
3. Mettez cet extrait en rapport avec le titre du roman.
4. Peut-on parler seulement de *réalisme* et de *naturalisme* ?

1. Maromme se situe 6 km avant Rouen.

CLAUDE MONET (1840-1926), *La Gare Saint-Lazare – La ligne d'Auteuil*, 1877. Paris, musée d'Orsay. Photo © RMN-H. Lewandowski.

Jules Verne
(1828-1905)

Photo de NADAR.
Paris, Bibl. nationale.
• Photo © Archives Hatier.

JULES VERNE, né à Nantes, échappe au désir de son père qui voulait faire de lui un avoué. Il fréquente à Paris les milieux du théâtre et s'essaie à l'écriture de nouvelles. La rencontre, en 1862, avec Jules Hetzel, qui dirige une encyclopédie pour la jeunesse, est déterminante. Le premier ouvrage qui fait connaître l'écrivain est *Cinq Semaines en ballon* (1863) ; ce roman inaugure la longue série des « Voyages extraordinaires ». On a souvent réduit l'œuvre de Jules Verne à une prose falote écrite pour les enfants. En réalité, si ses romans étaient indéniablement partie prenante d'un projet éducatif, ils témoignent aussi des idées positivistes qui animent à l'époque penseurs et savants. Jules Verne s'informe des derniers progrès de la science et met à l'œuvre dans chaque roman une documentation encyclopédique. À son époque, le monde n'est plus à découvrir : Jules Verne remplace les traditionnels romans d'exploration par des textes qui parient, de façon parfois lourdement symbolique, sur la toute-puissance de l'homme à maîtriser la nature (*L'Île mystérieuse*, 1873). Il s'intéresse autant à l'aéronautique (il fonde avec Nadar une Société pour la recherche de la navigation aérienne, et écrit *De la Terre à la Lune* en 1865) qu'aux découvertes du monde sous-marin (*Vingt Mille Lieues sous les mers*, 1870), à la géologie (*Voyage au centre de la Terre*, 1864 ; *Les Indes noires*, 1877), ou à l'histoire contemporaine (*Michel Strogoff*, 1876).

Michel Strogoff
[1876]

Michel Strogoff est convoqué par le tsar de Russie pour porter un message en Sibérie, région menacée par les hordes tartares.

D'où est-il ?
– D'Omsk. C'est un Sibérien.
– Il a du sang-froid, de l'intelligence, du courage ?
– Oui, sire, il a tout ce qu'il faut pour réussir là où d'autres échoueraient peut-
5 être.
– Son âge ?
– Trente ans.
– C'est un homme vigoureux ?
– Sire, il peut supporter jusqu'aux dernières limites le froid, la faim, la soif, la
10 fatigue.
– Il a un corps de fer ?

1. Du Caucase, montagne
d'Asie centrale au sud de
la Russie.
2. Frisait.
3. L'occasion qu'il s'agit
de saisir dans l'instant
rapide où elle se présente.

– Oui, sire.

– Et un cœur ?...

– Un cœur d'or.

– Il se nomme... ?

– Michel Strogoff.

– Est-il prêt à partir ?

– Il attend dans la salle des gardes les ordres de Votre Majesté.

– Qu'il vienne », dit le czar.

Quelques instants plus tard, le courrier Michel Strogoff entrait dans le cabinet impérial.

Michel Strogoff était haut de taille, vigoureux, épaules larges, poitrine vaste. Sa tête puissante présentait les beaux caractères de la race caucasique[1]. Ses membres, bien attachés, étaient autant de leviers disposés mécaniquement pour le meilleur accomplissement des ouvrages de force. Ce beau et solide garçon, bien campé, bien planté, n'eût pas été facile à déplacer malgré lui, car, lorsqu'il avait posé ses deux pieds sur le sol, il semblait qu'ils y fussent enracinés. Sur sa tête, carrée du haut, large de front, se crépelait[2] une chevelure abondante, qui s'échappait en boucles, quand il la coiffait de la casquette moscovite. Lorsque sa face, ordinairement pâle, venait à se modifier, c'était uniquement sous un battement plus rapide du cœur, sous l'influence d'une circulation plus vive qui lui envoyait la rougeur artérielle. Ses yeux étaient d'un bleu foncé, avec un regard froid, franc, inaltérable, et ils brillaient sous une arcade dont les muscles sourciliers, contractés faiblement, témoignaient d'un courage élevé, « ce courage sans colère des héros », suivant l'expression des physiologistes. Son nez puissant, large de narines, dominait une bouche symétrique avec les lèvres un peu saillantes de l'être généreux et bon.

Michel Strogoff avait le tempérament de l'homme décidé, qui prend rapidement son parti, qui ne se ronge pas les ongles dans l'incertitude, qui ne se gratte pas l'oreille dans le doute, qui ne piétine pas dans l'indécision. Sobre de gestes comme de paroles, il savait rester immobile comme un soldat devant son supérieur ; mais, lorsqu'il marchait, son allure dénotait une grande aisance, une remarquable netteté de mouvements, – ce qui prouvait à la fois la confiance et la volonté vivace de son esprit. C'était un de ces hommes dont la main semble toujours « pleine des cheveux de l'occasion »[3], figure un peu forcée, mais qui les peint d'un trait.

JULES VERNE, *Michel Strogoff*, 1, 3.

Questions

1. Montrez que le texte est rigoureusement organisé en deux moments. Comment s'articulent-ils logiquement l'un à l'autre ?

2. Quel ordre suit le portrait physique du héros ? Pourquoi ?

3. Par des repérages précis, montrez que Jules Verne écrit pour un jeune public qu'il s'agit, entre autres, d'éduquer.

4. Dégagez des éléments du portrait qui rappellent la fascination de Jules Verne pour la science.

5. Étudiez comment le narrateur intervient dans son récit, mais de manière indirecte.

Villiers de L'Isle-Adam

(1838-1889)

Photographie de NADAR.
Paris, Bibliothèque nationale de
France.
● Photo © J.-L. Charmet.

Pʜɪʟɪppᴇ-ᴀᴜɢᴜsᴛᴇ ᴅᴇ Vɪʟʟɪᴇʀs ᴅᴇ ʟ'Isʟᴇ-ᴀᴅᴀᴍ, né à Saint-Brieuc en 1838, revendique son appartenance à une vieille famille aristocratique, ruinée par la Révolution. Après de médiocres études en Bretagne, il arrive à Paris où il sera l'ami de Baudelaire, qui lui fera lire Edgar Poe, et de Mallarmé. Ni ses **Premières Poésies** (1859) ni ses pièces de théâtre (**Elën**, 1865 ; **Morgane**, 1866 ; **La Révolte**, 1870) ne lui apportent la réussite escomptée. En 1871, sa sympathie pour la Commune de Paris est de courte durée ; en 1881, il se présente, sans succès, comme candidat légitimiste aux élections législatives. Une certaine notoriété lui vient avec la publication de recueils de contes (**Contes cruels**, 1883 ; **Tribulat Bonhomet**, 1887) et d'un roman (**L'Ève future**, 1886). Il meurt en 1889. Son chef-d'œuvre dramatique, **Axël**, paraîtra en 1890.

Cette œuvre fut saluée par Mallarmé, Verlaine et Huysmans. D'un pessimisme sévère, récusant le pouvoir de l'argent et l'idée de progrès, Villiers de L'Isle-Adam, à travers ses contes souvent fantastiques et symboliques, dénonce violemment son époque. La noirceur de ses récits est nuancée par l'humour et un relatif idéalisme.

Contes cruels

[1883]

Critique de la société de la fin du XIXᵉ siècle, appel desespéré vers un absolu incertain : les tendances fondamentales de Villiers de L'Isle-Adam se retrouvent dans ces « contes cruels ».

Antonie

Nos moustaches étaient parfumées de santal[1] – et, aussi, de ce qu'Antonie nous laissait cueillir les roses rouges de ses lèvres avec un charme tour à tour si sincère, qu'il ne suscitait aucune jalousie. Rieuse, elle se regardait ensuite dans les miroirs de la salle ; lorsqu'elle se tournait vers nous, avec des airs de Cléopâtre[2], c'était pour *se* voir encore dans nos yeux.

Sur son jeune sein sonnait un médaillon d'or mat, aux initiales de pierreries (les siennes), attaché par un velours noir.

– Un signe de deuil ? – Tu ne l'aimes plus.

Et, comme on l'enlaçait :

– Voyez !... dit-elle.

Elle sépara, de son ongle fin, les fermoirs du mystérieux bijou : le médaillon s'ouvrit. Une sombre fleur d'amour, une pensée, y dormait, artistement tressée en cheveux noirs.

1. Parfum extrait du bois de santal (arbre exotique).
2. Reine d'Égypte (69-30 avant J.-C.).
3. Soldat vagabond, soudard.
4. Donnerait.

– Antonie !... d'après ceci, votre amant doit être quelque enfant sauvage enchaîné par vos malices ?

– Un drille [3] ne vous baillerait [4] point, aussi naïvement, pareils gages de tendresse !

– C'est mal de les montrer dans le plaisir !

Antonie partit d'un éclat de rire si perlé, si joyeux, qu'elle fut obligée de boire, précipitamment, parmi ses violettes, pour ne point se faire mal.

– Ne faut-il pas des cheveux dans un médaillon ? en témoignage ?... dit-elle.

– Sans doute, sans doute !

– Hélas ! mes chers amants, après avoir consulté mes souvenirs, c'est l'une de mes boucles que j'ai choisie – et je la porte... *par esprit de fidélité.*

VILLIERS DE L'ISLE-ADAM, *Contes cruels.*

Fleurs de ténèbres

I l existe, sachez-le, souriantes liseuses, il existe, à Paris même, certaine agence sombre qui s'entend avec plusieurs conducteurs d'enterrement luxueux, avec des fossoyeurs même, à cette fin de desservir les défunts du matin en ne laissant pas *inutilement* s'étioler, sur les sépultures fraîches, tous ces splendides bouquets, toutes ces couronnes, toutes ces roses, dont, par centaines, la piété filiale   5
ou conjugale surcharge quotidiennement les catafalques.

Ces fleurs sont presque toujours oubliées après les ténébreuses cérémonies. L'on n'y songe plus ; l'on est pressé de s'en revenir ; – cela se conçoit !...

C'est alors que nos aimables croque-morts s'en donnent à cœur joie. Ils n'oublient pas les fleurs, ces messieurs ! Ils ne sont pas dans les nuages. Ils sont gens   10
pratiques. Ils les enlèvent par brassées, en silence. Les jeter à la hâte par-dessus le mur, dans un tombereau propice, est pour eux l'affaire d'un instant.

Deux ou trois des plus égrillards et des plus dégourdis transportent la précieuse cargaison chez des fleuristes amies qui, grâce à leurs doigts de fées, sertissent de mille façons, en maints bouquets de corsage et de main, en roses isolées,   15
même, ces mélancoliques dépouilles.

Les petites marchandes du soir alors arrivent, nanties chacune de sa corbeille. Elles circulent, disons-nous, aux premières lueurs des réverbères, sur les boulevards, devant les terrasses brillantes et dans les mille endroits de plaisir.

Et les jeunes ennuyés, jaloux de se bien faire venir [1] des élégantes pour les-   20
quelles ils conçoivent quelque inclination, achètent ces fleurs à des prix élevés et les offrent à ces dames.

Celles-ci, toutes blanches de fard, les acceptent avec un sourire indifférent et les gardent à la main, – ou les placent au joint de leur corsage.

Et les reflets du gaz [2] rendent les visages blafards.   25

En sorte que ces créatures-spectres, ainsi parées des fleurs de la Mort, portent, sans le savoir, l'emblème de l'amour qu'elles donnent et de celui qu'elles reçoivent.

VILLIERS DE L'ISLE-ADAM, *Contes cruels.*

1. Désireux de bien faire venir à eux.
2. L'éclairage urbain au gaz est à l'époque une nouveauté.

1. À qui s'adresse le narrateur ? Mettez en évidence le ton de révélation scandaleuse qu'il adopte.

2. En quoi la critique de la société est-elle passéiste ?

3. Comment se manifeste la misogynie du narrateur ?

4. Caractérisez l'humour qui imprègne ce texte.

Jules Vallès
(1832-1885)

Portrait par GUSTAVE COURBET (1819-1877).
Paris, musée Renan.
Photo © Lauros-Giraudon.

JULES VALLÈS, fils d'un professeur nantais, a seize ans en 1848. L'insurrection parisienne est cause pour lui d'un échec au baccalauréat et de l'éveil de sa conscience politique. De retour à Nantes où son père l'a fait interner dans un asile, il cherche par tous les moyens à retourner à Paris. Il y mène alors une vie activement militante ; il participe même à un attentat contre Napoléon III. Il écrit des articles favorables au prolétariat et débute sa carrière d'écrivain en 1857 avec **L'Argent**, subissant constamment censure et emprisonnements. Au moment de la Commune de Paris, il fonde le journal *Le Cri du peuple ;* mais à la victoire des Versaillais, il doit s'enfuir en Angleterre. Condamné à mort par contumace, il y reste jusqu'en 1883 et y rédige sa trilogie autobiographique : **L'Enfant** (1878), **Le Bachelier** (1881) et **L'Insurgé** (1886). Sous les traits de Jacques Vingtras, il peint sa vie de fils de petits-bourgeois de province, exalté par les luttes politiques mais en butte à l'anxiété et à l'étroitesse d'esprit de son entourage. Son style est alerte ; il mêle commentaires du narrateur sous forme de monologues intérieurs au récit des événements vécus et des émotions qu'ils ont produites, avec une vigueur lyrique, parfois teintée de violence.

L'Enfant
[1879]

Extrait 1

Jacques Vingtras présente sa famille dont le personnage de la mère constitue le pilier central.

Quels souvenirs ai-je encore de ma vie de petit enfant ? Je me rappelle que, devant la fenêtre, les oiseaux viennent l'hiver picorer dans la neige ; que l'été, je salis mes culottes dans une cour qui sent mauvais ; qu'au fond de la cave, un des locataires engraisse des dindes. On me laisse pétrir des boulettes de son mouillé,
5 avec lesquelles on les bourre, et elles étouffent. Ma grande joie est de les voir suffoquer, devenir bleues. Il paraît que j'aime le bleu !

Ma mère apparaît souvent pour me prendre par les oreilles et me calotter. C'est pour mon bien ; aussi, plus elle m'arrache de cheveux, plus elle me donne de taloches, et plus je suis persuadé qu'elle est une bonne mère et que je suis un
10 enfant ingrat.

Oui, ingrat ! car il m'est arrivé quelquefois, le soir, en grattant mes bosses, de ne pas me mettre à la bénir, et c'est à la fin de mes prières, tout à fait, que je demande à Dieu de lui garder la santé pour veiller sur moi et me continuer ses bons soins.

JULES VALLÈS, *L'Enfant*, chap. 1.

Questions

1. Quelle réaction suscite pour vous l'évocation de ces souvenirs rappelés par Jules Vallès ?

2. Qui prononce la phrase « C'est pour mon bien » (l. 8) ? Commentez la manière dont elle s'inscrit dans le texte.

3. Analysez l'ambiguïté qui régit l'image que l'enfant a de sa mère.

Extrait 2

Jacques Vingtras a trébuché dans les jambes d'un surveillant, et celui-ci, sous le choc, a cassé une fiole d'alcool qu'il cachait sous sa veste. Puni, Vingtras est seul dans la salle d'étude où l'a enfermé le surveillant.

Il m'a mis aux arrêts ; – il m'a enfermé lui-même dans une étude vide, a tourné la clef, et me voilà seul entre les murailles sales, devant une carte de géographie qui a la jaunisse, et un grand tableau noir où il y a des ronds blancs et la binette¹ du censeur.

Je vais d'un pupitre à l'autre : ils sont vides – on doit nettoyer la place, et les 5
élèves ont déménagé.

Rien, une règle, des plumes rouillées, un bout de ficelle, un petit jeu de dames, le cadavre d'un lézard ; une agate perdue.

Dans une fente, un livre : j'en vois le dos, je m'écorche les ongles à essayer de le retirer. Enfin, avec l'aide de la règle, en cassant un pupitre, j'y arrive ; je tiens 10
le volume et je regarde le titre :

ROBINSON CRUSOÉ.

Il est nuit.

Je m'en aperçois tout d'un coup. Combien y a-t-il de temps que je suis dans ce livre ? – quelle heure est-il ? 15

Je ne sais pas, mais voyons si je puis lire encore ! Je frotte mes yeux, je *tends* mon regard, les lettres s'effacent, les lignes se mêlent, je saisis encore le coin d'un mot, puis plus rien.

J'ai le cou brisé, la nuque qui me fait mal, la poitrine creuse : je suis resté penché sur les chapitres sans lever la tête, sans entendre rien, dévoré par la curiosité, 20
collé aux flancs de Robinson, pris d'une émotion immense, remué jusqu'au fond de la cervelle et jusqu'au fond du cœur ; et en ce moment où la lune montre là-bas un bout de corne, je fais passer dans le ciel tous les oiseaux de l'île, et je vois se profiler la tête longue d'un peuplier comme le mât du navire de Crusoé ! Je peuple l'espace vide de mes pensées, tout comme il peuplait l'horizon de ses 25
craintes ; debout contre cette fenêtre, je rêve à l'éternelle solitude et je me demande où je ferai pousser du pain...

La faim me vient : j'ai très faim.

Vais-je être réduit à manger ces rats que j'entends dans la cale de l'étude ? Comment faire du feu ? J'ai soif aussi. Pas de bananes ! Ah ! lui, il avait des limons 30
frais ! Justement j'adore la limonade !

Clic, clac ! on farfouille dans la serrure.

Est-ce Vendredi ? Sont-ce des sauvages ?

C'est le petit pion qui s'est souvenu, en se levant, qu'il m'avait *oublié*, et qui vient voir si j'ai été dévoré par les rats, ou si c'est moi qui les ai mangés. 35

JULES VALLÈS, *L'Enfant*, chap. 11.

Questions

1. Quel est le mouvement du texte ? Montrez qu'il comprend une ellipse et identifiez-en la fonction.

2. De quelle manière l'auteur restitue-t-il l'atmosphère des salles de classe de son enfance ?

3. Mettez en évidence les émotions de lecteur de Vingtras : sur quoi l'auteur insiste-t-il ?

4. Pourquoi le roman *Robinson Crusoé* cause-t-il, dans ces circonstances précises, une émotion si violente au jeune garçon ?

Le Bachelier
[1881]

1. Jeu de cartes.

Ce roman est la suite de L'Enfant. *L'action se situe à Paris, pendant la révolution de 1848 et dans les années qui suivent. Le 2 décembre 1851 a lieu le coup d'État de Louis-Napoléon Bonaparte, futur empereur Napoléon III, qui donne lieu à des combats de rue. Le narrateur, Jacques Vingtras, aurait rêvé d'un appel aux armes, mais il est forcé de reconnaître que la résignation l'emporte chez les républicains qui ont gardé un souvenir terrible de la répression de juin 1848.*

4 décembre, au soir

Nous n'avons pas fatigué la troupe, et je ne puis plus me tenir, je n'ai plus de voix dans la gorge, à peine s'il peut sortir de ma poitrine des sons brisés, tant j'ai crié : « Vive la République ! à bas le dictateur ! » tant j'ai dépensé de rage et de désespoir, depuis que Rock a frappé à ma porte...

5　Il est je ne sais quelle heure. J'ai regagné l'hôtel j'ignore comment – en m'attachant aux murs, en traînant les pieds, en soutenant de mes mains ma tête pesante, pesante comme s'il y était entré du plomb, et je suis tombé sur mon lit.

Je n'ai pas reçu une blessure, je ne saigne pas ; je râle...

Le sommeil me prend, mais il me semble qu'une main m'enfonce la bouche
10　dans l'oreiller ; je me réveille et demandant grâce, j'ouvre ma fenêtre.

J'entends un roulement de coups de fusil !

On se bat donc encore ? On m'avait dit que c'était fini, que tous ceux qui avaient du cœur étaient épuisés ou morts.

15　C'est sans doute des prisonniers qu'on achève ; on dit qu'on tue à la Préfecture.

Si la lutte avait recommencé !

Je dois y être !... Ma place n'est pas dans ce lit d'hôtel. Je vais essayer de repartir, d'aller
20　voir...

Mais le sommeil m'accable, mais mes jambes refusent le service, mais j'ai le bras droit qui est lourd comme si j'avais un boulet au bout.

25　Encore des coups de fusil !

Oh ! je descendrai tout de même !

Tout le monde dort dans la maison, excepté deux ou trois personnes qui jouent aux cartes.

30　Il y en a un qui dit : « *Quatre-vingts de rois !* » et l'autre qui répond : « *Dis plutôt quatre-vingts d'empereurs !* »

Et je croyais qu'on se battrait, que les jeunes gens se feraient hacher jusqu'au der-
35　nier !... – *Cinq cents de bésigue*[1], *quatre-vingts d'empereurs...*

TONY JOHANNOT (1803-1852), *L'Insurgé blessé*. Paris, musée Carnavalet. Photo © Giraudon.

Questions

1. Caractérisez les sentiments qu'éprouve successivement le narrateur.

2. Étudiez le jeu des temps des verbes dans tout le texte.

3. Commentez les adjectifs « muette et sombre » de la ligne 45, en les rapportant au contexte : quelle relation peut-on établir entre la vision de la ville ce soir-là et les circonstances politiques ?

J'ai pu me traîner jusque dans la rue. Comme elle est noire !... Je descends jusqu'au pont. Des factionnaires montent la garde.

« Où allez-vous ? »

Si j'avais du courage, si j'étais un homme, je leur dirais où je vais... où je crois 40
de mon devoir d'aller. Je crierais : *À bas Napoléon !*

Je regretterai plus d'une fois peut-être dans l'avenir, de ne pas avoir poussé ce cri et laissé là ma vie...

J'ai balbutié, tourné à gauche...

La Seine coule muette et sombre. On dit qu'on y a jeté un blessé vivant et 45
qu'il a pu regagner l'autre rive en laissant derrière lui un sillon d'eau sanglante.
Il est peut-être blotti mourant dans un coin. N'y a-t-il pas quelque part une flaque rouge ?

Je n'entends plus la fusillade, mais les factionnaires reparaissent, victorieux et
insolents.   50

C'est fini... fini... Ils ne s'élèvera plus un cri de révolte vers le ciel !

JULES VALLÈS, *Le Bachelier*,
chap. 12, « 2 décembre ».

Le roman de formation

Le roman de formation (ou roman d'apprentissage) est caractérisé par un récit dans lequel un héros jeune, est amené, à l'occasion de rencontres successives et de circonstances diverses, à acquérir une expérience et à « former » sa personnalité, sur le plan sentimental, social, intellectuel ou culturel. Le « modèle » en est *Les Années d'apprentissagee de Wilhelm Meister* (1795-1796), de l'écrivain allemand Gœthe. Ce schéma du « roman de formation » était déjà à l'œuvre dans des romans européens du début du XVIIIᵉ siècle comme *Le Paysan parvenu* (1734-1735) de Marivaux ; il structure totalement ou partiellement de nombreux romans des siècles suivants comme *Le Père Goriot* ou *Illusions perdues* de Balzac, *Le Rouge et le Noir* de Stendhal, *L'Éducation sentimentale* de Flaubert, *Germinal* de Zola, *L'Enfant* ou *Le Bachelier* de Vallès, *Jean-Christophe* de Romain Rolland, etc. Ces récits proposent le plus souvent un déroulement chronologique qui suit l'itinéraire du héros dans un espace géographique, social ou historique ; ils comportent fréquemment des « scènes obligées » dites « scènes d'initiation » et des personnages d'initiateurs – ou d'initiatrices. Au bout de leur trajectoire, les héros parviennent soit à un accomplissement (Jacob dans *Le Paysan parvenu*) soit au contraire à une désillusion qu'accompagne la perte d'un idéal (Lucien dans *Illusions perdues*, Frédéric dans *L'Éducation sentimentale*).

Guy de Maupassant

(1850-1893)

Portrait par FRANÇOIS FEYEN PERRIN
(1826-1888).
Versailles, musée du Château.
Photo © Hubert-Josse.

GUY DE MAUPASSANT naît en Normandie, aux environs de Dieppe, en 1850. Il connaît une enfance heureuse près de sa mère, Laure Le Poittevin, qui est une amie de Flaubert. Chassé du séminaire d'Yvetot, il poursuit ses études au lycée de Rouen. En 1870, engagé dans la Garde mobile, il assiste à la débâcle en Normandie. À partir de 1871, ses fonctions aux ministères de la Marine puis de l'Instruction publique lui laissent des loisirs qu'il consacre au canotage sur la Seine, à la chasse et aux conquêtes féminines. Il publie d'abord des poèmes, puis, bénéficiant de l'amitié et des leçons de Flaubert, son père spirituel, et de Zola, il fait paraître, en 1880 dans **Les Soirées de Médan**, **Boule de suif** qui remporte un vif succès. Il abandonne alors son métier de fonctionnaire et compose, entre 1880 et 1891, environ trois cents contes et nouvelles qui seront réunis en recueils : **La Maison Tellier** (1881), **Mademoiselle Fifi** (1882), **Les Contes de la bécasse** (1883), **Miss Harriett** (1884), **Les Contes du jour et de la nuit** (1885), **La Petite Roque** (1886), **Le Horla** (1887). Il faut y ajouter six romans : **Une vie** (1883), **Bel-Ami** (1885), **Mont-Oriol** (1887), **Pierre et Jean** (1888), **Fort comme la mort** (1889), **Notre cœur** (1890). Lancé dans le journalisme et la vie mondaine, Maupassant mène une existence luxueuse. Mais, à partir de 1884, la maladie nerveuse dont il souffrait depuis sa jeunesse s'aggrave sous l'effet du surmenage physique et intellectuel ainsi que de l'usage de stupéfiants. En 1887, **Le Horla** témoigne de son obsession majeure. En effet, le narrateur ressent l'inquiétante présence d'un double auprès de lui et songe à mettre fin à ses jours. C'est précisément après une tentative de suicide que Maupassant est interné à la maison de santé du docteur Blanche, à Passy, où il meurt en 1893.

S'il méprise la mesquinerie de la société bourgeoise, Maupassant, désespéré et nihiliste, n'y apporte aucun remède. Qu'il évoque les intrigues de la capitale ou celles de la campagne normande, il fait le choix du « désintéressement ». Cette indifférence revendiquée donne à ses descriptions la force d'un constat totalement pessimiste : la politique, la religion, la morale, l'amour, l'art même ne sont que des illusions. En fait, le monde et l'être humain sont travaillés par des forces obscures que l'écrivain tente de saisir et qu'il sent lui échapper. Plus sa santé mentale se détériore, plus s'accentue cette complexité des rapports avec le réel. Ainsi l'œuvre dérive-t-elle du réalisme au fantastique. Mais l'écriture, comme si elle voulait conjurer le risque d'une perte de la lucidité, continue d'aspirer éperdument à une simplicité et à une rigueur toutes classiques.

1. Clients.
2. Madeleine Forestier, femme de Georges Duroy.

Bel-Ami
━━━━ *[1885]*

Bellâtre et arriviste, Georges Duroy, après un riche mariage, vient présenter sa femme à ses parents, simples paysans normands.

C'étaient deux paysans, l'homme et la femme, qui marchaient d'un pas irrégulier, en se balançant et se heurtant parfois de l'épaule. L'homme était petit, trapu, rouge et un peu ventru, vigoureux malgré son âge ; la femme, grande, sèche, voûtée, triste, la vraie femme de peine des champs, qui a travaillé dès l'enfance et qui n'a jamais ri, tandis que le mari blaguait en buvant avec les pratiques[1]. 5

Madeleine[2] aussi était descendue de voiture et elle regardait venir ces deux pauvres êtres avec un serrement de cœur, une tristesse qu'elle n'avait point prévue. Ils ne reconnaissaient point leur fils, ce beau monsieur, et ils n'auraient jamais deviné leur bru dans cette belle dame en robe claire. 10

Ils allaient, sans parler, et vite, au-devant de l'enfant attendu, sans regarder ces personnes de la ville que suivait une voiture.

Ils passaient. Georges, qui riait, cria : « Bonjou, pé Duroy. »

Ils s'arrêtèrent net, tous les deux, stupéfaits d'abord, puis abrutis de surprise. La vieille se remit la première et balbutia, sans faire un pas : « C'est-i té, 15 not'fieu ? »

Le jeune homme répondit : « Mais oui, c'est moi, la mé Duroy ! » et marchant à elle il l'embrassa sur les deux joues, d'un gros baiser de fils. Puis il frotta ses tempes contre les tempes du père, qui avait ôté sa casquette, une casquette à la mode de Rouen, en soie noire, très haute, pareille à celle des marchands de 20 bœufs.

Puis Georges annonça : « Voilà ma femme. » Et les deux campagnards regardèrent Madeleine. Ils la regardèrent comme on regarde un phénomène, avec une crainte inquiète, jointe à une sorte d'approbation satisfaite chez le père, à une inimitié jalouse chez la mère. 25

L'homme, qui était d'un naturel joyeux, tout imbibé par une gaieté de cidre doux et d'alcool, s'enhardit et demanda, avec une malice au coin de l'œil :

« J'pouvons-ti l'embrasser tout d'même ? »

Le fils répondit : « Parbleu. » Et Madeleine, mal à l'aise, tendit ses deux joues aux bécots sonores du paysan qui s'essuya ensuite les lèvres d'un revers de main. 30

La vieille, à son tour, baisa sa belle-fille avec une réserve hostile. Non, ce n'était point la bru de ses rêves, la grosse et fraîche fermière, rouge comme une pomme et ronde comme une jument poulinière. Elle avait l'air d'une traînée, cette dame-là, avec ses falbalas et son musc. Car tous les parfums, pour la vieille, étaient du musc. 35

Et on se remit en marche à la suite du fiacre qui portait la malle des nouveaux époux.

Le vieux prit son fils par le bras, et le retenant en arrière, il demanda avec intérêt :

« Eh bien, ça va-t-il, les affaires ? » 40

– Mais oui, très bien.

– Allons suffit, tant mieux ! Dis-mé, ta femme, est-i aisée ? »

Georges répondit : « Quarante mille francs. »

GUY DE MAUPASSANT, *Bel-Ami*, II, 1.

Questions

1. Analysez les portraits des deux paysans. Quelle est la relation du narrateur avec ces deux personnages ?

2. Quelles formes prend la communication entre les personnages ?

3. Quels rapports Georges Duroy entretient-il avec ses origines ?

4. Comment s'exprime ici le pessimisme – voire le nihilisme – de Maupassant ?

Le Horla
[1887]

Le narrateur a l'impression d'être poursuivi par un personnage invisible à qui il a fini par donner le nom de Horla. Obsédé par ce double inquiétant – l'Autre – il est progressivement gagné par la folie. Croyant avoir réussi à enfermer le Horla dans sa maison, il mettra le feu à celle-ci pour le tuer. Doutant du résultat de l'incendie, il verra dans le suicide le seul moyen d'échapper à son obsession.

19 août

Je le tuerai. Je l'ai vu ! je me suis assis hier soir, à ma table ; et je fis semblant d'écrire avec une grande attention. Je savais bien qu'il viendrait rôder autour de moi, tout près, si près que je pourrais peut-être le toucher, le saisir ? Et alors !... alors, j'aurais la force des désespérés ; j'aurais mes mains, mes genoux, ma poi-
5 trine, mon front, mes dents pour l'étrangler, l'écraser, le mordre, le déchirer.

Et je le guettais avec tous mes organes surexcités.

J'avais allumé mes deux lampes et les huit bougies de ma cheminée, comme si j'eusse pu, dans cette clarté, le découvrir.

En face de moi, mon lit, un vieux lit de chêne à colonnes ; à droite, ma che-
10 minée ; à gauche, ma porte fermée avec soin, après l'avoir laissée longtemps ouverte, afin de l'attirer ; derrière moi, une très haute armoire à glace, qui me ser-vait chaque jour, pour me raser, pour m'habiller, et où j'avais coutume de me regarder, de la tête aux pieds, chaque fois que je passais devant.

Donc, je faisais semblant d'écrire, pour le tromper, car il m'épiait lui aussi ; et
15 soudain, je sentis, je fus certain qu'il lisait par-dessus mon épaule, qu'il était là, frôlant mon oreille.

Je me dressai, les mains tendues, en me tournant si vite que je faillis tomber. Eh ! bien ?... on y voyait comme en plein jour, et je ne me vis pas dans ma glace !... Elle était vide, claire, profonde, pleine de lumière ! Mon image n'était
20 pas dedans... et j'étais en face, moi ! Je voyais le grand verre limpide du haut en bas. Et je regardais cela avec des yeux affolés ; et je n'osais plus avancer, je n'osais plus faire un mouvement, sentant bien pourtant qu'il était là, mais qu'il m'échap-perait encore, lui dont le corps imperceptiblement avait dévoré mon reflet.

Comme j'eus peur ! Puis voilà que tout à coup je commençai à m'apercevoir
25 dans une brume, au fond du miroir, dans une brume comme à travers une nappe d'eau ; et il me semblait que cette eau glissait de gauche à droite, lentement, ren-dant plus précise mon image, de seconde en seconde. C'était comme la fin d'une éclipse. Ce qui me cachait ne paraissait point posséder de contours nettement arrêtés, mais une sorte de transparence opaque, s'éclaircissant peu à peu.
30 Je pus enfin me distinguer complètement, ainsi que je le fais chaque jour en me regardant.

Je l'avais vu ! L'épouvante m'en est restée, qui me fait encore frissonner.

GUY DE MAUPASSANT, *Le Horla.*

Questions

1. Quel intérêt pré-sente ici la forme du journal ?

2. Faites une recherche pour définir le fantas-tique. À partir de la défi-nition ainsi obtenue, demandez-vous com-ment le fantastique se manifeste dans le texte.

3. Montrez l'impor-tance du motif du miroir. Étudiez les thèmes de l'altérité et de l'identité.

4. Quels rapports le narrateur entretient-il avec le Horla ?

Une vie
[1883]

Le roman Une vie, *publié initialement en 1883, fut intégralement revu par Maupassant juste avant sa mort, en 1893.*

Sous la Restauration, Jeanne vit avec ses parents en Normandie, dans un château. Jeune fille romanesque, elle a dix-huit ans et est fiancée au vicomte Julien de Lamare. Un soir, les parents de la jeune fille se sont retirés ; seule la tante Lison, la « vieille fille », est restée au salon. Les fiancés rentrent du jardin.

La vieille fille tourna les yeux ; ils étaient rouges comme si elle eût pleuré. Les amoureux n'y prirent point garde ; mais le jeune homme aperçut soudain les fins souliers de la jeune fille tout couverts d'eau. Il fut saisi d'inquiétude et demanda tendrement : « N'avez-vous point froid à vos chers petits pieds ? »

5   Et tout à coup les doigts de la tante furent secoués d'un tremblement si fort que son ouvrage s'en échappa ; la pelote de laine roula au loin sur le parquet ; et, cachant brusquement sa figure dans ses mains, elle se mit à pleurer par grands sanglots convulsifs.

    Les deux fiancés la regardaient stupéfaits, 10 immobiles. Jeanne brusquement se mit à ses genoux, écarta ses bras, bouleversée, répétant :

    « Mais qu'as-tu, mais qu'as-tu, tante Lison ? »

    Alors la pauvre femme, balbutiant, avec la 15 voix toute mouillée de larmes, et le corps crispé de chagrin, répondit :

    « C'est quand il t'a demandé... N'avez-vous pas froid à... à... à vos chers petits pieds ?... on ne m'a jamais dit de ces choses-là... à moi... jamais... 20 jamais... »

    Jeanne, surprise, apitoyée, eut cependant envie de rire à la pensée d'un amoureux débitant des tendresses à Lison ; et le vicomte s'était retourné pour cacher sa gaieté.

25   Mais la tante se leva soudain, laissa sa laine à terre et son tricot sur le fauteuil, et elle se sauva sans lumière dans l'escalier sombre, cherchant sa chambre à tâtons.

    Restés seuls, les deux jeunes gens se regardè-30 rent, égayés et attendris. Jeanne murmura : « Cette pauvre tante !... » Julien reprit : « Elle doit être un peu folle, ce soir. »

    Ils se tenaient les mains sans se décider à se séparer, et doucement, tout doucement, ils 35 échangèrent leur premier baiser devant le siège vide que venait de quitter tante Lison.

GUY DE MAUPASSANT, *Une vie*.

Questions

1. Montrez l'aspect théâtral de l'extrait.

2. Caractérisez le personnage de la tante Lison en vous interrogeant sur le thème de la folie.

3. Analysez les comportements respectifs de Jeanne et de Julien.

4. Ce texte contient-il des éléments symboliques, prémonitoires des désillusions que va connaître Jeanne au cours de sa vie conjugale ?

WHISTLER, *La Mère de l'artiste*, 1871.
Paris, musée d'Orsay.
Photo © Giraudon.

Joris-Karl Huysmans
(1848-1907)

Portrait par JEAN-LOUIS FORAIN
(1852-1931).
Versailles, musée du Château.
Photo © Josse.

JORIS-KARL HUYSMANS, d'origine hollandaise, né à Paris en 1848, demeure célibataire et mène la vie monotone de fonctionnaire au ministère de l'Intérieur. En 1874, il publie un recueil de poèmes en prose, **Le Drageoir aux épices**, suivi d'une série de romans et de nouvelles d'inspiration naturaliste, qui lui acquièrent l'amitié de Zola : **Marthe** (1876), **Les Sœurs Vatard** (1879), **En ménage** (1881), **À vau-l'eau** (1882). Mais **À rebours** (1884) marque une rupture avec le naturalisme : le héros, Jean Des Esseintes, dandy, esthète et fortuné, cherche désespérément un idéal. En 1891, Huysmans se convertit au catholicisme. Cet itinéraire spirituel est un peu celui de Durtal, le héros de **Là-bas** (1891) et d'**En route** (1895). Huysmans meurt en 1907.

Les premiers romans de Huysmans sont un témoignage sur les problèmes sociaux, particulièrement sur la condition des femmes et sur la ville, à la fin du XIXᵉ siècle. Mais il reproche au naturalisme de s'enfermer dans une approche « matérialiste » de la vie. **À rebours** est un jalon sur le long parcours semé de doutes et de révoltes qui conduisit ce solitaire vers la foi.

À rebours
[1884]

Ce roman contient un hommage à Baudelaire, à Verlaine, ainsi qu'à Mallarmé qui publiera, en 1885, Prose pour Des Esseintes. *Il est représentatif du décadentisme (voir p. 443) : estimant que la civilisation dans laquelle il vit court à sa perte, le héros, Des Esseintes, atteint de névrose et de déliquescence, se réfugie dans un individualisme exacerbé et dans l'esthétisme.*
Pour échapper à sa névrose, il utilise un « orgue à bouche », dont Boris Vian se souviendra lorsqu'il imaginera le « pianocktail » de L'Écume des jours *en 1947.*

Il s'en fut dans la salle à manger où, pratiquée dans l'une des cloisons, une armoire contenait une série de petites tonnes, rangées côte à côte, sur de minuscules chantiers de bois de santal[1], percées de robinets d'argent au bas du ventre.

Il appelait cette réunion de barils à liqueurs son orgue à bouche.

5   Une tige pouvait rejoindre tous les robinets, les asservir à un mouvement unique, de sorte qu'une fois l'appareil en place, il suffisait de toucher un bouton dissimulé dans la boiserie, pour que toutes les cannelles[2], tournées en même temps, remplissent de liqueur les imperceptibles gobelets placés au-dessous d'elles.

1. Bois clair, odorant, utilisé en ébénisterie.
2. Petits tubes, petits robinets que l'on adapte à une
cuve, à un pressoir, à un
tonneau.
3. Alcool parfumé au
cumin.
4. Eaux-de-vie parfumées
à l'anis.
5. Sucs résineux du len-
tisque.
6. Voûte du palais (partie
de la bouche).
7. Liqueur qui fait expul-
ser les gaz intestinaux.

L'orgue se trouvait alors ouvert. Les tiroirs étiquetés « flûte, cor, voix céleste » 10
étaient tirés, prêts à la manœuvre. Des Esseintes buvait une goutte, ici, là, se
jouait des symphonies intérieures, arrivait à se procurer, dans le gosier, des sensations analogues à celles que la musique verse à l'oreille.

Du reste, chaque liqueur correspondait, selon lui, comme goût, au son d'un
instrument. Le curaçao sec, par exemple, à la clarinette dont le chant est aigrelet 15
et velouté ; le kummel[3] au hautbois dont le timbre sonore nasille ; la menthe et
l'anisette, à la flûte, tout à la fois sucrée et poivrée, piaulante et douce ; tandis
que, pour compléter l'orchestre, le kirsch sonne furieusement de la trompette ;
le gin et le whisky emportent le palais avec leurs stridents éclats de pistons et de
trombones, l'eau-de-vie de marc fulmine avec les assourdissants vacarmes des 20
tubas, pendant que roulent les coups de tonnerre de la cymbale et de la caisse
frappés à tour de bras, dans la peau de la bouche, par les rakis[4] de Chio et les
mastics[5] !

Il pensait aussi que l'assimilation pouvait s'étendre, que des quatuors d'instruments à cordes pouvaient fonctionner sous la voûte palatine[6], avec le violon 25
représentant la vieille eau-de-vie, fumeuse et fine, aiguë et frêle ; avec l'alto
simulé par le rhum plus robuste, plus ronflant, plus sourd ; avec le vespétro[7]
déchirant et prolongé, mélancolique et caressant comme un violoncelle ; avec la
contrebasse, corsée, solide et noire comme un pur et vieux bitter. On pouvait
même, si l'on voulait former un quintette, adjoindre un cinquième instrument, 30
la harpe, qu'imitait, par une vraisemblable analogie, la saveur vibrante, la note
argentine, détachée et grêle du cumin sec.

La similitude se prolongeait encore ; des relations de tons existaient dans la
musique des liqueurs ; ainsi pour ne citer qu'une note, la bénédictine figure,
pour ainsi dire, le ton mineur de ce ton majeur des alcools que les partitions com- 35
merciales désignent sous le signe de chartreuse verte.

Ces principes une fois admis, il était parvenu, grâce à d'érudites expériences,
à se jouer sur la langue de silencieuses mélodies, de muettes marches funèbres à
grand spectacle, à entendre, dans sa bouche, des soli de menthe, des duos de vespétro et de rhum. 40

Il arrivait même à transférer dans sa mâchoire de véritables morceaux de
musique, suivant le compositeur, pas à pas, rendant sa pensée, ses effets, ses
nuances, par des unions ou des contrastes voisins de liqueurs, par d'approximatifs et savants mélanges.

JORIS-KARL HUYSMANS, *À rebours.*

Questions

1. En vous référant aux « correspondances » de Baudelaire (voir p. 411), étudiez, paragraphe par paragraphe, le jeu des sensations.
2. Pourquoi l'instrument choisi est-il l'orgue ?
3. Montrez que l'invention majeure concerne en fait le langage et analysez la
poésie du texte.
4. Le narrateur s'identifie-t-il au héros ou y a-t-il distanciation ?

Alfred Jarry
(1873-1907)

Portrait par F. A. CAZALS.
Paris, Bibl. nationale.
Photo © Roger-Viollet.

ALFRED JARRY naît à Laval en 1873. Élève au lycée de Rennes, il suit les cours de Félix Hébert, un professeur de physique chahuté par ses classes, qui le surnomment Ébé, Eb, père Heb... autant d'appellations dont se souvient Jarry en inventant le personnage d'Ubu. Étudiant à Paris, il mène une vie de bohème et fréquente dès 1893 les milieux littéraires. Il participe aux Mardis de Mallarmé, des soirées qui rassemblent chez le poète de nombreux artistes, et écrit des articles pour *Le Mercure de France* et *La Revue blanche*. En 1896, Lugné-Poe, directeur du théâtre de l'Œuvre, accepte d'y représenter **Ubu roi.** Alfred Jarry, qui expose son projet théâtral dans des conférences, publie en 1900 **Ubu enchaîné** et, en 1902, un roman, **Le Surmâle.** En 1907, il meurt des suites d'une méningite. Le cycle *Ubu* fait scandale, tant Jarry se veut provocateur. L'écrivain s'attaque aux institutions – l'Armée, la Religion, l'État – et aux puissants, qu'il caricature sous les traits d'un *Ubu* fat, méchant et grossier. Mais il révolutionne surtout l'écriture théâtrale par un recours au non-sens, à la farce obscène, aux calembours, associé à un parti pris de dépouillement scénique, qui surprend un public habitué à des décors particulièrement surchargés.

Ubu roi
███ *[1896]*

Dans Ubu roi, Jarry parodie l'intrigue du Macbeth de Shakespeare. Incité par une épouse ambitieuse, le capitaine Ubu tue le roi de Pologne et s'empare du trône. La scène suivante ouvre la pièce.

Acte premier, *scène première*

PÈRE UBU, MÈRE UBU

PÈRE UBU. – Merdre.

MÈRE UBU. – Oh ! voilà du joli, Père Ubu, vous estes un fort grand voyou.

PÈRE UBU. – Que ne vous assom'je, Mère Ubu !

MÈRE UBU. – Ce n'est pas moi, Père Ubu, c'est un autre qu'il faudrait assassiner.

5 PÈRE UBU. – De par ma chandelle verte, je ne comprends pas.

MÈRE UBU. – Comment, Père Ubu, vous estes content de votre sort ?

PÈRE UBU. – De par ma chandelle verte, merdre, madame, certes oui, je suis content. On le serait à moins : capitaine de dragons, officier de
10 confiance du roi Venceslas, décoré de l'ordre de l'Aigle Rouge de Pologne et ancien roi d'Aragon, que voulez-vous de mieux ?

MÈRE UBU. – Comment ! après avoir été roi d'Aragon vous vous contentez de mener aux
15 revues une cinquantaine d'estafiers armés de coupe-choux, quand vous pourriez faire succéder sur votre fiole la couronne de Pologne à celle d'Aragon ?

PÈRE UBU. – Ah ! Mère Ubu, je ne comprends
20 rien de ce que tu dis.

MÈRE UBU. – Tu es si bête !

PÈRE UBU. – De par ma chandelle verte, le roi Venceslas est encore bien vivant ; et même en admettant qu'il meure, n'a-t-il pas des légions
25 d'enfants ?

MÈRE UBU. – Qui t'empêche de massacrer toute la famille et de te mettre à leur place ?

PÈRE UBU. – Ah ! Mère Ubu, vous me faites injure et vous allez passer tout à l'heure par la
30 casserole.

MÈRE UBU. – Eh ! pauvre malheureux, si je passais par la casserole, qui te raccommoderait tes fonds de culotte ?

PÈRE UBU. – Eh vraiment ! et puis après ? N'ai-je
35 pas un cul comme les autres ?

MÈRE UBU. – À ta place, ce cul, je voudrais l'installer sur un trône. Tu pourrais augmenter indéfiniment tes richesses, manger fort souvent de l'andouille et rouler carrosse par les rues.

40 PÈRE UBU. – Si j'étais roi, je me ferais construire une grande capeline comme celle que j'avais en Aragon et que ces gredins d'Espagnols m'ont impudemment volée.

MÈRE UBU. – Tu pourrais aussi te procurer un
45 parapluie et un grand caban qui te tomberait sur les talons.

PÈRE UBU. – Ah ! je cède à la tentation. Bougre de merdre, merdre de bougre, si jamais je le rencontre au coin d'un bois, il passera un mauvais
50 quart d'heure.

MÈRE UBU. –Ah ! bien, Père Ubu, te voilà devenu un véritable homme.

PÈRE UBU. – Oh non ! moi, capitaine de dragons, massacrer le roi de Pologne ! plutôt
55 mourir !

MÈRE UBU, *à part.* – Oh ! merdre *(Haut)* Ainsi tu vas rester gueux comme un rat., Père Ubu.

PÈRE UBU. – Ventrebleu, de par ma chandelle verte, j'aime mieux être gueux comme un maigre
60 et brave rat que riche comme un méchant et gras chat.

MÈRE UBU. – Et la capeline ? et le parapluie ? et le grand caban ?

PÈRE UBU. – Eh bien, après, Mère Ubu ? *(Il s'en
65 va en claquant la porte.)*

MÈRE UBU, *seule.* – Vrout, merdre, il a été dur à la détente, mais vrout, merdre, je crois pourtant l'avoir ébranlé. Grâce à Dieu et à moi-même, peut-être dans huit jours serai-je reine de
70 Pologne.

ALFRED JARRY, *Ubu roi*, I, 1.

```
Questions
```

1. Commentez en détail la première réplique.
2. Relevez les différentes formes de provocations qui s'enchaînent dans cette scène.
3. Précisez, par une étude de leurs propos respectifs, le caractère des deux personnages.
4. Quels éléments rattachent cet extrait à la tradition de la farce ?

MARCEL PROUST

XXe siècle

UN AMOUR

DE SWANN

Le Livre de Poche

Le XXe siècle
Repères historiques

Le Louvre et la Pyramide, de nuit. Photo © Peter Adams / Pix.

1900-1913

La « Belle Époque » unit stabilité politique et prospérité économique : les innovations, dont l'électricité, se multiplient. La séparation de l'Église et de l'État est votée en 1905.

1914-1918

L'Allemagne déclare la guerre à la France le 2 août 1914. Le conflit est marqué, entre autres, par l'offensive allemande de Verdun (1916), particulièrement sanglante, qui échoue, et par l'entrée en guerre des États-Unis (1917) qui permet la victoire. L'armistice est signé le 11 novembre 1918.

1919-1939

Le Traité de Versailles (juin 1919) rend l'Alsace-Lorraine à la France. Dix ans plus tard, la crise américaine de 1929 atteint l'économie française. Le 6 février 1934, l'extrême droite tente, vainement, de renverser la République. La gauche s'organise : le gouvernement du Front populaire (avec le parti radical-socialiste, la S.F.I.O., et le parti communiste créé en 1920) applique en 1936, sous la direction de Léon Blum, d'audacieuses réformes sociales. Mais les démocraties occidentales ne s'opposent pas à l'impérialisme hitlérien et signent avec Hitler, les accords de Munich, en septembre 1938.

1939-1945

La guerre est déclarée à l'Allemagne le 3 septembre 1939. Mais le maréchal Pétain signe un armistice le 17 juin 1940 et pratique une politique de collaboration avec l'occupant. Le 18 juin, le général de Gaulle lance depuis Londres, un appel à la résistance : celle-ci s'organise. Les Alliés débarquent en France, aidés par les résistants de l'intérieur, et l'Allemagne nazie capitule le 8 mai 1945. On découvre l'horreur des camps de concentration.

1945-1989

De Gaulle dirige la France et fait voter des réformes (Sécurité sociale, droit de vote pour les femmes), quitte le pouvoir en 1946. La IVe République, régime instable, reconstruit la France et affronte les problèmes de la « guerre froide » (entre l'Ouest et les pays communistes de l'Est), et ceux des guerres de décolonisation : la guerre d'Algérie lui est fatale. De Gaulle revient au pouvoir en 1958, installe la Ve République, reconnaît l'indépendance de l'Algérie en 1962, et gouverne dans une période de grande prospérité économique.

La révolte de mai 1968 modifie profondément les mentalités. Mais bientôt la crise économique engendre le chômage, problème majeur des différents gouvernements qui se succèdent. À l'extérieur, outre les progrès réalisés dans la construction de l'Europe, l'événement le plus marquant est sans doute l'effondrement du bloc soviétique, symbolisé par la chute du mur de Berlin en 1989.

Le XXe siècle
Contextes

Les mutations

LE PREMIER TIERS DU XXe SIÈCLE SE CARACTÉRISE PAR UNE EFFERVESCENCE CRÉATRICE. Elle tient d'abord de l'atmosphère de la Belle-Époque, puis de celle de l'après-guerre 14-18. Apollinaire, Max Jacob, Blaise Cendrars adaptent la poésie à la société moderne. Dans les années 20, le mouvement dada prône le rejet violent d'une civilisation discréditée par les massacres de la guerre. Le surréalisme, autour d'André Breton, relaie ces aspirations en accomplissant une véritable révolution poétique. Le roman se transforme également. Si André Gide le libère des contraintes naturalistes, deux écrivains en accélèrent la mutation : Marcel Proust d'abord, Louis-Ferdinand Céline ensuite. Ce dernier porte à son comble une littérature de guerre qui entretient la mémoire traumatique des combats.

VAN DONGEN (1877-1968), *Montparna's blues,* 1920.
Coll. particulière. Photo © Édimédia.

Les engagements

DÈS LES ANNÉES 1930, LE TEMPS DE LA CONSCIENCE SUCCÈDE À CELUI DU SOUVENIR. La littérature s'engage. Le péril fasciste, la Seconde Guerre mondiale, le début des guerres de décolonisation, mobilisent successivement les intellectuels. Philosophie existentialiste de l'action, activisme chrétien, idéal révolutionnaire participent des mêmes valeurs humanistes. André Malraux rejoint le comité des écrivains antifascistes avant de s'engager physiquement auprès des républicains espagnols contre l'armée franquiste en 1936. Louis Aragon, Paul Eluard, Albert Camus rejoignent la Résistance ; Drieu la Rochelle et Robert Brasillach, la Collaboration. Après-guerre, Sartre incarne le modèle de l'écrivain engagé.

Les renouvellements

LA DÉCOUVERTE DE L'HOLOCAUSTE ET LA PREMIÈRE BOMBE ATOMIQUE SUSCITENT UN SENTIMENT D'HORREUR GÉNÉRAL. Le théâtre, par le détour du grotesque, et le roman, par la décomposition des représentations narratives, s'en font les échos au milieu des années 50. L'heure est au constat d'absurdité – « nouveau théâtre » – et au désengagement – « nouveau roman ». Cette exigence de renouvellement se généralise. Dans les années 60 apparaissent une nouvelle critique, représentée par Roland Barthes, et la « nouvelle vague » des cinéastes, avec François Truffaut et Jean-Luc Godard. À la même époque, une page d'histoire se tourne, avec le développement de la société de consommation.

Les incertitudes

LE DERNIER TIERS DU SIÈCLE EST CARACTÉRISÉ PAR LA DÉSAGRÉGATION DES REPÈRES CULTURELS COMMUNS. En effet, l'explosion libertaire de mai 68, la crise économique, les bouleversements internationaux, dont l'effondrement du système communiste, les menaces pandémiques avec l'apparition du sida, créent un univers difficilement lisible, en cours de recomposition. Des écrivains comme Patrick Modiano ou Sylvie Germain tentent d'en dégager le sens et réinstallent son humanité vulnérable dans leurs récits.

Les influences

TOUT AU LONG DU SIÈCLE, LA LITTÉRATURE S'EN-RICHIT DE MULTIPLES INFLUENCES. Elle s'ouvre avant tout à l'étranger. Dans les années 20, le roman russe marque une génération d'écrivains sensibles à la complexité tourmentée des héros de Dostoïevski et aux abîmes de l'âme. Dans les années 30, le roman américain, avec Faulkner et Dos Passos, renouvelle les techniques narratives en entremêlant les points de vue et en rompant la linéarité des récits. Malraux et Sartre s'en inspirent fortement. À l'heure actuelle, des écrivains latino-américains particulièrement féconds, comme Gabriel Garcia Marquez, offrent un modèle à des romanciers français désireux de renouer avec la fiction romanesque. Par ailleurs, de nouvelles disciplines de pensée se développent et stimulent la création. Dès le début du siècle, la psychanalyse redéfinit totalement l'approche du sujet. Freud, médecin viennois, s'intéresse à l'inconscient, au monde des pulsions qui agissent sur la personnalité consciente et la déterminent partiellement. Cet approfondissement de l'identité psychique enrichit considérablement la littérature, qui y puise de nouveaux enjeux. Dans la seconde moitié du siècle, le structuralisme permet de renouveler l'étude des textes en cernant leurs mécanismes linguistiques. La littérature intègre enfin les apports des différentes technologies de l'image. La publicité inspire les poètes des années 1900. Le cinéma modifie le rapport entretenu par le roman avec l'idée de réalité. La technique virtuelle commence à inspirer certains auteurs de science-fiction.

Le livre : devenir et avenir

ENTRE CONSÉCRATION ET DÉSAVEU, LE LIVRE CONDENSE PAR SON SEUL STATUT CETTE COM-PLEXITÉ CHAOTIQUE DU SIÈCLE. Le développe-

RAOUL HAUSMANN (1886-1970), *Festival Dada*, 1920. Collage. Coll. particulière. Photo © Édimédia.

ment de la scolarité et des loisirs en multiplie la demande : naguère geste élitiste, la lecture devient un réflexe démocratique. Si la production éditoriale s'infléchit au lendemain de la Première Guerre mondiale, elle s'envole après la Seconde, avec l'apparition du « livre de poche ». Le nombre d'ouvrages commercialisés s'accroît, atteignant dans les années 1990 mille deux cents titres supplémentaires par an. Alors que les techniques de fabrication se perfectionnent, le livre bénéficie également de multiples relais. Critiques, jurys, prix en assurent la promotion. Toutefois sa valeur est contestée quand, objet culturel, il se fait produit de consommation. La loi du marché, la recherche du coup médiatique et du *best-seller* suscitent une production de masse, répétitive et éphémère. Dans le même temps, le tirage moyen des autres ouvrages baisse. Cette désaffection s'explique aussi par la popularité des arts et techniques de l'image, en expansion depuis les années 60. À cet égard, le siècle s'achève sur des perspectives décisives. À l'heure où la révolution informatique sépare le texte du livre, l'objet-livre n'est-il pas périmé ? Le texte sur écran, ou hypertexte, parce qu'il conditionne un nouveau rapport à la lecture et à l'écriture, dépasse la simple modification de support matériel. Il annonce des orientations culturelles nouvelles.

Charles Péguy
(1873-1914)

Orléans, Centre Charles Péguy.
Photo © Édimédia.

CHARLES PÉGUY naît en 1873 à Orléans. Orphelin de père, il est élevé par sa mère, rempailleuse de chaises. De brillantes études le conduisent, en 1894, à l'École normale supérieure de la rue d'Ulm. Il devient alors socialiste et, en 1898, soutient la cause de Dreyfus. Mais, à partir de 1905, face à la menace militaire allemande, il rompt avec ses amis socialistes demeurés pacifistes et internationalistes. Dans *Le Mystère de la charité de Jeanne d'Arc* (1910), il proclame son retour à la foi catholique, abandonnée au cours de ses études. Tout en intervenant dans la polémique politique (*Notre jeunesse*, 1910 ; *L'Argent*, 1913), il publie les grands poèmes qui font de lui un écrivain catholique militant : *Le Porche du mystère de la deuxième vertu* (1911), *La Tapisserie de sainte Geneviève et de Jeanne d'Arc* (1912), *La Tapisserie de Notre-Dame* (1913), *Ève* (1913). Il est tué, en 1914, dès le début de la bataille de la Marne.

Le trajet spirituel et politique de Péguy a suscité rejets et tentatives de récupération. Pour lui, la République était une idée qu'il défendit avec l'intransigeance du mystique. Sa poésie évolua des vers libres aux alexandrins qui, par leur régularité répétitive, en font une prière litanique et rythment la marche du pèlerin.

La Tapisserie de Notre-Dame
[1913]

Le poète se veut l'humble tisserand d'une tapisserie destinée à embellir un lieu de culte. En 1912, par deux fois, Péguy accomplit le pèlerinage de Chartres : la première pour rendre grâce à la Vierge de la guérison de son fils Pierre, la seconde afin de prier pour le repos de l'âme d'un jeune normalien.

Présentation de la Beauce à Notre-Dame de Chartres

Étoile de la mer[1] voici la lourde nappe
Et la profonde houle et l'océan des blés
Et la mouvante écume et nos greniers comblés,
Voici votre regard sur cette immense chape

5 Et voici votre voix sur cette lourde plaine
Et nos amis absents et nos cœurs dépeuplés
Voici le long de nous nos poings désassemblés
Et notre lassitude et notre force pleine.

1. Invocation à la Vierge.
2. La porte qui conduit au royaume des Cieux. *Cf. Évangile selon saint Luc,* XIII : « Efforcez-vous d'entrer par la porte étroite. »
3. Sans apparat. Simplement.

Étoile du matin[1], inaccessible reine,
10   Voici que nous marchons vers votre illustre cour,
Et voici le plateau de notre pauvre amour,
Et voici l'océan de notre immense peine.

Un sanglot rôde et court par-delà l'horizon.
À peine quelques toits font comme un archipel.
15   Du vieux clocher retombe une sorte d'appel.
L'épaisse église semble une basse maison.

Ainsi nous naviguons vers votre cathédrale.
De loin en loin surnage un chapelet de meules,
Rondes comme des tours, opulentes et seules
20   Comme un rang de châteaux sur la barque amirale.

Deux mille ans de labeur ont fait de cette terre
Un réservoir sans fin pour les âges nouveaux.
Mille ans de votre grâce ont fait de ces travaux
Un reposoir sans fin pour l'âme solitaire.

25   Vous nous voyez marcher sur cette route droite,
Tout poudreux, tout crottés, la pluie entre les dents.
Sur ce large éventail ouvert à tous les vents
La route nationale est notre porte étroite[2].

Nous allons devant nous, les mains le long des poches,
30   Sans aucun appareil[3], sans fatras, sans discours,
D'un pas toujours égal, sans hâte ni recours,
Des champs les plus présents vers les champs les plus proches.

Vous nous voyez marcher, nous sommes la piétaille.
Nous n'avançons jamais que d'un pas à la fois.
35   Mais vingt siècles de peuple et vingt siècles de rois,
Et toute leur séquelle et toute leur volaille

Et leurs chapeaux à plume avec leur valetaille
Ont appris ce que c'est que d'être familiers,
Et comme on peut marcher, les pieds dans ses souliers,
40   Vers un dernier carré le soir d'une bataille.

CHARLES PÉGUY, « Présentation de la Beauce à Notre-Dame de Chartres »,
extrait, *La Tapisserie de Notre-Dame,* © Gallimard.

Questions

1. En quoi y a-t-il « présentation » ?
2. Étudiez la métrique et la prosodie. Interrogez-vous sur leurs significations.
3. Analysez les métamorphoses du paysage et du groupe des marcheurs.
4. Peut-on dire qu'une histoire collective s'inscrit dans le paysage ?

Guillaume Apollinaire
(1880-1918)

Portrait par MARIE LAURENCIN
vers 1908. Photo Élise Palix.
© ADAGP, 1998.

GUILLAUME APOLLINAIRE – WILHELM APOLLINARIS DE KOSTROWITZKY –, né à Rome en 1880, est le fils d'un officier italien et d'une Polonaise exilée, vite abandonnée par son amant. Après une enfance passée, en compagnie de sa mère et de son frère, dans les milieux du jeu et une scolarité inégale, il s'installe à Paris. En 1902, exerçant la fonction de précepteur en Allemagne, il s'éprend d'une gouvernante anglaise, Annie Playden, qui l'éconduit. Revenu à Paris, il publie des poèmes et des premières versions de contes (***L'Hérésiarque et Cie***, 1902 ; ***L'Enchanteur pourrissant***, 1904) dans des revues. Deux voyages à Londres pour tenter de convaincre Annie sont inutiles. Cet échec inspirera à Apollinaire « La Chanson du mal-aimé ». Fréquentant les milieux artistiques, critique d'art, ami notamment de Picasso, de Derain et de Max Jacob, il rencontre en 1907 le peintre Marie Laurencin. En 1911, injustement inculpé de recel dans une affaire de vol d'objets d'art au Louvre, il est incarcéré durant une semaine à la prison de la Santé. En 1912, la rupture avec Marie Laurencin aggrave encore sa détresse. Il compose alors « Le Pont Mirabeau », « Zone » et « Vendémiaire », qui seront réunis, avec d'autres poèmes dont « La Chanson du mal-aimé », dans ***Alcools*** en 1913. Au début de la guerre de 1914, Louise de Coligny-Châtillon, dont il a fait la connaissance à Nice et qu'il appelle Lou, lui rend visite à Nîmes, où il est en garnison. Des poèmes ardents lui sont dédiés, mais, après quelques autres entrevues, leurs relations s'interrompent. Il se lie ensuite avec Madeleine Pagès, jeune fille rencontrée dans un train. En 1916, au cours des combats, près de Château-Thierry, il est blessé à la tempe et trépané. En 1918 – année de parution des ***Calligrammes*** –, ayant rompu avec Madeleine, Apollinaire se marie avec Jacqueline Kolb. La grippe infectieuse l'emporte quelques mois plus tard.

La sensibilité d'Apollinaire, officiellement né de père inconnu, longtemps apatride, « mal-aimé », assure à son œuvre – où l'on a voulu voir le prolongement du romantisme et du symbolisme – un succès durable. Le lyrisme et les élégies les plus pures s'y mêlent à la fantaisie et au canular ; l'érotisme le plus sublimé y côtoie la paillardise et la pornographie. Les références savantes, et parfois hermétiques, aux mythologies et religions de l'Europe entière sont parsemées de visions fulgurantes du monde moderne dans sa beauté souvent violente et tragique. La suppression systématique de la ponctuation et le recours, conjointement avec la versification la plus traditionnelle, au vers libre, au poème en prose ou encore au calligramme, déconstruisent la poésie classique. Cette esthétique du « collage », qui fait songer au cubisme, aboutit à un flamboiement d'images et de formes d'expressions. Ainsi jaillissent des associations inattendues et se justifie la devise d'Apollinaire tant admirée des surréalistes : « J'émerveille. »

Alcools

▬▬ *[1913]*

Alcools rassemble des poèmes composés entre 1898 et 1913. Ce titre renvoie implicitement au « Bateau ivre » et au « dérèglement systématique et raisonné de tous les sens » rimbaldien. Le recueil s'ouvre sur « Zone », manifeste de la modernité poétique selon Apollinaire, et se clôt avec « Vendémiaire », hymne à la ville de Paris.

Zone

En 1913, Apollinaire publie Les Peintres cubistes. *Dans « Zone », on retrouve la décomposition de la réalité spatiale et temporelle en éléments juxtaposés et simultanés qui caractérise notamment les tableaux de Picasso. Une esthétique comparable avait déjà été mise en œuvre par Blaise Cendrars dans « Les Pâques à New York » (*Du monde entier, *1912).*

À la fin tu es las de ce monde ancien

Bergère ô tour Eiffel[1] le troupeau des ponts bêle ce matin

Tu en as assez de vivre dans l'antiquité grecque et romaine

Ici même les automobiles ont l'air d'être anciennes
5 La religion seule est restée toute neuve la religion
Est restée simple comme les hangars de Port-Aviation[2]

Seul en Europe tu n'es pas antique ô Christianisme
L'Européen le plus moderne c'est vous Pape Pie X[3]
Et toi que les fenêtres observent la honte te retient
10 D'entrer dans une église et de t'y confesser ce matin
Tu lis les prospectus les catalogues les affiches qui chantent tout haut
Voilà la poésie ce matin et pour la prose il y a les journaux
Il y a les livraisons à 25 centimes pleines d'aventures policières
Portraits des grands hommes et mille titres divers

15 J'ai vu ce matin une jolie rue dont j'ai oublié le nom
Neuve et propre du soleil elle était le clairon
Les directeurs les ouvriers et les belles sténodactylographes
Du lundi matin au samedi soir quatre fois par jour y passent
Le matin par trois fois la sirène y gémit
20 Une cloche rageuse y aboie vers midi
Les inscriptions des enseignes et des murailles
Les plaques les avis à la façon des perroquets criaillent
J'aime la grâce de cette rue industrielle
Située à Paris entre la rue Aumont-Thiéville et l'avenue des Ternes.

GUILLAUME APOLLINAIRE, *Alcools*, « Zone », extrait,
© Gallimard.

---

1. La tour Eiffel a été achevée en 1889.
2. Aérodrome de la région parisienne (Juvisy-sur-Orge).
3. Pape traditionaliste (1903-1914). En 1911, il donna sa bénédiction à l'aviateur Beaumont qui avait survolé la place Saint-Pierre.

Questions

1. Interrogez-vous sur la signification du titre « Zone ».

2. À travers les thèmes abordés dans le poème, définissez l'idée qu'Apollinaire se fait de la modernité.

3. Montrez l'originalité des comparaisons et des métaphores.

4. Étudiez la métrique et la prosodie. Comment participent-elles, elles aussi, de la modernité ?

Le Pont Mirabeau

Ce poème date de 1912 : il porte la marque de la rupture avec Marie Laurencin.

Sous le pont Mirabeau coule la Seine
    Et nos amours
    Faut-il qu'il m'en souvienne
La joie venait toujours après la peine

5   Vienne la nuit sonne l'heure
    Les jours s'en vont je demeure

Les mains dans les mains restons face à face
    Tandis que sous
    Le pont de nos bras passe
10 Des éternels regards l'onde si lasse

    Vienne la nuit sonne l'heure
    Les jours s'en vont je demeure

L'amour s'en va comme cette eau courante
    L'amour s'en va
15   Comme la vie est lente
Et comme l'Espérance est violente

    Vienne la nuit sonne l'heure
    Les jours s'en vont je demeure

Passent les jours et passent les semaines
20   Ni temps passé
    Ni les amours reviennent
Sous le pont Mirabeau coule la Seine

    Vienne la nuit sonne l'heure
    Les jours s'en vont je demeure

GUILLAUME APOLLINAIRE, *Alcools*, © Gallimard.

Questions

1. Variations de mètres, absence de ponctuation, répétitions, sonorités : quels sont les effets produits ?
2. Montrez comment, autour de l'image du pont, s'entrelacent les thèmes de l'amour, du temps et de l'eau.
3. En quoi ce poème est-il une élégie ? Peut-on parler d'un lyrisme maîtrisé ?

PABLO PICASSO, *Bouteille de Bass, verre, paquet de tabac et cartes de visite*, 1914.
Paris, musée national d'Art moderne.
© Succession Picasso, 1998.

La Chanson du mal-aimé

En 1903, Apollinaire effectue deux voyages à Londres pour tenter de reconquérir Annie Playden. La jeune femme s'enfuira en Amérique. Ici s'exprime la souffrance du poète qui reviendra sur cette déception notamment dans deux autres poèmes d'Alcools :
« Annie » et « L'Émigrant de Landor Road ».

1. Ramsès II poursuivit les Hébreux à leur sortie d'Égypte.
2. Allusion au chien d'Ulysse, Argos, qui meurt en reconnaissant son maître, et à la ruse de la tapisserie de Pénélope (Homère, *Odyssée*, Chants XVII et XIX).
3. Référence à une légende indienne.
4. Des soldats romains furent martyrisés en raison de leur foi chrétienne à Sébaste, en Arménie (320).
5. Sens latin : erré çà et là.
6. Selon la Bible, il coulait des ruisseaux de miel et de lait dans le pays de Chanaan (la Terre promise).
7. Avec un effort pénible.

Un soir de demi-brume à Londres
Un voyou qui ressemblait à
Mon amour vint à ma rencontre
Et le regard qu'il me jeta
5   Me fit baisser les yeux de honte

Je suivis ce mauvais garçon
Qui sifflotait mains dans les poches
Nous semblions entre les maisons
Onde ouverte de la mer Rouge
10 Lui les Hébreux moi Pharaon[1]

Que tombent ces vagues de briques
Si tu ne fus pas bien-aimée
Je suis le souverain d'Égypte
Sa sœur-épouse son armée
15 Si tu n'es pas l'amour unique

Au tournant d'une rue brûlant
De tous les feux de ses façades
Plaies du brouillard sanguinolent
Où se lamentaient les façades
20 Une femme lui ressemblant

C'était son regard d'inhumaine
La cicatrice à son cou nu
Sortit saoule d'une taverne
Au moment où je reconnus
25 La fausseté de l'amour même

Lorsqu'il fut de retour enfin
Dans sa patrie le sage Ulysse
Son vieux chien[2] de lui se souvint
Près d'un tapis de haute lisse
30 Sa femme attendait qu'il revînt

L'époux royal de Sacontale[3]
Las de vaincre se réjouit
Quand il la retrouva plus pâle
D'attente et d'amour yeux pâlis
35 Caressant sa gazelle mâle

J'ai pensé à ces rois heureux
Lorsque le faux amour et celle
Dont je suis encore amoureux
Heurtant leurs ombres infidèles
40 Me rendirent si malheureux

Regrets sur quoi l'enfer se fonde
Qu'un ciel d'oubli s'ouvre à mes vœux
Pour son baiser les rois du monde
Seraient morts les pauvres fameux
45 Pour elle eussent vendu leur ombre

J'ai hiverné dans mon passé
Revienne le soleil de Pâques
Pour chauffer un cœur plus glacé
Que les quarante de Sébaste[4]
50 Moins que ma vie martyrisés

Mon beau navire ô ma mémoire
Avons-nous assez navigué
Dans une onde mauvaise à boire
Avons-nous assez divagué[5]
55 De la belle aube au triste soir

Adieu faux amour confondu
Avec la femme qui s'éloigne
Avec celle que j'ai perdue
L'année dernière en Allemagne
60 Et que je ne reverrai plus

Voie lactée ô sœur lumineuse
Des blancs ruisseaux de Chanaan[6]
Et des corps blancs des amoureuses
Nageurs morts suivrons-nous d'ahan[7]
65 Ton cours vers d'autres nébuleuses

Je me souviens d'une autre année
C'était l'aube d'un jour d'avril
J'ai chanté ma joie bien-aimée
Chanté l'amour à voix virile
70 Au moment d'amour de l'année

GUILLAUME APOLLINAIRE, *Alcools*, « La Chanson du mal-aimé », extrait. © Gallimard.

Les Colchiques

Le pré est vénéneux mais joli en automne
Les vaches y paissant
Lentement s'empoisonnent
Le colchique couleur de cerne et de lilas
5 Y fleurit tes yeux sont comme cette fleur-là
Violâtres comme leur cerne et comme cet automne
Et ma vie pour tes yeux lentement s'empoisonne

Les enfants de l'école viennent avec fracas
Vêtus de hoquetons[1] et jouant de l'harmonica
10 Ils cueillent les colchiques qui sont comme des mères
Filles de leurs filles et sont couleur de tes paupières
Qui battent comme les fleurs battent au vent dément

Le gardien du troupeau chante tout doucement
Tandis que lentes et meuglant les vaches abandonnent
15 Pour toujours ce grand pré mal fleuri par l'automne

GUILLAUME APOLLINAIRE, *Alcools*, © Gallimard.

1. Vestes de grosse toile.

Mai[1]

Le mai le joli mai en barque sur le Rhin
Des dames regardaient du haut de la montagne
Vous êtes si jolies mais la barque s'éloigne
Qui donc a fait pleurer les saules riverains

5 Or des vergers fleuris se figeaient en arrière
Les pétales tombés des cerisiers de mai
Sont les ongles de celle que j'ai tant aimée
Les pétales flétris sont comme ses paupières

Sur le chemin du bord du fleuve lentement
10 Un ours un singe un chien menés par des tziganes
Suivaient une roulotte traînée par un âne
Tandis que s'éloignait dans les vignes rhénanes
Sur un fifre lointain un air de régiment

Le mai le joli mai a paré les ruines
15 De lierre de vigne vierge et de rosiers
Le vent du Rhin secoue sur le bord les osiers
Et les roseaux jaseurs et les fleurs nues des vignes

GUILLAUME APOLLINAIRE, *Alcools*, « Rhénanes »,
© Gallimard.

MODIGLIANI (1884-1920), *Nu sur un divan les mains derrière la tête*, 1916. Coll. Evelyn Sharp, New York.
• Photo © Édimédia.

1. Ce texte appartient à un groupement de neuf poèmes, intitulé « Rhénanes », poèmes qui trouvent leur inspiration dans le séjour qu'Apollinaire fit en Allemagne.

Calligrammes

[1918]

Calligrammes, Poèmes de la paix et de la guerre *(1913-1916) se rattache à la tradition des poèmes figurés de l'Antiquité et du XVIᵉ siècle, récemment réactivée par Mallarmé avec «* Un coup de dés jamais n'abolira le hasard. *»*

La Colombe poignardée et le Jet d'eau

GUILLAUME APOLLINAIRE, *Calligrammes,* © Gallimard.

1. Que symbolise la colombe ? Quelle signification métaphorique prend le jet d'eau ?
2. Les deux poèmes sont-ils seulement juxtaposés ?
3. Étudiez la métrique et la prosodie.
4. Pourquoi ce calligramme fait-il songer à un tableau cubiste ?

Poèmes à Lou

1. Nom du domaine où résidait Lou, à Saint-Jean-Cap-Ferrat, lorsque Apollinaire la rencontra.

Les poèmes envoyés à Lou, pendant la guerre de 1914-1918, furent réunis en 1947 sous le titre Ombre de mon amour, *emprunté à une lettre du poète. On préféra ensuite* Poèmes à Lou *(1955).*

« Si je mourais là-bas... »

L'imagination exacerbée du soldat en campagne et la présence obsédante de la mort se conjuguent ici en un érotisme tragique.

Si je mourais là-bas sur le front de l'armée
Tu pleurerais un jour ô Lou ma bien-aimée
Et puis mon souvenir s'éteindrait comme meurt
Un obus éclatant sur le front de l'armée
5   Un bel obus semblable aux mimosas en fleur

Et puis ce souvenir éclaté dans l'espace
Couvrirait de mon sang le monde tout entier
La mer les monts les vals et l'étoile qui passe
Les soleils merveilleux mûrissant dans l'espace
10   Comme font les fruits d'or autour de Baratier[1]

Souvenir oublié vivant dans toutes choses
Je rougirais le bout de tes jolis seins roses
Je rougirais ta bouche et tes cheveux sanglants
Tu ne vieillirais point toutes ces belles choses
15   Rajeuniraient toujours pour leurs destins galants

Le fatal giclement de mon sang sur le monde
Donnerait au soleil plus de vive clarté
Aux fleurs plus de couleur plus de vitesse à l'onde
Un amour inouï descendrait sur le monde
20   L'amant serait plus fort dans ton corps écarté

Lou si je meurs là-bas souvenir qu'on oublie
– Souviens-t'en quelquefois aux instants de folie
De jeunesse et d'amour et d'éclatante ardeur –
Mon sang c'est la fontaine ardente du bonheur
25   Et sois la plus heureuse étant la plus jolie

Ô mon unique amour et ma grande folie

30 janv. 1915, Nîmes.

Lou a nuit descend
O n y pressent
U n long un long destin de sang

GUILLAUME APOLLINAIRE, *Poèmes à Lou*, © Gallimard, 1955.

Questions

1. « Souvenir oublié » : de quelle figure de rhétorique s'agit-il ? Comment le souvenir et l'oubli s'imbriquent-ils dans ce poème ?

2. Montrez que la mort, de simple potentialité, devient une évidence tragique.

3. Comment se transforme l'image de l'obus ?

4. Peut-on dire que l'amour et la mort prennent ici une dimension cosmique ?

L'ÉVOLUTION DES FORMES POÉTIQUES

Aux XIXᵉ et XXᵉ siècles, à côté des innovations et des audaces, les formes poétiques traditionnelles ou classiques persistent et l'on observe, avec par exemple le verset, le fragment, le calligramme ou l'aphorisme, un retour à l'Antiquité biblique ou gréco-latine.

▣ Respect des normes et « versification romantique »

Le XIXᵉ siècle remet à l'honneur d'anciennes formes poétiques telles que le *sonnet*. Mais Baudelaire écrit aussi des *sonnets irréguliers* différents du sonnet classique par la métrique ou la disposition des rimes.

Lamartine, Vigny, et même parfois Hugo ou Baudelaire recourent à la *versification classique* telle qu'elle s'est stabilisée au XVIIᵉ siècle. Gautier et les Parnassiens font du strict respect des normes un des fondements majeurs de leur doctrine. Cependant, Hugo, Baudelaire et Verlaine *disloquent* notamment l'alexandrin par des coupes inattendues, des enjambements, des rejets et des contre-rejets. Ainsi est abandonné le principe classique de concordance entre le rythme du vers et celui de la phrase. On a appelé cette transgression « versification romantique ».

C'est à cette époque que naît le poème en prose[1], illustré au XXᵉ siècle par Michaux, Ponge et Char.

▣ « Libérations symbolistes »

Une véritable « libération » du vers intervient à la fin du XIXᵉ siècle. Verlaine conseille l'usage des *vers impairs* dans son « Art poétique » (*Jadis et Naguère*, 1884), composé en vers de neuf syllabes, et il lui arrive de renoncer à l'alternance des rimes féminines et masculines. Mallarmé constate une « crise de vers ». De fait, ce sont les symbolistes qui « libèrent » le vers. Il faut toutefois distinguer deux étapes dans ce processus : le *vers libéré* et le *vers libre*. Le vers libéré respecte le principe de répétition à l'identique en ce qui concerne la métrique. Mais les rimes ne sont plus graphiques, elles n'alternent plus régulièrement et sont parfois réduites à l'assonance ; les césures ne sont plus systématiquement observées. Quant au vers libre, il présente les mêmes caractéristiques et, de plus, le poème est une succession de vers de mètres variables et imprévisibles. En outre, la rime peut être totalement absente. Le vers libre permet d'explorer les possibilités prosodiques de la langue française. Apollinaire élargira le champ de celles-ci en supprimant la ponctuation.

Dessin de MARCOUSSIS pour « Zone » dans *Alcools* d'Apollinaire. Paris, bibl. Nationale.
● Photo Edimédia. © ADAGP, 1998.

▣ Le verset

Le *verset*, utilisé par Péguy, Claudel, Supervielle et Saint-John Perse, semble une forme intermédiaire entre le vers libre, duquel il est difficile de le distinguer, et le poème en prose. On peut admettre que sa longueur, supérieure à celle de l'alexandrin, interdit de le percevoir comme un vers.

▣ Le poème et la page

La poésie du XXᵉ siècle aime jouer avec l'espace de la page, avec la typographie et avec la disposition du texte. Mallarmé, déjà, dans « Un coup de dés jamais n'abolira le hasard » (1897), confère une signification aux blancs de la page. Reverdy s'engagera fréquemment dans la voie ainsi ouverte. Les *Calligrammes* (1918) d'Apollinaire allient le graphisme et le dessin. Les *fragments* et les *aphorismes* de Char ou encore les poèmes brefs de Jaccottet, qui s'inspire du *haïku*[2] japonais, instaurent une étrange dialectique entre le texte et le vide qui l'entoure.

....

1. Voir p. 421. – 2. Poème classique japonais de trois vers.

Paul Claudel
(1868-1955)

Portrait par Jacques Émile Blanche.
Rouen, musée des Beaux-Arts.
Photo © Hubert Josse.

PAUL CLAUDEL naît en 1868 dans un village de l'Aisne. À l'âge de dix-huit ans, ce fils d'une famille agnostique vit une expérience déterminante : il a la révélation de Dieu, un soir de Noël, à Notre-Dame. La foi ne le quitte plus. Homme de dogme plus que de doute, il préfère l'exultation mystique à la charité chrétienne. Diplômé de l'École libre des sciences politiques à vingt ans, il entre au ministère des Affaires étrangères et connaît une carrière diplomatique des plus accomplies. Nommé vice-consul aux États-Unis en 1893, il est successivement promu consul en Chine puis à Prague, consul général à Francfort, ministre plénipotentiaire à Rio et Copenhague, ambassadeur à Tokyo, Washington et Bruxelles.

Poèmes, pièces de théâtre et essais sont inséparables de la ferveur catholique qui anime Claudel. Pour lui, l'écriture est un acte de foi. Son recueil poétique les **Cinq Grandes Odes** (1908) célèbre la grandeur de Dieu, sous la forme de discours qui rappellent les psaumes. Âgé, il multipliera les exégèses, fort personnelles, des textes sacrés, commentant à trois reprises l'Apocalypse. Entre 1880 et 1929, Claudel écrit, parfois en plusieurs versions, une dizaine de pièces. Elles procèdent d'une volonté tantôt lyrique – comme dans **Tête d'or** (1890) –, tantôt réaliste – comme dans la trilogie des Coûfontaine (1910-1919). Toutes abordent la question religieuse : le dépassement de l'union physique par la communion en Dieu dans **Partage de midi** (1906), le mystère de l'Incarnation dans **L'Annonce faite à Marie** (1912). Aucune ne s'apparente toutefois à un sermon aride. Le plaisir des sens, l'appât du gain ou du pouvoir, le libre jeu des attirances et des rivalités constituent autant de situations concrètes dont le dramaturge tire parti. Plus l'illusion théâtrale est réussie, plus le caractère artificiel de certaines préoccupations humaines est mis en relief. Argent, commerce des biens et des corps s'exhibent ainsi comme un simple jeu futile : la vérité essentielle de l'être est ailleurs et il appartient à l'écriture poétique d'en montrer la voie. Pour cela, le vers claudélien se rompt et s'étire, recréant rythmiquement les mouvements de l'âme portée par un élan mystique. La création littéraire retrouve ainsi l'esprit et le souffle de la Création, et l'écrivain, à l'image de Dieu, réinvente le monde. En 1929, **Le Soulier de satin**, son œuvre majeure, répond à cette ambition. L'originalité d'un tel théâtre désarçonne longtemps les metteurs en scène : avant 1943 et la rencontre du dramaturge avec le metteur en scène Jean-Louis Barrault, seuls **L'Otage** et **L'Annonce faite à Marie** sont interprétés en public.

Partage de midi
[1906]

Inspiré par son amour pour Rose Vetch, une femme mariée avec laquelle il rompt en 1904, Claudel écrit en 1906 Partage de midi. *Mesa et Ysé, couple adultère qui évoque Tristan et Iseult, acceptent la mort pour s'unir en Dieu. Cette scène se déroule alors qu'une bombe s'apprête à exploser sous leur maison.*

YSÉ

Il ne faut point avoir peur. Notre temps qui bat, le temps ancien qui s'achève,

La machine qui est au-dessous de la maison, et il ne reste que peu de minutes, le temps même

5 Qui s'en va faire explosion, dispersant cet habitacle de chair. Ne crains point.

MESA

La chair ignoble frémit mais l'esprit demeure inextinguible.

Ainsi le cierge solitaire veille dans la nuit obs-
10 cure

Et la charge des ténèbres superposées ne suffiront point

À opprimer le feu infime !

Courage, mon âme ! à quoi est-ce que je ser-
15 vais ici-bas ?

Je n'ai point su,

Nous ne savons point, Ysé, nous donner par mesure !

Donnons-nous donc d'un seul coup !

20 Et déjà je sens en moi

Toutes les vieilles puissances de mon être qui s'ébranlent pour un ordre nouveau.

Et d'une part au-delà de la tombe, j'entends se former le clairon de l'Exterminateur,

25 La citation de l'instrument judiciaire dans la solitude incommensurable,

Et d'autre part à la voix de l'airain incorruptible,

Tous les événements de ma vie à la fois devant mes yeux
30

Se déploient comme les sons d'une trompette fanée !

Ysé se lève et se tient debout devant lui, les yeux fermés, toute blanche dans le rayon de lune, les bras en croix. Un grand coup de vent lui soulève les cheveux.

YSÉ

Maintenant regarde mon visage car il en est temps encore

35 Et regarde-moi debout et étendue comme un grand olivier dans le rayon de la lune terrestre, lumière de la nuit,

Et prends image de ce visage mortel car le temps de notre résolution approche et tu ne me
40 verras plus de cet œil de chair !

Et je t'entends et ne t'entends point, car déjà voici que je n'ai plus d'oreilles ! Ne te tais point, mon bien-aimé, tu es là !

Et donne-moi seulement l'accord, que...

45 Jaillisse, et m'entende avec mon propre son d'or pour oreilles

Commencer, affluer comme un chant pur et comme une voix véritable à ta voix ton éternelle Ysé mieux que le cuivre et la peau d'âne !

50 J'ai été sous toi la chair qui plie et comme un cheval entre tes genoux, comme une bête qui n'est pas poussée par la raison,

Comme un cheval qui va où tu lui tournes la tête, comme un cheval emporté, plus vite et plus
55 loin que tu ne le veux !

Vois-la maintenant dépliée, ô Mesa, la femme pleine de beauté déployée dans la beauté plus grande !

Que parles-tu de la trompette perçante ! lève-
60 toi, ô forme brisée, et vois-moi comme une danseuse écoutante,

Dont les petits pieds jubilants sont cueillis par la mesure irrésistible !

Suis-moi, ne tarde plus !

65 Grand Dieu ! me voici, riante, roulante, déracinée, le dos sur la subsistance même de la lumière comme sur l'aile par-dessous de la vague !

PAUL CLAUDEL, *Partage de midi*, acte III, © Gallimard.

Questions

1. Par une étude du lexique et des procédés rhétoriques, étudiez l'expression de l'adieu à la vie.

2. Quelles remarques vous suggère la versification ? Le type de phrases employées ? Quel ton confèrent-elles au dialogue ?

3. Dégagez, par l'étude des images et des références bibliques, le mysticisme de cette scène.

Le Soulier de satin
[1929]

1. Religieuse.

Drame lyrique, tragique et comique, Le Soulier de satin *est un spectacle total qui, à partir du couple central Don Rodrigue/Doña Prouhèze, brasse les intrigues, les personnages humains et allégoriques, et se déroule d'un continent à l'autre. Écrit en 1929, il fut joué pour la première fois en 1943 dans une version abrégée, mis en scène par Jean-Louis Barrault. En 1987, au Festival d'Avignon, dans la cour d'honneur du palais des Papes, Antoine Vitez crée la version intégrale de la pièce. Le spectacle commençait à 21 heures et s'achevait à 9 heures du matin.*

DON BALTHAZAR *tient la tête de la mule.*

DOÑA PROUHÈZE *monte debout sur la selle et se déchaussant elle met son soulier de satin entre les mains de la Vierge.*

Vierge, patronne et mère de cette maison,
Répondante et protectrice de cet homme dont le cœur vous est pénétrable plus qu'à moi et compagne de sa longue solitude,
Alors si ce n'est pas pour moi, que ce soit à cause de lui,
5   Puisque ce lien entre lui et moi n'a pas été mon fait, mais votre volonté intervenante :
Empêchez que je sois à cette maison dont vous gardez la porte, auguste tourière[1], une cause de corruption !
Que je manque à ce nom que vous m'avez donné à porter, et que je cesse
10   d'être honorable aux yeux de ceux qui m'aiment.
Je ne puis dire que je comprends cet homme que vous m'avez choisi, mais vous, je comprends, qui êtes sa mère comme la mienne.
Alors, pendant qu'il est encore temps, tenant mon cœur dans une main et mon soulier dans l'autre,
15   Je me remets à vous ! Vierge mère, je vous donne mon soulier ! Vierge mère, gardez dans votre main mon malheureux petit pied !
Je vous préviens que tout à l'heure je ne vous verrai plus et que je vais tout mettre en œuvre contre vous !
Mais quand j'essayerai de m'élancer vers le mal, que ce soit avec un pied boi-
20   teux ! la barrière que vous avez mise,
Quand je voudrai la franchir, que ce soit avec une aile rognée !
J'ai fini ce que je pouvais faire, et vous, gardez mon pauvre petit soulier,
Gardez-le contre votre cœur, ô grande Maman effrayante !

PAUL CLAUDEL, *Le Soulier de satin*, Première journée, Scène 6, © Gallimard.

Questions

1. Que représente le soulier pour Doña Prouhèze ? Pourquoi en fait-elle don à la Vierge ?

2. Relevez les différentes répétitions. Quelle est leur fonction littéraire ?

3. Relevez deux ou trois versets particulièrement originaux et justifiez votre choix par leur explication.

4. Comment mettriez-vous en scène cette tirade ?

MISE EN SCÈNE ET METTEUR EN SCÈNE

Au XVIIᵉ siècle, les troupes théâtrales achetaient leurs pièces aux auteurs et en disposaient ensuite comme elles l'entendaient. L'acteur est alors au centre du dispositif, et il le restera jusqu'à la fin du XIXᵉ siècle. On vient au théâtre pour entendre déclamer ceux qu'on appellera les « monstres sacrés ». Mais à partir du début du XXᵉ siècle, le statut du texte théâtral se modifie : on prend conscience que celui-ci relève d'une vision et nécessite une interprétation quant à ses significations ; c'est une des raisons de l'apparition de la fonction de metteur en scène.

Un artisan éclairé

Le metteur en scène coordonne les différentes composantes du spectacle : la diction, la gestualité et la disposition des acteurs, les décors, les costumes et les lumières. Il se définit ainsi comme un artisan qui rend scéniquement accessible des textes, classiques ou modernes. Souvent, il révèle un auteur. Louis Jouvet impose Jean Giraudoux, Jean-Louis Barrault, Claudel et, plus récemment, Patrice Chéreau, le théâtre de Bernard-Marie Koltès. Ce travail de médiation recoupe aussi une exigence démocratique. Dès 1910, Firmin Gémier crée un Théâtre National Ambulant qui part sur les routes à la rencontre du public. En 1947, Jean Vilar, entouré de comédiens prestigieux comme Gérard Philippe et Maria Casarès, lance le Théâtre National Populaire (T.N.P.) et le Festival d'Avignon. Un public plus large y acquiert le goût d'un théâtre exigeant.

MARIA CASARES et JEAN VILAR dans *Macbeth* en 1954. Photo Agnès Varda / Enguerand.

Un créateur

Artisan, le metteur en scène se veut aussi artiste. Il conteste alors le primat de l'auteur. Outre celle d'Antoine (p. 351), deux influences majeures expliquent ce phénomène. Antonin Artaud, poète et acteur, imagine dans *Le Théâtre et son Double* un jeu libéré du texte, à base de pantomimes et de cris, usant des seules ressources scéniques pour atteindre physiquement le public et créer une émotion intense. Bertolt Brecht, auteur et théoricien allemand, élabore, au lendemain de la Seconde Guerre mondiale, des pièces qui jouent avec les artifices du théâtre pour rompre toute identification psychologique et stimuler le sens critique du spectateur. Ce double héritage, plusieurs metteurs en scène le revendiquent. Depuis 1968, Ariane Mnouchkine et sa troupe, le Théâtre du Soleil, inventent des spectacles unissant le souffle d'Artaud, par leur enthousiasme scénique, et l'esprit de Brecht, par leur engagement civique. *L'Âge d'or*, création collective, aborde en 1974, sous forme d'un spectacle-fête, le thème alors politiquement brûlant de l'avortement. Les metteurs en scène ne renoncent pourtant pas aux grands classiques mais s'interdisent à leur égard tout fétichisme. Ils montent un texte à leur façon, quitte à le démonter comme Daniel Mesguisch, pour mettre en évidence sa théâtralité. Ils testent ainsi la valeur d'une œuvre par sa souplesse d'adaptation. Shakespeare selon Antoine Vitez, Tchekhov selon Peter Brook, Ibsen selon Stéphane Braunschweig y gagnent une actualité qui renforce paradoxalement leur statut d'auteurs classiques.

J.-M. THIBAULT et PATRICE CHÉREAU (metteur en scène) au cours d'une répétition de *Quai Ouest* de B.-M. Koltès à Nanterre en 1986. Photo Enguerand.

Paul Valéry

(1871-1945)

• Photo © Sygma.

PﾑUL VALÉRY, né à Sète en 1871, accomplit des études juridiques. Ami de Mallarmé, il compose d'abord des poèmes, mais, à partir de 1892, il se consacre à l'étude du fonctionnement de l'esprit humain. Il publie ainsi l'*Introduction à la méthode de Léonard de Vinci* (1895) puis *La Soirée avec Monsieur Teste* (1896). Pendant la Première Guerre mondiale il revient à la poésie. Le succès de *La Jeune Parque* (1917) est confirmé par celui de l'*Album de vers anciens* (1920) et de *Charmes* (1922). Valéry réunit ses multiples articles, préfaces, essais et conférences dans les volumes de *Variété* (1924, 1929, 1936, 1938, 1944) et de *Tel Quel* (1941, 1943). Il meurt en 1945.

Pour Valéry, la production littéraire est inséparable de la réflexion théorique sur la littérature et sur le métier d'écrivain. L'esprit, loin de se figer dans les certitudes et dans l'abstraction, est maintenu en éveil par sa propre inquiétude et par une sensualité jamais éteinte.

Charmes

[1922]

Le titre, du latin carmina, *signifie que les poèmes ont une force incantatoire et un pouvoir magique qui enchantent le poète et son lecteur.*

La Dormeuse

Quels secrets dans son cœur brûle ma jeune amie,
Âme par le doux masque aspirant une fleur ?
De quels vains aliments sa naïve chaleur
Fait ce rayonnement d'une femme endormie ?

5 Souffle, songes, silence, invincible accalmie,
Tu triomphes, ô paix plus puissante qu'un pleur,
Quand de ce plein sommeil l'onde grave et l'ampleur
Conspirent sur le sein d'une telle ennemie.

Dormeuse, amas doré d'ombres et d'abandons,
10 Ton repos redoutable est chargé de tels dons,
Ô biche avec langueur longue auprès d'une grappe,

Que malgré l'âme absente, occupée aux enfers,
Ta forme au ventre pur qu'un bras fluide[1] drape,
Veille ; ta forme veille, et mes yeux sont ouverts.

1. Le bras de la dormeuse est drapé d'un voile.

PﾑUL VﾑLÉRY, *Charmes*, © Gallimard.

Questions

1. Montrez que les interrogations et les apostrophes successives structurent ce sonnet.

2. Établissez le champ lexical du corps et celui de l'âme. Comment le poète passe-t-il de la fascination érotique à la réflexion métaphysique ?

3. Mettez en évidence le caractère pictural et sculptural de cette poésie.

4. Peut-on dire que la dormeuse est un défi pour le poète ? Interrogez-vous particulièrement sur la signification du second tercet.

Le Cimetière marin

Ce toit tranquille, où marchent des colombes,
Entre les pins palpite, entre les tombes ;
Midi le juste y compose de feux
La mer, la mer, toujours recommencée !
5 Ô récompense après une pensée
Qu'un long regard sur le calme des dieux !

Quel pur travail de fins éclairs consume
Maint diamant d'imperceptible écume,
Et quelle paix semble se concevoir !
10 Quand sur l'abîme un soleil se repose,
Ouvrages purs d'une éternelle cause,
Le Temps scintille et le Songe est savoir.

Stable trésor, temple simple à Minerve[1],
Masse de calme, et visible réserve,
15 Eau sourcilleuse, Œil qui gardes en toi
Tant de sommeil sous un voile de flamme,
Ô mon silence !... Édifice dans l'âme,
Mais comble[2] d'or aux mille tuiles, Toit !

Temple du Temps, qu'un seul soupir résume,
20 À ce point pur je monte et m'accoutume,
Tout entouré de mon regard marin ;
Et comme aux dieux mon offrande suprême,
La scintillation sereine sème
Sur l'altitude[3] un dédain souverain.

25 Comme le fruit se fond en jouissance,
Comme en délice il change son absence
Dans une bouche où sa forme se meurt,
Je hume ici ma future fumée,
Et le ciel chante à l'âme consumée
30 Le changement des rives en rumeur.

Beau ciel, vrai ciel, regarde-moi qui change !
Après tant d'orgueil, après tant d'étrange
Oisiveté, mais pleine de pouvoir,
Je m'abandonne à ce brillant espace,
35 Sur les maisons des morts mon ombre passe
Qui m'apprivoise à son frêle mouvoir.

L'âme exposée aux torches du solstice,
Je te soutiens, admirable justice
De la lumière aux armes sans pitié !
40 Je te rends pure à ta place première :
Regarde-toi !... Mais rendre la lumière
Suppose d'ombre une morne moitié.

Ô pour moi seul, à moi seul, en moi-même,
Auprès d'un cœur, aux sources du poème,
45 Entre le vide et l'événement pur,
J'attends l'écho de ma grandeur interne,
Amère, sombre et sonore citerne,
Sonnant dans l'âme un creux toujours futur !

Sais-tu, fausse captive des feuillages,
50 Golfe mangeur de ces maigres grillages,
Sur mes yeux clos, secrets éblouissants,
Quel corps me traîne à sa fin paresseuse,
Quel front l'attire à cette terre osseuse ?
Une étincelle y pense à mes absents.

55 Fermé, sacré, plein d'un feu sans matière,
Fragment terrestre offert à la lumière,
Ce lieu me plaît, dominé de flambeaux,
Composé d'or, de pierre et d'arbres sombres,
Où tant de marbre est tremblant sur tant d'ombres ;
60 La mer fidèle y dort sur mes tombeaux !

PAUL VALÉRY, *Charmes*, « Le Cimetière marin », extrait,
© Gallimard.

---

1. Dans la mythologie romaine, déesse de la Sagesse.
2. Ensemble formé par la charpente et la couverture d'un bâtiment.
3. Sens latin : profondeur.

Questions

1. En quoi ce poème est-il, selon l'expression de Valéry lui-même, un « monologue de *moi* » ?
2. Montrez que l'eau et la lumière sont les éléments dominants du texte.
3. Mettez en évidence la valeur symbolique de ces éléments en vous interrogeant sur les thèmes de la vie, de la mort, du temps et de l'activité intellectuelle.
4. Faites apparaître l'importance de la rhétorique, du jeu des sonorités et du rythme dans ce poème.

Gide
André Gide
(1869-1951)

Portrait par Jacques Émile Blanche.
Rouen, musée des Beaux-Arts.
Photo © Hubert Josse.

ANDRÉ GIDE naît à Paris en 1869, dans une famille protestante. Il passe le baccalauréat en 1888, rencontre Stéphane Mallarmé et Paul Valéry, se lance dans la littérature. Gide choque : il conteste les interdits moraux et revendique son homosexualité, vécue dès 1893 lors d'un voyage en Tunisie, quelque temps avant un mariage avec sa cousine Madeleine. Gide innove : il fonde, avec quelques amis, une revue, La *N.R.F. (Nouvelle Revue Française),* à l'origine des éditions Gallimard. Enfin, Gide s'engage : entre les deux guerres, il voyage en Europe, en Afrique, en U.R.S.S., dénonce le colonialisme, se rapproche du communisme avant de critiquer le stalinisme et rejoint en 1934 le Comité de vigilance des écrivains antifascistes. Sa personnalité est celle d'un intellectuel dénonçant, au nom de la liberté individuelle, les pesanteurs morales, les injustices sociales et les égarements politiques. Il s'affirme aussi comme un écrivain soucieux de réfléchir simultanément sur sa propre personne et sur les formes littéraires, expérimentant des voies que plusieurs romanciers contemporains, entre autres les auteurs du Nouveau Roman et leurs successeurs, approfondissent.

SON ŒUVRE se caractérise initialement par des influences symbolistes, ainsi qu'en témoignent **Les Cahiers d'André Walter** (1891). Mais l'écrivain dépasse rapidement cette phase et tourne en dérision le milieu des littérateurs symbolistes dans **Paludes** (1897). Avec ce roman, il développe une pratique déjà amorcée dans le précédent ouvrage et systématisée dans le livre de sa maturité, **Les Faux-Monnayeurs** (1926) : la mise en abyme. Ce procédé consiste à intégrer dans le récit un double du récit lui-même. Le héros de *Paludes* est un écrivain qui échoue à écrire un roman intitulé *Paludes* ; le narrateur des *Faux-Monnayeurs,* un écrivain travaillant sur un manuscrit appelé *Les Faux-Monnayeurs.* Le jeu de miroir se redouble lorsque l'écrivain Gide prête au personnage André Walter des extraits de son propre journal intime. Mais Gide ne sépare pas cette réflexion sur la littérature d'un travail sur l'identité subjective. En ce domaine, il se fait le porte-parole de l'authenticité. Plusieurs de ses ouvrages exaltent le plaisir des sens, la liberté sexuelle et, de façon plus générale, l'épanouissement de l'être. Le problème est d'équilibrer l'épanchement du désir par la pratique d'une morale personnelle, à laquelle l'individu consent librement. **Les Nourritures terrestres** (1897), **L'Immoraliste** (1902), **Les Caves du Vatican** (1914), **La Symphonie pastorale** (1919) en formulent successivement la nécessité. Porté par cette même exigence, il publie en 1926 son autobiographie **(Si le grain ne meurt)** et, dans les dernières années de sa vie, des extraits de son journal intime. En 1947, le prix Nobel consacre l'ensemble de son œuvre.

L'Immoraliste
[1902]

Le narrateur de L'Immoraliste, *Michel, raconte comment il retrouve la santé et découvre le plaisir des sens en Afrique du Nord, grâce à une communion étroite avec la nature. Dans l'extrait qui suit, il évoque un voyage en Italie.*

Je m'étonnais parfois que ma santé revînt si vite. J'en arrivais à croire que je m'étais d'abord exagéré la gravité de mon état ; à douter que j'eusse été très malade, à rire de mon sang craché, à regretter que ma guérison ne fût pas demeurée plus ardue.

Je m'étais soigné d'abord fort sottement, ignorant les besoins de mon corps. 5 J'en fis la patiente étude et devins, quant à la prudence et aux soins, d'une ingéniosité si constante que je m'y amusai comme à un jeu. Ce dont encore je souffrais le plus, c'était ma sensibilité maladive au moindre changement de la température. J'attribuais, à présent que mes poumons étaient guéris, cette hyperesthésie[1] à ma débilité nerveuse, relique de la maladie. Je résolus de vaincre cela. 10 La vue des belles peaux hâlées et comme pénétrées de soleil, que montraient, en travaillant aux champs, la veste ouverte, quelques paysans débraillés, m'incitait à me laisser hâler de même. Un matin, m'étant mis à nu, je me regardai ; la vue de mes trop maigres bras, de mes épaules, que les plus grands efforts ne pouvaient rejeter suffisamment en arrière, mais surtout la blancheur ou plutôt la 15 décoloration de ma peau, m'emplit et de honte et de larmes. Je me rhabillai vite, et, au lieu de descendre vers Amalfi[2], comme j'avais accoutumé de faire, me dirigeai vers des rochers couverts d'herbe rase et de mousse, loin des habitations, loin des routes, où je savais ne pouvoir être vu. Arrivé là, je me dévêtis lentement. L'air était presque vif, mais le soleil ardent. J'offris tout mon corps à sa 20 flamme. Je m'assis, me couchai, me tournai. Je sentais sous moi le sol dur ; l'agitation des herbes folles me frôlait. Bien qu'à l'abri du vent, je frémissais et palpitais à chaque souffle. Bientôt m'enveloppa une cuisson délicieuse ; tout mon être affluait vers ma peau.

ANDRÉ GIDE, *L'Immoraliste,* © éd. Mercure de France.

....

1. Exagération de la sensibilité, tendant à transformer les sensations ordinaires en sensations douloureuses.

2. Station balnéaire italienne, au sud de Naples.

Questions

1. Quelles sensations physiques le personnage éprouve-t-il ? Quel sentiment en résulte ?
2. Relevez différentes antithèses et commentez leur effet.
3. Expliquez les deux propositions de la dernière phrase. Que révèlent-elles ?
4. Dégagez la dimension symbolique de cette scène.

Les Faux-Monnayeurs
[1925]

Dans Les Faux-Monnayeurs, *André Gide raconte les démêlés du jeune Bernard avec sa famille, ses amis et une bande de faux-monnayeurs. Mais l'écrivain rompt régulièrement l'illusion romanesque. En effet, l'un des personnages, le romancier Édouard, travaille sur un manuscrit intitulé* Les Faux-Monnayeurs *: Gide emmêle ainsi différents degrés de fiction. Le premier extrait est l'incipit du roman.*

Extrait 1

« C'est le moment de croire que j'entends des pas dans le corridor », se dit Bernard. Il releva la tête et prêta l'oreille. Mais non : son père et son frère aîné étaient retenus au Palais ; sa mère en visite ; sa sœur à un concert ; et quant au puîné, le petit Caloub, une pension le bouclait au sortir du lycée chaque jour.
5 Bernard Profitendieu était resté à la maison pour potasser son bachot ; il n'avait plus devant lui que trois semaines. La famille respectait sa solitude ; le démon pas. Bien que Bernard eût mis bas sa veste, il étouffait. Par la fenêtre ouverte sur la rue n'entrait rien que de la chaleur. Son front ruisselait. Une goutte de sueur coula le long de son nez, et s'en alla tomber sur une lettre qu'il tenait en main :
10 « Ça joue la larme, pensa-t-il. Mais mieux vaut suer que de pleurer. »

Oui, la date était péremptoire. Pas moyen de douter : c'est bien de lui, Bernard, qu'il s'agissait. La lettre était adressée à sa mère ; une lettre d'amour vieille de dix-sept ans ; non signée.

« Que signifie cette initiale ? Un V, qui peut aussi bien être un N... Sied-il d'in-
15 terroger ma mère ?... Faisons crédit à son bon goût. Libre à moi d'imaginer que c'est un prince. La belle avance si j'apprends que je suis le fils d'un croquant ! Ne pas savoir qui est son père, c'est ça qui guérit de la peur de lui ressembler. Toute recherche oblige. Ne retenons de ceci que la délivrance. N'approfondissons pas. Aussi bien j'en ai mon suffisant pour aujourd'hui. »
20 Bernard replia la lettre. Elle était de même format que les douze autres du paquet. Une faveur rose les attachait, qu'il n'avait pas eu à dénouer ; qu'il refit glisser pour ceinturer comme auparavant la liasse. Il remit la liasse dans le coffret et le coffret dans le tiroir de la console. Le tiroir n'était pas ouvert ; il avait livré son secret par en haut. Bernard rassujettit les lames disjointes du plafond de bois,
25 que devait recouvrir une lourde plaque d'onyx. Il fit doucement, précautionneusement, retomber celle-ci, replaça par-dessus deux candélabres de cristal et l'encombrante pendule qu'il venait de s'amuser à réparer.

La pendule sonna quatre coups. Il l'avait remise à l'heure.

ANDRÉ GIDE, *Les Faux-Monnayeurs,* © Gallimard.

Questions

1. Quelles informations différentes l'écrivain présente-t-il dans cet épisode d'ouverture ?
2. Quelle perspective adopte-t-il ? Justifiez votre réponse en étudiant les formes du discours et les points de vue.
3. Repérez et expliquez différentes marques d'humour.
4. Comment Gide se démarque-t-il des *incipit* traditionnels ?

Extrait 2

*Plusieurs personnages, dont l'écrivain Édouard, conversent. Le titre du roman trouve son explica-
tion, dans une parfaite fidélité aux objectifs littéraires poursuivis par Gide (voir présentation).*

– Vous permettez ?... *Les Faux-Monnayeurs,* dit Bernard. Mais maintenant, à votre
tour, dites-nous : ces faux-monnayeurs... qui sont-ils ?

– Eh bien ! je n'en sais rien », dit Édouard.

Bernard et Laura se regardèrent, puis regardèrent Sophroniska ; on entendit un long
5 soupir ; je crois qu'il fut poussé par Laura.

À vrai dire, c'est à certains de ses confrères qu'Édouard pensait d'abord, en pensant
aux faux-monnayeurs ; et singulièrement au vicomte de Passavant. Mais l'attribution
s'était bientôt considérablement élargie ; suivant que le vent de l'esprit soufflait ou de
Rome ou d'ailleurs, ses héros tour à tour devenaient prêtres ou francs-maçons. Son cer-
10 veau, s'il l'abandonnait à sa pente, chavirait vite dans l'abstrait, où il se vautrait tout à
l'aise. Les idées de change, de dévalorisation, d'inflation, peu à peu envahissaient son
livre, comme les théories du vêtement le *Sartor Resartus* de Carlyle – où elles usurpaient
la place des personnages. Édouard ne pouvant parler de cela, se taisait de la manière la
plus gauche, et son silence, qui semblait un aveu de disette, commençait à gêner beau-
15 coup les trois autres.

« Vous est-il arrivé déjà de tenir entre les mains une pièce fausse ? demanda-t-il enfin.

– Oui, dit Bernard ; mais le " non " des deux
femmes couvrit sa voix.

– Eh bien ! imaginez une pièce d'or de dix
20 francs qui soit fausse. Elle ne vaut en réalité que
deux sous. Elle vaudra dix francs tant qu'on ne
reconnaîtra pas qu'elle est fausse. Si donc je pars
de cette idée que...

– Mais pourquoi partir d'une idée ? inter-
25 rompit Bernard impatienté. Si vous partiez d'un
fait bien exposé, l'idée viendrait l'habiter d'elle-
même. Si j'écrivais *Les Faux-Monnayeurs,* je com-
mencerais par présenter la pièce fausse, cette
petite pièce dont vous parliez à l'instant... et que
30 voici. »

Ce disant, il saisit dans son gousset une petite
pièce de dix francs, qu'il jeta sur la table.

ANDRÉ GIDE, *Les Faux-Monnayeurs,*
© Gallimard.

Aquarelle de DIGUIMONT pour *Les Faux-Monnayeurs.*
Paris, Bibl. Nationale. Photo © Édimédia.

Questions

1. Distinguez et commentez les différents points de vue
adoptés dans cet extrait.

2. Comment se mélangent théorie sur le roman et
scène romanesque ? Relevez les indices de l'une et
l'autre.

3. Expliquez la symbolique des faux-monnayeurs telle
qu'elle apparaît dans cet extrait.

Marcel Proust

(1871-1922)

Marcel Proust vers 1895.
Photo © Annebicque/Sygma.

MARCEL PROUST est né à Auteuil en juillet 1871. Il connaît une enfance à la fois protégée et vulnérable. Son père est professeur à la faculté de médecine de Paris. Sa mère, sa grand-mère et la bonne le couvent. Mais, dès l'âge de dix ans, sa santé vacille : il souffre de violentes crises d'asthme. Jusqu'à trente-cinq ans, il mène une vie de dilettante, marquée par des études de droit, de lettres et de sciences politiques, par la publication d'articles dans différentes revues, la traduction de John Ruskin, un théoricien de l'art, et par de nombreuses sorties mondaines. Un premier ouvrage, **Les Plaisirs et les Jours**, paraît confidentiellement en 1896 ; la rédaction d'un second, **Jean Santeuil**, est abandonnée en 1900. La mort de ses parents conduit Proust à redéfinir sa vie en termes d'écriture ; celle de son chauffeur et amant Agostinelli, accentue cette évolution, que la conscience de sa prochaine disparition, sous l'effet de la maladie, parachève. Les derniers mois, alité, isolé dans un appartement aux murs capitonnés de liège, Marcel Proust écrit sans cesse. En novembre 1922, il met le point final à son œuvre et meurt sans avoir le temps d'en relire les dernières parties.

CETTE ŒUVRE, **À la recherche du temps perdu**, est unique : en un seul titre qui rassemble sept tomes, elle jouera un rôle déterminant dans l'avènement de la littérature européenne contemporaine. Trois dimensions, romanesque, philosophique et esthétique, s'interpénètrent dans les quelque trois mille pages qui la composent. Elle se présente avant tout comme un roman de formation. Un narrateur fictif raconte son enfance – **Du côté de chez Swann**, publié à compte d'auteur en 1913 –, son adolescence – **À l'ombre des jeunes filles en fleurs**, prix Goncourt 1919 –, les débuts de l'âge adulte – **Le Côté de Guermantes** et **Sodome et Gomorrhe** (1920 à 1922) –, une liaison douloureuse – **La Prisonnière** et **Albertine disparue** (1925) –, la découverte tardive de sa vocation – **Le Temps retrouvé** (1927). L'intérêt du roman est également psychologique et satirique. Tantôt l'écrivain analyse la dynamique de certains sentiments comme la jalousie, tantôt il portraiture avec ironie certains milieux bien ciblés comme l'aristocratie. La dimension philosophique de l'œuvre porte sur la mémoire involontaire. En tout être vivant, le passé et le présent communiquent par sensations communes interposées : ce type de souvenirs, lié au corps et au hasard des circonstances, échappe à la volonté consciente. L'enjeu esthétique intervient alors. Seul l'art permet de rassembler et de fixer, dans le cadre d'une œuvre, les sensations éparpillées qui constituent la matière même de la vie. Proust multiplie les personnages d'artistes qui initient le héros et l'incitent à devenir, au terme du roman, l'écrivain de sa propre vie. Pour cette raison, la dernière page renvoie directement à la première, en une structure cyclique qui justifie le titre.

1. La métempsycose désigne la croyance en la réincarnation de l'âme après la mort.

Du côté de chez Swann
[1913]

Du côté de chez Swann se compose de trois parties : « Combray », consacré aux souvenirs d'enfance et de vacances du narrateur ; « Un amour de Swann », qui relate la liaison passée de Swann, ami de la famille, avec une demi-mondaine, Odette, et lance le thème récurrent des amours malchanceuses ; « Nom de pays : le nom », essentiellement centré sur l'attirance du narrateur pour la fille de Swann, Gilberte. L'extrait suivant est l'incipit du roman.

Longtemps, je me suis couché de bonne heure. Parfois, à peine ma bougie éteinte, mes yeux se fermaient si vite que je n'avais pas le temps de me dire : « Je m'endors. » Et, une demi-heure après, la pensée qu'il était temps de chercher le sommeil m'éveillait ; je voulais poser le volume que je croyais avoir encore dans les mains et souffler ma lumière ; je n'avais pas cessé en dormant de faire des 5 réflexions sur ce que je venais de lire, mais ces réflexions avaient pris un tour un peu particulier ; il me semblait que j'étais moi-même ce dont parlait l'ouvrage : une église, un quatuor, la rivalité de François Iᵉʳ et de Charles Quint. Cette croyance survivait pendant quelques secondes à mon réveil ; elle ne choquait pas ma raison, mais pesait comme des écailles sur mes yeux et les empêchait de se 10 rendre compte que le bougeoir n'était plus allumé. Puis elle commençait à me devenir inintelligible, comme après la métempsycose[1] les pensées d'une existence antérieure ; le sujet du livre se détachait de moi, j'étais libre de m'y appliquer ou non ; aussitôt je recouvrais la vue et j'étais bien étonné de trouver autour de moi une obscurité, douce et reposante pour mes yeux, mais peut-être plus encore pour 15 mon esprit, à qui elle apparaissait comme une chose sans cause, incompréhensible, comme une chose vraiment obscure. Je me demandais quelle heure il pouvait être ; j'entendais le sifflement des trains qui, plus ou moins éloigné, comme le chant d'un oiseau dans une forêt, relevant les distances, me décrivait l'étendue de la campagne déserte où le voyageur se hâte vers la station prochaine ; et le petit 20 chemin qu'il suit va être gravé dans son souvenir par l'excitation qu'il doit à des lieux nouveaux, à des actes inaccoutumés, à la causerie récente et aux adieux sous la lampe étrangère qui le suivent encore dans le silence de la nuit, à la douceur prochaine du retour.

J'appuyais tendrement mes joues contre les belles joues de l'oreiller qui, 25 pleines et fraîches, sont comme les joues de notre enfance. Je frottais une allumette pour regarder ma montre. Bientôt minuit. C'est l'instant où le malade qui a été obligé de partir en voyage et a dû coucher dans un hôtel inconnu, réveillé par une crise, se réjouit en apercevant sous la porte une raie de jour. Quel bonheur, c'est déjà le matin ! Dans un moment les domestiques seront levés, il pourra son- 30 ner, on viendra lui porter secours. L'espérance d'être soulagé lui donne du courage pour souffrir. Justement il a cru entendre des pas ; les pas se rapprochent, puis s'éloignent. Et la raie de jour qui était sous sa porte a disparu. C'est minuit ; on vient d'éteindre le gaz ; le dernier domestique est parti et il faudra rester toute la nuit à souffrir sans remède.

MARCEL PROUST, *Du côté de chez Swann*, © Gallimard.

Questions

1. En quoi cette entrée en matière est-elle surprenante ? Comment, selon vous, se justifie-t-elle ?

2. Relevez les indices lexicaux et grammaticaux exprimant le temps. Comment favorisent-ils la fusion du passé dans le moment présent ?

3. Étudiez le rythme des phrases. Comment les deux paragraphes se différencient-ils à cet égard ? Pourquoi ?

4. Quelle image du narrateur se dégage de cet extrait ? Quelle réflexion sur la conscience l'écrivain propose-t-il ?

À l'ombre des jeunes filles en fleurs

[1919]

*Dans ce roman, le narrateur évoque l'échec de son amour d'adolescent pour Gilberte Swann,
puis la brisure ressentie lors de la découverte effective de lieux dont les noms l'avaient fait rêver.
Dans l'extrait suivant le narrateur se souvient d'un voyage en train.*

Extrait 1

Les levers de soleil sont un accompagnement des longs voyages en chemin
de fer, comme les œufs durs, les journaux illustrés, les jeux de cartes, les rivières
où des barques s'évertuent sans avancer. À un moment où je dénombrais les pensées qui avaient rempli mon esprit pendant les minutes précédentes, pour me
5 rendre compte si je venais ou non de dormir (et où l'incertitude même qui me
faisait me poser la question était en train de me fournir une réponse affirmative),
dans le carreau de la fenêtre, au-dessus d'un petit bois noir, je vis des nuages
échancrés dont le doux duvet était d'un rose fixé, mort, qui ne changera plus,
comme celui qui teint les plumes de l'aile qui l'a assimilé ou le pastel sur lequel
10 l'a déposé la fantaisie du peintre. Mais je sentais qu'au contraire cette couleur
n'était ni inertie, ni caprice, mais nécessité et vie. Bientôt s'amoncelèrent derrière
elle des réserves de lumière. Elle s'aviva, le ciel devint d'un incarnat que je
tâchais, en collant mes yeux à la vitre, de mieux voir, car je le sentais en rapport
avec l'existence profonde de la nature, mais la ligne du chemin de fer ayant
15 changé de direction, le train tourna, la scène matinale fut remplacée dans le cadre
de la fenêtre par un village nocturne aux toits bleus de clair de lune, avec un
lavoir encrassé de la nacre opaline de la nuit, sous un ciel encore semé de toutes
ses étoiles, et je me désolais d'avoir perdu ma bande de ciel rose quand je l'aperçus de nouveau, mais rouge cette fois, dans la fenêtre d'en face qu'elle abandonna
20 à un deuxième coude de la voie ferrée ; si bien que je passais mon temps à courir d'une fenêtre à l'autre pour rapprocher, pour rentoiler les fragments inter-
mittents et opposites de mon beau matin écarlate et versatile et en avoir une vue
totale et un tableau continu.

Le paysage devint accidenté, abrupt, le train s'arrêta à une petite gare entre
25 deux montagnes. On ne voyait au fond de la gorge, au bord du torrent, qu'une
maison de garde enfoncée dans l'eau qui coulait au ras des fenêtres. Si un être
peut être le produit d'un sol dont on goûte en lui le charme particulier, plus
encore que la paysanne que j'avais tant désiré voir apparaître quand j'errais seul
du côté de Méséglise, dans les bois de Roussainville, ce devait être la grande fille
30 que je vis sortir de cette maison et, sur le sentier qu'illuminait obliquement le
soleil levant, venir vers la gare en portant une jarre de lait. Dant la vallée à qui
ces hauteurs cachaient le reste du monde, elle ne devait jamais voir personne que
dans ces trains qui ne s'arrêtaient qu'un instant. Elle longea les wagons, offrant
du café au lait à quelques voyageurs réveillés. Empourpré des reflets du matin,
35 son visage était plus rose que le ciel. Je ressentis devant elle ce désir de vivre qui
renaît en nous chaque fois que nous prenons de nouveau conscience de la beauté
et du bonheur.

MARCEL PROUST, *À l'ombre des jeunes filles en fleurs*, © Gallimard.

Questions

1. Montrez comment
les deux parties de ce
texte obéissent à une
construction identique.

2. Relevez et étudiez
les différentes figures
rhétoriques de l'analo-
gie.

3. Qu'y a-t-il de réaliste
dans cet extrait ? de poétique ?

4. Quels sentiments
contraires le personnage
éprouve-t-il ? À quoi
semble lié le « désir de
vivre » évoqué en fin de
texte ?

Extrait 2

À Balbec-plage, station balnéaire fictive de la côte normande, le narrateur se promène avec sa grand-mère sur la digue et rencontre la princesse de Luxembourg.

Cependant la princesse de Luxembourg nous avait tendu la main et, de temps en temps, tout en causant avec la marquise, elle se détournait pour poser de doux regards sur ma grand-
5 mère et sur moi, avec cet embryon de baiser qu'on ajoute au sourire quand celui-ci s'adresse à un bébé avec sa nounou. Même, dans son désir de ne pas avoir l'air de siéger dans une sphère supérieure à la nôtre, elle avait sans
10 doute mal calculé la distance, car, par une erreur de réglage, ses regards s'imprégnèrent d'une telle bonté que je vis approcher le moment où elle nous flatterait de la main comme deux bêtes sympathiques qui eussent passé la tête vers elle,
15 à travers un grillage, au Jardin d'Acclimatation[1]. Aussitôt du reste cette idée d'animaux et de bois de Boulogne prit plus de consistance pour moi. C'était l'heure où la digue est parcourue par des marchands ambulants et criards qui vendent
20 des gâteaux, des bonbons, des petits pains. Ne sachant que faire pour nous témoigner sa bienveillance, la princesse arrêta le premier qui passa ; il n'avait plus qu'un pain de seigle, du genre de ceux qu'on jette aux canards. La prin-
25 cesse le prit et me dit : « C'est pour votre grand-mère. » Pourtant, ce fut à moi qu'elle le tendit, en me disant avec un fin sourire : « Vous le lui donnerez vous-même », pensant qu'ainsi mon plaisir serait plus complet s'il n'y avait pas d'in-
30 termédiaires entre moi et les animaux. D'autres marchands s'approchèrent, elle remplit mes poches de tout ce qu'ils avaient, de paquets tout ficelés, de plaisirs, de babas[2] et de sucres d'orge. Elle me dit : « Vous en mangerez et vous en
35 ferez manger aussi à votre grand-mère » et elle fit payer les marchands par le petit nègre habillé en satin rouge qui la suivait partout et qui faisait l'émerveillement de la plage.

MARCEL PROUST, *À l'ombre des jeunes filles en fleurs*, © Gallimard.

CLAUDE MONET (1840-1926)
Hôtel des Roches noires - Trouville.
Paris, musée d'Orsay. Photo © Édimédia.

1. Le Jardin d'Acclimatation est un lieu parisien de promenade et de divertissement pour enfants, situé au bois de Boulogne.
2. Plaisirs et babas désignent des petites pâtisseries vendues dans les rues par ceux que l'on appelait alors les marchands d'oublies.

Questions

1. Qui regarde qui dans ce texte ? Qu'en déduisez-vous ?
2. Relevez les différentes métaphores et comparaisons. Quelle est leur fonction ?
3. Par une étude précise de la composition de l'extrait, montrez comment l'auteur substitue une scène imaginaire à une scène réelle.
4. Quelle est la tonalité dominante ? À quelle tradition littéraire permet-elle de rattacher ce passage ? Justifiez vos réponses.

Extrait 3

À Balbec, le narrateur expérimente le caractère insaisissable des êtres tel qu'il le perçoit dans la rencontre amoureuse : la jeune Albertine l'attire et le désoriente à la fois.

1. Une agate est une roche divisée en zones concentriques de colorations diverses.

Certains jours, mince, le teint gris, l'air maussade, une transparence violette descendant obliquement au fond de ses yeux comme il arrive quelquefois pour la mer, elle semblait éprouver une tristesse d'exilée. D'autres jours, sa figure plus lisse engluait les désirs à sa surface vernie et les empêchait d'aller au-
5 delà ; à moins que je ne la visse tout à coup de côté, car ses joues mates comme une blanche cire à la surface étaient roses par transparence, ce qui donnait tellement envie de les embrasser, d'atteindre ce teint différent qui se dérobait. D'autres fois, le bonheur baignait ces joues d'une clarté si mobile que la peau, devenue fluide et vague, laissait passer comme des regards sous-jacents qui la fai-
10 saient paraître d'une autre couleur, mais non d'une autre matière, que les yeux ; quelquefois, sans y penser, quand on regardait sa figure ponctuée de petits points bruns et où flottaient seulement deux taches plus bleues, c'était comme on eût fait d'un œuf de chardonneret, souvent comme d'une agate[1], opaline travaillée et polie à deux places seulement où, au milieu de la pierre brune, luisaient, comme
15 les ailes transparentes d'un papillon d'azur, les yeux où la chair devient miroir et nous donne l'illusion de nous laisser, plus qu'en les autres parties du corps, approcher de l'âme. Mais le plus souvent aussi elle était plus colorée, et alors plus animée ; quelquefois seul était rose, dans sa figure blanche, le bout de son nez, fin comme celui d'une petite chatte sournoise avec qui l'on aurait eu envie de
20 jouer ; quelquefois ses joues étaient si lisses que le regard glissait comme sur celui d'une miniature sur leur émail rose, que faisait encore paraître plus délicat, plus intérieur, le couvercle entr'ouvert et superposé de ses cheveux noirs : il arrivait que le teint de ses joues atteignît le rose violacé du cyclamen, et parfois même, quand elle était congestionnée ou fiévreuse, et donnant alors l'idée d'une com-
25 plexion maladive qui rabaissait mon désir à quelque chose de plus sensuel et faisait exprimer à son regard quelque chose de plus pervers et de plus malsain, la sombre pourpre de certaines roses d'un rouge presque noir ; et chacune de ces Albertine était différente, comme est différente chacune des apparitions de la danseuse dont sont transmutés les couleurs, la forme, le caractère, selon les jeux
30 innombrablement variés d'un projecteur lumineux.

MARCEL PROUST, *À l'ombre des jeunes filles en fleurs*, © Gallimard.

Questions

1. Lit-on un portrait ou un antiportrait ? Justifiez votre réponse.
2. Relevez et expliquez les différentes métaphores. Forment-elles un ensemble cohérent ? Pourquoi ?
3. Quelle représentation du personnage d'Albertine en particulier et de la personne humaine en général ce texte propose-t-il ?

Le Côté de Guermantes
[1920]

Dans Le Côté de Guermantes *et* Sodome et Gomorrhe, *le narrateur accomplit son éducation mondaine. Il découvre ainsi les envers et les travers de l'être. L'univers aristocratique, qui lui semblait prestigieux, se révèle fortement futile. Proust excelle à dépeindre ce milieu social en perte de vitesse et condamné historiquement à disparaître, au gré de scènes variées, comme une soirée à l'Opéra.*

AUGUSTE RENOIR (1841-1919), *La loge*, 1874. Londres, Tate Gallery. Photo © Édimédia.

Mais, dans les autres baignoires, presque partout, les blanches déités[1] qui habitaient ces sombres séjours s'étaient réfugiées contre les parois obscures et restaient invi-
5 sibles. Cependant, au fur et à mesure que le spectacle s'avançait, leurs formes vaguement humaines se détachaient mollement l'une après l'autre des profondeurs de la nuit qu'elles tapissaient et, s'élevant vers le jour,
10 laissaient émerger leurs corps demi-nus et venaient s'arrêter à la limite verticale et à la surface clair-obscur où leurs brillants visages apparaissaient derrière le déferlement rieur, écumeux et léger de leurs éventails de plumes,
15 sous leurs chevelures de pourpre emmêlées de perles que semblait avoir courbées l'ondulation du flux ; après commençaient les fauteuils d'orchestre, le séjour des mortels à jamais séparé du sombre et transparent
20 royaume auquel çà et là servaient de frontière, dans leur surface liquide et plane, les yeux limpides et réfléchissants des déesses des eaux. Car les strapontins du rivage, les formes des monstres de l'orchestre se peignaient dans
25 ces yeux suivant les seules lois de l'optique et selon leur angle d'incidence, comme il arrive pour ces deux parties de la réalité extérieure auxquelles, sachant qu'elles ne possèdent pas, si rudimentaire soit-elle, d'âme analogue à la
30 nôtre, nous nous jugerions insensés d'adresser un sourire ou un regard : les minéraux et les personnes avec qui nous ne sommes pas en

....

1. Les blanches divinités.

relations. En deçà, au contraire, de la limite de leur domaine, les radieuses filles de la mer se
35 retournaient à tout moment en souriant vers des tritons barbus pendus aux anfractuosités de l'abîme, ou vers quelque demi-dieu aquatique ayant pour crâne un galet poli sur lequel le flot avait ramené une algue lisse et pour regard un
40 disque en cristal de roche. Elles se penchaient vers eux, elles leur offraient des bonbons ; parfois le flot s'entr'ouvrait devant une nouvelle néréide[2] qui, tardive, souriante et confuse, venait de s'épanouir du fond de l'ombre ; puis,
45 l'acte fini, n'espérant plus entendre les rumeurs mélodieuses de la terre qui les avaient attirées à la surface, plongeant toutes à la fois, les diverses sœurs disparaissaient dans la nuit. Mais de toutes ces retraites au seuil desquelles le souci
50 léger d'apercevoir les œuvres des hommes amenait les déesses curieuses, qui ne se laissent pas approcher, la plus célèbre était le bloc de demi-obscurité connu sous le nom de baignoire de la princesse de Guermantes.

MARCEL PROUST, *Le Côté de Guermantes*,
© Gallimard.

....

2. Nymphe de la mer.

GIOVANNI BOLDINI (1845-1931)
Le comte Robert de Montesquiou.
● Paris, musée d'Orsay. Photo © Édimédia.

Sodome et Gomorrhe

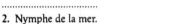 [1922]

Extrait 1

L'univers mondain est un théâtre dont Proust excelle à mettre en scène les personnages.

Or, au moment où Mme d'Arpajon allait s'engager dans l'une des colonnes, un fort coup de chaude brise tordit le jet d'eau et inonda si complètement la belle dame que l'eau dégoulinant de son décolletage dans l'intérieur de sa robe, elle fut aussi trempée que si on l'avait plongée dans un bain. Alors non
5 loin d'elle, un grognement scandé retentit assez fort pour pouvoir se faire entendre à toute une armée et pourtant prolongé par période comme s'il s'adressait non pas à l'ensemble, mais successivement à chaque partie des troupes ; c'était le Grand-Duc Wladimir qui riait de tout son cœur en voyant l'immersion de Mme d'Arpajon, une des choses les plus gaies, aimait-il à dire ensuite, à
10 laquelle il eut assisté de toute sa vie. Comme quelques personnes charitables faisaient remarquer au Moscovite qu'un mot de condoléances de lui serait peut-être mérité et ferait plaisir à cette femme qui, malgré sa quarantaine bien sonnée, et

Questions

1. Quel effet premier l'écrivain recherche-t-il auprès du lecteur ? Justifiez votre réponse.

2. Relevez quelques métaphores, comparaisons et hyperboles. Étudiez le rythme des phrases. Quelle atmosphère est ainsi suscitée ?

3. Comment, à partir d'une anecdote, Proust compose-t-il une scène de comédie ?

tout en s'épongeant avec son écharpe, sans demander le secours de personne, se dégageait malgré l'eau qui souillait malicieusement la margelle de la vasque, le Grand-Duc, qui avait bon cœur, crut devoir s'exécuter et les derniers roulements *15* militaires du rire à peine apaisés, on entendit un nouveau grondement plus violent encore que l'autre. « Bravo, la vieille ! » s'écriait-il en battant des mains comme au théâtre. Mme d'Arpajon ne fut pas sensible à ce qu'on vantât sa dextérité aux dépens de sa jeunesse. Et comme quelqu'un lui disait, assourdi par le bruit de l'eau, que dominait pourtant le tonnerre de Monseigneur : « Je crois que *20* Son Altesse Impériale vous a dit quelque chose. – Non ! c'était à Mme de Souvré », répondit-elle.

MARCEL PROUST, *Sodome et Gomorrhe*, © Gallimard.

Extrait 2

À plusieurs reprises le narrateur connaît des réminiscences, irruption brutale en plein présent de souvenirs alors oubliés. Expérience du temps à la fois perdu et retrouvé, la réminiscence s'éprouve tantôt avec jubilation, tantôt avec douleur comme dans cet extrait.

Mais à peine eus-je touché le premier bouton de ma bottine, ma poitrine s'enfla, remplie d'une présence inconnue, divine, des sanglots me secouèrent, des larmes ruisselèrent de mes yeux. L'être qui venait à mon secours, qui me sauvait de la sécheresse de l'âme, c'était celui qui, plusieurs années auparavant, dans un moment de détresse et de solitude identiques, dans un moment où je n'avais plus *5* rien de moi, était entré, et qui m'avait rendu à moi-même, car il était moi et plus que moi (le contenant qui est plus que le contenu et me l'apportait). Je venais d'apercevoir, dans ma mémoire, penché sur ma fatigue, le visage tendre, préoccupé et déçu de ma grand-mère, telle qu'elle avait été ce premier soir d'arrivée ; le visage de ma grand-mère, non pas de celle que je m'étais étonné et reproché *10* de si peu regretter et qui n'avait d'elle que le nom, mais de ma grand-mère véritable dont, pour la première fois depuis les Champs-Élysées où elle avait eu son attaque, je retrouvais dans un souvenir involontaire et complet la réalité vivante. Cette réalité n'existe pas pour nous tant qu'elle n'a pas été recréée par notre pensée (sans cela les hommes qui ont été mêlés à un combat gigantesque seraient *15* tous de grands poètes épiques) ; et ainsi, dans un désir fou de me précipiter dans ses bras, ce n'était qu'à l'instant – plus d'une année après son enterrement, à cause de cet anachronisme qui empêche si souvent le calendrier des faits de coïncider avec celui des sentiments – que je venais d'apprendre qu'elle était morte. J'avais souvent parlé d'elle depuis ce moment-là et aussi pensé à elle, mais sous *20* mes paroles et mes pensées de jeune homme ingrat, égoïste et cruel, il n'y avait jamais rien eu qui ressemblât à ma grand-mère, parce que, dans ma légèreté, mon amour du plaisir, mon accoutumance à la voir malade, je ne contenais en moi qu'à l'état virtuel le souvenir de ce qu'elle avait été. À n'importe quel moment que nous la considérions, notre âme totale n'a qu'une valeur presque fictive, mal- *25* gré le nombreux bilan de ses richesses, car tantôt les unes, tantôt les autres sont indisponibles, qu'il s'agisse d'ailleurs de richesses effectives aussi bien que de celles de l'imagination, et pour moi par exemple, tout autant que de l'ancien nom de Guermantes, de celles, combien plus graves, du souvenir vrai de ma grand-mère. Car aux troubles de la mémoire sont liées les intermittences du *30* cœur.

MARCEL PROUST, *Sodome et Gomorrhe*, © Gallimard.

Questions

1. Quel est le thème exact de cet extrait ?

2. Étudiez les marques personnelles et temporelles de l'énonciation. Que remarquez-vous ? Pourquoi ?

3. Par quels indices lexicaux et effets stylistiques l'écrivain élève-t-il la scène relatée au rang d'expérience mystique ?

4. En analysant les notions d'identité et de temporalité telles que Proust les définit, vous préciserez le caractère tragique de l'épisode relaté.

Colette

Colette
(1873-1954)

Paris, photo Hachette Livre.

Sidonie Gabrielle Colette, née dans le village bourguignon de Saint-Sauveur-en-Puisaye, passe, auprès d'une mère qui marquera profondément son œuvre, une enfance heureuse, goûtant à la fois les joies de la nature et les plaisirs de la lecture. À 20 ans, elle épouse un chroniqueur parisien, surnommé Willy, qui lui fait écrire – tout en les signant lui-même – des romans inspirés de sa vie d'adolescente et de jeune femme : *Claudine à l'école* (1900), *Claudine à Paris* (1901), *Claudine en ménage* (1902), *Claudine s'en va* (1903). Ayant quitté son mari en 1906, Colette assure sa subsistance en jouant dans des spectacles de théâtre ou de music-hall puis se lance dans le journalisme. Vont alors se succéder romans et recueils de nouvelles ; on citera en particulier : *Chéri* (1920), *La Maison de Claudine* (1922), *Le Blé en herbe* (1922), *La Fin de Chéri* (1926), *La Naissance du jour* (1928), *Sido* (1929). Après avoir mené une vie de femme libre qui a pu choquer ses contemporains, Colette achève son existence, comblée d'honneurs : sa mort, survenue en 1954, donne lieu à des funérailles nationales.

L'œuvre de Colette présente un intérêt psychologique réel, qui tient à l'analyse aiguë des mouvements de la passion amoureuse : désir, jalousie, désenchantement. Elle possède aussi et surtout, en particulier dans certaines œuvres d'inspiration autobiographique, une dimension poétique : en maint endroit, le jeu des métaphores, le lyrisme du récit, la musique et le rythme de la phrase expriment l'émerveillement du contact sensuel avec la nature ou la nostalgie d'un monde de l'enfance à jamais perdu.

Sido
▬▬ *[1929]*

Sido est un recueil de nouvelles dans lequel Colette évoque des souvenirs d'enfance et en particulier le souvenir de sa mère, « Sido ».

Hors une corne de terre, hors un bosquet de lauriers-cerises dominés par un junko-biloba[1] – je donnais ses feuilles, en forme de raie, à mes camarades d'école, qui les séchaient entre les pages de l'atlas –, tout le chaud jardin se nourrissait d'une lumière jaune, à tremblements rouges et violets, mais je ne pourrais

1. Arbre exotique.

dire si ce rouge, ce violet dépendaient, dépendent encore d'un sentimental bon- ⁵
heur ou d'un éblouissement optique. Étés réverbérés par le gravier jaune et
chaud, étés traversant le jonc tressé de mes grands chapeaux, étés presque sans
nuits... Car j'aimais tant l'aube, déjà, que ma mère me l'accordait en récompense.
J'obtenais qu'elle m'éveillât à trois heures et demie, et je m'en allais, un panier
vide à chaque bras, vers des terres maraîchères qui se réfugiaient dans le pli étroit ¹⁰
de la rivière, vers les fraises, les cassis et les groseilles barbues.

À trois heures et demie, tout dormait dans un bleu originel, humide et confus,
et quand je descendais le chemin de sable, le brouillard retenu par son poids baignait d'abord mes jambes, puis mon petit torse bien fait, atteignait mes lèvres,
mes oreilles et mes narines plus sensibles que tout le reste de mon corps... J'allais ¹⁵
seule, ce pays mal-pensant était sans dangers. C'est sur ce chemin, c'est à cette
heure que je prenais conscience de mon prix, d'un état de grâce indicible et de
ma connivence avec le premier souffle accouru, le premier oiseau, le soleil encore
ovale, déformé par son éclosion...

Ma mère me laissait partir, après m'avoir nommée « Beauté, Joyau-tout-en- ²⁰
or » ; elle regardait courir et décroître sur la pente son œuvre, – « chef-
d'œuvre », disait-elle. J'étais peut-être jolie ; ma mère et mes portraits de ce
temps-là ne sont pas toujours d'accord... Je l'étais à cause de mon âge et du lever
du jour, à cause des yeux bleus assombris par la verdure, des cheveux blonds qui
ne seraient lissés qu'à mon retour, et de ma supériorité d'enfant éveillée sur les ²⁵
autres enfants endormis.

Je revenais à la cloche de la première messe. Mais pas avant d'avoir mangé
mon saoul, pas avant d'avoir, dans les bois, décrit un grand circuit de chien qui
chasse seul, et goûté l'eau de deux sources perdues, que je révérais. L'une se haus-
sait hors de la terre par une convulsion cristalline, une sorte de sanglot, et traçait ³⁰
elle-même son lit sableux. Elle se décourageait aussitôt née et replongeait sous la
terre. L'autre source, presque invisible, froissait l'herbe comme un serpent, s'étalait secrète au centre d'un pré où des narcisses, fleuris en ronde, attestaient seuls
sa présence. La première avait goût de feuille de chêne, la seconde de fer et de
tige de jacinthe... Rien qu'à parler d'elles je souhaite que leur saveur m'emplisse ³⁵
la bouche au moment de tout finir, et que j'emporte, avec moi, cette gorgée imaginaire...

COLETTE, *Sido*, © Flammarion, 1960.

Questions

1. Relevez les expressions par lesquelles Colette confère une véritable vie aux
   éléments de la nature ; commentez-les.

2. Analysez le rythme des phrases, les reprises de mots : quel caractère ce rythme
   ou ces reprises de mots donnent-ils au texte ?

3. Étudiez, dans ce passage, les diverses allusions aux sensations : quel type de
   rapport avec la nature expriment-elles ?

4. Qu'ont de commun l'aube, les sources et l'enfant ? Relevez les passages où
   apparaît ce thème commun.

François Mauriac

(1885-1970)

FRANÇOIS MAURIAC, fils d'une famille de la grande bourgeoisie bordelaise, négociante et terrienne, publie en 1922 un
roman, **Le Baiser au lépreux,** qui le rend célèbre. Il affectionne ce
genre et écrit, entre autres, **Thérèse Desqueyroux** (1927), **Le
Nœud de vipères** (1932), **L'Agneau** (1954). Il fait quelques incur-
sions au théâtre (**Asmodée,** 1937). Une élection à l'Académie
française en 1933, un Prix Nobel en 1952 le consacrent.
Mauriac, qui soutient la Résistance, mène après-guerre une carrière de journaliste engagé dans les débats politiques et littéraires
de son temps. À *L'Express,* au *Figaro littéraire,* il dénonce le colonialisme et soutient le général de Gaulle, avec une liberté d'esprit
qui le conduit parfois à approuver ses adversaires de gauche.
L'écrivain, que marque son catholicisme, présente des personnages troublés par un conflit entre les revendications de la foi et
les exigences de la chair. Seule l'intervention éventuelle d'une
grâce divine peut « sauver » ces êtres déchirés. Au souvenir de
Pascal se mêle celui des moralistes, dont Mauriac retrouve la veine satirique quand
il dénonce l'égoïsme de la bourgeoisie bordelaise ou le détournement des valeurs
évangéliques par des chrétiens ambitieux et hypocrites.

Thérèse Desqueyroux

[1927]

*Accusée d'avoir voulu empoisonner Bernard, son mari, Thérèse Desqueyroux, pourtant
coupable, est acquittée. La famille décide alors qu'elle vivra recluse à Argelouse, dans
une maison perdue en pleine pinède. Bernard lui annonce la sanction.*

Thérèse murmure : « À Argelouse... jusqu'à la mort... » Elle s'approcha de
la fenêtre, l'ouvrit. Bernard, à cet instant, connut une vraie joie ; cette femme qui
toujours l'avait intimidé et humilié, comme il la domine, ce soir ! comme elle
doit se sentir méprisée ! Il éprouvait l'orgueil de sa modération. Mme de La Trave
5　lui répétait qu'il était un saint ; toute la famille le louait de sa grandeur d'âme :
il avait, pour la première fois, le sentiment de cette grandeur. Lorsque, avec mille
précautions, à la maison de santé, l'attentat de Thérèse lui avait été découvert,
son sang-froid, qui lui attira tant de louanges, ne lui avait guère coûté d'efforts.
Rien n'est vraiment grave pour les êtres incapables d'aimer ; parce qu'il était sans
10　amour, Bernard n'avait éprouvé que cette sorte de joie tremblante, après un
grand péril écarté : ce que peut ressentir un homme à qui l'on révèle qu'il a vécu,
durant des années, et à son insu, dans l'intimité d'un fou furieux. Mais, ce soir,
Bernard avait le sentiment de sa force ; il dominait la vie. Il admirait qu'aucune
difficulté ne résiste à un esprit droit et qui raisonne juste ; même au lendemain
15　d'une telle tourmente, il était prêt à soutenir que l'on n'est jamais malheureux,

Questions

1. Par quel geste la
scène débute-t-elle ? Sur
quel geste s'achève-t-
elle ? Qu'en concluez-
vous ?

2. Étudiez la symbo-
lique du paysage.

3. Selon quels points de
vue la scène est-elle perçue ? Quel est l'intérêt
de cette diversité ?

4. Étudiez avec précision les marques tempo-
relles et modales de
l'énonciation. Que
remarquez-vous ? Pour-
quoi ?

5. Dégagez les dimen-
sions moralistes et sati-
riques de cet extrait.

sinon par sa faute. Le pire des drames, voilà qu'il l'avait *réglé* comme n'importe quelle autre affaire. Ça ne se saurait presque pas ; il sauverait la face ; on ne le plaindrait plus ; il ne voulait pas être plaint. Qu'y a-t-il d'humiliant à avoir épousé un monstre, lorsque l'on a le dernier mot ? La vie de garçon a du bon, d'ailleurs, et l'approche de la mort avait accru merveilleusement le goût qu'il 20 avait des propriétés, de la chasse, de l'automobile, de ce qui se mange et de ce qui se boit : la vie, enfin !

Thérèse demeurait debout devant la fenêtre ; elle voyait un peu de gravier blanc, sentait les chrysanthèmes qu'un grillage défend contre les troupeaux. Au-delà, une masse noire de chênes cachait les pins ; mais leur odeur résineuse 25 emplissait la nuit ; pareils à l'armée ennemie, invisible, mais toute proche, Thérèse savait qu'ils cernaient la maison. Ces gardiens, dont elle écoute la plainte sourde, la verraient languir au long des hivers, haleter durant les jours torrides ; ils seraient les témoins de cet étouffement lent. Elle referme la fenêtre et s'approche de Bernard :   30

« Croyez-vous donc que vous me retiendrez de force ?

– À votre aise... mais sachez-le bien : vous ne sortirez d'ici que les poings liés. »

FRANÇOIS MAURIAC, *Thérèse Desqueyroux*, © Gallimard.

Le Nœud de vipères
[1932]

1. Marie est la fille du héros ; Marinette sa belle-sœur ; Luc le fils de celle-ci, mort à la guerre.

Vieil homme haineux, Louis, le héros du Nœud de vipères, *écrit à sa femme Isa une lettre de règlement de comptes, à n'ouvrir qu'après sa disparition. Mais Isa meurt avant lui, et Louis, en lisant des notes personnelles rédigées par son épouse, s'aperçoit qu'il ne la connaissait pas vraiment. Le narrateur vit alors l'expérience de la grâce, par laquelle il prend conscience de ses erreurs.*

Pour la première fois depuis des semaines, je me dirigeai vers les vignes en partie dépouillées de leurs fruits et qui glissaient au sommeil. Le paysage était léger, limpide, gonflé comme ces bulles azurées que Marie[1] soufflait au bout d'une paille. Déjà le vent et le soleil durcissaient les ornières et les empreintes profondes des bœufs. Je marchais, emportant en moi l'image de cette Isa incon- 5 nue, en proie à des passions puissantes que Dieu seul avait eu pouvoir de mater. Cette ménagère avait été une sœur dévorée de jalousie. Le petit Luc[1] lui avait été odieux... une femme capable de haïr un petit garçon... jalouse à cause de ses propres enfants ? Parce que je leur préférais Luc ? Mais elle avait aussi détesté Marinette[1]... Oui, oui : elle avait souffert par moi ; j'avais eu ce pouvoir de la tor- 10 turer. Quelle folie ! morte Marinette, mort Luc, morte Isa, morts ! morts ! et moi, vieillard debout, à l'extrême bord de la même fosse où ils s'étaient abîmés, je jouissais de n'avoir pas été indifférent à une femme, d'avoir soulevé en elle ces remous.

C'était risible et, en vérité, je riais seul, haletant un peu, appuyé comme un 15 piquet de vigne, face aux pâles étendues de brume où des villages avec leurs églises, des routes et tous leurs peupliers avaient sombré.

FRANÇOIS MAURIAC, *Le Nœud de vipères*, © Grasset.

Questions

1. Par des relevés lexicaux et syntaxiques précis, déterminez quels sentiments inspirent cette confession.

2. Étudiez les éléments du paysage et de l'espace. Quelle est leur fonction ?

3. Quels sont les termes du procès que le narrateur établit contre lui-même ? Quelle en est la tonalité ?

Georges Bernanos
(1888-1948)

Photo © Harlingue-Viollet.

Georges Bernanos, né à Paris en 1888, licencié en droit et en lettres, catholique fervent, milite à l'Action française (voir encadré). En 1917, il épouse Jeanne Talbert d'Arc, descendante du frère de Jeanne d'Arc : six enfants naîtront de leur union. Écrivain à part entière après le succès de son premier roman – *Sous le soleil de Satan* (1926) –, Bernanos vit en France, aux Baléares, au Brésil, en Tunisie, toujours en proie à des soucis d'argent. Fidèle à ses convictions monarchistes comme le suggère *Le Dialogue des Carmélites* (1949), il rompt toutefois rapidement avec l'extrême droite en dénonçant successivement les crimes franquistes – *Les Grands Cimetières sous la lune* (1938) –, la menace hitlérienne et la Collaboration. Dans des pamphlets comme *La Grande Peur des bien-pensants* (1931), l'écrivain se fait moraliste, attaquant tout manquement à la grandeur, toute compromission politique ou évolution technologique qui, selon lui, avilissent le monde moderne. Les romans transposent cette inquiétude sous forme de quête spirituelle. *Le Journal d'un curé de campagne* (1936), *Monsieur Ouine* (1946) présentent des personnages luttant à la fois contre la médiocrité d'un univers conformiste et la tentation satanique. Le récit réaliste devient alors poétique pour suggérer l'intrusion du surnaturel, divin ou maléfique, dans la vie.

Sous le soleil de Satan

[1926]

Dans le roman Sous le soleil de Satan, *Mouchette représente la pécheresse et l'abbé Donissan l'homme saint, qui tente de lui faire retrouver le droit chemin mais ne peut éviter qu'elle se suicide. Au début de l'œuvre, la jeune femme tue Cadignan, son amant, dont elle est enceinte.*

La violence du choc l'étourdit ; le gros homme l'emportait comme une proie. Elle se sentit rudement jetée sur le canapé de cuir. Puis une minute encore elle ne vit plus que deux yeux d'abord féroces, où peu à peu montait l'angoisse, puis la honte.

5   De nouveau, elle était libre ; debout, en pleine lumière les cheveux dénoués, un pli de sa robe découvrant son bas noir, cherchant en vain du regard le maître détesté. Mais elle distinguait à peine un grand trou d'ombre et le reflet de la lampe sur le mur, aveuglée par une rage inouïe, souffrant dans son orgueil plus que dans un membre blessé, d'une souffrance physique, aiguë, intolérable...
10   Lorsqu'elle l'aperçut enfin, le sang rentra comme à flots dans son cœur.
     « Allons ! Mouchette, allons ! » disait le bonhomme inquiet.

1. Fusil de chasse.

Parlant toujours, il s'approchait à petits pas, les bras tendus, cherchant à la reprendre, sans violence ainsi qu'il eût fait d'un de ses farouches oiseaux. Mais cette fois elle échappa.

« Qu'est-ce qui te prend, Mouchette ? » répétait Cadignan, d'une voix mal 15 assurée.

Elle l'épiait de loin, sa jolie bouche déformée par un rictus sournois. « Rêve-t-elle » pensait-il encore... Car ayant cédé à un de ces emportements de colère, d'où naît soudain le désir, il se sentait moins de remords que de confusion, n'ayant jamais beaucoup plus épargné ses maîtresses qu'un loyal compagnon qui 20 tient sa partie dans un jeu brutal. Il ne la reconnaissait plus.

« Répondras-tu ! » s'écria-t-il, exaspéré par son silence.

Mais elle reculait devant lui, à pas lents. Comme elle fuyait vers la porte, il essaya de lui barrer la route en poussant son fauteuil à travers l'étroit passage, mais elle évita l'obstacle d'un saut léger, avec un cri de frayeur si vive qu'il en demeura 25 sur place, haletant. Une seconde plus tard, alors qu'il se retournait pour la suivre, il la vit dans un éclair, à l'autre extrémité de la salle, dressée sur la pointe de ses petits pieds, s'efforçant d'atteindre quelque chose au mur, de ses bras tendus.

« Hé là ! à bas les pattes ! enragée ! »

En deux bonds il l'eût sans doute rejointe et désarmée, mais une fausse honte 30 le retint. Il s'approchait d'elle sans hâte et du pas d'un homme qu'on n'arrêtera pas aisément. Car il voyait son propre hammerless[1] – un magnifique Anson – entre les mains de sa maîtresse.

« Essaie voir ! » disait-il en avançant toujours et comme on menace un chien dangereux. 35

La folle Mouchette ne répondit que par une espèce de gémissement de terreur et de colère ; en même temps elle levait l'arme à bout de bras.

« Imbécile ! il est chargé ! » voulut-il dire encore... Mais le dernier mot fut comme écrasé sur ses lèvres par l'explosion. La charge l'avait atteint sous le menton, faisant voler la mâchoire en éclats. Le coup avait été tiré de si près que 40 la bourre de feutre suiffée traversa le cou de part en part, et fut retrouvée dans sa cravate.

Mouchette ouvrit la fenêtre et disparut.

GEORGES BERNANOS, *Sous le soleil de Satan*, © Plon, 1961.

Les écrivains et l'Action française

L'Action française désigne à la fois un mouvement politique, nationaliste, royaliste, anti dreyfusard, fondé par Charles Maurras (1868-1952), et, à partir de 1898, une revue, devenue un quotidien en 1908. Discrédités pour fait de collaboration, mouvement et journal disparaissent en 1944. À des degrés différents, l'Action française influence, dans la première moitié du siècle, le monde intellectuel français, en particulier la droite, à laquelle elle offre une doctrine politique et une esthétique littéraire résolument classique.

Jean Giono
(1895-1970)

● Photo © Keystone / Sygma.

JEAN GIONO, dont l'univers est inséparable de la région de Manosque en Haute-Provence où il naît et passe toute sa vie, n'est cependant en rien réductible à un écrivain régionaliste. Une première période exalte l'homme face à une nature non dénuée de sacré et de colorations tragiques (**Colline**, 1928 ; **Le Chant du monde**, 1934). Les expériences de la fraternité (**Un de Baumugnes**, 1930 ; **Regain**, 1930 ; **Que ma joie demeure**, 1935) sont tempérées par la présence, dans l'ombre, de la sauvagerie et de la mort, ces textes relevant autant du genre du conte que du récit poétique. Au début de la Seconde Guerre mondiale, Giono refuse la mobilisation et est emprisonné pour pacifisme. Malgré ses prises de position pacifistes, il est suspecté de sympathie vichyssoise – ce qui lui vaut d'être à nouveau emprisonné à la Libération. S'ouvre alors une seconde période, plus sombre, au cours de laquelle l'écrivain s'éloigne de ses contemporains. C'est l'époque d'**Un roi sans divertissement** (1947), puis du « cycle du hussard », ensemble de quatre romans dans lesquels Giono met en scène le personnage d'Angelo, hussard italien ; ce héros témoigne, par exemple, dans **Le Hussard sur le toit,** d'un enthousiasme naïf à la manière des héros stendhaliens mais souvent déçu devant la violence humaine. **Un roi sans divertissement** consacre cette noirceur qu'on retrouve dans la rédaction de chroniques (**Les Âmes fortes**, 1950 ; **Le Moulin de Pologne**, 1952) parfois nourries de l'actualité (**Notes sur l'affaire Dominici**, 1954).

Le Chant du monde
[1934]

Un vieil homme, ancien matelot, part en compagnie du pêcheur Antonio à la recherche de l'un de ses jumeaux, disparu alors qu'il était allé chercher du bois au pays Rebeillard, évoqué dans cette page. Ce roman appartient à la première période de Giono, celle où les personnages faisaient corps avec la nature, toujours célébrée de façon lyrique, ainsi que le suggère le titre.

C'était un large pays tout charrué[1] et houleux comme la mer ; ses horizons dormaient sous des brumes. Il était fait de collines forestières en terres rouges sous des bosquets de pins tordus, des vals à labours, des plainettes avec une ferme ou deux, des villages collés au sommet des rochers comme des gâteaux de
5 miel. Des chiens de chasse sortaient de tous ces villages et de toutes ces fermes et s'en allaient chasser seuls à travers les bois et dans les champs. Les chats se glissaient à ras du sol dans les labours pour guetter les taupes. Une petite chienne jaune tout en oreilles et en reins courait après une chouette. L'oiseau aveuglé de

1. Labouré (néologisme).

matin volait d'un arbre à l'autre vers le bois. La chienne courait en faisant claquer ses oreilles. De beaux nuages dorés avaient commencé la traversée du ciel au-des- 10 sus du pays. Ils descendaient vers le sud entraînant leur ombre. Entre de grands chênes immobiles dormait un lac d'air silencieux ; un petit verdier lancé dans son vol le traversa en gloussant. Sur un chemin qui montait à un village, un homme accompagnait un mulet chargé de paquets de tabac. Les vieux hommes de Rebeillard étaient sortis devant leurs portes. Ils avaient entendu les clochettes 15 du mulet. Ils écoutaient. Ils languissaient sans tabac. Les femmes les regardaient en riant.

« Ça vient, ça monte », disaient-elles.

Du creux des bois, les faisanes guettaient les champs de petit blé vert. La chienne était arrêtée sous l'arbre à la chouette ; en même temps elle regardait du 20 coin de l'œil un gros scarabée doré qui travaillait une fiente de sanglier. Un aigle se balançait sous les nuages. Les coqs chantaient, puis ils écoutaient chanter les coqs. L'aigle regardait un petit gerbier entouré de poules et il se balançait douce- ment en descendant chaque fois un peu. Sur les aires d'un village très haut, au- dessus du fleuve, on avait allumé des feux malgré le matin et l'air doux. Sur de 25 longues broches on faisait rôtir des lièvres rouges, des chapelets de grives pour- ries, les deux grosses cuisses d'un cerf et la graisse du lard pétillait dans les lèche- frites. Dans sa maison, la mariée était assise sur sa chaise. Elle n'osait pas bouger. Elle avait la grande jupe de soie, le lourd corsage, les bijoux de sa mère et la cou- ronne en feuilles de laurier. Elle était toute seule, elle regardait cette fumée de 30 viande qui passait dans la rue. Elle avait les beaux yeux immobiles des bœufs.

À ce moment de l'automne il y avait sur le pays une grande migration d'oi- seaux. Deux renards suivaient au petit trot un vol de canards à col vert. Dans un village, des limons au milieu des marécages du fleuve, un gros homme fort et rouge qui avait été charron venait de mourir. C'était le cinquième homme qui 35 mourait depuis la nouvelle lune. Et de la même maladie. Une mousse noire qui prenait tout le rond du ventre et qui avait comme des racines de fer. Elle man- geait la peau puis elle rentrait là-bas dedans fouiller durement les tripes. Alors, les hommes mouraient en criant. Ça faisait le cinquième et la maladie allait de plus en plus vite, et déjà le cordonnier se plaignait en tenant son ventre. On avait 40 attrapé au piège une grue rouge toute vivante, on l'avait fendue en deux par le milieu d'un bon coup de hache et on était en train de guérir le cordonnier en lui faisant un cataplasme d'oiseau. Les renards marchaient dans l'oseraie en regar- dant les canards fatigués ; mais les oiseaux avaient senti les bêtes de terre et ils se posèrent au milieu de l'eau. Le fleuve les emporta. Un vol de grives épais et vio- 45 let comme un nuage d'orage changea de colline. Il s'abattit dans le bois de pins en grésillant. Les renards aboyaient vers le large de l'eau. Des villages perdus dans l'océan des collines sonnaient de la cloche puis s'éteignaient sous des vols d'hirondelles. Une longue file de gelinottes aiguë comme un fer de lance volait à toute vitesse vers le bas pays. La chouette poursuivie par la chienne rousse s'ar- 50 rêta au cœur du bois. Dans le silence, on entendait seulement tomber dans les feuilles les gouttes d'eau du givre qui fondait.

JEAN GIONO, *Le Chant du monde*,
© Gallimard.

Questions

1. Quelle est votre impression à la lecture de ce texte ? Dégagez- en le mouvement et les différentes tonalités.

2. Quel ordre l'auteur suit-il pour évoquer ce pays ? S'agit-il d'une description statique ou en mouvement ?

3. Montrez que Giono orchestre la nature à la manière d'une mise en scène (postures des animaux, préparation de la fête du mariage).

4. Commentez la phrase de la l. 31.

5. Quelle relation est établie entre la maladie et la nature ? (l. 32 et suiv.).

Un roi sans divertissement

[1947]

Apparenté au genre de la chronique, ce récit met en scène un village en proie à de sombres sentiments devant des disparitions inexpliquées. On finit par mettre la main sur le criminel : un homme d'apparence tranquille, qui tue pour se « divertir », au sens que Pascal donnait à ce mot (voir plus haut). L'enquête terminée, Langlois, qui en était chargé, décide de s'installer au village, mais son comportement paraît suspect aux yeux des habitants.

Quand on sut qu'il s'installait parmi nous, en même temps que cette fierté dont je vous ai parlé (et sans qu'elle en soit diminuée, au contraire), on disait : « Il doit être en disgrâce. On a dû lui donner son commandement comme un os à ronger à cause de ses médailles, de son plastron[1], de sa jambe, de son œil noir
5   dont le regard est si difficile à soutenir, mais on a dû lui faire comprendre qu'il ne commanderait jamais qu'à Pampelune. »

Non ; au contraire. Vers la fin de l'été arriva, sur la route du col, un cabriolet entièrement passé à la pâte au sabre[2] ; il y avait plus d'une heure qu'on le voyait monter à travers les arbres, plus luisant qu'un scarabée. Et, quand il s'arrêta près
10 des quelques-uns d'entre nous qui moissonnaient, on vit encore la chose la plus drôle : c'est qu'il portait dans son dos, derrière sa capote, un *groom* qui descendit pour nous demander un renseignement : « Est-ce qu'on connaissait le commandant Langlois ? » Oui, mais, vous vous rendez compte qu'on ne va pas répondre à ça tout de go quand on est en train de moissonner et qu'on vous prend ainsi à
15 l'improviste. Il faut bien un peu réfléchir si on dit oui ou si on dit non. Comme on regardait ce voiturin[3] qui semblait sortir de l'œuf et le *groom* qui luisait encore pire, voilà que le patron lui-même met pied à terre, sans doute pour nous aider à nous décider. Et nous fûmes décidés tout de suite car c'était le procureur royal. Il n'y avait pas à s'y tromper : il était célèbre jusque dans les massifs les plus
20 désertiques et c'étaient bien ses favoris blancs et ce ventre bas qu'il portait devant lui à pas comptés comme un tambour.

JEAN GIONO, *Un roi sans divertissement*, © Gallimard.

1. Partie du vêtement qui recouvre la poitrine.
2. Rutilant.
3. Personne qui loue à des voyageurs ou qui conduit une voiture attelée.

Questions

1. Montrez que récit et discours se mêlent et commentez ce système énonciatif.
2. Analysez la peinture que le narrateur fait des habitants.
3. Relevez les remarques teintées d'humour et commentez-les.
4. Montrez tout ce qui sépare ces paysans des notables de la ville.

Le Hussard sur le toit

[1951]

Angelo, hussard italien, « cousin littéraire » de Fabrice del Dongo, le héros de Stendhal, parcourt la Haute-Provence en direction de Manosque où il doit rejoindre son frère de lait. La région est décimée par le choléra : partout ce ne sont que morts ou mourants. Mais son chemin s'éclaire avec la rencontre de Pauline qui poursuivra une partie de la route avec lui et qu'il sauvera de la maladie.

En s'approchant des maisons, il s'aperçut qu'elles bourdonnaient comme des ruches. Par les portes et les fenêtres ouvertes, il vit sortir des nuages de mouches. Il savait ce que cela voulait dire.

Il n'y avait cependant pas d'odeur. Il
5 vint jeter un coup d'œil : c'était le spectacle attendu, mais les cadavres étaient
vieux d'un mois. Il ne restait d'une
femme que les énormes os des jambes
dépassant d'un jupon piétiné, un corsage
10 déchiré sur de la carcasse et des cheveux
sans tête. Le crâne s'était détaché et avait
roulé sous la table. L'homme était en tas
dans un coin. Ils avaient dû être mangés
par des poules qui, à l'arrivée d'Angelo,
15 s'étaient entassées, muettes, la patte en
l'air mais fort arrogantes. Des essaims
d'abeilles et de grosses guêpes avaient
déserté leurs ruches et avaient installé
des rayons et des nids entre le tuyau du
20 poêle et la cheminée.

Angelo entendit un coup de feu. Il
avait claqué fort et pas loin. Il regarda
d'abord vers la route puis il comprit
que le bruit était venu de leur petite
25 colline. Il y revint au pas de course.

La jeune femme était debout, pâle
comme une morte, un pistolet à la
main.

« Sur quoi avez-vous tiré ? »

30 Elle fit une horrible grimace de rire

Illustration du *Petit Journal* pour l'épidémie de choléra lors des guerres
balkaniques. Coll. particulière. Photo © J.-L. Charmet.

pendant que les larmes inondaient ses joues. Elle claquait des dents et ne pouvait
que regarder Angelo en tremblant. Il avait déjà vu des chevaux dans cet état. Il la
flatta très habilement de la main. Enfin, les yeux grossis de pleurs et maintenant
inondés de tendresse se détournèrent et la jeune femme soupira.

35 « Je suis ridicule, dit-elle en se tirant assez nerveusement des mains d'Angelo,
mais ceci ne m'arrivera plus. J'ai été surprise et par un événement auquel personne n'est habitué. J'ai tiré sur l'oiseau. Quand vous avez été parti, il est devenu
extrêmement pressant et je dois dire extrêmement gentil. Je n'ai jamais rien
entendu de plus horrible que cette chanson endormeuse qu'il m'adressait sans
40 arrêt. Je me sentais sucrée de la tête aux pieds et envie de fermer l'œil. À quoi j'ai
dû céder deux secondes et il était sur moi. Il puait. Il m'a frappée du bec ici. »

Elle avait, assez près de l'œil, une petite écorchure.

Angelo se dit : « Ce charognard avait certainement du choléra plein le bec.
Est-ce que la maladie peut se transmettre de cette façon ? » Il était atterré.

45 Il fit boire de l'alcool à la jeune femme. Il en lampa lui-même une bonne gorgée. Il désinfecta soigneusement le petit point rouge, à la vérité peu de chose,
juste la peau éraflée.

« Foutons le camp, dit-il. Excusez-moi, je parle mal mais tant pis. Dans les
fermes là-bas il n'y a que des morts. L'endroit est malsain. Je n'ai même pas cher-
50 ché de l'eau quand j'ai vu de quoi il s'agissait. Partons. »

JEAN GIONO, *Le Hussard sur le toit*, © Gallimard.

507

André Malraux
(1901-1976)

Photo © Harlingue / Viollet.

ANDRÉ MALRAUX, né en 1901 à Paris, connaît une jeunesse mouvementée : voyage au Cambodge, où il est arrêté pour vol de sculptures khmères, séjour en Indochine, où il milite contre l'exploitation des indigènes. L'Extrême-Orient, qu'il connaît ainsi partiellement, fournit le cadre de ses trois premiers romans : *Les Conquérants* (1928), *La Voie royale* (1930), *La Condition humaine* (1933). En 1935, il s'engage dans la guerre civile espagnole, aux côtés des républicains, avec une escadrille d'aviation qu'il a lui-même constituée. *L'Espoir*, roman publié en 1937, s'inspire de cette expérience. Au début de la Seconde Guerre mondiale, le romancier entre dans la Résistance puis devient, à la Libération, ministre du général de Gaulle, auquel il reste fidèle jusqu'à la mort de celui-ci. La deuxième partie de sa carrière littéraire est consacrée à une réflexion sur l'art, qui donne lieu, entre autres, à la publication des *Voix du silence* (1951). En 1959, il devient ministre d'État, chargé des affaires culturelles : il crée les maisons de la culture et lance une politique ambitieuse de restauration du patrimoine architectural. Il publie, en 1967, les *Antimémoires.* Sa mort survient en 1976.

L'ŒUVRE de Malraux pose le problème du sens de la vie : les héros y luttent contre l'absurdité de la condition humaine, par l'expérience de la fraternité rencontrée dans le combat collectif et par l'affirmation de leur dignité ; le plus souvent, cette dignité ne peut se conquérir qu'au prix de la mort ; c'est en cela que cet univers romanesque est tragique. La narration de Malraux peut prendre des formes très diverses : elle tient ici du reportage, avec ses phrases courtes, juxtaposées ; elle s'inspire ailleurs des techniques cinématographiques, avec des successions de plans, des jeux de clair-obscur ; enfin, elle prend parfois les dimensions du chant lyrique ou de la fresque épique.

La Condition humaine
[1933]

Le roman évoque la guerre que mène contre le pouvoir en place le général nationaliste Tchang Kaï-chek, allié aux communistes. L'action se situe plus précisément au moment où les nationalistes s'apprêtent à rompre avec les communistes, qu'ils écraseront. Le début du roman nous met immédiatement en contact avec Tchen qui a pour mission de dérober un document indispensable aux révolutionniares et qui doit pour cela assassiner son détenteur. Voici la toute première page du livre, son « incipit ».

Tchen tenterait-il de lever la moustiquaire ? Frapperait-il au travers ? L'angoisse lui tordait l'estomac ; il connaissait sa propre fermeté, mais n'était capable en cet instant que d'y songer avec hébétude, fasciné par ce tas de mousseline blanche qui tombait du plafond sur un corps moins visible qu'une ombre, et d'où sortait seulement ce pied à demi incliné par le sommeil, vivant quand 5 même – de la chair d'homme. La seule lumière venait du building voisin : un grand rectangle d'électricité pâle, coupé par les barreaux de la fenêtre dont l'un rayait le lit juste au-dessous du pied comme pour en accentuer le volume et la vie. Quatre ou cinq Klaxons grincèrent à la fois. Découvert ? Combattre, combattre des ennemis qui se défendent, des ennemis éveillés ! 10

La vague de vacarme retomba : quelque embarras de voitures (il y avait encore des embarras de voitures, là-bas, dans le monde des hommes...). Il se retrouva en face de la tache molle de la mousseline et du rectangle de lumière, immobiles dans cette nuit où le temps n'existait plus.

Il se répétait que cet homme devait mourir. Bêtement : car il savait qu'il le 15 tuerait. Pris ou non, exécuté ou non, peu importait. Rien n'existait que ce pied, cet homme qu'il devait frapper sans qu'il se défendît, – car, s'il se défendait, il appellerait.

Les paupières battantes, Tchen découvrait en lui, jusqu'à la nausée, non le combattant qu'il attendait, mais un sacrificateur. Et pas seulement aux dieux qu'il 20 avait choisis : sous son sacrifice à la révolution grouillait un monde de profondeurs auprès de quoi cette nuit écrasée d'angoisse n'était que clarté. « Assassiner n'est pas seulement tuer... » Dans ses poches, ses mains hésitantes tenaient, la droite un rasoir fermé, la gauche un court poignard. Il les enfonçait le plus possible, comme si la nuit n'eût pas suffi à cacher ses gestes. Le rasoir était plus sûr, 25 mais Tchen sentait qu'il ne pourrait jamais s'en servir ; le poignard lui répugnait moins. Il lâcha le rasoir dont le dos pénétrait dans ses doigts crispés ; le poignard était nu dans sa poche, sans gaine. Il le fit passer dans sa main droite, la gauche retombant sur la laine de son chandail et y restant collée. Il éleva légèrement le bras droit, stupéfait du silence qui continuait à l'entourer, comme si son geste eût 30 dû déclencher quelque chute. Mais non, il ne se passait rien : c'était toujours à lui d'agir.

Ce pied vivait comme un animal endormi. Terminait-il un corps ? « Est-ce que je deviens imbécile ? » Il fallait voir ce corps. Le voir, voir cette tête ; pour cela, entrer dans la lumière, laisser passer sur le lit son ombre trapue. 35

ANDRÉ MALRAUX, *La Condition humaine*, © Gallimard, 1946.

1. En quoi cette première page est-elle différente des chapitres d'exposition traditionnels ?
2. Étudiez le jeu de l'ombre et de la lumière dans le texte.
3. Quels sont les différents « points de vue » adoptés dans ce texte ?
4. Relevez et commentez les notations qui concernent l'espace et le temps.
5. À quoi tient, selon vous, l'intensité dramatique de la scène ?

Céline

Céline
(1894-1961)

• Photo © Laborie / Rapho.

LOUIS-FERDINAND DESTOUCHES, après son certificat d'études, se prépare à une carrière commerciale. Apprenti joaillier, il s'engage dans l'armée en 1912. Blessé dès les premiers combats de 1914, affecté à Londres, il tente sa chance au Cameroun en 1916. De retour en France, il reprend ses études. Bachelier en 1919, docteur en médecine en 1924, il entre à la section hygiène de la Société des Nations. Chargé de mission, il voyage à l'étranger, travaille dans un dispensaire et commence à écrire. *Voyage au bout de la nuit*, prix Renaudot 1932, le fait connaître sous le pseudonyme de Céline, le prénom de sa grand-mère. *Mort à crédit* renforce sa célébrité en 1936. Certains intellectuels dénoncent alors l'hitlérisme, lui l'approuve. Il multiplie les pamphlets antisémites, dont *Bagatelles pour un massacre* (1937). Figure officielle de la Collaboration, Céline quitte la France en juin 1944 pour Sigmaringen, en Allemagne, lieu de repli des Vichyssois en déroute. Réfugié puis incarcéré au Danemark de décembre 1945 à novembre 1946, condamné par contumace en France, il est gracié en 1951. Installé à Meudon avec sa dernière épouse, il se consacre au roman et écrit *D'un château l'autre* (1957), *Nord* (1960), *Guignol's Band* (1964).

SON ŒUVRE, qui évoque une des pages les plus tragiques du siècle, est aussi une des plus déterminantes de sa littérature. À bien des égards, Céline invente, en effet, le roman moderne. Sa modernité est tout d'abord thématique. La guerre de 1914, le délabrement du système colonial, les formes modernes du capitalisme – taylorisme américain, difficultés de l'artisanat français –, le problème des banlieues, la question de l'hygiène médicale... quelques enjeux de civilisation, propres à la première moitié du siècle, défilent. La modernité de Céline procède également de son ton. L'écrivain altère la réalité en la filtrant par le regard, la conscience et les fantasmes d'un narrateur omniprésent, qui fait office de double autobiographique. Tour à tour morbide et cocasse, réaliste et halluciné, le récit célinien déstabilise toute position fixe, recréant, dans cet effet de manège, la sensation d'un univers qui s'effondre et d'une personnalité qui se déstructure. Enfin, la modernité de l'œuvre procède de son écriture. Céline adapte la langue écrite aux sujets d'actualité qu'il aborde. Il la renouvelle, introduit des tournures orales, des termes argotiques, des constructions fautives ou des images vigoureuses empruntées à la langue populaire du petit Paris et de ses faubourgs. S'il oralise le style littéraire, il stylise aussi la langue orale. Il lui offre une reconnaissance écrite, il l'enrichit en inventant de nouveaux termes, en la confrontant à des expressions archaïques et recherchées. Céline entend ainsi provoquer chez le lecteur une émotion brute que soutiennent la cadence des phrases, entrecoupées par une ponctuation parfois extrême, et la musique des mots, agencés en raison de leur consonance.

Voyage au bout de la nuit
[1932]

Voyage au bout de la nuit présente l'itinéraire d'un héros nommé Bardamu (c'est-à-dire celui qui se meut avec son fardeau, son « barda »)... De continent en continent, d'épreuve en épreuve, le personnage accomplit un apprentissage des ténèbres humaines, la Première Guerre mondiale où il est enrôlé – premier extrait –, la jungle d'une Afrique coloniale qu'il traverse malade – deuxième extrait –, New York où il habite quelque temps – troisième extrait –, l'usine Ford de Detroit où il travaille comme manœuvre – quatrième extrait.

Extrait 1

L'homme arriva tout de même à sortir de sa bouche quelque chose d'articulé :

– Le maréchal des logis Barousse vient d'être tué, mon colonel, qu'il dit tout d'un trait.

– Et alors ?   5

– Il a été tué en allant chercher le fourgon à pain sur la route des Étrapes, mon colonel !

– Et alors ?

– Il a été éclaté par un obus !

– Et alors, nom de Dieu !   10

– Et voilà ! Mon colonel...

– C'est tout ?

– Oui, c'est tout, mon colonel.

– Et le pain ? demanda le colonel.

Ce fut la fin de ce dialogue parce que je me souviens bien qu'il a eu le temps 15
de dire tout juste : « Et le pain ? » Et puis ce fut tout. Après ça, rien que du feu
et puis du bruit avec. Mais alors un de ces bruits comme on ne croirait jamais
qu'il en existe. On en a eu tellement plein les yeux, les oreilles, le nez, la bouche,
tout de suite, du bruit, que je croyais bien que c'était fini, que j'étais devenu du
feu et du bruit moi-même.   20

Et puis non, le feu est parti, le bruit est resté longtemps dans ma tête, et puis
les bras et les jambes qui tremblaient comme si quelqu'un vous les secouait de
par-derrière. Ils avaient l'air de me quitter, et puis ils me sont restés quand même
mes membres. Dans la fumée qui piqua les yeux encore pendant longtemps,
l'odeur pointue de la poudre et du soufre nous restait comme pour tuer les   25
punaises et les puces de la terre entière.

Tout de suite après ça, j'ai pensé au maréchal des logis Barousse qui venait
d'éclater comme l'autre nous l'avait appris. C'était une bonne nouvelle. Tant
mieux ! que je pensais tout de suite ainsi : « C'est une bien grande charogne en
moins dans le régiment ! » Il avait voulu me faire passer au Conseil pour une   30
boîte de conserve. « Chacun sa guerre ! » que je me dis. De ce côté-là, faut en
convenir, de temps en temps, elle avait l'air de servir à quelque chose la guerre !
J'en connaissais bien encore trois ou quatre dans le régiment, de sacrées ordures
que j'aurais aidé bien volontiers à trouver un obus comme Barousse.

35   Quant au colonel, lui, je ne lui voulais pas de mal. Lui pourtant aussi il était mort. Je ne le vis plus, tout d'abord. C'est qu'il avait été déporté sur le talus, allongé sur le flanc par l'explosion et projeté jusque dans les bras du cavalier à pied, le messager, fini lui aussi. Ils s'embrassaient tous les deux pour le moment et pour toujours, mais le cavalier n'avait plus sa tête, rien qu'une ouverture au-

40   dessus du cou, avec du sang dedans qui mijotait en glouglous comme de la confiture dans la marmite. Le colonel avait son ventre ouvert, il en faisait une sale grimace. Ça avait dû lui faire du mal ce coup-là au moment où c'était arrivé. Tant pis pour lui ! S'il était parti dès les premières balles, ça ne lui serait pas arrivé.

    Toutes ces viandes saignaient énormément ensemble.

45   Des obus éclataient encore à la droite et à la gauche de la scène.

CÉLINE, *Voyage au bout de la nuit,* © Gallimard.

Questions

1. Identifiez et titrez les différentes séquences de cet épisode.
2. Relevez les tournures orales et les termes argotiques. Quelle est leur fonction littéraire ?
3. Étudiez le réalisme du texte. Comment Céline en diversifie-t-il l'expression ? Quels tons se mélangent ?
4. Comment et pourquoi Céline cherche-t-il à scandaliser le lecteur ?

Voyage au bout de la nuit.
Illustration par TARDI,
© 1992 by Gallimard.
Fonds Futuropolis .

Extrait 2

En route, les bêtes de la forêt je les entendis bien souvent encore, avec leurs plaintes et leurs trémolos et leurs appels, mais je ne les voyais presque jamais, je compte pour rien ce petit cochon sauvage sur lequel une fois j'ai failli marcher aux environs de mon abri. Par ces rafales de cris, d'appels, de hurlements, on aurait pu croire qu'ils étaient là tout près, des centaines, des milliers à grouiller, 5 les animaux. Cependant dès qu'on s'approchait de l'endroit de leur vacarme, plus personne, à part ces grosses pintades bleues, empêtrées dans leur plumage comme pour une noce et si maladroites quand elles sautaient en toussant d'une branche à l'autre, qu'on aurait dit qu'un accident venait de leur arriver.

Plus bas, sur les moisissures des sous-bois, des papillons lourds et larges et 10 bordés comme des « faire-part » tremblotent de mal à s'ouvrir et puis, plus bas encore, c'était nous, en train de patauger dans la boue jaune. Nous n'avancions qu'à grand-peine, surtout qu'ils me portaient dans une civière, les nègres, confectionnée avec des sacs cousus bout à bout. Ils auraient bien pu me balancer au jus les porteurs pendant que nous franchissions un marigot.

CÉLINE, *Voyage au bout de la nuit*, © Gallimard.

Extrait 3

Sur le lit, anxieux, je tentais de me familiariser avec la pénombre de cet enclos pour commencer. D'un grondement périodique les murailles tremblaient du côté de ma fenêtre. Passage du métro aérien. Il bondissait en face, entre deux rues, comme un obus, rempli de viandes tremblotantes et hachées, saccadait à travers la ville lunatique de quartier en quartier. On le voyait là-bas aller se faire 5 trembler la carcasse juste au-dessus d'un torrent de membrures dont l'écho grondait encore bien loin derrière lui d'une muraille à l'autre, quand il l'avait délivrée, à cent à l'heure. L'heure du dîner survint pendant cette prostration, et puis celle du coucher aussi.

C'est surtout le métro furieux qui m'avait ahuri. De l'autre côté de ce puits de 10 courette, la paroi s'alluma par une, puis par deux chambres, puis des dizaines. Dans certaines d'entre elles, je pouvais apercevoir ce qui se passait. C'étaient des ménages qui se couchaient. Ils semblaient aussi déchus que les gens de chez nous les Américains, après les heures verticales. Les femmes avaient les cuisses très pleines et très pâles, celles que j'ai pu bien voir tout au moins. La plupart des 15 hommes se rasaient tout en fumant un cigare avant de se coucher.

Au lit ils enlevaient leurs lunettes d'abord et leurs râteliers ensuite dans un verre et plaçaient le tout en évidence. Ils n'avaient pas l'air de se parler entre eux, entre sexes, tout à fait comme dans la rue. On aurait dit des grosses bêtes bien dociles, bien habituées à s'ennuyer. Je n'ai aperçu en tout que deux couples à se 20 faire à la lumière les choses que j'attendais et pas violemment du tout. Les autres femmes, elles, mangeaient des bonbons au lit en attendant que le mari ait achevé sa toilette. Et puis, tout le monde a éteint.

CÉLINE, *Voyage au bout de la nuit*, © Gallimard.

Extrait 4

Les ouvriers penchés soucieux de faire tout le plaisir possible aux machines vous écœurent, à leur passer les boulons au calibre, et des boulons encore, au lieu d'en finir une fois pour toutes, avec cette odeur d'huile, cette buée qui brûle les tympans et le dedans des oreilles par la gorge. C'est pas la honte qui leur fait baisser la tête. On cède au bruit comme on cède à la guerre. On se laisse aller aux machines
5 avec les trois idées qui restent à vaciller tout en haut derrière le front de la tête. C'est fini. Partout ce qu'on regarde, tout ce que la main touche, c'est dur à présent. Et tout ce dont on arrive à se souvenir encore un peu est raidi aussi comme du fer et n'a plus de goût dans la pensée.

On est devenu salement vieux d'un seul coup.

Il faut abolir la vie du dehors, en faire aussi d'elle de
10 l'acier, quelque chose d'utile. On l'aimait pas assez telle qu'elle était, c'est pour ça. Faut en faire un objet donc, du solide, c'est la Règle.

J'essayai de lui parler au contremaître à l'oreille, il a grogné comme un cochon en réponse et par les gestes seu-
15 lement il m'a montré, bien patient, la très simple manœuvre que je devais accomplir désormais pour tou- jours. Mes minutes, mes heures, mon reste de temps comme ceux d'ici s'en iraient à passer des petites chevilles à l'aveugle d'à côté qui les calibrait, lui, depuis des années
20 les chevilles, les mêmes. Moi j'ai fait ça tout de suite très mal. On ne me blâma point, seulement après trois jours de ce labeur initial, je fus transféré, raté déjà, au trimbalage du petit chariot rempli de rondelles, celui qui cabotait d'une machine à l'autre. Là, j'en laissais trois, ici douze, là-bas
25 cinq seulement. Personne ne me parlait. On existait plus que par une sorte d'hésitation entre l'hébétude et le délire. Rien n'importait que la continuité fracassante des mille et mille instruments qui commandaient les hommes.

CÉLINE, *Voyage au bout de la nuit,* © Gallimard.

Questions

1. Étudiez le jeu des temps grammaticaux et l'emploi des pronoms dans l'ensemble du texte. Que remarquez-vous ? Pourquoi ?
2. Relevez et classez les références sensorielles et corporelles. Quelle image de la vie en usine donnent-elles ?
3. « On existait plus que par une sorte d'hésitation entre l'hébétude et le délire. » Commentez avec précision cette phrase.
4. À quoi tient, selon vous, la force de ce passage ?

Mort à crédit

▬▬▬▬ *[1936]*

Mort à crédit s'achève là où Voyage au bout de la nuit commence, par l'envoi du héros, prénommé Ferdinand, sur le front de la Première Guerre mondiale. Le roman évoque, sur un mode cocasse, l'enfance et l'adolescence du personnage, né dans un milieu de petits commerçants. Ferdinand décide ici de se lancer dans la culture des pommes de terre.

1. Jeu de mots avec *induction magnétique*, ou vecteur caractérisant la densité du flux magnétique qui traverse une substance.
2. Quantité innombrable.
3. Matière formée par la décomposition des végétaux.
4. Lieu très sale.

Par l'effet des ondes intensives, par nos « inductions[1] » maléfiques, par l'agencement infernal des mille réseaux en laiton nous avions corrompu la terre !... provoqué le Génie des larves !... en pleine nature innocente !... Nous venions là de faire naître, à Blême-le-Petit, une race tout à fait spéciale d'asticots entièrement vicieux, effroyablement corrosifs, qui s'attaquaient à toutes les 5 semences, à n'importe quelle plante ou racine !... aux arbres même ! aux récoltes ! aux chaumières ! À la structure des sillons ! À tous les produits laitiers !... n'épargnaient absolument rien !... Corrompant, suçant, dissolvant... Croûtant même le soc des charrues !... Résorbant, digérant la pierre, le silex, aussi bien le haricot ! Tout sur son passage ! En surface, en profondeur !... Le cadavre ou la pomme de 10 terre !... Tout absolument !... Et prospérant, notons-le, au cœur de l'hiver !... Se fortifiant des froids intenses !... Se propageant à foison, par lourdes myriades[2] !... de plus en plus inassouvibles !... à travers monts ! plaines ! et vallées !... et à la vitesse électrique !... grâce aux effluves de nos machines !... Bientôt tout l'arrondissement ne serait plus autour de Blême qu'un énorme champ tout pourri !... 15 Une tourbe[3] abjecte !... Un vaste cloaque[4] d'asticots !... Un séisme en larves grouilleuses !... Après ça serait le tour du Persant !... et puis celui de Saligons !... C'était ça les perspectives !... On pouvait pas encore prédire où et quand ça finirait !... Si jamais on aurait le moyen de circonscrire la catastrophe !... Il fallait d'abord qu'on attende le résultat des analyses !... Ça pouvait très bien se propa- 20 ger à toutes les racines de la France... Bouffer complètement la campagne !... Qu'il reste plus rien que des cailloux sur tout le territoire !... Que nos asticots rendent l'Europe absolument incultivable... Plus qu'un désert de pourriture !... Alors du coup, c'est le cas de le dire, on parlerait de notre grand fléau de Blême-le-Petit... très loin à travers les âges... comme on parle de ceux de la Bible encore 25 aujourd'hui.

CÉLINE, *Mort à crédit*, © Gallimard.

Q u e s t i o n s

1. Résumez en une phrase le sens littéral de ce texte.
2. Relevez le champ lexical de la décomposition. Quelles expressions semblent en total décalage avec ? Pourquoi ?
3. Analysez la structure et le rythme des phrases. Quels sont les effets produits ?
4. Quelle valeur symbolique attribuez-vous à cette page ?

Jean Giraudoux
(1882-1944)

Portrait par ÉDOUARD VUILLARD
(1868-1940).
Paris, bibl. de la Comédie-Française.
Photo Hubert Josse.
© Adagp, Paris 1998.

JEAN GIRAUDOUX, né en 1882 à Bellac, opte, à l'École normale supérieure, pour les études germaniques, puis entre au ministère des Affaires étrangères. Durant la Première Guerre mondiale, blessé par deux fois, il accomplit des missions à l'étranger. La paix revenue, il poursuit une brillante carrière diplomatique tout en publiant des romans : *Siegfried et le Limousin* (1922), *Juliette au pays des hommes* (1924), *Bella* (1926), *Églantine* (1927). À partir de 1928, marqué par sa rencontre avec le comédien et metteur en scène Louis Jouvet, Giraudoux se consacre essentiellement au théâtre : *Siegfried* (1928), *Amphitryon 38* (1929), *Judith* (1931), *Intermezzo* (1933), *La guerre de Troie n'aura pas lieu* (1935), *Électre* (1937), *Ondine* (1939). Commissaire général à l'Information en 1939, il quitte ce poste après l'armistice de 1940. Il écrit encore des pièces de théâtre : *La Folle de Chaillot* (1942), *Sodome et Gomorrhe* (1943). Il meurt en 1944.

Les romans et les pièces de théâtre de Giraudoux cachent, derrière des anachronismes calculés, des personnages apparemment sans épaisseur et un style parfois brillant à l'excès, une interrogation sur l'amour, l'amitié, l'histoire et la politique. À partir de 1933, ce passionné de culture allemande et spécialiste des relations internationales, qui voulait croire au rapprochement des peuples, exprime ses inquiétudes quant aux chances de la paix.

La guerre de Troie n'aura pas lieu
[1935]

Giraudoux s'inspire dans cette pièce de la légende grecque de la guerre de Troie. Hélène, épouse du roi de Sparte Ménélas, a été enlevée par Pâris, le fils de Priam, roi de Troie. Hector, le fils aîné de Priam, et son épouse Andromaque s'emploient à empêcher la guerre. Mais, à Troie, le poète nationaliste et démagogue Démokos excite les esprits. La flotte grecque, conduite par Ulysse, arrive à Troie. Un soudard grec, Oiax, gifle Hector qui s'abstient de réagir. Hector, pacifiste obstiné, et Ulysse se rencontrent pour une entrevue de la dernière chance. Les deux chefs parviendront à un compromis. Mais de nouvelles provocations de Démokos et d'Oiax déchaîneront la foule et rendront ainsi la guerre inévitable.

Dans cette scène – l'avant-dernière de la pièce –, on perçoit l'écho des conférences internationales de l'entre-deux-guerres, que Giraudoux connaissait bien du fait de ses fonctions diplomatiques.

Acte II, scène 13

HECTOR. – C'est une conversation d'ennemis que nous avons là ?

ULYSSE. – C'est un duo avant l'orchestre. C'est le
duo des récitants avant la guerre. Parce que nous
5   avons été créés sensés, justes et courtois, nous
nous parlons, une heure avant la guerre, comme
nous nous parlerons longtemps après, en
anciens combattants. Nous nous réconcilions
avant la lutte même, c'est toujours cela. Peut-être
10 d'ailleurs avons-nous tort. Si l'un de nous doit
un jour tuer l'autre et arracher pour reconnaître
sa victime la visière de son casque, il vaudrait
peut-être mieux qu'il ne lui donnât pas un visage
de frère... Mais l'univers le sait, nous allons nous
15 battre.

HECTOR. – L'univers peut se tromper. C'est à cela
qu'on reconnaît l'erreur, elle est universelle.

ULYSSE. – Espérons-le. Mais quand le destin,
depuis des années, a surélevé deux peuples,
20 quand il leur a ouvert le même avenir d'invention et d'omnipotence, quand il a fait de chacun,
comme nous l'étions tout à l'heure sur la bascule, un poids précieux et différent pour peser le
plaisir, la conscience et jusqu'à la nature, quand
25 par leurs architectes, leur poètes, leurs teinturiers, il leur a donné à chacun un royaume
opposé de volumes, de sons et de nuances,
quand il leur a fait inventer le toit en charpente
troyen et la voûte thébaine, le rouge phrygien et
30 l'indigo grec, l'univers sait bien qu'il n'entend
pas préparer ainsi aux hommes deux chemins de
couleur et d'épanouissement, mais se ménager
son festival, le déchaînement de cette brutalité et
de cette folie humaine qui seules rassurent les
35 dieux. C'est de la petite politique, j'en conviens.
Mais nous sommes chefs d'État, nous pouvons
bien entre nous deux le dire : c'est couramment
celle du Destin.

HECTOR. – Et c'est Troie et c'est la Grèce qu'il a
40 choisies cette fois ?

ULYSSE. – Ce matin j'en doutais encore. J'ai posé
le pied sur votre estacade[1], et j'en suis sûr.

HECTOR. – Vous vous êtes senti sur un sol
ennemi ?

45 ULYSSE. – Pourquoi toujours revenir à ce mot
ennemi ! Faut-il vous le redire ? Ce ne sont pas
les ennemis naturels qui se battent. Il est des
peuples que tout désigne pour une guerre, leur
peau, leur langue et leur odeur, ils se jalousent,
50 ils se haïssent, ils ne peuvent pas se sentir...
Ceux-là ne se battent jamais. Ceux qui se battent,
ce sont ceux que le sort a lustrés et préparés pour
une même guerre : ce sont les adversaires.

HECTOR. – Et nous sommes prêts pour la guerre
55 grecque ?

ULYSSE. – À un point incroyable. Comme la
nature munit les insectes dont elle prévoit la
lutte, de faiblesses et d'armes qui se correspondent, à distance, sans que nous nous connais-
60 sions, sans que nous nous en doutions, nous
nous sommes élevés tous deux au niveau de
notre guerre. Tout correspond de nos armes et
de nos habitudes comme des roues à pignon. Et
le regard de vos femmes, et le teint de vos filles
65 sont les seuls qui ne suscitent en nous ni la brutalité ni le désir, mais cette angoisse du cœur et
de la joie qui est l'horizon de la guerre. Frontons
et leurs soutaches[2] d'ombre et de feu, hennisse-
ments des chevaux, péplums disparaissant à
70 l'angle d'une colonnade, le sort a tout passé chez
vous à cette couleur d'orage qui m'impose pour
la première fois le relief de l'avenir. Il n'y a rien
à faire. Vous êtes dans la lumière de la guerre
grecque.

JEAN GIRAUDOUX,
La guerre de Troie n'aura pas lieu,
© Grasset.

....
1. Sorte de digue. – 2. Galons.

| **Questions** |

1. Quelle différence Ulysse établit-il entre les « ennemis » et les « adversaires » ?
2. En analysant leurs langages respectifs, comparez les personnalités des deux chefs.
3. En quoi consiste le tragique de la scène ?
4. Quel est le message politique de Giraudoux dans cette scène ?

André Breton
(1896-1966)

• Photo © S. Weiss/Rapho.

ANDRÉ BRETON, né en 1896 à Tinchebray, dans l'Orne, est mobilisé au cours de la Première Guerre mondiale et, en tant qu'étudiant en médecine, est affecté en 1917 dans divers hôpitaux. Il découvre ainsi la psychanalyse et se lie d'amitié avec Aragon. Au sortir de la guerre, il participe aux activités du mouvement Dada. Après le recueil poétique *Clair de terre* en 1923, le *Manifeste du surréalisme* paraît en 1924. En 1927, Breton adhère, avec Aragon et Éluard, au Parti communiste français ; il rédige *Nadja* qui sera publié en 1928. Le second *Manifeste du surréalisme*, en 1929, approfondit sa réflexion sur le marxisme. Il est cependant exclu du Parti communiste en 1933. Durant les années 30, il publie ses grands textes poétiques (*L'Union libre*, 1931 ; *Le Revolver à cheveux blancs*, 1932 ; *L'Amour fou*, 1937) et des essais ou recueils d'articles (*Les Vases communicants*, 1932 ; *Point du jour*, 1934). En 1941, menacé par le régime de Vichy, il part pour les États-Unis où il séjourne jusqu'en 1946. Il meurt en 1966 à Paris.

Fondateur du surréalisme, Breton fut un découvreur et un éveilleur de talents. Le surréalisme fut pour lui une éthique révolutionnaire qui devait transformer non seulement l'écriture mais surtout l'homme dans ses relations amoureuses et sa vie sociale. La voix de Breton atteint une intensité particulière dans une prose magnétique où l'éclat des images se conjugue avec la rigueur de la conviction théorique.

Nadja
[1928]

En 1926, Breton se promène dans Paris, attendant une manifestation du « hasard objectif » ; il rencontre Nadja, la jeune femme énigmatique qui sera pour lui une initiatrice : fée et voyante, elle lui révélera la présence du surréel dans la vie quotidienne, avant de sombrer dans la folie. On songe ici à Aurélia de Nerval.

Tout à coup, alors qu'elle est peut-être encore à dix pas de moi, venant en sens inverse, je vois une jeune femme, très pauvrement vêtue, qui, elle aussi, me voit ou m'a vu. Elle va la tête haute, contrairement à tous les autres passants. Si frêle qu'elle se pose à peine en marchant. Un sourire imperceptible erre peut-être
5 sur son visage. Curieusement fardée, comme quelqu'un qui, ayant commencé par les yeux, n'a pas eu le temps de finir, mais le bord des yeux si noir pour une blonde. Le bord, nullement la paupière (un tel éclat s'obtient et s'obtient seulement si l'on ne passe avec soin le crayon que sous la paupière. Il est intéressant de noter, à ce propos, que Blanche Derval[1], dans le rôle de Solange, même vue
10 de très près, ne paraissait en rien maquillée. Est-ce à dire que ce qui est très fai-

....

1. Breton, dans les pages précédentes, évoque la pièce *Les Détraquées*, dans laquelle joue cette actrice.

1. Montrez la soudaineté et le caractère exceptionnel de la rencontre.

2. Par quels traits cette jeune femme appartient-elle à la réalité quotidienne ?

3. Par quels signes renvoie-t-elle au surréel ?

4. La rencontre n'est-elle pas aussi une reconnaissance mutuelle ?

blement permis dans la rue mais est recommandé au théâtre ne vaut à mes yeux qu'autant qu'il est passé outre à ce qui est défendu dans un cas, ordonné dans l'autre ? Peut-être). Je n'avais jamais vu de tels yeux. Sans hésitation, j'adresse la parole à l'inconnue, tout en m'attendant, j'en conviens du reste, au pire. Elle sourit, mais très mystérieusement, et dirai-je, comme *en connaissance de cause*, bien 15 qu'alors je n'en puisse rien croire. Elle se rend, prétend-elle, chez un coiffeur du boulevard Magenta (je dis : prétend-elle, parce que sur l'instant j'en doute et qu'elle devait reconnaître par la suite qu'elle allait sans but aucun). Elle m'entretient bien avec une certaine insistance de difficultés d'argent qu'elle éprouve, mais ceci, semble-t-il, plutôt en manière d'excuse et pour expliquer l'assez grand 20 dénuement de sa mise. Nous nous arrêtons à la terrasse d'un café proche de la gare du Nord. Je la regarde mieux. Que peut-il bien passer de si extraordinaire dans ces yeux ? Que s'y mire-t-il à la fois obscurément de détresse et lumineusement d'orgueil ?

ANDRÉ BRETON, *Nadja*, © Gallimard.

Le Revolver à cheveux blancs

[1932]

Par son titre, ce poème se donne comme une réflexion sur la condition humaine. Breton connaît des difficultés sentimentales et la politique ruine certaines amitiés. Il éprouve la tentation du désespoir ; mais un poète qui veut changer l'homme et la société peut-il accepter un tel sentiment ?

Le Verbe être

Je connais le désespoir dans ses grandes lignes. Le désespoir n'a pas d'ailes, il ne se tient pas nécessairement à une table desservie sur une terrasse, le soir, au bord de la mer. C'est le désespoir et ce n'est pas le retour d'une quantité de petits faits comme des graines qui quittent à la nuit tombante un sillon pour un autre. Ce n'est pas la mousse sur une pierre ou le verre à boire. C'est un bateau criblé 5 de neige, si vous voulez, comme les oiseaux qui tombent et leur sang n'a pas la moindre épaisseur. Je connais le désespoir dans ses grandes lignes. Une forme très petite, délimitée par des bijoux de cheveux. C'est le désespoir. Un collier de perles pour lequel on ne saurait trouver de fermoir et dont l'existence ne tient pas même à un fil, voilà le désespoir. Le reste nous n'en parlons pas. Nous 10 n'avons pas fini de désespérer si nous commençons. Moi je désespère de l'abat-jour vers quatre heures, je désespère de l'éventail vers minuit, je désespère de la cigarette des condamnés. Je connais le désespoir dans ses grandes lignes. Le désespoir n'a pas de cœur, la main reste toujours au désespoir hors d'haleine, au désespoir dont les glaces ne nous disent jamais s'il est mort. Je vis de ce désespoir qui 15 m'enchante. J'aime cette mouche bleue qui vole dans le ciel à l'heure où les étoiles chantonnent. Je connais dans ses grandes lignes le désespoir aux longs étonnements grêles, le désespoir de la fierté, le désespoir de la colère.

ANDRÉ BRETON, *Le Revolver à cheveux blancs*, extrait. © Gallimard, 1948.

1. Par quels procédés Breton définit-il le désespoir ?

2. En quoi cette définition est-elle originale ? Mettez-la en rapport avec le titre du poème.

3. Comment le désespoir est-il ici conjuré ?

4. Dans quelle tradition littéraire Breton s'inscrit-il ici, peut-être de manière parodique ?

Robert Desnos

(1900-1945)

Portrait par G. MALKINE, 1921.
Paris, Bibliothèque Littéraire
Jacques Doucet.
Photo J.-L. Charmet.
© ADAGP, 1998.

ROBERT DESNOS, né à Paris en 1900, grandit dans le quartier des Halles. Il exerce divers emplois dans les milieux journalistiques et littéraires. En 1922, il rejoint les surréalistes avec qui il se livre à des expériences d'écriture sous hypnose. Mais son refus d'adhérer au Parti communiste conduit, en 1930, à la rupture avec le groupe. Cette même année paraît **Corps et Biens** dont nombre de poèmes sont inspirés par la vedette de music-hall Yvonne George. Journaliste dans la presse écrite, Desnos travaille aussi pour la radio – il réalise des émissions et invente des slogans publicitaires – et pour le cinéma. En 1942, il publie **Fortunes** et entre dans la Résistance. Arrêté en février 1944 – **Le Veilleur du Pont-au-Change** sera édité peu après –, puis déporté, il meurt en 1945 au camp de Terezin, en Tchécoslovaquie.

Le lyrisme de Desnos allie l'humour et la dérision à une conscience tragique de l'existence. Le poète trouve dans l'amour la voie d'un épanouissement personnel mais aussi une interrogation sur lui-même. La lutte politique correspond pour lui à une exigence de solidarité mais elle ne permet pas d'échapper à la solitude. L'originalité de cette poésie tient à un recours souvent parodique au classicisme et à une adhésion spontanée aux nouvelles formes de la culture populaire.

Corps et Biens

[1930]

C'était un bon copain

Ce poème, éloge d'un ami perdu, est une sorte de chanson populaire comme Desnos les aimait.

Il avait le cœur sur la main
Et la cervelle dans la lune
C'était un bon copain
Il avait l'estomac dans les talons
5 Et les yeux dans nos yeux
C'était un triste copain
Il avait la tête à l'envers
Et le feu là où vous pensez
Mais non quoi il avait le feu au derrière
10 C'était un drôle de copain
Quand il prenait ses jambes à son cou

Il mettait son nez partout
C'était un charmant copain
Il avait une dent contre Étienne
15 À la tienne Étienne à la tienne mon vieux
C'était un amour de copain
Il n'avait pas sa langue dans la poche
Ni la main dans la poche du voisin
Il ne pleurait jamais dans mon gilet
20 C'était un copain
C'était un bon copain.

ROBERT DESNOS, *Corps et Biens*, © Gallimard, 1953.

1. Quel type de personnage apparaît ici ?
2. Pourquoi les trois derniers vers résument-ils bien le ton de l'ensemble du poème ?
3. En quoi ce poème est-il une chanson populaire ?
4. Relevez les expressions familières et montrez comment le poète les exploite.

J'ai tant rêvé de toi

Dans « À la mystérieuse » (1926), groupement de poèmes repris dans Corps et biens, *Yvonne George devient une femme fantomatique qui hante le sommeil du poète.*

J'ai tant rêvé de toi que tu perds ta réalité.
Est-il encore temps d'atteindre ce corps vivant et de baiser sur cette bouche la naissance qui m'est chère ?
J'ai tant rêvé de toi que mes bras habitués, en étreignant ton ombre, à se croiser
5   sur ma poitrine ne se plieraient pas au contour de ton corps, peut-être.
Et que, devant l'apparence réelle de ce qui me hante et me gouverne depuis des jours et des années, je deviendrais une ombre sans doute.
Ô balances sentimentales.
J'ai tant rêvé de toi qu'il n'est plus temps sans doute que je m'éveille. Je dors
10 debout, le corps exposé à toutes les apparences de la vie et de l'amour et toi, la seule qui compte aujourd'hui pour moi, je pourrais moins toucher ton front et tes lèvres que les premières lèvres et le premier front venus.
J'ai tant rêvé de toi, tant marché, parlé, couché avec ton fantôme qu'il ne me reste plus peut-être, et pourtant, qu'à être fantôme parmi les fantômes et plus
15 ombre cent fois que l'ombre qui se promène et se promènera allégrement sur le cadran solaire de ta vie.

ROBERT DESNOS, *Corps et Biens,* © Gallimard, 1953.

1. Quelle signification accordez-vous à l'anaphore et aux répétitions ? Interrogez-vous sur l'expression « Ô balances sentimentales ».
2. Faites apparaître l'opposition entre le rêve et la réalité, l'absence et la présence.
3. En analysant le rythme des phrases, montrez le lyrisme du poème.
4. Comment se manifeste l'angoisse ? S'agit-il ici d'un poème de l'échec ?

Le Veilleur du Pont-au-Change

[1944]

En mai 1944, alors que la victoire des Alliés et la Libération s'annoncent, les Éditions de Minuit font paraître clandestinement ce poème.

Je vous salue sur les bords de la Tamise,
Camarades de toutes nations présents au rendez-vous,
Dans la vieille capitale anglaise,
Dans le vieux Londres et la vieille Bretagne,
5   Américains de toutes races et de tous drapeaux,
Au-delà des espaces atlantiques,
Du Canada au Mexique, du Brésil à Cuba,
Camarades de Rio, de Tehuantepec[1], de New York et San Francisco.

J'ai donné rendez-vous à toute la terre sur le Pont-au-Change[2],
10 Veillant et luttant contre vous. Tout à l'heure,
Prévenu par son pas lourd sur le pavé sonore,
Moi aussi j'ai abattu mon ennemi.

Il est mort dans le ruisseau, l'Allemand d'Hitler anonyme et haï,
La face souillée de boue, la mémoire déjà pourrissante,
15 Tandis que, déjà, j'écoutais vos voix des quatre saisons,
Amis, amis et frères des nations amies.

J'écoutais vos voix dans le parfum des orangers africains,
Dans les lourds relents de l'océan Pacifique,
Blanches escadres de mains tendues dans l'obscurité,
20 Hommes d'Alger, Honolulu, Tchoung-King[3],
Hommes de Fez, de Dakar et d'Ajaccio.

Enivrantes et terribles clameurs, rythmes des poumons et des cœurs,
Du front de Russie flambant dans la neige,
Du lac Ilmen à Kief, du Dniepr au Pripet[4],
25 Vous parvenez à moi, nés de millions de poitrines.

Je vous écoute et vous entends, Norvégiens, Danois, Hollandais,
Belges, Tchèques, Polonais, Grecs, Luxembourgeois,
Albanais et Yougo-Slaves, camarades de lutte.

J'entends vos voix et je vous appelle,
30 Je vous appelle dans ma langue connue de tous
Une langue qui n'a qu'un mot :
Liberté !

ROBERT DESNOS, *Le Veilleur du Pont-au-Change*, extrait,
© éd. de Minuit.

1. Isthme du Mexique méridional.
2. Pont de Paris.
3. Ville de Chine intérieure.
4. Affluent du Dniepr dans la partie ukrainienne de celui-ci.

Questions

1. Quelle signification prend ici l'énumération de nombreux pays du monde ?

2. Étudiez les thèmes de la voix et de la langue.

3. Quels effets produisent les apostrophes et les anaphores ?

4. En quoi s'agit-il d'un poème militant ?

LE SURRÉALISME

L'adjectif surréaliste apparaît dans la préface (1918) du drame d'Apollinaire Les Mamelles de Tirésias. Le surréalisme, dont le chef de file est André Breton, veut atteindre une réalité supérieure, ou surréalité, par le dépassement, dans la vie même, des contradictions qui mutilent l'homme : le réel et l'imaginaire, l'action et le rêve, le conscient et l'inconscient, la raison et la folie, ou encore la société et l'individu.
« Changer la vie » (Rimbaud), « Transformer le monde » (Marx) : le surréalisme tente d'unir ces deux mots d'ordre.

■ « Changer la vie »

L'horreur et l'absurdité de la Première Guerre mondiale amènent à douter de la valeur et de la survie de la civilisation occidentale. Dès 1916, le mouvement Dada, animé par le Roumain Tristan Tzara, réagit par la dérision et la bouffonnerie. Breton, Aragon et Éluard le rejoignent mais en critiquent, à partir de 1921, le nihilisme. Ils ont fondé en 1919 la revue *Littérature,* et, en 1924, Breton publie le *Manifeste du surréalisme.*

Bien qu'il ne soit pas strictement freudien, Breton, qui, comme Aragon, a suivi des études médicales, s'inspire de la psychanalyse en cherchant à donner la parole à l'*inconscient* par diverses méthodes : hypnose, associations libres, récits de rêves, écriture automatique[1], activités ludiques. Les surréalistes contestent un ordre social qui, selon eux, est la principale instance de répression du *désir.* Leur révolte allie souvent humour, provocation et violence. Le surréalisme est une quête de l'Autre, de l'amour et du bonheur.

■ « Transformer le monde »

En 1924, est lancée la revue *La Révolution surréaliste* et, dès 1925, s'amorce un rapprochement avec le Parti communiste qui aboutit, en 1926-1927, aux adhésions de Breton, d'Aragon et d'Éluard, qui veulent ainsi « transformer le monde ». En 1929, dans le *Second Manifeste du surréalisme,* Breton attaque notamment Artaud, Desnos et Leiris qui refusent de le suivre dans ses engagements politiques. En 1930, commence la publication de la revue *Le Surréalisme au service de la Révolution.* Pourtant, dès 1933, en désaccord avec le Parti, en particulier sur la psychanalyse et sur le problème de l'art révolutionnaire, Breton et Éluard en sont exclus. Ils rompent alors

avec Aragon. Breton se rapprochera de Trotsky. Éluard reviendra au Parti communiste et se réconciliera avec Aragon.

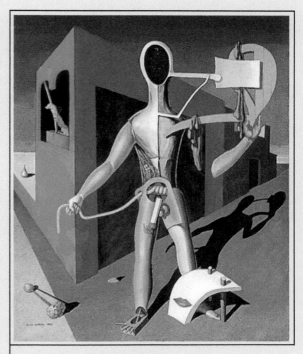

VICTOR BRAUNER, *Prestige de l'air,* 1934. Paris, musée national d'Art moderne. © ADAGP, 1998.

■ Une conception révolutionnaire de l'art

Le surréalisme présente certes des thèmes comparables à ceux du romantisme, mais il se veut une conception révolutionnaire de l'art qui intégrerait l'*inconscient* et la *lutte des classes* : d'un même mouvement, il tente de libérer l'individu et la société. Cependant, les tragédies historiques et politiques de la première moitié du XXe siècle, dans lesquelles il s'inscrit, l'ont cruellement déchiré. Ainsi l'amitié surréaliste éclate-t-elle sous les coups des désaccords, des exclusions et des ruptures.

Le surréalisme, qui réunit des écrivains, des peintres et des cinéastes, est une expérience déterminante même pour ceux qui, comme René Char, n'ont fait que le traverser. L'œuvre de Julien Gracq s'en trouvera durablement marquée.

....

1. L'écriture automatique consiste à écrire tout ce qui vient à l'esprit, en diminuant le plus possible le contrôle de la raison ou de l'esthétique, et à donner ainsi la parole à l'inconscient.

Éluard
Paul Éluard
(1895-1952)

● Photo © Keystone-Sygma.

PAUL ÉLUARD, pseudonyme d'Eugène-Émile-Paul Grindel, né à Saint-Denis en 1895, grandit dans la région parisienne. Atteint de la tuberculose et séjournant dans un sanatorium en Suisse, il rencontre celle qu'il prénomme Gala et qu'il épouse en 1917. En 1918, il publie **Poèmes pour la paix**, puis rejoint le groupe Dada (voir p. 523) et devient l'ami de Breton et d'Aragon. Il est ainsi, à partir de 1924, un des principaux représentants du mouvement surréaliste. En 1926 en même temps que Breton et Aragon, il adhère au Parti communiste français. De cette époque, datent les grands recueils : **Capitale de la douleur** (1926), **L'Amour, la Poésie** (1929), qui seront suivis de **La Vie immédiate** (1932) et des **Yeux fertiles** (1936). En 1929, Gala le quitte pour le peintre Dali. Il se lie alors avec la comédienne Maria Benz – Nusch – qui deviendra sa femme en 1934. Dans la querelle entre Breton et Aragon, son alignement sur le premier lui vaut d'être exclu du Parti communiste en 1933. Le militantisme antifasciste et antinazi, avec notamment la condamnation de la guerre d'Espagne (en 1938, paraît, dans **Cours naturel**, le poème « La Victoire de Guernica[1] ») le rapproche néanmoins des communistes, ce qui a pour conséquence la rupture avec Breton. En 1940, après sa démobilisation, il retrouve Nusch à Paris. Cependant que des exemplaires de **Poésie et Vérité** sont parachutés aux maquisards, il devient de nouveau, en 1942, membre du Parti communiste, désormais clandestin. L'engagement dans la Résistance l'amène alors à renouer avec Aragon. À la Libération, sa popularité est immense. En 1946, paraît **Poésie ininterrompue.** L'année suivante, **Le Temps déborde** exprime le désespoir causé par la mort de Nusch et des poèmes de 1938-1944 sont réunis dans **Le Livre ouvert.** En 1949, Éluard fait la connaissance de Dominique Lemor, avec qui il se marie en 1951 ; il écrit pour elle **Le Phénix** (1951). Il soutient sans défaillance le Parti communiste, qui organise un immense hommage populaire lorsqu'il meurt, d'une crise cardiaque, en 1952, à son domicile de Charenton.

Éluard croyait à « l'évidence poétique ». Le langage simple et la transparence de ses poèmes expriment, dans des images inattendues, l'évidence de la vie. Évident est l'amour, évidente la présence féminine, évident le monde à travers les yeux de la femme aimée ; évidente également la nécessité de l'engagement lorsque l'humanité et la fraternité sont bafouées. Pourtant le lyrisme amoureux laisse entrevoir un poète souvent dépressif, sensible à la fragilité de l'existence et tourmenté par un érotisme qui hésite à se dire. De même, la défense des idéaux de justice et de liberté, qui n'exclut pas un relatif manichéisme, tire sa force et sa sincérité de la conviction secrète que le monde est constamment menacé par le mal et que les êtres ont besoin d'être protégés. Le regard et le langage d'Éluard laissent dans la poésie française le souvenir d'une essentielle pureté.

....

1. Le 26 avril 1937, la ville de Guernica (Biscaye) fut entièrement détruite par l'aviation allemande. Sur cet épisode cruel de la guerre d'Espagne, Picasso composa un tableau qu'il exposa en 1937 au « pavillon espagnol » de l'Exposition internationale de Paris.

Capitale de la douleur

[1926]

Le titre du recueil rappelle la grave crise personnelle que traverse Éluard en 1924. Il voulut fuir l'Europe à l'instar de Rimbaud. Une fugue de sept mois le conduisit en Océanie et en Extrême-Orient. Gala le persuada de rentrer. Dans ce poème, il chante de nouveau la femme aimée.

« La courbe de tes yeux... »

Questions

1. Étudiez les images des yeux et du cercle.

2. Quelle représentation du monde suggère le poème ?

3. Quelle fonction est ici donnée à la femme ?

4. Quels sont, dans ce poème, les éléments du lyrisme amoureux ?

La courbe de tes yeux fait le tour de mon cœur,
Un rond de danse et de douceur,
Auréole du temps, berceau nocturne et sûr,
Et si je ne sais plus tout ce que j'ai vécu
5   C'est que tes yeux ne m'ont pas toujours vu.

Feuilles de jour et mousse de rosée,
Roseaux du vent, sourires parfumés,
Ailes couvrant le monde de lumière,
Bateaux chargés du ciel et de la mer,
10 Chasseurs des bruits et sources des couleurs,

Parfums éclos d'une couvée d'aurores
Qui gît toujours sur la paille des astres,
Comme le jour dépend de l'innocence
Le monde entier dépend de tes yeux purs
15 Et tout mon sang coule dans leurs regards.

PAUL ÉLUARD, *Capitale de la douleur*, © Gallimard.

L'Amour, la Poésie

[1929]

« La terre est bleue comme une orange... »

Ce poème est emblématique du surréalisme par la liberté des associations d'images.

Questions

1. Dans le premier vers, à quelle logique obéit l'étonnante comparaison ?

2. Interrogez-vous sur l'énonciation. N'est-elle pas, elle aussi, surprenante ?

3. Montrez que ce poème est un hymne à la beauté du monde, à la femme, et enfin à la poésie.

4. En quoi ce poème relève-t-il d'une esthétique surréaliste ? cubiste ?

La terre est bleue comme une orange
Jamais une erreur les mots ne mentent pas
Ils ne vous donnent plus à chanter
Au tour des baisers de s'entendre
5   Les fous et les amours
Elle sa bouche d'alliance
Tous les secrets tous les sourires
Et quels vêtements d'indulgence
À la croire toute nue.

10 Les guêpes fleurissent vert
L'aube se passe autour du cou
Un collier de fenêtres
Des ailes couvrent les feuilles
Tu as toutes les joies solaires
15 Tout le soleil sur la terre
Sur les chemins de ta beauté.

PAUL ÉLUARD, *L'Amour, la Poésie*, © Gallimard.

Poésie et Vérité
[1942]

Ce message d'espérance fut à l'origine d'un tract parachuté aux Résistants dans l'Europe occupée.

Liberté

Sur mes cahiers d'écolier
Sur mon pupitre et les arbres
Sur le sable sur la neige
J'écris ton nom

5 Sur toutes les pages lues
Sur toutes les pages blanches
Pierre sang papier ou cendre
J'écris ton nom

Sur les images dorées
10 Sur les armes des guerriers
Sur la couronne des rois
J'écris ton nom

Sur la jungle et le désert
Sur les nids sur les genêts
15 Sur l'écho de mon enfance
J'écris ton nom

Sur les merveilles des nuits
Sur le pain blanc des journées
Sur les saisons fiancées
20 J'écris ton nom

Sur tous mes chiffons d'azur
Sur l'étang soleil moisi
Sur le lac lune vivante
J'écris ton nom

25 Sur les champs sur l'horizon
Sur les ailes des oiseaux
Et sur le moulin des ombres
J'écris ton nom

Sur chaque bouffée d'aurore
30 Sur la mer sur les bateaux
Sur la montagne démente
J'écris ton nom

Sur la mousse des nuages
Sur les sueurs de l'orage
35 Sur la pluie épaisse et fade
J'écris ton nom

Sur les formes scintillantes
Sur les cloches des couleurs
Sur la vérité physique
40 J'écris ton nom

Sur les sentiers éveillés
Sur les routes déployées
Sur les places qui débordent
J'écris ton nom

45 Sur la lampe qui s'allume
Sur la lampe qui s'éteint
Sur mes maisons réunies
J'écris ton nom

Sur le fruit coupé en deux
50 Du miroir et de ma chambre
Sur mon lit coquille vide
J'écris ton nom

Sur mon chien gourmand et
                          [tendre
Sur ses oreilles dressées
55 Sur sa patte maladroite
J'écris ton nom

Sur le tremplin de ma porte
Sur les objets familiers
Sur le flot du feu béni
60 J'écris ton nom

Sur toute chair accordée
Sur le front de mes amis
Sur chaque main qui se tend
J'écris ton nom

65 Sur la vitre des surprises
Sur les lèvres attentives
Bien au-dessus du silence
J'écris ton nom

Sur mes refuges détruits
70 Sur mes phares écroulés
Sur les murs de mon ennui
J'écris ton nom

Sur l'absence sans désir
Sur la solitude nue
75 Sur les marches de la mort
J'écris ton nom

Sur la santé revenue
Sur le risque disparu
Sur l'espoir sans souvenir
80 J'écris ton nom

Et par le pouvoir d'un mot
Je recommence ma vie
Je suis né pour te connaître
Pour te nommer

85 Liberté.

PAUL ÉLUARD, *Poésie et Vérité*, © éd. de Minuit.

Le Livre ouvert
[1938-1944]

Transparence, immédiateté, limpidité, plaisir physique, tel est l'amour selon Éluard.

Les Sens

Rien sinon cette clarté
La clarté de ce matin
Qui te mènera sur terre

La clarté de ce matin
5 Une aiguille dans du satin
Une graine dans le noir
Œil ouvert sur un trésor

Sous les feuilles dans tes paumes
Le jeu grisant des aumônes
10 Chaudes
Le grand risque des refus
Blêmes

Sur les routes du hasard
Le mur dur perdra ses pierres

15 La clarté de ce matin
Dévêtus de tous mes regards tes seins
Tous les parfums d'un bouquet
De la violette au jasmin
En passant par le soleil
20 En passant par la pensée

Le bruit de la mer le bruit des galets
La mousse et l'odeur de la fleur du bois
Le miel l'odeur du pain chaud
Duvet des oiseaux nouveaux

25 La clarté de ce matin
La flamme qui t'enfanta
Qui naît bleue et meurt en herbe
Premier regard premier sang

Dans un champ de chair touchante
30 Les premiers mots du bonheur
Rafraîchissent leur ferveur
Sous des voiles de rosée

Et le ciel est sur tes lèvres.

PAUL ÉLUARD, *Le Livre ouvert*, © Gallimard, 1947.

YVES TANGUY, *Construire et détruire*, 1940.
Venise, galerie d'Art moderne.
Photo Alinari-Giraudon.
© ADAGP, 1998.

Questions

1. Faites apparaître la simplicité de la construction du poème. Interrogez-vous particulièrement sur le premier et le dernier vers.

2. Justifiez le titre en analysant les rapports que le poète entretient avec la femme et avec le monde.

3. Recherchez l'étymologie et la signification du mot *évidence*. En quoi ce poème témoigne-t-il de l'*évidence* éluardienne ?

4. Relevez quelques images et jeux de sonorités dont vous préciserez en quoi ils vous touchent.

Poésie ininterrompue

[1946]

« Je suis le jumeau des êtres que j'aime... »

Je suis le jumeau des êtres que j'aime
Leur double en nature la meilleure preuve
De leur vérité je sauve la face
De ceux que j'ai choisis pour me justifier

5 Ils sont très nombreux ils sont innombrables
Ils vont par les rues pour eux et pour moi
Ils portent mon nom je porte le leur
Nous sommes les fruits semblables d'un arbre

Plus grand que nature et que toutes les preuves

PAUL ÉLUARD, *Poésie ininterrompue*,
© Gallimard, 1946-1957.

Questions

1. Comment s'exprime ici l'idéal de fraternité et d'amour d'Éluard ?
2. De quelle manière s'imbriquent les thèmes du double et de l'échange dans le poème ?
3. En étudiant notamment les anaphores et le système de l'énonciation, demandez-vous dans quelle mesure on peut parler de modestie à propos du poète.
4. Comment comprenez-vous le dernier vers ?

Le Temps déborde

[1947]

Le Temps déborde parut initialement hors commerce, illustré de photographies de Nusch. Le désespoir causé par la mort de sa femme amène Éluard à douter même de la poésie.

Notre vie

Notre vie tu l'as faite elle est ensevelie
Aurore d'une ville un beau matin de mai
Sur laquelle la terre a refermé son poing
Aurore en moi dix-sept années toujours plus claires
5 Et la mort entre en moi comme dans un moulin

Notre vie disais-tu si contente de vivre
Et de donner la vie à ce que nous aimions
Mais la mort a rompu l'équilibre du temps
La mort qui vient la mort qui va la mort vécue
10 La mort visible boit et mange à mes dépens

Morte visible Nusch invisible et plus dure
Que la soif et la faim à mon corps épuisé
Masque de neige sur la terre et sous la terre
Source des larmes dans la nuit masque d'aveugle
15 Mon passé se dissout je fais place au silence.

PAUL ÉLUARD, *Le Temps déborde*, © Seghers.

Questions

1. Quelle est la tonalité de ce poème consacré à la vie, à l'amour, et à la mort ?
2. Comment la mort est-elle évoquée dans sa réalité physique ?
3. Montrez qu'Éluard tente ici de s'adresser à Nusch par-delà la mort.
4. Interrogez-vous sur l'expression : « Morte visible Nusch invisible ».
5. Quelles sont les allitérations et les assonances dominantes ? À quel effet tendent-elles ?

Le Phénix

[1951]

*« Le Phénix, c'est le couple – Adam et Ève – qui est et n'est pas le premier. »
Telle est l'épigraphe du recueil. La rencontre et le mariage avec Dominique
redonnent espoir à Éluard. Le couple, comme Phénix, renaît de ses cendres.*

Et un sourire

La nuit n'est jamais complète
Il y a toujours puisque je le dis
Puisque je l'affirme
Au bout du chagrin une fenêtre ouverte
5 Une fenêtre éclairée
Il y a toujours un rêve qui veille
Désir à combler faim à satisfaire
Un cœur généreux
Une main tendue une main ouverte
10 Des yeux attentifs
Une vie la vie à se partager.

PAUL ÉLUARD, *Le Phénix,* © Seghers.

PABLO PICASSO, *Portrait de Dora Maar.*
Paris, musée national d'Art moderne © Succession Picasso, 1998.

Questions

1. Quelle certitude fait revenir en Éluard le goût de
vivre ? Étudiez les symboles évoqués.

2. Comment s'illustre ici la force de la parole
poétique ?

3. Quels effets produisent les répétitions ?

4. Éluard communique-t-il son espoir au lecteur ?

Poésie et Résistance

Aragon, Éluard et Desnos sont des poètes de la Résistance, dans
laquelle ils luttent et qu'ils exaltent de façon émouvante. Certains de leurs
poèmes circulent clandestinement, parfois sous forme de tracts. La poésie
de la Résistance revêt souvent l'aspect d'une chanson facile à mémoriser et
revient ainsi à la tradition de la poésie orale. Le message politique y occupe
une grande place. La simplicité de cette poésie, que certains ont injustement condamnée, est due aux nécessités de l'action. La poésie de la
Résistance est une authentique poésie populaire.

Sans se rattacher directement à la poésie de la Résistance, Ponge et Char
sont des poètes résistants qui évoquent leurs combats dans leurs œuvres.

Louis Aragon
(1897-1982)

● Photo © Ohanian-Rapho.

LOUIS ARAGON naît à Paris en 1897. Étudiant en médecine, il fait, en 1917, la connaissance d'André Breton, dont il devient l'ami. Au sortir de la guerre, il participe, avec Breton et Éluard, aux activités du groupe Dada, puis devient une figure majeure du surréalisme. Il publie alors des recueils poétiques (*Feu de joie*, 1920 ; *Le Mouvement perpétuel*, 1926) et des « romans » (*Anicet ou le Panorama*, 1921 ; *Les Aventures de Télémaque*, 1922). En 1924, l'essai *Une vague de rêve* constitue un manifeste du surréalisme légèrement antérieur à celui de Breton. Il trouve un prolongement, en 1926, dans *Le Paysan de Paris*, œuvre à la fois narrative et poétique. En 1927, en même temps que Breton et Eluard, Aragon adhère au Parti communiste français et, l'année suivante, rencontre Elsa Triolet, romancière russe exilée à Paris. Sa fidélité à l'Union soviétique aboutit en 1932 à la rupture avec Breton. À cette époque, Aragon revient au genre romanesque, réprouvé par les surréalistes, avec le cycle du « Monde réel », titre qui peut s'entendre comme une mise à distance du surréalisme et une adhésion au réalisme socialiste : *Les Cloches de Bâle* paraît en 1934, suivi en 1936 des *Beaux Quartiers*. Après avoir participé à la « drôle de guerre », dès la fin août 1940, Aragon part avec Elsa pour la zone Sud où il noue des contacts en vue d'organiser la Résistance. Tout en poursuivant le cycle du « Monde réel » (*Les Voyageurs de l'impériale*, 1942), il publie clandestinement des poèmes qui unissent dans une même exaltation Elsa et la France opprimée (*Le Crève-Cœur*, 1941 ; *Les Yeux d'Elsa*, 1942 ; *Le Musée Grévin*, 1943 ; *La Diane française*, 1944). Le cycle du « Monde réel » se termine avec *Aurélien* (1944), roman fortement autobiographique, et *Les Communistes* (1949-1951) que l'auteur remaniera dans les années 60. Aragon entre au Comité central du Parti communiste en 1950, puis devient, en 1953, directeur des *Lettres françaises*, revue culturelle de ce parti. Mais, en 1956, avec la publication du rapport Khrouchtchev et l'intervention soviétique à Budapest, commencent les désillusions qui s'expriment dans le recueil poétique *Le Roman inachevé* (1956). En 1958, paraît un roman historique, *La Semaine sainte*, puis l'hommage à Elsa se poursuit avec le recueil *Elsa* (1959) et le long poème *Le Fou d'Elsa* (1963) dans lequel l'érudition arabisante soutient une protestation contre la guerre d'Algérie. La distance prise avec le réalisme dans *La Semaine sainte* se confirme avec *La Mise à mort* (1965) et *Blanche ou l'Oubli* (1967). En 1968, alors que le Parti communiste condamne le gauchisme, Aragon, dans *Les Lettres françaises*, affirme être « résolument du parti de la jeunesse ». De même, il se désolidarise du processus de normalisation en Tchécoslovaquie. Désormais, s'il reste membre du Comité central jusqu'à sa mort, son œuvre laisse apparaître, dans tous les domaines de la vie, des doutes et un relatif repli sur soi, qu'aggravent la mort d'Elsa (1970) et l'arrêt de la publication des *Lettres françaises* (1972). D'aucuns ont voulu voir dans le titre du recueil de nouvelles *Le Mentir vrai* (1980) une interrogation d'Aragon sur lui-même et sur son œuvre. Après avoir livré ses derniers poèmes (*Les Adieux*, 1982), il meurt à Paris en 1982.

Le Paysan de Paris

[1926]

Cette prose poétique rappelle Les Chants de Maldoror *(1869) de Lautréamont (voir p. 422) et annonce* Nadja *(1928) de Breton (voir p. 518). Le narrateur, tel un paysan venu de l'extérieur, arpente les rues de Paris. Dans la première partie, il observe le passage de l'Opéra. L'écriture transfigure le quotidien apparemment le plus banal.*

Il ne semble pas qu'un souci étranger aux caresses entraîne dans ce royaume tout ce peuple changeant de femmes qui concède à la volupté un droit perpétuel sur ses va-et-vient. Multiplicité charmante des aspects et des provocations. Pas une qui frôle l'air comme l'autre. Ce qu'elles laissent derrière elles, leur sillage de sensualité, ce n'est jamais le même regret, le même parfum. Et s'il en est qui 5 font monter en moi très doucement le rire par la disproportion qui règne entre leur physique médiocre ou burlesque et le goût infini qu'elles ont de plaire, elles participent encore de cette atmosphère de la lascivité qui est comme le bruissement des feuilles vertes. Vieilles putains, pièces montées, mécaniques momies, j'aime que vous figuriez dans le décor habituel, car vous êtes encore de vivantes 10 lueurs au prix de ces mères de famille que l'on rencontre dans les promenades publiques.

Les unes ont fait de ce lieu leur quartier général : un amant, un travail, l'espoir peut-être de prendre à leur piège un gibier qui n'est pas tout à fait celui des boulevards, quelque chose enfin qui a l'accent de la destinée, les a fixées dans ces 15 limites. D'autres ne hantent le passage que par rencontre : le désœuvrement, la curiosité, le hasard... ou bien c'est un jeune homme timide qui craignait d'être vu avec elles au grand jour, ou bien c'est un roué¹ qui a ici ses aises et qui vient examiner sa prise dans ce coin tranquille. Souvent les femmes qu'on croise viennent pour la première fois dans ces retraits commodes : elles ne sont pourtant pas des 20 provinciales, elles s'asseyaient chaque jour aux terrasses voisines. Mais, en entrant sous ces voûtes de verre, elles prennent notion d'une existence et de tout un monde, et les voilà gênées. Elles se parlent à voix basse, rient un peu fort, et examinent toute chose. Elles ne sont pas longues à découvrir des particularités qui les excitent et les choquent. Généralement, elles vont par deux : cela rend la 25 vie plus facile. Les novices se méprennent seuls sur ces couples ; les autres savent les inviter sans erreur à quelque consommation qui permette aux connaissances de se nouer. Ce sont des conversations délicates où la présence d'une autre femme introduit un sens de sociabilité et de politesse, jusqu'à ce que l'intéressée montre ses dents éclatantes, et parle avec des rires de son emploi du temps, de 30 ses plus secrètes sciences. Il y a des liaisons anciennes qui ont élu pour leurs rendez-vous *Certa*² ou *Le Petit Grillon*². On reconnaît ces ménages d'habitude : la femme qui attend a un air de réserve qui ne trompe pas. Puis l'homme, affairé, survient. Il ruisselle encore de sa vie sociale, il a une position, une serviette, la Légion d'honneur, il s'assure de la main que sa barbe est peignée. Parfois, il y a 35 un enfant avec la femme. Elle, ne perd pas un instant le sens du mystère.

LOUIS ARAGON, *Le Paysan de Paris*, © Gallimard.

1. Séducteur rusé.
2. Cafés du passage de l'Opéra.

Questions

1. « Multiplicité charmante des aspects et des provocations » : interrogez-vous sur la signification de cette formule. En quoi caractérise-t-elle les femmes du passage de l'Opéra ?

2. Quelles formes prend la « volupté » dans le passage de l'Opéra ?

3. Quel est le jugement du narrateur sur ce qu'il observe ?

4. Peut-on dire que le passage de l'Opéra est un lieu surréaliste ?

La Diane française
[1944]

En août 1941, l'officier de marine gaulliste et catholique Honoré d'Estienne
d'Orves est passé par les armes. En octobre, Guy Moquet, jeune
communiste, est exécuté à Chateaubriant, en Bretagne. En décembre, le
député communiste Gabriel Péri est fusillé. En juillet 44, le Résistant
catholique Gilbert Dru subit le même sort. C'est à ces quatre Résistants
qu'Aragon dédie ce poème, qui fut d'abord publié clandestinement en 1942.

La rose et le réséda
À Gabriel Péri et d'Estienne d'Orves
comme à Guy Moquet et Gilbert Dru.

Celui qui croyait au ciel
Celui qui n'y croyait pas
Tous deux adoraient la belle
Prisonnière des soldats
5 Lequel montait à l'échelle
Et lequel guettait en bas
Celui qui croyait au ciel
Celui qui n'y croyait pas
Qu'importe comment s'appelle
10 Cette clarté sur leur pas
Que l'un fût de la chapelle
Et l'autre s'y dérobât
Celui qui croyait au ciel
Celui qui n'y croyait pas
15 Tous les deux étaient fidèles
Des lèvres du cœur des bras
Et tous les deux disaient qu'elle
Vive et qui vivra verra
Celui qui croyait au ciel
20 Celui qui n'y croyait pas
Quand les blés sont sous la grêle
Fou qui fait le délicat
Fou qui songe à ses querelles
Au cœur du commun combat
25 Celui qui croyait au ciel
Celui qui n'y croyait pas
Du haut de la citadelle
La sentinelle tira
Par deux fois et l'un chancelle
30 L'autre tombe qui mourra
Celui qui croyait au ciel
Celui qui n'y croyait pas

Ils sont en prison Lequel
A le plus triste grabat
35 Lequel plus que l'autre gèle
Lequel préfèrent les rats
Celui qui croyait au ciel
Celui qui n'y croyait pas
Un rebelle est un rebelle
40 Nos sanglots font un seul glas
Et quand vient l'aube cruelle
Passent de vie à trépas
Celui qui croyait au ciel
Celui qui n'y croyait pas
45 Répétant le nom de celle
Qu'aucun des deux ne trompa
Et leur sang rouge ruisselle
Même couleur même éclat
Celui qui croyait au ciel
50 Celui qui n'y croyait pas
Il coule il coule et se mêle
À la terre qu'il aima
Pour qu'à la saison nouvelle
Mûrisse un raisin muscat
55 Celui qui croyait au ciel
Celui qui n'y croyait pas
L'un court et l'autre a des ailes
De Bretagne ou du Jura
Et framboise ou mirabelle
60 Le grillon rechantera
Dites flûte ou violoncelle
Le double amour qui brûla
L'alouette et l'hirondelle
La rose et le réséda

LOUIS ARAGON, *La Diane française*, © Louis Aragon, Seghers, 1946.

HENRI MATISSE (1869-1954),
Nature morte aux pivoines (1920).
Coll. particulière.
Photo Édimédia.
● © Succession Henri Matisse, 1998.

Questions

1. Relevez les expressions qui caractérisent chacun des deux courants de la Résistance : la tendance gaulliste et catholique, la tendance communiste.

2. Comment est exprimée l'opposition entre les deux courants ? Comment est suggérée leur convergence ?

3. Quelle représentation de la France le poète donne-t-il ici ?

4. Montrez que ce poème est une chanson simple, propre à toucher un vaste public.

1. Vers prononcé par
Antiochus dans *Bérénice*,
Acte I, scène 4, de Racine.

Aurélien

[1944]

*Aurélien Leurtillois, revenu de la guerre de 1914-1918, appartient à la génération
traumatisée par le conflit. Bérénice passe quelques semaines à Paris. Leur passion est
réciproque mais reste chaste. En effet, Bérénice, découvrant fortuitement qu'Aurélien a
simultanément une aventure, repartira dans sa province. C'est ici l'incipit du roman.*

La première fois qu'Aurélien vit Bérénice, il la trouva franchement laide.
Elle lui déplut, enfin. Il n'aima pas comment elle était habillée. Une étoffe qu'il
n'aurait pas choisie. Il avait des idées sur les étoffes. Une étoffe qu'il avait vue sur
plusieurs femmes. Cela lui fit mal augurer de celle-ci qui portait un nom de princesse d'Orient sans avoir l'air de se considérer dans l'obligation d'avoir du goût. 5
Ses cheveux étaient ternes ce jour-là, mal tenus. Les cheveux coupés, ça demande
des soins constants. Aurélien n'aurait pas pu dire si elle était blonde ou brune. Il
l'avait mal regardée. Il lui en demeurait une impression vague, générale, d'ennui
et d'irritation. Il se demanda même pourquoi. C'était disproportionné. Plutôt
petite, pâle, je crois... Qu'elle se fût appelée Jeanne ou Marie, il n'y aurait pas 10
repensé, après coup. Mais Bérénice. Drôle de superstition. Voilà bien ce qui l'ir-
ritait.

Il y avait un vers de Racine que ça lui remettait dans la tête, un vers qui l'avait
hanté pendant la guerre, dans les tranchées, et plus tard démobilisé. Un vers
qu'il ne trouvait même pas un beau vers, ou enfin dont la beauté lui semblait 15
douteuse, inexplicable, mais qui l'avait obsédé, qui l'obsédait encore :

Je demeurai longtemps errant dans Césarée...[1]

En général, les vers, lui... Mais celui-ci revenait et revenait. Pourquoi ? c'est ce
qu'il ne s'expliquait pas. Tout à fait indépendamment de l'histoire de Bérénice...
l'autre, la vraie... D'ailleurs il ne se rappelait que dans ses grandes lignes cette 20
romance, cette scie. Brune alors, la Bérénice de la tragédie. Césarée, c'est du côté
d'Antioche, de Beyrouth. Territoire sans mandat. Assez moricaude même, des
bracelets en veux-tu en voilà, et des tas de chichis, de voiles. Césarée... un beau
nom pour une ville. Ou pour une femme. Un beau nom en tout cas. Césarée...
Je demeurai longtemps...

LOUIS ARAGON, *Aurélien*, © Gallimard.

Questions

1. Comment Aurélien
voit-il Bérénice ? Est-elle
« franchement laide » ?

2. Étudiez le méca-
nisme des associations
d'idées. Quelles formes
prennent les phrases ?
Ne retrouve-t-on pas ici
Aragon poète surréa-
liste ?

3. Documentez-vous
sur l'intrigue de *Béré-
nice*, de Racine. Com-
ment le rappel de cette
tragédie influence-t-il
Aurélien ?

4. Quel rapport le nar-
rateur entretient-il avec
le personnage princi-
pal ?

Les écrivains et la gauche

Au début des années vingt, la menace fasciste et nazie plane sur
l'Europe. Peu après, en France, les ligues des Croix-de-feu et des Camelots
du Roi mettent en cause l'existence même de la République. Desnos et
Char s'engagent à gauche sans jamais appartenir à une organisation politique. Gide et Malraux sont un temps des compagnons de route du Parti
communiste. Breton et Ponge y adhèrent avant de rompre. Aragon et Éluard
– ce dernier avec une interruption de quelques années – en seront membres
jusqu'à leur mort.

Nombre d'écrivains, attirés par le Parti communiste, lui reprochent son
appui inconditionnel à l'URSS et ses positions en matière d'art et de morale.

Le Roman inachevé

[1956]

Strophes pour se souvenir[1]

Vous n'avez réclamé la gloire ni les larmes
Ni l'orgue ni la prière aux agonisants
Onze ans déjà que cela passe vite onze ans
Vous vous étiez servis simplement de vos armes
5 La mort n'éblouit pas les yeux des Partisans

Vous aviez vos portraits sur les murs de nos villes
Noirs de barbe et de nuit hirsutes menaçants
L'affiche qui semblait une tache de sang
Parce qu'à prononcer vos noms sont difficiles
10 Y cherchait un effet de peur sur les passants

Nul ne semblait vous voir Français de préférence
Les gens allaient sans yeux pour vous le jour durant
Mais à l'heure du couvre-feu des doigts errants
Avaient écrit sous vos photos MORTS POUR LA FRANCE
15 Et les mornes matins en étaient différents

Tout avait la couleur uniforme du givre
À la fin février pour vos derniers moments
Et c'est alors que l'un de vous dit calmement
Bonheur à tous Bonheur à ceux qui vont survivre[2]
20 *Je meurs sans haine en moi pour le peuple allemand*

Adieu la peine et le plaisir Adieu les roses
Adieu la vie adieu la lumière et le vent
Marie-toi sois heureuse et pense à moi souvent
Toi qui vas demeurer dans la beauté des choses
25 *Quand tout sera fini plus tard en Erivan*

Un grand soleil d'hiver éclaire la colline
Que la nature est belle et que le cœur me fend
La justice viendra sur nos pas triomphants
Ma Mélinée ô mon amour mon orpheline
30 *Et je te dis de vivre et d'avoir un enfant*

Ils étaient vingt et trois quand les fusils fleurirent
Vingt et trois qui donnaient leur cœur avant le temps
Vingt et trois étrangers et nos frères pourtant
Vingt et trois amoureux de vivre à en mourir
35 Vingt et trois qui criaient la France en s'abattant

LOUIS ARAGON, *Le Roman inachevé*, © Aragon, Gallimard.

Le 21 février 1944, une affiche annonçait aux Français
que les membres du groupe de Résistants étrangers
dirigé par Michel Manouchian, poète d'origine armé-
nienne, avaient été fusillés.
● Photo Édimédia.

1. En 1955, on inaugure à Paris une rue « Groupe
Manouchian » (voir document ci-dessus).

2. Les vers en italique reprennent des expressions significatives de la lettre que Manouchian écrivit à sa femme,
Mélinée, avant de mourir.

Questions

1. Relevez les références à la réalité historique.
   Comment est rendue l'atmosphère de l'Occupation ?

2. Comment la lettre de Manouchian s'oppose-t-elle
   au reste du poème ?

3. Quel message Aragon veut-il délivrer en 1955 ?

4. En quoi ce poème est-il un hymne ?

Elsa
■ *[1959]*

Elsa paraît dans une période difficile de la vie d'Aragon : tandis que la vieillesse arrive, les doutes et l'indignation ne font que s'accroître dans le domaine politique.

« *Mon sombre amour d'orange amère...* »

Mon sombre amour d'orange amère
Ma chanson d'écluse et de vent
Mon quartier d'ombre où vient rêvant
  Mourir la mer

5 Mon doux mois d'août dont le ciel pleut
Des étoiles sur les monts calmes
Ma songerie aux murs de palmes
  Où l'air est bleu

Mes bras d'or mes faibles merveilles
10 Renaissent ma soif et ma faim
Collier collier des soirs sans fin
  Où le cœur veille

Dire que je puis disparaître
Sans t'avoir tressé tous les joncs
15 Dispersé l'essaim des pigeons`
  À ta fenêtre

Sans faire flèche du matin
Flèche du trouble et de la fleur
De l'eau fraîche et de la douleur
20 Dont tu m'atteins

Est-ce qu'on sait ce qui se passe
C'est peut-être bien ce tantôt
Que l'on jettera le manteau
  Dessus ma face

25 Et tout ce langage perdu
Ce trésor dans la fondrière
Mon cri recouvert de prières
  Mon champ vendu

Je ne regrette rien qu'avoir
30 La bouche pleine de mots tus
Et dressé trop peu de statues
  À ta mémoire

Ah tandis encore qu'il bat
Ce cœur usé contre sa cage
35 Pour Elle qu'un dernier saccage
  Le mette bas

Coupez ma gorge et les pivoines
Vite apportez mon vin mon sang
Pour lui plaire comme en passant
40 Font les avoines

Il me reste si peu de temps
Pour aller au bout de moi-même
Et pour crier – dieu que je t'aime
  Tant

LOUIS ARAGON, *Elsa,*
© Gallimard.

Questions

1. Repérez les métaphores qui désignent respectivement la femme et la poésie. Quelle vision du monde est finalement donnée ?

2. Comment apparaissent les thèmes de la mort et de la vieillesse ?

3. Montrez que ce poème s'inscrit dans la tradition des troubadours et de l'amour courtois.

4. En quoi ce poème illustre-t-il le « malheur d'aimer » ?

Jean Cocteau
(1889-1963)

• Photo © Sygma.

JEAN COCTEAU, né à Maisons-Laffitte en 1889, accomplit des débuts remarqués dans le milieu artistique de la capitale. Très proche des mouvements d'avant-garde, il sympathise avec le musicien Poulenc et Diaghilev, le directeur des Ballets russes. ***Parade***, un opéra-ballet qu'il conçoit en 1917, fait scandale en raison de son étrangeté. Entre provocation et consécration, le destin de Cocteau semble scellé. Appelé « prince des poètes », il est élu à l'Académie française en 1955. Poète, Cocteau l'est au sens habituel – ***Opéra*** (1921) – et au sens plus ancien de créateur. L'œuvre frappe par son éclectisme. Cocteau se veut romancier – ***Thomas l'Imposteur*** (1923), ***Le Grand Écart*** (1924) –, dramaturge – ***La Machine infernale*** (1933), ***L'Aigle à deux têtes*** (1946) –, essayiste – ***Journal d'un inconnu*** (1953) –, cinéaste – ***La Belle et la Bête*** (1943), ***Orphée*** (1950) –, peintre et décorateur, sans jamais cesser d'être poète. La poésie relève pour lui d'un état plus que d'un genre. Quel que soit son support, elle détecte le merveilleux au cœur de la réalité la plus prosaïque. Par une écriture désinvolte, elle surprend, jongle avec les mythes et joue avec les mots, renouvelant loin de tout lieu commun des thèmes aussi classiques que celui de la mort.

Thomas l'Imposteur
[1923]

Dans Thomas l'Imposteur, *Cocteau invente un personnage de mythomane, Thomas.*
Le jeune homme évolue dans un univers tantôt militaire (les combattants de la Première
Guerre) tantôt mondain (les civils, qui, à l'arrière, soutiennent les soldats).

Sur l'autre rive commençaient les tranchées. Guillaume toucha le premier de ces sacs de sable qui protègent la ville creuse et dans lesquels les balles s'enfouissent avec le bruit du frelon dans la fleur.

Le dédale des tranchées était interminable. Guillaume suivait son guide silen-
5 cieux qui fumait la pipe, empaqueté dans des moufles, des peaux de mouton, des passe-montagnes. On entendait les vagues tantôt derrière soi, tantôt devant, à gauche ou à droite. On tournait sans se rendre compte, et on ne savait jamais où mettre la mer. Quelquefois, l'eau vous montait à mi-jambe.

Cette Venise, cette Alger, cette Naples de songe semblait aussi vide que les
10 dunes, car, dans mille celliers, les zouaves[1] dormaient, serrés comme des bou-
teilles. On les cassait aux jours d'orgie.

Sur deux points de ce front, le méandre des lignes allemandes et françaises se joignait presque. Le premier, nommé Mamelon-Vert, près de Saint-Georges, le deuxième près de la plage. De part et d'autre, on y avait creusé des postes
15 d'écoute.

Questions

1. Quelle impression se dégage de ce texte ? Justifiez votre réponse.

2. Repérez et expliquez les différents emplois du pronom « on ».

3. Classez et commentez les différents indices qui confèrent au récit son exactitude réaliste.

4. Relevez les comparaisons et les métaphores. Analysez leur fonction commune.

1. Soldats d'un corps
d'infanterie français créé
en Algérie en 1830 et dis-
sous en 1962.
2. Dans une guerre de
siège, tranchée souter-
raine.

Guillaume se glissa dans la sape[2]. On ne passait qu'à plat ventre. Cette sape débouchait dans une fosse contenant deux hommes. Le jour, ils jouaient aux cartes. Les ennemis occupaient une fosse analogue à douze mètres. Chaque fois qu'un des zouaves éternuait, une voix allemande criait : « Dieu vous bénisse. »

Le long du mur de première ligne, sur une sorte de remblai, de corniche, de   20
piédestal, se tenaient, de place en place, les guetteurs. Ce mur se composait de tout, comme le reste de la ville. Outre les sacs, on le sentait fait avec des armoires à glace, des commodes, des fauteuils, des dessus de piano, de l'ennui, de la tristesse, du silence.

Ce silence, aggravé par la fusillade et le reflux, était pareil au silence des   25
boules de verre où il neige. On y marchait comme on vole en rêve.

JEAN COCTEAU, *Thomas l'Imposteur,* © Gallimard.

Plain-chant

[1923]

Je n'aime pas dormir quand ta figure habite,
    La nuit, contre mon cou ;
Car je pense à la mort laquelle vient si vite
    Nous endormir beaucoup.

5 Je mourrai, tu vivras et c'est ce qui m'éveille !
    Est-il une autre peur ?
Un jour ne plus entendre auprès de mon oreille
    Ton haleine et ton cœur.

Quoi, ce timide oiseau, replié par le songe
10   Déserterait son nid,
Son nid d'où notre corps à deux têtes s'allonge
    Par quatre pieds fini.

Puisse durer toujours une si grande joie
    Qui cesse le matin,
15 Et dont l'ange chargé de construire ma voie
    Allège mon destin.

Léger, je suis léger sous cette tête lourde
    Qui semble de mon bloc,
Et reste en mon abri, muette, aveugle, sourde,
20   Malgré le chant du coq.

Cette tête coupée, allée en d'autres mondes,
    Où règne une autre loi,
Plongeant dans le sommeil des racines profondes
    Loin de moi, près de moi.

25 Ah ! je voudrais, gardant ton profil sur ma gorge,
    Par ta bouche qui dort
Entendre de tes seins la délicate forge
    Souffler jusqu'à ma mort.

JEAN COCTEAU, *Plain-chant,*
© Gallimard.

Questions

1. Comment ce poème s'inscrit-il dans la tradition lyrique ?
2. Quels systèmes métriques Cocteau utilise-t-il ? Quel effet poétique résulte de leur alternance ?
3. Expliquez avec précision l'avant-dernière strophe.
4. Par une étude précise des images et des associations de termes, montrez comment Cocteau crée une atmosphère onirique.

Pierre Jean Jouve

(1887-1976)

Portrait par VALENTINE HUGO
(1890-1968). Paris, Bibl. Doucet.
Photo Hubert Josse.
● © ADAGP, 1998.

PIERRE JEAN JOUVE naît à Arras, dans une famille bourgeoise, en 1887. Sa santé l'empêche d'entreprendre des études. Bien qu'il ait été réformé, il s'engage lors de la Première Guerre mondiale, mais il tombe gravement malade. En 1924, une profonde crise personnelle lui révèle ses tendances mystiques et, à la faveur de sa rencontre avec la psychanalyste Blanche Reverchon, il découvre les abîmes de l'inconscient. Il publie des romans (**Paulina 1880**, 1925 ; **L'Aventure de Catherine Crachat**, 1928-1931) et des recueils poétiques (**Les Noces**, 1931 ; **Sueur de sang**, 1935). À la fin de la Seconde Guerre mondiale, qu'il passe en Suisse et pendant laquelle il soutient la Résistance, il fait paraître **La Vierge de Paris** (1944), où l'on trouve la trace des événements de l'époque. Son œuvre est désormais de plus en plus désespérée et c'est dans la sagesse extrême-orientale qu'il cherche quelque consolation (**Diadème**, 1949 ; **Mélodrame**, 1957 ; **Moires**, 1962). Il meurt en 1976.

L'œuvre de Jouve trouve ses sources dans le mysticisme et la psychanalyse. Dans cette poésie difficile, l'érotisme est une obsession violente et douloureuse, activée par le sens du péché et par la reconnaissance, fondée sur une lecture rigoureuse de Freud, de la puissance de la pulsion de mort.

Paulina 1880

[1925]

Paulina Pandolfini, fille cadette d'une grande famille aristocratique, vit un amour illicite avec un homme marié, le comte Michele Cantarini. Accablée par le sentiment du péché, elle tentera de se réfugier dans un couvent. En 1880, elle tuera son amant et, une fois sa peine de prison effectuée, vivra dans une totale humilité.

Pendant des heures, presque toute la journée qui suivait, Paulina émerveillée croyait sentir son amant demeuré en elle. C'était un sentiment si étrange, si réel et d'une force si extraordinaire que le monde en était troublé, et dans cet état de femme elle restait allongée sur l'herbe au soleil, occupée par la peur et la
5 joie et la crainte qu'il ne se retirât. Quand il s'en allait elle se retrouvait seule meurtrie et triste, les larmes lui venaient car l'horreur de sa situation apparaissait. Le lendemain, de nouveau investie, elle demeurait couchée autour de ce plaisir si singulier qu'elle éprouvait au centre de son corps, elle rentrait dans l'absolu bonheur près de la terre, du lac et des arbres. Je serai éternellement heu-
10 reuse. L'effusion de douceur la baignait. Déesse calme et endormie elle respirait. Le vent passait, avec la chaleur, le doigt noir du cadran solaire tournait sur le mur de la villa. Parfois les nuages se préparaient, l'orage déchirait le ciel. Paulina, sous

Questions

1. Étudiez les effets de la présence et de l'absence de son amant sur Paulina.

2. En quoi l'amour est-il un « sentiment étrange » ?

3. Montrez que l'amour a ici une dimension cosmique.

4. Mettez en évidence le lien entre l'érotisme et le mysticisme.

les premières gouttes de la pluie, sentait encore Michele qui l'accompagnait quand elle courait. Ô mystère de Paulina, nul être ne l'apercevait, et cependant
15 toutes les choses et tous les êtres se trouvaient modifiés par ce seul mystère de la vie. Tout s'appuyait mieux, se prolongeait, se ramifiait, et enfin il se produisait un état panique de tout ce qui existe, un état qui était vraiment l'état de Dieu. Oui, car elle ne pouvait séparer Dieu principe de toutes choses d'avec son amour lumière intérieure de toutes choses ; la pureté du baiser qu'elle donnait était la
20 pureté de la croyance qu'elle tournait vers Dieu.

PIERRE JEAN JOUVE, *Paulina 1880*, © Mercure de France, 1959.

Mélodrame
[1957]

« *Nous sommes où nous ne sommes*
Pas
Et nous disons ce que nous ne connaissons pas. »

Jouve, germaniste, traducteur du poète Hölderlin (1770-1843), a lu Freud avec attention.

1. Voir p. 577.

Cette épaisse douleur que tu nommes ton art
Cette exquise formation qui ne possède nulle conscience en sortant du sein
[maternel
Mais possède la violence pure ennemie de toute mémoire
L'autorité des plus grands mots dessous la toison maternelle,
5 Ces vertus de cœur de passion mais d'éternelle trahison car jamais le terme
[n'a gloire
Ces vertus ne sont ta vertu, ces sons ne sont ta confession,
Égaré pour un changement d'arbres, tu n'as pas engendré la science,
[n'étant pas maître de conscience
Mais tu reçois ce qui n'est pas et ne porte ni nom ni foi,
Le mystère engendreur baisant conscience noire a fait la fleur absurde où
[le parfum est art.
10 Sur un mystère plus effrayant que les ombres
Orphée a recherché Eurydice[1] dans l'ombre :
Ainsi avons-nous parlé pour la trop curieuse noirceur
D'une mauvaise oreille d'homme
                          et perdu dès le premier mot
La phrase énorme du bonheur,
15 Alors éternel
Battement nous recommencerons le bonheur
Car nous sommes où nous ne sommes
Pas
Et nous disons ce que nous ne connaissons pas.

PIERRE JEAN JOUVE, *Mélodrame*, © Mercure de France.

Questions

1. Étudiez le système de l'énonciation et l'argumentation que contient le poème.

2. Montrez que le poème est construit autour de la notion d'inconscient.

3. Analysez le jeu de la pulsion de vie et de la pulsion de mort.

4. Quelle conception de l'art se dégage du poème ?

Jules Supervielle
(1884-1960)

Bibliothèque Littéraire Jacques
Doucet.
Photo © J.-L. Charmet.

Jules Supervielle, né à Montevideo en 1884 de parents français, est orphelin à huit mois. Il traverse à l'âge de neuf ans une grave crise d'identité, lorsque son oncle et sa tante, qui l'élèvent en Uruguay, lui révèlent cette situation. Venu à Paris, où il obtient sa licence d'espagnol, il publie des recueils poétiques (***Débarcadères***, 1922 ; ***Gravitations***, 1925 ; ***Le Forçat innocent***, 1930 ; ***Les Amis inconnus***, 1934 ; ***La Fable du monde***, 1938), des romans (***L'Homme de la Pampa***, 1923 ; ***Le Voleur d'enfants***, 1926), des contes (***L'Enfant de la haute mer***, 1931) et des pièces de théâtre (***La Belle au bois***, 1932 ; ***Bolivar***, 1936). Pendant la guerre de 1939-1945, il réside en Uruguay où il collabore aux revues de la France libre et écrit les ***Poèmes de la France malheureuse*** (1941). Après la Libération, il est nommé attaché culturel d'Uruguay à Paris. Ses derniers recueils, notamment ***Oublieuse Mémoire*** (1949) et ***Le Corps tragique*** (1959), portent la trace des difficultés financières et des problèmes de santé qui assombrissent désormais sa vie. Il meurt à Paris en 1960.

L'œuvre de Supervielle évoque un monde à la fois réel et fantastique où alternent les grands espaces et l'intimité. Elle exalte la vie tout en s'interrogeant sur la fragilité de celle-ci. Ancrée dans le corps, cette poésie est un murmure rythmé par les pulsions d'un cœur qui a peur de défaillir.

La Fable du monde
[1938]

La poésie de Supervielle se fonde sur l'expérience immédiate et quotidienne. Refusant toute grandiloquence, le poète perçoit la présence du monde à travers son corps et tente avec humilité de situer sa voix.

« Celui qui chante dans ses vers... »

Celui qui chante dans ses vers,
Celui qui cherche dans ses mots,
Celui qui dit ombres sur blanc
Et blancheurs comme sur la mer
5 Noirceurs sur tout le continent,
Celui qui murmure et se tait
Pour mieux entendre la confuse
Dont la voix peu à peu s'éclaire
De ce que seule elle a connu,
10 Celui qui sombre sans regret

Toujours trompé par son secret
Qui s'approche un peu et s'éloigne
Bien plus qu'il ne s'est approché,
Celui qui sait et ne dit pas
15   Ce qui pèse au bout de ses lèvres
Et, se taisant, ne le dira
Qu'au fond d'une blafarde fièvre
Au pays des murs sans oreilles,
Celui qui n'a rien dans les bras
20   Sinon une grande tendresse,
Ô maîtresse sans précédent,
Sans regard, sans cœur, sans caresses,
Celui-là vous savez qui c'est
Ce n'est pas lui qui le dira.

JULES SUPERVIELLE, *La Fable du monde*,
© Gallimard.

Oublieuse Mémoire

[1949]

Le monde et le poète se transforment constamment. Supervielle en vient à s'étonner devant ces métamorphoses qui prennent un aspect fantastique. Comment établir un rapport fixe et rassurant entre soi-même et le monde quand le corps et la mémoire s'affaiblissent ?

« Mais avec tant d'oubli comment faire une rose... »

Mais avec tant d'oubli comment faire une rose,
Avec tant de départs comment faire un retour,
Mille oiseaux qui s'enfuient n'en font un qui se pose
Et tant d'obscurité simule mal le jour.

5   Écoutez, rapprochez-moi cette pauvre joue,
Sans crainte libérez l'aile de votre cœur
Et que dans l'ombre enfin notre mémoire joue,
Nous redonnant le monde aux actives couleurs.

Le chêne redevient arbre et les ombres, plaine,
10   Et voici donc ce lac sous nos yeux agrandis ?
Que jusqu'à l'horizon la terre se souvienne
Et renaisse pour ceux qui s'en croyaient bannis !

Mémoire, sœur obscure et que je vois de face
Autant que le permet une image qui passe...

JULES SUPERVIELLE, *Oublieuse Mémoire*, © Gallimard.

Pierre Reverdy

(1889-1960)

PIERRE REVERDY, né à Narbonne en 1889, est marqué par la misère, les révoltes du Midi viticole et la répression qui s'ensuivit. Après des études dans cette région, il vient en 1910 à Paris, où il fréquente les peintres Gris, Picasso, Braque, Matisse et Léger, qui illustreront certains de ses ouvrages. Exempté de service militaire, il s'engage volontairement lors de la Première Guerre mondiale mais est réformé en 1916. Entre 1915 et 1922, il publie une suite de recueils (*Poèmes en prose*, 1915 ; *La Lucarne ovale*, 1916 ; *Les Ardoises du toit*, 1918 ; *Les Jockeys camouflés*, 1918 ; *La Guitare endormie*, 1919 ; *Étoiles peintes*, 1921 ; *Cœur de chêne*, 1921 ; *Cravates de chanvre*, 1922) qui seront réunis en 1945 dans *Plupart du temps*. En 1926, « il choisit librement Dieu » et s'installe près de l'abbaye bénédictine de Solesmes. Cette conversion ne sera pas définitive. C'est pourtant là que désormais Reverdy vivra et écrira (*La Balle au bond*, 1928 ; *Sources du vent*, 1929 ; *Ferraille*, 1937 ; *Le Chant des morts*, 1948). Il y meurt en 1960.

Épris d'absolu et de pureté, vivant dans une solitude ascétique mais aussi angoissante, Reverdy exprime avec discrétion la perte du réel, l'étrangeté, l'absence et le manque. Par les images, il tente de percevoir et de dénombrer les objets d'un monde qui lui échappe et où il cherche désespérément sa place.

Poèmes en prose

[1915]

Hiver

Ce poème a des accents baudelairiens, non seulement par son cadre urbain mais encore par la vision qu'il donne des rapports entre les êtres.

À travers la pluie dense et glacée de ce soir-là où le boulevard s'éclaire, un petit homme noir au visage bleu. Est-ce de froid ? Est-ce du feu interne qu'allume l'alcool ?

Mais ses souliers trop grands sont pleins d'eau et il tourne autour des réver-
5 bères. C'est la joie et la pitié des filles. Quelle lourde émotion ! Qui voudra l'enlever.

Ô monde sans abri qui vas ce dur chemin et qui t'en moques, je ne te comprends pas. J'aime la tiédeur, le confort et la quiétude.

Ô monde qui les méprises, tu me fais peur !

PIERRE REVERDY, *Plupart du temps*, © Flammarion, 1945.

Questions

1. Montrez que ce poème obéit à une construction rigoureuse.

2. En observant la structure de l'espace et le jeu des sensations, faites apparaître l'importance du décor.

3. Quelle est la place du poète ?

4. Peut-on dire que ce poème traite de l'impossibilité de communiquer ?

La Lucarne ovale
━━━━━━━━━━━━━ *[1916]*

Pour le moment

Apparent hymne à la joie, ce poème insiste en réalité sur la fragilité de celle-ci. Il est surtout une interrogation angoissée sur les pouvoirs de la poésie.

La vie est simple et gaie
Le soleil clair tinte avec un bruit doux
Le son des cloches s'est calmé
Ce matin la lumière traverse tout
5 Ma tête est une rampe allumée
Et la chambre où j'habite est enfin éclairée

Un seul rayon suffit
Un seul éclat de rire
Ma joie qui secoue la maison
10 Retient ceux qui voudraient mourir
Par les notes de sa chanson

Je chante faux
Ah que c'est drôle
Ma bouche ouverte à tous les vents
15 Lance partout des notes folles
Qui sortent je ne sais comment
Pour voler vers d'autres oreilles
Entendez je ne suis pas fou
Je ris au bas de l'escalier
20 Devant la porte grande ouverte
Dans le soleil éparpillé
Au mur parmi la vigne verte
Et mes bras sont tendus vers vous

C'est aujourd'hui que je vous aime

PIERRE REVERDY, *Plupart du temps,*
© Flammarion, 1945.

Ferraille
━━━━━━━━━ *[1937]*

Le Cœur écartelé

Plusieurs poèmes du recueil Ferraille comportent le mot « cœur » dans leur titre. Ici, l'absolu apparaît sous la forme de l'absence et du manque.

Il se ménage tellement
Il a si peur des couvertures
Les couvertures bleues du ciel
Et les oreillers de nuages
5 Il est mal couvert par sa foi
Il craint tant les pas de travers
Et les rues taillées dans la glace
Il est trop petit pour l'hiver
Il a tellement peur du froid
10 Il est transparent dans sa glace
Il est si vague qu'il se perd
Le temps le roule sous ses vagues
Parfois son sang coule à l'envers
Et ses larmes tachent le linge
15 Sa main cueille les arbres verts
Et les bouquets d'algues des plages
Sa foi est un buisson d'épines
Ses mains saignent contre son cœur
Ses yeux ont perdu la lumière
20 Et ses pieds traînent sur la mer
Comme les bras morts des pieuvres
Il est perdu dans l'univers
Il se heurte contre les villes
Contre lui-même et ses travers
25 Priez donc pour que le Seigneur
Efface jusqu'au souvenir
De lui-même dans sa mémoire

PIERRE REVERDY, *Ferraille,*
© Mercure de France, 1949.

Saint-John Perse
(1887-1975)

● Photo © Édimédia.

SAINT-JOHN PERSE, pseudonyme d'Alexis Saint-Léger Léger, naît en 1887 à la Guadeloupe. Il y passe une enfance heureuse, qui inspirera les poèmes d'*Éloges* (1911). Après une scolarité secondaire à Pau et des études de droit, il est reçu au concours des Affaires étrangères en 1914. La carrière diplomatique le conduit en Chine où il écrit *Anabase*, qui paraîtra en 1924. De retour à Paris, il est nommé directeur de cabinet d'Aristide Briand, ministre des Affaires étrangères, puis secrétaire général du Quai d'Orsay. Adversaire déclaré du nazisme, antimunichois, il est révoqué, en 1940, par le gouvernement de Vichy et part pour les États-Unis, où il s'engage dans la Résistance française à l'étranger. Y seront publiés *Exil* en 1944, puis *Vents* en 1946. À la Libération, il demeure aux États-Unis mais, à partir de 1957, année de la publication d'*Amers*, il passe ses étés en France, où il meurt en 1975. Le prix Nobel de littérature avait été attribué à Saint-John Perse en 1960.

L'œuvre de Saint-John Perse est un hymne à la beauté et à la grandeur de l'univers, avec lequel le poète veut être en symbiose. L'homme affirme sa dignité dans l'affrontement épique avec les éléments. Par la richesse du vocabulaire et par la musicalité, cette poésie est aussi une incantation sensuelle à la langue française.

Anabase[1]
[1924]

« Mon cheval arrêté sous l'arbre... »

Mon cheval arrêté sous l'arbre plein de tourterelles, je siffle un sifflement si pur, qu'il n'est promesses à leurs rives que tiennent tous ces fleuves. (Feuilles vivantes au matin sont à l'image de la gloire)...

5 Et ce n'est point qu'un homme ne soit triste, mais se levant avant le jour et se tenant avec prudence dans le commerce d'un vieil arbre, appuyé du menton à la dernière étoile, il voit au fond du ciel à jeun de grandes choses pures qui tournent au plaisir...

Mon cheval arrêté sous l'arbre qui roucoule, je siffle un sifflement plus pur... Et paix à ceux, s'ils vont mourir, qui n'ont point vu ce jour. Mais de mon frère le
10 poète on a eu des nouvelles. Il a écrit encore une chose très douce. Et quelques-uns en eurent connaissance...

SAINT-JOHN PERSE, *Anabase*, © Gallimard, 1960.

1. Anabase est le le titre d'un ouvrage de Xénophon (vers 430-vers 355 av. J.-C.) qui relate l'expédition de Cyrus le Jeune (424-401 av. J.-C.) dans l'Asie centrale. En grec, le mot « anabasis » désigne à la fois une expédition dans un pays lorsqu'on s'éloigne de la mer et le fait de monter à cheval.

1. Montrez que la beauté du monde provient de l'harmonie entre les éléments naturels.
2. Étudiez les rythmes et les sonorités. En quoi contribuent-ils à cette harmonie ?
3. Quels sont ici les rapports entre l'homme et la nature ?
4. Comparez le premier et le troisième versets. Qui peuvent être le locuteur, l'homme et « mon frère le poète » ?

Neiges I

[1944]

En 1944, Saint-John Perse dédia Neige *à sa mère, qu'il avait quittée lors de son départ en exil et qui mourut en 1948 sans qu'il pût la revoir. « Et Celle à qui je pense entre toutes les femmes de ma race, du fond de son grand âge lève à son Dieu sa face de douleur. Et c'est un pur lignage qui tient sa grâce en moi »* (Neiges III)*. Ce poème figure dans l'édition d'*Exil *de 1944.*

« *Et puis vinrent les neiges...* »

1. Bandes de tissu dans toute leur largeur.
2. Oiseau passereau brunroux, au bec largement fendu, insectivore.

Et puis vinrent les neiges, les premières neiges de l'absence, sur les grands lés[1] tissés du songe et du réel ; et toute peine remise aux hommes de mémoire, il y eut une fraîcheur de linges à nos tempes. Et ce fut au matin, sous le sel gris de l'aube, un peu avant la sixième heure, comme en un havre de fortune, un lieu de grâce, et de merci où licencier l'essaim des grandes odes du silence. 5

Et toute la nuit, à notre insu, sous ce haut fait de plume, portant très haut vestige et charge d'âmes, les hautes villes de pierre ponce forées d'insectes lumineux n'avaient cessé de croître et d'exceller, dans l'oubli de leur poids. Et ceux-là seuls en surent quelque chose, dont la mémoire est incertaine et le récit est aberrant. La part que prit l'esprit à ces choses insignes, nous l'ignorons. 10

1. Sachant que Saint-John Perse dédie ce poème à sa mère, étudiez le système de l'énonciation.

2. En étudiant la structure temporelle du texte, montrez qu'il s'agit d'un retour en arrière. Quels sont les buts de cette régression ?

3. À travers quelles sensations la présence de la neige est-elle perçue ? Quels sentiments inspire-t-elle ?

4. Comment la parole poétique tente-t-elle de dire la beauté du monde ?

Nul n'a surpris, nul n'a connu, au plus haut front de pierre, le premier affleurement de cette heure soyeuse, le premier attouchement de cette chose fragile et très futile, comme un frôlement de cils. Sur les revêtements de bronze et sur les élancements d'acier chromé, sur les moellons de sourde porcelaine et sur les tuiles de gros verre, sur la fusée de marbre noir et sur l'éperon de métal blanc, 15 nul n'a surpris, nul n'a terni

cette buée d'un souffle à sa naissance, comme la première transe d'une lame à nu... Il neigeait, et voici, nous en dirons merveilles : l'aube muette dans sa plume, comme une grande chouette fabuleuse en proie aux souffles de l'esprit, enflait son corps de dahlia blanc. Et de tous les côtés il nous était prodige et fête. 20 Et le salut soit sur la face des terrasses, où l'Architecte, l'autre été, nous a montré des œufs d'engoulevent[2] !

SAINT-JOHN PERSE, *Neiges*, © Gallimard, 1960.

Henri Michaux
(1899-1984)

Portrait par HANS BELLMER (1902-1975).
Coll. particulière.
Photo © Édimédia. Adagp 1998, Paris.

HENRI MICHAUX naît à Namur, en 1899, dans une famille bourgeoise, qui s'établit à Bruxelles en 1901. Son père est ardennais, sa mère wallonne ; un de ses grands-parents était d'origine allemande. Placé en pension de sept à onze ans à Anvers, où il comprend mal le flamand, puis élève d'un collège de Jésuites à Bruxelles – il s'intéresse au latin –, il entreprend ensuite des études de médecine, qu'il abandonne en 1920 pour s'embaucher comme matelot sur un bateau qui le mène en Amérique du Sud. Au retour, le métier de professeur, à Dinant, l'ennuie. Il s'installe donc, en 1924, à Paris où il vit pauvrement mais où, grâce à l'amitié de Supervielle, il noue des contacts dans les milieux littéraires et artistiques. En 1927, après la publication de **Qui je fus,** il s'embarque pour l'Équateur ; paru en 1929, **Ecuador** constitue le journal de ce voyage. En 1930, dans **Un certain Plume,** intervient un personnage fragile et démuni face au monde, partiellement inspiré du Charlot de Charlie Chaplin. D'un voyage, qui, en 1930-1931, le conduit notamment aux Indes, en Indonésie et en Chine, Michaux rapporte **Un barbare en Asie** (1933). Après **La Nuit remue** (1935), **Plume,** qui est une reprise augmentée de quatre chapitres de **Un certain Plume,** est publié conjointement avec **Lointain Intérieur** en 1938. En 1940, revenant d'un séjour au Brésil et suspect au gouvernement de Vichy en tant que poète et étranger, Michaux s'installe dans le Midi de la France, où il fait la connaissance de Marie-Louise Termet, qui fut auparavant la femme du docteur Ferdière, psychiatre d'Artaud ; de retour à Paris, il l'épouse en 1943. Des poèmes des années 1940-1944 sont réunis, en 1946, dans **Épreuves, Exorcismes ;** et, en 1948, **Ailleurs** rassemble **Voyage en Grande Garabagne** (1936), **Au pays de la magie** (1941) et **Ici, Poddema** (1946) qui relatent des voyages chez des peuples imaginaires. Cette même année, le décès de Marie-Louise assombrit la vie de Michaux. Il publie **La Vie dans les plis** en 1949, **Passages** en 1950, **Face aux verrous** en 1954, mais il se consacre aussi à la peinture. En 1955, il obtient la nationalité française. C'est en 1956 que, dans le but de mieux connaître et d'étendre le fonctionnement de sa pensée, il commence à recourir à des drogues hallucinogènes, particulièrement à la mescaline. **Misérable Miracle** (1956), **L'Infini turbulent** (1957), **Connaissance par les gouffres** (1961) et **Les Grandes Épreuves de l'esprit** (1966) prétendent être de simples comptes rendus de ces expériences. Reconnu pour ses livres et pour sa peinture, Michaux refuse les honneurs et fuit le public. En 1981, il fait paraître **Chemins cherchés, Chemins perdus, Transgressions.** Il meurt à Paris en 1984.

L' « ailleurs », dans cette œuvre poétique, ce sont d'abord les pays dans lesquels Michaux, mal à l'aise dans sa langue et dans sa culture d'origine, voyage afin de s'ouvrir à celles des peuples rencontrés. Ce sont ensuite les contrées et populations imaginaires qu'il dit étudier dans des sortes de traités d'ethnologie fictive. C'est enfin l'« espace du dedans » qu'il explore notamment à l'aide de substances hallucinogènes. Mais toute cette recherche de l'Autre n'a d'autre fin que la connaissance de soi.

Un barbare en Asie

[1933]

Un barbare en Chine

Le peuple chinois est artisan-né.

Tout ce qu'on peut trouver en bricolant, le Chinois l'a trouvé.

La brouette, l'imprimerie, la gravure, la
5 poudre à canon, la fusée, le cerf-volant, le taxi-mètre[1], le moulin à eau, l'anthropométrie[2], l'acu-puncture, la circulation du sang, peut-être la boussole et quantité d'autres choses.

L'écriture chinoise semble une langue d'entre-
10 preneurs, un ensemble de signes d'atelier.

Le Chinois est artisan et artisan habile. Il a des doigts de violoniste.

Sans être habile, on ne peut être Chinois, c'est impossible.

15 Même pour manger, comme il fait avec deux bâtonnets, il faut une certaine habileté. Et cette habileté, il l'a recherchée. Le Chinois pouvait inventer la fourchette, que cent peuples ont trou-vée et s'en servir. Mais cet instrument, dont le
20 maniement ne demande aucune adresse, lui répugne.

En Chine, l'*unskilled worker*[3] n'existe pas.

Quoi de plus simple que d'être crieur de jour-naux ?

25 Un crieur de journaux européen est un gamin braillard et romantique, qui se démène et crie à tue-tête : « *Matin ! Intran !*[4] 4ᵉ édition », et vient se jeter dans vos pieds.

Un crieur de journaux chinois est un expert. Il
30 examine la rue qu'il va parcourir, observe où se trouvent les gens et, en mettant la main en écran sur la bouche, chasse la voix, ici vers une fenêtre, là dans un groupe, plus loin à gauche, enfin, où il faut, calmement.

35 À quoi bon ruer de la voix, et la lancer où il n'y a personne ?

En Chine, pas une chose qui ne soit d'habi-leté.

La politesse n'y est pas un simple raffinement
40 plus ou moins laissé à l'appréciation et au bon goût de chacun.

Le chronomètre n'est pas un simple raffine-ment laissé à l'appréciation de chacun. C'est un ouvrage qui a demandé des années d'application.

45 Même le bandit chinois est un bandit qualifié, il a une technique. Il n'est pas bandit par rage sociale. Il ne tue jamais inutilement. Il ne cherche pas la mort des gens, mais la rançon. Il ne leur endommage que juste ce qu'il faut, leur retirant
50 doigt après doigt qu'il expédie à la famille avec demande d'argent et sobres menaces.

D'autre part, la ruse en Chine n'est nullement alliée au mal, mais à tout.

La vertu, « c'est ce qu'il y a de mieux com-
55 biné ».

HENRI MICHAUX, *Un barbare en Asie*,
« Un barbare en Chine », extrait.
© Gallimard, 1967.

....

1. Compteur de taxi.
2. Technique de mensuration du corps humain et de ses diverses parties.
3. « Travailleur sans qualification, sans expérience ».
4. *Le Matin, L'Intransigeant* : titres de journaux de l'époque.

Questions

1. Quels traits des Chinois séduisent Michaux ?
2. Y a-t-il une adhésion totale de Michaux à la civilisation chinoise ?

La Nuit remue

[1935]

Les terreurs nocturnes de Michaux consistent essentiellement en fantasmes de morcèlement, de destruction, de souffrance et de mort.

La Vie de l'araignée royale

L'araignée royale détruit son entourage, par digestion. Et quelle digestion se préoccupe de l'histoire et des relations personnelles du digéré ? Quelle digestion prétend garder tout ça sur des tablettes ?

La digestion prend du digéré des vertus que celui-là même ignorait et telle-
5 ment essentielles pourtant qu'après, celui-ci n'est plus que puanteur, des cordes de puanteur qu'il faut alors cacher vivement sous la terre.

Bien souvent elle approche en amie. Elle n'est que douceur, tendresse, désir de communiquer, mais si inapaisable est son ardeur, son immense bouche désire tellement ausculter les poitrines d'autrui (et sa langue aussi est toujours inquiète
10 et avide), il faut bien pour finir qu'elle déglutisse.

Que d'étrangers déjà furent engloutis !

Cependant, l'araignée ensuite se désespère. Ses bras ne trouvent plus rien à étreindre. Elle s'en va donc vers une nouvelle victime et plus l'autre se débat, plus elle s'attache à le connaître. Petit à petit elle l'introduit en elle et le confronte
15 avec ce qu'elle a de plus cher et de plus important, et nul doute qu'il ne jaillisse de cette confrontation une lumière unique.

Cependant, le confronté s'abîme dans une nature infiniment mouvante et l'union s'achève aveuglément.

HENRI MICHAUX, *La Nuit remue*, © Gallimard, 1967.

Questions

1. « Aveuglément » : en quoi l'adverbe clôt-il le texte ?

2. « La *Vie* de l'araignée royale » : le poème n'est-il pas en fait consacré majoritairement à la *mort* ?

3. Par quels procédés la violence de la scène est-elle restituée ?

4. Peut-on lire ce texte comme une allégorie du rapport de l'homme avec l'Autre ?

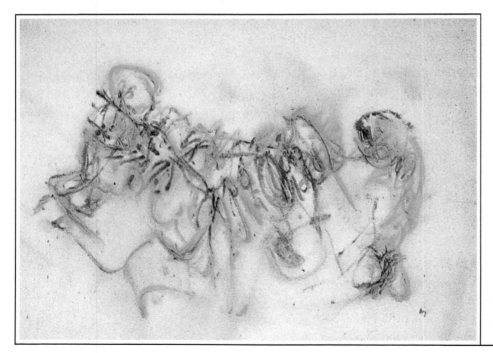

HENRI MICHAUX
(1899-1984). *Sans Titre.*
Aquarelle et gouache.
Photo Édimédia /
Archives Loudmer.
© ADAGP, 1998.

Plume

▬▬▬ *[1938]*

Plume avait mal au doigt

Plume avait un peu mal au doigt.

– Il vaudrait peut-être mieux consulter un médecin, lui dit sa femme. Il suffit souvent d'une pommade...

5 Et Plume y alla.

– Un doigt à couper, dit le chirurgien, c'est parfait. Avec l'anesthésie, vous en avez pour six minutes tout au plus. Comme vous êtes riche, vous n'avez pas besoin de tant de doigts. Je serai 10 ravi de vous faire cette petite opération. Je vous montrerai ensuite quelques modèles de doigts artificiels. Il y en a d'extrêmement gracieux. Un peu chers sans doute. Mais il n'est pas question naturellement de regarder à la dépense. Nous 15 vous ferons ce qu'il y a de mieux.

Plume regarda mélancoliquement son doigt et s'excusa.

– Docteur, c'est l'index, vous savez, un doigt bien utile. Justement, je devais écrire encore à ma 20 mère. Je me sers toujours de l'index pour écrire. Ma mère serait inquiète si je tardais davantage à lui écrire, je reviendrai dans quelques jours. C'est une femme très sensible, elle s'émeut si facilement.

25 – Qu'à cela ne tienne, lui dit le chirurgien, voici du papier, du papier blanc, sans en-tête naturellement. Quelques mots bien sentis de votre part lui rendront la joie.

Je vais téléphoner pendant ce temps à la cli-30 nique pour qu'on prépare tout, qu'il n'y ait plus qu'à retirer les instruments tout aseptisés. Je reviens dans un instant...

Et le voilà déjà revenu.

– Tout est pour le mieux, on nous attend.

35 – Excusez, docteur, fit Plume, vous voyez, ma main tremble, c'est plus fort que moi... eh...

– Eh bien, lui dit le chirurgien, vous avez raison, mieux vaut ne pas écrire. Les femmes sont terriblement fines, les mères surtout. Elles voient 40 partout des réticences quand il s'agit de leur fils, et d'un rien, font un monde. Pour elles, nous ne sommes que de petits enfants. Voici votre canne et votre chapeau. L'auto nous attend.

Et ils arrivent dans la salle d'opération.

45 – Docteur, écoutez. Vraiment...

– Oh ! fit le chirurgien, ne vous inquiétez pas, vous avez trop de scrupules. Nous écrirons cette lettre ensemble. Je vais y réfléchir tout en vous opérant.

50 Et approchant le masque, il endort Plume.

– Tu aurais quand même pu me demander mon avis, dit la femme de Plume à son mari.

Ne va pas t'imaginer qu'un doigt perdu se retrouve si facilement.

55 Un homme avec des moignons, je n'aime pas beaucoup ça. Dès que ta main sera un peu trop dégarnie, ne compte plus sur moi.

Les infirmes c'est méchant, ça devient prompte-ment sadique. Mais moi je n'ai pas été élevée 60 comme j'ai été élevée pour vivre avec un sadique. Tu t'es figuré sans doute que je t'aiderais bénévo-lement dans ces choses-là. Eh bien, tu t'es trompé, tu aurais mieux fait d'y réfléchir avant...

– Écoute, dit Plume, ne te tracasse pas pour 65 l'avenir. J'ai encore neuf doigts et puis ton carac-tère peut changer.

HENRI MICHAUX, *Plume,* © Gallimard, 1963.

Questions

1. En quoi ce texte a-t-il une dimension fantastique ? Pourquoi le dialogue est-il dominant ?

2. Quels sont les rapports de Plume avec sa femme et avec le chirurgien ?

3. Le texte peut-il se comprendre comme une approche parodique de la psychanalyse ?

4. Quel portrait peut-on dresser de Plume d'après ce texte ?

Épreuves, Exorcismes

[1940-1944]

1. Paroles de Pilate aux Juifs lorsqu'il leur montra Jésus couronné d'épines et vêtu de pourpre (Jean, XIX, 5).

Par son titre, ce recueil renvoie à toute la démarche de Michaux. « Ecce homo[1] » est un réquisitoire contre la guerre et contre l'homme, « l'animal le moins philosophique du monde ».

Ecce homo

Je n'ai pas vu l'homme répandant autour de lui l'heureuse conscience de la vie. Mais j'ai vu l'homme comme un bon bimoteur de combat répandant la terreur et les maux atroces.

Il avait, quand je le connus, à peu près cent mille ans et faisait aisément le tour
5 de la Terre. Il n'avait pas encore appris à être bon voisin.

Il courait parmi eux des vérités locales, des vérités nationales. Mais l'homme vrai, je ne l'ai pas rencontré.

Toutefois excellent en réflexes et en somme presque innocent : l'un allume une cigarette ; l'autre un pétrolier.

10 Je n'ai pas vu l'homme circulant dans la plaine et les plateaux de son être intérieur, mais je l'ai vu faisant travailler des atomes et de la vapeur d'eau, bombardant des fractions d'atomes, regardant avec des lunettes son estomac, sa vessie, les os de son corps et se cherchant en petits morceaux, en réflexes de chien.

Je n'ai pas entendu le chant de l'homme, le chant de la contemplation des
15 mondes, le chant de la sphère, le chant de l'immensité, le chant de l'éternelle attente.

Mais j'ai entendu son chant comme une dérision, comme un spasme. J'ai entendu sa voix comme un commandement, semblable à celle du tigre, lequel se charge en personne de son ravitaillement et s'y met tout entier.

20 J'ai vu les visages de l'homme. Je n'ai pas vu le visage de l'homme comme un mur blanc qui fait lever les ombres de la pensée, comme une boule de cristal qui délivre des passages de l'avenir, mais comme une image qui fait peur et inspire la méfiance.

J'ai vu la femme, couveuse d'épines, la femme monotone à l'ennui facile, avec
25 la glande d'un organe honteux faisant la douceur de ses yeux. Les ornements dont elle se couvrait, qu'elle aimait tant, disaient « Moi. Moi. Moi ». C'était donc bien lui, lui, toujours l'homme, l'homme gonflé de soi, mais pourtant embarrassé et qui veut se parfaire et qui tâtonne, essayant de souder son clair et son obscur.

30 Avec de plus longs cheveux et des façons de liane, c'était toujours le même à la pente funeste, l'homme empiétant qui médite de peser sur votre destin.

J'ai vu l'époque, l'époque tumultueuse et mauvaise travaillée par les hormones de la haine et des pulsions de la domination, l'époque destinée à devenir fameuse, à devenir l'Histoire, qui s'y chamarrerait de l'envers de nos misères,
35 mais c'était toujours lui, ça tapait toujours sur le même clou. Des millions de son espèce vouée au malheur entraient en indignation au même moment et se sentaient avoir raison avec violence, prêts à soulever le monde, mais c'était pour le soulever sur les épaules brisées d'autres hommes.

HENRI MICHAUX, *Épreuves, Exorcismes*, « Ecce homo », extrait, © Gallimard, 1963.

Questions

1. Analysez la structure du texte. Mettez le texte en rapport avec son titre.

2. Que condamne exactement Michaux ? Étudiez de façon détaillée les lignes 24 à 31.

3. Quels sont les éléments lyriques du texte ?

Paul Delvaux, *Acropole*,
1966. Paris, musée
national d'Art moderne.
© Fondation Paul Delvaux,
Sᵗ Idesbald, Belgique /
ADAGP, Paris, 1998.

La Vie dans les plis
[1949]

*L'œuvre de Michaux est une interrogation sur la difficulté d'être. L'être apparaît en
même temps qu'il se dérobe à l'homme. L'écriture tente de le saisir.*

1. Cyclone caractérisé par
la formation d'une
colonne tourbillonnante
et aspirante allant de la
masse nuageuse à la mer.
Une trombe est remar-
quable par sa rapidité.

Emplie de

Emplie de moi
Emplie de toi.
Emplie des voiles sans fin de vouloirs obscurs.
Emplie de plis.
5 Emplie de nuit.
Emplie des plis indéfinis, des plis de ma vigie.
Emplie de pluie.
Emplie de bris, de débris, de monceaux de débris.
De cris aussi, surtout de cris.
10 Emplie d'asphyxie.
Trombe[1] lente.

HENRI MICHAUX, *La Vie dans les plis,* © Gallimard, 1972.

Questions

1. La *complétude* : recherchez le sens de ce mot cher à Michaux et demandez-vous
   en quoi ce poème exprime une tension entre la complétude et l'échec de celle-ci.
2. Repérez les figures de rhétorique et les principaux effets de sonorités.
3. Mettez en évidence le tragique du poème.

Char

René Char
(1907-1988)

• Photo © Serge Assier / Gamma.

RENÉ CHAR, né en 1907 à L'Isle-sur-Sorgue, est dans sa onzième année lorsque meurt son père. Ayant des relations difficiles avec sa mère, il trouve un refuge dans la campagne environnante mais aussi auprès de sa sœur aînée Julia et de sa grand-mère maternelle. Après d'incertaines études dans une école de commerce de Marseille, il fait son service militaire à Nîmes, où il publie *Arsenal* (1929). L'envoi de ce recueil poétique à Éluard aboutit à une adhésion au mouvement surréaliste – dont il s'éloignera dès 1934 – et, en 1930, à la parution de *Ralentir travaux,* écrit en collaboration avec Breton et Éluard. À partir de 1933, Char, qui n'adhérera jamais à aucun parti politique, s'engage dans la dénonciation du fascisme et du nazisme. En 1939, il est mobilisé et envoyé en Alsace. Sa démobilisation, en juillet 1940, lui permet de revenir à L'Isle-sur-Sorgue. Dénoncé alors comme militant d'extrême gauche, il entre dans la clandestinité et noue des premiers contacts avec des opposants et avec des Résistants. Sous le nom de « Capitaine Alexandre », il devient, en 1942, un des responsables importants de la Résistance dans le Sud-Est de la France. *Feuillets d'Hypnos,* publié en 1946, constitue un témoignage sur cette période. En 1948, *Fureur et Mystère* réunit des poèmes écrits entre 1938 et 1947, et, en 1950, paraît *Les Matinaux.* À la suite de la mort de la mère du poète et d'un désaccord entre les héritiers, le domaine familial des Névons, à L'Isle-sur-Sorgue, est vendu et démembré en 1955. Cette même année est marquée par la rencontre du philosophe allemand Martin Heidegger, dont Char restera l'ami jusqu'à la mort de celui-ci, et par la réunion d'articles critiques et théoriques dans *Recherche de la base et du sommet.* En 1962 est publié *La Parole en archipel.* Char s'investit, à partir de 1965, dans la lutte contre l'implantation de fusées nucléaires en Haute-Provence. Les disparitions de proches et, en 1968, une grave maladie provoquent une crise personnelle dont on trouve l'écho dans *Le Nu perdu* (1971) et dans *La Nuit talismanique* (1972). En 1978, Char s'installe définitivement près de L'Isle-sur-Sorgue. Il publie, en 1979, *Fenêtres dormantes et Porte sur le toit,* et, en 1985, *Les Voisinages de Van Gogh.* Il meurt à Paris en 1988. *Éloge d'une soupçonnée* paraît peu après.

Lecteur d'Héraclite, René Char crut en l'« exaltante alliance des contraires » et en la mobilité insaisissable du monde. Engagé, dénonçant inlassablement tous les totalitarismes, ce solitaire se défia de la politique et de l'histoire. Attaché à sa Provence natale, dont il évoqua admirablement les paysages, les habitants et les animaux, il récusa l'idée d'enracinement. Capable d'une grande violence, voire de cruauté, il aima protéger les faibles et les humbles. Cette poésie de soleil et d'ombre, de nature bourgeonnante et de terre brûlée, d'eau vive ou gelée pulvérise l'écriture en fragments et en aphorismes. René Char, poète de la « sérénité crispée », était écartelé entre l'éthique du refus et le consentement au monde, entre l'exigence de grandeur et l'aspiration à une « modestie souveraine ».

Fureur et Mystère

═══════════════════════ *[1948]*

Poète résistant, René Char ne voulut pas être un poète de la Résistance. « Feuillets d'Hypnos » est un ensemble de fragments généralement brefs rédigés au cours de la lutte.
Le 29 juin 1944, deux compagnies de S.S. et un détachement de miliciens encerclent et fouillent le village de Céreste, dans les Basses-Alpes, où se cache René Char. Le récit qui suit est le plus long du recueil.

128

1. Marcelle Sidoine, habitante du village.

Le boulanger n'avait pas encore dégrafé les rideaux de fer de sa boutique que déjà le village était assiégé, bâillonné, hypnotisé, mis dans l'impossibilité de bouger. Deux compagnies de S.S. et un détachement de miliciens le tenaient sous la gueule de leurs mitrailleuses et de leurs mortiers. Alors commença l'épreuve.

Les habitants furent jetés hors des maisons et sommés de se rassembler sur la place centrale. Les clés sur les portes. Un vieux, dur d'oreille, qui ne tenait pas compte assez vite de l'ordre, vit les quatre murs et le toit de sa grange voler en morceaux sous l'effet d'une bombe. Depuis quatre heures j'étais éveillé. Marcelle[1] était venue à mon volet me chuchoter l'alerte. J'avais reconnu immédiatement l'inutilité d'essayer de franchir le cordon de surveillance et de gagner la campagne. Je changeai rapidement de logis. La maison inhabitée où je me réfugiai autorisait, à toute extrémité, une résistance armée efficace. Je pouvais suivre de la fenêtre, derrière les rideaux jaunis, les allées et venues nerveuses des occupants. Pas un des miens n'était présent au village. Cette pensée me rassura. À quelques kilomètres de là, ils suivraient mes consignes et resteraient tapis. Des coups me parvenaient, ponctués d'injures. Les S.S. avaient surpris un jeune maçon qui revenait de relever des collets. Sa frayeur le désigna à leurs tortures. Une voix se penchait hurlante sur le corps tuméfié : « Où est-il ? Conduis-nous », suivie de silence. Et coups de pied et coups de crosse de pleuvoir. Une rage insensée s'empara de moi, chassa mon angoisse. Mes mains communiquaient à mon arme leur sueur crispée, exaltaient sa puissance contenue. Je calculais que le malheureux se tairait encore cinq minutes, puis, fatalement, il *parlerait*. J'eus honte de souhaiter sa mort avant cette échéance. Alors apparut jaillissant de chaque rue la marée des femmes, des enfants, des vieillards, se rendant au lieu de rassemblement, suivant un *plan concerté*. Ils se hâtaient sans hâte, ruisselant littéralement sur les S.S., les paralysant « en toute bonne foi ». Le maçon fut laissé pour mort. Furieuse, la patrouille se fraya un chemin à travers la foule et porta ses pas plus loin. Avec une prudence infinie, maintenant des yeux anxieux et bons regardaient dans ma direction, passaient comme un jet de lampe sur ma fenêtre. Je me découvris à moitié et un sourire se détacha de ma pâleur. Je tenais à ces êtres par mille fils confiants dont pas un ne devait se rompre.

J'ai aimé farouchement mes semblables cette journée-là, bien au-delà du sacrifice*.

* N'était-ce pas le hasard qui m'avait choisi pour prince ce jour-là plutôt que le cœur mûri pour moi de ce village ? (1945)

RENÉ CHAR, *Fureur et Mystère*, « Feuillets d'Hypnos », © Gallimard, 1962.

Questions

1. Distinguez les étapes successives de cette « épreuve ». En quoi René Char est-il ici le « prince » ?

2. À quoi tiennent la simplicité et la vie du récit ?

3. Comment s'enchaînent les sentiments éprouvés par le poète ?

4. Quelle vision de la Résistance se dégage du texte ?

Jacquemard et Julia

Jacquemard est la figure qui sonne les heures aux beffrois de Provence. Par ailleurs, dans Arrière-Histoire du Poème pulvérisé, René Char déclare : « Jacquemard c'est mon père, Émile Char, qui mourut quand j'avais onze ans. Julia c'est la sœur de ma mère qu'il avait épousée en premières noces, à vingt ans, si ce que me contait ma grand-mère est exact. (Je n'ai pas lieu d'en douter.) Julia décéda après une année de mariage. » De plus, Julia est le prénom de la sœur aînée du poète, à qui celui-ci vouait une affection particulière et qui mourut folle en 1965.

Jadis l'herbe, à l'heure où les routes de la terre s'accordaient dans leur déclin, élevait tendrement ses tiges et allumait ses clartés. Les cavaliers du jour naissaient au regard de leur amour et les châteaux de leurs bien-aimées comptaient autant de fenêtres que l'abîme porte d'orages légers.

5   Jadis l'herbe connaissait mille devises qui ne se contrariaient pas. Elle était la providence des visages baignés de larmes. Elle incantait les animaux, donnait asile à l'erreur. Son étendue était comparable au ciel qui a vaincu la peur du temps et allégi la douleur.

  Jadis l'herbe était bonne aux fous et hostile au bourreau. Elle convolait avec
10 le seuil de toujours. Les jeux qu'elle inventait avaient des ailes à leur sourire (jeux absous et également fugitifs). Elle n'était dure pour aucun de ceux qui perdant leur chemin souhaitent le perdre à jamais.

  Jadis l'herbe avait établi que la nuit vaut moins que son pouvoir, que les sources ne compliquent pas à plaisir leur parcours, que la graine qui s'agenouille
15 est déjà à demi dans le bec de l'oiseau. Jadis, terre et ciel se haïssaient mais terre et ciel vivaient.

  L'inextinguible sécheresse s'écoule. L'homme est un étranger pour l'aurore. Cependant à la poursuite de la vie qui ne peut être encore imaginée, il y a des volontés qui frémissent, des murmures qui vont s'affronter et des enfants sains
20 et saufs qui *découvrent*.

RENÉ CHAR, *Fureur et Mystère*, « Le Poème pulvérisé », © Gallimard, 1962.

Questions

1. Comment se manifestent le passé et le présent dans ce poème ?

2. Quels sont les vertus et les pouvoirs de l'herbe ?

3. Interrogez-vous sur le dernier mot du poème : « *découvrent* ».

4. Peut-on dire que René Char se construit ici un « roman familial » ?

La Sorgue
Chanson pour Yvonne

La Sorgue arrose de ses cinq bras la cité natale de René Char ; des roues à aubes entraînaient autrefois des moulins. Yvonne Zervos, éditrice d'une revue d'art et organisatrice d'expositions, fut une amie de Char.

Rivière trop tôt partie, d'une traite, sans compagnon,
Donne aux enfants de mon pays le visage de ta passion.

Rivière où l'éclair finit et où commence ma maison,
Qui roule aux marches d'oubli la rocaille de ma raison.

1. Terme de marine :
s'engageant dans une
passe étroite. *Transitif* :
embouquer un canal.

Questions

1. En quoi ce poème
est-il une *Chanson pour
Yvonne* ?

2. Comment est évo-
quée la rivière ? Mettez
en évidence l'impor-
tance de la caractérisa-
tion métonymique.

3. *Le Soleil des eaux* est
un spectacle écrit par
René Char en 1946.
Montrez que le poème
développe une image
comparable à celle
qu'exprime ce titre.

4. Quelles qualités
illustre la rivière ? Peut-
on dire que ce poème a
une portée éthique ?

5 Rivière, en toi terre est frisson, soleil anxiété.
   Que chaque pauvre dans sa nuit fasse son pain de ta moisson.

   Rivière souvent punie, rivière à l'abandon.

   Rivière des apprentis à la calleuse condition,
   Il n'est vent qui ne fléchisse à la crête de tes sillons.

10 Rivière de l'âme vide, de la guenille et du soupçon,
   Du vieux malheur qui se dévide, de l'ormeau, de la compassion.

   Rivière des farfelus, des fiévreux, des équarrisseurs,
   Du soleil lâchant sa charrue pour s'acoquiner au menteur.

   Rivière des meilleurs que soi, rivière des brouillards éclos,
15 De la lampe qui désaltère l'angoisse autour de son chapeau.

   Rivière des égards au songe, rivière qui rouille le fer,
   Où les étoiles ont cette ombre qu'elles refusent à la mer.

   Rivière des pouvoirs transmis et du cri embouquant[1] les eaux,
   De l'ouragan qui mord la vigne et annonce le vin nouveau.

20 Rivière au cœur jamais détruit dans ce monde fou de prison,
   Garde-nous violent et ami des abeilles de l'horizon.

RENÉ CHAR, *Fureur et Mystère*, « La Fontaine narrative »,
© Gallimard, 1962.

NICOLAS DE STAËL,
Ménerbes, 1954.
Montpellier, musée Fabre.
© ADAGP, 1998.

La Parole en archipel
[1962]

René Char naquit aux Névons, propriété de ses parents à L'Isle-sur-Sorgue. En 1954, après la mort de leur mère, le poète et Julia, qui souhaitaient préserver le domaine, se trouvèrent en conflit avec leur frère Albert et leur sœur Émilienne. La vente eut lieu l'année suivante. Finalement, pour construire une cité H.L.M., on abattit les arbres du parc et on transforma le ruisseau, le Névon, en route.

Le Deuil des Névons

Pour un violon, une flûte et un écho.

Un pas de jeune fille
A caressé l'allée,
A traversé la grille.

Dans le parc des Névons
5 Les sauterelles dorment.
Gelée blanche et grêlons
Introduisent l'automne.

C'est le vent qui décide
Si les feuilles seront
10 À terre avant les nids.

*

Vite ! Le souvenir néglige
Qui lui posa ce front,
Ce large coup d'œil, cette verse[1],
Balancement de méduse
15 Au-dessus du temps profond.

Il est l'égal des verveines,
Chaque été coupées ras,
Le temps où la terre sème.

*

La fenêtre et le parc,
20 Le platane et le toit
Lançaient charges d'abeilles,
Du pollen au rayon,
De l'essaim à la fleur.

Un libre oiseau voilier,
25 Planant pour se nourrir,
Proférait des paroles
Comme un hardi marin.

Quand le lit se fermait
Sur tout mon corps fourbu,
30 De beaux yeux s'en allaient
De l'ouvrage vers moi.

L'aiguille scintillait ;
Et je sentais le fil
Dans le trésor des doigts
35 Qui brodaient la batiste.

Ah ! lointain est cet âge.
Que d'années à grandir,
Sans père pour mon bras !

Tous ses dons répandus,
40 La rivière chérie
Subvenait aux besoins.
Peupliers et guitares
Ressuscitaient au soir
Pour fêter ce prodige
45 Où le ciel n'avait part.

Un faucheur de prairie
S'élevant, se voûtant,
Piquait les hirondelles,
Sans fin silencieux.

50 Sa quille retenue
Au limon de l'îlot,
Une barque était morte.

L'heure entre classe et nuit,
La ronce les serrant,
55 Des garnements confus
Couraient, cruels et sourds.
La brume les sautait,
De glace et maternelle.

Sur le bambou des jungles
60 Ils s'étaient modelés,
Chers roseaux voltigeants !

*

Le jardinier invalide sourit
Au souvenir de ses outils perdus.
Au bois mort qui se multiplie.

*

65 Le bien qu'on se partage,
Volonté d'un défunt,
A broyé et détruit
La pelouse et les arbres,
La paresse endormie,
70 L'espace ténébreux
De mon parc des Névons.

Puisqu'il faut renoncer
À ce qu'on ne peut retenir,
Qui devient autre chose
75 Contre ou avec le cœur, –
L'oublier rondement,

Puis battre les buissons
Pour chercher sans trouver
Ce qui doit nous guérir
80 De nos maux inconnus
Que nous portons partout.

RENÉ CHAR, *La Parole en archipel*,
© Gallimard, 1962.

1. Moisson sur pied couchée par le vent, la pluie ou la maladie.

1. « La Parole en archipel » : montrez que le parc et la maison sont évoqués de manière éclatée.

2. Comment apparaissent les êtres ? Interrogez-vous sur leurs possibles identités, sur leur présence et sur leur absence.

3. La nostalgie : recherchez le sens exact de ce mot. Quel rapport le poète entretient-il avec elle ?

4. Peut-on parler ici de « travail du deuil » ?

Les Voisinages de Van Gogh
[1985]

En 1985, René Char, affaibli et sentant la mort venir, publie ce recueil, le dernier paru de son vivant.

Étions-nous si fragiles ?

Que ne pouvais-tu promettre sans t'en aller, ô belle Vie !
C'est le moment, il faut tenir !
Tu dois changer ou t'éteindre si tout fut feu d'abord ;
Sous mes yeux la truite meurt droite et courbée ;
5   Mon souci, ce présent mal dissimulé, peut enfin courir hors de moi.
Je le devine respirant pour la première fois.
Le svelte papillon noir s'élève devant mes jambes, en voletant ;
Dans mes lointains où n'erre ni soleil ni nuit,
J'entends mille airs de chanson rognant les griffes du sommeil.

10   Prairie offerte à ceux qui luttent,
Désir tendu l'éclair suivant,
Ce corps sans ardeur stoppe chute
Et retourne à ses bourgeons,
Sur l'air des grands ressentiments.

RENÉ CHAR, *Les Voisinages de Van Gogh*,
© Gallimard, 1985.

ALBERTO GIACOMETTI (1901-1966),
L'homme qui marche I, 1960.
Bronze. Coll. particulière.
Photo Édimédia.
© ADAGP, 1998.

1. Quelles sont les significations symboliques de la truite et du papillon ?

2. Quelle conception de la vie, de la vieillesse et de la mort se manifeste dans ce poème ?

3. À qui s'adresse le poète ? Quelle relation entretient-il avec lui-même ?

4. Quelle est la tonalité de ce poème ?

Francis Ponge
(1899-1988)

Photo © E. Boubat/
Rapho.

FRANCIS PONGE naît à Montpellier, en 1899, dans une famille de la bourgeoisie protestante. Sa santé fragile lui interdit de prendre part à la Première Guerre mondiale. Admissible à la licence de philosophie, puis à l'École normale supérieure, il sera dans les deux cas incapable de prendre la parole devant le jury d'oral. En 1931, il trouve un emploi dans l'édition, mais, représentant syndical, communiste, il est licencié lors des grèves du Front populaire. À l'été 1942, paraît **Le Parti pris des choses** ; à l'automne, Ponge entre dans la Résistance. En 1944, il travaille au journal communiste *Action,* qu'il quitte en 1946. L'année suivante est marquée par sa démission du Parti communiste. Enseignant, donnant des conférences en France et à l'étranger, intervenant à la radio et à la télévision, collaborant avec les peintres Dubuffet et Braque, Ponge publie **Proêmes** en 1948, **La Rage de l'expression** en 1952, **Le Grand Recueil (I Lyres, II Méthodes, III Pièces)** en 1961, et le **Nouveau Recueil** en 1967. Il meurt à Bar-sur-Loup, près de Grasse, en 1988.

« Prendre le parti des choses », c'est tenter de les saisir telles qu'elles sont et de faire coïncider – telle est l'utopie pongienne – les mots avec elles. Le poète, avec humilité et aussi humour, donnera l'éveil à sa sensibilité, à ses émotions et à son intellect, afin d'appréhender, entre les objets qui l'entourent et qui lui échappent, un « jeu » d'analogies et de différences. Ce « matérialisme » modifiera le rapport de l'homme au langage et au monde en lui faisant découvrir, parfois avec « joie », des beautés insoupçonnées.

Le Parti pris des choses

[1942]

« *Parti pris des choses égale compte tenu des mots* » (Francis Ponge « *My creative method* », Méthodes).

Le Cageot

À mi-chemin de la cage au cachot la langue française a cageot, simple caissette à claire-voie vouée au transport de ces fruits qui de la moindre suffocation font à coup sûr une maladie.

Agencé de façon qu'au terme de son usage il puisse être brisé sans effort, il ne
5 sert pas deux fois. Ainsi dure-t-il moins encore que les denrées fondantes ou nuageuses qu'il enferme.

À tous les coins de rues qui aboutissent aux halles, il luit alors de l'éclat sans vanité du bois blanc. Tout neuf encore, et légèrement ahuri d'être dans une pose maladroite à la voirie jeté sans retour, cet objet est en somme des plus sympa-
10 thiques, – sur le sort duquel il convient toutefois de ne s'appesantir longuement.

FRANCIS PONGE, *Le Parti pris des choses,* © Gallimard.

Questions

1. Analysez de façon détaillée la première strophe.

2. Montrez l'importance du temps dans la description du cageot.

3. Le cageot est-il seulement un objet ?

4. Que pensez-vous du statut de déchet du cageot ?

L'Huître

L'huître, de la grosseur d'un galet moyen, est d'une apparence plus rugueuse, d'une couleur moins unie, brillamment blanchâtre. C'est un monde opiniâtrement clos. Pourtant on peut l'ouvrir : il faut alors la tenir au creux d'un torchon, se servir d'un couteau ébréché et peu franc, s'y reprendre à plusieurs fois. Les doigts curieux s'y coupent, s'y cassent les ongles : c'est un travail grossier. Les coups qu'on lui porte marquent son enveloppe de ronds blancs, d'une sorte de halos.

À l'intérieur l'on trouve tout un monde, à boire et à manger : sous un *firmament* (à proprement parler) de nacre, les cieux d'en-dessus s'affaissent sur les cieux d'en-dessous, pour ne plus former qu'une mare, un sachet visqueux et verdâtre, qui flue et reflue à l'odeur et à la vue, frangé d'une dentelle noirâtre sur les bords.

Parfois très rare une formule perle à leur gosier de nacre, d'où l'on trouve aussitôt à s'orner.

FRANCIS PONGE, *Le Parti pris des choses*, © Gallimard.

Questions

1. Montrez que le poème obéit à une construction rigoureuse.

2. Étudiez la métaphore du « monde ».

3. Interrogez-vous sur les mots : « opiniâtrement », « firmament » et « formule ». Quelle est leur portée dans le texte ?

4. Analysez la forme des phrases et le jeu des sonorités. En quoi peut-on parler de poème ?

Le Morceau de viande

Chaque morceau de viande est une sorte d'usine, moulins et pressoirs à sang.

Tubulures, hauts fourneaux, cuves y voisinent avec les marteaux-pilons, les coussins de graisse.

La vapeur y jaillit, bouillante. Des feux sombres ou clairs rougeoient.

Des ruisseaux à ciel ouvert charrient des scories avec le fiel.

Et tout cela refroidit lentement à la nuit, à la mort.

Aussitôt, sinon la rouille, du moins d'autres réactions chimiques se produisent, qui dégagent des odeurs pestilentielles.

FRANCIS PONGE, *Le Parti pris des choses*, © Gallimard.

Questions

1. « Et tout cela refroidit lentement à la nuit, à la mort » : montrez l'importance de ce vers dans l'ensemble du poème.

2. Étudiez l'analogie avec l'usine.

3. Caractérisez le rythme du poème. Quelle signification lui accordez-vous ?

La Jeune Mère

Quelques jours après les couches la beauté de la femme se transforme.

Le visage souvent penché sur la poitrine s'allonge un peu. Les yeux attentivement baissés sur un objet proche, s'ils se relèvent parfois paraissent un peu égarés. Ils montrent un regard empli de confiance, mais en sollicitant la continuité. Les bras et les mains s'incurvent et se renforcent. Les jambes qui ont beaucoup maigri et se sont affaiblies sont volontiers assises, les genoux très remontés. Le ventre ballonné, livide, encore très sensible ; le bas-ventre s'accommode du repos, de la nuit des draps.

... Mais bientôt sur pieds, tout ce grand corps évolue à l'étroit parmi le pavois utile à toutes hauteurs des carrés blancs du linge, que parfois de sa main libre il saisit, froisse, tâte avec sagacité, pour les retendre ou les plier ensuite selon les résultats de cet examen.

FRANCIS PONGE, *Le Parti pris des choses*, © Gallimard.

Questions

1. Identifiez l'« objet proche » qui est au centre du tableau.

2. Analysez ce portrait. De quelle nature est « la beauté de la femme » ?

3. Comment ce portrait intègre-t-il la dimension du temps ?

4. Selon vous, quel message exprime ce poème ?

Pièces

▬▬▬ *[1961]*

Paru en 1961, Pièces *rassemble des poèmes écrits entre 1924 et 1959. «Le Crottin» date de 1932, «14 Juillet» de 1936, et «La Radio» de 1946.*

Le Crottin

Brioches paille, de désagrégation plutôt facile. Fumantes, sentant mauvais. Écrasées par les roues de la charrette, ou plutôt épargnées par l'écartement des roues de la charrette.

L'on est arrivé à vous considérer comme quelque chose de précieux. Pourtant,
5   l'on ne vous ramasserait qu'avec une pelle. Ici se voit le respect humain. Il est vrai que votre odeur serait un peu attachante aux mains.

En tout cas, vous n'êtes pas du dernier mauvais goût, ni aussi répugnantes que les crottes du chien ou du chat, qui ont le défaut de ressembler trop à celles de l'homme, pour leur consistance de mortier pâteux et fâcheusement adhésif.

FRANCIS PONGE, *Pièces,* © Gallimard.

Questions

1. Peut-on parler d'un hymne au crottin ?

2. En quoi le poème est-il une démonstration parodique ?

3. Analysez les sensations en jeu dans ce poème.

4. Montrez que ce poème est en fait une attaque contre l'être humain.

14 Juillet

Tout un peuple accourut écrire cette journée sur l'album de l'histoire, sur le ciel de Paris.

D'abord c'est une pique, puis un drapeau tendu par le vent de l'assaut (d'aucuns y voient une baïonnette), puis – parmi d'autres piques, deux fléaux, un
5   râteau – sur les rayures verticales du pantalon des sans-culottes un bonnet en signe de joie jeté en l'air.

Tout un peuple au matin le soleil dans le dos. Et quelque chose en l'air à cela qui préside, quelque chose de neuf, d'un peu vain, de candide : c'est l'odeur du bois blanc du Faubourg Saint-Antoine, – et ce J a d'ailleurs la forme du rabot.
10   Le tout penche en avant dans l'écriture anglaise, mais à le prononcer ça commence comme Justice et finit comme ça y est, et ce ne sont pas au bout de leurs piques les têtes renfrognées de Launay et de Flesselles qui, à cette futaie de hautes lettres, à ce frémissant bois de peupliers à jamais remplaçant dans la mémoire des hommes les tours massives d'une prison, ôteront leur aspect joyeux.

FRANCIS PONGE, *Pièces,* © Gallimard.

Questions

1. La *mimographie :* montrez que le poème ne fait que décrire et commenter la graphie et les sonorités de l'expression « 14 juillet ».

2. Repérez les composantes de la mythologie révolutionnaire.

3. Peut-on dire que Ponge reconstitue une gravure d'époque ?

4. Le poète adhère-t-il à cette joie révolutionnaire ?

Georges Braque (1882-1963), *Instruments de musique et compotier*, 1919.
Coll. particulière. © Photo Édimédia. Adagp 1998, Paris.

La Radio

Cette boîte vernie ne montre rien qui saille, qu'un bouton à tourner jusqu'au proche déclic, pour qu'au-dedans bientôt faiblement se rallument plusieurs petits gratte-ciel d'aluminium, tandis que de brutales vociférations jaillissent qui se disputent notre attention.

Un petit appareil d'une «sélectivité» merveilleuse ! Ah, comme il est ingé-   5
nieux de s'être amélioré l'oreille à ce point ! Pourquoi ? Pour s'y verser incessamment l'outrage des pires grossièretés.

Tout le flot de purin de la mélodie mondiale.

Eh bien, voilà qui est parfait, après tout ! Le fumier, il faut le sortir et le
répandre au soleil : une telle inondation parfois fertilise...   10

Pourtant, d'un pas pressé, revenons à la boîte, pour en finir.

Fort en honneur dans chaque maison depuis quelques années – au beau
milieu du salon, toutes fenêtres ouvertes – la bourdonnante, la radieuse seconde
petite boîte à ordures !

FRANCIS PONGE, *Pièces*, © Gallimard.

1. Interrogez-vous sur les expressions : « rien qui saille », « sélectivité merveilleuse », « mélodie mondiale », « la radieuse seconde petite boîte à ordures ».
   Montrez leur valeur ironique.

2. En quoi le système de l'énonciation renforce-t-il cette ironie ?

3. Comment passe-t-on de « cette boîte vernie » à « la radieuse seconde petite
   boîte à ordures » ?

4. Que veut dénoncer ici le poète ?

Antonin Artaud
(1896-1948)

Antonin Artaud par lui-même.
Paris, Bibl. nationale.
● Photo © Édimédia.

ANTONIN ARTAUD, né à Marseille en 1896, souffre très jeune de troubles nerveux et se drogue. Sa vie sera une alternance tragique de séjours en maisons de repos, de cures de désintoxication, et de périodes de rémission. En 1924, il adhère au mouvement surréaliste, dont il s'éloignera en 1929. En 1925, paraissent deux recueils poétiques : **L'Ombilic des limbes** et **Le Pèse-Nerfs**. **Voyage au pays des Tarahumaras**, qui ne sera publié intégralement qu'en 1955, fait le bilan d'un séjour effectué en 1936 au Mexique, dans une tribu indienne. Les articles et conférences sur le théâtre sont rassemblés dans **Le Théâtre et son Double** en 1938. Cette même année, Artaud est interné d'office dans divers asiles. Il aboutit, en 1942, chez le docteur Ferdière, à Rodez, où il subit des électrochocs. Les **Lettres de Rodez** (1946) témoignent de cette période douloureuse. En 1947, paraissent **Artaud le Mômo** et **Van Gogh, le Suicidé de la société**. Artaud meurt, en 1948, dans une clinique d'Ivry où il était placé depuis trois ans.

Artaud mène un combat effréné pour sortir du néant de la pensée et transcrire son expérience intérieure, qui dénonce une société malade de ses propres normes. Sa réflexion sur le théâtre influence aujourd'hui nombre de dramaturges et de metteurs en scène.

Le Pèse-Nerfs
[1925]

Artaud pratique l'écriture comme une thérapie : il cherche à dominer ses troubles mentaux. Mais il se sent aussi porteur d'un message, que la société, notamment à travers les institutions chargées de réprimer la « folie », l'empêche de faire entendre.

« Si l'on pouvait seulement goûter son néant... »

Si l'on pouvait seulement goûter son néant, si l'on pouvait se bien reposer dans son néant, et que ce néant ne soit pas une certaine sorte d'être mais ne soit pas la mort tout à fait.

Il est si dur de ne plus exister, de ne plus être dans quelque chose. La vraie douleur est de sentir en soi se déplacer sa pensée. Mais la pensée comme un point n'est certainement pas une souffrance.

J'en suis au point où je ne touche plus à la vie, mais avec en moi tous les appétits et la titillation insistante de l'être. Je n'ai plus qu'une occupation, me refaire.

ANTONIN ARTAUD, *Le Pèse-Nerfs*, © Gallimard, 1956.

Le Théâtre et son Double

[1948]

Dans ce recueil d'articles et de conférences, Artaud définit les « doubles » du théâtre, c'est-à-dire les notions – ici la cruauté – qui, selon lui, sont indispensables pour le comprendre et le transformer.

Nous voulons faire du théâtre une réalité à laquelle on puisse croire, et qui contienne pour le cœur et les sens cette espèce de morsure concrète que comporte toute sensation vraie. De
5 même que nos rêves agissent sur nous et que la réalité agit sur nos rêves, nous pensons qu'on peut identifier les images de la pensée à un rêve, qui sera efficace dans la mesure où il sera jeté avec la violence qu'il faut. Et le public croira aux
10 rêves du théâtre à condition qu'il les prenne vraiment pour des rêves et non pour un calque de la réalité ; à condition qu'ils lui permettent de libérer en lui cette liberté magique du songe, qu'il ne peut reconnaître qu'empreinte de ter-
15 reur et de cruauté.

D'où cet appel à la cruauté et à la terreur, mais sur un plan vaste, et dont l'ampleur sonde notre vitalité intégrale, nous mette en face de toutes nos possibilités.

20 C'est pour prendre la sensibilité du specta-
teur sur toutes ses faces, que nous préconisons un spectacle tournant, et qui au lieu de faire de la scène et de la salle deux mondes clos, sans communication possible, répande ses éclats
25 visuels et sonores sur la masse entière des spec-
tateurs.

En outre, sortant du domaine des sentiments analysables et passionnels, nous comptons faire servir le lyrisme de l'acteur à manifester des
30 forces externes ; et faire rentrer par ce moyen la nature entière dans le théâtre, tel que nous vou-
lons le réaliser.

Pour vaste que soit ce programme, il ne dépasse pas le théâtre lui-même, qui nous paraît
35 s'identifier pour tout dire avec les forces de l'an-
cienne magie.

Pratiquement, nous voulons ressusciter une idée du spectacle total, où le théâtre saura reprendre au cinéma, au music-hall, au cirque,
40 et à la vie même, ce qui de tout temps lui a appartenu. Cette séparation entre le théâtre d'analyse et le monde plastique nous apparaissant comme une stupidité. On ne sépare pas le corps de l'esprit, ni les sens de l'intelligence, sur-
45 tout dans un domaine où la fatigue sans cesse renouvelée des organes a besoin de secousses brusques pour raviver notre entendement.

Donc, d'une part, la masse et l'étendue d'un spectacle qui s'adresse à l'organisme entier ; de
50 l'autre, une mobilisation intensive d'objets, de gestes, de signes, utilisés dans un esprit nouveau. La part réduite faite à l'entendement conduit à une compression énergique du texte ; la part active faite à l'émotion poétique obscure oblige
55 à des signes concrets. Les mots parlent peu à l'es-
prit ; l'étendue et les objets parlent ; les images nouvelles parlent, même faites avec des mots.

ANTONIN ARTAUD, *Le Théâtre et son Double,*
© Gallimard, 1964.

Questions

1. Repérez les connexions logiques, d'un paragraphe à l'autre d'une part, à l'intérieur de chaque paragraphe d'autre part. Quel type de texte pouvez-vous ainsi définir ?
2. En quoi le théâtre que préconise Artaud est-il un « spectacle total » ?
3. Quelle idée Artaud se fait-il du spectateur ?
4. Pourquoi cette nouvelle forme de théâtre est-elle révolutionnaire ?

Raymond Queneau
(1903-1976)

● Photo © E. Boubat-Rapho.

RAYMOND QUENEAU, né en 1903 au Havre, vient à Paris étudier la philosophie et fréquente quelque temps les surréalistes auxquels il s'oppose assez vite. Son premier roman, **Le Chiendent** (1933), est composé à partir d'une architecture arithmétique de treize fois sept chapitres, et son autobiographie en alexandrins, **Chêne et Chien** (1937), revendique une forme de classicisme en se plaçant sous l'autorité de Boileau. Dès ces premiers textes, Queneau entreprend une réflexion pleine de malice sur le langage en faisant se côtoyer langue populaire et langue châtiée. Il porte un regard tendre sur ses personnages, souvent issus, comme lui, de milieux modestes, et à qui il prête volontiers une réflexion métaphysique (**Un rude hiver**, 1939 ; **Pierrot mon ami**, 1943 ; **Zazie dans le métro**, 1959). Dans les **Exercices de style**, un récit écrit de quatre-vingt-dix-neuf manières différentes, qu'il compose à partir de 1947, Queneau explore tout ce que permet le langage manipulé sous des formes variées et ludiques. Fondateur de l'*Encyclopédie* de La Pléiade, il est aussi à l'origine de l'Ouvroir de Littérature Potentielle (OULIPO), qu'il animera jusqu'à sa mort en 1976 (voir p. 618).

Pierrot mon ami
[1943]

Une bagarre a éclaté au stand du palais de la Rigolade, à l'Uni-Park, où est employé Pierrot, l'un des personnages les plus attachants créés par l'écrivain.

Accoudé bien à son aise, Pierrot pensait à la mort de Louis XVI, ce qui veut dire, singulièrement, à rien de précis ; il n'y avait dans son esprit qu'une buée mentale, légère et presque lumineuse comme le brouillard d'un beau matin d'hiver, qu'un vol de moucherons anonymes. Les autos se cognaient avec énergie, les
5 trolleys crépitaient contre le filet métallique, des femmes criaient ; et, au-delà, dans tout le reste de l'Uni-Park, il y avait cette rumeur de foule qui s'amuse et cette clameur de charlatans et tabarins[1] qui rusent et ce grondement d'objets qui s'usent. Pierrot n'avait aucune idée spéciale sur la moralité publique ou l'avenir de la civilisation. On ne lui avait jamais dit qu'il était intelligent. On lui avait plu-
10 tôt répété qu'il se conduisait comme un manche ou qu'il avait des analogies avec la lune. En tout cas, ici, maintenant, il était heureux, et content, vaguement. D'ailleurs parmi les moucherons, il y en avait un plus gros que les autres et plus insistant. Pierrot avait un métier, tout au moins pour la saison. En octobre, il ver-rait. Pour le moment, il avait un tiers d'an devant lui tintant déjà des écus de sa
15 paie. Il y avait de quoi être heureux et content pour quelqu'un qui connaissait en permanence les jours incertains, les semaines peu probables et les mois très défi-cients. Son œil beurre noir lui faisait un peu mal, mais est-ce que la souffrance physique a jamais empêché le bonheur ?

RAYMOND QUENEAU, *Pierrot mon ami*, © Gallimard.

1. Tabarin : farceur qui, au XVIIe siècle, égayait les rues et les places de Paris ; charlatan.

Questions

1. Quelle impression le texte produit-il après une première lecture ?

2. Faites ressortir ce qui caractérise l'univers qui entoure le personnage.

3. En quoi peut-on dire que Pierrot est un personnage poétique ?

Sonnets

[1954]

La Chair chaude des mots

Prends ces mots dans tes mains et sens leurs pieds agiles
Et sens leur cœur qui bat comme celui du chien
Caresse donc leur poil pour qu'ils restent tranquilles
Mets-les sur tes genoux pour qu'ils ne disent rien

5   Une niche de sons devenus inutiles
Abrite des rongeurs l'ordre académicien
Rustiques on les dit mais les mots sont fragiles
Et leur mort bien souvent de trop s'essouffler vient

Alors on les dispose en de grands cimetières
10   Que les esprits fripons nomment des dictionnaires
Et les penseurs chagrins des alphadécédets

Mais à quoi bon pleurer sur des faits si primaires
Si simples éloquents connus élémentaires
Prends ces mots dans tes mains et vois comme ils sont faits

RAYMOND QUENEAU, *Sonnets*.
© Gallimard, « La Pléiade ».

1. Terres labourées.
2. Pâturages.
3. Terrains nus.
4. Galeries couvertes dans un gymnase.

Morale élémentaire

[1975]

Dans ce recueil publié un an avant sa mort, l'écrivain, vieillissant et endeuillé (il a perdu sa femme peu de temps avant), construit, en s'inspirant de la littérature taoïste, une morale pleine de générosité et d'humour.

Attendre dans les ajoncs, attendre dans les bois, attendre dans les champs, attendre dans les déserts, attendre dans les étiers, attendre dans les friches, attendre dans les guérets[1], attendre dans les hameaux, attendre dans les îles, attendre dans les jachères, attendre dans les kiosques, attendre dans les labours, attendre dans les marais, attendre dans les noues[2], attendre dans les ormaies, 5 attendre dans les prés, attendre dans les rocailles, attendre dans les sables, attendre dans les tourbières, attendre dans les vallons, attendre dans les wastes[3], attendre dans les xystes[4], attendre dans les yeuseraies, attendre dans les zizanies, c'est surveiller une grenouille en croquant une pomme, un verre de vin vieux posé sur la table. Se comporter autrement impliquerait quelque danger. 10

RAYMOND QUENEAU, *Morale élémentaire*.
© Gallimard, « La Pléiade ».

Sartre
Jean-Paul Sartre
(1905-1980)

© Universal Photo Edimédia.

JEAN-PAUL SARTRE, écrivain et philosophe, intellectuel engagé, « ambassadeur » de la pensée française un peu partout dans le monde, laisse une œuvre monumentale, à l'image de sa personnalité.

Orphelin de père, Sartre est élevé par sa mère et ses grands-parents maternels. Il intègre l'École normale supérieure en 1924, est reçu premier à l'agrégation de philosophie en 1928. Deux futurs écrivains l'entourent. L'un s'appelle Paul Nizan, son meilleur ami. Il mourra au combat en 1940. L'autre s'appelle Simone de Beauvoir. Avec elle, Sartre vit une relation faite de sentiments, d'émulation intellectuelle et de liberté réciproque dans les rencontres amoureuses. Professeur au Havre puis à Laon, Sartre est fait prisonnier en juin 1940. Libéré en 1941, il enseigne à Paris. Dans la France de l'après-guerre, sa fulgurante célébrité répond à un besoin d'hommes nouveaux, susceptibles d'éclairer la société qui se reconstruit. Sartre s'y emploie avec une énergie créatrice, une générosité intellectuelle et une ardeur voyageuse que seule la vieillesse tempère. En 1947, au début de la Guerre froide, Sartre soutient la création d'un parti qui refuse à la fois les modèles américain et soviétique : le R.D.R. (Rassemblement Démocratique et Révolutionnaire). Son échec le conduit à se rapprocher des communistes, avec lesquels il rompt en 1956 quand les troupes soviétiques envahissent la Hongrie. Pendant les guerres de décolonisation, il soutient la cause algérienne et échappe à deux attentats. En 1964, fidèle à ses idéaux, il refuse le prix Nobel. En 1968, il approuve étudiants et ouvriers en grève, se rapproche du gauchisme, défile contre de Gaulle. Son ultime combat le conduit à défendre les réfugiés cambodgiens, les boat people, en 1979.

SON ŒUVRE est variée. Polygraphe, Sartre écrit des ouvrages philosophiques : ***L'Être et le Néant*** (1943), des romans : ***La Nausée*** (1938), des nouvelles : ***Le Mur*** (1939), des pièces de théâtre : ***Huis clos*** (1944), des essais : ***Situations*** (1947 à 1976), des biographies (sur Genet et Flaubert), une autobiographie : ***Les Mots*** (1964). Journaliste, il fonde en 1945 la revue ***Les Temps modernes*** et en 1973 le quotidien ***Libération.*** Cette œuvre échappe à l'éparpillement en raison des deux principes qui l'unifient : l'engagement historique, le parti pris philosophique. Pour Sartre, l'écrivain doit s'engager dans les événements de son temps. Son théâtre tente ainsi d'analyser, par le détour du mythe ou de la fable, quelques douloureux problèmes d'actualité : le racisme dans ***La Putain respectueuse*** (1946), la torture dans ***Les Séquestrés d'Altona*** (1959). Ces pièces échappent à l'aridité du théâtre à thèse grâce à leur sens du rythme et leur jeu avec le langage. Une semblable virtuosité se retrouve dans les romans : Sartre y mêle de façon toute personnelle un goût pour la rhétorique classique, une attirance pour les métaphores baroques et un intérêt pour les nouvelles techniques romanesques inspirées par les romanciers américains. Son œuvre illustre ainsi sans pesanteur la philosophie existentialiste (voir p. 573).

La Nausée

[1938]

Dans La Nausée, *Sartre raconte l'histoire d'Antoine Roquentin qui s'installe à Bouville,
ville normande imaginaire, pour y accomplir des recherches historiques. Le récit prend la
forme d'un journal intime : le personnage y transcrit sa nausée, une crise existentielle
qui lui fait perdre toute conscience de la réalité objective, comme dans cette scène.*

J'appuie ma main sur la banquette, mais je la retire précipitamment : ça
existe. Cette chose sur quoi je suis assis, sur quoi j'appuyais ma main s'appelle
une banquette. Ils l'ont faite tout exprès pour qu'on puisse s'asseoir, ils ont pris
du cuir, des ressorts, de l'étoffe, ils se sont mis au travail, avec l'idée de faire un
siège et quand ils ont eu fini, c'était *ça* qu'ils avaient fait. Ils ont porté ça ici, dans   5
cette boîte, et la boîte roule et cahote à présent, avec ses vitres tremblantes, et elle
porte dans ses flancs cette chose rouge. Je murmure : c'est une banquette, un peu
comme un exorcisme. Mais le mot reste sur mes lèvres : il refuse d'aller se poser
sur la chose. Elle reste ce qu'elle est, avec sa peluche rouge, milliers de petites
pattes rouges, en l'air, toutes raides, de petites pattes mortes. Cet énorme ventre   10
tourné en l'air, sanglant, ballonné – boursouflé avec toutes ses pattes mortes,
ventre qui flotte dans cette boîte, dans ce ciel gris, ce n'est pas une banquette. Ça
pourrait tout aussi bien être un âne mort, par exemple, ballonné par l'eau et qui
flotte à la dérive, le ventre en l'air dans un grand fleuve gris, un fleuve d'inondation ; et moi je serais assis sur le ventre de l'âne et mes pieds tremperaient dans   15
l'eau claire. Les choses se sont délivrées de leurs noms. Elles sont là, grotesques,
têtues, géantes et ça paraît imbécile de les appeler des banquettes ou de dire quoi
que ce soit sur elles : je suis au milieu des Choses, les innommables. Seul, sans
mots, sans défenses, elles m'environnent, sous moi, derrière moi, au-dessus de
moi. Elles n'exigent rien, elles ne s'imposent pas : elles sont là.   20

JEAN-PAUL SARTRE,
La Nausée, © Gallimard.

Questions

1. Repérez les étapes successives de ce texte.
2. Comment expliquez-vous l'emploi répété du pronom « ça » ?
3. Quelles images mentales le narrateur substitue-t-il successivement aux objets
   qui l'entourent ? Expliquez-les.
4. Comment comprenez-vous les trois dernières phrases du passage ?
5. Contre qui le narrateur lutte-t-il ? Justifiez votre réponse.

Huis clos
[1944]

Christine Fersen, Muriel Mayette et Michel Aumont, dans *Huis clos*.
Comédie française.
Photo © Bernand.

Huis clos présente trois personnages qui arrivent en enfer. Garcin est un révolutionnaire exécuté pour trahison. Inès, amoureuse d'une autre femme, s'est suicidée par dépit. Estelle a tué son enfant et provoqué le suicide de son ami. Ils ne se connaissent pas mais s'observent et se jugent.

GARCIN. – Je suis mort trop tôt. On ne m'a pas laissé le temps de faire *mes* actes.

INÈS. – On meurt toujours trop tôt – ou trop tard. Et cependant la vie est là, terminée : le trait
5 est tiré, il faut faire la somme. Tu n'es rien d'autre que ta vie.

GARCIN. – Vipère ! Tu as réponse à tout.

INÈS. – Allons ! allons ! Ne perds pas courage. Il doit t'être facile de me persuader. Cherche des
10 arguments, fais un effort. *(Garcin hausse les épaules.)* Eh bien, eh bien ? Je t'avais dit que tu étais vulnérable. Ah ! comme tu vas payer à présent. Tu es un lâche, Garcin, un lâche parce que je le veux. Je le veux, tu entends, je le veux ! Et
15 pourtant, vois comme je suis faible, un souffle ; je ne suis rien que le regard qui te voit, que cette pensée incolore qui te pense. *(Il marche sur elle, les mains ouvertes.)* Ha ! elles s'ouvrent, ces grosses mains d'homme. Mais qu'espères-tu ?

20 On n'attrape pas les pensées avec les mains. Allons, tu n'as pas le choix : il faut me convaincre. Je te tiens.

ESTELLE. – Garcin !

GARCIN. – Quoi ?

25 ESTELLE. – Venge-toi.

GARCIN. – Comment ?

ESTELLE. – Embrasse-moi, tu l'entendras chanter.

GARCIN. – C'est pourtant vrai, Inès. Tu me tiens, mais je te tiens aussi.

30   *Il se penche sur Estelle. Inès pousse un cri.*

INÈS. – Ha ! lâche ! lâche ! Va ! Va te faire consoler par les femmes.

ESTELLE. – Chante, Inès, chante !

INÈS. – Le beau couple ! Si tu voyais sa grosse
35 patte posée à plat sur ton dos, froissant la chair et l'étoffe. Il a les mains moites ; il transpire. Il laissera une marque bleue sur ta robe.

ESTELLE. – Chante ! Chante ! Serre-moi plus fort contre toi, Garcin ; elle en crèvera.

40 INÈS. – Mais oui, serre-la bien fort, serre-la ! Mêlez vos chaleurs. C'est bon l'amour, hein Garcin ? C'est tiède et profond comme le sommeil, mais je t'empêcherai de dormir.

       Geste de Garcin.

45 ESTELLE. – Ne l'écoute pas. Prends ma bouche ; je suis à toi tout entière.

INÈS. – Eh bien, qu'attends-tu ? Fais ce qu'on te dit, Garcin le lâche tient dans ses bras Estelle l'infanticide. Les paris sont ouverts. Garcin le lâche
50 l'embrassera-t-il ? Je vous vois, je vous vois ; à moi seule je suis une foule, la foule. Garcin, la foule, l'entends-tu ? *(Murmurant.)* Lâche ! Lâche ! Lâche ! Lâche ! En vain tu me fuis, je ne te lâcherai pas. Que vas-tu chercher sur ses lèvres ?
55 L'oubli ? Mais je ne t'oublierai pas, moi. C'est moi qu'il faut convaincre. Moi. Viens, viens ! Je t'attends. Tu vois, Estelle, il desserre son étreinte, il est docile comme un chien... Tu ne l'auras pas !

60 GARCIN. – Il ne fera donc jamais nuit ?

INÈS. – Jamais.

GARCIN. – Tu me verras toujours ?

INÈS. – Toujours.

       Garcin abandonne Estelle et fait quelques pas dans
65 *la pièce. Il s'approche du bronze.*

GARCIN. – Le bronze... *(Il le caresse.)* Eh bien, voici le moment. Le bronze est là, je le contemple et je comprends que je suis en enfer. Je vous dis que tout était prévu. Ils avaient prévu
70 que je me tiendrais devant cette cheminée, pressant ma main sur ce bronze, avec tous ces regards sur moi. Tous ces regards qui me mangent... *(Il se retourne brusquement.)* Ha ! vous n'êtes que deux ? Je vous croyais beaucoup plus
75 nombreuses. *(Il rit.)* Alors, c'est ça l'enfer. Je n'aurais jamais cru... Vous vous rappelez : le soufre, le bûcher, le gril... Ah ! quelle plaisanterie. Pas besoin de gril : l'enfer, c'est les Autres.

JEAN-PAUL SARTRE, *Huis clos*, 5,
© Gallimard.

Q u e s t i o n s

1. Analysez le comportement de chaque personnage.
2. Quelle particularité présentent les phrases de chaque réplique ? Quel effet cela produit-il ?
3. Expliquez avec précision le sens des deux premières répliques.
4. Quelle est la fonction du bronze en tant qu'objet ?
5. Comment la dernière phrase résume-t-elle la scène ?

Les Mots

_[1964]_

En 1964, dans une écriture délibérément classique, Sartre compose une autobiographie d'enfance qui privilégie sa découverte des livres et son éducation choyée. Il conçoit Les Mots _comme un adieu à la littérature. De fait, il continuera ses activités de philosophe et de critique mais n'écrira plus de romans ni de pièces de théâtre. Le texte qui suit constitue le début des_ Mots.

Extrait 1

En Alsace, aux environs de 1850, un instituteur accablé d'enfants consentit à se faire épicier. Ce défroqué voulut une compensation : puisqu'il renonçait à former les esprits, un de ses fils formerait les âmes ; il y aurait un pasteur dans la famille, ce serait Charles. Charles se déroba, préféra courir les routes sur la trace
5 d'une écuyère. On retourna son portrait contre le mur et fit défense de prononcer son nom. À qui le tour ? Auguste se hâta d'imiter le sacrifice paternel : il entra dans le négoce et s'en trouva bien. Restait Louis, qui n'avait pas de prédisposition marquée : le père s'empara de ce garçon tranquille et le fit pasteur en un tournemain. Plus tard Louis poussa l'obéissance jusqu'à engendrer à son tour un
10 pasteur, Albert Schweitzer[1], dont on sait la carrière. Cependant, Charles n'avait pas retrouvé son écuyère ; le beau geste du père l'avait marqué : il garda toute sa vie le goût du sublime et mit son zèle à fabriquer de grandes circonstances avec de petits événements. Il ne songeait pas, comme on voit, à éluder la vocation familiale : il souhaitait se vouer à une forme atténuée de spiritualité, à un sacer-
15 doce qui lui permit les écuyères. Le professorat fit l'affaire : Charles choisit d'enseigner l'allemand. Il soutint une thèse sur Hans Sachs[2], opta pour la méthode directe dont il se dit plus tard l'inventeur, publia, avec la collaboration de M. Simmonot, un _Deutsches Lesebuch_[3] estimé, fit une carrière rapide : Mâcon, Lyon, Paris. À Paris, pour la distribution des prix, il prononça un discours qui eut
20 les honneurs d'un tirage à part : « Monsieur le Ministre, Mesdames, Messieurs, mes chers enfants, vous ne devinerez jamais de quoi je vais vous parler aujourd'hui ! De la musique ! » Il excellait dans les vers de circonstance. Il avait coutume de dire aux réunions de famille : « Louis est le plus pieux, Auguste le plus riche ; moi je suis le plus intelligent. » Les frères riaient, les belles-sœurs pin-
25 çaient les lèvres. À Mâcon, Charles Schweitzer avait épousé Louise Guillemin, fille d'un avoué catholique. Elle détesta son voyage de noces : il l'avait enlevée avant la fin du repas et jetée dans un train. À soixante-dix ans, Louise parlait encore de la salade de poireaux qu'on leur avait servie dans un buffet de gare : « Il prenait tout le blanc et me laissait le vert. »

JEAN-PAUL SARTRE,
Les Mots, © Gallimard.

....
1. Médecin français et théologien protestant (1875-1965), prix Nobel de la paix en 1952.
2. Poète et dramaturge allemand (1494-1576).
3. Livre de lecture de textes allemands.

Q u e s t i o n s

1. Selon quelle démarche Sartre ouvre-t-il son autobiographie ?

2. Quelles remarques vous inspire la construction des phrases ? Quel rythme créent-elles ? Pourquoi ?

3. Relevez et expliquez une antithèse particulièrement saisissante.

4. Dégagez l'humour de l'auteur. Commentez à cet égard la première phrase. Quelles cibles successives le texte vise-t-il ?

Extrait 2

J'ai commencé ma vie comme je la finirai sans doute : au milieu des livres. Dans le bureau de mon grand-père, il y en avait partout ; défense était faite de les épousseter sauf une fois l'an,
5 avant la rentrée d'octobre. Je ne savais pas encore lire que, déjà, je les révérais, ces pierres levées : droites ou penchées, serrées comme des briques sur les rayons de la bibliothèque ou noblement espacées en allées de menhirs, je sentais que la
10 prospérité de notre famille en dépendait. Elles se ressemblaient toutes, je m'ébattais dans un minuscule sanctuaire, entouré de monuments trapus, antiques qui m'avaient vu naître, qui me verraient mourir et dont la permanence me garantis-
15 sait un avenir aussi calme que le passé. Je les touchais en cachette pour honorer mes mains de leur poussière mais je ne savais trop qu'en faire et j'assistais chaque jour à des cérémonies dont le sens m'échappait : mon grand-père – si maladroit,
20 d'habitude, que ma mère lui boutonnait ses gants – maniait ces objets culturels avec une dextérité d'officiant. Je l'ai vu mille fois se lever d'un air absent, faire le tour de sa table, traverser la pièce en deux enjambées, prendre un volume sans hési-
25 ter, sans se donner le temps de choisir, le feuilleter en regagnant son fauteuil, par un mouvement combiné du pouce et de l'index puis, à peine assis, l'ouvrir d'un coup sec « à la bonne page » en le faisant craquer comme un soulier. Quelquefois je
30 m'approchais pour observer ces boîtes qui se fendaient comme des huîtres et je découvrais la nudité de leurs organes intérieurs, des feuilles blêmes et moisies, légèrement boursouflées, couvertes de veinules noires, qui buvaient l'encre et
35 sentaient le champignon.

JEAN-PAUL SARTRE, *Les Mots*, © Gallimard, 1964.

CARL SPITZWEG (1808-1885), *Rat de bibliothèque*.
Schweinfurt-Sammlung Georg Schäfer.
Photo © Édimédia.

Questions

1. Quelles attitudes successives l'enfant adopte-t-il face aux livres ?
2. Quel champ lexical exprime ses sentiments à leur égard ?
3. Relevez, classez et expliquez les métaphores par lesquelles l'auteur évoque les livres.
4. Quelles phrases contiennent un humour discret ? Justifiez vos réponses.
5. Quel rapport les livres entretiennent-ils avec la mort ? Appuyez votre réponse sur des références précises au texte.

Qu'est-ce que la littérature

[1948]

1. Écrivain français contemporain.

Dans Qu'est-ce que la littérature, *Sartre présente, au lendemain de la Seconde Guerre mondiale, sa conception de l'écrivain.*

Il sait qu'il est l'homme qui nomme ce qui n'a pas encore été nommé ou ce qui n'ose dire son nom, il sait qu'il fait « surgir » le mot d'amour et le mot de haine et avec eux l'amour et la haine entre des hommes qui n'avaient pas encore décidé de leurs sentiments. Il sait que les mots, comme dit Brice-Parain[1], sont des
5 « pistolets chargés ». S'il parle, il tire. Il peut se taire, mais puisqu'il a choisi de tirer, il faut que ce soit comme un homme, en visant des cibles et non comme un enfant, au hasard, en fermant les yeux et pour le seul plaisir d'entendre les détonations. Nous tenterons plus loin de déterminer ce que peut être le but de la littérature. Mais dès à présent nous pouvons conclure que l'écrivain a choisi de
10 dévoiler le monde et singulièrement l'homme aux autres hommes pour que ceux-ci prennent en face de l'objet ainsi mis à nu leur entière responsabilité. Nul n'est censé ignorer la loi parce qu'il y a un code et que la loi est chose écrite : après cela, libre à vous de l'enfreindre, mais vous savez les risques que vous courez. Pareillement la fonction de l'écrivain est de faire en sorte que nul ne puisse igno-
15 rer le monde et que nul ne s'en puisse dire innocent. Et comme il s'est une fois engagé dans l'univers du langage il ne peut plus jamais feindre qu'il ne sache pas parler : si vous entrez dans l'univers des significations, il n'y a plus rien à faire pour en sortir ; qu'on laisse les mots s'organiser en liberté, ils feront des phrases et chaque phrase contient le langage tout entier et renvoie à tout l'univers ; le
20 silence même se définit par rapport aux mots, comme la pause, en musique, reçoit son sens des groupes de notes qui l'entourent. Ce silence est un moment du langage ; se taire ce n'est pas être muet, c'est refuser de parler, donc parler encore. Si donc un écrivain a choisi de se taire sur un aspect quelconque du monde, ou selon une locution qui dit bien ce qu'elle veut dire : de le *passer sous*
25 *silence*, on est en droit de lui poser une troisième question : pourquoi as-tu parlé de ceci plutôt que de cela et – puisque tu parles pour changer – pourquoi veux-tu changer ceci plutôt que cela ?

Tout cela n'empêche point qu'il y ait la manière d'écrire. On n'est pas écrivain pour avoir choisi de dire certaines choses mais pour avoir choisi de les dire d'une
30 certaine façon. Et le style, bien sûr, fait la valeur de la prose. Mais il doit passer inaperçu. Puisque les mots sont transparents et que le regard les traverse, il serait absurde de glisser parmi eux des vitres dépolies.

JEAN-PAUL SARTRE, *Qu'est-ce que la littérature*,
© Gallimard.

Questions

1. Dégagez la thèse générale de l'auteur.

2. Repérez les différents arguments qu'il développe en vous aidant des mots de liaison.

3. Étudiez les marques pronominales de l'énonciation. Comment participent-elles de la volonté de convaincre qui anime l'auteur ?

4. Quel est l'intérêt du dernier paragraphe ? Quelle conception de l'écriture Sartre semble-t-il refuser ? La scène 5 de *Huis clos* (page 568) illustre-t-elle parfaitement ce point de vue ?

L'EXISTENTIALISME

Un phénomène de mode

À partir de 1945, une jeunesse parisienne frustrée par la guerre se rassemble dans les caves de Saint-Germain-des-Prés pour danser, boire, revivre. De jeunes inconnus – Boris Vian, Juliette Gréco – y côtoient quelques célébrités naissantes : Simone de Beauvoir, Jean-Paul Sartre. Un ouvrage de ce dernier devient un phénomène de mode : *L'Être et le Néant,* publié en 1943, expose les thèses de la philosophie existentialiste. Par un emploi abusif, les journalistes appellent existentialiste la génération de joyeux noctambules qui perpétue, à l'échelle d'un quartier, l'esprit de la Libération. Cet usage sociologique du terme est bien éloigné de sa définition philosophique.

Une philosophie

L'existentialisme s'ancre dans la tradition germanique. Kierkegaard au XIXᵉ siècle, Heidegger au XXᵉ siècle, esquissent une philosophie du sujet et de l'existence dont Sartre s'inspire, ainsi que de la phénoménologie de Husserl, pour élaborer son propre système. Pour Sartre, « l'existence précède l'essence ». En d'autres termes, l'individu seul décide du sens ou de l'absence de sens de sa vie. Son accomplissement réside dans la somme de ses actes. Tant qu'il agit, il la modifie ; quand il meurt, il l'achève. Du fond des Enfers, les trois personnages de *Huis clos* observent avec horreur l'image désormais irrémédiable qu'ils ont laissée sur Terre. Sartre refuse toute idée de prédestination ou de rachat : l'homme est son propre directeur de conscience. Sa liberté le définit, à lui d'en savoir user. Cette morale de la responsabilité, Simone de Beauvoir l'exprime également. Elle en présente une version politique en posant, dans *Les Mandarins* (prix Goncourt 1954), le problème de l'engagement révolutionnaire. Elle s'en sert comme support d'une démarche sociologique quand elle étudie, dans *Le Deuxième Sexe* (1949), l'aliénation de la femme et légitime la lutte féministe.

Une définition de la liberté

La liberté humaine, dans la philosophie de Sartre, connaît plusieurs obstacles. L'être n'existe pas en soi, il existe toujours par rapport à autrui. Les autres détiennent un pouvoir sur lui : ils lui renvoient une image de ce qu'il est et parfois le déterminent. Le jeune héros des *Mains sales,* épris d'idéal révolutionnaire, supporte difficilement l'image de jeune bourgeois que des militants communistes plus âgés lui renvoient et qui revient à le nier. De même, la matière du monde s'impose et s'oppose à l'homme. Le héros de *La Nausée,* Antoine Roquentin, éprouve une répulsion à évoluer au milieu de choses qui lui semblent plus vivantes que lui, une racine d'arbre, une banquette, sa propre main. Cette angoisse existentielle fond sur l'homme quand il ne se décide pas à agir mais se laisse porter par le cours des choses. L'engagement selon Sartre rejoint sur ce point l'idée de révolte chère à Albert Camus. Il s'agit dans les deux cas d'œuvrer contre le néant et le sentiment d'absurdité qu'il suscite.

Le Flore, Café de Saint-Germain-des-Prés, rendu célèbre par Jean-Paul Sartre et Simone de Beauvoir qui s'y rendaient fréquemment.
Photo © Roger-Viollet.

Albert Camus
(1913-1960)

Photo © Daniel Frasnay / Rapho.

ALBERT CAMUS naît en Algérie, dans un village de l'Oranais. Son père, ouvrier viticulteur, part à la guerre en 1914 : il n'en reviendra pas. Sa mère doit vivre très modestement en faisant des ménages. « Je n'ai pas appris la liberté dans Marx, écrira Camus, [...] je l'ai apprise dans la misère. » Devenu boursier, grâce à son instituteur, il peut poursuivre des études. Cette jeunesse pauvre n'est pas dénuée de joies : Camus aime la lecture, mais aussi le football, le soleil et les bains de mer. Étudiant en philosophie, il exerce plusieurs métiers avant d'entrer dans une troupe de théâtre, puis devient journaliste en 1937. C'est alors qu'il écrit la pièce **Caligula** (1938) et la série d'essais intitulée **Noces** (1939). L'époque de la Seconde Guerre mondiale correspond pour lui à une période d'intense activité littéraire : il publie un récit, **L'Étranger** (1940), un essai, **Le Mythe de Sisyphe** (1941), deux pièces de théâtre, **Le Malentendu** et **Caligula** (1944). Engagé dans la Résistance à partir de 1943, il poursuit son activité de journaliste, clandestinement d'abord, puis au grand jour, en dirigeant le journal **Combat** jusqu'en 1947. Il fait paraître cette année-là le roman auquel il travaille depuis sept ans : **La Peste.** Suivront deux pièces, **L'État de siège** (1948), **Les Justes** (1949), et un essai, **L'Homme révolté** (1951). Il est maintenant au faîte de la célébrité ; mais des prises de position hostiles à certains aspects du communisme l'isolent progressivement des intellectuels de gauche et le séparent en particulier, en 1952, de Jean-Paul Sartre. Il continue à s'intéresser à la vie publique, ce dont témoigne la publication de nombreux articles. Il publie encore, en 1956, un court récit : **La Chute**, puis, en 1957, un recueil de nouvelles, **L'Exil et le Royaume**. Il obtient, en cette même année, le prix Nobel de littérature. Un accident de voiture met brutalement fin à sa vie, le 4 janvier 1960.

L'ŒUVRE de Camus est très diverse : à la suite de l'auteur lui-même, on a distingué deux cycles distincts dans ses premiers grands livres. Les œuvres du « cycle de l'absurde » **(l'Étranger, Le Mythe de Sisyphe, Caligula)** invitent à une prise de conscience de l'absurdité du monde et du tragique d'une condition humaine marquée par la solitude existentielle, la souffrance, l'absence de signification de la vie et de la mort. Les œuvres du « cycle de la révolte » **(La Peste, Les Justes, L'Homme révolté)** constituent comme une réaction à cette prise de conscience ; l'éthique et la conduite des héros se fondent sur une exigence de lucidité et d'authenticité ainsi que sur l'exercice de la solidarité dans l'action. C'est dans la lutte contre « l'absurde » que le héros camusien trouve grandeur et dignité.

Le récit est parfois pathétique, tout en restant sobre ; il est parfois émouvant comme lorsqu'il exprime une réelle tendresse pour les personnages ; il peut être satirique ou humoristique lorsqu'il dénonce les mensonges du langage, les conventions formelles, les institutions établies. Enfin, certains textes lyriques, qui chantent les joies sensuelles goûtées dans la nature et le soleil ou les émotions toutes simples du quotidien, viennent quelquefois éclairer cet univers tragique.

L'Étranger
[1942]

L'Étranger, dont on trouvera ci-dessous la première page, est constitué, dans une première partie, par le journal d'un jeune homme, Meursault, qui raconte le déroulement de sa vie depuis la mort de sa mère jusqu'à un crime qu'il commet presque par hasard. La seconde partie du récit, toujours écrite à la première personne, évoque son emprisonnement et son procès.

Extrait 1

Aujourd'hui, maman est morte. Ou peut-être hier, je ne sais pas. J'ai reçu un télégramme de l'asile : « Mère décédée. Enterrement demain. Sentiments distingués. » Cela ne veut rien dire. C'était peut-être hier.

L'asile de vieillards est à Marengo, à quatre-vingts kilomètres d'Alger. Je prendrai l'autobus à deux heures et j'arriverai dans l'après-midi. Ainsi, je pourrai 5 veiller et je rentrerai demain soir. J'ai demandé deux jours de congé à mon patron et il ne pouvait pas me les refuser avec une excuse pareille. Mais il n'avait pas l'air content. Je lui ai même dit : « Ce n'est pas de ma faute. » Il n'a pas répondu. J'ai pensé alors que je n'aurais pas dû lui dire cela. En somme, je n'avais pas à m'excuser. C'était plutôt à lui de me présenter ses condoléances. Mais il le 10 fera sans doute après-demain, quand il me verra en deuil. Pour le moment, c'est un peu comme si maman n'était pas morte. Après l'enterrement, au contraire, ce sera une affaire classée et tout aura revêtu une allure plus officielle.

J'ai pris l'autobus à deux heures. Il faisait très chaud. J'ai mangé au restaurant, chez Céleste, comme d'habitude. Ils avaient tous beaucoup de peine pour moi et 15 Céleste m'a dit : « On n'a qu'une mère. » Quand je suis parti, ils m'ont accompagné à la porte. J'étais un peu étourdi parce qu'il a fallu que je monte chez Emmanuel pour lui emprunter une cravate noire et un brassard. Il a perdu son oncle, il y a quelques mois.

J'ai couru pour ne pas manquer le départ. Cette hâte, cette course, c'est à 20 cause de tout cela sans doute, ajouté aux cahots, à l'odeur d'essence, à la réverbération de la route et du ciel, que je me suis assoupi. J'ai dormi pendant presque tout le trajet. Et quand je me suis réveillé, j'étais tassé contre un militaire qui m'a souri et qui m'a demandé si je venais de loin. J'ai dit « oui » pour n'avoir plus à parler.   25

L'asile est à deux kilomètres du village. J'ai fait le chemin à pied. J'ai voulu voir maman tout de suite. Mais le concierge m'a dit qu'il fallait que je rencontre le directeur. Comme il était occupé, j'ai attendu un peu. Pendant tout ce temps, le concierge a parlé et ensuite, j'ai vu le directeur : il m'a reçu dans son bureau. C'était un petit vieux, avec la Légion d'honneur. Il m'a regardé de ses yeux clairs. 30 Puis il m'a serré la main qu'il a gardée si longtemps que je ne savais trop comment la retirer.

ALBERT CAMUS, *L'Étranger*,
© Gallimard, « La Pléiade », 1962.

Questions

1. En quoi cet « incipit » peut-il surprendre à première lecture ?

2. Analysez le temps des verbes et la syntaxe du texte ; quel est l'effet produit ?

3. Quel type de données le héros consigne-t-il dans son journal ? Quel est l'effet produit ?

4. Quel est le principe d'organisation de son récit ? Commentez-le.

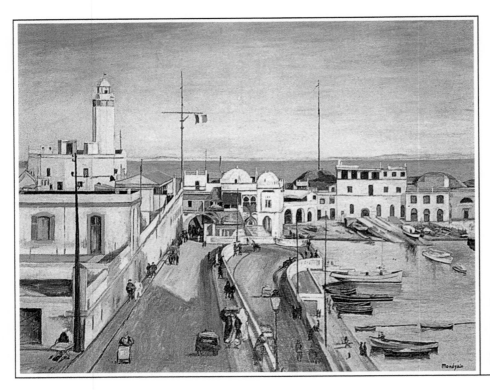

SIMON MONDZAIN,
Le Port d'Alger.
Coll. particulière.
Photo Édimédia /
Archives Loudmer.
© Adagp, Paris 1998.

Extrait 2

Ce texte appartient au récit du procès de Meursault, meurtrier d'un Arabe. Meursault
évoque ici ses impressions à la fin de la plaidoirie de son avocat.

À la fin, je me souviens seulement que, de la rue et à travers tout l'espace
des salles et des prétoires, pendant que mon avocat continuait à parler, la trompette d'un marchand de glace a résonné jusqu'à moi. J'ai été assailli des souvenirs
d'une vie qui ne m'appartenait plus, mais où j'avais trouvé les plus pauvres et les
5 plus tenaces de mes joies : des odeurs d'été, le quartier que j'aimais, un certain
ciel du soir, le rire et les robes de Marie. Tout ce que je faisais d'inutile en ce lieu
m'est alors remonté à la gorge et je n'ai eu qu'une hâte, c'est qu'on en finisse et
que je retrouve ma cellule avec le sommeil. C'est à peine si j'ai entendu mon avocat s'écrier, pour finir, que les jurés ne voudraient pas envoyer à la mort un tra-
10 vailleur honnête perdu par une minute d'égarement, et demander les circonstances atténuantes pour un crime dont je traînais déjà, comme le plus sûr de mes
châtiments, le remords éternel. La cour a suspendu l'audience et l'avocat s'est
assis d'un air épuisé. Mais ses collègues sont venus vers lui pour lui serrer la
main. J'ai entendu : « Magnifique, mon cher. » L'un d'eux m'a même pris à
15 témoin : « Hein ? » m'a-t-il dit. J'ai acquiescé, mais mon compliment n'était pas
sincère, parce que j'étais trop fatigué.

ALBERT CAMUS, *L'Étranger,* © Gallimard, « La Pléiade », 1962.

Questions

1. Relevez les éléments
de satire que comporte
cette page (objet, procé-
dés).

2. Analysez les lignes 3
à 6 : commentez le
caractère pathétique de
cette évocation.

3. Meursault, étranger à
de nombreuses situa-
tions depuis le début du
récit, l'est-il toujours
ici ? Si oui, de quelle
manière nouvelle cela
s'exprime-t-il ?

1. Orphée se plaint d'avoir perdu Eurydice qu'il tente de venir rechercher aux Enfers.

2. C'est de cette façon que sont morts, dans les chapitres qui précèdent, certains malades atteints par la peste.

La Peste
[1947]

Extrait 1

Les héros de ce roman luttent contre une épidémie de peste qui frappe Oran (Algérie) et qui se manifeste, ici, en pleine représentation d'Orphée et Eurydice.

Pendant tout le premier acte, Orphée se plaignit[1] avec facilité, quelques femmes en tuniques commentèrent avec grâce son malheur, et l'amour fut chanté en ariettes. La salle réagit avec une chaleur discrète. C'est à peine si on remarqua qu'Orphée introduisait, dans son air du deuxième acte, des tremblements qui n'y figuraient pas, et demandait avec un léger excès de pathétique, au maître des 5 Enfers, de se laisser toucher par ses pleurs. Certains gestes saccadés qui lui échappèrent apparurent aux plus avisés comme un effet de stylisation qui ajoutait encore à l'interprétation du chanteur.

Il fallut le grand duo d'Orphée et d'Eurydice au troisième acte (c'était le moment où Eurydice échappait à son amant) pour qu'une certaine surprise cou- 10 rût dans la salle. Et comme si le chanteur n'avait attendu que ce mouvement du public, ou, plus certainement encore, comme si la rumeur venue du parterre l'avait confirmé dans ce qu'il ressentait, il choisit ce moment pour avancer vers la rampe d'une façon grotesque, bras et jambes écartés dans son costume à l'antique, et pour s'écrouler[2] au milieu des bergeries du décor qui n'avaient jamais 15 cessé d'être anachroniques mais qui, aux yeux des spectateurs, le devinrent pour la première fois, et de terrible façon. Car, dans le même temps, l'orchestre se tut, les gens du parterre se levèrent et commencèrent lentement à évacuer la salle, d'abord en silence comme on sort d'une église, le service fini, ou d'une chambre mortuaire après une visite, les femmes rassemblant leurs jupes et sortant tête 20 baissée, les hommes guidant leurs compagnes par le coude et leur évitant le heurt des strapontins. Mais, peu à peu, le mouvement se précipita, le chuchotement devint exclamation et la foule afflua vers les sorties et s'y pressa, pour finir par s'y bousculer en criant. Cottard et Tarrou, qui s'étaient seulement levés, restaient seuls en face d'une des images de ce qui était leur vie d'alors : la peste sur la scène 25 sous l'aspect d'un histrion désarticulé et, dans la salle, tout un luxe devenu inutile sous la forme d'éventails oubliés et de dentelles traînant sur le rouge des fauteuils.

ALBERT CAMUS, La Peste, © Gallimard, « La Pléiade », 1962.

Questions

1. Analysez la progression dramatique de la page.

2. Pourquoi Camus a-t-il choisi de proposer à ses personnages le spectacle d'*Orphée et Eurydice* ? Vous vous renseignerez au préalable sur le mythe d'Orphée.

3. Analysez l'humour dans ce passage.

Le mythe d'Orphée et d'Eurydice

Orphée, héros de la mythologie grecque, chante si bien en s'accompagnant de la lyre que lui a donnée Apollon, qu'il « charme » les dieux, les hommes et les bêtes les plus farouches. Il représente, dans la tradition littéraire, le poète par excellence. Inconsolable après la mort de son épouse Eurydice, il descend aux Enfers, obtient des dieux le retour de sa femme chez les vivants à une condition : elle le suivra mais il ne devra pas se retourner pour la regarder. Orphée ne peut s'empêcher de vérifier qu'Eurydice la suit et celle-ci meurt une seconde fois.

Extrait 2

La peste a disparu de la ville mais, ironie du sort, elle frappe, au dernier moment,
Tarrou, l'ami du docteur Rieux, qui, comme ce dernier, a beaucoup combattu contre le
fléau. C'est la mort de Tarrou que le narrateur raconte ici.

À midi, la fièvre était à son sommet. Une sorte de toux viscérale secouait
le corps du malade qui commença seulement à cracher du sang. Les ganglions
avaient cessé d'enfler. Ils étaient toujours là, durs comme des écrous, vissés dans
le creux des articulations, et Rieux jugea impossible de les ouvrir. Dans les inter-
5 valles de la fièvre et de la toux, Tarrou de loin en loin regardait encore ses amis.
Mais, bientôt, ses yeux s'ouvrirent de moins en moins souvent, et la lumière qui
venait alors éclairer sa face dévastée se fit plus pâle à chaque fois. L'orage qui
secouait ce corps de soubresauts convulsifs l'illuminait d'éclairs de plus en plus
rares et Tarrou dérivait lentement au fond de cette tempête. Rieux n'avait plus
10 devant lui qu'un masque désormais inerte où le sourire avait disparu. Cette
forme humaine qui lui avait été si proche, percée maintenant de coups d'épieu,
brûlée par un mal surhumain, tordue par
tous les vents haineux du ciel, s'immer-
geait à ses yeux dans les eaux de la peste et
15 il ne pouvait rien contre ce naufrage. Il
devait rester sur le rivage, les mains vides
et le cœur tordu, sans armes et sans
recours, une fois de plus, contre ce
désastre. Et à la fin, ce furent bien les
20 larmes de l'impuissance qui empêchèrent
Rieux de voir Tarrou se tourner brusquement contre le mur, et expirer dans une
plainte creuse, comme si, quelque part en
lui, une corde essentielle s'était rompue.

ALBERT CAMUS, *La Peste,*
© Gallimard, « La Pléiade », 1962.

ARNOLD BOCKLIN (1827-1901), *La Peste.*
Bâle, musée des Beaux-Arts.
Photo © Édimédia / Archives AKG Berlin.

1. Relevez les éléments qui rendent réaliste la description de l'agonie.

2. Analysez les métaphores et dites en quoi le texte
prend parfois une dimension épique.

3. Analysez les ressorts du pathétique dans cette
page.

4. Quelle signification donnez-vous à la mort de Tarrou ?

L'État de siège

[1948]

L'État de siège est une pièce de théâtre mise en scène en 1948 par Jean-Louis Barrault. Camus y reprend un certain nombre de thèmes de La Peste mais il ne s'agit pas d'une adaptation de son roman. Avec cette pièce, il souhaite créer un « spectacle total », dont l'ambition est « de mêler toutes les formes d'expression dramatique, depuis le monologue lyrique jusqu'au théâtre collectif, en passant par le jeu muet, le simple dialogue, la farce et le chœur ». Il y pratique un mélange des tons : comique, ironique, grinçant ou lyrique comme dans l'extrait qui suit : nous sommes ici au début de la pièce, tout de suite après le prologue pendant lequel est apparue une comète, considérée comme un mauvais présage. Mais il n'est pas encore question du fléau au moment où l'on découvre la place du marché.

> Lumière. Animation générale. Les gestes sont plus vifs, le mouvement se précipite. Musique. Les boutiquiers tirent leurs volets, écartant les premiers plans du décor. La place du marché apparaît. Le chœur du peuple, conduit par les pêcheurs, la remplit peu à peu, exultant.

LE CHŒUR

Il ne se passe rien, il ne se passera rien. À la fraîche, à la fraîche ! Ce n'est pas une calamité, c'est l'abondance de l'été ! *(Cri d'allégresse.)* À peine si le printemps s'achève et déjà l'orange dorée de l'été lancée à toute vitesse à travers le ciel se hisse au sommet de la saison et crève au-dessus de l'Espagne dans un ruissellement de miel, pendant que tous les fruits de tous les étés du monde, raisins 5 gluants, melons couleur de beurre, figues pleines de sang, abricots en flammes, viennent dans le même moment rouler aux étals de nos marchés. *(Cri d'allégresse.)* Ô fruits ! C'est ici qu'ils achèvent dans l'osier la longue course précipitée qui les amène des campagnes où ils ont commencé à s'alourdir d'eau et de sucre au-dessus des prés bleus de chaleur et parmi le jaillissement frais de mille sources 10 ensoleillées peu à peu réunies en une seule eau de jeunesse aspirée par les racines et les troncs, conduite jusqu'au cœur des fruits où elle finit par couler lentement comme une inépuisable fontaine mielleuse qui les engraisse et les rend de plus en plus pesants.

Lourds, de plus en plus lourds ! Et si lourds qu'à la fin les fruits coulent au 15 fond de l'eau du ciel, commencent de rouler à travers l'herbe opulente, s'embarquent aux rivières, cheminent le long de toutes les routes et, des quatre coins de l'horizon, salués par les rumeurs joyeuses du peuple et les clairons de l'été *(brèves trompettes)* viennent en foule aux cités humaines, témoigner que la terre est douce et que le ciel nourricier reste fidèle au rendez-vous de l'abondance. *(Cri général 20 d'allégresse.)* Non, il ne se passe rien. Voici l'été, offrande et non calamité. Plus tard l'hiver, le pain dur est pour demain ! Aujourd'hui, dorades, sardines, langoustines, poissons, poisson frais venu des mers calmes, fromage, fromage au romarin ! Le lait des chèvres mousse comme une lessive et, sur les plateaux de marbre, la viande congestionnée sous sa couronne de papier blanc, la viande à 25 odeur de luzerne, offre en même temps le sang, la sève et le soleil à la rumination de l'homme.

ALBERT CAMUS, *L'État de siège*, © Gallimard, « La Pléiade », 1962.

1. Relevez toutes les métaphores du passage et analysez-les.

2. Étudiez les éléments du lyrisme.

3. À quelle attitude devant le monde correspondent les propos du chœur ?

L'Exil et le Royaume
[1957]

L'Exil et le Royame est un recueil de nouvelles parmi lesquelles « Jonas » constitue un récit à valeur parfois autobiographique. C'est le cas dans ce passage où l'artiste peintre, accablé par les nombreuses visites et sollicitations que lui doit sa renommée, ne peut plus guère travailler. Jonas finira par se construire une soupente pour pouvoir peindre et, lorsqu'il la quittera, on y trouvera simplement une toile blanche avec, au centre, un seul mot, difficile à lire : on ne sait s'il s'agit de « solitaire » ou de « solidaire ». Dans cet extrait, le héros commence à ne plus pouvoir concilier la réponse à toutes les sollicitations extérieures (admirateurs, disciples et amis) et l'accomplissement de son œuvre ; dilemme que Camus lui-même a connu. L'appartement de Jonas est minuscule : c'est toujours la « crise du logement » consécutive à la guerre ; et voilà qu'une foule d'« amis » et d'« admirateurs » l'envahit.

Le temps lui manquait, il ne pouvait tout accepter. Aussi, sa réputation s'en ressentit. « Il est devenu fier, disait-on, depuis qu'il a réussi. Il ne voit plus personne. » Ou bien : « Il n'aime personne, que lui. » Non, il aimait sa peinture, et Louise, ses enfants, Rateau[1], quelques-uns encore, et il avait de la sympathie pour
5 tous. Mais la vie est brève, le temps rapide, et sa propre énergie avait des limites. Il était difficile de peindre le monde et les hommes et, en même temps, de vivre avec eux. D'un autre côté, il ne pouvait se plaindre ni expliquer ses empêchements. Car on lui frappait alors sur l'épaule. « Heureux gaillard ! C'est la rançon de la gloire ! »
10 Le courrier s'accumulait donc, les disciples ne toléraient aucun relâchement, et les gens du monde maintenant affluaient que Jonas d'ailleurs estimait de s'intéresser à la peinture quand ils eussent pu, comme chacun, se passionner pour la royale famille d'Angleterre ou les relais gastronomiques. À la vérité, il s'agissait surtout de femmes du monde, mais qui avaient une grande simplicité de
15 manières. Elles n'achetaient pas elles-mêmes de toiles et amenaient seulement leurs amis chez l'artiste dans l'espoir, souvent déçu, qu'ils achèteraient à leur place. En revanche, elles aidaient Louise, particulièrement en préparant du thé pour les visiteurs. Les tasses passaient de main en main, parcouraient le couloir, de la cuisine à la grande pièce, revenaient ensuite pour atterrir dans le petit ate-
20 lier où Jonas, au milieu d'une poignée d'amis et de visiteurs qui suffisaient à remplir la chambre, continuait de peindre jusqu'au moment où il devait déposer ses pinceaux pour prendre, avec reconnaissance, la tasse qu'une fascinante personne avait spécialement remplie pour lui.
Il buvait son thé, regardait l'ébauche qu'un disciple venait de poser sur son
25 chevalet, riait avec ses amis, s'interrompait pour demander à l'un d'eux de bien vouloir poster le paquet de lettres qu'il avait écrites dans la nuit, redressait le petit deuxième tombé dans ses jambes, posait pour une photographie et puis : « Jonas, le téléphone ! » il brandissait sa tasse, fendait en s'excusant la foule qui occupait son couloir, revenait, peignait un coin de tableau, s'arrêtait pour
30 répondre à la fascinante que, certainement, il ferait son portrait et retournait au

1. Rateau est l'ami de Jonas et Louise, sa femme.

chevalet. Il travaillait, mais : « Jonas, une signature ! – Qu'est-ce- que c'est, disait-il, le facteur ? – Non, les forçats du Cachemire. – Voilà, voilà ! » Il courait alors à la porte recevoir un jeune ami des hommes et sa protestation, s'inquiétait de savoir s'il s'agissait de politique, signait après avoir reçu un complet apaisement en même temps que des remontrances sur les devoirs que lui créaient ses privi- 35 lèges d'artiste et réapparaissait pour qu'on lui présente, sans qu'il pût comprendre leur nom, un boxeur fraîchement victorieux, ou le plus grand dramaturge d'un pays étranger. Le dramaturge lui faisait face pendant cinq minutes, exprimant par des regards émus ce que son ignorance du français ne lui permettait pas de dire plus clairement, pendant que Jonas hochait la tête avec une sin- 40 cère sympathie. Heureusement, cette situation sans issue était dénouée par l'irruption du dernier prédicateur de charme qui voulait être présenté au grand peintre. Jonas, enchanté, disait qu'il l'était, tâtait le paquet de lettres dans sa poche, empoignait ses pinceaux, se préparait à reprendre un passage, mais devait d'abord remercier pour la paire de setters qu'on lui amenait à l'instant, allait les 45 garer dans la chambre conjugale, revenait pour accepter l'invitation à déjeuner de la donatrice, ressortait aux cris de Louise pour constater sans doute possible que les setters n'avaient pas été dressés à vivre en appartement, et les menait dans la salle de douches où ils hurlaient avec tant de persévérance qu'on finissait par ne plus les entendre. De loin en loin, par-dessus les têtes, Jonas apercevait le 50 regard de Louise et il lui semblait que ce regard était triste. La fin du jour arrivait enfin, des visiteurs prenaient congé, d'autres s'attardaient dans la grande pièce, et regardaient avec attendrissement Louise coucher les enfants, aidée gentiment par une élégante à chapeau qui se désolait de devoir tout à l'heure regagner son hôtel particulier où la vie, dispersée sur deux étages, était tellement moins intime 55 et chaleureuse que chez les Jonas.

ALBERT CAMUS, *L'Exil et le Royaume*, © Gallimard, « La Pléiade », 1962.

Questions

1. Analysez les structures syntaxiques des phrases. Quel est l'effet produit ?

2. Quels sont les éléments du comique dans cette page ?

3. En quoi la scène prend-elle tout à coup un caractère pathétique ?

EDVARD MUNCH (1843-1944), *Mélancolie*, 1894. Bergen, Rasmus Meyer Coll. Photo Édimédia. © Munch Museet, Munch Ellingsen Group/ ADAGP, 1998.

Marguerite Yourcenar
(1903-1987)

Photo © Boubat / Rapho.

MARGUERITE DE CRAYENCOUR, née à Bruxelles en 1903, orpheline de mère, vit une jeunesse cosmopolite auprès d'un père lettré. Adulte, elle parcourt l'Europe. En 1949, elle s'installe définitivement avec sa compagne, Grace Frick, dans l'île de Mount Desert, sur la côte Nord-Est des États-Unis. Professeur de latin-grec, celle qui par anagramme devient Marguerite Yourcenar se consacre, à partir des années 50, à son œuvre et aux voyages. Première femme élue à l'Académie française en 1980, Marguerite Yourcenar perpétue, en plein siècle de modernité littéraire, un modèle d'écrivain classique. Dans des versions souvent remaniées, elle publie des romans – **Mémoires d'Hadrien** (1951), **L'Œuvre au noir** (1968) –, des nouvelles – **Nouvelles orientales** (1938, 1963) –, des poèmes – **Feux** (1938, 1957) –, son autobiographie – **Souvenirs pieux** (1974), **Archives du Nord** (1977) –, du théâtre – **Électre ou la Chute des masques** (1954) –, des essais – **Mishima** (1980) – et des traductions. L'érudition caractérise une œuvre ouverte à l'Histoire et aux mythes. Mais derrière l'Antiquité ou la Renaissance, se profile une interrogation sur le monde contemporain ; derrière les légendes grecques ou orientales, s'esquisse une approche de quelques invariants psychiques, comme le désir, l'instinct de puissance, la pulsion de mort.

Feux
[1936]

Sappho est une poétesse antique qui vécut sur l'île de Lesbos. Marguerite Yourcenar la fait revivre sous les traits d'une trapéziste de cirque, dans l'Europe du début du XXᵉ siècle. Feux réactualise ainsi, dans des nouvelles poétiques entrecoupées d'aphorismes, quelques héros mythiques ou bibliques consumés par la passion.

Je viens de voir au fond des miroirs d'une loge une femme qui s'appelle Sappho. Elle est pâle comme la neige, la mort, ou le visage clair des lépreuses. Et comme elle se farde pour cacher cette pâleur, elle a l'air du cadavre d'une femme assassinée, avec sur ses joues un peu de son propre sang. Ses yeux caves s'enfon-
5 cent pour échapper au jour, loin de leurs paupières arides qui ne les ombragent même plus. Ses longues boucles tombent par touffes, comme les feuilles des forêts sous les précoces tempêtes ; elle s'arrache chaque jour de nouveaux cheveux blancs, et ces fils de soie blême seront bientôt assez nombreux pour tisser son linceul. Elle pleure sa jeunesse comme une femme qui l'aurait trahie, son
10 enfance comme une fillette qu'elle aurait perdue. Elle est maigre : à l'heure du bain, elle se détourne du miroir pour ne pas voir ses seins tristes. Elle erre de

ville en ville avec trois grandes malles pleines de perles fausses et de débris d'oiseaux. Elle est acrobate comme aux temps antiques elle était poétesse, parce que
la forme particulière de ses poumons l'oblige à choisir un métier qui s'exerce à
mi-ciel.

MARGUERITE YOURCENAR, *Feux*, © Gallimard.

Questions

1. Par une étude de la composition de l'extrait et de la technique descriptive, dégagez le réalisme dans le portrait de Sappho.
2. Quel champ lexical domine ? Quel effet suscite-t-il ?
3. Par une étude rhétorique, rythmique et phonique, étudiez la poésie de ce passage.
4. Comment comprenez-vous la dernière phrase de l'extrait ?

Mémoires d'Hadrien

[1951]

Marguerite Yourcenar imagine les mémoires d'Hadrien, empereur romain du IIᵉ siècle après Jésus-Christ, lettré et infatigable voyageur.

Questions

1. Quelle est la thèse soutenue par le narrateur ?
2. Déterminez les différentes parties du texte et précisez leur fonction argumentative.
3. Relevez les métaphores et les comparaisons et analysez leur rôle.
4. À quelle philosophie, très en vogue lors de la rédaction du roman, l'écrivain semble-t-il faire écho ? De quelle façon ?

Le paysage de mes jours semble se composer, comme les régions de montagne, de matériaux divers entassés pêle-mêle. J'y rencontre ma nature, déjà com-
posite, formée en parties égales d'instinct et de culture. Çà et là, affleurent les
granits de l'inévitable ; partout, les éboulements du hasard. Je m'efforce de repar-
courir ma vie pour y trouver un plan, y suivre une veine de plomb ou d'or, ou   5
l'écoulement d'une rivière souterraine, mais ce plan tout factice n'est qu'un
trompe-l'œil du souvenir. De temps en temps, dans une rencontre, un présage,
une suite définie d'événements, je crois reconnaître une fatalité, mais trop de
routes ne mènent nulle part, trop de sommes ne s'additionnent pas. Je perçois
bien dans cette diversité, dans ce désordre, la présence d'une personne, mais sa   10
forme semble presque toujours tracée par la pression des circonstances ; ses traits
se brouillent comme une image reflétée sur l'eau. Je ne suis pas de ceux qui
disent que leurs actions ne leur ressemblent pas. Il faut bien qu'elles le fassent,
puisqu'elles sont ma seule mesure, et le seul moyen de me dessiner dans la
mémoire des femmes, ou même dans la mienne propre ; puisque c'est peut-être   15
l'impossibilité de continuer à s'exprimer et à se modifier par l'action qui constitue la différence entre l'état de mort et celui de vivant. Mais il y a entre moi et
ces actes dont je suis fait un hiatus indéfinissable. Et la preuve, c'est que j'éprouve
sans cesse le besoin d'en rendre compte à moi-même. Certains travaux qui durè-
rent peu sont assurément négligeables, mais des occupations qui s'étendirent sur   20
toute la vie ne signifient pas davantage. Par exemple, il me semble à peine essentiel, au moment où j'écris ceci, d'avoir été empereur.

MARGUERITE YOURCENAR, *Mémoires d'Hadrien*, © Gallimard.

Julien Gracq
(né en 1910)

Photo © Dassouls / Sygma.

JULIEN GRACQ – pseudonyme de Louis Poirier –, né en 1910 à Saint-Florent-le-Vieil (Maine-et-Loire), normalien, agrégé d'histoire-géographie, accomplit une carrière de professeur. En 1938, **Au château d'Argol** lui vaut l'admiration et l'amitié d'André Breton, pourtant hostile au genre romanesque. À un deuxième roman, **Un beau ténébreux** (1945), succèdent un recueil de poèmes en prose, **Liberté grande** (1947), et un essai, **André Breton, quelques aspects de l'écrivain** (1948). En 1950, le pamphlet **La Littérature à l'estomac** attaque l'édition et la critique. L'année suivante, Gracq refuse le prix Goncourt, qui lui est attribué pour le roman **Le Rivage des Syrtes**. Après le récit **Un balcon en forêt** (1958), **Lettrines** (I, 1967 ; II, 1974) et **En lisant, en écrivant** (1981) réunissent des fragments d'autobiographie, de critique littéraire et de réflexion sur l'art. Gracq évoque Nantes en 1985 dans **La Forme d'une ville**, et Rome en 1988 dans **Autour des sept collines**.

Dans l'œuvre de Gracq, les paysages sont habités par des forces surnaturelles et le temps est comme suspendu. Les personnages vivent dans la disponibilité et dans l'attente d'un événement qui ne se produit pas vraiment : ils sont en quête d'eux-mêmes. Les frontières entre le rêve et la réalité, ou encore entre la poésie et la prose, s'abolissent. Gracq est un héritier du surréalisme.

Un balcon en forêt
[1958]

Durant la « drôle de guerre » (septembre 39-juin 40), l'aspirant Grange est affecté à la « maison forte » des Hautes-Falizes dans les Ardennes, où il attend l'attaque allemande. Dans ce lieu retiré, la guerre semble lointaine. Mona, une jeune femme du hameau voisin, devient sa compagne. Lors de l'offensive allemande, il est blessé et se retrouve seul. Il a en effet perdu ses trois compagnons : Hervouët et Olivon sont morts ; Gourcuff est parti. Il se réfugie dans la maison de Mona, qui, elle aussi, s'en est allée, et il s'allonge sur le lit.

La guerre glissait très loin, très insignifiante maintenant, mangée déjà par ces ombres terreuses, pesantes, qui revenaient se tapir en rond. Il regardait autour de lui, encore étourdi par le choc de sa blessure, flotter l'eau lourde de la pièce claquemurée qui dormait debout sous la lune, écrasée par le silence de la
5 campagne. « Quel déménagement ! » pensa-t-il. Il essayait de se rappeler en plissant le front ce qu'il avait guetté de sa fenêtre tout l'hiver dans le lointain de la route avec cette fièvre, cette curiosité malade. « J'avais peur et envie, se dit-il. J'attendais que quelque chose arrive. J'avais fait de la place pour quelque chose... » Il savait bien que quelque chose était arrivé, mais il lui semblait que ce
10 ne fût pas réellement : la guerre continuait à se cacher derrière ses fantômes, le monde autour de lui à s'évacuer silencieusement. Le souvenir lui revenait main-

1. Le capitaine Varin est
le supérieur hiérarchique
de Grange.

tenant des rondes de nuit dans la forêt, au bord de la frontière muette, d'où il
était tant de fois remonté vers ce lit, vers Mona. Rien n'avait pris corps. Le monde
restait évasif, gardait le toucher cotonneux, mou, des chambres d'hôtel sous la
morne lumière bleue. Allongé sur le lit, dans le noir, au creux de la maison vide, 15
il redevenait le rôdeur aveugle qu'il avait été tout l'hiver ; il continuait à glisser
sur une lisière crépusculaire, indécise, comme on marche au bord d'une plage, la
nuit. « Mais maintenant je touche le fond, se dit-il avec une espèce de sécurité. Il
n'y a rien à attendre de plus. Rien d'autre. Je suis revenu ».

    – Il ne faut pas que je fasse de la lumière, pensa-t-il. Il se mit debout, chercha 20
à tâtons la table de toilette, trouva le pot à eau posé au milieu de la cuvette, et
but longuement ; il sentait par instants glisser sur sa langue une fine et fade pel-
licule de poussière ; il songea qu'il y avait moins de huit jours qu'il avait quitté
Mona. Puis il s'allongea sur la moquette et lava sa blessure. L'eau coulait à terre
sans bruit, bue à mesure par le tapis épais. Le liquide froid le brûlait, mais, quand 25
il eut baigné la plaie, il lui sembla que la douleur était un peu calmée : il se remit
debout et but encore un peu d'eau. Une faible ombre grise semblait venir à lui
du fond de la pièce et lui faire signe ; il leva la main : l'ombre dans le miroir
répéta le geste avec une lenteur exténuée, comme si elle flottait dans des épais-
seurs d'eau ; il se pencha en avant jusqu'à coller presque le nez contre le miroir 30
– mais l'ombre restait floue, mangée de partout par le noir : la vie ne se rejoignait
pas à elle-même : il n'y avait rien, que ce tête-à-tête un peu plus proche avec une
ombre voilée qu'il ne dévisageait pas. Cependant des pensées flottaient par
moments dans sa cervelle, qui lui paraissaient soudain infiniment lointaines : il
se demanda si Gourcuff était arrivé à la Meuse. « Varin[1] avait raison, pour les tré- 35
mies », se dit-il, impartialement. Mais tout cela lui était indifférent. Il n'arrivait
rien. Il n'y avait personne. Seulement cette ombre têtue, voilée, intimidante, qui
flottait vers lui sans le rejoindre du fond de ses limbes vagues – ce silence étour-
dissant.

    Cependant une fatigue maintenant lui plombait la tête et l'engourdissait – il 40
se sentait envahi d'une somnolence lourde. Il s'allongea de nouveau de tout son
long sur la courtepointe sans se dévêtir, une jambe nue : le silence se referma
comme une eau tranquille. Il se souvint qu'il l'avait écouté parfois, allongé près
de Mona endormie : il songea encore un moment à elle ; il revoyait la route sous
la pluie où il l'avait rencontrée, où ils avaient tant ri quand elle avait dit « Je suis 45
veuve ». Mais cette pensée même ne se fixait pas : il lui semblait qu'elle remon-
tait malgré lui vers des eaux plus légères. « Plus bas – se disait-il – beaucoup plus
bas... » Il entendit le chien aboyer deux ou trois fois encore, puis le cri de la
hulotte à la lisière toute proche des taillis, puis il n'entendit plus rien : la terre
autour de lui était morte comme une plaine de neige. La vie retombait à ce 50
silence douceâtre de prairie d'asphodèles, plein du léger froissement du sang
contre l'oreille, comme au fond d'un coquillage le bruit de la mer qu'on n'atteindra jamais. Comme il se retournait pesamment, il entendit les plaques
d'identité crisser dans sa poche écrasée ; il se demanda ce qu'Olivon et Hervouët
avaient payé avec cette monnaie funèbre. « Rien, sans doute » pensa-t-il. Il resta 55
un moment encore les yeux grands ouverts dans le noir vers le plafond, tout à
fait immobile, écoutant le bourdonnement de la mouche bleue qui se cognait
lourdement aux murs et aux vitres. Puis il tira la couverture sur sa tête et s'endormit.

JULIEN GRACQ, Un balcon en forêt, © éd. José Corti.

Questions

1. Quelle est l'atmo-
sphère de la scène ?

2. Comment le person-
nage a-t-il vécu l'attente
de l'événement et l'évé-
nement lui-même ?

3. Montrez que les sensations physiques déter-
minent les sentiments du
personnage.

4. Comment se pose ici
le problème de l'iden-
tité ?

Michel Leiris
(1901-1992)

● Photo © Édimédia.

MICHEL LEIRIS naît à Paris en 1901. Membre du groupe sur-réaliste de 1924 à 1929, ethnologue au musée de l'Homme en 1933, Leiris voyage. À l'occasion de ses articles publiés dans *Les Temps modernes,* revue fondée avec Sartre et Simone de Beauvoir, il visite la Chine en 1955 et Cuba en 1967. Leiris est toutefois l'homme d'une passion, l'écriture : celle-ci fédère les multiples activités de sa vie. Du surréalisme, l'écrivain conserve la fascina-tion pour l'exploration poétique des rêves et du langage, qui per-met d'approcher l'inconscient en jouant avec la forme et le sens des mots, comme dans ***Aurora*** (1946) ou ***Langage Tangage*** (1985). Ethnologue, Leiris publie des récits – ***L'Afrique fantôme*** (1934) – et étudie les mythes collectifs et intimes. L'étude de soi, sous un angle imaginaire autant que descriptif, représente en effet sa préoccupa-tion majeure. ***L'Âge d'homme*** (1939) et ***La Règle du jeu,*** regrou-pant quatre ouvrages publiés en 1948 et 1976, constituent une autobiographie qui privilégie les fantasmes, lève les censures, traque l'identité enfouie. Leiris y adapte les méthodes de la psy-chanalyse et, dans une mise à mort spectaculaire de sa personna-lité consciente, transpose son intérêt pour la tauromachie.

L'Âge d'homme
[1939]

Dans les premières pages de L'Âge d'homme, *le début de son autobiographie, Michel Leiris entreprend un autoportrait.*

Quelques gestes m'ont été – ou me sont – familiers : me flairer le dessus de la main ; ronger mes pouces presque jusqu'au sang ; pencher la tête légère-ment de côté ; serrer les lèvres et m'amincir les narines avec un air de résolution ; me frapper brusquement le front de la paume – comme quelqu'un à qui vient une idée – et l'y maintenir appuyée quelques secondes (autrefois, dans des occa-sions analogues, je me tâtais l'occiput) ; cacher mes yeux derrière ma main quand je suis obligé de répondre oui ou non sur quelque chose qui me gêne ou de prendre une décision ; quand je suis seul me gratter la région anale ; etc. Ces gestes, je les ai un à un abandonnés, au moins pour la plupart. Peut-être aussi en ai-je seulement changé et les ai-je remplacés par de nouveaux que je n'ai pas encore repérés ! Si rompu que je sois à m'observer moi-même, si maniaque que soit mon goût pour ce genre amer de contemplation, il y a sans nul doute des choses qui m'échappent, et vraisemblablement parmi les plus apparentes, puisque la perspective est tout et qu'un tableau de moi, peint selon ma propre perspective, a de grandes chances de laisser dans l'ombre certains détails qui, pour les autres, doivent être les plus flagrants.

MICHEL LEIRIS, *L'Âge d'homme,* © Gallimard.

Q u e s t i o n s

1. Au terme de ce texte, peut-on se représenter l'auteur ? Justifiez votre réponse

2. Sur quel paradoxe l'extrait s'achève-t-il ? Quelle représentation de l'être humain Leiris propose-t-il implicite-ment ?

3. Repérez d'après ce texte les caractéristiques principales de l'écriture autobiographique.

Biffures
[1948]

Dans un autre tome de son autobiographie, Michel Leiris revient sur quelques souvenirs d'enfance, dont son apprentissage du langage adulte.

L'un de mes jouets, du fait de ma maladresse – cause initiale de la chute – se trouvait sous le coup d'avoir été cassé. L'un de mes jouets, c'est-à-dire un des éléments du monde auxquels, en ce temps-là, j'étais le plus étroitement attaché.

Rapidement je me baissai, ramassai le soldat gisant, le palpai et le regardai. Il n'était pas cassé, et vive fut ma joie. Ce que j'exprimai en m'écriant : 5 « ... Reusement ! »

Dans cette pièce mal définie – salon ou salle à manger, pièce d'apparat ou pièce commune –, dans ce lieu qui n'était alors rien autre que celui de mon amusement, quelqu'un de plus âgé – mère, sœur ou frère aîné – se trouvait avec moi. Quelqu'un de plus averti, de moins ignorant que je n'étais, et qui me fit obser- 10 ver, entendant mon exclamation, que c'est « heureusement » qu'il faut dire et non, ainsi que j'avais fait : « ... Reusement ! »

L'observation coupa court à ma joie ou plutôt – me laissant un bref instant interloqué – eut tôt fait de remplacer la joie, dont ma pensée avait été d'abord tout entière occupée, par un sentiment curieux dont c'est à peine si je parviens, 15 aujourd'hui, à percer l'étrangeté.

L'on ne dit pas « ... reusement », mais « heureusement ». Ce mot, employé par moi jusqu'alors sans nulle conscience de son sens réel, comme une interjection pure, se rattache à « heureux » et, par la vertu magique d'un pareil rappro- chement, il se trouve inséré soudain dans toute une séquence de significations 20 précises. Appréhender d'un coup dans son intégrité ce mot qu'auparavant j'avais toujours écorché prend une allure de découverte, comme le déchirement brusque d'un voile ou l'éclatement de quelque vérité. Voici que ce vague vocable – qui jusqu'à présent m'avait été tout à fait personnel et restait comme fermé – est, par un hasard, promu au rôle de chaînon de tout un cycle sémantique. Il n'est 25 plus maintenant une chose à moi : il participe de cette réalité qu'est le langage de mes frères, de ma sœur, et celui de mes parents. De chose propre à moi, il devient chose commune et ouverte. Le voilà, en un éclair, devenu chose partagée ou – si l'on veut – *socialisée*. Il n'est plus maintenant l'exclamation confuse qui s'échappe de mes lèvres – encore toute proche de mes viscères, comme le rire ou le cri – il 30 est, entre des milliers d'autres, l'un des éléments constituants du langage, de ce vaste instrument de communication dont une observation fortuite, émanée d'un enfant plus âgé ou d'une personne adulte, à propos de la salle à manger ou le tapis du salon, m'a permis d'entrevoir l'existence extérieure à moi-même et rem- plie d'étrangeté.

MICHEL LEIRIS,
La Règle du jeu, I, « Biffures »,
© Gallimard.

Questions

1. Quels éléments font de ce texte le récit d'une révélation ? Justifiez votre réponse.

2. Étudiez le rythme des phrases. Comment progresse-t-il ? Pour- quoi ?

3. Comment compre- nez-vous le mot en ita- lique ?

4. Quelles réflexions sur le langage l'écrivain propose-t-il ?

Aimé Césaire

(né en 1913)

● Photo © Bassouls / Sygma.

AIMÉ CÉSAIRE naît à la Martinique en 1913. À Paris, en 1934, il fonde la revue *L'Étudiant noir* avec Léopold Sédar Senghor, son condisciple à l'École normale supérieure. **Cahier d'un retour au pays natal**, composé en 1938-1939, ne sera publié qu'en 1947, un an après le recueil poétique **Les Armes miraculeuses**. Communiste, Césaire est élu maire de Fort-de-France en 1945, puis député de la Martinique en 1946. En 1955, son **Discours sur le colonialisme** appelle le Tiers monde à faire reconnaître sa spécificité culturelle et politique. En désaccord notamment sur la question coloniale, il quitte le Parti communiste en 1965 et fonde le Parti progressiste martiniquais. Tout en menant la lutte anticolonialiste, il construit son œuvre poétique – **Cadastre** (1961), **Moi, Laminaire** (1982) – et théâtrale : **La Tragédie du roi Christophe** (1963), **Une saison au Congo** (1965), **Une tempête** (1969).

Césaire est un militant de l'autonomie antillaise. Son parcours politique, qui est aussi une quête de l'identité, l'a conduit à définir sa « négritude » dans le cadre de la lutte des classes et du dialogue, souvent difficile, entre les cultures. Sa poésie, marquée par le surréalisme, est un combat contre la langue du colonisateur, qu'elle investit pour la transformer, la disloquer, la fissurer, avec une inventivité sans cesse renouvelée.

Cahier d'un retour au pays natal

[1947]

Extrait 1

Au début du poème, Césaire décrit l'extrême misère à laquelle la colonisation a conduit la Martinique. Alors qu'il a lui-même vécu dans un milieu cultivé et relativement aisé, il imagine la vie d'une famille misérable au cœur d'un bidonville.

Au bout du petit matin, une autre petite maison qui sent très mauvais dans une rue étroite, une maison minuscule qui abrite en ses entrailles de bois pourri des dizaines de rats et la turbulence de mes six frères et sœurs, une petite maison cruelle dont l'intransigeance affole nos fins de mois et mon père fantasque gri-
5 gnoté d'une seule misère, je n'ai jamais su laquelle, qu'une imprévisible sorcel-lerie assoupit en mélancolique tendresse ou exalte en hautes flammes de colère ; et ma mère dont les jambes pour notre faim inlassable pédalent, pédalent de jour, de nuit, je suis même réveillé la nuit par ces jambes inlassables qui pédalent la nuit et la morsure âpre dans la chair molle de la nuit d'une Singer[1] que ma
10 mère pédale, pédale pour notre faim et de jour et de nuit.

1. Marque de machine à coudre.

2. Marque de kérosène. Le kérosène est ici destiné à l'éclairage.

3. Augmentation considérable du volume d'un membre ou d'une partie du corps.

4. Un des noms vulgaires de la blatte.

Questions

1. Analysez la description de la ville et celle de la case.

2. Quel portrait le narrateur fait-il des membres de sa famille ?

3. En quoi peut-on parler ici d'*aliénation ?*

4. Étudiez la construction des phrases et caractérisez ainsi l'écriture de Césaire.

Au bout du petit matin, au-delà de mon père, de ma mère, la case gerçant d'ampoules, comme un pêcher tourmenté de la cloque, et le toit aminci, rapiécé de morceaux de bidon de pétrole, et ça fait des marais de rouillure dans la pâte grise sordide empuantie de la paille, et quand le vent siffle, ces disparates font bizarre le bruit, comme un crépitement de friture d'abord, puis comme un tison 15 que l'on plonge dans l'eau avec la fumée des brindilles qui s'envole... Et le lit de planches d'où s'est levée ma race, tout entière ma race de ce lit de planches, avec ses pattes de caisses de Kérosine², comme s'il avait l'éléphantiasis³ le lit, et sa peau de cabri, et ses feuilles de banane séchées, et ses haillons, une nostalgie de matelas le lit de ma grand-mère (au-dessus du lit, dans un pot plein d'huile un 20 lumignon dont la flamme danse comme un gros ravet⁴... sur le pot en lettres d'or : MERCI).

AIMÉ CÉSAIRE,
Cahier d'un retour au pays natal,
© éd. Présence africaine, 1983.

Extrait 2

À la fin du poème, Césaire, après avoir dénoncé la tendance des Noirs à accepter une prétendue infériorité, affirme, à travers la « négritude », une revendication d'identité et de dignité culturelles.

Et nous sommes debout maintenant, mon pays et moi, les cheveux dans le vent, ma main petite maintenant dans son poing énorme et la force n'est pas en nous, mais au-dessus de nous, dans une voix qui vrille la nuit et l'audience comme la pénétrance d'une guêpe apocalyptique. Et la voix prononce que l'Europe nous a pendant des siècles gavés de mensonges et gonflés de pestilences, 5
 car il n'est point vrai que l'œuvre de l'homme est finie
 que nous n'avons rien à faire au monde
 que nous parasitons le monde
 qu'il suffit que nous nous mettions au pas du monde
 mais l'œuvre de l'homme vient seulement de commencer   10
 et il reste à l'homme à conquérir toute interdiction immobilisée aux coins de sa ferveur
 et aucune race ne possède le monopole de la beauté, de l'intelligence, de la force
 et il est place pour tous au rendez-vous de la conquête et nous savons main- 15 tenant que le soleil tourne autour de notre terre éclairant la parcelle qu'a fixée notre volonté seule et que toute étoile chute de ciel en terre à notre commandement sans limite.

AIMÉ CÉSAIRE,
Cahier d'un retour au pays natal,
© éd. Présence africaine, 1983.

Questions

1. Montrez qu'il s'agit ici d'un discours militant.

2. En quoi s'agit-il aussi un discours poétique ?

3. Quelle place s'attribue Césaire dans le combat ?

4. Mettez en évidence le contenu antiraciste et humaniste de cet extrait. Quelle image nous est donnée ici de la « négritude » ?

Nathalie Sarraute

(1900)

Photo © Bassouls / Sygma.

NATHALIE TCHERNIAK, née en Russie dans une famille d'intellectuels juifs, arrive en France à l'âge de deux ans. Elle étudie de nombreuses disciplines avant de choisir le droit. Avocate, mariée à Raymond Sarraute, mère de trois filles, Nathalie Sarraute quitte le barreau en 1941 pour fuir les persécutions nazies. Elle élabore une œuvre d'abord méconnue – **Tropismes** (1939) –, puis saluée par les connaisseurs – **Portrait d'un inconnu** (1948) –, enfin pleinement consacrée à partir du **Planétarium** (1959). Ses pièces de théâtre, comme **Pour un oui pour un non** (1982), connaissent une audience d'estime ; ses romans, comme **Les Fruits d'or** (1963), remportent un succès mondial. Proche du Nouveau Roman, son œuvre étudie les tropismes, c'est-à-dire la partie de la vie mentale qui échappe à la conscience, au langage constitué, et conditionne nos attitudes immédiates, nos gestes élémentaires, nos intonations spontanées. Sarraute présente les mouvements subconscients qui, agissant en souterrain de l'être, déterminent aussi le rapport aux autres. Pour cela, elle déstabilise les conventions romanesques comme les personnages, l'intrigue, les descriptions. Usées et réductrices, ces conventions ne peuvent atteindre la complexité mouvante du psychisme dont l'écriture métaphorique, sensorielle et fragmentée de l'écrivain tente de saisir les infinies nuances.

Le Planétarium

[1959]

Dans Le Planétarium, *Nathalie Sarraute creuse l'écart entre conversation et parole intérieure, entre attitude sociale et réaction intime.*

« OH ! il faut qu'il vous raconte ça, c'est trop drôle... Elles sont impayables, les histoires de sa tante... La dernière vaut son poids d'or... Si, racontez-leur, c'est la meilleure, celle des poignées de porte, quand elle a fait pleurer son décorateur... Vous racontez si bien... Vous m'avez tant fait rire, l'autre jour... Si... racon-
5 tez... »

Cette façon brutale qu'elle a de vous saisir par la peau du cou et de vous jeter là, au milieu de la piste, en spectacle aux gens... Ce manque de délicatesse chez elle, cette insensibilité... Mais c'est sa faute, à lui aussi, il le sait. C'est toujours ce besoin qu'il a de se faire approuver, cajoler... Que ne leur donnerait-il pas pour
10 qu'ils s'amusent un peu, pour qu'ils soient contents, pour qu'ils lui soient reconnaissants... Ses propres père et mère, il les leur livrerait... Mais lui-même, combien de fois il s'est exhibé, s'est décrit dans des poses ridicules, dans des situations grotesques... accumulant les détails honteux pour les faire rire un peu, pour rire un peu avec eux, tout heureux de se sentir parmi eux, proche d'eux, à l'écart
15 de lui-même et tout collé à eux, adhérant à eux si étroitement, si fondu avec eux

qu'il se regardait lui-même avec leurs yeux... C'est lui, cette fois encore, qui est venu, de lui-même, offrir... il ne peut y résister... « Oh ! écoutez, il faut que je vous raconte, c'est à mourir de rire... ma tante, quel numéro, ah ! quelle famille, vous pouvez le dire... On est vraiment tous un peu cinglés... » C'est un peu tard maintenant pour se rebiffer, pour faire les dégoûtés, comme on fait son lit on se 20 couche... ils sont là tous en cercle, ils attendent, on compte sur son numéro. Il voit déjà dans leurs yeux cette petite lueur excitée, il sent qu'ils font d'à peine perceptibles mouvements en eux-mêmes pour faire place nette, pour se disposer plus confortablement.

NATHALIE SARRAUTE, Le Planétarium, © Gallimard.

Enfance
■■■■ *[1983]*

Dans Enfance, *Nathalie Sarraute fait le récit de sa petite enfance partagée entre un père et une mère séparés, entre Russie et France. Elle s'attarde ici sur la naissance d'une vocation...*

1. Personnage russe traditionnel.

Les mots de chez moi, des mots solides que je connais bien, que j'ai disposés, ici et là, parmi ces étrangers, ont un air gauche, emprunté, un peu ridicule... on dirait des gens transportés dans un pays inconnu, dans une société dont ils n'ont pas appris les usages, ils ne savent pas comment se comporter, ils ne savent plus très bien qui ils sont... 5

Et moi je suis comme eux, je me suis égarée, j'erre dans des lieux que je n'ai jamais habités... je ne connais pas du tout ce pâle jeune homme aux boucles blondes, allongé près d'une fenêtre d'où il voit les montagnes du Caucase... Il tousse et du sang apparaît sur le mouchoir qu'il porte à ses lèvres... Il ne pourra pas survivre aux premiers souffles du printemps... Je n'ai jamais été proche un 10 seul instant de cette princesse géorgienne coiffée d'une toque de velours rouge d'où flotte un long voile blanc... Elle est enlevée par un djiguite[1] sanglé dans sa tunique noire... une cartouchière bombe chaque côté de sa poitrine... je m'efforce de les rattraper quand ils s'enfuient sur un coursier... « fougueux »... je lance sur lui ce mot... un mot qui me paraît avoir un drôle d'aspect, un peu inquiétant, 15 mais tant pis... ils fuient à travers les gorges, les défilés, portés par un coursier fougueux... ils murmurent des serments d'amour... c'est cela qu'il leur faut... elle se serre contre lui... Sous son voile blanc ses cheveux noirs flottent jusqu'à sa taille de guêpe...

Je ne me sens pas très bien auprès d'eux, ils m'intimident... mais ça ne fait 20 rien, je dois les accueillir le mieux que je peux, c'est ici qu'ils doivent vivre... dans un roman... dans mon roman, j'en écris un, moi aussi, et il faut que je reste ici avec eux... avec ce jeune homme qui mourra au printemps, avec la princesse enlevée par le djiguite... et encore avec cette vieille sorcière aux mèches grises pendantes, aux doigts crochus, assise auprès du feu, qui leur prédit... et d'autres 25 encore qui se présentent...

NATHALIE SARRAUTE, Enfance, © Gallimard.

Questions

1. Quelle idée particulière chaque paragraphe développe-t-il ?

2. Étudiez le système énonciatif : personnes et temps grammaticaux. Que constatez-vous ?

3. Quelles caractéristiques présentent les personnages mentionnés par l'enfant ? D'où semblent-ils venir ? Justifiez votre réponse par des références précises.

4. Comment la narratrice adulte adopte-t-elle le regard et la conscience de l'enfant qu'elle était ? Justifiez votre réponse par l'étude des sentiments exprimés et par celle de la structure et du rythme des phrases.

Samuel Beckett

(1906-1989)

• Photo © Édimédia.

SAMUEL BECKETT, après de brillantes études, quitte son Irlande natale en 1928 pour un poste de lecteur à l'École normale supérieure. Commencent ensuite vingt années d'errance, de misère et de désarroi. Beckett émigre en Angleterre, en Allemagne, à Paris, dans le Vaucluse où il fuit la Gestapo. Ses manuscrits, écrits en français à partir de 1946, se heurtent au refus de plusieurs éditeurs. En 1948, les éditions de Minuit acceptent de les publier. Beckett acquiert alors une célébrité internationale, qu'il fuit sans pouvoir totalement lui échapper : en 1969, le prix Nobel couronne l'ensemble de son œuvre.

Trois grandes étapes déterminent cette œuvre. Beckett écrit des romans : **Murphy** (1938), **Molloy** (1951), **L'Innommable** (1953). Mais le succès vient avec des pièces de théâtre jouées un peu partout dans le monde : **En attendant Godot** (créée à Paris en 1952), **Fin de partie** (créée à Londres en 1957), **Oh ! les beaux jours** (créée à New York en 1961). Avec Eugène Ionesco et Arthur Adamov – deux autres étrangers qui choisissent le français comme langue de création –, Beckett est un des auteurs les plus prisés du Nouveau Théâtre, l'équivalent scénique du Nouveau Roman. Dans les années 70, il publie des textes brefs, indifféremment récits ou monologues comme **Le Dépeupleur** (1970).

SON ŒUVRE se caractérise toutefois par une profonde unité. Elle propose en effet une vision particulièrement tragique de l'existence. Ce parti pris s'explique par le tempérament désespéré de l'auteur, mais témoigne aussi d'un univers traumatisé par la Seconde Guerre mondiale. La découverte de l'horreur maximale, l'holocauste, exacerbe le sentiment d'absurdité auquel s'associe, depuis Pascal, la représentation philosophique de la condition humaine. Pour certains, comme Sartre ou Camus, l'absurdité appelle son dépassement : il faut redonner sens à la vie. Pour Beckett, le monde a définitivement basculé dans le non-sens. L'écrivain dynamite toutes les certitudes sur lesquelles un semblant d'existence pourrait se fonder. L'espace, le temps et l'identité, les trois repères logiques essentiels, volent en éclats. Les personnages errent dans un décor informe, comme des rescapés qui n'en finissent pas de mourir. Leur corps les trahit, se désarticule, s'enfouit. Leur langage s'éteint : les mots font défaut, la syntaxe se relâche, les phrases s'interrompent. Parfois même, l'auteur impose le silence ou efface les corps. Dans *Pas moi,* un projecteur éclaire la seule bouche du personnage, laissant le reste de la scène dans l'ombre. Ce système de représentation provoque le malaise et, paradoxalement, le rire. Beckett maîtrise en effet l'art de la farce, qui consiste à atteindre le grotesque en outrant les situations exposées.

En attendant Godot

[1952]

Extrait 1

La scène suivante ouvre En attendant Godot.

Route à la campagne, avec arbre.

Soir.

Estragon, assis sur une pierre, essaie d'enlever sa chaussure. Il s'y acharne des deux mains, en ahanant.
5 *Il s'arrête, à bout de forces, se repose en haletant, recommence. Même jeu.*

Entre Vladimir.

ESTRAGON *(renonçant à nouveau).* – Rien à faire.

VLADIMIR *(s'approchant à petits pas raides, les*
10 *jambes écartées).* – Je commence à le croire. J'ai longtemps résisté à cette pensée, en me disant, Vladimir, sois raisonnable, tu n'as pas encore tout essayé. Et je reprenais le combat. *(Il se recueille, songeant au combat. À Estragon.)* – Alors,
15 te revoilà, toi.

ESTRAGON. – Tu crois ?

VLADIMIR. – Je suis content de te revoir. Je te croyais parti pour toujours.

ESTRAGON. – Moi aussi.

20 VLADIMIR. – Que faire pour fêter cette réunion ? *(Il réfléchit.)* Lève-toi que je t'embrasse. *(Il tend la main à Estragon.)*

ESTRAGON *(avec irritation).* – Tout à l'heure, tout à l'heure.

25 *Silence.*

VLADIMIR *(froissé, froidement).* – Peut-on savoir où monsieur a passé la nuit ?

ESTRAGON. – Dans un fossé.

VLADIMIR *(épaté).* – Un fossé ! Où ça ?

30 ESTRAGON *(sans geste).* – Par là.

VLADIMIR. – Et on ne t'a pas battu ?

ESTRAGON. – Si... Pas trop.

VLADIMIR. – Toujours les mêmes ?

ESTRAGON. – Les mêmes ? Je ne sais pas.

35 *Silence.*

VLADIMIR. – Quand j'y pense... depuis le temps... je me demande... ce que tu serais devenu... sans moi... *(Avec décision.)* Tu ne serais plus qu'un petit tas d'ossements à l'heure qu'il est, pas d'er-
40 reur.

ESTRAGON *(piqué au vif).* – Et après ?

VLADIMIR *(accablé).* – C'est trop pour un seul homme. *(Un temps. Avec vivacité.)* D'un autre côté, à quoi bon se décourager à présent, voilà ce
45 que je me dis. Il fallait y penser il y a une éternité, vers 1900.

ESTRAGON. – Assez. Aide-moi à enlever cette saloperie.

VLADIMIR. – La main dans la main on se serait
50 jetés en bas de la tour Eiffel, parmi les premiers. On portait beau alors. Maintenant il est trop tard. On ne nous laisserait même pas monter. *(Estragon s'acharne sur sa chaussure.)* Qu'est-ce que tu fais ?

55 ESTRAGON. – Je me déchausse. Ça ne t'est jamais arrivé, à toi ?

VLADIMIR. – Depuis le temps que je te dis qu'il faut les enlever tous les jours. Tu ferais mieux de m'écouter.

60 ESTRAGON *(faiblement).* – Aide-moi !

VLADIMIR. – Tu as mal ?

ESTRAGON. – Mal ! Il me demande si j'ai mal !

VLADIMIR *(avec emportement).* – Il n'y a jamais que toi qui souffres ! Moi je ne compte pas. Je vou-
65 drais pourtant te voir à ma place. Tu m'en dirais des nouvelles.

ESTRAGON. – Tu as eu mal ?

VLADIMIR. – Mal ! Il me demande si j'ai eu mal !

ESTRAGON *(pointant l'index).* – Ce n'est pas une
70 raison pour ne pas te boutonner.

VLADIMIR *(se penchant).* – C'est vrai. *(Il se boutonne.)* Pas de laisser-aller dans les petites choses.

SAMUEL BECKETT, *En attendant Godot*,
I, © Éd. de Minuit.

Questions

1. En quoi cette scène est-elle déroutante ?
2. Pourquoi Beckett n'utilise-t-il pas de déterminants dans les deux premières phrases des didascalies ?
3. Dialogue ou soliloques ? Justifiez votre réponse.
4. Farce et tragédie : montrez comment la scène répond à cette double exigence.

Extrait 2

Deux autres clochards, Pozzo et Lucky, traversent la scène. Le second tient le premier en laisse.

VLADIMIR. – [...] Mais à cet endroit, en ce moment, l'humanité c'est nous, que ça nous plaise ou non. Profitons-en, avant qu'il soit trop tard. Représentons dignement pour une fois
5 l'engeance[1] où le malheur nous a fourrés. Qu'en dis-tu ? *(Estragon n'en dit rien.)* Il est vrai qu'en pesant, les bras croisés, le pour et le contre, nous faisons également honneur à notre condition. Le tigre se précipite au secours de ses congénères
10 sans la moindre réflexion. Ou bien il se sauve au plus profond des taillis. Mais la question n'est pas là. Que faisons-nous ici, voilà ce qu'il faut se demander. Nous avons la chance de le savoir. Oui, dans cette immense confusion, une seule
15 chose est claire : nous attendons que Godot vienne.
ESTRAGON. – C'est vrai.
VLADIMIR. – Ou que la nuit tombe. *(Un temps.)* Nous sommes au rendez-vous, un point c'est
20 tout. Nous ne sommes pas des saints, mais nous sommes au rendez-vous. Combien de gens peuvent en dire autant ?
ESTRAGON. – Des masses.
VLADIMIR. – Tu crois ?
25 ESTRAGON. – Je ne sais pas.
VLADIMIR. – C'est possible.
POZZO. – Au secours !

....
1. Catégorie de personnes qu'on méprise (littéraire ou ironique).

VLADIMIR. – Ce qui est certain, c'est que le temps est long, dans ces conditions, et nous pousse à le
30 meubler d'agissements qui, comment dire, qui peuvent à première vue paraître raisonnables, mais dont nous avons l'habitude. Tu me diras que c'est pour empêcher notre raison de sombrer. C'est une affaire entendue. Mais n'erre-
35 t-elle pas déjà dans la nuit permanente des grands fonds, voilà ce que je me demande parfois. Tu suis mon raisonnement ?
ESTRAGON. – Nous naissons tous fous. Quelques-uns le demeurent.

SAMUEL BECKETT, *En attendant Godot*,
II, © éd. de Minuit.

En attendant Godot, mise en scène de
J. Jouanneau au théâtre des Amandiers,
Nanterre, 1991.
• Photo © Marc Enguerand.

Questions

1. Que font les personnages selon les dires de Vladimir ?

2. Quels arguments échangent-ils ? Quelle image de l'existence et de l'humanité s'élabore ainsi ?

3. À quel philosophe Beckett fait-il écho ? Sur quel mode ?

4. Peut-on parler de comique dans cette scène ? Justifiez votre réponse.

Oh ! les beaux jours

[1963]

*Plus l'œuvre de Beckett avance, plus elle s'enfonce dans le tragique,
à l'image de Winnie, l'héroïne de* Oh ! les beaux jours.

Acte II

Scène comme au premier acte.
Willie invisible.

*Willie enterrée jusqu'au cou, sa toque sur la tête,
les yeux fermés. La tête, qu'elle ne peut plus tourner, ni
5 lever, ni baisser, reste rigoureusement immobile et de
face pendant toute la durée de l'acte. Seuls les yeux
sont mobiles. Voir indications.*

*Sac et ombrelle à la même place qu'au début du
premier acte. Revolver bien en évidence à droite de la
10 tête.*

Un temps long.

*Sonnerie perçante. Elle ouvre les yeux aussitôt. La
sonnerie s'arrête. Elle regarde devant elle. Un temps
long.*

15 WINNIE. – Salut, sainte lumière. *(Un temps. Elle
ferme les yeux. Sonnerie perçante. Elle ouvre les yeux
aussitôt. La sonnerie s'arrête. Elle regarde devant elle.
Sourire. Un temps. Fin du sourire. Un temps.)*
Quelqu'un me regarde encore. *(Un temps.)* Se
20 soucie de moi encore. *(Un temps.)* Ça que je
trouve si merveilleux. *(Un temps.)* Des yeux sur
mes yeux. *(Un temps.)* Quel est ce vers inou-
bliable ? *(Un temps. Yeux à droite.)* Willie. *(Un
temps. Plus fort.)* Willie. *(Un temps. Yeux de face.)*
25 Peut-on parler encore de temps ? *(Un temps.)*
Dire que ça fait un bout de temps, Willie, que je
ne te vois plus. *(Un temps.)* Ne t'entends plus.

(Un temps.) Peut-on ? *(Un temps.)* On le fait.
(Sourire.) Le vieux style ! *(Fin du sourire.)* Il y a si
30 peu dont on puisse parler. *(Un temps.)* On parle
de tout. *(Un temps.)* De tout ce dont on peut.
(Un temps.) Je pensais autrefois... *(un temps)*... je
dis, je pensais autrefois que j'apprendrais à parler toute seule. *(Un temps.)* Je veux dire à moi-
35 même le désert. *(Sourire.)* Mais non. *(Sourire plus
large.)* Non non. *(Fin du sourire.)* Donc tu es là.
(Un temps.) Oh tu dois être mort, oui, sans
doute, comme les autres, tu as dû mourir, ou
partir, en m'abandonnant, comme les autres, ça
40 ne fait rien, tu es là. *(Un temps. Yeux à gauche.)* Le
sac aussi est là, le même que toujours, je le vois.
(Yeux à droite. Plus fort.) Le sac est là, Willie, pas
une ride, celui que tu me donnas ce jour-là...
pour faire mon marché. *(Un temps. Yeux de face.)*
45 Ce jour-là. *(Un temps.)* Quel jour-là ? *(Un temps.)*
Je priais autrefois. *(Un temps.)* Je dis, je priais
autrefois. *(Un temps.)* Oui, j'avoue. *(Sourire.)*
Plus maintenant. *(Sourire plus large.)* Non non.
(Fin du sourire. Un temps.) Autrefois... mainte-
50 nant... comme c'est dur, pour l'esprit. *(Un
temps.)* Avoir été toujours celle que je suis – et
être si différente de celle que j'étais.

SAMUEL BECKETT, *Oh ! les beaux jours*,
II, © Éd. de Minuit.

Questions

1. Comment réagissez-vous face à ce monologue ?
2. Étudiez les didascalies. Quel est leur intérêt scénique ?
3. Hymne à la vie ou ode à la mort ? Justifiez précisément votre réponse.
4. « Salut, sainte lumière. »
   « Je veux dire à moi-même le désert. »
   « Avoir été toujours celle que je suis – et être si différente de celle que j'étais. »
   Ces trois phrases scandent la scène : expliquez-les.

Duras
Marguerite Duras
(1914-1996)

Photo © P. Habans / Sygma.

MARGUERITE DURAS, de son vrai nom Marguerite Donnadieu, naît à Gia-Dinh, près de Saïgon, en avril 1914. Elle grandit en Indochine avec ses deux frères. La mère, institutrice, est veuve. L'achat malencontreux de lotissements incultivables ruine la famille.

En 1932, la jeune fille entame à Paris des études de droit et de mathématiques.

En 1943, elle publie, sous le nom de Marguerite Duras, son premier roman et entre dans la Résistance. Après la guerre, elle se consacre à l'écriture. Romans, pièces de théâtre, films, articles de presse marquent cinquante années de création ininterrompue.

L'écrivain accède ainsi à une reconnaissance progressive que *L'Amant*, prix Goncourt 1984, transforme en succès international. Personnalité médiatique aux prises de position volontiers provocatrices, Marguerite Duras, à sa mort, est depuis longtemps une figure capitale de la littérature et, depuis peu, un écrivain populaire.

SON ŒUVRE connaît plusieurs phases d'inspiration. Le premier roman publié, *Les Impudents* (1943), se situe dans la lignée du roman psychologique, alors illustré par François Mauriac. *Un barrage contre le Pacifique* (1950), *Les Petits Chevaux de Tarquinia* (1953) et *Moderato cantabile* (1958) bouleversent les modes traditionnels de composition romanesque, participant en cela du renouvellement des formes littéraires entrepris par les écrivains du Nouveau Roman. Avec *Le Ravissement de Lol V. Stein* (1964), *Détruire, dit-elle* (1969), *La Maladie de la mort* (1982), l'écriture évolue vers une sobriété poétique qui constitue sa caractéristique la plus originale. Si les phrases sont simples, les mots en décalage et les tournures elliptiques créent une rythmique et une ligne musicales particulières qui sollicitent la sensibilité du lecteur. *L'Amant* ouvre l'ultime étape d'un parcours encore enrichi de plusieurs titres, parmi lesquels *La Douleur* (1985), *Émily L* (1987), *Écrire* (1993). L'écrivain y élabore ce qu'elle nomme « une écriture courante », à la fois usuelle et rapide, propre à transposer la fulgurance des émotions intimes.

Parallèlement à ses publications de romancière, Duras, scénariste d'Alain Resnais pour *Hiroshima mon amour* (1959), tourne plusieurs films : *India Song* (1975), *Le Camion* (1977). De même, elle écrit et met en scène plusieurs pièces : *Les Eaux et les Forêts* (1965), *Savannah Bay* (1983).

Mais on ne saurait répartir en catégories séparées une œuvre dont plusieurs réalisations portent indifféremment la mention « texte, théâtre ou film ». Une profonde continuité thématique en recouvre en effet la discontinuité des styles et des genres. Personnages, lieux et problématiques circulent, se répètent, s'agencent en réseaux d'obsessions personnelles dont chaque récit retouche la trame et diffère le sens. De cette façon, l'écrivain aborde avec singularité quelques thèmes universels, comme le cheminement du désir féminin, l'impossible jeu social ou les états seconds de l'être.

Moderato cantabile

[1958]

Une leçon de piano et un crime passionnel rythment, dans Moderato cantabile, *la rencontre entre une femme et un homme que tout sépare. La scène suivante est l'incipit du roman.*

— Veux-tu lire ce qu'il y a d'écrit au-dessus de ta partition ? demanda la dame.

— *Moderato cantabile*, dit l'enfant.

La dame ponctua cette réponse d'un coup de crayon sur le clavier. L'enfant resta immobile, la tête tournée vers sa partition. 5

— Et qu'est-ce que ça veut dire, *moderato cantabile* ?

— Je sais pas.

Une femme, assise à trois mètres de là, soupira.

— Tu es sûr de ne pas savoir ce que ça veut dire, *moderato cantabile* ? reprit la dame. 10

L'enfant ne répondit pas. La dame poussa un cri d'impuissance étouffé, tout en frappant de nouveau le clavier de son crayon. Pas un cil de l'enfant ne bougea. La dame se retourna.

— Madame Desbaresdes, quelle tête vous avez là, dit-elle.

Anne Desbaresdes soupira une nouvelle fois. 15

— À qui le dites-vous, dit-elle.

L'enfant, immobile, les yeux baissés, fut seul à se souvenir que le soir venait d'éclater. Il en frémit.

— Je te l'ai dit la dernière fois, je te l'ai dit l'avant-dernière fois, je te l'ai dit cent fois, tu es sûr de ne pas le savoir ? 20

L'enfant ne jugea pas bon de répondre. La dame reconsidéra une nouvelle fois l'objet qui était devant elle. Sa fureur augmenta.

— Ça recommence, dit tout bas Anne Desbaresdes.

— Ce qu'il y a, continua la dame, ce qu'il y a, c'est que tu ne veux pas le dire.

Anne Desbaresdes aussi reconsidéra cet enfant de ses pieds jusqu'à sa tête mais 25 d'une autre façon que la dame.

— Tu vas le dire tout de suite, hurla la dame.

L'enfant ne témoigna aucune surprise. Il ne répondit toujours pas. Alors la dame frappa une troisième fois sur le clavier, mais si fort que le crayon se cassa. Tout à côté des mains de l'enfant. Celles-ci étaient à peine écloses, rondes, laiteuses 30 encore. Fermées sur elles-mêmes, elles ne bougèrent pas.

MARGUERITE DURAS, *Moderato cantabile,* © Éd. de Minuit.

Questions

1. « Et qu'est-ce que ça veut dire, *moderato cantabile* ? » Pouvez-vous répondre ?
2. Par une étude lexicale précise, étudiez la montée progressive de la tension entre les personnages.
3. Quelle critique implicite ce texte énonce-t-il ?
4. De quels autres arts l'écriture de Marguerite Duras s'inspire-t-elle ? Justifiez votre réponse.

Le Ravissement de Lol V. Stein
[1964]

1. Caractère de ce qui est vain et inutile.

Lol, une très jeune femme, bascule dans un état voisin de la folie quand elle voit celui qu'elle aime l'abandonner en quelques minutes pour une autre. Beaucoup plus tard, elle rencontre Jacques Hold, à S. Tahla, station balnéaire imaginaire.

Elle détache ses mains du rideau, se redresse, arrive.

– Je vous ai choisi.

Elle arrive, regarde, nous ne nous sommes jamais encore approchés. Elle est blanche d'une blancheur nue. Elle embrasse ma bouche. Je ne lui donne rien. J'ai
5 eu trop peur, je ne peux pas encore. Elle trouve cette impossibilité attendue. Je suis dans la nuit de T. Beach. C'est fait. Là, on ne donne rien à Lol V. Stein. Elle prend. J'ai encore envie de fuir.

– Mais qu'est-ce que vous voulez ?

Elle ne sait pas.

10 – Je veux, dit-elle.

Elle se tait, regarde ma bouche. Et puis voici, nous avons les yeux dans les yeux. Despotique, irrésistiblement, elle veut.

– Pourquoi ?

Elle fait signe : non, dit mon nom.

15 – Jacques Hold.

Virginité de Lol prononçant ce nom ! Qui avait remarqué l'inconsistance de la croyance en cette personne ainsi nommée sinon elle, Lol V. Stein, la soi-disant Lol V. Stein ? Fulgurante trouvaille de celui que les autres ont délaissé, qu'ils n'ont pas reconnu, qui ne se voyait pas, inanité[1] partagée par tous les hommes de S. Tahla
20 aussi définissante de moi-même que le parcours de mon sang. Elle m'a cueilli, m'a pris au nid. Pour la première fois mon nom prononcé ne nomme pas.

– Lola Valérie Stein.

– Oui.

À travers la transparence de son être incendié, de sa nature détruite, elle m'ac-
25 cueille d'un sourire. Son choix est exempt de toute préférence. Je suis l'homme de S. Tahla qu'elle a décidé de suivre. Nous voici chevillés ensemble. Notre dépeuplement grandit. Nous nous répétons nos noms.

Je me rapproche de ce corps. Je veux le toucher. De mes mains d'abord et ensuite de mes lèvres.

30 Je suis devenu maladroit.

MARGUERITE DURAS, *Le Ravissement de Lol V. Stein*, © Gallimard.

Questions

1. Comment comprenez-vous le sens exact de ce texte ? Quel thème universel aborde-t-il ?
2. Par l'observation des pronoms personnels, précisez les rapports homme / femme tels que l'auteur les présente.
3. « Notre dépeuplement grandit. » Expliquez cette phrase.
4. Par des références précises aux images, au rythme des phrases et aux sonorités, étudiez les caractéristiques principales de l'écriture durassienne.

LE MONOLOGUE INTÉRIEUR

Le monologue intérieur s'affirme comme une technique d'écriture particulière, associée au développement du roman contemporain.

Son apparition

À la fin du XIXe siècle, les écrivains tentent de faire évoluer le roman, profondément marqué par le naturalisme. Ils expérimentent de nouveaux procédés, entre autres celui qui consiste à insérer dans la narration des suites de propos, idées, sensations et émotions correspondant aux réactions mentales du personnage principal. Le monologue intérieur apparaît. Dujardin, auteur de nos jours oublié, semble le pratiquer en initiateur dans *Les Lauriers sont coupés* (1887). D'emblée, le procédé enrichit les objectifs du genre romanesque, qui ne se limitent plus à la retranscription de situations extérieures ou aux commentaires, tout aussi extérieurs, de l'écrivain sur les motivations du héros. Il en présente directement la vie intérieure et identifie l'écriture aux mouvements sous-jacents qui la composent.

Son succès

Le monologue intérieur connaît surtout un plein succès à partir des années 1920. Un romancier irlandais comme James Joyce dans *Ulysse* (1922), un écrivain américain comme William Faulkner dans *Le Bruit et la Fureur* (1931), développent son usage parmi d'autres techniques visant à dynamiser la fiction, comme le non-respect de la chronologie ou le choc de différents registres de langue. De cette façon, le roman se centre sur l'approche de la subjectivité, au détriment de la réalité extérieure. Celle-ci varie selon les regards qui la perçoivent et les consciences qui se la représentent. En juxtaposant les monologues intérieurs de plusieurs personnages qui éprouvent différemment une situation commune, Faulkner morcelle la représentation du monde et montre à quel point il est pluriel et équivoque. De même, le monologue intérieur calque les états psychiques dont la psychanalyse, en définissant l'idée d'inconscient, et la philosophie, en étudiant avec Bergson les différentes strates de la mémoire, démontrent la complexité.

Ses effets

Stream of consciousness – « flux de conscience » –, le monologue se présente comme un enchaînement de pensées intérieures qui tentent de faire coïncider, sans souci de cohérence narrative, le rythme spontané de l'esprit et celui, délié, de la phrase. Le récit gagne en profondeur psychologique ou en dérive poétique ce qu'il perd en action romanesque ou en clarté logique. Exerçant une introspection sur les personnages jusque dans leurs déterminations psychiques les plus enfouies, Gide, Malraux, Mauriac ou Valéry Larbaud en font une figure obligée de tout roman.

Sa prospérité

Par la suite, sa technique à la fois se banalise et se ramifie. Nathalie Sarraute en fait le support des « sous-conversations », paroles intérieures agissant en deçà de toute conscience nette. Marguerite Duras l'utilise pour traquer, dans son surgissement premier, l'expression du désir. Chez elles comme chez Claude Simon ou François Bon, le monologue intérieur permet d'attribuer au personnage un peu plus qu'une silhouette floue, un peu moins qu'une identité fixe : une voix, dans sa singularité mouvante.

RENÉ MAGRITTE, *Le Double Secret*,
Paris, musée national d'Art moderne.
Photothèque René Magritte/Giraudon.
© ADAGP, 1998.

Butor

Michel Butor

(né en 1926)

● Photo © S. Bassouls-Sygma.

MICHEL BUTOR, après des études de philosophie, enseigne dans des universités étrangères, essentiellement à Genève, où il vit actuellement. Cet écrivain, qu'on a intégré à la mouvance du « nouveau roman », a toujours mené parallèlement une activité littéraire d'une étonnante variété, kaléidoscopique, même s'il affirme ne travailler constamment qu'à la même œuvre. Il parcourt dans ses romans l'univers géographique, comme dans **L'Emploi du temps** (1956) qui se passe en Angleterre, ou dans **La Modification** (1957) qui raconte l'évolution d'un personnage entre Paris et Rome. Plus tard, il évoque les États-Unis dans **Mobile** (1962) ou **6 810 000 Litres d'eau par seconde** (1965). Il passe d'une narration empreinte de classicisme à la description minutieuse et rêveuse des chutes du Niagara, ou au travail de réflexion sur la littérature (ce sont les cinq volumes de **Répertoire**). L'idée qui oriente ce foisonnement est celle d'une écriture en recherche permanente d'elle-même, qui part d'un objet banal et extrapole tout autour pour déterminer le sens du monde qui nous entoure, toujours en mouvement et qu'on ne peut jamais maîtriser tout à fait. Butor a beaucoup contribué à renouveler la technique littéraire de la seconde moitié du XXe siècle.

Mobile

▬▬▬▬ *[1962]*

Michel Butor parcourt un à un les cinquante États des États-Unis, dans un recueil de poèmes dédiés au peintre Jackson Pollock.

> 53 000 Norvégiens,
>   410 000 Polonais,
> les Grecs qui lisent le « National Herald »
>   les Hongrois « Amerikai Magyar Neps-
>   zava ».
>   les Italiens « Il Progresso ».
> SATURDAY EVENING POST SATURDAY EVENING POST
>
> Colombo's, steaks,
>   Quo Vadis, cuisine française,
>   East of Suez, indonésienne,
>
> White Turkey, spécialités américaines,
>   Schine's, irlandaises,
>   Grotto Azzurra, italiennes.
>
> Les avions qui vont à Munich,
>   à Lépoldville,
>   qui viennent de Beyrouth,
>   d'Athènes.

1. Noms de stations de radios.

WBNX[1], *émissions ukrainiennes,*
WEVD[1], *émissions norvégiennes,*
WFUV-FM[1], *émissions*
polonaises.

Les bateaux qui vont à Boston,
à Mobile,
qui viennent de Philadelphie,
de Providence.

Vêtements pour femmes encore moins chères, chez
Macy's, Saks, Gimbels et Ohrbach's.

L'Empire State building : les phares les plus puissants
du monde,
une cité de boutiques au rez-de-chaussée.

Cinéma Loew's Commodore,
cinéma Art,
cinéma Academy of Music.

Les métros qui viennent du fin fond du Bronx, de
Brookklyn et de Queens :
Boulevard du Nord,
Rue Nevins,
Avenue Intervalle,
46e rue,
Avenue De Kalb,
Avenue du Point-de-Vue,
Steinway,
Avenue des Myrtes,
Avenue Jackson,
36e Avenue,
(on traverse l'East River)
Broadway,
Place de Queens.

Muséum d'Histoire naturelle : splendide reproduction
en cire (grandeur nature) d'un magnolia en fleurs.

Seule ce soir, baby ?
Tu n'as pas soif ?
Horriblement soif !
Tu les connais ?
C'est ce qu'il avait dit à la télévision.
Je n'arrive plus à retrouver leurs noms.
Excellent !
Pas mal...
Bronx zoo :
vautours griffons,
vautours à barbe,
vautours de Pondichéry.

Buvez Coca-Cola !
Buvez Pepsi-Cola !
Kleenex !

MICHEL BUTOR, *Mobile*, « Bienvenue à New York », © *Gallimard.*

Questions

1. Quelle image de New York se dessine ici ?

2. Comment le poète rend-il l'exotisme de la ville ?

3. Montrez qu'il transfigure des mots destinés *a priori* à un tout autre usage que la poésie.

3. Examinez la forme du poème : comment peut-on la rapprocher de l'image de New York qui est ici présentée ?

La Modification
[1957]

Le personnage principal du roman, représentant en machines à coudre pour une firme romaine, se rend dans la capitale italienne pour y rejoindre sa maîtresse, Cécile. Mais, pendant le trajet, le projet se modifie et, à son arrivée, il renonce à ce changement de vie. Le roman est rédigé à la deuxième personne du pluriel, invitant le lecteur à une identification plus intense et à une interrogation sur le sens de ce parcours romanesque.

À l'intérieur, dans l'air épais, chaud, l'odeur hostile, tenant dans votre main, enveloppés de nylon à raies blanches et rouges, humide et frais, le blaireau, le rasoir, le savon, les lames, la bouteille d'eau de Cologne, la brosse à dents et son étui, le tube de dentifrice à demi vidé, le peigne, tout ce que vous aviez étalé

5 sur la tablette près du petit lavabo que l'on ne peut boucher et dont le robinet n'accorde l'eau que par gorgées, vous passez votre index sur votre menton presque lisse, votre cou encore râpeux, égratigné, vous regardez cette petite tache de sang qui sèche à l'extrémité de votre doigt, puis vous soulevez le couvercle de votre valise, y glissez ces affaires de toilette, en refermez les deux serrures de

10 mince cuivre jaune, vous demandant si vous allez la remonter sur le filet, si vous n'allez pas rester dans le corridor à guetter les approches de Rome ; mais non, vous avez encore presque une demi-heure, vous regardez à votre montre, vingt-cinq minutes exactement.

Aussi la rehissez-vous là-haut. Enfoncé dans la rainure où se rejoignent la ban-

15 quette et le dossier, il y a ce livre que vous aviez acheté au départ, non lu mais conservé tout au long du voyage comme une marque de vous-même, que vous aviez oublié en quittant le compartiment tout à l'heure, que vous aviez lâché en dormant et qui s'était glissé peu à peu sous votre corps.

Vous le prenez entre vos doigts, vous disant : il me faudrait écrire un livre ; ce

20 serait pour moi le moyen de combler le vide qui s'est creusé, n'ayant plus d'autre liberté, emporté dans ce train jusqu'à la gare, de toute façon lié, obligé de suivre ces rails.

Je continuerai par conséquent ce faux travail détériorant chez Scabelli à cause des enfants, à cause d'Henriette, à cause de moi, à vivre quinze place du

25 Panthéon[1] ; c'était une erreur de croire que je pourrais m'en échapper ; et surtout, les prochaines fois, je le sais, je ne pourrai pas m'empêcher de retourner voir Cécile.

D'abord, je ne lui dirai rien, je ne lui parlerai pas de ce voyage. Elle ne comprendra pas pourquoi il y aura une telle tristesse dans mes embrassements. Elle

30 sentira peu à peu, ce qu'elle avait d'ailleurs toujours senti, que notre amour n'est pas un chemin menant quelque part, mais qu'il est destiné à se perdre dans les sables de notre vieillissement à tous deux.

Passe la gare de Magliana. De l'autre côté du corridor, c'est déjà la banlieue romaine.

Michel Butor, *La Modification*,
chap. IX, © Éd. de Minuit.

1. Henriette est l'épouse du narrateur ; la famille habite 15, place du Panthéon, à Paris.

Questions

1. Déterminez les différents mouvements qui composent ce texte qui se situe vers la fin du roman, et commentez leur longueur relative ainsi que l'effet qui est ainsi produit.

2. À votre avis, quelle est la fonction de l'énumération du début du texte ?

3. Montrez quelle place, réelle et symbolique (pour le personnage, mais aussi pour l'auteur), est assignée au livre.

LE NOUVEAU ROMAN

Le « nouveau roman » caractérise une tendance de la littérature française d'après-guerre. L'expression est née sous la plume d'un journaliste désireux de désigner les recherches qui s'effectuaient dans le domaine romanesque.

■ Définition

Le terme « nouveau roman » ne désigne pas une « école » littéraire mais un type de roman illustré par des auteurs qui rejettent les modes traditionnels de l'écriture romanesque et qui, pour nombre d'entre eux, s'en expliquent dans des essais théoriques, comme *L'Ère du soupçon* de Nathalie Sarraute (1956), *Pour un nouveau roman* d'Alain Robbe-Grillet (1963), *Essais sur le roman* de Michel Butor (1964). Cette expression désigne aussi le « mouvement » auquel ces romanciers participent ainsi. Ces « nouveaux romanciers » (cités dans la légende de la photographie, ci-dessous), ont le plus souvent publié leurs œuvres aux éditions de Minuit (d'où le nom d'école de Minuit qui a parfois été donné à leur « groupe »). Ils ont fait l'objet de traductions nombreuses à l'étranger. L'un d'eux, Claude Simon, a obtenu le prix Nobel en 1985.

■ Caractéristiques

Ces romanciers, au demeurant très différents les uns des autres, ont en commun un certain nombre de refus : refus de la tradition littéraire du XIXᵉ siècle (analyse psychologique, constitution de personnages « vrais », recherche du réalisme et de l'illusion du réel), refus de la littérature engagée telle que la définissait Sartre. Ils rejettent toute tendance à humaniser les choses par le regard, mettent en œuvre une conception nouvelle du personnage, le réduisant parfois à une initiale ou à un pronom personnel, ou font éclater le récit, par exemple en bouleversant les repères temporels ou en multipliant les niveaux de narration.

Leurs œuvres, nourries des lectures de Proust, Joyce, Freud et Kafka, multiplient les expériences littéraires : Alain Robbe-Grillet, dans *La Jalousie,* stimule l'esprit du lecteur en lui laissant entendre l'existence d'un personnage qui n'apparaît jamais. Claude Simon rassemble, dans *La Route des Flandres* (1960), les souvenirs multiples et fragmentés qui remontent à plusieurs années et assaillent le narrateur en une nuit. Michel Butor explore le temps intérieur dans *La Modification,* un roman qui fit date en 1957, car, tout au long du récit, le narrateur s'adresse à quelqu'un (au personnage ? au lecteur ? au lecteur qui devient personnage ?) à la deuxième personne du pluriel ; il construit une œuvre où la fiction donne lieu à une interrogation sur l'écriture même (*L'Emploi du temps, Degrés*).

■ Carrefour des arts modernes

Ces écrivains marquent leur intérêt pour d'autres arts contemporains : Alain Robbe-Grillet entreprend un travail cinématographique ; Michel Butor collabore avec peintres et photographes ; Marguerite Duras, qui a assez vite mené son chemin à part, se rattache à ces romanciers par sa pratique du cinéma.

Une photo immortalisa le groupe de ceux qu'on appela les « nouveaux romanciers ». De gauche à droite : Alain Robbe-Grillet, Claude Simon, Claude Mauriac, Jérôme Lindon, Robert Pinget, Samuel Beckett, Nathalie Sarraute et Claude Ollier. À ces écrivains, il faut ajouter Michel Butor et Marguerite Duras.
Photo © Éditions de Minuit.

Claude Simon

(né en 1913)

Photo © F. Poincet/Sygma.

CLAUDE SIMON a intégré à plusieurs reprises, dans son œuvre romanesque, des événements biographiques : son contact avec la guerre civile espagnole, sa mobilisation en 1939, son emprisonnement, puis son évasion en 1940. Ses premiers romans, où l'intrigue reste prépondérante, annoncent déjà une écriture radicalement différente dans le traitement de l'histoire qui laisse une large place aux perceptions sensibles des personnages : il en est ainsi dans **Le Tricheur** (1945), ou **Le Sacre du printemps** (1957). Une deuxième série de romans (**L'Herbe**, 1958 ; **La Route des Flandres**, 1960) pratique une écriture qui utilise les fragments de la mémoire reconstituée, sous une forme souvent proliférante : les phrases sont exceptionnellement longues, des parenthèses s'engendrent les unes les autres. Dans **La Route des Flandres**, se confondent expérience brutale du réel (la débâcle de 1940) et imaginaire des personnages qui s'épuisent à en restituer le sens. Après une production où les recherches formalistes prennent le pas sur le récit proprement dit (**Leçon de choses**, 1975), Claude Simon revient à sa deuxième manière en publiant **Les Géorgiques** (1981) : dans ce roman, dont les épisodes sont ponctués par le cycle des saisons, dans la tradition du poète latin Virgile, plusieurs récits s'entremêlent, d'où émergent la figure d'un officier de la Révolution et celle de Reixach, son descendant, présent dans **La Route des Flandres**. L'auteur revisite le roman historique, proposant à son tour une vision de l'Histoire en forme de cycles.

Orion aveugle

[1970]

Si aucune goutte de sang n'est jamais tombée de la déchirure d'une page où est décrit le corps d'un personnage, si celle où est racontée un incendie n'a jamais brûlé personne, si le mot sang n'est pas *du* sang, si le mot feu n'est pas *le* feu, si la description est impuissante à reproduire les choses et dit toujours d'autres objets que les objets que nous percevons autour de nous, les mots possèdent par contre ce prodigieux pouvoir de rapprocher et de confronter ce qui, sans eux, resterait épars.

Parce que ce qui est souvent sans rapports immédiats dans le temps des horloges ou l'espace mesurable peut se trouver rassemblé et ordonné au sein du langage dans une étroite contiguïté. Une épingle, un cortège, une ligne d'autobus, un complot, un clown, un État, un chapitre n'ont que (c'est-à-dire ont) ceci de commun : une tête. L'un après l'autre les mots éclatent comme autant de chandelles romaines, déployent leurs gerbes dans toutes les directions. Ils sont autant de carrefours où plusieurs routes s'entrecroisent. Et si, plutôt que de vouloir contenir, domestiquer chacune de ces explosions, ou traverser rapidement ces carrefours en ayant déjà décidé du chemin à suivre, on s'arrête et on examine ce qui apparaît à leur lueur ou dans les perspectives ouvertes, des ensembles insoupçonnés de résonances et d'échos se révèlent.

CLAUDE SIMON, Préface à *Orion aveugle*, © Skira.

Questions

1. Dégagez l'idée générale du texte.

2. Dans le 2ᵉ paragraphe, repérez deux images et montrez comment elles sont exploitées par l'auteur.

La Route des Flandres

[1960]

Pendant la Seconde Guerre mondiale, le personnage de la scène qui suit a été fait prisonnier et est emmené en captivité.

Il essaya de dégager sa jambe du corps qui pesait dessus. Il ne la sentait plus que comme une chose inerte, qui n'était plus tout à fait lui, et qui pourtant s'accrochait douloureusement à l'intérieur de sa hanche comme un bec, un bec d'os. Une suite d'os s'accrochant et s'emboîtant bizarrement les uns dans les autres, une suite de vieux ustensiles grinçants et cliquetants, voilà ce qu'était un sque- 5 lette, pensa-t-il, réveillé maintenant (sans doute parce que le train était arrêté – mais depuis combien de temps ?), les entendant se bousculer et se disputer dans le coin où se trouvait la lucarne, l'étroit rectangle horizontal sur lequel leurs crânes se découpaient en ombres chinoises : des taches d'encre fluides et mouvantes se confondant et se disjoignant, et par-delà lesquelles il pouvait voir les 10 fragments du ciel nocturne et inaltérable de mai, les lointaines et inaltérables étoiles stagnant, immobiles, virginales, apparaissant et disparaissant dans les découpures qui s'ouvraient et se refermaient entre les têtes, comme une surface glacée, cristalline et inviolable sur laquelle pouvait glisser sans laisser ni trace ni souillure cette matière noirâtre, visqueuse vociférante et moite d'où émanaient 15 les voix à présent plaintives et furieuses pour de bon, c'est-à-dire se disputant maintenant pour des choses réelles, importantes, comme par exemple un peu d'air (ceux qui étaient à l'intérieur et injuriaient ceux dont les têtes obstruaient la lucarne) ou d'eau (ceux qui étaient à la lucarne et essayaient d'obtenir de la sentinelle au-dehors qu'elle aille leur remplir leurs bidons), et à la fin Georges 20 renonça à extirper, dégager ce qu'il savait être sa jambe de l'inextricable fouillis de membres qui pesaient dessus, restant là, gisant dans le noir, s'appliquant à faire pénétrer dans ses poumons l'air tellement épais et souillé qu'il semblait non pas véhiculer l'odeur, le suffocant remugle[1] des corps, mais suer et puer lui-même, et non pas transparent, impalpable, comme l'est habituellement l'air, 25 mais opaque, noir lui aussi, si bien qu'il lui semblait essayer d'aspirer quelque chose comme de l'encre et qui n'était rien d'autre que la matière même dont étaient faites aussi les taches mouvantes occupant le cadre de la lucarne et dont il lui fallait s'efforcer de s'emplir (têtes et infimes fragments de ciel) pêle-mêle dans l'espoir de profiter du même coup de l'un des minces et métalliques rayons 30 qui s'y enfonçaient comme d'étincelants, salutaires et brefs coups d'épée jaillis des étoiles, et recommencer.

CLAUDE SIMON, *La Route des Flandres*, © Éd. de Minuit.

1. Odeur de moisi.

Questions

1. Par des repérages précis, montrez que la guerre fait perdre aux êtres humains leur humanité.
2. Relevez les mentions de couleurs et commentez leur emploi par l'auteur.
3. Quelle part de rêverie le romancier fait-il intervenir dans un passage où elle paraîtrait *a priori* incongrue ? Comment expliquez-vous cela ?
4. Étudiez la construction de la phrase qui va des lignes 4 à 32 : quel intérêt présente-t-elle ?

Genet
Jean Genet
(1910-1986)

Photo © Louis Monier / Gamma.

JEAN GENET, marginal par contrainte, le demeure par choix. Sa mère l'abandonne, il ne connaît pas son père, l'Assistance publique le recueille, des paysans du Morvan l'élèvent. Envoyé en maison de correction à dix ans, évadé à vingt, il s'engage dans la Légion, déserte, se prostitue dans différents ports européens, vole. Incarcéré, il écrit d'abord des poèmes – *Le Condamné à mort* (1942), hommage en alexandrins à l'assassin guillotiné qu'il aimait –, puis des romans – *Notre-Dame-des-Fleurs* (1944), *Querelle de Brest* (1947) – et un récit autobiographique – *Journal du voleur* (1949). Gracié en 1948, Genet abandonne le roman pour le théâtre, avec *Les Bonnes* (1947) et *Le Balcon* (1956), puis délaisse le théâtre pour le silence. Il cesse quasiment d'écrire dans les années soixante, se consacrant à la lutte en faveur du Tiers monde. Dans les romans, l'écrivain s'invente une mythologie qui inverse systématiquement les codes moraux et transforme le délinquant en héros. La sacralisation du crime, la transgression des interdits, la fascination pour la mort constituent autant de valeurs noires dont l'écriture, à la fois argotique et poétique, célèbre le culte. Les pièces participent de cette cérémonie barbare : Genet y joue de l'illusion théâtrale pour accréditer la réalité de ses fantasmes.

Querelle de Brest
[1947]

Querelle, un jeune marin, débarque dans les bas-fonds du port de Brest. Pour un paquet de drogue, il assassine Vic.

L'assassin se redressa. Il était l'objet d'un monde où le danger n'existe pas – puisque l'on est objet. Bel objet immobile et sombre dans les cavités duquel, le vide étant sonore, Querelle l'entendit déferler en bruissant, s'échapper de lui, l'entourer et le protéger. Mort, peut-être, mais encore chaud. Vic n'était pas un
5 mort, mais un jeune homme que cet objet étonnant, sonore et vide, à la bouche obscure, entrouverte, aux yeux creux, sévères, aux cheveux, aux vêtements de pierre, aux genoux couverts peut-être d'une toison épaisse et bouclée comme une barbe assyrienne, que cet objet aux doigts irréels, enveloppé de brume, venait de tuer. La délicate haleine en quoi Querelle s'était réduit, restait accrochée à la
10 branche épineuse d'un acacia. Anxieuse elle attendait. L'assassin renifla deux fois très vite, comme font les boxeurs, et il fit ses lèvres remuer où doucement Querelle vint se poser, se couler dans la bouche, monter aux yeux, descendre aux doigts, emplir l'objet. Querelle tourna la tête, légèrement, sans bouger le buste. Il n'entendit rien. Il se baissa pour arracher une poignée de gazon et nettoyer son
15 couteau. Il crut fouler des fraises dans de la crème fraîche et s'y enfoncer. S'appuyant sur soi-même, il se redressa, jeta la poignée d'herbe sanglante sur le mort et, se baissant une seconde fois, pour ramasser son paquet d'opium, il reprit seul sa marche sous les arbres.

JEAN GENET, *Querelle de Brest*, © Gallimard.

Questions

1. Étudiez avec précision le sens des deux premières phrases. Quel terme se répète ? Pourquoi ?

2. Quel phénomène fantastique cette scène relate-t-elle ?

3. Quelle contradiction majeure ce texte entretient-il ?

4. Par une étude des images, de certaines tournures et du rythme des phrases, étudiez la poésie de l'écriture.

Les Bonnes
━━━━━━━━━ *[1947]*

Deux bonnes jouent à la maîtresse et à la bonne. Toute simulation disparaît quand se met en scène la haine pour Madame.

*L*e jeu de travestissement se passe pendant les absences de Madame. Les deux bonnes utilisent ses bijoux et ses robes.

Cette étrange mise en scène permet, en particulier, d'exorciser la honte de leur condition sociale.

Claire s'assied à la coiffeuse. Elle respire les fleurs, caresse les objets de toilette, brosse 5
ses cheveux, arrange son visage. – Préparez ma robe. Vite le temps presse. Vous n'êtes pas là ? *(Elle se retourne.)* Claire ! Claire !

Entre Solange.

SOLANGE. – Que Madame m'excuse, je préparais le tilleul *(Elle prononce tillol.)* de
Madame.   10

CLAIRE. – Disposez mes toilettes. La robe blanche pailletée. L'éventail, les éme-
raudes.

SOLANGE. – Tous les bijoux de Madame ?

CLAIRE. – Sortez-les. Je veux choisir. *(Avec beaucoup d'hypocrisie.)* Et naturellement
les souliers vernis. Ceux que vous convoitez depuis des années.   15

Solange prend dans l'armoire quelques écrins qu'elle ouvre et dispose sur le lit.

Pour votre noce sans doute. Avouez qu'il vous a séduite ! Que vous êtes grosse !
Avouez-le !

Solange s'accroupit sur le tapis et, crachant dessus, cire des escarpins vernis.

Je vous ai dit, Claire, d'éviter les crachats. Qu'ils dorment en vous, ma fille, qu'ils 20
y croupissent. Ah ! ah ! vous êtes hideuse, ma belle. Penchez-vous davantage et
vous regardez dans mes souliers. *(Elle tend son pied que Solange examine.)* Pensez-
vous qu'il me soit agréable de me savoir le pied enveloppé par les voiles de votre
salive ? Par la brume de vos marécages ?

SOLANGE, *à genoux très humble.* – Je désire que Madame soit belle.   25

CLAIRE, *elle s'arrange dans la glace.* – Vous me détestez, n'est-ce pas ? Vous m'écra-
sez sous vos prévenances, sous votre humilité, sous les glaïeuls et le réséda. *(Elle
se lève et d'un ton plus bas.)* On s'encombre inutilement. Il y a trop de fleurs. C'est
mortel. *(Elle se mire encore.)* Je serai belle. Plus que vous ne le serez jamais. Car ce
n'est pas avec ce corps et cette face que vous séduirez Mario. Ce jeune laitier ridi- 30
cule vous méprise, et s'il vous a fait un gosse...

SOLANGE. – Oh ! mais, jamais je n'ai...

CLAIRE. – Taisez-vous, idiote ! Ma robe !

SOLANGE, *elle cherche dans l'armoire, écartant quelques robes.* – La robe rouge.
Madame mettra la robe rouge.   35

CLAIRE. – J'ai dit la blanche, à paillettes.

SOLANGE, *dure.* – Madame portera ce soir la robe de velours écarlate.

JEAN GENET, *Les Bonnes,*
© éd. de L'Arbalète.

Questions

1. Quelle situation type de la comédie classique Genet renouvelle-t-il ? Où se situe son originalité ?

2. Sur quels éléments de la représentation portent les didascalies ? L'auteur s'y montre-t-il directif ?

3. Par des références précises, analysez les différents degrés de cruauté qui se succèdent.

4. Quels indices laissent présager un dénouement tragique ?

Eugène Ionesco
(1912-1994)

Photo © Gérard Schachmes / Sygma.

EUGÈNE IONESCO, né en 1912 en Roumanie, arrive en France dès 1913, retourne en Roumanie de 1927 à 1938, puis revient définitivement dans son pays d'adoption. Ses premières pièces sont brèves, situées dans un cadre restreint, avec des personnages qui ressemblent à des marionnettes : ce sont **La Cantatrice chauve** (1950) et **La Leçon** (1951). La durée de la représentation s'allonge, le décor a une fonction plus importante et les personnages prennent plus d'épaisseur psychologique dans **Les Chaises** (1952), **Victimes du devoir** (1953) et **Amédée ou Comment s'en débarrasser** (1953). Enfin, avec **Tueur sans gages** (1957), **Rhinocéros** (1959) et **Le Roi se meurt** (1962), le héros Bérenger apparaît et les pièces acquièrent une dimension plus personnelle et plus philosophique. Parallèlement, Ionesco publie des recueils d'articles théoriques : **Notes et Contre-Notes** (1962), **Journal en miettes** (1967). Son œuvre, d'abord boudée par le public, connaît un immense succès depuis la fin des années 50. Il meurt à Paris en 1994.

Marqué par l'histoire de la Roumanie, Ionesco est l'ennemi de tous les totalitarismes et prétend se situer hors des idéologies. Son théâtre de l'absurde est fondé sur ce refus de l'engagement. En fait, tout est vide de sens et la communication courante, encombrée de clichés et de lieux communs, se parodie elle-même. Mêlant comédie, tragédie, drame et farce, cette œuvre témoigne d'une aspiration à donner au langage une innocence nouvelle qui permettrait aux êtres d'échapper à leur solitude et, peut-être, de dépasser leur condition tragique.

La Leçon
[1951]

La Leçon est un « drame comique ». Une jeune élève de dix-huit ans se présente chez un professeur dont l'âge se situe entre cinquante et soixante ans. Elle veut préparer un « doctorat total ». Le cours commence par de l'arithmétique et se poursuit avec de la philologie. Troublé par la jeunesse de son élève, le professeur, d'abord timide et compassé, devient progressivement tyrannique et agressif. Il finira par la tuer. La pièce est circulaire, en ce sens qu'au dénouement le spectateur est ramené à la situation de départ. La bonne s'écrie en effet : « C'est la quarantième fois aujourd'hui ! », et une nouvelle élève se présente chez le professeur.

LE PROFESSEUR. – Puis-je donc vous demander de vous asseoir... là... Voulez-vous me permettre, Mademoiselle, si vous n'y voyez pas d'inconvénients, de m'asseoir en face de vous ?

L'ÉLÈVE. – Certainement, Monsieur. Je vous en prie.

LE PROFESSEUR. – Merci bien, Mademoiselle. *(Ils s'assoient l'un en face de l'autre,* 5
à table, de profil à la salle.) Voilà. Vous avez vos livres, vos cahiers ?

L'ÉLÈVE, *sortant des cahiers et des livres de sa serviette.* – Oui, Monsieur. Bien sûr,
j'ai là tout ce qu'il faut.

LE PROFESSEUR. – Parfait, Mademoiselle. C'est parfait. Alors, si cela ne vous
ennuie pas... pouvons-nous commencer ?   10

L'ÉLÈVE. – Mais oui, Monsieur, je suis à votre disposition, Monsieur.

LE PROFESSEUR. – À ma disposition ?... *(Lueur dans les yeux vite éteinte, un geste,*
qu'il réprime.) Oh, Mademoiselle, c'est moi qui suis à votre disposition. Je ne suis
que votre serviteur.

L'ÉLÈVE. – Oh, Monsieur...   15

LE PROFESSEUR. – Si vous voulez bien... alors... nous... nous... je... je commen-
cerai par faire un examen sommaire de vos connaissances passées et présentes,
afin de pouvoir en dégager la voie future... Bon. Où en est votre perception de la
pluralité ?

L'ÉLÈVE. – Elle est assez vague... confuse.   20

LE PROFESSEUR. – Bon. Nous allons voir ça.

Il se frotte les mains. La Bonne entre, ce qui a l'air d'irriter le Professeur ; elle se dirige
vers le buffet, y cherche quelque chose, s'attarde.

LE PROFESSEUR. – Voyons, Mademoiselle, voulez-vous que nous fassions un
peu d'arithmétique, si vous voulez bien...   25

L'ÉLÈVE. – Mais oui, Monsieur. Certainement, je ne demande que ça.

LE PROFESSEUR. – C'est une science assez nouvelle, une science moderne ; à
proprement parler, c'est plutôt une méthode qu'une science... C'est aussi une
thérapeutique. *(À la Bonne.)* Marie, est-ce que vous avez fini ?

LA BONNE. – Oui, Monsieur, j'ai trouvé l'assiette. Je m'en vais...   30

LE PROFESSEUR. – Dépêchez-vous. Allez à votre cuisine, s'il vous plaît.

LA BONNE. – Oui, Monsieur. J'y vais.

Fausse sortie de la Bonne.

LA BONNE. – Excusez-moi, Monsieur, faites attention, je vous recommande le
calme.   35

LE PROFESSEUR. – Vous êtes ridicule, Marie, voyons. Ne vous inquiétez pas.

LA BONNE. – On dit toujours ça.

LE PROFESSEUR. – Je n'admets pas vos insinuations. Je sais parfaitement comment me conduire. Je suis assez vieux pour cela.

LA BONNE. – Justement, Monsieur. Vous feriez mieux de ne pas commencer 40
par l'arithmétique avec Mademoiselle. L'arithmétique ça fatigue, ça énerve.

LE PROFESSEUR. – Plus à mon âge. Et puis de quoi vous mêlez-vous ? C'est mon
affaire. Et je la connais. Votre place n'est pas ici.

LA BONNE. – C'est bien, Monsieur. Vous ne direz pas que je ne vous ai pas
averti.   45

LE PROFESSEUR. – Marie, je n'ai que faire de vos conseils.

LA BONNE. – C'est comme Monsieur veut.

Elle sort.

EUGÈNE IONESCO, *La Leçon,*
© Gallimard.

1. Montrez l'importance de la mise en scène. À quel type de comique a-t-on affaire ?

2. Quelles pulsions se manifestent dans le discours et les gestes du professeur ?

3. Quelle fonction ont les interventions de la bonne dans la progression de la séquence et de la pièce ?

4. Pourquoi Ionesco s'attaque-t-il ici à la relation pédagogique ?

Roland Barthes
(1915-1980)

• Photo © Psenny-Gamma.

ROLAND BARTHES, né à Cherbourg en 1915, grandit à Bayonne. Chercheur au C.N.R.S., critique littéraire, il écrit une œuvre exclusivement composée d'essais, parmi lesquels *Le Degré zéro de l'écriture* (1953) et *Mythologies* (1957). Au regard du sociologue se mêle l'esprit du moraliste, lecteur de La Bruyère. Influencé par le structuralisme, Barthes radicalise son activité théorique : *Sur Racine* (1963) et *Système de la mode* (1967) en font le chef de file de la nouvelle critique et lui valent une chaire au Collège de France (1978). Délaissant alors les contraintes de la théorie, il pratique l'essai comme support d'une méditation tantôt jubilatoire tantôt mélancolique sur la lecture, le sentiment amoureux, la photographie et quelques sujets qui lui permettent, en décalé, de parler de lui. *Fragments d'un discours amoureux* (1977) ou *La Chambre claire* (1980) répondent à cette ultime exigence.

Fragments d'un discours amoureux
[1977]

Cet ouvrage recense, par ordre alphabétique, les différentes situations types de la relation amoureuse et leurs modes de représentation, narratifs ou littéraires.

CORPS. Toute pensée, tout émoi, tout intérêt suscités dans le sujet amoureux par le corps aimé.

1. Son corps était divisé : d'un côté, son corps propre – sa peau, ses yeux – tendre, chaleureux, et, de l'autre, sa voix, brève, retenue, sujette à des accès d'éloi-
5 gnement, sa voix, qui ne donnait pas ce que son corps donnait. Ou encore : d'un côté, son corps moelleux, tiède, mou juste assez, pelucheux, jouant de la gaucherie, et, de l'autre, sa voix – la voix, toujours la voix –, sonore, bien formée, mondaine, etc.

2. Parfois une idée me prend : je me mets à scruter longuement le corps aimé
10 (tel le narrateur devant le sommeil d'Albertine[1]). *Scruter* veut dire *fouiller* : je   PROUST
fouille le corps de l'autre, comme si je voulais voir ce qu'il y a dedans, comme si la cause mécanique de mon désir était dans le corps adverse (je suis semblable à ces gosses qui démontent un réveil pour savoir ce qu'est le temps). Cette opération se conduit d'une façon froide et étonnée ; je suis calme, attentif, comme si
15 j'étais devant un insecte étrange, dont brusquement je n'ai *plus peur*. Certaines

1. Albertine, jeune fille aimée par le narrateur dans *À la recherche du temps perdu*, de Marcel Proust.
2. Néologisme : ici, transformer en fétiche, c'est-à-dire en objet de vénération, la personne aimée.

parties du corps sont particulièrement propres à cette *observation* : les cils, les ongles, la naissance des cheveux, les objets très partiels. Il est évident que je suis alors en train de fétichiser[2] un mort. La preuve en est que, si le corps que je scrute sort de son inertie, s'il se met à *faire quelque chose*, mon désir change ; si, par exemple, je vois l'autre *penser*, mon désir cesse d'être pervers, il redevient imagi- *20* naire, je retourne à une Image, à un Tout : de nouveau, j'aime.

ROLAND BARTHES, Fragments d'un discours amoureux, © Le Seuil.

Questions

1. Quelle est l'idée principale de ce texte ?
2. Quelles particularités typographiques présente-t-il ? Pourquoi ?
3. Quelle contradiction l'auteur repère-t-il dans le corps de l'autre ?
4. Quelle définition propose-t-il de l'amour ?

Leçon
 [1978]

Roland Barthes prononce ce discours le 7 janvier 1977, date de sa leçon inaugurale au Collège de France.

Si donc je veux vivre, je dois oublier que mon corps est historique, je dois me jeter dans l'illusion que je suis contemporain des jeunes corps présents, et non de mon propre corps, passé. Bref, périodiquement, je dois renaître, me faire plus jeune que je ne suis. À cinquante et un ans, Michelet commençait sa *vita nuova* : nouvelle œuvre, nouvel amour. Plus âgé que lui (on comprend que ce *5* parallèle est d'affection), j'entre moi aussi dans une *vita nuova*, marquée aujourd'hui par ce lieu nouveau, cette hospitalité nouvelle. J'entreprends donc de me laisser porter par la force de toute vie vivante : l'oubli. Il est un âge où l'on enseigne ce que l'on sait ; mais il en vient ensuite un autre où l'on enseigne ce que l'on ne sait pas : cela s'appelle *chercher*. Vient peut-être maintenant l'âge *10* d'une autre expérience : celle de *désapprendre*, de laisser travailler le remaniement imprévisible que l'oubli impose à la sédimentation des savoirs, des cultures, des croyances que l'on a traversés. Cette expérience a, je crois, un nom illustre et démodé, que j'oserai prendre ici sans complexe, au carrefour même de son éty-mologie : *Sapientia* : nul pouvoir, un peu de savoir, un peu de sagesse, et le plus *15* de saveur possible.

ROLAND BARTHES, Leçon, © Le Seuil.

Questions

1. Cherchez dans un dictionnaire latin l'étymologie et le sens du mot « *sapientia* ». Comment Barthes en use-t-il ?
2. Qu'est-ce qu'oublier selon l'écrivain ? Qu'en pensez-vous ?
3. En quoi est-on face à un texte de moraliste ?

Yves Bonnefoy

(né en 1923)

Photo © Carlos Freire. Rapho.

YVES BONNEFOY naît en 1923 à Tours. Son enfance se déroule dans sa ville natale et dans la petite localité de Toirac, dans le Lot. Venu à Paris à l'âge de vingt et un ans, il fréquente les milieux surréalistes dont il se détourne rapidement. En 1953, son premier recueil, ***Du mouvement et de l'immobilité de Douve***, lui assure la notoriété. Il devient, au début des années 60, l'ami de Jouve et de Jaccottet. À partir de 1968, il enseigne dans les Universités françaises et étrangères ; entre 1981 et 1993, il est professeur au Collège de France. Son œuvre comprend des recueils poétiques (***Hier régnant désert***, 1958 ; ***Pierre écrite***, 1965 ; ***Dans le leurre du seuil***, 1975 ; ***Rue Traversière***, 1977 ; ***Ce qui fut sans lumière***, 1987 ; ***Début et Fin de la neige***, 1991 ; ***La Vie errante***, 1993) et des études et essais sur l'art (***L'Improbable***, 1959 ; ***Rimbaud***, 1961 ; ***La Vérité de parole***, 1988).

Selon Bonnefoy, l'abstraction métaphysique et scientifique, ainsi que le rêve et l'imagination ont éloigné l'homme de la réalité sensible et l'ont égaré dans le non-Être. La parole poétique doit lui permettre d'accéder au « vrai lieu », c'est-à-dire d'être présent au monde et à lui-même.

Du mouvement et de l'immobilité de Douve

[1953]

Douve est à la fois un lieu et une femme en continuelle métamorphose à qui le poète s'adresse comme à une figure de la mort et de l'éternité. Elle représente surtout, telle une nouvelle Eurydice, la poésie.

Vrai Corps

Close la bouche et lavé le visage,
Purifié le corps, enseveli
Ce destin éclairant dans la terre du verbe,
Et le mariage le plus bas s'est accompli.

5 Tue cette voix qui criait à ma face
Que nous étions hagards et séparés,
Murés ces yeux : et je tiens Douve morte
Dans l'âpreté de soi avec moi refermée.

Et si grand soit le froid qui monte de ton être,
10 Si brûlant soit le gel de notre intimité,
Douve, je parle en toi ; et je t'enserre
Dans l'acte de connaître et de nommer.

YVES BONNEFOY, *Du mouvement et de l'immobilité de Douve*,
© Mercure de France, 1978.

Questions

1. Montrez que le poème progresse de la séparation à l'union, de la dualité à l'unité.

2. Analysez le jeu du silence et de la parole, en vous appuyant sur l'étude de la métrique et de la prosodie.

3. En quoi peut-on dire que Douve est à la fois un paysage, une femme et la poésie ?

4. Quelle conception de la poésie et du poète s'exprime dans le poème ?

Hier régnant désert
[1958]

Yves Bonnefoy s'écarta des surréalistes qui lui semblaient, par la promotion excessive du rêve, se détourner de la beauté du monde.

Le Bel Été

Le feu hantait nos jours et les accomplissait,
Son fer blessait le temps à chaque aube plus grise,
Le vent heurtait la mort sur le toit de nos chambres,
Le froid ne cessait pas d'environner nos cœurs.

5   Ce fut un bel été, fade, brisant et sombre,
Tu aimas la douceur de la pluie en été
Et tu aimas la mort qui dominait l'été
Du pavillon tremblant de ses ailes de cendre.

Cette année-là, tu vins à presque distinguer
10 Un signe toujours noir devant tes yeux porté
Par les pierres, les vents, les eaux et les feuillages.

Ainsi le soc déjà mordait la terre meuble
Et ton orgueil aima cette lumière neuve,
L'ivresse d'avoir peur sur la terre d'été.

YVES BONNEFOY, *Hier régnant désert*,
© Mercure de France, 1978.

La Vie errante
[1993]

Le monde est là. L'homme y est un errant. Grâce à la parole poétique, il doit aller à sa rencontre.

L'Horloge

Du doigt il essayait de détacher du cadran les deux aiguilles, mais elles étaient rouillées, elles faisaient corps maintenant avec la plaque de tôle – ou plutôt, non, elles y avaient été peintes, sur une saillie légère qui en suggérait le relief : l'horloge n'était qu'une image, ce midi dix était l'intemporel de l'image, non le vestige d'une durée révolue.

Et d'ailleurs, alentour dans le jardin, les fruits mûrissaient bien hors du temps, le grillon avait bien lui aussi sa façon d'effacer toute idée, toute mémoire du temps de par son crissement qui pourtant s'arrêtait parfois, puis recommençait. Hésitations qui, aux premiers jours, suscitaient certes en nous de brusques sursauts d'espérance.

YVES BONNEFOY, *La Vie errante*, © Mercure de France.

Philippe Jaccottet
(né en 1925)

● Photo © Louis Manier / Gamma.

PHILIPPE JACCOTTET, né à Moudon (Suisse), en 1925, fait des études de lettres à Lausanne. En 1946, il s'installe à Paris où il travaille dans l'édition. En 1953, après son mariage avec le peintre Anne-Marie Haesler, il s'établit à Grignan, dans la Drôme. Il publie des recueils poétiques (*L'Effraie et autres poésies*, 1954 ; *L'Ignorant*, 1958 ; *Airs*, 1967 ; *À la lumière d'hiver*, 1977 ; *Leçons*, 1977 ; *Pensées sous les nuages*, 1983) ainsi que de nombreuses études critiques réunies en volumes (*L'Entretien des Muses*, 1968 ; *Une transaction secrète*, 1987 ; *Écrits pour papier journal*, 1994). Il a traduit notamment des poèmes de Hölderlin et de Rilke, l'*Odyssée* d'Homère et *Le Banquet* de Platon.

L'humilité et la simplicité caractérisent la parole, et aussi les silences, de Jaccottet. Attentif au monde sensible, il y inscrit une réflexion qui, dans un retour incessant à la question de la mort, hésite entre l'angoisse et la sérénité.

L'Ignorant
[1958]

L'angoisse, que Jaccottet tente inlassablement d'exorciser ou d'apprivoiser, est ce qui permet de saisir la beauté du monde et de la vie.

Que la fin nous illumine

Sombre ennemi qui nous combats et nous resserres,
laisse-moi, dans le peu de jours que je détiens,
vouer ma faiblesse et ma force à la lumière :
et que je sois changé en éclair à la fin.

5 Moins il y a d'avidité et de faconde
en nos propos, mieux on les néglige pour voir
jusque dans leur hésitation briller le monde
entre le matin ivre et la légèreté du soir.

Moins nos larmes apparaîtront brouillant nos yeux
10 et nos personnes par la crainte garrottées,
plus les regards iront s'éclaircissant et mieux
les égarés verront les portes enterrées.

L'effacement soit ma façon de resplendir,
la pauvreté surcharge de fruits notre table,
15 la mort, prochaine ou vague selon son désir,
soit l'aliment de la lumière inépuisable.

PHILIPPE JACCOTTET, *L'Ignorant*, © Gallimard.

Leçons

[1977]

Il existe deux versions de Leçons. *Ce poème appartient à la première.*
« L'innommable » : la mort et la douleur sont en deçà ou au-delà du langage, et
pourtant c'est toujours là que revient la poésie.

Ce que je croyais lire en lui, quand j'osais lire,
était plus que l'étonnement : une stupeur
comme devant un siècle de ténèbres à franchir,
une tristesse ! à voir ces houles de souffrance.
5 L'innommable enfonçait les barrières de sa vie.
Un gouffre qui assaille. Et pour défense
une tristesse béant comme un gouffre.

Lui qui avait toujours aimé son clos, ses murs,
lui qui gardait les clefs de la maison.

PHILIPPE JACCOTTET, *Leçons,* © Gallimard.

À la lumière d'hiver

[1977]

La pureté de l'aube et de l'eau est un thème dominant dans l'œuvre de Jaccottet.
Toutefois, lorsque l'ombre gagne, le poète s'interroge sur la réalité qui l'entoure.

Tout cela qui me revient encore – peu souvent –
n'est-il que rêve, ou dans le rêve
y a-t-il un reflet qu'il faille préserver
comme on garde la flamme d'être par le vent ruinée,
5 ou qu'on puisse répandre en libation dans le sol
sur quoi nos pas se font plus lents, plus trébuchants
avant d'y enfoncer ? (Déjà ils y enfoncent.)

L'eau que l'on ne boira jamais, la lumière
que ces yeux trop faibles ne pourront pas voir,
10 je n'en ai pas perdu encore la pensée...

Mais le verre de l'aube se brise un peu vite,
le monde tout entier n'est plus qu'un vase de terre
dont on voit maintenant grandir les fêlures,
et notre crâne une cruche d'os
15 bientôt bonne à jeter.

Qu'est-ce toutefois, dedans, que cette eau amère
ou douce à boire ?

PHILIPPE JACCOTTET, *À la lumière d'hiver,* © Gallimard.

Jean-Marie Gustave Le Clézio

(1940)

• Photo © Louis Monier-Gamma.

JEAN-MARIE GUSTAVE LE CLÉZIO naît à Nice en 1940, d'une famille bretonne jadis installée à l'île Maurice. Entre 1947 et 1949, il vit dans la savane, auprès de son père, médecin de brousse au Nigeria. Après le baccalauréat, il étudie et enseigne la littérature en Angleterre. **Le Procès-Verbal,** son premier roman, publié en France en 1963, reçoit le prix Renaudot. Mais l'étranger l'attire : il vit en Thaïlande puis, en 1974, avec les Emberas, un peuple indien du Panama. Il voyage également au Mexique ou en Afrique. Les romans qu'il ne cesse d'écrire, comme **Désert** (1980), **Le Chercheur d'or** (1985), **Étoile errante** (1992), multiplient les perspectives critiques sur la civilisation européenne et les dégradations qu'elle fait subir à l'être humain. En un contrepoint poétique, l'écrivain exalte, dans une écriture au lyrisme dominé, la puissance de la nature. Au contact des éléments fondamentaux – l'eau, la terre, le feu –, les personnages de Le Clézio retrouvent un équilibre physique ; face à des paysages inhabités ou exotiques, leur conscience s'apaise ; attirés par l'infini cosmique, leur imaginaire acquiert une grandeur que l'écrivain tente de cerner dans des digressions méditatives.

Désert

[1980]

Dans Désert, *l'écrivain confronte deux univers : la civilisation maghrébine traditionnelle et la France contemporaine, que l'héroïne, la jeune marocaine Lalla, découvre en arrivant à Marseille.*

Maintenant, Lalla les voit, de nouveau : ils sont là, partout, assis contre les vieux murs noircis, tassés sur le sol au milieu des excréments et des immondices : les mendiants, les vieillards aveugles aux mains tendues, les jeunes femmes aux lèvres gercées, un enfant accroché à leur sein flasque, les petites filles vêtues de
5 haillons, le visage couvert de croûtes, qui s'accrochent aux vêtements des passants, les vieilles couleur de suie, aux cheveux emmêlés, tous ceux que la faim et le froid ont chassés des taudis, et qui sont poussés comme des rebuts par les vagues. Ils sont là, au centre de la ville indifférente, dans le bruit saoulant des moteurs et des voix, mouillés de pluie, hérissés par le vent, plus laids et plus pauvres encore à la
10 lueur mauvaise des ampoules électriques. Ils regardent ceux qui passent avec des yeux troubles, leurs yeux humides et tristes qui fuient et reviennent sans cesse vers vous comme les yeux des chiens. Lalla marche lentement devant les mendiants, elle les regarde, le cœur serré, et c'est encore ce vide terrible qui creuse son tour-

Questions

1. Dégagez la dimension réaliste de cet extrait en étudiant tout particulièrement la technique du détail expressif et le jeu des sensations.
2. Par quels procédés rhétoriques Le Clézio dramatise-t-il cette scène ?
3. Quelle image de la ville moderne se dessine ? Comment l'héroïne étrangère réagit-elle ? Pourquoi l'écrivain adopte-t-il le regard de Lalla pour nous proposer un tel état de société ?

billon ici, devant ces corps abandonnés. Elle marche si lentement qu'une clo-
15 charde l'attrape par son manteau et veut la tirer vers elle. Lalla se débat, défait
avec violence les doigts qui se nouent sur l'étoffe de son manteau ; elle regarde
avec pitié et horreur le visage encore jeune de la femme, ses joues bouffies par l'alcool, tachées de rouge à cause du froid, et surtout ces deux yeux bleus d'aveugle,
presque transparents, où la pupille n'est pas plus grande qu'une tête d'épingle.

J.-M. G. Le Clézio, *Désert*,
© Gallimard.

Étoile errante
[1992]

*Étoile errante s'ouvre sur le portrait du personnage principal, Esther, qui vit dans le
Midi, à Saint-Martin-Vésubie. La scène se déroule durant l'été 1943.*

Elle savait que l'hiver était fini quand elle entendait le bruit de l'eau.
L'hiver, la neige avait recouvert le village, les toits des maisons et les prairies
étaient blancs. La glace avait fait des stalactites au bout des toits. Puis le soleil se
mettait à brûler, la neige fondait et l'eau commençait à couler goutte à goutte de
tous les rebords, de toutes les solives, des branches d'arbre, et toutes les gouttes   5
se réunissaient et formaient des ruisselets, les ruisselets allaient jusqu'aux ruisseaux, et l'eau cascadait joyeusement dans toutes les rues du village.
C'était peut-être ce bruit d'eau son plus ancien souvenir. Elle se souvenait du
premier hiver à la montagne, et de la musique de l'eau au printemps. C'était
quand ? Elle marchait entre son père et sa mère dans la rue du village, elle leur   10
donnait la main. Son bras tirait plus d'un côté, parce que son père était si grand.
Et l'eau descendait de tous les côtés, en faisant cette musique, ces chuintements,
ces sifflements, ces tambourinades. Chaque fois qu'elle se souvenait de cela, elle
avait envie de rire, parce que c'était un bruit doux et drôle comme une caresse.
Elle riait, alors, entre son père et sa mère, et l'eau des gouttières et du ruisseau 15
lui répondait, glissait, cascadait...
Maintenant, avec la brûlure de l'été, le ciel d'un bleu intense, il y avait un
bonheur qui emplissait tout le corps, qui faisait peur, presque. Elle aimait surtout
la grande pente herbeuse qui montait vers le ciel, au-dessus du village. Elle n'allait pas jusqu'en haut, parce qu'on disait qu'il y avait des vipères. Elle marchait 20
un instant au bord du champ, juste assez pour sentir la fraîcheur de la terre, les
lames coupantes contre ses lèvres. Par endroits, les herbes étaient si hautes
qu'elle disparaissait complètement. Elle avait treize ans, elle s'appelait Hélène
Grève, mais son père disait : Esther.

J.-M. G. Le Clézio, *Étoile errante*,
© Gallimard.

Questions

1. Quels éléments
naturels apparaissent
dans le texte ? Quel effet
résulte de leur union ?
Avec qui entrent-ils en
correspondance ? Pour-
quoi ?

2. Quel procédé d'ex-
pression trouve-t-on dans
la quatrième phrase du
premier paragraphe ?
Pourquoi ?

3. Comment se com-
porte l'héroïne ? Que
semble-t-elle découvrir ?
Pourquoi la mention de
son âge est-elle à cet
égard importante ?

Georges Perec

(1936-1982)

● Photo © Monier / Gamma.

GEORGES PEREC est né à Paris en 1936. À l'origine de son œuvre sont deux disparitions (pour reprendre le titre d'un de ses romans, **La Disparition**, 1969, voir encadré ci-dessous) : celle de son père mort au front en 1940, et de sa mère disparue à Auschwitz. Le roman **Les Choses** fait connaître l'auteur en 1965 : il y jette un regard ironique sur la société contemporaine. Perec parcourt obsessionnellement le réel, introduisant volontiers des listes dans ses écrits (**La Boutique obscure**, **Espèce d'espaces**, 1974), recherchant la neutralité du langage la plus complète, mais sachant rendre sous forme ludique l'élément le plus banal. Au cœur de son œuvre figure **W ou le Souvenir d'enfance** (1975), roman double qui juxtapose une autobiographie et une contre-utopie où l'auteur imagine une île dédiée au sport, métaphore des camps de concentration qui se lisent, en filigrane, au centre du livre. **La Vie mode d'emploi** (1978) se présente comme la somme de ses recherches nourries de ses travaux à l'OULIPO. Un immeuble parisien est évoqué sous tous ses angles, chaque appartement donnant lieu à un micro-roman. Le personnage central en est le peintre Bartlebooth, qui se consacre à la fabrication de puzzles. Perec meurt à 46 ans, en 1982.

L'OULIPO

En 1960, Raymond Queneau participe avec Jacques Bens, le mathématicien, François Le Lionnais et quelques autres, à la fondation de l'OULIPO, OUvroir de LIttérature POtentielle. Il s'agit d'un atelier de création que rejoindront par la suite des écrivains comme Jacques Roubaud et Georges Perec. Tous sont désireux d'explorer de nouvelles formes littéraires. Partant du principe que le langage est un objet concret, ils composent des textes en exploitant des contraintes comme le lipogramme (on s'interdit l'emploi de telle ou telle lettre), le logorallye (un récit doit comprendre nécessairement une liste de mots), ou encore divers jeux de combinaisons de mots ou de phonèmes. Deux des travaux les plus spectaculaires sont les *Cent Mille Milliards de poèmes* de Raymond Queneau, « une sorte de machine à fabriquer les poèmes », et *La Disparition*, de Georges Perec, roman tout entier écrit sans la lettre *e*, la plus fréquente de la langue française.

W ou le Souvenir d'enfance
[1975]

*Au chapitre I, qui inaugurait le récit de la vie de Gaspard Winckler, personnage ayant
usurpé l'identité d'un autre, succède celui-ci, où Perec commence son autobiographie.*

Je n'ai pas de souvenirs d'enfance. Jusqu'à ma douzième année à peu près,
mon histoire tient en quelques lignes : j'ai perdu mon père à quatre ans, ma mère
à six ; j'ai passé la guerre dans diverses pensions de Villard-de-Lans. En 1945, la
sœur de mon père et son mari m'adoptèrent.

Cette absence d'histoire m'a longtemps rassuré : sa sécheresse objective, son   5
évidence apparente, son innocence, me protégeaient, mais de quoi me proté-
geaient-elles, sinon précisément de mon histoire, de mon histoire vécue, de mon
histoire réelle, de mon histoire à moi qui, on peut le supposer, n'était ni sèche,
ni objective, ni apparemment évidente, ni évidemment innocente ?

« Je n'ai pas de souvenirs d'enfance » : je posais cette affirmation avec assu-   10
rance, avec presque une sorte de défi. L'on n'avait pas à m'interroger sur cette
question. Elle n'était pas inscrite à mon programme. J'en étais dispensé : une
autre histoire, la Grande, l'Histoire avec sa grande hache, avait déjà répondu à
ma place : la guerre, les camps.

À treize ans, j'inventai, racontai et dessinai une histoire. Plus tard, je l'oubliai.   15
Il y a sept ans, un soir, à Venise, je me souvins tout à coup que cette histoire s'appelait « W » et qu'elle était, d'une certaine façon, sinon l'histoire, du moins une
histoire de mon enfance.

En dehors du titre brusquement restitué, je n'avais pratiquement aucun souvenir de W. Tout ce que j'en savais tient en moins de deux lignes : la vie d'une   20
société exclusivement préoccupée de sport, sur un îlot de la Terre de Feu.

Une fois de plus, les pièges de l'écriture se mirent en place. Une fois de plus,
je fus comme un enfant qui joue à cache-cache et qui ne sait pas ce qu'il craint ou
désire le plus : rester caché, être découvert.

Je retrouvai plus tard quelques-uns des dessins que j'avais faits vers treize ans.   25
Grâce à eux, je réinventai W et l'écrivis, le publiant au fur et à mesure, en feuilleton, dans *La Quinzaine littéraire*, entre septembre 1969 et août 1970.

Aujourd'hui, quatre ans plus tard, j'entreprends de mettre un terme – je veux
tout autant dire par là « tracer les limites » que « donner un nom » – à ce lent
déchiffrement. W ne ressemble pas plus à mon fantasme olympique que ce fan-   30
tasme olympique ne ressemblait à mon enfance. Mais dans le réseau qu'ils tissent
comme dans la lecture que j'en fais, je sais que se trouve inscrit et décrit le chemin que j'ai parcouru, le cheminement de mon histoire et l'histoire de mon cheminement.

GEORGES PEREC,
W ou le Souvenir d'enfance,
© Denoël.

Questions

1. Quel sentiment pro-
duit la première phrase
du texte, étant donné le
titre ? Quelle fonction
joue-t-elle dans la page ?

2. Commentez l'ex-
pression « l'Histoire
avec sa grande hache »
(l. 13).

3. Montrez que ce
début d'autobiographie
s'appuie sur des élé-
ments très réalistes.
Qu'est-ce qu'ils appor-
tent au récit ?

4. Commentez et expli-
quez la dernière expres-
sion du texte (« le che-
minement de mon
histoire et l'histoire de
mon cheminement »).

5. Quelle réflexion le
narrateur mène-t-il sur le
pouvoir de l'écriture ?

Jacques Réda
(né en 1929)

JACQUES RÉDA naît en 1929 à Lunéville. Après des études classiques et juridiques, il exerce divers métiers et devient lecteur pour l'édition. Il écrit des chroniques pour *Jazz magazine* et des poèmes pour les *Cahiers du Sud* et les *Cahiers du Chemin*. Ses recueils rassemblent des textes en vers et en prose (**Amen**, 1968 ; **Récitatif**, 1970 ; **La Tourne**, 1975 ; **Les Ruines de Paris**, 1977 ; **L'Herbe des talus**, 1984). Ses articles concernant le jazz ont été réunis notamment dans **L'Improviste**, **une lecture de jazz** (1980). De 1987 à 1995, il a été, chez Gallimard, rédacteur en chef de la *Nouvelle Revue française*.

Réda aime parcourir, à pied, en vélomoteur ou en train, les villes, la banlieue et la campagne, pour y retrouver les traces de son enfance et découvrir la beauté au cœur de la banalité. Dans ses textes, où la saisie de l'instantané fait parfois songer à la photographie et dont le rythme rappelle le jazz, s'exprime l'obsession du temps, des êtres et des choses qui passent.

Amen
━━━ *[1968]*

Amen

Ce poème, éponyme du recueil, est aussi le dernier. Après avoir longtemps cherché sa place dans le monde, Réda trouve, grâce à la poésie, le chemin de l'acceptation et du consentement.

Nul seigneur je n'appelle, et pas de clarté dans la nuit.
La mort qu'il me faudra contre moi, dans ma chair,
    prendre comme une femme,
Est la pierre d'humilité que je dois toucher en esprit,
5 Le degré le plus bas, la séparation intolérable
D'avec ce que je saisirai, terre ou main, dans l'abandon
    sans exemple de ce passage –
Et ce total renversement du ciel qu'on n'imagine pas.
Mais qu'il soit dit ici que j'accepte et ne demande rien
10 Pour prix d'une soumission qui porte en soi la récompense.
Et laquelle, et pourquoi, je ne sais point :
Où je m'agenouille il n'est foi ni orgueil, ni espérance,
Mais comme à travers l'œil qu'ouvre la lune sous la nuit,
Retour au paysage impalpable des origines,
15 Cendre embrassant la cendre et vent calme qui la bénit.

JACQUES RÉDA, *Amen*, © Gallimard.

La Tourne
[1975]

La Tourne est, dans un journal, la suite d'un article, située quelques pages après son début. Ce recueil est le prolongement de Récitatif *(1970).*

« Il y avait sans doute un remblai... »

Il y avait sans doute un remblai sur la droite :
La rue en contrebas, des lanternes de fer,
Un désarroi de rails sur les maisons étroites
Et le ciel plus immense et bousculé que si la mer
5 Battait dessous – la mer, l'égarement, l'angoisse
Quand le jour est définitif à quatre heures l'hiver
Et range doucement tout l'espace dans une boîte
Où l'on n'aura plus peur du ciel ni de la mer
Cassés comme les toits entre les distances qui boitent
10 Par les remblais et les couloirs et les rues de travers ;
Où l'éclat sombre alors du sang dans la clarté si froide,
Sur la face des gens sortis en grand silence avec
De vrais gestes de fous qui voudraient encore se battre,
Perce (et l'instant d'après la nuit tombe, tout est couvert).

JACQUES RÉDA, *La Tourne*, © Gallimard.

Questions

1. De quel type de paysage s'agit-il ? À quel moment est-il perçu ? Étudiez notamment la temporalité et la lumière.

2. Étudiez les métamorphoses du paysage. Quel effet produisent-elles ?

3. Comment se manifeste l'angoisse ? Comment est-elle conjurée ?

4. Montrez que ce poème est l'expression d'un souvenir d'enfance.

Les Ruines de Paris
[1977]

Plutôt que d'en déplorer la dégradation, le poète fixe les aspects étonnants de Paris.

Il réincarne le potentiel contenu dans l'idée de république : un peuple, un sénat, des licteurs, une vertu et le report de sa dignité indivisible sur les gens chargés de travaux dans les bâtiments, la voirie, les jardins. Témoignant d'une compétence, et de la nécessité donc de la beauté d'une fonction, ce balai vient réabolir hiérarchies, privilèges et, de l'Étoile à l'Alma, rétablir quelque chose du 5 sens commun dans les rues envahies de Cadres en costumes mastic qui signent et téléphonent. Certains cherchent à se camoufler d'ailleurs, à passer pour des artistes, des maquisards, mais aucun n'approche la contenance honnête du balayeur comme être utile et libre et comme symbole. Symbole de quoi ? Non pas de l'Ordre, mais bien d'un ordre évolutif alors républicain, avec son prolon- 10 gement universel dans une citoyenneté d'empire plein de particularismes qu'on respecte ou qui se défendent, et de parlers sous une langue véhiculaire actifs dans leurs recoins. Je devrais tirer maintenant de nettes conclusions politiques, mais ce n'est pas mon travail. Mon travail est de voir, de décrire, et de balayer en somme sans excès de zèle mais avec conscience, comme ce collègue Noir. 15

JACQUES RÉDA, *Les Ruines de Paris*, © Gallimard, 1993.

Questions

1. En quoi le balayeur est-il un personnage étonnant ?

2. Montrez que le poème repose largement sur la *prétérition*.

3. Quel problème de civilisation pose ici le poète ?

4. À quoi tient l'humour du texte ?

Jean Echenoz
(1947)

• Photo © Bassouls / Sygma.

Jᴇᴀɴ Eᴄʜᴇɴᴏᴢ est né à Orange en 1947. Après des études de sociologie, il commence à écrire. Il appartient à une génération d'écrivains qui réhabilitent le roman alors que le xxᵉ siècle n'a cessé d'en contester les formes et la nécessité : dans les années 60, le Nouveau Roman déconstruit les fictions conventionnelles ; dans les années 70, le mouvement « Tel Quel » pratique la « textualité », écriture qui présente un surgissement poétique de mots sans souci de signification. Les années 80 réalisent l'équilibre : revenir au roman en assimilant les traces de ces multiples attaques. Echenoz inscrit ainsi son œuvre dans des catégories romanesques traditionnelles : roman policier (**Cherokee**, prix Médicis 1983 ; **Les Grandes Blondes** prix Novembre, 1995), roman d'aventures (**L'Équipée malaise**, 1986), roman d'espionnage (**Lac**, prix de la littérature européenne, 1989), roman d'anticipation (**Nous trois**, 1992). Mais il en parodie les lois du genre. De façon désinvolte, l'écrivain renoue avec une fonction essentielle du roman : se faire la conscience critique de son temps. Echenoz excelle à représenter, dans des histoires en trompe-l'œil, les mirages et les égarements de la civilisation de l'image, de la société-spectacle, et à mettre en scène le désarroi de l'humanité de la fin du xxᵉ siècle.

Cherokee
[1983]

Dans la lignée des romanciers que fascine la capitale, Jean Echenoz décrit régulièrement les quartiers de Paris. Le héros de Cherokee *habite à la lisière des 3ᵉ et 11ᵉ arrondissements.*

Il habitait tout en bas de la rue Oberkampf, dans un immeuble jouxtant le Cirque d'Hiver. Les locataires étaient d'une grande diversité de provenances ; selon leurs longitudes et habitudes respectives, leurs emplois du temps se chevauchaient, s'opposaient ou se confondaient dans un cycle ininterrompu, comme
5 un décalage horaire permanent, immobile. Chaque instant était un contrepoint de paroles et musiques égyptiennes, coréennes ou portugaises, serbes et sénégalaises qui se nouaient entre elles, se brisaient les unes contre les autres comme des grains dans un moulin, et par-dessus tout cela s'élevaient certains soirs les barrissements recueillis des éléphants du cirque proche, les cris d'amour des
10 lynx, et aux fumets polychromes des cuisines de l'immeuble dont les fenêtres ouvertes laissaient aussi jaillir les conversations vives à la lueur des ampoules nues se superposait l'arôme épicé de la ménagerie, comme une olive dans le martini.

Jᴇᴀɴ Eᴄʜᴇɴᴏᴢ, *Cherokee*, © éd. de Minuit.

Questions

1. Quelles sensations s'entremêlent dans l'immeuble décrit ? Quel effet suscitent-t-elles ?

2. Combien de phrases comporte cet extrait ? Quelles remarques pouvez-vous faire sur leur rythme ?

3. Relevez les comparaisons. Quelles impressions concourent-elles à créer ?

1. Sortent comme la sueur.

Nous trois

[1993]

Le héros de Nous trois *accompagne jusqu'à Marseille une belle inconnue victime d'un accident de voiture. Mais la ville est dévastée par un tremblement de terre.*

Plusieurs fissures se sont ouvertes à l'est du Vieux-Port, crevasses arborescentes au beau milieu de la rue, certaines exsudent[1] une matière chaude et noire ou seulement des vapeurs chaudes et noires. Des colonies d'insectes en sortent, un long reptile ou deux, cela sent le chlore et l'éther, le soufre et les gaz rares, non loin déjà traînent quelques rats. Si quelques-unes de ces crevasses, pas plus larges   5
qu'un fossé, vont demeurer béantes après la catastrophe, d'autres beaucoup plus vastes se sont aussitôt refermées, engloutissant les hommes avec les animaux, les serrant à l'état de futurs fossiles qu'on s'arrachera, dans cinq mille ans, pour des sommes inespérées de leur vivant.

Mais pour l'instant, pendant que Marseille tremblait, c'est toute une partie   10
de son socle sous-marin, au loin, qui vient de s'incliner. Brusquement le fond de la mer s'est abaissé. Naturellement ce phénomène provoque un violent appel d'eau : voici qu'à l'horizon paraît une vague. Fuyant le centre-ville et ses pots de fleurs tueurs, les premiers arrivés sur le port la voient tout de suite au loin, cette vague. Ils la trouvent assez grande. Ils trouvent qu'elle avance un peu vite.   15

Elle est un mur haut comme un gros immeuble, profond comme trois immeubles et long comme deux cents, rué vers la côte à la vitesse d'une locomotive en bousculant et propulsant loin au-dessus de lui, entrechoqués, toutes les barques de pêche et les bateaux de plaisance sur son passage. Voltigent les *Solange-IV* et les *Marie-Martine*, adieu *Cephalonic*, bye-bye *Double Nelson*, leurs   20
ancres au bout de leurs chaînes décrivent des moulinets dans l'air, les coques explosent et les mâts se brisent avant de retomber disloqués sur le monstre, qui les ravale incontinent. Du bout de sa crête, à travers l'air, le raz de marée vient même d'expédier un petit pétrolier jusqu'à la zone industrielle, sur une aire de stockage de gaz, avant de s'abattre sur le port, d'écraser le port et bien au-delà de   25
lui, submergeant tout jusqu'à la gare, venant se vautrer à mi-hauteur des escaliers pulvérisés. Le stock de gaz prend feu, puis la vague se retire.

Elle ne va pas se retirer tout de suite : le monstre aime bien, d'abord, piétiner complètement l'adversaire, s'attarder sur sa proie, coups de pied à joueur au sol, l'étouffer un peu plus et l'achever. Puis la vague abandonne sans se presser toutes   30
choses sans forme et corps sans vie, elle se retire en traînant les pieds, prend tout son temps pour découvrir l'étendue des dégâts, lentement comme se laisse dévoiler une statue, se déshabille une strip-teaseuse paresseuse.

JEAN ECHENOZ, *Nous trois*,
© éd. de Minuit.

Questions

1. À quelle tradition littéraire cet extrait s'apparente-t-il apparemment ? À quels écrivains des XVIIIe et XIXe siècles peut-on rattacher ce texte ?

2. Par un repérage des différentes étapes du récit et une analyse de la technique descriptive, étudiez le réalisme du passage.

3. Quelles figures de style l'auteur emploie-t-il pour décrire la vague ? Pourquoi ?

4. De quelle façon l'auteur exprime-t-il sa désinvolture ? Pourquoi ?

Pascal Quignard

(1948)

Photo © B. Cannarsa/
Grazia Neri-Rapho.

PASCAL QUIGNARD est né à Verneuil-sur-Avre en 1948. Il travaille une vingtaine d'années pour les éditions Gallimard. Mélomane et musicien, il se consacre exclusivement à l'écriture depuis 1994. Il doit sa célébrité à des romans, sa réputation à des traités, c'est-à-dire des textes de réflexion. Les romans relèvent d'une pratique classique de la fiction : *Le Salon du Wurtemberg* (1986) se présente comme un roman d'éducation sentimentale ; *Tous les matins du monde* (1992), adapté au cinéma par Alain Corneau, comme une fiction historique. Mais Quignard écrit surtout des traités, isolés – *Le Sexe et l'Effroi* (1994) – ou rassemblés en *Petits Traités* (1990). Des connaissances empruntées à la littérature, à l'art, à la théologie, aux sciences, s'y mélangent sans ordre historique ou culturel. L'érudition, dans une écriture plus poétique que didactique, relaie une méditation tragique. Dans l'histoire de l'humanité, les systèmes de pensées, les œuvres d'art, les langues se succèdent, disparaissent, laissent de simples traces que l'écrivain recueille, dans la trame éclatée d'un livre lui-même provisoire. Une indicible mélancolie caractérise ainsi l'œuvre de Quignard. Aux personnages désenchantés des romans correspond, dans les traités, son auto-portrait en lettré tourmenté.

Petits Traités

[1990]

Extrait 1

D'un homme qui parle, il est commun de dire qu'il se sert des mots. Dans ce traité, Pascal Quignard inverse un tel rapport de subordination.

De même que durant deux siècles on enchaîna les livres grands ouverts sur les pupitres où ils reposent : de même nos corps, qui sont garrottés par une chaîne dont l'invisibilité n'ôte rien à la toute-puissance. Nous sommes enchaînés des pieds jusqu'au fond de la gorge, domestiqués et attelés à la langue dont nous
5 nous usons, laquelle, pour qu'elle s'articule en nous, de ces « fonds » en ces « combles » nous articule et nous désarticule en elle. Mais non seulement les postures que requièrent ces sons mais aussi celles auxquelles soumet l'inscription des signes qui les « représentent » ; je songe à l'enfant au collège, assis à sa table, buste qui est tendu, la nuque rasée, les genoux nus et glacés sous le pupitre, la
10 main qui écrit sur le cahier, doigts blanchis autour du porte-plume ; tout ce corps, il est asservi à la lettre même qu'il inscrit, non par l'attention qu'il porte à ce qu'il fait, mais dans la disposition et la forme même de ses membres, la respiration de son souffle, la circulation de son sang. Quand il serait nu, selon l'éclat ou le refus de son regard, le port de sa tête, le raidissement de la nuque, la façon

1. Écriture archaïque qu'on lisait alternativement de gauche à droite et de droite à gauche.
2. Hymnes de louange et d'action de grâces de l'Église catholique.

dont les genoux sont serrés, dont ses pieds touchent le sol, la pression des doigts 15
sur la plume, le circuit (gauche à droite, ou droite à gauche, ou haut en bas, ou
le boustrophédon[1]) que fait sa main sur la page, l'état du coffre « thoracique »,
la chétiveté des muscles, etc., je puis dire, rien qu'à voir ce corps, de quelle langue
il dispose, à quelle classe il appartient, s'il chante, pianote, ou lit, à quelles
langues mortes, ou vivantes, il s'est adonné. Ce corps muet, nu, et que je vois de 20
dos, n'est-il pas déjà une *petite bibliothèque d'un français particulier* ? Aussi ne
devrait-on pas dire qu'on dispose d'une langue, qu'on emploie tel mot, qu'on
s'en sert à dessein (de communiquer, etc.), mais que la langue où le hasard nous
a fait naître dispose de nos corps et nous tient dans des emplois qui sont de véritables servitudes. Les langues, qui sont des puissances très tyranniques, asservis- 25
sent ces corps et les transforment à leur image, tant il est vrai que celui qui prétend « maîtriser » une langue, en user le plus « librement », est celui qui s'y est
aliéné davantage : jusqu'à la servilité. C'est un esclave qui a épousé les intérêts de
son maître et qui cultive avec un zèle obsédé, entêté (les « puristes ») la passion
diabolique qui les emprisonne, tour à tour graissant et hérissant le fouet, faisant 30
rutiler les chaînes et les fers, ajoutant aux entraves, chantant très haut des sortes
de petits *Te Deum*[2] à la gloire du supplice.

PASCAL QUIGNARD, *Petits Traités*, II, 11, © éd. Maeght.

Extrait 2

1 et 2. Arbres cultivés dans les régions tropicales pour leurs fruits.
3. Arbre des régions tropicales.

Comment diriger le besoin humain de sens, de vérité, d'idéal ? Quignard esquisse sa réponse, en se souvenant de Pascal qui, trois siècles plus tôt, faisait ainsi s'adresser Dieu à l'incrédule : « Tu ne me chercherais pas si tu ne m'avais trouvé. »

Ne me cherche pas dans la lumière qui baigne le monde. Ne me cherche
pas dans la lyre. Ne me cherche pas dans l'arc. Ne me cherche pas sous les robes
d'une femme. Ne me cherche pas dans le lion. Ne me cherche pas dans les livres.
Ne me cherche pas dans les outils aratoires. Ne me cherche pas dans la tête des
hommes ni entre les deux cuisses des hommes. Ne me cherche pas dans le caïl- 5
cédra[1] ni dans le singe qui est dans le caïl-cédra. Ne me cherche pas dans le tamarinier[2] ni dans l'herbe qui pousse sous le tamarinier. Ne me cherche pas dans le
baobab[3] ni dans le sable stérile qui médite au pied du baobab, dans l'ombre du
baobab. Ne me cherche pas dans les dieux. Ne me cherche pas dans le timbre du
gong. Ne me cherche pas dans la fumée du sacrifice. Ne me cherche pas dans les 10
rêves, ne me cherche pas dans le silence, ne me cherche pas au cœur de la jungle,
ne me cherche pas au fond des mers, ne me cherche pas et tu me trouves. Là où
tu ne me cherches pas je me trouve. Là où tu ne me cherches pas je me trouve
comme la panthère sur sa proie, comme la bouche de l'enfant sur le bout de poitrine qu'il tète, comme l'ombre que porte la mort sur le visage luisant et nu des 15
hommes, comme la mouche sur l'ordure et comme l'araignée sur la mouche.

PASCAL QUIGNARD, *Petits Traités*, III, 17. © éd. Maeght.

Koltès

Bernard-Marie Koltès

(1948-1989)

Photo © L. Monier / Gamma.

Bᴇʀɴᴀʀᴅ-ᴍᴀʀɪᴇ ᴋᴏʟᴛÈꜱ naît à Metz en 1948. Il se destine d'abord au métier de journaliste mais entre rapidement à l'école du Théâtre national de Strasbourg. Il y apprend l'art de la mise en scène et s'entraîne à l'écriture. Son premier succès, il l'obtient en 1977 au Festival d'Avignon avec *La Nuit juste avant les forêts*. Le metteur en scène et comédien Patrice Chéreau, alors directeur du théâtre des Amandiers de Nanterre, monte ses pièces et les révèle à un public de plus en plus vaste : *Combat de nègre et de chiens* (1983), *Quai Ouest* (1985), *Dans la solitude des champs de coton* (1986). Koltès mène une vie itinérante. L'Afrique, les États-Unis, l'Amérique latine l'attirent particulièrement. Atteint du sida, il meurt à Paris le 15 avril 1989. Son ultime pièce, *Roberto Zucco*, est créée quelques semaines plus tard à Berlin. Son théâtre se joue désormais dans le monde entier.

Sᴏɴ œᴜᴠʀᴇ frappe par sa dextérité dramatique. L'auteur explore les multiples registres de la tradition théâtrale, teste leur efficacité, récapitule les lois du genre. Ses pièces présentent de nombreuses similitudes avec l'univers de la tragédie : une structure en huis clos, un conflit insoluble, sauf par la mort de certains protagonistes, le dénouement de l'intrigue par une situation inexorable. Koltès retrouve aussi l'esprit de la comédie en multipliant les renversements de situation, les affrontements cocasses, les dérèglements extravagants. Dans *Le Retour au désert* (1988), il confie à une star du théâtre de boulevard, Jacqueline Maillan, célèbre pour sa drôlerie, un rôle à contre-emploi, sombre et dérangeant, créant ainsi un effet particulièrement grinçant. De même, il multiplie les contrastes entre le réalisme le plus cru et le lyrisme le plus poétique, les propos les plus abrupts et les formulations les plus abstraites. Par ces brassages, il rend compte d'un univers chaotique. Le théâtre de Koltès est politique, au sens strict : il expose des problèmes de civilisation. La rencontre entre Européens et Africains, récurrente dans les pièces, témoigne des liens ambigus qui associent les pays occidentaux et ceux du Tiers monde, dont l'auteur adopte le point de vue. Les personnages de rôdeurs ou de délinquants évoquent une marginalité nouvelle que la société semble susciter. Mais Koltès refuse toute thèse : il aborde ces questions en situation, par la dynamique physique des rencontres et des dialogues. En fait, son théâtre affiche une dimension ontologique : par-delà leur inscription dans le temps, les personnages figurent une image atemporelle de l'être. Les S.D.F. de Koltès relaient les clochards de Beckett. Ils expriment le désarroi d'un monde dépourvu de sens, dans lequel l'homme vit en exil et s'invente, par la parole, des raisons d'être. Son écriture tend alors à célébrer le langage.

Combat de nègre et de chiens

[1989]

Extrait 1

« Dans un pays d'Afrique de l'Ouest, du Sénégal au Nigeria, un chantier de travaux publics d'une entreprise étrangère. » Koltès définit ainsi le décor de la pièce. Alboury est un Africain qui vient chercher le corps d'un de ses amis, mort dans un accident du travail.

Derrière les bougainvillées, au crépuscule.

HORN. – J'avais bien vu, de loin, quelqu'un, derrière l'arbre.

ALBOURY. – Je suis Alboury, monsieur ; je viens chercher le corps ; sa mère était partie sur le chantier poser des branches sur le corps, monsieur, et rien, elle n'a rien trouvé ; et sa mère tournera toute la nuit dans le village, à pousser des cris, 5 si on ne lui donne pas le corps. Une terrible nuit, monsieur, personne ne pourra dormir à cause des cris de la vieille ; c'est pour cela que je suis là.

HORN. – C'est la police, monsieur, ou le village qui vous envoie ?

ALBOURY. – Je suis Alboury, venu chercher le corps de mon frère, monsieur.

HORN. – Une terrible affaire, oui ; une malheureuse chute, un malheureux 10 camion qui roulait à toute allure ; le conducteur sera puni. Les ouvriers sont imprudents, malgré les consignes strictes qui leur sont données. Demain, vous aurez le corps ; on a dû l'emmener à l'infirmerie, l'arranger un peu, pour une présentation plus correcte à la famille. Faites part de mon regret à la famille. Je vous fais part de mes regrets. Quelle malheureuse histoire !   15

ALBOURY. – Malheureuse oui, malheureuse non. S'il n'avait pas été ouvrier, monsieur, la famille aurait enterré la calebasse dans la terre et dit : une bouche de moins à nourrir. C'est quand même une bouche de moins à nourrir, puisque le chantier va fermer et que, dans peu de temps, il n'aurait plus été ouvrier, monsieur ; donc ç'aurait été bientôt une bouche de plus à nourrir, donc c'est un mal- 20 heur pour peu de temps, monsieur.

HORN. – Vous, je ne vous avais jamais vu par ici. Venez boire un whisky, ne restez pas derrière cet arbre, je vous vois à peine. Venez vous asseoir à la table, monsieur. Ici, au chantier, nous entretenons d'excellents rapports avec la police et les autorités locales ; je m'en félicite.   25

ALBOURY. – Depuis que le chantier a commencé, le village parle beaucoup de vous. Alors j'ai dit : voilà l'occasion de voir le Blanc de près. J'ai encore, monsieur, beaucoup de choses à apprendre et j'ai dit à mon âme : cours jusqu'à mes oreilles et écoute, cours jusqu'à mes yeux et ne perds rien de ce que tu verras.

BERNARD-MARIE KOLTÈS, *Combat de nègre et de chiens*, © Éd. de Minuit.

Q u e s t i o n s

1. Cette scène ouvre la pièce : quelle atmosphère crée-t-elle ?

2. Quels éléments rappellent un univers ancestral et légendaire ? Quelles notations renvoient à la réalité la plus contemporaine ? Quel effet résulte de leur confrontation ?

3. Qui domine qui ? Justifiez votre réponse.

4. Étudiez les thèmes de la séparation et de l'incommunicabilité, tels qu'ils apparaissent dans le texte.

• ÉDOUARD PIGNON (1905), *L'Ouvrier mort*, 1936. Paris, musée national d'Art moderne. Photo Edimédia. © Adagp 1998, Paris.

Extrait 2

ALBOURY. – Il y a très longtemps, je dis à mon frère : je sens que j'ai froid ;
il me dit : c'est qu'il y a un petit nuage entre le soleil et toi ; je lui dis : est-ce possible que ce petit nuage me fasse geler alors que tout autour de moi, les gens
transpirent et le soleil les brûle ? Mon frère me dit : moi aussi, je gèle ; nous nous
5 sommes donc réchauffés ensemble. Je dis ensuite à mon frère : quand donc disparaîtra ce nuage, que le soleil puisse nous chauffer nous aussi ? Il m'a dit : il ne
disparaîtra pas, c'est un petit nuage qui nous suivra partout, toujours entre le
soleil et nous. Et je sentais qu'il nous suivait partout, et qu'au milieu des gens
riant tout nus dans la chaleur, mon frère et moi nous gelions et nous nous
10 réchauffions ensemble. Alors mon frère et moi, sous ce petit nuage qui nous pri-
vait de chaleur, nous nous sommes habitués l'un à l'autre, à force de nous
réchauffer. Si le dos me démangeait, j'avais mon frère pour le gratter ; et je grat-
tais le sien lorsqu'il le démangeait ; l'inquiétude me faisait ronger les ongles de
ses mains et, dans son sommeil, il suçait le pouce de ma main. Les femmes que
15 l'on eut s'accrochèrent à nous et se mirent à geler à leur tour ; mais on se réchauf-
fait tant on était serrés sous le petit nuage, on s'habituait les uns aux autres et le
frisson qui saisissait un homme se répercutait d'un bord à l'autre du groupe. Les
mères vinrent nous rejoindre, et les mères des mères et leurs enfants et nos

enfants, une innombrable famille dont même les morts n'étaient jamais arrachés, mais gardés serrés au milieu de nous, à cause du froid sous le nuage. Le petit 20 nuage avait monté, monté vers le soleil, privant de chaleur une famille de plus en plus grande, de plus en plus habituée chacun à chacun, une famille innombrable faite de corps morts, vivants et à venir, indispensables chacun à chacun à mesure que nous voyions reculer les limites des terres encore chaudes sous le soleil. C'est pourquoi je viens réclamer le corps de mon frère que l'on nous a 25 arraché, parce que son absence a brisé cette proximité qui nous permet de nous tenir chaud, parce que, même mort, nous avons besoin de sa chaleur pour nous réchauffer, et il a besoin de la nôtre pour lui garder la sienne.

BERNARD-MARIE KOLTÈS, *Combat de nègre et de chiens*,
© Éd. de Minuit.

Dans la solitude des champs de coton
[1986]

Un client, un dealer, un lieu indéterminé : Dans la solitude des champs de coton *fait se rencontrer deux inconnus, sans jamais révéler l'objet de leur conversation et l'enjeu de leur différend. La pièce acquiert ainsi une dimension allégorique, portant sur le malentendu des désirs, des mots et des relations humaines.*

LE CLIENT. – Vous êtes un bandit trop étrange, qui ne vole rien ou tarde trop à voler, un maraudeur excentrique qui s'introduit la nuit dans le verger pour secouer les arbres, et qui s'en va sans ramasser les fruits. C'est vous qui êtes le familier de ces lieux, et j'en suis l'étranger ; je suis celui qui a peur et qui a raison d'avoir peur ; je suis celui qui ne vous connaît pas, qui ne peut vous connaître,   5 qui ne fait que supposer votre silhouette dans l'obscurité. C'était à vous de deviner, de nommer quelque chose, et alors, peut-être, d'un mouvement de la tête, j'aurais approuvé, d'un signe, vous auriez su ; mais je ne veux pas que mon désir soit répandu pour rien comme du sang sur une terre étrangère. Vous, vous ne risquez rien ; vous connaissez de moi l'inquiétude et l'hésitation et la méfiance ;   10 vous savez d'où je viens et où je vais ; vous connaissez ces rues, vous connaissez cette heure, vous connaissez vos plans ; moi, je ne connais rien et moi, je risque tout. Devant vous, je suis comme devant ces hommes travestis en femmes qui se déguisent en hommes, à la fin, on ne sait plus où est le sexe.

Car votre main s'est posée sur moi comme celle du bandit sur sa victime ou   15 comme celle de la loi sur le bandit, et depuis lors je souffre, ignorant, ignorant de ma fatalité, ignorant si je suis jugé ou complice, de ne pas savoir ce dont je souffre, je souffre de ne pas savoir quelle blessure vous me faites et par où s'écoule mon sang.

BERNARD-MARIE KOLTÈS, *Dans la solitude des champs de coton*,
© Éd. de Minuit.

Questions

1. Relevez et expliquez les comparaisons et métaphores, les répétitions et les anaphores. Pourquoi cet usage insistant de la rhétorique ?

2. Quelle relation s'instaure entre le dealer et le client ? Justifiez votre réponse.

3. Quels éléments du texte concourent à susciter une atmosphère insolite ?

4. En vous attachant tout particulièrement à la dernière phrase, dégagez la dimension tragique de cet extrait.

Pierre Michon
(1945)

Photo © Bassouls / Sygma.

PIERRE MICHON naît dans la Creuse en 1945. Dans **Vies minuscules** (1984), il tente de retrouver une identité familiale compromise par l'absence du père, et de reconstruire une mémoire ancestrale dissipée au fil des générations. L'écriture se rapproche d'une généalogie romancée, quand Michon imagine la vie humble et difficile de ses aïeux et tente de se connaître à travers eux. Mais l'écrivain célèbre aussi des ancêtres symboliques. La généalogie inclut en effet différents modèles littéraires ou artistiques : Goya dans **Maîtres et Serviteurs** (1990), Rimbaud dans **Rimbaud le fils** (1992). Par la libre étude de leur personnalité, Michon s'interroge sur son identité de créateur. Mais il cultive moins sa différence qu'il ne cherche des éléments de ressemblance entre lui et les autres. Son originalité, il l'imprime à même la langue qu'il écrit, à la fois dense et poétique, robuste et précieuse.

Vies minuscules
[1984]

Extrait 1

Vies minuscules est le premier ouvrage publié par Pierre Michon. Le titre évoque la lignée de gens humbles et anonymes dont l'écrivain est issu. Il entend, en les faisant revivre, leur accorder une reconnaissance qui leur fit défaut de leur vivant. Cette page constitue l'incipit du récit.

Avançons dans la genèse de mes prétentions.

Ai-je quelque ascendant qui fut beau capitaine, jeune enseigne insolent ou négrier farouchement taciturne ? À l'est de Suez quelque oncle retourné en barbarie sous le casque de liège, jodhpurs[1] aux pieds et amertume aux lèvres, per-
5 sonnage poncif[2] qu'endossent volontiers les branches cadettes, les poètes apostats[3], tous les déshonorés pleins d'honneurs, d'ombrage et de mémoire qui sont la perle noire des arbres généalogiques ? Un quelconque antécédent colonial ou marin ?

La province dont je parle est sans côtes, plages ni récifs ; ni Malouin exalté ni
10 hautain Moco n'y entendit l'appel de la mer quand les vents d'ouest la déversent, purgée de sel et venue de loin, sur les châtaigniers. Deux hommes pourtant qui connurent ces châtaigniers, s'y abritèrent sans doute d'une averse, y aimèrent peut-être, y rêvèrent en tout cas, sont allés sous de bien différents arbres travailler et souffrir, ne pas assouvir leur rêve, aimer peut-être encore, ou simple-
15 ment mourir. On m'a parlé de l'un de ces hommes ; je crois me souvenir de l'autre.

PIERRE MICHON, *Vies minuscules*, © Gallimard.

1. Pantalon long, serré à partir du genou, utilisé pour monter à cheval.
2. Lieu commun, idée sans originalité.
3. Qui ont abandonné leur foi, leurs croyances.

Questions

1. Étudiez la première phrase de ce texte. Comment explique-t-elle l'extrait ?

2. En vous attachant aux personnages et aux paysages évoqués, étudiez la part de la rêverie dans le texte.

3. Par une analyse du rythme des phrases et des images, dégagez la dimension poétique de l'extrait.

Extrait 2

Le père est debout, brandit quelque chose qu'il maudit et jette à terre, un verre plein, un livre peut-être, et les gros poings assènent à la volée sur la table des vérités qu'on n'entend pas, les seules vérités, les vérités niaises, terrifiées et hagardes qui parlent d'aïeux, de morts vaines et de permanence du malheur. Et dans ce coin là-bas, corps pauvre tassé dans l'encoignure du buffet pauvre, ombre ⁵ aspirant à plus d'ombre, que fait la mère, qui a renoncé à ramasser les misérables faïences brisées ? Elle sanglote peut-être ou se tait ou prie, elle sait quelque chose, elle est coupable. Enfin la vieille arrogance patriarcale retrouve son vieux geste définitif, la droite du père se tend vers la porte, la chandelle fléchit, le fils est debout ; la porte s'ouvre comme une dalle tombe, la lumière frappe le sureau qui ¹⁰ tremble doucement, interminablement. Antoine un instant s'encadre sur le seuil, sombre dans le contre-jour, et nul ne sait, sureau ni père ni mère, quels sont alors ses traits ; des rossignols là-haut élargissent la nuit, ébauchent les routes du monde : que ces chemins moussus sous ses pieds soient d'airain, de fer sur sa tête ces cieux chantants.

PIERRE MICHON, *Vies minuscules*, © Gallimard.

Questions

1. Quelle scène archaïque l'auteur raconte-t-il ?

2. Quel est le champ lexical dominant ? Pourquoi ?

3. Étudiez le rythme et la construction des phrases. Qu'ont-ils de particulier ?

4. Comment comprenez-vous la dernière phrase de l'extrait ?

Extrait 3

De retour au village ancestral, le narrateur se souvient, médite.

Le vent passe sur Saint-Goussaud ; le monde, certes, fait violence. Mais quelles violences n'a-t-il pas subies ? Les fougères miséricordieuses cachent la terre malade ; y poussent du mauvais blé, des histoires niaises, des familles fêlées ; du vent le soleil surgit, comme un géant, comme un fou. Puis il s'éteint, comme s'est éteinte la famille des Peluchet : on dit ainsi, quand le nom cesse de ⁵ s'apparier¹ à des vivants. Seules le profèrent encore des bouches sans langue. Qui ment avec obstination dans le vent ? Fiéfié glapit dans les bourrasques, le père tonne, dans une saute se repend, se rachète quand le vent tourne, le fils à jamais fuit vers l'ouest, la mère geint au ras des bruyères, l'automne, dans une odeur de larmes. Tous ces gens sont bien morts. Au cimetière de Saint-Goussaud, la place ¹⁰ d'Antoine est vide, et c'est la dernière : s'il y reposait, je serais enterré n'importe où, au hasard de ma mort. Il m'a laissé la place. Ici, fin de race, moi le dernier à me souvenir de lui, je serai gisant : alors peut-être il sera mort tout à fait, mes os seront n'importe qui et tout aussi bien Antoine Peluchet, près de Toussaint son père. Ce lieu venteux m'attend. Ce père sera le mien. Je doute qu'il y ait jamais ¹⁵ mon nom sur la pierre : il y aura l'arceau des châtaigniers, d'inamovibles vieux en casquette, de petites choses dont ma joie se souvient. Il y aura chez un lointain brocanteur une relique à deux sous. Il y aura de mauvaises récoltes de blé noir ; un saint naïf et délaissé ; des aiguilles que le cœur battant y plantèrent des filles mortes il y a cent cinquante ans ; les miens ici et là dans du bois pourris- ²⁰ sant ; les villages et leurs noms ; et encore du vent.

PIERRE MICHON, *Vies minuscules*, © Gallimard.

1. Se mettre en couple, s'assortir.

Questions

1. Quels temps l'auteur emploie-t-il ? Pourquoi ?

2. Étudiez les marques du lyrisme dans ce passage.

3. Quels éléments de méditation ce texte propose-t-il ?

Table des auteurs

Table des œuvres

Table des fiches et des encadrés

■ Encadrés

■ Fiches

Suggestions de groupement de textes

Les incipit romanesques
Lesage 224, Marivaux 236, Voltaire 254, Diderot 274, Balzac 372, Gide 488, Proust 491, Malraux 508, Aragon 533, Sartre 570, Camus 575.

La scène de première rencontre (ou de première vue)
Chrétien de Troyes 20, Marivaux 234, Crébillon 247, Stendhal 359, 362, Flaubert 411, Breton 518, Aragon 533.

La lettre authentique ou fictive, le style épistolaire
Lettres d'Héloïse 18, Cyrano de Bergerac 137, Guilleragues 166, Mme de Sévigné 180, Montesquieu 217, Crébillon 246, Laclos 302, Sand 383.

Le portrait
Chrétien de Troyes 20, Retz 178, La Bruyère 204, Challe 223, Saint-Simon 226, Chateaubriand 318, Hugo 337, Balzac 371, 372, 377, Verne 451, Sartre 570, Yourcenar 582, *Autoportraits :* Rousseau 288, Lautréamont 422, Leiris 586.

La description
Balzac 372, 373, 376, Sand 385, Giono 504.

Le récit autobiographique
Montaigne 91, Rousseau 287, Chateaubriand 318, Sartre 570, Leiris 586, Sarraute 591, Perec 619.

Le poème en prose
Pascal 147, A. Bertrand 352, Baudelaire 419, Rimbaud 438, 439.

Mémoires et romans-mémoires
Retz 178, Lesage 224, Saint-Simon 226, Marivaux 234, 236, Prévost 242, Crébillon 247, Chateaubriand 318.

Éléments du « romanesque » (portraits médaillons, lettres perdues, etc.)
Mme de La Fayette, 188, 189, Marivaux 229, Voltaire 260.

Satire sociale
La Fontaine 194, La Bruyère 202, Marivaux 230, Stendhal 360, Balzac 378, Flaubert 408, Proust, 493, 495, Genet 607.

Satire des Grands, de la Cour ou du roi
La Bruyère 203, Montesquieu 219, Beaumarchais 296, Jarry 454.

Satire de l'obscurantisme, de l'intolérance, des préjugés, du racisme, etc.
Fontenelle 209, Montesquieu 220, Voltaire 249, 256, 259, 261, Beaumarchais 294, Condorcet 310.

Achevé d'imprimer en France par Dupli-Print à Domont (95)
Dépôt légal : octobre /2016 – Collection n° 65 – Édition 16
N° d'impression : 2016101423
13/5104/8